S0-AFW-599

计算机科学丛书

原书第3版

数据结构与算法分析

Java语言描述

[美] 马克·艾伦·维斯（Mark Allen Weiss） 著 冯舜玺 陈越 译
佛罗里达国际大学

Data Structures and Algorithm Analysis in Java

Third Edition

机械工业出版社
China Machine Press

图书在版编目（CIP）数据

数据结构与算法分析：Java 语言描述（原书第 3 版）/（美）维斯（Weiss，M. A.）著；冯舜玺，陈越译．—北京：机械工业出版社，2016.2（2017.11 重印）
（计算机科学丛书）
书名原文：Data Structures and Algorithm Analysis in Java，Third Edition

ISBN 978-7-111-52839-5

I. 数…　II. ①维…　②冯…　③陈…　III. ①数据结构　②算法分析　③ JAVA 语言－程序设计　IV. ① TP311.12　② TP312

中国版本图书馆 CIP 数据核字（2016）第 021222 号

本书版权登记号：图字　01-2012-2646

本书是国外经典教材，使用卓越的 Java 编程语言作为实现工具，讨论数据结构（组织大量数据的方法）和算法分析（对算法运行时间的估计）。第 3 版的主要新增内容包括 AVL 树删除算法、布谷鸟散列、跳房子散列、基数排序、后缀树和后缀数组等，并对全书代码进行了更新。

本书要求读者具备一定的编程基础，适合作为计算机相关专业高年级本科生和研究生教材，也可供广大程序员参考。

出版发行：机械工业出版社（北京市西城区百万庄大街 22 号　邮政编码：100037）

责任编辑：曲　熠	责任校对：董纪丽
印　　刷：中国电影出版社印刷厂	版　　次：2017 年 11 月第 1 版第 7 次印刷
开　　本：185mm × 260mm　1/16	印　　张：26
书　　号：ISBN 978-7-111-52839-5	定　　价：69.00 元

凡购本书，如有缺页、倒页、脱页，由本社发行部调换

客服热线：（010）88378991　88361066　　投稿热线：（010）88379604

购书热线：（010）68326294　88379649　68995259　　读者信箱：hzjsj@hzbook.com

出版者的话

文艺复兴以来，源远流长的科学精神和逐步形成的学术规范，使西方国家在自然科学的各个领域取得了垄断性的优势；也正是这样的优势，使美国在信息技术发展的六十多年间名家辈出、独领风骚。在商业化的进程中，美国的产业界与教育界越来越紧密地结合，计算机学科中的许多泰山北斗同时身处科研和教学的最前线，由此而产生的经典科学著作，不仅擘划了研究的范畴，还揭示了学术的源变，既遵循学术规范，又自有学者个性，其价值并不会因年月的流逝而减退。

近年，在全球信息化大潮的推动下，我国的计算机产业发展迅猛，对专业人才的需求日益迫切。这对计算机教育界和出版界都既是机遇，也是挑战；而专业教材的建设在教育战略上显得举足轻重。在我国信息技术发展时间较短的现状下，美国等发达国家在其计算机科学发展的几十年间积淀和发展的经典教材仍有许多值得借鉴之处。因此，引进一批国外优秀计算机教材将对我国计算机教育事业的发展起到积极的推动作用，也是与世界接轨、建设真正的世界一流大学的必由之路。

机械工业出版社华章公司较早意识到“出版要为教育服务”。自1998年开始，我们就将工作重点放在了遴选、移译国外优秀教材上。经过多年的不懈努力，我们与Pearson，McGraw-Hill，Elsevier，MIT，John Wiley & Sons，Cengage等世界著名出版公司建立了良好的合作关系，从他们现有的数百种教材中甄选出Andrew S. Tanenbaum，Bjarne Stroustrup，Brain W. Kernighan，Dennis Ritchie，Jim Gray，Afred V. Aho，John E. Hopcroft，Jeffrey D. Ullman，Abraham Silberschatz，William Stallings，Donald E. Knuth，John L. Hennessy，Larry L. Peterson等大师名家的一批经典作品，以“计算机科学丛书”为总称出版，供读者学习、研究及珍藏。大理石纹理的封面，也正体现了这套丛书的品位和格调。

“计算机科学丛书”的出版工作得到了国内外学者的鼎力相助，国内的专家不仅提供了中肯的选题指导，还不辞劳苦地担任了翻译和审校的工作；而原书的作者也相当关注其作品在中国的传播，有的还专门为其书的中译本作序。迄今，“计算机科学丛书”已经出版了近两百个品种，这些书籍在读者中树立了良好的口碑，并被许多高校采用为正式教材和参考书籍。其影印版“经典原版书库”作为姊妹篇也被越来越多实施双语教学的学校所采用。

权威的作者、经典的教材、一流的译者、严格的审校、精细的编辑，这些因素使我们的图书有了质量的保证。随着计算机科学与技术专业学科建设的不断完善和教材改革的逐渐深化，教育界对国外计算机教材的需求和应用都将步入一个新的阶段，我们的目标是尽善尽美，而反馈的意见正是我们达到这一终极目标的重要帮助。华章公司欢迎老师和读者对我们的工作提出建议或给予指正，我们的联系方法如下：

华章网站：www.hzbook.com
电子邮件：hzjsj@hzbook.com
联系电话：(010)88379604
联系地址：北京市西城区百万庄南街1号
邮政编码：100037

华章科技图书出版中心

前　言

本书目标

本书新的 Java 版论述数据结构——组织大量数据的方法，以及算法分析——算法运行时间的估计。随着计算机的速度越来越快，对于能够处理大量输入数据的程序的需求变得日益迫切。可是，由于在输入量很大的时候程序的低效率变得非常明显，因此这又要求对效率问题给予更仔细的关注。通过在实际编程之前对算法的分析，我们可以确定某个特定的解法是否可行。例如，查阅本书中一些特定的问题，可以看到我们如何通过巧妙的实现，将其处理大量数据的时间限制从几个世纪减至不到1秒。因此，我们在提出所有算法和数据结构时都会阐释其运行时间。在某些情况下，对于影响实现的运行时间的一些微小细节都需要认真探究。

一旦确定了解法，接着就要编写程序。随着计算机功能的日益强大，它们必须解决的问题也变得更加庞大和复杂，这就要求我们开发更加复杂的程序。本书的目的是同时教授学生良好的程序设计技巧和算法分析能力，使得他们能够以最高的效率开发出这种程序。

本书适用于高级数据结构(CS7)课程或是第一年研究生的算法分析课程。学生应该掌握一些中级编程知识，包括基于对象的程序设计和递归等内容，并具备一些离散数学的背景。

第 3 版中最显著的变化

第 3 版订正了大量的错误，也修改了很多地方，以使内容更加清晰。此外还有以下修订：

- 第 4 章包括了 AVL 树的删除算法——这也是读者经常需要的内容。
- 第 5 章进行了大量修改和扩充，现在包含两种新算法：布谷鸟散列(cuckoo hashing)和跳房子散列(hopscotch hashing)。此外还增加了一节讨论通用散列法。
- 第 7 章现在包含了基数排序的内容，并且增加了一节讨论下界的证明。
- 第 8 章用到 Seidel 和 Sharir 提出的新的并查集分析，并且证明了 $O(M\alpha(M, N))$ 界，而不是前一版中比较弱的 $O(M\log^* N)$ 界。
- 第 12 章增加了后缀树和后缀数组的内容，包括 Karkkainen 和 Sanders 提出的构造后缀数组的线性时间算法(附带实现)。关于确定性跳跃表和 AA 树的章节被删除。
- 通篇代码已做更新，使用了 Java 7 的菱形运算符。

处理方法

虽然本书的内容大部分都与语言无关，但是，程序设计还是需要使用某种特定的语言。正如书名所示，我们为本书选择了 Java。

人们常常将 Java 和 C ++ 比较。Java 具有许多优点，程序员常常把 Java 看成是一种比 C ++ 更安全、更具有可移植性并且更容易使用的语言。因此，这使得它成为讨论和实现基础数据结构的一种优秀的核心语言。Java 的其他重要的方面，诸如线程和 GUI(图形用户界面)，虽然很重要，但是本书并不需要，因此也就不再讨论。

完整的 Java 和 C ++ 版数据结构均在互联网上提供。我们采用相似的编码约定以使得这两种语言之间的对等性更加明显。

内容概述

第 1 章包含离散数学和递归的一些复习材料。我相信熟练掌握递归的唯一办法是反复不断地研读一些好的用法。因此，除第 5 章外，递归遍及本书每一章的例子之中。第 1 章还介绍了一些相关内容，作为对 Java 中“继承”的复习，包括对 Java 泛型的讨论。

第 2 章讨论算法分析，阐述渐近分析及其主要缺点，提供了许多例子，包括对对数级运行时间的深入分析。我们通过直观地把递归程序转变成迭代程序，对一些简单递归程序进行了分析。更复杂的分治程序也在此介绍，不过有些分析(求解递推关系)要推迟到第 7 章再进行详细讨论。

第 3 章介绍表、栈和队列。包括对 Collections API `ArrayList` 类和 `LinkedList` 类的讨论，提供了 Collections API `ArrayList` 类和 `LinkedList` 类的一个重要子集的若干实现。

第 4 章讨论树，重点是查找树，包括外部查找树(B-树)。UNIX 文件系统和表达式树是作为例子来介绍的。这一章还介绍了 AVL 树和伸展树。查找树实现细节的更仔细的处理可在第 12 章找到。树的另外一些内容(如文件压缩和博弈树)推迟到第 10 章讨论。外部介质上的数据结构作为若干章中的最后论题来考虑。对于 Collections API `TreeSet` 类和 `TreeMap` 类的讨论，则通过一个重要的例子来展示三种单独的映射在求解同一个问题中的使用。

第 5 章讨论散列表，既包括经典算法，如分离链接法和线性及平方探测法，同时也包括几个新算法，如布谷鸟散列和跳房子散列。本章还讨论了通用散列法，并且在章末讨论了可扩散列。

第 6 章是关于优先队列的。二叉堆也在这里讲授，还有些附加的材料论述优先队列某些理论上有趣的实现方法。斐波那契堆在第 11 章讨论，配对堆在第 12 章讨论。

第 7 章论述排序。这一章特别关注编程细节和分析。所有重要的通用排序算法均在该章进行了讨论和比较。此外，还对四种排序算法做了详细的分析，它们是插入排序、希尔排序、堆排序以及快速排序。这一版新增的是基数排序以及对选择类问题的下界的证明。本章末尾讨论了外部排序。

第 8 章讨论不相交集算法并证明其运行时间。分析部分是新的。这是简短且特殊的一章，如果不讨论 Kruskal 算法则可跳过该章。

第 9 章讲授图论算法。图论算法之所以有趣，不仅因为它们在实践中经常出现，而且还因为它们的运行时间强烈地依赖于数据结构的恰当使用。实际上，所有标准算法都和适用的数据结构、伪代码以及运行时间的分析一起介绍。为了恰当地理解这些问题，我们对复杂性理论(包括 NP-完全性和不可判定性)进行了简短的讨论。

第 10 章通过考察一般性的问题求解技术来介绍算法设计。本章通过大量的例子来增强理解。这一章及后面各章使用的伪代码使得读者在理解例子时不会被实现的细节所困扰。

第 11 章处理摊还分析，主要分析三种数据结构，它们分别在第 4 章、第 6 章以及本章(斐波那契堆)介绍。

第 12 章讨论查找树算法、后缀树和数组、k-d 树和配对堆。不同于其他各章，本章给出了查找树和配对堆完整且仔细的实现。材料的安排使得教师可以把一些内容纳入其他各章的讨论之中。例如，第 12 章中的自顶向下红黑树可以和(第 4 章的)AVL 树一起讨论。

第 1 ~ 9 章为大多数一学期的数据结构课程提供了足够的材料。如果时间允许，那么第 10 章也可以包括进来。研究生的算法分析课程可以使用第 7 ~ 11 章的内容。第 11 章所分析的高级数据结构可以很容易地被前面各章所提及。第 9 章里所讨论的 NP-完全性太过简短，不适用于这样的课程。另外再用一部 NP-完全性方面的著作作为本教材的补充可能是比较有益的。

练习

每章末尾提供的练习与正文中所述内容的顺序相一致。最后的一些练习是对应整章而不是针对特定的某一节的。难度较大的练习标有一个星号，更具挑战的练习标有两个星号。

参考文献

参考文献列于每章的最后。通常，这些参考文献或者是具有历史意义的、给出书中材料的原始出处，或者阐述对书中给出的结果的扩展和改进。有些文献为一些练习提供了解法。

补充材料

下面的补充材料在 www. pearsonhighered. com/cssupport 对所有读者公开：

- 例子程序的源代码

此外，下述材料仅提供给经培生教师资源中心(Pearson's Instructor Resource Center，IRC)(www. pearsonhighered. com/irc)认可的教师。有意者请访问 IRC 或联系培生的校园代表以获得访问权限。[⊖]

- 部分练习的解答
- 来自本书的一些附图

致谢

在本书的准备过程中，我得到了许多人的帮助，有些已在本书的其他版本中列出，感谢大家。

一如既往地，培生的专家们的努力使得本书的写作过程更加轻松。我愿在此感谢我的编辑 Michael Hirsch 以及制作编辑 Pat Brown。我还要感谢 Abinaya Rajendran 和她在 Integra Software Services 的同事，感谢他们使最后的散稿成书的出色工作。贤妻 Jill 所做的每一件事情都值得我特别感谢。

最后，我还想感谢发来 E-mail 并指出前面各版中错误和矛盾之处的广大读者。我的网页 www. cis. fiu. edu/ ~ weiss 包含更新后的源代码(用 Java 和 C ++ 编写)、勘误表以及提交问题报告的链接。

M. A. W.

佛罗里达州迈阿密市

⊖ 关于本书教辅资源，用书教师可向培生教育出版集团北京代表处申请，电话：010-5735 5169/5735 5171，电子邮件：service. cn@ pearson. com。——编辑注

引 论

在这一章，我们阐述本书的目的和目标并简要复习离散数学以及程序设计的一些概念。我们将要：

- 看到程序对于合理的大量输入的运行性能与其在适量输入下运行性能的同等重要性。
- 概括为本书其余部分所需要的基本的数学基础。
- 简要复习递归。
- 概括用于本书的Java语言的某些重要特点。

1.1 本书讨论的内容

设有一组 N 个数而要确定其中第 k 个最大者，我们称之为**选择问题**(selection problem)。大多数学习过一两门程序设计课程的学生写一个解决这种问题的程序不会有什么困难。“明显的”解决方法是相当多的。

该问题的一种解法就是将这 N 个数读进一个数组中，再通过某种简单的算法，比如冒泡排序法，以递减顺序将数组排序，然后返回位置 k 上的元素。

稍微好一点的算法可以先把前 k 个元素读入数组并(以递减的顺序)对其排序。接着，将剩下的元素再逐个读入。当新元素被读到时，如果它小于数组中的第 k 个元素则忽略之，否则就将其放到数组中正确的位置上，同时将数组中的一个元素挤出数组。当算法终止时，位于第 k 个位置上的元素作为答案返回。

这两种算法编码都很简单，建议读者试一试。此时我们自然要问：哪个算法更好？哪个算法更重要？还是两个算法都足够好？使用三千万个元素的随机文件和 $k=15\,000\,000$ 进行模拟将发现，两个算法在合理的时间量内均不能结束；每种算法都需要计算机处理若干天才能算完(虽然最后还是给出了正确的答案)。在第7章将讨论另一种算法，该算法将在一秒钟左右给出问题的解。因此，虽然我们提出的两个算法都能算出结果，但是它们不能被认为是好的算法，因为对于第三种算法能够在合理的时间内处理的输入数据量而言，这两种算法是完全不切实际的。

第二个问题是解决一个流行的字谜。输入是由一些字母构成的一个二维数组以及一组单词组成。目标是要找出字谜中的单词，这些单词可能是水平、垂直或沿对角线上任何方向放置的。作为例子，图1-1所示的字谜由单词this、two、fat和that组成。单词this从第一行第一列的位置即(1, 1)处开始并延伸至(1, 4)；单词two从(1, 1)到(3, 1)；fat从(4, 1)到(2, 3)；而that则从(4, 4)到(1, 1)。

	1	2	3	4
1	t	h	i	s
2	w	a	t	s
3	o	a	h	g
4	f	g	d	t

图1-1 字谜示例

现在至少也有两种直观的算法来求解这个问题。对单词表中的每个单词，我们检查每一个有序三元组(行、列、方向)验证是否有单词存在。这需要大量嵌套的 `for` 循环，但它基本上是直观的算法。

也可以这样，对于每一个尚未越出谜板边缘的有序四元组(行、列、方向、字符数)我们可以测试是否所指的单词在单词表中。这也导致使用大量嵌套的 `for` 循环。如果在任意单词中的最大字符数已知，那么该算法有可能节省一些时间。

上述两种方法相对来说都不难编码并可求解通常发表于杂志上的许多现实的字谜游戏。这些字谜通常有16行16列以及40个左右的单词。然而，假设我们把字谜变成为只给字谜板(puzzle board)而单词表基本上是一本英语词典，则上面提出的两种解法均需要相当长的时间来解决这个问题，从而这两种方法都是不可接受的。不过，这样的问题还是有可能在数秒内解决的，甚至单词表可以很大。

在许多问题当中，一个重要的观念是：写出一个工作程序并不够。如果这个程序在巨大的数据集上运行，那么运行时间就变成了重要的问题。我们将在本书看到对于大量的输入如何估计程序的运行时间，尤其是如何在尚未具体编码的情况下比较两个程序的运行时间。我们还将看到彻底改进程序速度以及确定程序瓶颈的方法。这些方法将使我们能够发现需要我们集中精力努力优化的那些代码段。

1.2 数学知识复习

2

本节列出一些需要记忆或是能够推导出的基本公式，并从推导过程复习基本的证明方法。

1.2.1 指数

$$X^A X^B = X^{A+B}$$
$$\frac{X^A}{X^B} = X^{A-B}$$
$$(X^A)^B = X^{AB}$$
$$X^N + X^N = 2X^N \neq X^{2N}$$
$$2^N + 2^N = 2^{N+1}$$

1.2.2 对数

在计算机科学中，除非有特别的声明，否则所有的对数都是以2为底的。

定义 1.1 $X^A = B$ 当且仅当 $\log_X B = A$。

由该定义可以得到几个方便的等式。

定理 1.1

$$\log_A B = \frac{\log_C B}{\log_C A}; \ A, \ B, \ C > 0, \ A \neq 1$$

证明：

令 $X = \log_C B$，$Y = \log_C A$，以及 $Z = \log_A B$。此时由对数的定义，$C^X = B$，$C^Y = A$ 以及 $A^Z = B$，联合这三个等式则产生 $(C^Y)^Z = C^X = B$。因此，$X = YZ$，这意味着 $Z = X/Y$，定理得证。□

定理 1.2

$$\log AB = \log A + \log B; \ A, \ B > 0$$

证明：

令 $X = \log B$，$Y = \log A$，以及 $Z = \log AB$。此时由于假设默认的底为2，$2^X = B$，$2^Y = A$，及 $2^Z = AB$，联合最后的三个等式则有 $2^X 2^Y = 2^Z = AB$。因此 $X + Y = Z$，这就证明了该定理。□

其他一些有用的公式如下，它们都能够用类似的方法推导。

$$\log A/B = \log A - \log B$$
$$\log(A^B) = B\log A$$
$$\log X < X \text{ 对所有的 } X > 0 \text{ 成立}$$

3

$$\log 1 = 0, \ \log 2 = 1, \ \log 1024 = 10, \ \log 1048576 = 20$$

1.2.3 级数

最容易记忆的公式是

$$\sum_{i=0}^{N} 2^i = 2^{N+1} - 1$$

和

$$\sum_{i=0}^{N} A^i = \frac{A^{N+1}-1}{A-1}$$

在第二个公式中，如果 $0<A<1$，则

$$\sum_{i=0}^{N} A^i \leqslant \frac{1}{1-A}$$

当 N 趋于∞时该和趋向于 $1/(1-A)$，这些公式是“几何级数”公式。

我们可以用下面的方法推导关于 $\sum_{i=0}^{\infty} A^i (0<A<1)$ 的公式。令 S 是其和。此时

$$S = 1 + A + A^2 + A^3 + A^4 + A^5 + \cdots$$

于是

$$AS = A + A^2 + A^3 + A^4 + A^5 + \cdots$$

如果我们将这两个方程相减(这种运算只允许对收敛级数进行)，等号右边所有的项相消，只留下1：

$$S - AS = 1$$

即

$$S = \frac{1}{1-A}$$

可以用相同的方法计算 $\sum_{i=1}^{\infty} i/2^i$，它是一个经常出现的和。我们写成

$$S = \frac{1}{2} + \frac{2}{2^2} + \frac{3}{2^3} + \frac{4}{2^4} + \frac{5}{2^5} + \cdots$$

用2乘之得到

$$2S = 1 + \frac{2}{2} + \frac{3}{2^2} + \frac{4}{2^3} + \frac{5}{2^4} + \frac{6}{2^5} + \cdots$$

4

将这两个方程相减得到

$$S = 1 + \frac{1}{2} + \frac{1}{2^2} + \frac{1}{2^3} + \frac{1}{2^4} + \frac{1}{2^5} + \cdots$$

因此，$S=2$。

分析中另一种常用类型的级数是算术级数。任何这样的级数都可以从基本公式计算其值。

$$\sum_{i=1}^{N} i = \frac{N(N+1)}{2} \approx \frac{N^2}{2}$$

例如，为求出和 $2+5+8+\cdots+(3k-1)$，将其改写为 $3(1+2+3+\cdots+k)-(1+1+1+\cdots+1)$，显然，它就是 $3k(k+1)/2-k$。另一种记忆的方法则是将第一项与最后一项相加(和为 $3k+1$)，第二项与倒数第二项相加(和也是 $3k+1$)，等等。由于有 $k/2$ 个这样的数对，因此总和就是 $k(3k+1)/2$，这与前面的答案相同。

现在介绍下面两个公式，不过它们就没有那么常见了。

$$\sum_{i=1}^{N} i^2 = \frac{N(N+1)(2N+1)}{6} \approx \frac{N^3}{3}$$

$$\sum_{i=1}^{N} i^k \approx \frac{N^{k+1}}{|k+1|} \quad k \neq -1$$

当 $k=-1$ 时，后一个公式不成立。此时我们需要下面的公式，这个公式在计算机科学中的使用要远比在数学其他科目中使用得多。数 H_N 叫作调和数，其和叫作调和和。下面近似式中的误差趋向于 $\gamma \approx 0.57\,721\,566$，称为**欧拉常数**(Euler's constant)。

$$H_N = \sum_{i=1}^{N} \frac{1}{i} \approx \log_e N$$

以下两个公式只不过是一般的代数运算：

$$\sum_{i=1}^{N} f(N) = Nf(N)$$

$$\sum_{i=n_0}^{N} f(i) = \sum_{i=1}^{N} f(i) - \sum_{i=1}^{n_0-1} f(i)$$

1.2.4 模运算

如果 N 整除 $A-B$，那么就说 A 与 B 模 N 同余，记为 $A \equiv B(\bmod N)$。直观地看，这意味着无论是 A 还是 B 被 N 去除，所得余数都是相同的。于是，$81 \equiv 61 \equiv 1(\bmod 10)$。如同等号的情形一样，若 $A \equiv B(\bmod N)$，则 $A+C \equiv B+C(\bmod N)$ 以及 $AD \equiv BD(\bmod N)$。

5

有许多定理适用模运算，其中有些特别需要用到数论来证明。我们将尽量少使用模运算，这样，前面的一些定理也就足够了。

1.2.5 证明的方法

证明数据结构分析中的结论的两种最常用的方法是归纳法证明和反证法证明（偶尔也被迫用到只有教授们才使用的证明）。证明一个定理不成立的最好的方法是举出一个反例。

归纳法证明

由归纳法进行的证明有两个标准的部分。第一步是证明**基准情形**（base case），就是确定定理对于某个（某些）小的（通常是退化的）值的正确性；这一步几乎总是很简单的。接着，进行**归纳假设**（inductive hypothesis）。一般说来，它指的是假设定理对直到某个有限数 k 的所有的情况都是成立的。然后使用这个假设证明定理对下一个值（通常是 $k+1$）也是成立的。至此定理得证（在 k 是有限的情形下）。

作为一个例子，我们证明斐波那契数，$F_0=1$，$F_1=1$，$F_2=2$，$F_3=3$，$F_4=5$，…，$F_i=F_{i-1}+F_{i-2}$，满足对 $i \geqslant 1$，有 $F_i<(5/3)^i$（有些定义规定 $F_0=0$，这只不过将该级数做了一次平移）。为了证明这个不等式，我们首先验证定理对简单的情形成立。容易验证 $F_1=1<5/3$ 及 $F_2=2<25/9$，这就证明了基准情形。假设定理对于 $i=1, 2, \cdots, k$ 成立，这就是归纳假设。为了证明定理，我们需要证明 $F_{k+1}<(5/3)^{k+1}$。根据定义得到

$$F_{k+1}=F_k+F_{k-1}$$

将归纳假设用于等号右边，得到

$$\begin{aligned} F_{k+1} &< (5/3)^k+(5/3)^{k-1} < (3/5)(5/3)^{k+1}+(3/5)^2(5/3)^{k+1} \\ &= (3/5)(5/3)^{k+1}+(9/25)(5/3)^{k+1} \end{aligned}$$

6

化简后为

$$F_{k+1}<(3/5+9/25)(5/3)^{k+1}=(24/25)(5/3)^{k+1}<(5/3)^{k+1}$$

这就证明了这个定理。

作为第二个例子，我们建立下面的定理。

定理 1.3

如果 $N \geqslant 1$，则 $\sum_{i=1}^{N} i^2 = \frac{N(N+1)(2N+1)}{6}$。

证明：

用数学归纳法证明。对于基准情形，容易看到，当 $N=1$ 时定理成立。对于归纳假设，设定理对 $1 \leqslant k \leqslant N$ 成立。我们将在该假设下证明定理对于 $N+1$ 也是成立的。我们有

$$\sum_{i=1}^{N+1} i^2 = \sum_{i=1}^{N} i^2 + (N+1)^2$$

应用归纳假设得到

$$\begin{aligned} \sum_{i=1}^{N+1} i^2 &= \frac{N(N+1)(2N+1)}{6}+(N+1)^2 = (N+1)\left[\frac{N(2N+1)}{6}+(N+1)\right] \\ &= (N+1)\frac{2N^2+7N+6}{6} = \frac{(N+1)(N+2)(2N+3)}{6} \end{aligned}$$

因此

$$\sum_{i=1}^{N+1} i^2 = \frac{(N+1)[(N+1)+1][2(N+1)+1]}{6}$$

定理得证。□

通过反例证明

公式 $F_k \leqslant k^2$ 不成立。证明这个结论的最容易的方法就是计算 $F_{11}=144>11^2$。

反证法证明

反证法证明是通过假设定理不成立，然后证明该假设导致某个已知的性质不成立，从而原假设是错误的。一个经典的例子是证明存在无穷多个素数。为了证明这个结论，我们假设定理不成立。于是，存在某个最大的素数 P_k。令 P_1，P_2，…，P_k 是依序排列的所有素数并考虑

$$N = P_1 P_2 P_3 \cdots P_k + 1$$

显然，N 是比 P_k 大的数，根据假设 N 不是素数。可是，P_1，P_2，…，P_k 都不能整除 N，因为除得的结果总有余数1。这就产生一个矛盾，因为每一个整数或者是素数，或者是素数的乘积。因此，P_k 是最大素数的原假设是不成立的，这正意味着定理成立。

7

1.3 递归简论

我们熟悉的大多数数学函数都是由一个简单公式来描述的。例如，我们可以利用公式

$$C = 5(F-32)/9$$

将华氏温度转换成摄氏温度。有了这个公式，写一个 Java 方法就太简单了。除去程序中的说明和大括号外，这一行的公式正好翻译成一行 Java 程序。

有时候数学函数以不太标准的形式来定义。例如，我们可以在非负整数集上定义一个函数 f，它满足 $f(0)=0$ 且 $f(x)=2f(x-1)+x^2$。从这个定义我们看到 $f(1)=1$，$f(2)=6$，$f(3)=21$，以及 $f(4)=58$。当一个函数用它自己来定义时就称为是**递归**(recursive)的。Java 允许函数是递归的。[⊖]

但重要的是要记住，Java 提供的仅仅是遵循递归思想的一种尝试。不是所有的数学递归函数都能被有效地(或正确地)由 Java 的递归模拟来实现。上面例子说的是递归函数 f 应该只用几行就能表示出来，正如非递归函数一样。图 1-2 指出了函数 f 的递归实现。

```
1       public static int f( int x )
2       {
3           if( x == 0 )
4               return 0;
5           else
6               return 2 * f( x - 1 ) + x * x;
7       }
```

图 1-2　一个递归方法

第 3 行和第 4 行处理**基准情况**(base case)，即此时函数的值可以直接算出而不用求助递归。正如 $f(x)=2f(x-1)+x^2$ 若没有 $f(0)=0$ 这个事实在数学上没有意义一样，Java 的递归方法若无基准情况也是毫无意义的。第 6 行执行的是递归调用。

关于递归，有几个重要并且可能会被混淆的概念。一个常见的问题是：它是否就是循环推理(circular logic)？答案是：虽然我们定义一个方法用的是这个方法本身，但是我们并没有用方法本身定义该方法的一个特定的实例。换句话说，通过使用 $f(5)$ 来得到 $f(5)$ 的值才是循环的。通过使用 $f(4)$ 得到 $f(5)$ 的值不是循环的，当然，除非 $f(4)$ 的求值又要用到对 $f(5)$ 的计算。两个最重要的问题恐怕就是*如何做*和*为什么做*的问题了。*如何*和*为什么*的问题将在第 3 章正式解决。这里，我们将给出一个不完全的描述。

8

实际上，递归调用在处理上与其他调用没有什么不同。如果以参数 4 的值调用函数 f，那么程序的第 6 行要求计算 $2*f(3)+4*4$。这样，就要执行一个计算 $f(3)$ 的调用，而这又导致计算 $2*f(2)+3*3$。因此，又要执行另一个计算 $f(2)$ 的调用，而这意味着必须求出 $2*f(1)+$

⊖ 对于数值计算使用递归通常不是个好主意。我们在解释基本概念时已经说过。

2 * 2 的值。为此，通过计算 2 * f(0) + 1 * 1 而得到 f(1)。此时，f(0) 必须被赋值。由于这属于基准情况，因此我们事先知道 f(0) = 0。从而 f(1) 的计算得以完成，其结果为 1。然后，f(2)、f(3) 以及最后 f(4) 的值都能够计算出来。跟踪挂起的函数调用（这些调用已经开始但是正等待着递归调用来完成）以及它们的变量的记录工作都是由计算机自动完成的。然而，重要的问题在于，递归调用将反复进行直到基准情形出现。例如，计算 f(-1) 的值将导致调用 f(-2)、f(-3) 等等。由于这将不可能出现基准情形，因此程序也就不可能算出答案。偶尔还可能发生更加微妙的错误，我们将其展示在图 1-3 中。图 1-3 中程序的这种错误是第 6 行上的 bad(1) 定义为 bad(1)。显然，实际上 bad(1) 究竟是多少，这个定义给不出任何线索。因此，计算机将会反复调用 bad(1) 以期解出它的值。最后，计算机簿记系统将占满内存空间，程序崩溃。一般情形下，我们会说该方法对一个特殊情形无效，而在其他情形是正确的。但此处这么说则不正确，因为 bad(2) 调用 bad(1)。因此，bad(2) 也不能求出值来。不仅如此，bad(3)、bad(4) 和 bad(5) 都要调用 bad(2)，bad(2) 算不出值，它们的值也就不能求出。事实上，除了 0 之外，这个程序对 n 的任何非负值都无效。对于递归程序，不存在像“特殊情形”这样的情况。

```
1   public static int bad( int n )
2   {
3       if( n == 0 )
4           return 0;
5       else
6           return bad( n / 3 + 1 ) + n - 1;
7   }
```

图 1-3 无终止递归方法

上面的讨论导致递归的前两个基本法则：

1. *基准情形*（base case）。必须总要有某些基准的情形，它们不用递归就能求解。

2. *不断推进*（making progress）。对于那些要递归求解的情形，递归调用必须总能够朝着一个基准情形推进。

在本书中我们将用递归解决一些问题。作为非数学应用的一个例子，考虑一本大词典。词典中的词都是用其他的词定义的。当查一个单词的时候，我们不是总能理解对该词的解释，于是我们不得不再查找解释中的一些词。同样，对这些词中的某些地方我们又不理解，因此还要继续这种查找。因为词典是有限的，所以实际上或者我们最终要查到一处，明白了此处解释中所有的单词（从而理解这里的解释，并按照查找的路径回查其余的解释）或者我们发现这些解释形成一个循环，无法理解其最终含义，或者在解释中需要我们理解的某个单词不在这本词典里。

我们理解这些单词的递归策略如下：如果知道一个单词的含义，那么就算我们成功；否则，就在词典里查找这个单词。如果我们理解对该词解释中的所有的单词，那么又算我们成功；否则，通过*递归*查找一些我们不认识的单词来“算出”对该单词解释的含义。如果词典编纂得完美无瑕，那么这个过程就能够终止；如果其中一个单词没有查到或是循环定义（解释），那么这个过程则循环不定。

打印输出整数

设有一个正整数 n 并希望把它打印出来。我们的例程的名字为 printOut(n)。假设仅有的现成 I/O 例程将只处理单个数字并将其输出到终端。我们为这种例程命名为 printDigit；例如，printDigit(4) 将输出 4 到终端。

递归将为该问题提供一个非常漂亮的解。要打印 76234，我们首先需要打印出 7623，然后再打印出 4。第二步用语句 printDigit(n% 10) 很容易完成，但是第一步却不比原问题简单多少。它实际上是同一个问题，因此可以用语句 printOut(n/10) 递归地解决它。

这告诉我们如何去解决一般的问题，不过我们仍然需要确认程序不是循环不定的。由于我们尚未定义一个基准情况，因此很清楚，我们仍然还有些事情要做。如果 $0 \leqslant n < 10$，那么基准情形就是 printDigit(n)。现在，printOut(n) 已对每一个从 0 到 9 的正整数定义，而更大的正整数则用较小的正整数定义。因此，不存在循环的问题。整个方法在图 1-4 中指出。

9 10

```
1    public static void printOut( int n )  /* Print nonnegative n */
2    {
3        if( n >= 10 )
4            printOut( n / 10 );
5        printDigit( n % 10 );
6    }
```

图 1-4　打印整数的递归例程

我们没有努力去高效地做这件事。我们本可以避免使用 mod 例程(它是非常耗时的)，因为 $n\%10 = n - \lfloor n/10 \rfloor * 10$。[⊖]

递归和归纳

让我们多少严格一些地证明上述递归的整数打印程序是可行的。为此，我们将使用归纳法证明。

定理 1.4

递归的整数打印算法对 $n \geqslant 0$ 是正确的。

证明(通过对 n 所含数字的个数，用归纳法证明之)：

首先，如果 n 只有一位数字，那么程序显然是正确的，因为它只是调用一次 `printDigit`。然后，设 `printOut` 对所有 k 个或更少位数的数均能正常工作。我们知道 $k+1$ 位数字的数可以通过其前 k 位数字后跟一位最低位数字来表示。但是前 k 位数字形成的数恰好是 $\lfloor n/10 \rfloor$，由归纳假设它能够被正确地打印出来，而最后的一位数字是 n mod 10，因此该程序能够正确打印出任意 $k+1$ 位数字的数。于是，根据归纳法，所有的数都能被正确地打印出来。 □

这个证明看起来可能有些奇怪，但它实际上相当于是算法的描述。证明阐述的是在设计递归程序时，同一问题的所有较小实例均可以*假设*运行正确，递归程序只需要把这些较小问题的解(它们通过递归奇迹般地得到)结合起来形成现行问题的解。其数学根据则是归纳法的证明。由此，我们给出递归的第三个法则：

3. *设计法则*(design rule)。假设所有的递归调用都能运行。

这是一条重要的法则，因为它意味着，当设计递归程序时一般没有必要知道簿记管理的细节，你不必试图追踪大量的递归调用。追踪具体的递归调用的序列常常是非常困难的。当然，在许多情况下，这正是使用递归好处的体现，因为计算机能够算出复杂的细节。

[11]

递归的主要问题是隐含的簿记开销。虽然这些开销几乎总是合理的(因为递归程序不仅简化了算法设计而且也有助于给出更加简洁的代码)，但是递归绝不应该作为简单 `for` 循环的代替物。我们将在 3.6 节更仔细地讨论递归涉及的系统开销。

当编写递归例程时，关键是要牢记递归的四条基本法则：

1. *基准情形*。必须总要有某些基准情形，它无需递归就能解出。

2. *不断推进*。对于那些需要递归求解的情形，每一次递归调用都必须要使状况朝向一种基准情形推进。

3. *设计法则*。假设所有的递归调用都能运行。

4. *合成效益法则*(compound interest rule)。在求解一个问题的同一实例时，切勿在不同的递归调用中做重复性的工作。

第四条法则(连同它的名称一起)将在后面的章节证明是合理的。使用递归计算诸如斐波那契数之类简单数学函数的值的想法一般来说不是一个好主意，其道理正是根据第四条法则。只要在头脑中记住这些法则，递归程序设计就应该是简单明了的。

1.4 实现泛型构件 pre-Java 5

面向对象的一个重要目标是对代码重用的支持。支持这个目标的一个重要的机制就是*泛型*

⊖ $\lfloor x \rfloor$是小于或等于 x 的最大整数。

机制(generic mechanism):如果除去对象的基本类型外，实现方法是相同的，那么我们就可以用泛型实现(generic implementation)来描述这种基本的功能。例如，可以编写一个方法，将由一些项组成的数组排序；方法的逻辑关系与被排序的对象的类型无关，此时可以使用泛型方法。

与许多新的语言(例如C++，它使用模板来实现泛型编程)不同，在1.5版以前，Java并不直接支持泛型实现，泛型编程的实现是通过使用继承的一些基本概念来完成的。本节描述在Java中如何使用继承的基本原则来实现一些泛型方法和类。

Sun公司在2001年是把对泛型方法和类的直接支持作为未来的语言增强剂来宣布的。后来，终于在2004年末发表了Java 5并提供了对泛型方法和类的支持。然而，使用泛型类需要理解pre-Java 5对泛型编程的语言特性。因此，对继承如何用来实现泛型程序的理解是根本的关键，甚至在Java 5中仍然如此。

12

1.4.1 使用Object表示泛型

Java中的基本思想就是可以通过使用像`Object`这样适当的超类来实现泛型类。在图1-5中所示的`MemoryCell`类就是这样一个例子。

```
1  // MemoryCell class
2  //  Object read( )         -->  Returns the stored value
3  //  void write( Object x ) -->  x is stored
4
5  public class MemoryCell
6  {
7          // Public methods
8      public Object read( )          { return storedValue; }
9      public void write( Object x ) { storedValue = x; }
10
11         // Private internal data representation
12     private Object storedValue;
13 }
```

图1-5 泛型`MemoryCell`类(pre-Java 5)

当我们使用这种策略时，有两个细节必须要考虑。第一个细节在图1-6中阐释，它描述一个`main`方法，该方法把串“37”写到`MemoryCell`对象中，然后又从`MemoryCell`对象读出。为了访问这种对象的一个特定方法，必须要强制转换成正确的类型。(当然，在这个例子中，可以不必进行强制转换，因为在程序的第9行可以调用`toString()`方法，这种调用对任意对象都是能够做到的)。

```
1  public class TestMemoryCell
2  {
3      public static void main( String [ ] args )
4      {
5          MemoryCell m = new MemoryCell( );
6
7          m.write( "37" );
8          String val = (String) m.read( );
9          System.out.println( "Contents are: " + val );
10     }
11 }
```

图1-6 使用泛型`MemoryCell`类(pre-Java 5)

第二个重要的细节是不能使用基本类型。只有引用类型能够与`Object`相容。这个问题的标准工作马上就要讨论。

13

1.4.2 基本类型的包装

当我们实现算法的时候，常常遇到语言定型问题：我们已有一种类型的对象，可是语言的语法却需要一种不同类型的对象。

这种技巧阐释了**包装类**(wrapper class)的基本主题。一种典型的用法是存储一个基本的类型，并添加一些这种基本类型不支持或不能正确支持的操作。

在 Java 中我们已经看到，虽然每一个引用类型都和 Object 相容，但是，8 种基本类型却不能。于是，Java 为这 8 种基本类型中的每一种都提供了一个包装类。例如，int 类型的包装是 Integer。每一个包装对象都是**不可变的**(就是说它的状态绝不能改变)，它存储一种当该对象被构建时所设置的原值，并提供一种方法以重新得到该值。包装类也包含不少的静态实用方法。

例如，图 1-7 说明如何能够使用 MemoryCell 来存储整数。

```
 1  public class WrapperDemo
 2  {
 3      public static void main( String [ ] args )
 4      {
 5          MemoryCell m = new MemoryCell( );
 6
 7          m.write( new Integer( 37 ) );
 8          Integer wrapperVal = (Integer) m.read( );
 9          int val = wrapperVal.intValue( );
10          System.out.println( "Contents are: " + val );
11      }
12  }
```

图 1-7　Integer 包装类的一种演示

1.4.3 使用接口类型表示泛型

只有在使用 Object 类中已有的那些方法能够表示所执行的操作的时候，才能使用 Object 作为泛型类型来工作。

例如，考虑在由一些项组成的数组中找出最大项的问题。基本的代码是类型无关的，但是它的确需要一种能力来比较任意两个对象，并确定哪个是大的，哪个是小的。因此，我们不能直接找出 Object 的数组中的最大元素——我们需要更多的信息。最简单的想法就是找出 Comparable 的数组中的最大元。要确定顺序，可以使用 compareTo 方法，我们知道，它对所有的 Comparable 都必然是现成可用的。图 1-8 中的代码做的就是这项工作，它提供一种 main 方法，该方法能够找出 String 或 Shape 数组中的最大元。

现在，提出几个忠告很重要。首先，只有实现 Comparable 接口的那些对象才能够作为 Comparable 数组的元素被传递。仅有 compareTo 方法但并未宣称实现 Comparable 接口的对象不是 Comparable 的，它不具有必需的 IS-A 关系。因为我们也许会比较两个 Shape 的面积，因此假设 Shape 实现 Comparable 接口。这个测试程序还告诉我们，Circle、Square 和 Rectangle 都是 Shape 的子类。

第二，如果 Comparable 数组有两个不相容的对象(例如，一个 String 和一个 Shape)，那么 CompareTo 方法将抛出异常 ClassCastException。这是我们期望的性质。

第三，如前所述，基本类型不能作为 Comparable 传递，但是包装类则可以，因为它们实现了 Comparable 接口。

第四，接口究竟是不是标准的库接口倒不是必需的。

最后，这个方案不是总能够行得通，因为有时宣称一个类实现所需的接口是不可能的。例如，一个类可能是库中的类，而接口却是用户定义的接口。如果一个类是 final 类，那么我们就不可能扩展它以创建一个新的类。1.6 节对这个问题提出了另一个解决方案，即 **function**

14
~
15

object。这种**函数对象**(function object)也使用一些接口，它或许是我们在 Java 库中所遇到的核心论题之一。

```
1   class FindMaxDemo
2   {
3       /**
4        * Return max item in arr.
5        * Precondition: arr.length > 0
6        */
7       public static Comparable findMax( Comparable [ ] arr )
8       {
9           int maxIndex = 0;
10
11          for( int i = 1; i < arr.length; i++ )
12              if( arr[ i ].compareTo( arr[ maxIndex ] ) > 0 )
13                  maxIndex = i;
14
15          return arr[ maxIndex ];
16      }
17
18      /**
19       * Test findMax on Shape and String objects.
20       */
21      public static void main( String [ ] args )
22      {
23          Shape [ ] sh1 = { new Circle( 2.0 ),
24                            new Square( 3.0 ),
25                            new Rectangle( 3.0, 4.0 ) };
26
27          String [ ] st1 = { "Joe", "Bob", "Bill", "Zeke" };
28
29          System.out.println( findMax( sh1 ) );
30          System.out.println( findMax( st1 ) );
31      }
32  }
```

图 1-8 泛型 findMax 例程，使用 Shape 和 String 演示(pre-Java 5)

1.4.4 数组类型的兼容性

语言设计中的困难之一是如何处理集合类型的继承问题。设 Employee *IS-A* Person。那么，这是不是也意味着数组 Employee[ ] *IS-A* Person[ ]呢？换句话说，如果一个例程接受 Person[ ]作为参数，那么我们能不能把 Employee[ ]作为参数来传递呢？

乍一看，该问题不值得一问，似乎 Employee[ ]就应该是和 Person[ ]类型兼容的。然而，这个问题却要比想象的复杂。假设除 Employee 外，我们还有 Student *IS-A* Person，并设 Employee[ ]是和 Person[ ]类型兼容的。此时考虑下面两条赋值语句：

```
Person[] arr = new Employee[ 5 ]; // 编译: arrays are compatible
arr[ 0 ] = new Student( ... );    // 编译: Student IS-A Person
```

两句都编译，而 arr [0] 实际上是引用一个 Employee，可是 Student *IS-NOT-A* Employee。这样就产生了类型混乱。运行时系统(runtime system)(Java 虚拟机—译者注)不能抛出 ClassCastException 异常，因为不存在类型转换。

避免这种问题的最容易的方法是指定这些数组不是类型兼容的。可是，在 Java 中数组却是类型兼容的。这叫作**协变数组类型**(covariant araay type)。每个数组都明了它所允许存储的对象的类型。如果将一个不兼容的类型插入到数组中，那么虚拟机将抛出一个 ArrayStoreException 异常。

在较早版本的 Java 中是需要数组的协变性的，否则在图 1-8 的第 29 行和第 30 行的调用将编译不了。

1.5 利用 Java 5 泛型特性实现泛型构件

Java 5 支持泛型类，这些类很容易使用。然而，编写泛型类却需要多做一些工作。本节将叙述编写泛型类和泛型方法的基础。我们不打算涉及语言的所有结构，那样将是相当复杂的，而且有时是很难处理的。我们将介绍用于全书的语法和习语。

16

1.5.1 简单的泛型类和接口

图 1-9 是前面图 1-5 描述的 MemoryCell 的泛型版代码。这里，我们把名字改成了 GenericMemoryCell，因为两个类都不在包中，所以名字也就不能相同。

```
1  public class GenericMemoryCell<AnyType>
2  {
3      public AnyType read( )
4        { return storedValue; }
5      public void write( AnyType x )
6        { storedValue = x; }
7
8      private AnyType storedValue;
9  }
```

图 1-9 MemoryCell 类的泛型实现

当指定一个泛型类时，类的声明则包含一个或多个类型参数，这些参数被放在类名后面的一对尖括号内。第 1 行指出，GenericMemoryCell 有一个类型参数。在这个例子中，对类型参数没有明显的限制，所以用户可以创建像 GenericMemoryCell < String > 和 GenericMemoryCell < Integer > 这样的类型，但是不能创建 GenericMemoryCell < int > 这样的类型。在 GenericMemoryCell 类声明内部，我们可以声明泛型类型的域和使用泛型类型作为参数或返回类型的方法。例如在图 1-9 的第 5 行，类 GenericMemoryCell < String > 的 write 方法需要一个 String 类型的参数。如果传递其他参数那将产生一个编译错误。

也可以声明接口是泛型的。例如，在 Java 5 以前，Comparable 接口不是泛型的，而它的 compareTo 方法需要一个 Object 作为参数。于是，传递到 compareTo 方法的任何引用变量即使不是一个合理的类型也都会编译，而只是在运行时报告 ClassCastException 错误。在 Java 5 中，Comparable 接口是泛型的，如图 1-10 所示。例如，现在 String 类实现 Comparable < String > 并有一个 compareTo 方法，这个方法以一个 String 作为其参数。通过使类变成泛型类，以前只有在运行时才能报告的许多错误如今变成了编译时的错误。

```
1  package java.lang;
2
3  public interface Comparable<AnyType>
4  {
5      public int compareTo( AnyType other );
6  }
```

图 1-10 Java 5 版本的 Comparable 接口，它是泛型接口

17

1.5.2 自动装箱/拆箱

图 1-7 中的代码写得很麻烦，因为使用包装类需要在调用 write 之前创建 Integer 对象，然后才能使用 intValue 方法从 Integer 中提取 int 值。在 Java 5 以前，这是需要的，因为如果一个 int 型的量被放到需要 Integer 对象的地方，那么编译将会产生一个错误信息，而如果将一个 Integer 对象的结果赋值给一个 int 型的量，则编译也将产生一个错误信息。图 1-7 中的代码准确地反映出基本类型和引用类型之间的区别，但还没有清楚地表示出程序员把那些 int 存入集合(collection)的意图。

Java 5 矫正了这种情形。如果一个 int 型量被传递到需要一个 Integer 对象的地方，那么，编译器将在幕后插入一个对 Integer 构造方法的调用。这就叫作自动装箱。而如果一个

Integer 对象被放到需要 int 型量的地方，则编译器将在幕后插入一个对 intValue 方法的调用，这就叫作自动拆箱。对于其他 7 对基本类型/包装类型，同样会发生类似的情形。图 1-11a 用 Java 5 描述了自动装箱和自动拆箱的使用。注意，在 GenericMemoryCell 中引用的那些实体仍然是 Integer 对象；在 GenericMemoryCell 的实例化中，int 不能够代替 Integer。

```
 1  class BoxingDemo
 2  {
 3      public static void main( String [ ] args )
 4      {
 5          GenericMemoryCell<Integer> m = new GenericMemoryCell<Integer>( );
 6
 7          m.write( 37 );
 8          int val = m.read( );
 9          System.out.println( "Contents are: " + val );
10      }
11  }
```

图 1-11a　自动装箱和拆箱(Java 5)

1.5.3　菱形运算符

在图 1-11a 中，第 5 行有些烦人，因为既然 m 是 GenericMemoryCell < Integer >类型的，显然创建的对象也必须是 GenericMemoryCell < Integer >类型的，任何其他类型的参数都会产生编译错误。Java 7 增加了一种新的语言特性，称为菱形运算符，使得第 5 行可以改写为

```
GenericMemoryCell<Integer> m = new GenericMemoryCell<>( );
```

菱形运算符在不增加开发者负担的情况下简化了代码，我们通篇都会使用它。图 1-11b 给出了带菱形运算符的 Java 7 版代码。

18

```
 1  class BoxingDemo
 2  {
 3      public static void main( String [ ] args )
 4      {
 5          GenericMemoryCell<Integer> m = new GenericMemoryCell<>( );
 6
 7          m.write( 5 );
 8          int val = m.read( );
 9          System.out.println( "Contents are: " + val );
10      }
11  }
```

图 1-11b　自动装箱和拆箱(Java 7，使用菱形运算符)

1.5.4　带有限制的通配符

图 1-12 显示一个 static 方法，该方法计算一个 Shape 数组的总面积(假设 Shape 是含有 area 方法的类；而 Circle 和 Square 则是继承 Shape 的类)。假设我们想要重写这个计算总面积的方法，使得该方法能够使用 Collection < Shape >这样的参数。Collection 将在第 3 章描述。当前，唯一重要的是它能够存储一些项，而且这些项可以用一个增强的 for 循环来处理。由于是增强的 for 循环，因此代码是相同的，最后的结果如图 1-13 所示。如果传递一个 Collection < Shape >，那么，程序会正常运行。可是，要是传递一个 Collection < Square >会发生什么情况呢？答案依赖于是否 Collection < Square > *IS-A* Collection < Shape >。回顾 1.4.4 节可知，用技术术语来说即是否我们拥有协变性。

```
1      public static double totalArea( Shape [ ] arr )
2      {
3          double total = 0;
4
5          for( Shape s : arr )
6              if( s != null )
7                  total += s.area( );
8
9          return total;
10     }
```

图 1-12 Shape[]的 totalArea 方法

```
1   public static double totalArea( Collection<Shape> arr )
2   {
3       double total = 0;
4
5       for( Shape s : arr )
6           if( s != null )
7               total += s.area( );
8
9       return total;
10  }
```

图 1-13 totalArea 方法，如果传递一个 Collection < Square >，则该方法不能运行

我们在 1.4.4 节提到，Java 中的数组是协变的。于是，Square[ ] *IS-A* Shape[ ]。一方面，这种一致性意味着，如果数组是协变的，那么集合也将是协变的。另一方面，我们在 1.4.4 节看到，数组的协变性导致代码得以编译，但此后会产生一个运行时异常（一个 ArrayStoreException）。因为使用泛型的全部原因就在于产生编译器错误而不是类型不匹配的运行时异常，所以，泛型集合不是协变的。因此，我们不能把 Collection < Square > 作为参数传递到图 1-13 中的方法里去。 19

现在的问题是，泛型（以及泛型集合）不是协变的（但有意义），而数组是协变的。若无附加的语法，则用户就会避免使用集合（collection），因为失去协变性使得代码缺少灵活性。

Java 5 用**通配符**（wildcard）来弥补这个不足。通配符用来表示参数类型的子类（或超类）。图 1-14 描述带有限制的通配符的使用，图中编写一个将 Collection < T > 作为参数的方法 totalArea，其中 T *IS-A* Shape。因此，Collection < Shape > 和 Collection < Square > 都是可以接受的参数。通配符还可以不带限制使用（此时假设为 extends Object），或不用 extends 而用 super（来表示超类而不是子类）；此外还存在一些其他的语法，我们就不在这里讨论了。

```
1   public static double totalArea( Collection<? extends Shape> arr )
2   {
3       double total = 0;
4
5       for( Shape s : arr )
6           if( s != null )
7               total += s.area( );
8
9       return total;
10  }
```

图 1-14 用通配符修正后的 totalArea 方法，如果传递一个 Collection < Square >，则方法能够正常运行

1.5.5　泛型static方法

从某种意义上说，图1-14中的totalArea方法是泛型方法，因为它能够接受不同类型的参数。但是，这里没有特定类型的参数表，正如在GenericMemoryCell类的声明中所做的那样。有时候特定类型很重要，这或许因为下列的原因：

1. 该特定类型用做返回类型；
2. 该类型用在多于一个的参数类型中；
3. 该类型用于声明一个局部变量。

如果是这样，那么，必须要声明一种带有若干类型参数的显式泛型方法。

例如，图1-15显示一种泛型static方法，该方法对值x在数组arr中进行一系列查找。通过使用一种泛型方法，代替使用Object作为参数的非泛型方法，当在Shape对象的数组中查找Apple对象时我们能够得到编译时错误。

```
1  public static <AnyType> boolean contains( AnyType [ ] arr, AnyType x )
2  {
3      for( AnyType val : arr )
4          if( x.equals( val ) )
5              return true;
6
7      return false;
8  }
```

图1-15　泛型static方法搜索数组

泛型方法特别像是泛型类，因为类型参数表使用相同的语法。在泛型方法中的类型参数位于返回类型之前。

1.5.6　类型限界

假设我们想要编写一个findMax例程。考虑图1-16中的代码。由于编译器不能证明在第6行上对compareTo的调用是合法的，因此，程序不能正常运行；只有在AnyType是Comparable的情况下才能保证compareTo存在。我们可以使用**类型限界**(type bound)解决这个问题。类型限界在尖括号内指定，它指定参数类型必须具有的性质。一种自然的想法是把性质改写成

```
public static <AnyType extends Comparable> ...
```

```
1  public static <AnyType> AnyType findMax( AnyType [ ] arr )
2  {
3      int maxIndex = 0;
4
5      for( int i = 1; i < arr.length; i++ )
6          if( arr[ i ].compareTo( arr[ maxIndex ] ) > 0 )
7              maxIndex = i;
8
9      return arr[ maxIndex ];
10 }
```

图1-16　泛型static方法查找一个数组中的最大元素，该方法不能正常运行

我们知道，因为Comparable接口如今是泛型的，所以这种做法很自然。虽然这个程序能够被编译，但是更好的做法却是

```
public static <AnyType extends Comparable<AnyType>> ...
```

然而，这个做法还是不能令人满意。为了看清这个问题，假设Shape实现Comparable

<Shape>，设 Square 继承 Shape。此时，我们所知道的只是 Square 实现 Comparable <Shape>。于是，Square *IS-A* Comparable <Shape>，但它 *IS-NOT-A* Comparable <Square>！

应该说，AnyType *IS-A* Comparable <T>，其中，T 是 AnyType 的父类。由于我们不需要知道准确的类型 T，因此可以使用通配符。最后的结果变成

```
public static <AnyType extends Comparable<? super AnyType>>
```

图 1-17 显示 findMax 的实现。编译器将接受类型 T 的数组，只是使得 T 实现 Comparable <S> 接口，其中 T *IS-A* S。当然，限界声明看起来有些混乱。幸运的是，我们不会再看到任何比这种用语更复杂的用语了。

```
1   public static <AnyType extends Comparable<? super AnyType>>
2   AnyType findMax( AnyType [ ] arr )
3   {
4       int maxIndex = 0;
5
6       for( int i = 1; i < arr.length; i++ )
7           if( arr[ i ].compareTo( arr[ maxIndex ] ) > 0 )
8               maxIndex = i;
9
10      return arr[ maxIndex ];
11  }
```

图 1-17　在一个数组中找出最大元的泛型 static 方法。以例说明类型参数的限界

1.5.7　类型擦除

泛型在很大程度上是 Java 语言中的成分而不是虚拟机中的结构。泛型类可以由编译器通过所谓的**类型擦除**（type erasure）过程而转变成非泛型类。这样，编译器就生成一种与泛型类同名的**原始类**（raw class），但是类型参数都被删去了。类型变量由它们的类型限界来代替，当一个具有擦除返回类型的泛型方法被调用的时候，一些特性被自动地插入。如果使用一个泛型类而不带类型参数，那么使用的是原始类。

22

类型擦除的一个重要推论是，所生成的代码与程序员在泛型之前所写的代码并没有太多的差异，而且事实上运行的也并不快。其显著的优点在于，程序员不必把一些类型转换放到代码中，编译器将进行重要的类型检验。

1.5.8　对于泛型的限制

对于泛型类型有许多的限制。由于类型擦除的原因，这里列出的每一个限制都是必须要遵守的。

基本类型

基本类型不能用做类型参数。因此，GenericMemoryCell <int> 是非法的。我们必须使用包装类。

instanceof 检测

instanceof 检测和类型转换工作只对原始类型进行。在下列代码中：

```
GenericMemoryCell<Integer> cell1 = new GenericMemoryCell<>( );
cell1.write( 4 );
Object cell = cell1;
GenericMemoryCell<String> cell2 = (GenericMemoryCell<String>) cell;
String s = cell2.read( );
```

这里的类型转换在运行时是成功的，因为所有的类型都是 GenericMemoryCell。但在最后一行，由于对 read 的调用企图返回一个 String 对象从而产生一个运行时错误。结果，类型转

换将产生一个警告，而对应的 instanceof 检测是非法的。

static 的语境

在一个泛型类中，static 方法和 static 域均不可引用类的类型变量，因为在类型擦除后类型变量就不存在了。另外，由于实际上只存在一个原始的类，因此 static 域在该类的诸泛型实例之间是共享的。

泛型类型的实例化

不能创建一个泛型类型的实例。如果 T 是一个类型变量，则语句

```
T obj = new T( );          // 右边是非法的
```

是非法的。T 由它的限界代替，这可能是 Object（或甚至是抽象类），因此对 new 的调用没有意义。

泛型数组对象

也不能创建一个泛型的数组。如果 T 是一个类型变量，则语句

23

```
T [ ] arr = new T[ 10 ];    // 右边是非法的
```

是非法的。T 将由它的限界代替，这很可能是 Object T，于是（由类型擦除产生的）对 T[ ] 的类型转换将无法进行，因为 Object[ ] *IS-NOT-A* T[ ]。由于我们不能创建泛型对象的数组，因此一般说来我们必须创建一个擦除类型的数组，然后使用类型转换。这种类型转换将产生一个关于未检验的类型转换的编译警告。

参数化类型的数组

参数化类型的数组的实例化是非法的。考虑下列代码：

```
1   GenericMemoryCell<String> [ ] arr1 = new GenericMemoryCell<>[ 10 ];
2   GenericMemoryCell<Double> cell = new GenericMemoryCell<>( ); cell.write( 4.5 );
3   Object [ ] arr2 = arr1;
4   arr2[ 0 ] = cell;
5   String s = arr1[ 0 ].read( );
```

正常情况下，我们认为第 4 行的赋值会生成一个 ArrayStoreException，因为赋值的类型有错误。可是，在类型擦除之后，数组的类型为 GenericMemoryCell[ ]，而加到数组中的对象也是 GenericMemoryCell，因此不存在 ArrayStoreException 异常。于是，该段代码没有类型转换，它最终将在第 5 行产生一个 ClassCastException 异常，这正是泛型应该避免的情况。

1.6 函数对象

在 1.5 节我们指出如何编写泛型算法。例如，图 1-16 中的泛型方法可以用于找出一个数组中的最大项。

然而，这种泛型方法有一个重要的局限：它只对实现 Comparable 接口的对象有效，因为它使用 compareTo 作为所有比较决策的基础。在许多情形下，这种处理方式是不可行的。例如，尽管假设 Rectangle 类实现 Comparable 接口有些过分，但即使实现了该接口，它所具有的 compareTo 方法恐怕还不是我们想要的方法。例如，给定一个 2×10 的矩形和一个 5×5 的矩形，哪个是更大的矩形呢？答案恐怕依赖于我们是使用面积还是使用长度来决定。或者，如果我们试图通过一个开口构造该矩形，那么或许较大的矩形就是具有较大最小周长的矩形。作为第二个例子，在一个字符串的数组中如果想要找出最大的串（即字典序排在最后的串），默认的 compareTo 不忽略字符的大小写，则“ZEBRA”按字典序排在“alligator”之前，这可能不是我们想要的。

上述这些情形的解决方案是重写 findMax，使它接受两个参数：一个是对象的数组，另一个是比较函数，该函数解释如何决定两个对象中哪个大哪个小。实际上，这些对象不再知道如何比较它们自己；这些信息从数组的对象中完全去除了。

24

一种将函数作为参数传递的独创方法是注意到对象既包含数据也包含方法，于是我们可以

定义一个没有数据而只有一个方法的类，并传递该类的一个实例。事实上，一个函数通过将其放在一个对象内部而被传递。这样的对象通常叫作**函数对象**(funtion object)。

图 1-18 显示函数对象想法的最简单的实现。findMax 的第二个参数是 Comparator 类型的对象。接口 Comparator 在 java. util 中指定并包含一个 compare 方法。这个接口在图 1-19 中指出。

```
1       // Generic findMax, with a function object.
2       // Precondition: a.size( ) > 0.
3       public static <AnyType>
4       AnyType findMax( AnyType [ ] arr, Comparator<? super AnyType> cmp )
5       {
6           int maxIndex = 0;
7
8           for( int i = 1; i < arr.length ( ); i++ )
9               if( cmp.compare( arr[ i ], arr[ maxIndex ] ) > 0 )
10                  maxIndex = i;
11
12          return arr[ maxIndex ];
13      }
14
15  class CaseInsensitiveCompare implements Comparator<String>
16  {
17      public int compare( String lhs, String rhs )
18        { return lhs.compareToIgnoreCase( rhs ); }
19  }
20
21  class TestProgram
22  {
23      public static void main( String [ ] args )
24      {
25          String [ ] arr = { "ZEBRA", "alligator", "crocodile" };
26          System.out.println( findMax( arr, new CaseInsensitiveCompare( ) ) )
27      }
28  }
```

图 1-18 利用一个函数对象作为第 2 个参数传递给 findMax；输出 ZEBRA

```
1  package java.util;
2
3  public interface Comparator<AnyType>
4  {
5      int compare( AnyType lhs, AnyType rhs );
6  }
```

图 1-19 Comparator 接口

实现接口 Comparator < AnyType > 类型的任何类都必须要有一个叫作 compare 的方法，该方法有两个泛型类型(AnyType)的参数并返回一个 int 型的量，遵守和 compareTo 相同的一般约定。因此，在图 1-18 中的第 9 行对 compare 的调用可以用来比较数组的项。第 4 行的带有限制的通配符用来表示如果查找数组中的最大的项，那么该 comparator 必须知道如何比较这些项，或者这些项的超类型的那些对象。我们可以在第 26 行看到，为了使用这种版本的 findMax，findMax 通过传递一个 String 数组以及一个实现 comparator < String > 的对象而被调用。这个对象属于 CaseInsensitiveCompare 类型，它是我们编写的一个类。

在第4章我们将给出关于一个类的例子，这个类需要将它存储的项排序。我们将利用 Comparable 编写大部分的代码，并指出其中需要使用函数对象的改动部分。在本书的其他地方，我们将避免函数对象的细节以使得代码尽可能地简单，我们知道以后将函数对象添加进去并不困难。

小结

本章为该书的其余部分创建一个平台。面对大量的输入，一种算法所花费的时间将是评判决策好坏的重要标准(当然，正确性是最重要的)。速度是相对的。对于一个问题在一台机器上速度是快的，有可能对另外一个问题或在一台不同的机器上就变成速度是慢的。我们将从下一章开始处理这些问题，并且要用到本章讨论过的数学来建立一个正式的模型。

练习

1.1 编写一个程序解决选择问题。令 $k = N/2$。画出表格显示程序对于 N 种不同的值的运行时间。

1.2 编写一个程序求解字谜游戏问题。

1.3 只使用处理 I/O 的 printDigit 方法，编写一种方法以输出任意 double 型量(可以是负的)。

1.4 C 允许拥有形如

```
#include filename
```

的语句，它将 *filename* 读入并将其插入到 include 语句处。include 语句可以嵌套；换句话说，文件 filename 本身还可以包含 include 语句，但是显然一个文件在任何链接中都不能包含它自己。编写一个程序，使它读入被一些 include 语句修饰的文件并且输出这个文件。

26

1.5 编写一种递归方法，它返回数 N 的二进制表示中 1 的个数。利用这样的事实：如果 N 是奇数，那么其 1 的个数等于 $N/2$ 的二进制表示中 1 的个数加 1。

1.6 编写带有下列声明的例程：

```
public  void permute( String str );
private void permute( char [ ] str, int low, int high );
```

第一个例程是个驱动程序，它调用第二个例程并显示 String str 中的字符的所有排列。如果 str 是"abc"，那么输出的串则是 abc，acb，bac，bca，cab 和 cba。第二个例程使用递归。

1.7 证明下列公式：

a. $\log X < X$ 对所有的 $X > 0$ 成立

b. $\log(A)^B = B\log A$

1.8 计算下列各和：

a. $\sum_{i=0}^{\infty} \frac{1}{4^i}$

b. $\sum_{i=0}^{\infty} \frac{i}{4^i}$

*c. $\sum_{i=0}^{\infty} \frac{i^2}{4^i}$

**d. $\sum_{i=0}^{\infty} \frac{i^N}{4^i}$

1.9 估计 $\sum_{i=\lfloor N/2 \rfloor}^{N} \frac{1}{i}$。

*1.10 $2^{100} \pmod 5$ 是多少？

1.11 令 F_i 是在 1.2 节中定义的斐波那契数。证明下列各式：

a. $\sum_{i=1}^{N-2} F_i = F_N - 2$

b. $F_N < \phi^N$，其中 $\phi = (1+\sqrt{5})/2$

** c. 给出 F_N 准确的封闭形式的表达式。

1.12 证明下列公式：

a. $\sum_{i=1}^{N}(2i-1) = N^2$

b. $\sum_{i=1}^{N} i^3 = \left(\sum_{i=1}^{N} i\right)^2$

1.13 设计一个泛型类 Collection，它存储 Object 对象的集合（在数组中），以及该集合的当前大小。提供 public 方法 isEmpty、makeEmpty、insert、remove 和 isPresent。方法 isPresent(x) 当且仅当在该集合中存在（由 equals 定义）等于 x 的一个 Object 时返回 true。

1.14 设计一个泛型类 OrderedCollection，它存储 Comparable 的对象的集合（在数组中），以及该集合的当前大小。提供 public 方法 isEmpty、makeEmpty、insert、remove、findMin 和 findMax。findMin 和 findMax 分别返回该集合中最小的和最大的 Comparable 对象的引用（如果该集合为空，则返回 null）。

27

1.15 定义一个 Rectangle 类，该类提供 getLength 和 getWidth 方法。利用图 1-18 中的 findMax 例程编写一种 main 方法，该方法创建一个 Rectangle 数组并首先找出依面积最大的 Rectangle 对象，然后找出依周长最大的 Rectangle 对象。

参考文献

有许多好的教科书涵盖了本章所复习的数学内容，其中的一小部分为[1]、[2]、[3]、[11]、[13]和[14]。参考材料[11]是特别配合算法分析的教材，它是三卷丛书中的第一卷，并将在本书随处引用。更深入的材料包含于[8]中。

本书全书将假设读者具备 Java [4]、[6]、[7]的知识。本章中的材料可以作为我们将在本书中用到的一些要点的概括。我们还假设读者熟悉递归（本章中关于递归的总结是对递归的快速回顾），在书中适当的地方我们将提供使用它们的一些提示。不熟悉递归的读者应该参考[14]或任意一本好的中等水平的程序设计教材。

一般的程序设计风格在多部著作均有所讨论，其中一些经典的文献如[5]、[9]和[10]。

1. M. O. Albertson and J. P. Hutchinson, *Discrete Mathematics with Algorithms,* John Wiley & Sons, New York, 1988.
2. Z. Bavel, *Math Companion for Computer Science,* Reston Publishing Co., Reston, Va., 1982.
3. R. A. Brualdi, *Introductory Combinatorics,* North-Holland, New York, 1977.
4. G. Cornell and C. S. Horstmann, *Core Java,* Vol. I, 8th ed., Prentice Hall, Upper Saddle River, N.J., 2009.
5. E. W. Dijkstra, *A Discipline of Programming,* Prentice Hall, Englewood Cliffs, N.J., 1976.
6. D. Flanagan, *Java in a Nutshell,* 5th ed., O'Reilly and Associates, Sebastopol, Calif., 2005.
7. J. Gosling, B. Joy, G. Steele, and G. Bracha, *The Java Language Specification,* 3d ed., Addison-Wesley, Reading, Mass., 2005.
8. R. L. Graham, D. E. Knuth, and O. Patashnik, *Concrete Mathematics,* Addison-Wesley, Reading, Mass., 1989.
9. D. Gries, *The Science of Programming,* Springer-Verlag, New York, 1981.
10. B. W. Kernighan and P. J. Plauger, *The Elements of Programming Style,* 2d ed., McGraw-Hill, New York, 1978.
11. D. E. Knuth, *The Art of Computer Programming, Vol. 1: Fundamental Algorithms,* 3d ed., Addison-Wesley, Reading, Mass., 1997.
12. F. S. Roberts, *Applied Combinatorics,* Prentice Hall, Englewood Cliffs, N.J., 1984.
13. A. Tucker, *Applied Combinatorics,* 2d ed., John Wiley & Sons, New York, 1984.
14. M. A. Weiss, *Data Structures and Problem Solving Using Java,* 4th ed., Addison-Wesley, Boston, Mass., 2010.

28

算法分析

算法(algorithm)是为求解一个问题需要遵循的、被清楚指定的简单指令的集合。对于一个问题，一旦某种算法给定并且(以某种方式)被确定是正确的，那么重要的一步就是确定该算法将需要多少诸如时间或空间等资源量的问题。如果一个问题的求解算法竟然需要长达一年时间，那么这种算法就很难能有什么用处。同样，一个需要若干个GB(gigabyte)的内存的算法在当前的大多数机器上也是无法使用的。

在这一章，我们将讨论：

- 如何估计一个程序所需要的时间。
- 如何将一个程序的运行时间从天或年降低到秒甚至更少。
- 粗心使用递归的后果。
- 将一个数自乘得到其幂，以及计算两个数的最大公因数的非常有效的算法。

2.1 数学基础

一般说来，估计算法资源消耗所需的分析是一个理论问题，因此需要一套正式的系统架构。我们先从某些数学定义开始。

本书将使用下列四个定义：

定义2.1 如果存在正常数 c 和 n_0 使得当 $N \geqslant n_0$ 时 $T(N) \leqslant cf(N)$，则记为 $T(N)=O(f(N))$。

定义2.2 如果存在正常数 c 和 n_0 使得当 $N \geqslant n_0$ 时 $T(N) \geqslant cg(N)$，则记为 $T(N)=\Omega(g(N))$。

定义2.3 $T(N)=\Theta(h(N))$ 当且仅当 $T(N)=O(h(N))$ 和 $T(N)=\Omega(h(N))$。

定义2.4 如果对每一正常数 c 都存在常数 n_0 使得当 $N>n_0$ 时 $T(N)<cp(N)$，则 $T(N)=o(p(N))$。有时也可以说，如果 $T(N)=O(p(N))$ 且 $T(N)\neq\Theta(p(N))$，则 $T(N)=o(p(N))$。

这些定义的目的是要在函数间建立一种相对的级别。给定两个函数，通常存在一些点，在这些点上一个函数的值小于另一个函数的值，因此，一般地宣称，比如说 $f(N)<g(N)$，是没有什么意义的。于是，我们比较它们的**相对增长率**(relative rate of growth)。当将相对增长率应用到算法分析时，我们将会明白为什么它是重要的度量。

虽然对于较小的 N 值 $1\,000N$ 要比 N^2 大，但 N^2 以更快的速度增长，因此 N^2 最终将是更大的函数。在这种情况下，$N=1\,000$ 是转折点。第一个定义是说，最后总会存在某个点 n_0 从它以后 $c\cdot f(N)$ 总是至少与 $T(N)$ 一样大，从而若忽略常数因子，则 $f(N)$ 至少与 $T(N)$ 一样大。在我们的例子中，$T(N)=1\,000N$，$f(N)=N^2$，$n_0=1\,000$ 而 $c=1$。我们也可以让 $n_0=10$ 而 $c=100$。因此，可以说 $1\,000N=O(N^2)$(N 平方级)。这种记法称为**大 O 标记法**。人们常常不说“……级的”，而是说“大 O……”。

如果用传统的不等式来计算增长率，那么第一个定义是说 $T(N)$ 的增长率小于或等于 $f(N)$ 的增长率。第二个定义 $T(N)=\Omega(g(N))$(念成“omega”)是说 $T(N)$ 的增长率大于或等于 $g(N)$ 的增长率。第三个定义 $T(N)=\Theta(h(N))$(念成“theta”)是说 $T(N)$ 的增长率等于 $h(N)$ 的增长率。最后一个定义 $T(N)=o(p(N))$(念成“小o”)说的则是 $T(N)$ 的增长率小于 $p(N)$ 的增长率。它不同于大 O，因为大 O 包含增长率相同的可能性。

要证明某个函数 $T(N)=O(f(N))$，通常不是形式地使用这些定义，而是使用一些已知的结果。一般来说，这就意味着证明(或确定假设不成立)是非常简单的计算而不应涉及微积分，除非遇到特殊的情况(不可能在算法分析中发生)。

当 $T(N)=O(f(N))$ 时，我们是在保证函数 $T(N)$ 是在以不快于 $f(N)$ 的速度增长；因此 $f(N)$ 是 $T(N)$ 的一个**上界**(upper bound)。这意味着 $f(N)=\Omega(T(N))$，于是我们说 $T(N)$ 是 $f(N)$ 的一个**下界**(lower bound)。

作为一个例子，N^3 比 N^2 增长快，因此我们可以说 $N^2=O(N^3)$ 或 $N^3=\Omega(N^2)$。$f(N)=N^2$ 和 $g(N)=2N^2$ 以相同的速率增长，从而 $f(N)=O(g(N))$ 和 $f(N)=\Omega(g(N))$ 都是正确的。当两个函数以相同的速率增长时，是否需要使用记号 $\Theta()$ 表示可能依赖于具体的上下文。直观地说；如果 $g(N)=2N^2$，那么 $g(N)=O(N^4)$，$g(N)=O(N^3)$ 和 $g(N)=O(N^2)$ 从技术上看都是成立的，但最后一个是最佳选择。写法 $g(N)=\Theta(N^2)$ 不仅表示 $g(N)=O(N^2)$ 而且还表示结果尽可能地好(严密)。

30

我们需要掌握的重要结论为：

法则1：

如果 $T_1(N)=O(f(N))$ 且 $T_2(N)=O(g(N))$，那么

(a) $T_1(N)+T_2(N)=O(f(N)+g(N))$（直观地和非正式地可以写成 $\max(O(f(N)), O(g(N)))$）。

(b) $T_1(N)*T_2(N)=O(f(N)*g(N))$。

法则2：

如果 $T(N)$ 是一个 k 次多项式，则 $T(N)=\Theta(N^k)$。

法则3：

对任意常数 k，$\log^k N=O(N)$。它告诉我们对数增长得非常缓慢。

这些信息足以按照增长率对大部分常见的函数进行分类(见图2-1)。

有几点需要注意。首先，将常数或低阶项放进大 O 是非常坏的习惯。不要写成 $T(N)=O(2N^2)$ 或 $T(N)=O(N^2+N)$。在这两种情形下，正确的形式是 $T(N)=O(N^2)$。这就是说，在需要大 O 表示的任何分析中，各种简化都是可能发生的。低阶项一般可以被忽略，而常数也可以弃掉。此时，要求的精度是很粗糙的。

函数	名称
c	常数
$\log N$	对数
$\log^2 N$	对数平方的
N	线性的
$N\log N$	
N^2	二次的
N^3	三次的
2^N	指数的

图2-1 典型的增长率

31

第二，我们总能够通过计算极限 $\lim_{N\to\infty} f(N)/g(N)$ 来确定两个函数 $f(N)$ 和 $g(N)$ 的相对增长率，必要的时候可以使用洛必达法则㊀。该极限可以有四种可能的值：

- 极限是0：这意味着 $f(N)=o(g(N))$。
- 极限是 $c\neq 0$：这意味着 $f(N)=\Theta(g(N))$。
- 极限是∞：这意味着 $g(N)=o(f(N))$。
- 极限摆动：二者无关(在本书中将不会发生这种情形)。

使用这种方法几乎总能够算出相对增长率，不过有些复杂化。通常，两个函数 $f(N)$ 和 $g(N)$ 间的关系用简单的代数方法就能得到。例如，如果 $f(N)=N\log(N)$ 和 $g(N)=N^{1.5}$，那么为了确定 $f(N)$ 和 $g(N)$ 哪个增长得更快，实际上就是确定 $\log N$ 和 $N^{0.5}$ 哪个增长更快。这与确定 $\log^2 N$ 和 N 哪个增长更快是一样的，而后者是个简单的问题，因为我们已经知道，N 的增长要快于 log 的任意的幂。因此，$g(N)$ 的增长快于 $f(N)$ 的增长。

另外，在风格上还应注意：不要写成 $f(N)\leqslant O(g(N))$，因为定义已经隐含有不等式了。写成 $f(N)\geqslant O(g(N))$ 是错误的，它没有意义。

作为所执行的典型类型分析的例子，考虑在互联网上下载文件的问题。设有初始3s的延迟

㊀ 洛必达法则说的是，若 $\lim_{N\to\infty} f(N)=\infty$ 且 $\lim_{N\to\infty} g(N)=\infty$，则 $\lim_{N\to\infty} f(N)/g(N)=\lim_{N\to\infty} f'(N)/g'(N)$，而 $f'(N)$ 和 $g'(N)$ 分别是 $f(N)$ 和 $g(N)$ 的导数。

(来建立连接)，此后下载以1.5K(B)/s的速度进行。可以推出，如果文件为N个KB，那么下载时间由公式$T(N)=N/1.5+3$表示。这是一个**线性函数**(linear function)。注意，下载一个1 500K的文件所用时间(1 003s)近似(但不是精确)地为下载750K文件所用时间(503s)的两倍。这是典型的线性函数。还要注意，如果连接的速度快两倍，那么两种时间都要减少，但1 500K文件的下载仍然花费大约下载750K文件的时间的两倍。这是线性时间算法的典型特点，这就是为什么我们写$T(N)=O(N)$而忽略常数因子的原因。(虽然使用大Θ会更精确，但是一般给出的是大O答案。)

还要看到，这种行为不是对所有的算法都成立。对于1.1节描述的第一个选择算法，运行时间由执行一次排序所花费的时间来控制。对诸如所提出的冒泡排序这样的简单排序算法，当输入量增加到两倍的时候，则对大量输入的运行时间增加到4倍。这是因为这些算法不是线性的，我们将看到，当讨论排序时，普通的排序算法是$O(N^2)$，或叫作二次的。

2.2 模型

为了在正式的构架中分析算法，我们需要一个计算模型。我们的模型基本上是一台标准的计算机，在机器中指令被顺序地执行。该模型有一个标准的简单指令系统，如加法、乘法、比较和赋值等。但不同于实际计算机情况的是，模型机做任一件简单的工作都恰好花费一个时间单位。为了合理起见，我们将假设模型像一台现代计算机那样有固定大小(比如32位)的整数并且不存在如矩阵求逆或排序这种想象的操作，它们显然不能在一个时间单位内完成。我们还假设模型机有无限的内存。

显然，这个模型有些缺点。很明显，在现实生活中不是所有的运算都恰好花费相同的时间。特别在我们的模型中，一次磁盘读入按一次加法计时，虽然加法一般要快几个数量级。还有，由于假设有无限的内存，我们再不用担心缺页中断，而它可能是个实际问题，特别是对一些高效的算法。

32

2.3 要分析的问题

通常，要分析的最重要的资源就是运行时间。有几个因素影响着程序的运行时间。有些因素(如所使用的编译器和计算机)显然超出了任何理论模型的范畴，因此，虽然它们是重要的，但是我们在这里还是不能考虑它们。剩下的主要因素则是所使用的算法以及对该算法的输入。

典型的情形是，输入的大小是主要的考虑方面。我们定义两个函数$T_{avg}(N)$和$T_{worst}(N)$，分别为算法对于输入量N所花费的平均运行时间和最坏情况的运行时间。显然，$T_{avg}(N)\leqslant T_{worst}(N)$。如果存在多于一个的输入，那么这些函数可以有多于一个的变量。

偶尔也分析一个算法最好情形的性能。不过，通常这没有什么重要意义，因为它不代表典型的行为。平均情形性能常常反映典型的行为，而最坏情形的性能则代表对任何可能输入的性能的一种保证。还要注意，虽然在这一章我们分析的是Java程序，但所得到的界实际上是算法的界而不是程序的界。程序是算法以一种特殊编程语言的实现，程序设计语言的细节几乎总是不影响大O的答案。如果一个程序比算法分析提出的速度慢得多，那么可能存在低效率的实现。这在类似C++的语言中很普遍，比如，数组可能当作整体而被漫不经心地拷贝，而不是由引用来传递。不管怎么说，这在Java中也可能出现；在12.7节的最后两段有一个极其巧妙的例子来说明这个问题。因此，在后面各章我们将分析算法而不是分析程序。

一般说来，若无相反的指定，则所需要的量是最坏情况的运行时间。其原因之一是它对所有的输入提供了一个界限，包括特别坏的输入，而平均情况分析不提供这样的界。另一个原因是平均情况的界计算起来通常要困难得多。在某些情况下，“平均”的定义可能影响分析的结果。(例如，什么是下述问题的平均输入?)

作为一个例子，我们将在下一节考虑下述问题：

最大子序列和问题

给定(可能有负的)整数A_1，A_2，…，A_N，求$\sum_{k=i}^{j}A_k$的最大值。(为方便起见，如果所有整数均为负数，则最大子序列和为0)。

例如：对于输入-2，11，-4，13，-5，-2，答案为20(从A_2到A_4)。

这个问题之所以有吸引力，主要是因为存在求解它的很多算法，而这些算法的性能又差异很大。我们将讨论求解该问题的四种算法。这四种算法在某台计算机上(究竟是哪一台具体的计算机并不重要)的运行时间如图2-2所示。

输入大小	算法时间			
	1 $O(N^3)$	2 $O(N^2)$	3 $O(N\log N)$	4 $O(N)$
$N=100$	0.000 159	0.000 006	0.000 005	0.000 002
$N=1\ 000$	0.095 857	0.000 371	0.000 060	0.000 022
$N=10\ 000$	86.67	0.033 322	0.000 619	0.000 222
$N=100\ 000$	NA	3.33	0.006 700	0.002 205
$N=1\ 000\ 000$	NA	NA	0.074 870	0.022 711

图2-2 计算最大子序列和的几种算法的运行时间(秒)

在表中有几个重要的情况值得注意。对于小量的输入，这些算法都在眨眼之间完成，因此如果只是小量输入的情形，那么花费大量的努力去设计聪明的算法恐怕就太不值得了。另一方面，近来对于重写那些不再合理的基于小输入量假设而在五年以前编写的程序确实存在巨大的市场。现在看来，这些程序太慢了，因为它们用的是一些低劣的算法。对于大量的输入，算法4显然是最好的选择(虽然算法3也是可用的)。 33

其次，表中所给出的时间不包括读入数据所需要的时间。对于算法4，仅仅从磁盘读入数据所用的时间很可能在数量级上比求解上述问题所需要的时间还要大。这是许多有效算法的典型特点。数据的读入一般是个瓶颈；一旦数据读入，问题就会迅速解决。但是，对于低效率的算法情况就不同了，它必然要占用大量的计算机资源。因此只要可能，使得算法足够有效而不至成为问题的瓶颈是非常重要的。

注意到具有线性复杂度的算法4表现很好，当问题的规模增长了十倍的时候，其运行时间也增长十倍。而具有平方复杂度的算法2就不行了，十倍的规模增长导致运行时间大约有百倍(10^2)的增长。而立方级复杂度的算法1的运行时间则有千倍(10^3)的增长。对于$N=100\ 000$，我们可以预期算法1将花费近乎90 000秒(或一天)的时间。类似地，我们可预期算法2用大约333秒来完成$N=1\ 000\ 000$。然而，算法2也可能花更多的时间，因为在现代计算机中，内存存取$N=1\ 000\ 000$可能比处理$N=100\ 000$要慢，这取决于内存缓存的大小。 34

图2-3指出这四种算法运行时间的增长率。尽管该图只包含N从10到100的值，但是相对增长率还是很明显的。虽然$O(N\log N)$算法的图看起来是线性的，但是用直尺的边(或是一张纸)容易验证它并不是直线。虽然$O(N)$算法的图看似直线，但这只是因为对于小的N值其中的常数项大于线性项。图2-4显示了对于更大值的性能。该图明显地表明，对于即使是适度大小的输入量低效算法依然是多么的无用。

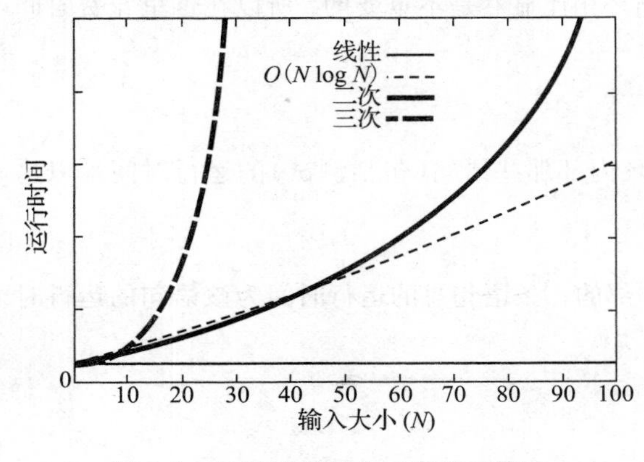

图2-3 各种计算最大子序列和算法(N和时间之间)的图

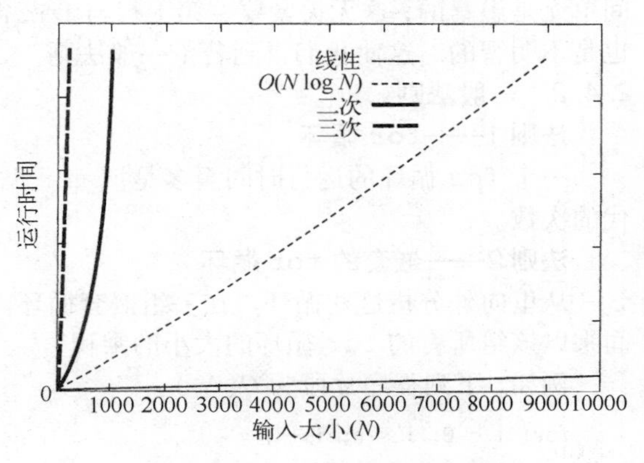

图2-4 各种计算最大子序列和的算法(N和时间之间)图

2.4 运行时间计算

有几种方法估计一个程序的运行时间。前面的表是凭经验得到的。如果认为两个程序花费大致相同的时间，要确定哪个程序更快的最好方法很可能就是将它们编码并运行！

35

一般地，存在几种算法思想，而我们总愿意尽早除去那些不好的算法思想，因此，通常需要分析算法。不仅如此，进行分析的能力常常提供对于设计有效算法的洞察能力。一般说来，分析还能准确地确定瓶颈，这些地方值得仔细编码。

为了简化分析，我们将采纳如下的约定：不存在特定的时间单位。因此，我们抛弃一些前导的常数。我们还将抛弃低阶项，从而要做的就是计算大 O 运行时间。由于大 O 是一个上界，因此我们必须仔细，绝不要低估程序的运行时间。实际上，分析的结果为程序在一定的时间范围内能够终止运行提供了保障。程序可能提前结束，但绝不可能错后。

2.4.1 一个简单的例子

这里是计算 $\sum_{i=1}^{N} i^3$ 的一个简单的程序片段：

```
    public static int sum( int n )
    {
        int partialSum;

1       partialSum = 0;
2       for( int i = 1; i <= n; i++ )
3           partialSum += i * i * i;
4       return partialSum;
    }
```

对这个程序段的分析是简单的。所有的声明均不计时间。第1行和第4行各占一个时间单元。第3行每执行一次占用4个时间单元(两次乘法，一次加法和一次赋值)，而执行 N 次共占用 $4N$ 个时间单元。第2行在初始化 i、测试 $i \leqslant N$ 和对 i 的自增运算隐含着开销。所有这些的总开销是初始化1个单元时间，所有的测试为 $N+1$ 个单元时间，而所有的自增运算为 N 个单元时间，共 $2N+2$ 个时间单元。我们忽略调用方法和返回值的开销，得到总量是 $6N+4$ 个时间单元。因此，我们说该方法是 $O(N)$。

如果每次分析一个程序都要演示所有这些工作，那么这项任务很快就会变成不可行的负担。幸运的是，由于我们有了大 O 的结果，因此就存在许多可以采取的捷径并且不影响最后的结果。例如，第3行(每次执行时)显然是 $O(1)$ 语句，因此精确计算它究竟是2、3还是4个时间单元是愚蠢的；这无关紧要。第1行与 for 循环相比显然是不重要的，所以在这里花费时间也是不明智的。这使我们得到若干一般法则。

2.4.2 一般法则

法则1——for 循环

一个 for 循环的运行时间至多是该 for 循环内部那些语句(包括测试)的运行时间乘以迭代的次数。

36

法则2——嵌套的 for 循环

从里向外分析这些循环。在一组嵌套循环内部的一条语句总的运行时间为该语句的运行时间乘以该组所有的 for 循环的大小的乘积。

例如，下列程序片段为 $O(N^2)$：

```
for( i = 0; i < n; i++ )
    for( j = 0; j < n; j++ )
        k++;
```

法则 3——顺序语句

将各个语句的运行时间求和即可(这意味着,其中的最大值就是所得的运行时间;见2.1节中的法则1(a))。

例如,下面的程序片段先是花费 $O(N)$,接着是 $O(N^2)$,因此总量也是 $O(N^2)$:

```
for( i = 0; i < n; i++ )
    a[ i ] = 0;
for( i = 0; i < n; i++ )
    for( j = 0; j < n; j++ )
        a[ i ] += a[ j ] + i + j;
```

法则 4——if/else 语句

对于程序片段

```
if( condition )
    S1
else
    S2
```

一个 if/else 语句的运行时间从不超过判断的运行时间再加上 $S1$ 和 $S2$ 中运行时间长者的总的运行时间。

显然在某些情形下这么估计有些过头,但决不会估计过低。

其他的法则都是显然的,但是,分析的基本策略是从内部(或最深层部分)向外展开工作的。如果有方法调用,那么要首先分析这些调用。如果有递归过程,那么存在几种选择。若递归实际上只是被薄面纱遮住的 for 循环,则分析通常是很简单的。例如,下面的方法实际上就是一个简单的循环从而其运行时间为 $O(N)$:

```
public static long factorial( int n )
{
    if( n <= 1 )
        return 1;
    else
        return n * factorial( n - 1 );
}
```

37

实际上这个例子对递归的使用并不好。当递归被正常使用时,将其转换成一个循环结构是相当困难的。在这种情况下,分析将涉及求解一个递推关系。为了观察到这种可能发生的情形,考虑下列程序,实际上它对递归使用的效率低得令人惊诧。

```
        public static long fib( int n )
        {
1           if( n <= 1 )
2               return 1;
            else
3               return fib( n - 1 ) + fib( n - 2 );
        }
```

初看起来,该程序似乎对递归的使用非常聪明。可是,如果将程序编码并在 N 值为40左右时运行,那么这个程序让人感到效率低得吓人。分析是十分简单的。令 $T(N)$ 为调用函数 fib(n) 的运行时间。如果 $N=0$ 或 $N=1$,则运行时间是某个常数值,即第1行上做判断以及返回所用的时间。因为常数并不重要,所以我们可以说 $T(0)=T(1)=1$。对于 N 的其他值的运行时间则相对于基准情形的运行时间来度量。若 $N>2$,则执行该方法的时间是第1行上的常数工作加上第3行上的工作。第3行由一次加法和两次方法调用组成。由于方法调用不是简单的运算,因此必须用它们自己来分析它们。第一次方法调用是 fib(n-1)，从而按照T的定义它需要 $T(N-1)$ 个时间单元。类似的论证指出，第二次方法调用需要 $T(N-2)$ 个时间单元。此时总的时间需求为 $T(N-1)+T(N-2)+2$，其中2指的是第1行上的工作加上第3行上的加法。于是对于 $N\geqslant 2$，有下列关于 fib(n) 的运行时间公式：

$$T(N)=T(N-1)+T(N-2)+2$$

但是 $fib(N)=fib(N-1)+fib(N-2)$，因此由归纳法容易证明 $T(N)\geqslant fib(N)$。在1.2.5节我们证明过 $fib(N)<(5/3)^N$，类似的计算可以证明(对于 $N>4$) $fib(N)\geqslant(3/2)^N$，从而这个程序的运行时间以指数的速度增长。这大致是最坏的情况。通过保留一个简单的数组并使用一个 for 循环，运行时间可以显著降低。

这个程序之所以运行缓慢，是因为存在大量多余的工作要做，违反了在1.3节中叙述的递归的第四条主要法则(合成效益法则)。注意，在第3行上的第一次调用即 fib(n-1) 实际上在某处计算 fib(n-2)。这个信息被抛弃而在第3行上的第二次调用时又重新计算了一遍。抛弃的信息量递归地合成起来并导致巨大的运行时间。这或许是格言“计算任何事情不要超过一次”的最好的实例，但它不应使你被吓得远离递归而不敢使用。本书中将随处看到递归的杰出使用。

38

2.4.3 最大子序列和问题的求解

现在我们将要叙述四个算法来求解早先提出的最大子序列和问题。第一个算法如图2-5所示，它只是穷举式地尝试所有的可能。for 循环中的循环变量反映了 Java 中数组从0开始而不是从1开始这样一个事实。还有，本算法并不计算实际的子序列；实际的计算还要添加一些额外的代码。

```
 1    /**
 2     * Cubic maximum contiguous subsequence sum algorithm.
 3     */
 4    public static int maxSubSum1( int [ ] a )
 5    {
 6        int maxSum = 0;
 7
 8        for( int i = 0; i < a.length; i++ )
 9            for( int j = i; j < a.length; j++ )
10            {
11                int thisSum = 0;
12
13                for( int k = i; k <= j; k++ )
14                    thisSum += a[ k ];
15
16                if( thisSum > maxSum )
17                    maxSum = thisSum;
18            }
19
20        return maxSum;
21    }
```

图2-5 算法1

该算法肯定会正确运行(这用不着花太多的时间去证明)。运行时间为 $O(N^3)$，这完全取决于第13行和第14行，它们由一个含于三重嵌套 for 循环中的 $O(1)$ 语句组成。第8行上的循环大小为 N。

第2个循环大小为 $N-i$，它可能要小，但也可能是 N。我们必须假设最坏的情况，而这可能会使得最终的界有些大。第3个循环的大小为 $j-i+1$ 我们也要假设它的大小为 N。因此总数为 $O(1\cdot N\cdot N\cdot N)=O(N^3)$。第6行总共的开销只是 $O(1)$，而语句16和17也只不过总共开销 $O(N^2)$，因为它们只是两层循环内部的简单表达式。

事实上，考虑到这些循环的实际大小，更精确的分析指出答案是 $\Theta(N^3)$，而我们上面的估计高 6 倍(不过这并无大碍，因为常数不影响数量级)。一般说来，在这类问题中上述结论是正确的。精确的分析由和 $\sum_{i=0}^{N-1}\sum_{j=i}^{N-1}\sum_{k=i}^{j}1$ 得到，该“和”指出程序的第 14 行被执行多少次。使用 1.2.3 节中的公式可以对该和从内到外求值。特别地，我们将用到前 N 个整数求和以及前 N 个平方数求和的公式。首先有

$$\sum_{k=i}^{j}1 = j-i+1$$

接着，得到

$$\sum_{j=i}^{N-1}(j-i+1) = \frac{(N-i+1)(N-i)}{2}$$

这个和是对前 $N-i$ 个整数求和而计算得出的。为完成全部计算，我们有

$$\begin{aligned}\sum_{i=0}^{N-1}\frac{(N-i+1)(N-i)}{2} &= \sum_{i=1}^{N}\frac{(N-i+1)(N-i+2)}{2}\\ &= \frac{1}{2}\sum_{i=1}^{N}i^2-\left(N+\frac{3}{2}\right)\sum_{i=1}^{N}i+\frac{1}{2}(N^2+3N+2)\sum_{i=1}^{N}1\\ &= \frac{1}{2}\frac{N(N+1)(2N+1)}{6}-\left(N+\frac{3}{2}\right)\frac{N(N+1)}{2}+\frac{N^2+3N+2}{2}N\\ &= \frac{N^3+3N^2+2N}{6}\end{aligned}$$

我们可以通过撤除一个 for 循环来避免三次的运行时间。不过这不总是可能的，在这种情况下算法中出现大量不必要的计算。纠正这种低效率的改进算法可以通过观察 $\sum_{k=i}^{j}A_k = A_j + \sum_{k=i}^{j-1}A_k$ 而看出，因此算法 1 中第 13 行和第 14 行上的计算过分地耗费了。图 2-6 给出了一种改进的算法。算法 2 显然是 $O(N^2)$；对它的分析甚至比前面的分析还简单。

```
 1    /**
 2     * Quadratic maximum contiguous subsequence sum algorithm.
 3     */
 4    public static int maxSubSum2( int [ ] a )
 5    {
 6        int maxSum = 0;
 7
 8        for( int i = 0; i < a.length; i++ )
 9        {
10            int thisSum = 0;
11            for( int j = i; j < a.length; j++ )
12            {
13                thisSum += a[ j ];
14
15                if( thisSum > maxSum )
16                    maxSum = thisSum;
17            }
18        }
19
20        return maxSum;
21    }
```

图 2-6 算法 2

对这个问题有一个递归和相对复杂的 $O(N \log N)$ 解法，我们现在就来描述它。要是真的没出现 $O(N)$（线性的）解法，这个算法就会是体现递归威力的极好的范例了。该方法采用一种“分治（divide-and-conquer）”策略。其想法是把问题分成两个大致相等的子问题，然后递归地对它们求解，这是“分”的部分。“治”阶段将两个子问题的解修补到一起并可能再做些少量的附加工作，最后得到整个问题的解。

40

在我们的例子中，最大子序列和可能在三处出现。或者整个出现在输入数据的左半部，或者整个出现在右半部，或者跨越输入数据的中部从而位于左右两半部分之中。前两种情况可以递归求解。第三种情况的最大和可以通过求出前半部分（包含前半部分最后一个元素）的最大和以及后半部分（包含后半部分第一个元素）的最大和而得到。此时将这两个和相加。作为一个例子，考虑下列输入：

前半部分				后半部分			
4	-3	5	-2	-1	2	6	-2

其中前半部分的最大子序列和为6（从元素 A_1 到 A_3）而后半部分的最大子序列和为8（从元素 A_6 到 A_7）。

前半部分包含其最后一个元素的最大和是4（从元素 A_1 到 A_4），而后半部分包含其第一个元素的最大和是7（从元素 A_5 到 A_7）。因此，横跨这两部分且通过中间的最大和为 $4+7=11$（从元素 A_1 到 A_7）。

我们看到，在形成本例中的最大和子序列的三种方式中，最好的方式是包含两部分的元素。于是，答案为11。图2-7提出了这种策略的一种实现手段。

有必要对算法3的程序进行一些说明。递归过程调用的一般形式是传递输入的数组以及左边界和右边界，它们界定了数组要被处理的部分。单行驱动程序通过传递数组以及边界0和 $N-1$ 而将该过程启动。

第8行至第12行处理基准情况。如果 `left == right`，那么只有一个元素，并且当该元素非负时它就是最大子序列。`left > right` 的情况是不可能出现的，除非 N 是负数（不过，程序中小的扰动有可能致使这种混乱产生）。第15行和第16行执行两个递归调用。我们可以看到，递归调用总是对小于原问题的问题进行，不过程序中的小扰动有可能破坏这个特性。第18行至第24行以及第26行至第32行计算达到中间分界处的两个最大和的和数。这两个值的和为扩展到左右两部分的最大和。例程 `max3`（未给出）返回这三个可能的最大和中的最大者。

显然，算法3需要比前面两种算法更多的编程努力。然而，程序短并不总意味着程序好。正如我们在前面显示算法运行时间的表中已经看到的，除最小的输入量外，该算法比前两个算法明显要快。

对运行时间的分析方法与在分析计算斐波那契数程序时的方法类似。令 $T(N)$ 是求解大小为 N 的最大子序列和问题所花费的时间。如果 $N=1$，则算法3执行程序第8行到第12行花费某个常数时间量，我们称之为一个时间单位。于是，$T(1)=1$。否则，程序必须运行两个递归调用，即在第19行和第32行之间的两个 `for` 循环，以及某个小的簿记量，如第14行和第18行。这两个 `for` 循环总共接触到从 A_0 到 A_{N-1} 的每一个元素，而在循环内部的工作量是常量，因此，在第19到32行花费的时间为 $O(N)$。在第8行到第14行，第18、26和34行上的程序的工作量都是常量，从而与 $O(N)$ 相比可以忽略。其余就是第15、16行上运行的工作。这两行求解大小为 $N/2$ 的子序列问题（假设 N 是偶数）。因此，这两行每行花费 $T(N/2)$ 个时间单元，共花费 $2T(N/2)$ 个时间单元。算法3花费的总的时间为 $2T(N/2)+O(N)$。我们得到方程组

$$T(1)=1$$
$$T(N)=2T(N/2)+O(N)$$

```
1    /**
2     * Recursive maximum contiguous subsequence sum algorithm.
3     * Finds maximum sum in subarray spanning a[left..right].
4     * Does not attempt to maintain actual best sequence.
5     */
6    private static int maxSumRec( int [ ] a, int left, int right )
7    {
8        if( left == right )  // Base case
9            if( a[ left ] > 0 )
10               return a[ left ];
11           else
12               return 0;
13
14       int center = ( left + right ) / 2;
15       int maxLeftSum  = maxSumRec( a, left, center );
16       int maxRightSum = maxSumRec( a, center + 1, right );
17
18       int maxLeftBorderSum = 0, leftBorderSum = 0;
19       for( int i = center; i >= left; i-- )
20       {
21           leftBorderSum += a[ i ];
22           if( leftBorderSum > maxLeftBorderSum )
23               maxLeftBorderSum = leftBorderSum;
24       }
25
26       int maxRightBorderSum = 0, rightBorderSum = 0;
27       for( int i = center + 1; i <= right; i++ )
28       {
29           rightBorderSum += a[ i ];
30           if( rightBorderSum > maxRightBorderSum )
31               maxRightBorderSum = rightBorderSum;
32       }
33
34       return max3( maxLeftSum, maxRightSum,
35                    maxLeftBorderSum + maxRightBorderSum );
36   }
37
38   /**
39    * Driver for divide-and-conquer maximum contiguous
40    * subsequence sum algorithm.
41    */
42   public static int maxSubSum3( int [ ] a )
43   {
44       return maxSumRec( a, 0, a.length - 1 );
45   }
```

图 2-7 算法 3

为了简化计算，我们可以用 N 代替上面方程中的 $O(N)$ 项；由于 $T(N)$ 最终还是要用大 O 来表示，因此这么做并不影响答案。在第 7 章，我们将会看到如何严格地求解这个方程。至于现在，如果 $T(N)=2T(N/2)+N$，且 $T(1)=1$，那么 $T(2)=4=2*2$，$T(4)=12=4*3$，$T(8)=32=8*4$，以及 $T(16)=80=16*5$。其形式是显然的并且可以得到，即若 $N=2^k$，则 $T(N)=$

$N*(k+1)=N\log N+N=O(N\log N)$。

这个分析假设 N 是偶数，否则 $N/2$ 就不确定了。通过该分析的递归性质可知，实际上只有当 N 是 2 的幂时结果才是合理的，否则我们最终要得到大小不是偶数的子问题，方程就是无效的了。当 N 不是 2 的幂时，我们多少需要更加复杂一些的分析，但是大 O 的结果是不变的。

41 ~ 43

在后面的章节中，我们将看到递归的几个漂亮的应用。这里，我们还是介绍求解最大子序列和的第 4 种方法，该算法实现起来要比递归算法简单而且更为有效。它在图 2-8 中给出。

```
 1    /**
 2     * Linear-time maximum contiguous subsequence sum algorithm.
 3     */
 4    public static int maxSubSum4( int [ ] a )
 5    {
 6        int maxSum = 0, thisSum = 0;
 7
 8        for( int j = 0; j < a.length; j++ )
 9        {
10            thisSum += a[ j ];
11
12            if( thisSum > maxSum )
13                maxSum = thisSum;
14            else if( thisSum < 0 )
15                thisSum = 0;
16        }
17
18        return maxSum;
19    }
```

图 2-8 算法 4

不难理解为什么时间的界是正确的，但是要明白为什么算法是正确可行的却需要多加思考。为了分析原因，注意，像算法 1 和算法 2 一样，j 代表当前序列的终点，而 i 代表当前序列的起点。碰巧的是，如果我们不需要知道具体最佳的子序列在哪里，那么 i 的使用可以从程序上被优化，因此在设计算法的时候假设 i 是需要的，而且我们想要改进算法 2。一个结论是，如果 a[i]是负的，那么它不可能代表最优序列的起点，因为任何包含 a[i]的作为起点的子序列都可以通过用 a[i+1]作起点而得到改进。类似地，任何负的子序列不可能是最优子序列的前缀（原理相同）。如果在内循环中检测到从 a[i]到 a[j]的子序列是负的，那么可以推进 i。关键的结论是，我们不仅能够把 i 推进到 i+1，而且实际上还可以把它一直推进到 j+1。为了看清楚这一点，令 p 为 i+1 和 j 之间的任一下标。开始于下标 p 的任意子序列都不大于在下标 i 开始并包含从a[i]到 a[p-1]的子序列的对应的子序列，因为后面这个子序列不是负的（j 是使得从下标 i 开始其值成为负值的序列的第一个下标）。因此，把 i 推进到 j+1 是没有风险的：我们一个最优解也不会错过。

这个算法是许多聪明算法的典型：运行时间是明显的，但正确性则不那么容易看出来。对于这些算法，正式的正确性证明（比上面的分析更正式）几乎总是需要的；然而，即使到那时，许多人仍然还是不信服。此外，许多这类算法需要更有技巧的编程，这导致更长的开发过程。

44

不过当这些算法正常工作时，它们运行得很快，而我们将它们和一个低效（但容易实现）的蛮力算法通过小规模的输入进行比较可以测试到大部分的程序原理。

该算法的一个附带的优点是，它只对数据进行一次扫描，一旦 a[i]被读入并被处理，它就不再需要被记忆。因此，如果数组在磁盘上或通过互联网传送，那么它就可以被按顺序读入，在主存中不必存储数组的任何部分。不仅如此，在任意时刻，算法都能对它已经读入的数据给出子序列问题的正确答案(其他算法不具有这个特性)。具有这种特性的算法叫作**联机算法**(on-line algorithm)。仅需要常量空间并以线性时间运行的联机算法几乎是完美的算法。

2.4.4 运行时间中的对数

分析算法最混乱的方面大概集中在对数上面。我们已经看到,某些分治算法将以 $O(N\log N)$ 时间运行。此外,对数最常出现的规律可概括为下列一般法则:如果一个算法用常数时间($O(1)$)将问题的大小削减为其一部分(通常是1/2),那么该算法就是 $O(\log N)$。另一方面,如果使用常数时间只是把问题减少一个常数的数量(如将问题减少1),那么这种算法就是 $O(N)$ 的。

显然,只有一些特殊种类的问题才能够呈 $O(\log N)$ 型。例如,若输入 N 个数,则算法只要把这些数读入就必须耗费 $\Omega(N)$ 的时间量。因此,当我们谈到这类问题的 $O(\log N)$ 算法时,通常都是假设输入数据已经提前读入。下面,我们提供具有对数特点的三个例子。

折半查找

第一个例子通常叫作折半查找(binary search)。

折半查找:给定一个整数 X 和整数 $A_0, A_1, \cdots, A_{N-1}$,后者已经预先排序并在内存中,求下标 i 使得 $A_i = X$,如果 X 不在数据中,则返回 $i = -1$。

明显的解法是从左到右扫描数据,其运行花费线性时间。然而,这个算法没有用到该表已经排序的事实,这就使得算法很可能不是最好的。一个好的策略是验证 X 是否是居中的元素。如果是,则答案就找到了。如果 X 小于居中元素,那么我们可以应用同样的策略于居中元素左边已排序的子序列;同理,如果 X 大于居中元素,那么我们检查数据的右半部分。(同样,也存在可能会终止的情况。)图 2-9 列出了折半查找的程序(其答案为 mid)。图中的程序同样也反映了 Java 语言数组下标从 0 开始的惯例。

```
1     /**
2      * Performs the standard binary search.
3      * @return index where item is found, or -1 if not found.
4      */
5     public static <AnyType extends Comparable<? super AnyType>>
6     int binarySearch( AnyType [ ] a, AnyType x )
7     {
8         int low = 0, high = a.length - 1;
9
10        while( low <= high )
11        {
12            int mid = ( low + high ) / 2;
13
14            if( a[ mid ].compareTo( x ) < 0 )
15                low = mid + 1;
16            else if( a[ mid ].compareTo( x ) > 0 )
17                high = mid - 1;
18            else
19                return mid;    // Found
20        }
21        return NOT_FOUND;      // NOT_FOUND is defined as -1
22    }
```

图 2-9 折半查找

显然,每次迭代在循环内的所有工作花费 $O(1)$,因此分析需要确定循环的次数。循环从

high - low = $N-1$ 开始，并保持 high - low ≥ -1。每次循环后 high - low 的值至少将该次循环前的值折半；于是，循环的次数最多为$\lceil \log(N-1) \rceil + 2$。(例如，若 high - low = 128，则在各次迭代后 high - low 的最大值是 64，32，16，8，4，2，1，0，-1。)因此，运行时间是 $O(\log N)$。与此等价，我们也可以写出运行时间的递推公式，不过，当我们理解实际在做什么以及为什么的原理时，这种强行写公式的做法通常没有必要。

折半查找可以看作是我们的第一个数据结构实现方法，它提供了在 $O(\log N)$ 时间内的 contains 操作，但是所有其他操作(特别是 insert 操作)均需要 $O(N)$ 时间。在数据是稳定(即不允许插入操作和删除操作)的应用中，这种操作可能是非常有用的。此时输入数据需要一次排序，但是此后的访问会很快。有个例子是一个程序，它需要保留(产生于化学和物理领域的)元素周期表的信息。这个表是相对稳定的，因为很少会加进新的元素。元素名可以始终是排序的。由于只有大约 110 种元素，因此找出一个元素最多需要访问 8 次。要是执行顺序查找就会需要多得多的访问次数。

欧几里得算法

第二个例子是计算最大公因数的欧几里得算法。两个整数的最大公因数(gcd)是同时整除二者的最大整数。于是，$gcd(50, 15) = 5$。图 2-10 所示的算法计算 $gcd(M, N)$，假设 $M \geq N$(如果 $N > M$，则循环的第一次迭代将它们互相交换)。

算法连续计算余数直到余数是 0 为止，最后的非零余数就是最大公因数。因此，如果 $M = 1989$ 和 $N = 1590$，则余数序列是 399，393，6，3，0。从而，$gcd(1989, 1590) = 3$。正如例子所表明的，这是一个快速算法。

```
1   public static long gcd( long m, long n )
2   {
3       while( n != 0 )
4       {
5           long rem = m % n;
6           m = n;
7           n = rem;
8       }
9       return m;
10  }
```

图 2-10　欧几里得算法

如前所述，估计算法的整个运行时间依赖于确定余数序列究竟有多长。虽然 $\log N$ 看似像理想中的答案，但是根本看不出余数的值按照常数因子递减的必然性，因为我们看到，例中的余数从 399 仅仅降到 393。事实上，在一次迭代中余数并不按照一个常数因子递减。然而，我们可以证明，在两次迭代以后，余数最多是原始值的一半。这就证明了，迭代次数至多是 $2\log N = O(\log N)$ 从而得到运行时间。这个证明并不难，因此我们将它放在这里，可从下列定理直接推出它。

定理 2.1　如果 $M > N$，则 $M \bmod N < M/2$。

证明：

存在两种情形。如果 $N \leq M/2$，则由于余数小于 N，故定理在这种情形下成立。另一种情形是 $N > M/2$。但是此时 M 仅含有一个 N 从而余数为 $M - N < M/2$，定理得证。 □

从上面的例子来看，$2\log N$ 大约为 20，而我们仅进行了 7 次运算，因此有人会怀疑这是不是可能的最好的界。事实上，这个常数在最坏的情况下还可以稍微改进成 $1.44\log N$(如 M 和 N 是两个相邻的斐波那契数时就是这种情况)。欧几里得算法在平均情况下的性能需要大量篇幅的高度复杂的数学分析，其迭代的平均次数约为$(12 \ln 2 \ln N)/\pi^2 + 1.47$。

幂运算

我们在本节的最后一个例子是处理一个整数的幂(它还是一个整数)。由取幂运算得到的数一般都是相当大的，因此，我们只能在假设有一台机器能够存储这样一些大整数(或有一个编译程序能够模拟它)的情况下进行我们的分析。我们将用乘法的次数作为运行时间的度量。

计算 X^N 的明显的算法是使用 $N-1$ 次乘法自乘。有一种递归算法效果更好。$N \leq 1$ 是这种递归的基准情形。否则，若 N 是偶数，我们有 $X^N = X^{N/2} \cdot X^{N/2}$，如果 N 是奇数，则 $X^N = X^{(N-1)/2} \cdot X^{(N-1)/2} \cdot X$。

例如，为了计算 X^{62}，算法将如下进行，它只用到9次乘法：

$$X^3=(X^2)X,\ X^7=(X^3)^2X,\ X^{15}=(X^7)^2X,\ X^{31}=(X^{15})^2X,\ X^{62}=(X^{31})^2$$

显然，所需要的乘法次数最多是 $2\log N$，因为把问题分半最多需要两次乘法（如果 N 是奇数）。这里，我们又可写出一个递推公式并将其解出。简单的直觉避免了盲目的强行处理。

```
1   public static long pow( long x, int n )
2   {
3       if( n == 0 )
4           return 1;
5       if( n == 1 )
6           return x;
7       if( isEven( n ) )
8           return pow( x * x, n / 2 );
9       else
10          return pow( x * x, n / 2 ) * x;
11  }
```

图2-11 高效率的幂运算

图2-11中的代码实现了这个想法[⊖]。有时候看一看程序能够进行多大的调整而不影响其正确性倒是很有意思的。在图2-11中，第5行到第6行实际上不是必需的，因为如果 N 是1，那么第10行将做同样的事情。第10行还可以写成：

```
10  return pow( x, n - 1 ) * x;
```

而不影响程序的正确性。事实上，程序仍将以 $O(\log n)$ 运行，因为乘法的序列同以前一样。不过，下面所有对第8行的修改都是不可取的，虽然它们看起来似乎都正确：

```
8a  return pow( pow( x, 2 ), n / 2 );
8b  return pow( pow( x, n / 2 ), 2 );
8c  return pow( x, n / 2 ) * pow( x, n / 2 );
```

8a和8b两行都是不正确的，因为当 N 是2时递归调用 pow 中有一个是以2作为第2个参数。这样，程序产生一个无限循环，将不能往下进行（最终导致程序非正常终止）。

48

使用8c行会影响程序的效率，因为此时有两个大小为 $N/2$ 的递归调用而不是一个。分析指出，其运行时间不再是 $O(\log N)$。我们把它作为练习留给读者去确定这个新的运行时间。

2.4.5 分析结果的准确性

根据经验，有时分析会估计过大。如果这种情况发生，那么或者需要进一步细化分析（一般通过机敏的观察），或者可能是平均运行时间显著小于最坏情形的运行时间，不可能对所得的界再加以改进。对于许多复杂的算法，最坏的界通过某个坏的输入是可以达到的，但在实践中它通常是估计过大的。遗憾的是，对于大多数这类问题，平均情形的分析是极其复杂的（在许多情形下仍然悬而未决），而最坏情形的界尽管过分地悲观，但却是最好的已知解析结果。

小结

本章对如何分析程序的复杂性给出一些提示。遗憾的是，它并不是完善的分析指南。简单的程序通常给出简单的分析，但是情况也并不总是如此。作为一个例子，在本书稍后我们将看到一个排序算法（希尔排序，第7章）和一个保持不相交集的算法（第8章），它们大约都需要20行程序代码。希尔排序（Shellsort）的分析仍然不完善，而不相交集算法分析极其困难，需要许多页错综复杂的计算。不过，我们在这里遇到的大部分的分析都是简单的，它们涉及对循环的计数。

一类有趣的分析是下界分析，我们尚未接触到。在第7章我们将看到这方面的一个例子：证明任何仅通过使用比较来进行排序的算法在最坏的情形下只需要 $\Omega(N\log N)$ 次比较。下界的证明一般是最困难的，因为它们不只适用求解某个问题的一个算法而是适用求解该问题的一类算法。

在本章结束前，我们指出此处描述的某些算法在实际生活中的应用。*gcd* 算法和求幂算法

⊖ Java提供一个 BigInteger 类，这个类可以用来处理任意大的整数。很容易把图2-11改写成使用 BigInteger 而不用 long。

应用在密码学中。特别地，400 位数字的数自乘至一个大的幂次（通常为另一个 400 位数字的数）而在每乘一次后只有低 400 位左右的数字保留下来。由于这种计算需要处理 400 位数字的数，因此效率显然是非常重要的。求幂运算的直接相乘会需要大约 10^{400} 次乘法，而上面描述的算法在最坏情形下只需要大约 2 600 次乘法。

49

练习

2.1 按增长率排列下列函数：N，$\sqrt{N}$，$N^{1.5}$，N^2，$N\log N$，$N\log\log N$，$N\log^2 N$，$N\log(N^2)$，$2/N$，2^N，$2^{N/2}$，37，$N^2\log N$，N^3。指出哪些函数以相同的增长率增长。

2.2 设 $T_1(N)=O(f(N))$ 和 $T_2(N)=O(f(N))$。下列等式哪些成立？

a. $T_1(N)+T_2(N)=O(f(N))$

b. $T_1(N)-T_2(N)=o(f(N))$

c. $\dfrac{T_1(N)}{T_2(N)}=O(1)$

d. $T_1(N)=O(T_2(N))$

2.3 哪个函数增长得更快：$N\log N$，还是 $N^{1+\varepsilon/\sqrt{\log N}}$ $(\varepsilon>0)$

2.4 证明对任意常数 k，$\log^k N=o(N)$。

2.5 求两个函数 $f(N)$ 和 $g(N)$ 使得既不 $f(N)=O(g(N))$，又不 $g(N)=O(f(N))$。

2.6 在最近的一次法庭审理案件中，一位法官因蔑视罪传讯一个城市并命令第一天交纳罚金 2 美元，以后每天的罚金都要将上一天的罚金数额平方，直到该城市服从该法官的命令为止（即，罚金上升如下：\$2，\$4，\$16，\$256，\$65 536，…）。

a. 在第 N 天罚金将是多少？

b. 使罚金达到 D 美元需要多少天？（大 O 的答案即可）

2.7 对于下列六个程序片段中的每一个：

a. 给出运行时间分析（使用大 O）。

b. 用 Java 语言编程，并对 N 的若干具体值给出运行时间。

c. 用实际的运行时间与你所做的分析进行比较。

```
(1)  sum = 0;
     for( i = 0; i < n; i++ )
         sum++;

(2)  sum = 0;
     for( i = 0; i < n; i++ )
         for( j = 0; j < n; j++ )
             sum++;

(3)  sum = 0;
     for( i = 0; i < n; i++ )
         for( j = 0; j < n * n; j++ )
             sum++;

(4)  sum = 0;
     for( i = 0; i < n; i++ )
         for( j = 0; j < i; j++ )
             sum++;
```

50

```
(5)  sum = 0;
     for( i = 0; i < n; i++ )
         for( j = 0; j < i * i; j++ )
             for( k = 0; k < j; k++ )
                 sum++;
```

```
(6)  sum = 0;
     for( i = 1; i < n; i++ )
         for( j = 1; j < i * i; j++ )
             if( j % i == 0 )
                 for( k = 0; k < j; k++ )
                     sum++;
```

2.8 假设需要生成前 N 个整数的一个随机置换。例如，{4，3，1，5，2}和{3，1，4，2，5}就是合法的置换，但{5，4，1，2，1}则不是，因为数 1 出现两次而数 3 却没有。这个程序常常用于模拟一些算法。我们假设存在一个随机数生成器 r，它有方法 randInt(i, j)，它以相同的概率生成 i 和 j 之间的整数。下面是三个算法：

1. 如下填入从 a[0]到 a[n-1]的数组 a；为了填入 a[i]，生成随机数直到它不同于已经生成的 a[0]，a[1]，…，a[i-1]时再将其填入 a[i]。
2. 同算法(1)，但是要保存一个附加的数组，称为 used 数组。当一个随机数 ran 最初被放入数组 a 的时候，置 used[ran] = true。这就是说，当用一个随机数填入 a[i]时，可以用一步来测试是否该随机数已经被使用，而不是像第一个算法那样(可能)用 i 步测试。
3. 填写该数组使得 a[i] = i + 1。然后

```
for( i = 1; i < n; i++ )
    swapReferences( a[ i ], a[ randInt( 0, i ) ] );
```

a. 证明这三个算法都生成合法的置换，并且所有的置换都是可能的。
b. 对每一个算法给出你能够得到的尽可能准确的期望运行时间分析(用大 O)。
c. 分别写出程序来执行每个算法 10 次，得出一个好的平均值。对 N = 250，500，1000，2000 运行程序(1)；对 N = 25 000，50 000，100 000，200 000，400 000，800 000 运行程序(2)；对 N = 100 000，200 000，400 000，800 000，1 600 000，3 200 000，6 400 000 运行程序(3)。
d. 将实际的运行时间与你的分析进行比较。
e. 每个算法的最坏情形的运行时间是什么？

2.9 用运行时间的估计值完成图 2-2 中的表，这些时间太长无法模拟。插入上述三个算法的运行时间并估计计算 100 万个数的最大子序列和所需要的时间。你得出哪些假设？

51

2.10 对于手工进行计算所使用的典型算法，确定下列计算的运行时间：

a. 将两个 N 位数字的整数相加。
b. 将两个 N 位数字的整数相乘。
c. 将两个 N 位数字的整数相除。

2.11 一个算法对于大小为 100 的输入花费 0.5ms。如果运行时间如下，则解决输入量大小为 500 的问题需要花费多长的时间(设低阶项可以忽略)：

a. 是线性的
b. 为 $O(N \log N)$
c. 是二次的
d. 是三次的

2.12 一个算法对于大小为 100 的输入花费 0.5ms。如果运行时间如下，则用 1 分钟可以解决多大的问题(设低阶项可以忽略)：

a. 是线性的
b. 为 $O(N \log N)$
c. 是二次的
d. 是三次的

2.13 计算 $f(x) = \sum_{i=0}^{N} a_i x^i$ 需要多少时间？

a. 用简单的例程执行取幂运算。
b. 使用 2.4.4 节的例程计算。

2.14 考虑下述算法(称为 Horner 法则)计算 $f(X) = \sum_{i=0}^{N} a_i x^i$ 的值:

```
poly = 0;
for( i = n; i >= 0; i-- )
    poly = x * poly + a[i];
```

a. 对 $x=3$, $f(x)=4x^4+8x^3+x+2$ 指出该算法的各步是如何进行的。

b. 解释该算法为什么能够解决这个问题。

c. 该算法的运行时间是多少?

2.15 给出一个有效的算法来确定在整数 $A_1 < A_2 < A_3 < \cdots < A_N$ 的数组中是否存在整数 i 使得 $A_i = i$。你的算法的运行时间是多少?

2.16 基于下列各式编写另外的 *gcd* 算法(其中 $a>b$)

- $gcd(a, b) = 2gcd(a/2, b/2)$ 若 a 和 b 均为偶数。
- $gcd(a, b) = gcd(a/2, b)$ 若 a 为偶数, b 为奇数。
- $gcd(a, b) = gcd(a, b/2)$ 若 a 为奇数, b 为偶数。
- $gcd(a, b) = gcd((a+b)/2, (a-b)/2)$ 若 a 和 b 均为奇数。

52

2.17 给出有效的算法(及其运行时间分析):

a. 求最小子序列和。

*b. 求最小的正子序列和。

*c. 求最大子序列乘积。

2.18 数值分析中一个重要的问题是对某个任意的函数 f 找出方程 $f(X)=0$ 的一个解。如果该函数是连续的并有两个点 *low* 和 *high* 使得 $f(low)$ 和 $f(high)$ 符号相反, 那么在 *low* 和 *high* 之间必然存在一个根, 并且这个根可以通过折半查找求得。写出一个函数, 以 f、*low* 和 *high* 为参数, 并且解出一个零点。(为了实现一个泛型函数作为参数, 我们传递一个函数对象, 让该对象实现 `Function` 接口, 而这个 `Function` 接口含有一个方法 `f`)为保证能够终止, 你必须要做什么?

2.19 课文中最大相连子序列和算法均不给出具体序列的任何指示。将这些算法修改使得它们以单个对象的形式返回最大子序列的值以及具体序列的那些相应下标。

2.20 a. 编写一个程序来确定正整数 N 是否是素数。

b. 你的程序在最坏情形下的运行时间是多少(用 N 表示)? (你应该能够以 $O(\sqrt{N})$ 来完成这项工作)

c. 令 B 等于 N 的二进制表示法中的位数。B 的值是多少?

d. 你的程序在最坏情形下的运行时间是什么(用 B 表示)?

e. 比较确定一个20(二进制)位的数是否是素数和确定一个40(二进制)位的数是否是素数的运行时间。

f. 用 N 或 B 给出运行时间更合理吗? 为什么?

*2.21 厄拉多塞(Erastothenes)筛是一种用于计算小于 N 的所有素数的方法。我们从制作整数 2 到 N 的表开始。找出最小的未被删除的整数 i, 打印 i, 然后删除 i, $2i$, $3i$, …。当 $i > \sqrt{N}$ 时, 算法终止。该算法的运行时间是多少?

2.22 证明 X^{62} 可以只用 8 次乘法算出。

2.23 不用递归, 写出快速求幂的程序。

2.24 给出用于快速取幂运算中的乘法次数的精确计数。(提示: 考虑 N 的二进制表示)

2.25 程序 A 和 B 经分析发现其最坏情形运行时间分别不大于 $150N\log_2 N$ 和 N^2。如果可能, 请回答下列问题:

a. 对于 N 的大值($N>10\,000$), 哪一个程序的运行时间有更好的保障?

b. 对于 N 的小值($N<100$), 哪一个程序的运行时间有更好的保障?

c. 对于 $N=1\,000$, 哪一个程序平均运行得更快?

d. 对于所有可能的输入, 程序 B 是否总能够比程序 A 运行得更快?

53

2.26 大小为 N 的数组 A, 其主元素是一个出现超过 $N/2$ 次的元素(从而这样的元素最多有一个)。例如, 数组

3，3，4，2，4，4，2，4，4

有一个主元素4，而数组

3，3，4，2，4，4，2，4

没有主元素。如果没有主元素，那么你的程序应该指出来。下面是求解该问题的一个算法的概要：首先，找出主元素的一个候选元(这是困难的部分)。这个候选元是唯一有可能是主元素的元素。第二步确定是否该候选元实际上就是主元素。这正好是对数组的顺序搜索。为找出数组 A 的一个候选元，构造第二个数组 B。比较 A_1 和 A_2。如果它们相等，则取其中之一加到数组 B 中；否则什么也不做。然后比较 A_3 和 A_4，同样，如果它们相等，则取其中之一加到 B 中；否则什么也不做。以该方式继续下去直到读完整个的数组。然后，递归地寻找数组 B 中的候选元；它也是 A 的候选元(为什么)。

a. 递归如何终止?

*b. 当 N 是奇数时的情形如何处理?

*c. 该算法的运行时间是多少?

d. 我们如何避免使用附加数组 B?

*e. 编写一个程序求解主元素。

2.27 输入是一个 $N\times N$ 数字矩阵并且已经读入内存。每一行均从左到右递增。每一列则从上到下递增。给出一个 $O(N)$ 最坏情形算法以决定数 X 是否在该矩阵中。

2.28 使用正数的数组 a 设计有效的算法以确定：

a. a[j] + a[i]的最大值，其中 j≥i。

b. a[j] - a[i]的最大值，其中 j≥i。

c. a[j] * a[i]的最大值，其中 j≥i。

d. a[j] /a[i]的最大值，其中 j≥i。

*2.29 在我们的计算机模型中为什么假设整数具有固定长度是重要的?

2.30 考虑第1章中描述的字谜游戏。假设我们固定最长单词的大小为10个字符。

a. 设 R、C 和 W 分别表示字谜游戏中的行数、列数和单词个数，那么在第1章所描述的那些算法用 R、C 和 W 表示的运行时间是多少?

b. 设单词表是预先排序过的。指出如何使用折半查找得到一个具有少得多的运行时间的算法。

54

2.31 设在折半查找程序的第15行的语句是 low = mid 而不是 low = mid + 1。这个程序还能正确运行吗?

2.32 实现折半查找使得在每次迭代中只执行一次二路比较。(课文中的实现使用了三路比较。假设只有方法 lessThan 是可用的。)

2.33 设算法3(见图2-7)的第15行和第16行由

```
15          int maxLeftSum  = maxSubRec( a, left, center - 1 );
16          int maxRightSum = maxSubRec( a, center, right );
```

代替，这个程序还能正确运行吗?

*2.34 三次的最大子序列和算法的内循环执行 $N(N+1)(N+2)/6$ 次最内层代码的迭代。相应的二次算法执行 $N(N+1)/2$ 次迭代。而线性算法执行 N 次迭代。哪种模式是显然的? 你能给出这种现象的组合学解释吗?

参考文献

算法的运行时间分析最初因 Knuth 在其三卷本丛书[5]，[6]和[7]中使用而流行。gcd 算法的分析出现在[6]中。这方面的另一本早期著作参见[1]。

大 O、大 Ω、大 Θ，以及小 o 记号由 Knuth 在[8]中提倡。但是对于这些记号尚无统一的规定，特别是在使用 $\Theta()$ 时。许多人更愿意使用 $O()$，虽然它表达的精度要差得多。此外，当需要用到 $\Omega()$ 时，迫不得已还用 $O()$ 表示下界。

最大子序列和问题出自[3]。丛书[2]、[3]和[4]指出如何优化程序以求得运行速度的提高。

1. A. V. Aho, J. E. Hopcroft, and J. D. Ullman, *The Design and Analysis of Computer Algorithms*, Addison-Wesley, Reading, Mass., 1974.
2. J. L. Bentley, *Writing Efficient Programs*, Prentice Hall, Englewood Cliffs, N.J., 1982.
3. J. L. Bentley, *Programming Pearls*, Addison-Wesley, Reading, Mass., 1986.
4. J. L. Bentley, *More Programming Pearls*, Addison-Wesley, Reading, Mass., 1988.
5. D. E. Knuth, *The Art of Computer Programming, Vol 1: Fundamental Algorithms*, 3d ed., Addison-Wesley, Reading, Mass., 1997.
6. D. E. Knuth, *The Art of Computer Programming, Vol 2: Seminumerical Algorithms*, 3d ed., Addison-Wesley, Reading, Mass., 1998.
7. D. E. Knuth, *The Art of Computer Programming, Vol 3: Sorting and Searching*, 2d ed., Addison-Wesley, Reading, Mass., 1998.
8. D. E. Knuth, "Big Omicron and Big Omega and Big Theta," *ACM SIGACT News*, 8 (1976), 18–23.

55 ~ 56

表、栈和队列

本章讨论最简单和最基本的三种数据结构。实际上，每一个有意义的程序都将显式地至少使用一种这样的数据结构，而栈则在程序中总是要被间接地用到，不管我们在程序中是否做了声明。本章重点是：

- 介绍抽象数据类型的概念。
- 阐述如何有效地执行表的操作。
- 介绍栈 ADT 及其在实现递归方面的应用。
- 介绍队列 ADT 及其在操作系统和算法设计中的应用。

在这一章，我们提供实现两个库类重要子集 ArrayList 和 LinkedList 的代码。

3.1 抽象数据类型

抽象数据类型(abstract data type, ADT)是带有一组操作的一些对象的集合。抽象数据类型是数学的抽象；在 ADT 的定义中没有地方提到关于这组操作是如何实现的任何解释。诸如表、集合、图以及与它们各自的操作一起形成的这些对象都可以被看做是抽象数据类型，这就像整数、实数、布尔数都是数据类型一样。整数、实数和布尔数各自都有与之相关的操作，而抽象数据类型也是如此。对于集合 ADT，可以有像添加(add)、删除(remove)以及包含(contain)这样一些操作。当然，也可以只要两种操作并(union)和查找(find)，这两种操作又在这个集合上定义了一种不同的 ADT。

Java 类也考虑到 ADT 的实现，不过适当地隐藏了实现的细节。这样，程序中需要对 ADT 实施操作的任何其他部分可以通过调用适当的方法来进行。如果由于某种原因需要改变实现的细节，那么通过仅仅改变执行这些 ADT 操作的例程应该是很容易做到的。这种改变对于程序的其余部分是完全透明的。

对于每种 ADT 并不存在什么法则来告诉我们必须要有哪些操作，这是一个设计决策。错误处理和结构调整(在适当的地方)一般也取决于程序的设计者。本章中将要讨论的这三种数据结构是 ADT 的最基本的例子。我们将会看到它们中的每一种是如何以多种方法实现的，不过，当它们被正确地实现以后，使用它们的程序却没有必要知道它们是如何实现的。

3.2 表 ADT

我们将处理形如 $A_0, A_1, A_2, \cdots, A_{N-1}$ 的一般的表。我们说这个表的大小是 N。我们将大小为 0 的特殊的表称为**空表**(empty list)。

对于除空表外的任何表，我们说 A_i 后继 A_{i-1}(或继 A_{i-1} 之后，$i<N$)并称 A_{i-1} 前驱 $A_i(i>0)$。表中的第一个元素是 A_0，而最后一个元素是 A_{N-1}。我们将不定义 A_0 的前驱元，也不定义 A_{N-1} 的后继元。元素 A_i 在表中的位置为 $i+1$。为了简单起见，我们假设表中的元素是整数，但一般说来任意的复元素也是允许的(而且容易由 Java 泛型类处理)。

与这些“定义”相关的是要在表 ADT 上进行操作的集合。printList 和 makeEmpty 是常用的操作，其功能显而易见；find 返回某一项首次出现的位置；insert 和 remove 一般是从表的某个位置插入和删除某个元素；而 findKth 则返回(作为参数而被指定的)某个位置上的元素。如果 34, 12, 52, 16, 12 是一个表，则 find(52) 会返回 2；insert(x, 2) 可把表变成 34, 12, x, 52, 16, 12(如果我们插入到给定位置上的话)；而 remove(52) 则又将该表变为34，12，x，16，12。

当然，一个方法的功能怎样才算恰当，完全要由程序设计者来确定，就像对特殊情况的处理那样（例如，上述 find(1) 返回什么?）。我们还可以添加一些操作，比如 next 和 previous，它们会取一个位置作为参数并分别返回其后继元和前驱元的位置。

3.2.1 表的简单数组实现

对表的所有这些操作都可以通过使用数组来实现。虽然数组是由固定容量创建的，但在需要的时候可以用双倍的容量创建一个不同的数组。它解决由于使用数组而产生的最严重的问题，即从历史上看为了使用一个数组，需要对表的大小进行估计。而这种估计在 Java 或任何现代编程语言中都是不需要的。下列程序段解释一个数组 arr 在必要的时候如何被扩展(其初始长度为10)：

```
int [ ] arr = new int[ 10 ];
    ...
// 下面我们决定需要扩大arr.
int [ ] newArr = new int[ arr.length * 2 ];
for( int i = 0; i < arr.length; i++ )
    newArr[ i ] = arr[ i ];
arr = newArr;
```

58

数组的实现可以使得 printList 以线性时间被执行，而 findKth 操作则花费常数时间，这正是我们所能够预期的。不过，插入和删除的花费却潜藏着昂贵的开销，这要看插入和删除发生在什么地方。最坏的情形下，在位置0的插入(即在表的前端插入)首先需要将整个数组后移一个位置以空出空间来，而删除第一个元素则需要将表中的所有元素前移一个位置，因此这两种操作的最坏情况为 $O(N)$。平均来看，这两种操作都需要移动表的一半的元素，因此仍然需要线性时间。另一方面，如果所有的操作都发生在表的高端，那就没有元素需要移动，而添加和删除则只花费 $O(1)$ 时间。

存在许多情形，在这些情形下的表是通过在高端进行插入操作建成的，其后只发生对数组的访问(即只有 findKth 操作)。在这种情况下，数组是表的一种恰当的实现。然而，如果发生对表的一些插入和删除操作，特别是对表的前端进行，那么数组就不是一种好的选择。下一节处理另一种数据结构：链表(linked list)。

3.2.2 简单链表

为了避免插入和删除的线性开销，我们需要保证表可以不连续存储，否则表的每个部分都可能需要整体移动。图3-1指出**链表**的一般想法。

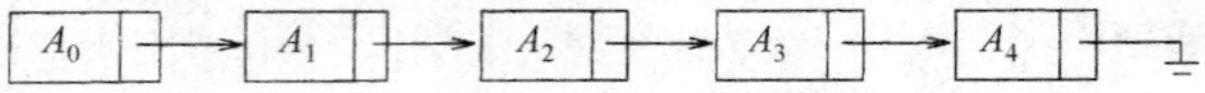

A_0 → A_1 → A_2 → A_3 → A_4

图3-1　一个链表

链表由一系列节点组成，这些节点不必在内存中相连。每一个节点均含有表元素和到包含该元素后继元的节点的链(link)。我们称之为 next 链。最后一个单元的 next 链引用 null。

为了执行 printList 或 find(x)，只要从表的第一个节点开始然后用一些后继的 next 链遍历该表即可。这种操作显然是线性时间的，和在数组实现时一样，不过其中的常数可能会比用数组实现时要大。findKth 操作不如数组实现时的效率高；findKth(i) 花费 $O(i)$ 的时间并以这种明显的方式遍历链表而完成。在实践中这个界是保守的，因为调用 findKth 常常是以(按 i)排序后的方式进行。例如，findKth(2)，findKth(3)，findKth(4) 以及 findKth(6) 可通过对表的一次扫描同时实现。

remove 方法可以通过修改一个 next 引用来实现。图3-2给出在原表中删除第三个元素的结果。

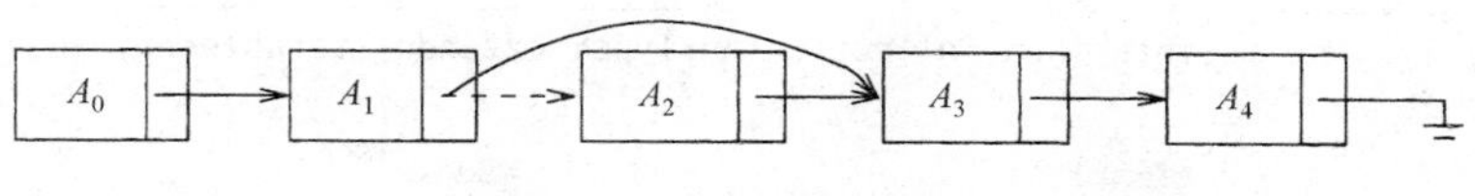

图 3-2 从链表中删除

insert 方法需要使用 new 操作符从系统取得一个新节点，此后执行两次引用的调整。其一般想法在图 3-3 中给出，其中的虚线表示原来的 next 引用。

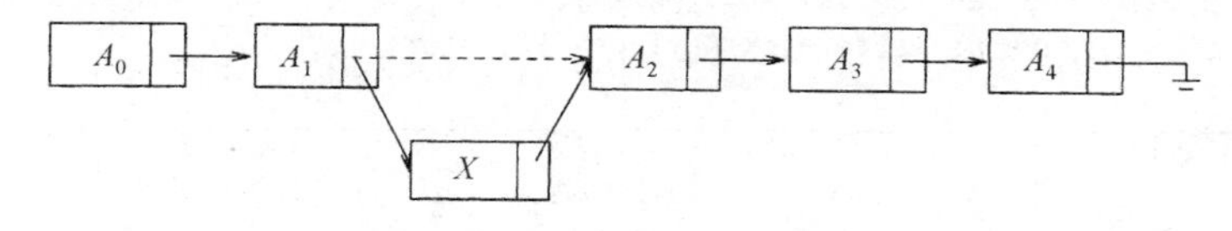

图 3-3 向链表插入

59

我们看到，在实践中如果知道变动将要发生的地方，那么向链表插入或从链表中删除一项的操作不需要移动很多的项，而只涉及常数个节点链的改变。

在表的前端添加项或删除第一项的特殊情形此时也属于常数时间的操作，当然要假设到链表前端的链是存在的。只要我们拥有到链表最后节点的链，那么在链表末尾进行添加操作的特殊情形（即让新的项成为最后一项）可以花费常数时间。因此，典型的链表拥有到该表两端的链。删除最后一项比较复杂，因为必须找出指向最后节点的项，把它的 next 链改成 null，然后再更新持有最后节点的链。在经典的链表中，每个节点均存储到其下一节点的链，而拥有指向最后节点的链并不提供最后节点的前驱节点的任何信息。

保留指向最后节点的节点的第 3 个链的想法行不通，因为它在删除操作期间也需要更新。我们的做法是，让每一个节点持有一个指向它在表中的前驱节点的链，如图 3-4 所示，我们称之为**双链表**（doubly linked list）。

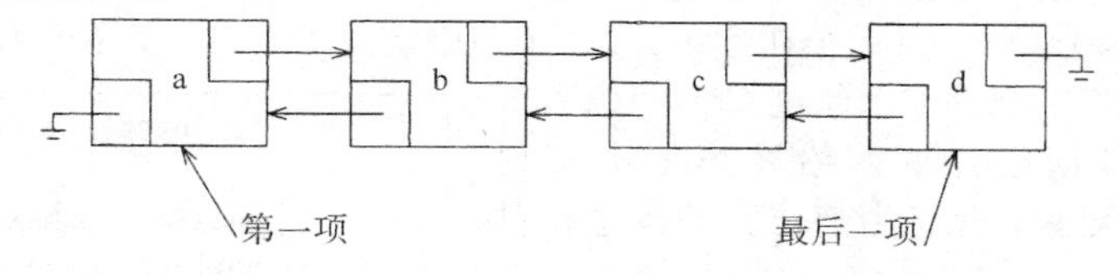

图 3-4 双链表

60

3.3 Java Collections API 中的表

在类库中，Java 语言包含有一些普通数据结构的实现。该语言的这一部分通常叫作 **Collections API**。表 ADT 是在 Collections API 中实现的数据结构之一。我们将在第 4 章看到其他一些数据结构。

3.3.1 Collection 接口

Collections API 位于 java.util 包中。集合（collection）的概念在 Collection 接口中得到抽象，它存储一组类型相同的对象。图 3-5 显示该接口一些最重要的部分（但一些方法未被显示）。

在 Collection 接口中的许多方法所做的工作由它们的英文名称可以看出，因此 size 返回集合中的项数；isEmpty 返回 true 当且仅当集合的大小为 0。如果 x 在集合中，则 contains 返回 true。注意，这个接口并不规定集合如何决定 x 是否属于该集合——这要由实现该 Collection 接口的具体的类来确定。add 和 remove 从集合中添加和删除 x，如果操作成功则返回 true，如果因某个看似有理（非异常）的原因失败则返回 false。例如，如果要删除的项不在集合中，则 remove 可能失败，而如果特定的集合不允许重复，那么当企图插入一项重复项时，add 操作就可能失败。

```
1   public interface Collection<AnyType> extends Iterable<AnyType>
2   {
3       int size( );
4       boolean isEmpty( );
5       void clear( );
6       boolean contains( AnyType x );
7       boolean add( AnyType x );
8       boolean remove( AnyType x );
9       java.util.Iterator<AnyType> iterator( );
10  }
```

图 3-5　java.util 包中 Collection 接口的子集

Collection 接口扩展了 Iterable 接口。实现 Iterable 接口的那些类可以拥有增强的 for 循环，该循环施于这些类之上以观察它们所有的项。例如，图 3-6 中的例程可以用来打印任意集合中的所有的项。这种方式的 print 的实现和当 coll 具有类型 AnyType[ ]时能够使用的相应的实现是完全相同的，它们逐个字符都是一样的。

```
1   public static <AnyType> void print( Collection<AnyType> coll )
2   {
3       for( AnyType item : coll )
4           System.out.println( item );
5   }
```

图 3-6　在 Iterable 类型上使用增强的 for 循环

3.3.2　Iterator 接口

实现 Iterable 接口的集合必须提供一个称为 iterator 的方法，该方法返回一个 Iterator 类型的对象。该 Iterator 是一个在 java.util 包中定义的接口，见图 3-7。

61

```
1   public interface Iterator<AnyType>
2   {
3       boolean hasNext( );
4       AnyType next( );
5       void remove( );
6   }
```

图 3-7　java.util 包中的 Iterator 接口

Iterator 接口的思路是，通过 iterator 方法，每个集合均可创建并返回给客户一个实现 Iterator 接口的对象，并将当前位置的概念在对象内部存储下来。

每次对 next 的调用都给出集合的(尚未见到的)下一项。因此，第 1 次调用 next 给出第 1 项，第 2 次调用给出第 2 项，等等。hasNext 用来告诉是否存在下一项。当编译器见到一个正在用于 Iterable 的对象的增强的 for 循环的时候，它用对 iterator 方法的那些调用代替增强的 for 循环以得到一个 Iterator 对象，然后调用 next 和 hasNext。因此，前面看到的 print 例程由编译器重写，见图 3-8 所示。

```
1       public static <AnyType> void print( Collection<AnyType> coll )
2       {
3           Iterator<AnyType> itr = coll.iterator( );
4           while( itr.hasNext( ) )
5           {
6               AnyType item = itr.next( );
7               System.out.println( item );
8           }
9       }
```

图 3-8　通过编译器使用一个迭代器改写的 Iterable 类型上的增强的 for 循环

由于 Iterator 接口中的现有方法有限，因此，很难使用 Iterator 做简单遍历 Collection

以外的任何工作。Iterator 接口还包含一个方法，叫作 remove。该方法可以删除由 next 最新返回的项（此后，我们不能再调用 remove，直到对 next 再一次调用以后）。虽然 Collection 接口也包含一个 remove 方法，但是，使用 Iterator 的 remove 方法可能有更多的优点。

62

Iterator 的 remove 方法的主要优点在于，Collection 的 remove 方法必须首先找出要被删除的项。如果知道所要删除的项的准确位置，那么删除它的开销很可能要小得多。下一节我们将要看到一个例子，是在集合中每隔一项删除一项。这个程序用迭代器（iterator）很容易编写，而且比用 Collection 的 remove 方法潜藏着更高的效率。

当直接使用 Iterator（而不是通过一个增强的 for 循环间接使用）时，重要的是要记住一个基本法则：如果对正在被迭代的集合进行结构上的改变（即对该集合使用 add、remove 或 clear 方法），那么迭代器就不再合法（并且在其后使用该迭代器时将会有 ConcurrentModificationException 异常被抛出）。为避免迭代器准备给出某一项作为下一项（next item）而该项此后或者被删除，或者也许一个新的项正好插入该项的前面这样一些讨厌的情形，有必要记住上述法则。这意味着，只有在需要立即使用一个迭代器的时候，我们才应该获取迭代器。然而，如果迭代器调用了它自己的 remove 方法，那么这个迭代器就仍然是合法的。这是有时候我们更愿意使用迭代器的 remove 方法的第二个原因。

3.3.3 List 接口、ArrayList 类和 LinkedList 类

本节跟我们关系最大的集合就是表（list），它由 java.util 包中的 List 接口指定。List 接口继承了 Collection 接口，因此它包含 Collection 接口的所有方法，外加其他一些方法。图 3-9 解释其中最重要的一些方法。

```
1  public interface List<AnyType> extends Collection<AnyType>
2  {
3      AnyType get( int idx );
4      AnyType set( int idx, AnyType newVal );
5      void add( int idx, AnyType x );
6      void remove( int idx );
7
8      ListIterator<AnyType> listIterator( int pos );
9  }
```

图 3-9 包 java.util 中 List 接口的子集

get 和 set 使得用户可以访问或改变通过由位置索引 idx 给定的表中指定位置上的项。索引 0 位于表的前端，索引 size() -1 代表表中的最后一项，而索引 size() 则表示新添加的项可以被放置的位置。add 使得在位置 idx 处置入一个新的项（并把其后的项向后推移一个位置）。于是，在位置 0 处 add 是在表的前端进行的添加，而在位置 size() 处的 add 是把被添加项作为新的最后项添入表中。除以 AnyType 作为参数的标准的 remove 外，remove 还被重载以删除指定位置上的项。最后，List 接口指定 listIterator 方法，它将产生比通常认为的还要复杂的迭代器。ListIterator 接口将在 3.3.5 节讨论。

63

List ADT 有两种流行的实现方式。ArrayList 类提供了 List ADT 的一种可增长数组的实现。使用 ArrayList 的优点在于，对 get 和 set 的调用花费常数时间。其缺点是新项的插入和现有项的删除代价昂贵，除非变动是在 ArrayList 的末端进行。LinkedList 类则提供了 List ADT 的双链表实现。使用 LinkedList 的优点在于，新项的插入和现有项的删除均开销很小，这里假设变动项的位置是已知的。这意味着，在表的前端进行添加和删除都是常数时间的操作，由此 LinkedList 更提供了方法 addFirst 和 removeFirst、addLast 和 removeLast、以及 getFirst 和 getLast 等以有效地添加、删除和访问表两端的项。使用 LinkedList 的缺点是它不容易作索引，因此对 get 的调用是昂贵的，除非调用非常接近表的

端点(如果对 get 的调用是对接近表后部的项进行，那么搜索的进行可以从表的后部开始)。为了看出差别，我们考察对一个 List 进行操作的某些方法。首先，设我们通过在末端添加一些项来构造一个 List。

```
public static void makeList1( List<Integer> lst, int N )
{
    lst.clear( );
    for( int i = 0; i < N; i++ )
        lst.add( i );
}
```

不管 ArrayList 还是 LinkedList 作为参数被传递，makeList1 的运行时间都是 $O(N)$，因为对 add 的每次调用都是在表的末端进行从而均花费常数时间(可以忽略对 ArrayList 偶尔进行的扩展)。另一方面，如果我们通过在表的前端添加一些项来构造一个 List：

```
public static void makeList2( List<Integer> lst, int N )
{
    lst.clear( );
    for( int i = 0; i < N; i++ )
        lst.add( 0, i );
}
```

那么，对于 LinkedList 它的运行时间是 $O(N)$，但是对于 ArrayList 其运行时间则是 $O(N^2)$，因为在 ArrayList 中，在前端进行添加是一个 $O(N)$操作。

下一个例程是计算 List 中的数的和：

```
public static int sum( List<Integer> lst )
{
    int total = 0;
    for( int i = 0; i < N; i++ )
        total += lst.get( i );
    return total;
}
```

64

这里，ArrayList 的运行时间是 $O(N)$，但对于 LinkedList 来说，其运行时间则是 $O(N^2)$，因为在 LinkedList 中，对 get 的调用为 $O(N)$操作。可是，要是使用一个增强的 for 循环，那么它对任意 List 的运行时间都是 $O(N)$，因为迭代器将有效地从一项到下一项推进。

对搜索而言，ArrayList 和 LinkedList 都是低效的，对 Collection 的 contains 和 remove 两个方法(它们都以 AnyType 为参数)的调用均花费线性时间。

在 ArrayList 中有一个容量的概念，它表示基础数组的大小。在需要的时候，ArrayList 将自动增加其容量以保证它至少具有表的大小。如果该大小的早期估计存在，那么 ensureCapacity 可以设置容量为一个足够大的量以避免数组容量以后的扩展。再有，trimToSize 可以在所有的 ArrayList 添加操作完成之后使用以避免浪费空间。

3.3.4 例子：remove 方法对 LinkedList 类的使用

作为一个例子，我们提供一个例程，将一个表中所有具有偶数值的项删除。于是，如果表包含6，5，1，4，2，则在该方法调用之后，表中仅有元素5，1。

当遇到表中的项时将其从表中删除的算法有几种可能的想法：当然，一种想法是构造一个包含所有的奇数的新表，然后清除原表，并将这些奇数拷贝回原表。不过，我们更有兴趣的是写一个干净的避免拷贝的表，并在遇到那些偶数值的项时将它们从表中删除。

对于 ArrayList 这几乎就是一个失败策略。因为从一个 ArrayList 的几乎是任意的地方进行删除都是昂贵的操作。不过，在 LinkedList 中却存在某种希望，因为我们知道，从已知位置的删除操作都可以通过重新安排某些链而被有效地完成。

图 3-10 显示第一种想法。在一个 ArrayList 上，我们知道，remove 的效率不是很高的，因此该程序花费的是二次时间。LinkedList 暴露两个问题。首先，对 get 调用的效率不高，因此例程花费二次时间。而且，对 remove 的调用同样地低效，因为达到位置 i 的代价是昂贵的。

```
1    public static void removeEvensVer1( List<Integer> lst )
2    {
3        int i = 0;
4        while( i < lst.size( ) )
5            if( lst.get( i ) % 2 == 0 )
6                lst.remove( i );
7            else
8                i++;
9    }
```

图 3-10 删除表中的偶数：算法对所有类型的表都是二次的

图 3-11 显示矫正该问题的一种思路。我们不是用 get，而是使用一个迭代器一步步遍历该表。这是高效率的。但是我们使用 Collection 的 remove 方法来删除一个偶数值的项。这不是高效的操作，因为 remove 方法必须再次搜索该项，它花费线性时间。但是我们运行这个程序会发现情况更糟：该程序产生一个异常，因为当一项被删除时，由增强的 for 循环所使用的基础迭代器是非法的。（图 3-10 中的代码解释为什么这样的原因：我们不能期待增强的 for 循环懂得只有当一项不被删除时它才必须向前推进。）

65

```
1    public static void removeEvensVer2( List<Integer> lst )
2    {
3        for( Integer x : lst )
4            if( x % 2 == 0 )
5                lst.remove( x );
6    }
```

图 3-11 删除表中的偶数：由于 ConcurrentModificationException 异常而无法运行

图 3-12 指出一种成功的想法：在迭代器找到一个偶数值项之后，我们可以使用该迭代器来删除这个它刚看到的值。对于一个 LinkedList，对该迭代器的 remove 方法的调用只花费常数时间，因为该迭代器位于需要被删除的节点（或在其附近）。因此，对于 LinkedList，整个程序花费线性时间，而不是二次时间。对于一个 ArrayList，即使迭代器位于需要被删除的节点上，其 remove 方法仍然是昂贵的，因为数组的项必须要移动，正如所料，对于 ArrayList，整个程序仍然花费二次时间。

```
1    public static void removeEvensVer3( List<Integer> lst )
2    {
3        Iterator<Integer> itr = lst.iterator( );
4
5        while( itr.hasNext( ) )
6            if( itr.next( ) % 2 == 0 )
7                itr.remove( );
8    }
```

图 3-12 删除表中的偶数：对 ArrayList 是二次的，但对 LinkedList 是线性的

如果我们传递一个 LinkedList <Integer> 运行图 3-12 中的程序，对于一个 400 000 项的 lst，花费的时间是 0.031 秒，而对于一个 800 000 项的 LinkedList 则花费 0.062 秒，显然这是线性时间例程，因为运行时间与输入大小增加相同的倍数。当我们传递一个 ArrayList <Integer> 时，对于一个 400 000 项的 ArrayList 程序几乎花费 2.5 分钟，而对于 800 000

项的ArrayList程序花费大约10分钟；当输入增加到2倍时运行时间增加到4倍，这与二次的特征是一致的。

66

3.3.5 关于ListIterator接口

图3-13指出，ListIterator扩展了List的Iterator的功能。方法previous和hasPrevious使得对表从后向前的遍历得以完成。add方法将一个新的项以当前位置放入表中。当前项的概念通过把迭代器看做是在对next的调用所给出的项和对previous的调用所给出的项之间而抽象出来的。图3-14解释了这种抽象。对于LinkedList来说，add是一种常数时间的操作，但对于ArrayList则代价昂贵。set改变被迭代器看到的最后一个值，从而对LinkedList很方便。例如，它可以用来从List的所有的偶数中减去1，而这对于LinkedList来说，不使用ListIterator的set方法是很难做到的。

```
1  public interface ListIterator<AnyType> extends Iterator<AnyType>
2  {
3      boolean hasPrevious( );
4      AnyType previous( );
5
6      void add( AnyType x );
7      void set( AnyType newVal );
8  }
```

图3-13 java.util包中ListIterator接口的子集

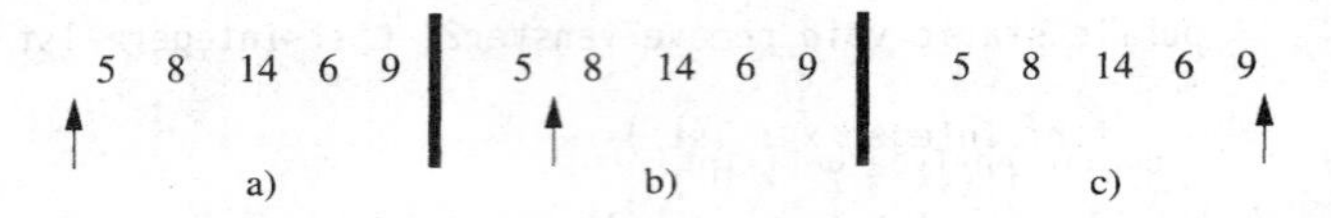

图3-14 a）正常起始点：next返回5，previous是非法的，而add则把项放在5前；b）next返回8，previous返回5，而add则把项添加在5和8之间；c）next非法，previous返回9，而add则把项置于9后

3.4 ArrayList类的实现

在这一节，我们提供便于使用的ArrayList泛型类的实现。为避免与类库中的类相混，这里将把我们的类叫作MyArrayList。我们不提供MyCollection或MyList接口；MyArrayList是独立的。在考查MyArrayList代码(接近100行)之前，先概括主要的细节。

67

1. MyArrayList将保持基础数组，数组的容量，以及存储在MyArrayList中的当前项数。

2. MyArrayList将提供一种机制以改变基础数组的容量。通过获得一个新数组，将老数组拷贝到新数组中来改变数组的容量，允许虚拟机回收老数组。

3. MyArrayList将提供get和set的实现。

4. MyArrayList将提供基本的例程，如size、isEmpty和clear，它们是典型的单行程序；还提供remove，以及两种不同版本的add。如果数组的大小和容量相同，那么这两个add例程将增加容量。

5. MyArrayList将提供一个实现Iterator接口的类。这个类将存储迭代序列中的下一项的下标，并提供next、hasNext和remove等方法的实现。MyArrayList的迭代器方法直接返回实现Iterator接口的该类的新构造的实例。

3.4.1 基本类

图3-15和图3-16显示MyArrayList类。像它的Collections API的对应类一样，存在某种错误检测以保证合理的限界；然而，为了把精力集中在编写迭代器类的基本方面，我们不检测可能使得迭代器无效的结构上的修改，也不检测非法的迭代器remove方法。这些检测将

在此后 3.5 节 MyLinkedList 的实现中指出，对于这两种表的实现它们是完全相同的。

```
1   public class MyArrayList<AnyType> implements Iterable<AnyType>
2   {
3       private static final int DEFAULT_CAPACITY = 10;
4
5       private int theSize;
6       private AnyType [ ] theItems;
7
8       public MyArrayList( )
9         { doClear( ); }
10
11      public void clear( )
12        { doClear( ); }
13
14      private void doClear( )
15        { theSize = 0; ensureCapacity( DEFAULT_CAPACITY ); }
16
17      public int size( )
18        { return theSize; }
19      public boolean isEmpty( )
20        { return size( ) == 0; }
21      public void trimToSize( )
22        { ensureCapacity( size( ) ); }
23
24      public AnyType get( int idx )
25      {
26          if( idx < 0 || idx >= size( ) )
27              throw new ArrayIndexOutOfBoundsException( );
28          return theItems[ idx ];
29      }
30
31      public AnyType set( int idx, AnyType newVal )
32      {
33          if( idx < 0 || idx >= size( ) )
34              throw new ArrayIndexOutOfBoundsException( );
35          AnyType old = theItems[ idx ];
36          theItems[ idx ] = newVal;
37          return old;
38      }
39
40      public void ensureCapacity( int newCapacity )
41      {
42          if( newCapacity < theSize )
43              return;
44
45          AnyType [ ] old = theItems;
46          theItems = (AnyType []) new Object[ newCapacity ];
47          for( int i = 0; i < size( ); i++ )
48              theItems[ i ] = old[ i ];
49      }
```

图 3-15 MyArrayList 类(第一部分，共两部分)

```
50        public boolean add( AnyType x )
51        {
52            add( size( ), x );
53            return true;
54        }
55
56        public void add( int idx, AnyType x )
57        {
58            if( theItems.length == size( ) )
59                ensureCapacity( size( ) * 2 + 1 );
60            for( int i = theSize; i > idx; i-- )
61                theItems[ i ] = theItems[ i - 1 ];
62            theItems[ idx ] = x;
63
64            theSize++;
65        }
66
67        public AnyType remove( int idx )
68        {
69            AnyType removedItem = theItems[ idx ];
70            for( int i = idx; i < size( ) - 1; i++ )
71                theItems[ i ] = theItems[ i + 1 ];
72
73            theSize--;
74            return removedItem;
75        }
76
77        public java.util.Iterator<AnyType> iterator( )
78          { return new ArrayListIterator( ); }
79
80        private class ArrayListIterator implements java.util.Iterator<AnyType>
81        {
82            private int current = 0;
83
84            public boolean hasNext( )
85              { return current < size( ); }
86
87            public AnyType next( )
88            {
89                if( !hasNext( ) )
90                    throw new java.util.NoSuchElementException( );
91                return theItems[ current++ ];
92            }
93
94            public void remove( )
95              { MyArrayList.this.remove( --current ); }
96        }
97    }
```

图 3-16 MyArrayList 类(第二部分，共两部分)

如5到6行所示，MyArrayList 把大小及数组作为其数据成员进行存储。

从 11 行到 38 行，是几个短例程，即 clear、size、trimToSize、inEmpty、get 以及 set 的实现。

ensureCapacity 例程如 40 行到 49 行所示。容量的扩充是用与早先描述的相同的方法来完成的：第 45 行存储对原始数组的一个引用，第 46 行是为新数组分配内存，并在第 47 行和 48 行将旧内容拷贝到新数组中。如 42 行和 43 行所示，例程 ensureCapacity 也可以用于收缩基础数组，不过只是当指定的新容量至少和原大小一样时才适用。否则，ensureCapacity 的要求将被忽略。在第 46 行，我们看到一个短语是必需的，因为泛型数组的创建是非法的。我们的做法是创建一个泛型类型限界的数组，然后使用一个数组进行类型转换。这将产生一个编译器警告，但在泛型集合的实现中这是不可避免的。

图中显示了两个版本的 add。第一个 add 是添加到表的末端并通过调用添加到指定位置的较一般的版本而得以简单实现。这种版本从计算上来说是昂贵的，因为它需要移动在指定位置上或指定位置后面的那些元素到一个更高的位置上。add 方法可能要求增加容量。扩充容量的代价是非常昂贵的，因此，如果容量被扩充，那么，它就要变成原来大小的两倍，以避免不得不再次改变容量，除非大小戏剧性地增加(+1 用于大小是 0 的情形)。

remove 方法类似于 add，只是那些位于指定位置上或指定位置后的元素向低位移动一个位置。

剩下的例程处理 iterator 方法和相关迭代器类的实现。在图 3-16 中由第 77 行至第 96 行显示。iterator 方法直接返回 ArrayListIterator 类的一个实例，该类是一个实现 Iterator 接口的类。ArrayListIterator 存储当前位置的概念，并提供 hasNext、next 和 remove 的实现。当前位置表示要被查看的下一元素(的数组下标)，因此初始时当前位置为 0。

68
~
70

3.4.2 迭代器、Java 嵌套类和内部类

ArrayListIterator 使用一个复杂 Java 结构，叫作**内部类**(inner class)。显然该类在 MyArrayList 类内部被声明，这是被许多语言支持的特性。然而，Java 中的内部类具有更微妙的性质。

为了了解内部类是如何工作的，图 3-17 描绘了迭代器的思路(不过，代码有缺欠)，使 ArrayListIterator 成为一个顶级类。我们只着重讨论 MyArrayList 的数据域、MyArrayList 中的 iterator 方法以及 ArrayListIterator 类(而不是它的 remove 方法)。

```
1   public class MyArrayList<AnyType> implements Iterable<AnyType>
2   {
3       private int theSize;
4       private AnyType [ ] theItems;
5           ...
6       public java.util.Iterator<AnyType> iterator( )
7         { return new ArrayListIterator<AnyType>( ); }
8   }
9   class ArrayListIterator<AnyType> implements java.util.Iterator<AnyType>
10  {
11      private int current = 0;
12          ...
13      public boolean hasNext( )
14        { return current < size( ); }
15      public AnyType next( )
16        { return theItems[ current++ ]; }
17  }
```

图 3-17 迭代器 1 号版本(但不能使用)：迭代器是一个顶级类并存储当前位置。它不能使用是因为 theItems 和 size()不是 ArrayListIterator 类的一部分

在图3-17中，ArrayListIterator是泛型类，它存储当前位置，程序在next方法中试图使用当前位置作为下标访问数组元素然后将当前位置向后推进。注意，如果arr是一个数组，则arr[idx++]对数组使用idx，然后向后推进idx。操作++在此处存在问题。我们这里使用的形式叫作**后缀++操作**(postfix ++ operator)，此时的++是在idx之后进行的。但在**前缀++操作**(prefix ++ operator)中，arr[++idx]先推进idx然后再使用新的idx作为数组元素的下标。图3-17中的问题在于，theItems[current++]是非法的，因为theItems不是ArrayListIterator的一部分；它是MyArrayList的一部分。因此程序根本没有意义。

71

最简单的解决方案见图3-18，不过它也有缺点，但是以更微小的方式呈现。在图3-18中，我们通过让迭代器存储MyArrayList的引用来解决在迭代器中没有数组的问题。这个引用是第二个数据域，是通过ArrayListIterator的一个新的单参数构造器而被初始化的。既然有一个MyArrayList的引用，那么就可以访问包含于MyArrayList中的数组域(还可得到MyArrayList的大小，该大小在hasNext中是需要的)。

图3-18中的问题在于，theItems是MyArrayList中的私有(private)域，而由于ArrayListIterator是一个不同的类，因此在next方法中访问theItems是非法的。最简单的修正办法是改变theItems在MyArrayList中的可见性，从private改成某种稍宽松的可见性(如public，或默认的可见性，它也被称为**包可见性**(package visibility))。不过，这违反了良好的面向对象编程的基本原则，它要求数据应尽可能地隐蔽。

```
 1  public class MyArrayList<AnyType> implements Iterable<AnyType>
 2  {
 3      private int theSize;
 4      private AnyType [ ] theItems;
 5          ...
 6      public java.util.Iterator<AnyType> iterator( )
 7        { return new ArrayListIterator<AnyType>( this ); }
 8  }
 9  class ArrayListIterator<AnyType> implements java.util.Iterator<AnyType>
10  {
11      private int current = 0;
12      private MyArrayList<AnyType> theList;
13          ...
14      public ArrayListIterator( MyArrayList<AnyType> list )
15        { theList = list; }
16
17      public boolean hasNext( )
18        { return current < theList.size( ); }
19      public AnyType next( )
20        { return theList.theItems[ current++ ]; }
21  }
```

图3-18 迭代器2号版本(几乎能够使用)：迭代器是一个顶级类并存储当前位置以及一个连接到MyArrayList的链。它不能使用是因为theItems在MyArrayList类中是私有的

图3-19显示另一种解决方案，这种方案能够正确运行：使ArrayListIterator为**嵌套类**(nested class)。当我们让ArrayListIterator为一个嵌套类时，该类将被放入另一个类(此时就是MyArrayList)的内部，这个类就叫作**外部类**(outer class)。我们必须用static来表示它是嵌套的；若无static，将得到一个内部类，这有时候好，有时候也不好。嵌套类是许多编程语言的典型的类型。注意，嵌套类可以被设计成private，这很好，因为此时该嵌套类除能够被外部类MyArrayList访问外，其他是不可访问的。更为重要的是，因为嵌套类被认为是外部类的一部分，所以不存在产生不可见问题：theItems是MyArrayList类的可见成

72

员，因为 next 是 MyArrayList 的一部分。

```
1  public class MyArrayList<AnyType> implements Iterable<AnyType>
2  {
3      private int theSize;
4      private AnyType [ ] theItems;
5          ...
6      public java.util.Iterator<AnyType> iterator( )
7        { return new ArrayListIterator<AnyType>( this ); }
8
9      private static class ArrayListIterator<AnyType>
10                                     implements java.util.Iterator<AnyType>
11     {
12         private int current = 0;
13         private MyArrayList<AnyType> theList;
14             ...
15         public ArrayListIterator( MyArrayList<AnyType> list )
16           { theList = list; }
17
18         public boolean hasNext( )
19           { return current < theList.size( ); }
20         public AnyType next( )
21           { return theList.theItems[ current++ ]; }
22     }
23 }
```

图 3-19 迭代器 3 号版本(能够使用)：迭代器是一个嵌套类并存储当前位置和一个连接到 MyArrayList 的链。它能够使用是因为该嵌套类被认为是 MyArrayList 类的一部分

既然我们有了嵌套类，那么就可以讨论内部类。嵌套类的问题在于，在我们的原始设计中，当编写 theItems 而不引用其所在的 MyArrayList 的时候，代码看起来还可以，也似乎有意义，但却是无效的，因为编译器不可能计算出哪个 MyArrayList 在被引用。要是我们自己不必明了这一点那就好多了，而这恰是内部类要求我们所要做的。

当声明一个内部类时，编译器则添加对外部类对象的一个隐式引用，该对象引起内部类对象的构造。如果外部类的名字是 Outer，则隐式引用就是 Outer.this。因此，如果 ArrayListIterator 是作为一个内部类被声明且没有注明 static，那么 MyArrayList.this 和 theList 就都会引用同一个 MyArrayList。这样，theList 就是多余的，并可能被删除。

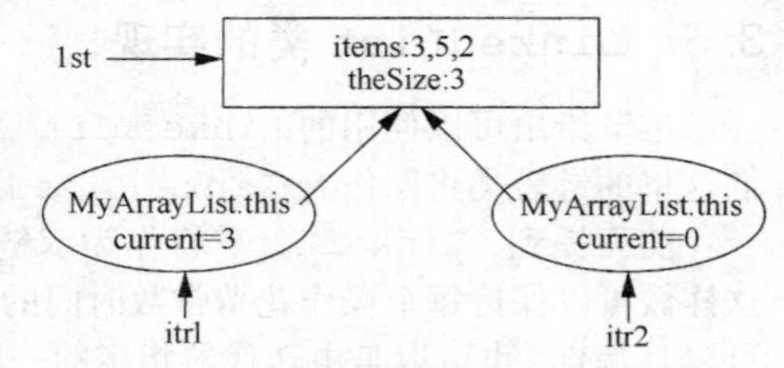

图 3-20 带有内部类的迭代器/容器

在每一个内部类的对象都恰好与外部类对象的一个实例相关联的情况下，内部类是有用的。在这种情况下，内部类的对象在没有外部类对象与其关联时是永远不可能存在的。对于 MyArrayList 及其迭代器的情形，图 3-20 指出了 MyArrayList 类和迭代器之间的关系，此时这些内部类都用来实现该迭代器。

73

theList.theItems 的使用可以由 MyArray-List.this.theItems 代替。这很难说是一种改进，但进一步的简化还是可能的。正如 this.data 可以简写为 data 一样(假设不存在引起冲突的也叫作 data 的另外的变量)，MyArrayList.this.theItems 可以简写为 theItems。图 3-21 指出 ArrayListIterator 的简化。

74

首先，ArrayListIterator 是隐式的泛型类，因为它现在依赖于 MyArrayList，而后者是泛型的；我们可以不必说这些。

```
1   public class MyArrayList<AnyType> implements Iterable<AnyType>
2   {
3       private int theSize;
4       private AnyType [ ] theItems;
5           ...
6       public java.util.Iterator<AnyType> iterator( )
7         { return new ArrayListIterator( ); }
8
9       private class ArrayListIterator implements java.util.Iterator<AnyType>
10      {
11          private int current = 0;
12
13          public boolean hasNext( )
14            { return current < size( ); }
15          public AnyType next( )
16            { return theItems[ current++ ]; }
17          public void remove( )
18            { MyArrayList.this.remove( --current ); }
19      }
20  }
```

图 3-21 迭代器4号版本(能够使用)：迭代器是一个内部类并存储当前位置和一个连接到 MyArrayList 的隐式链

其次，theList 没有了，我们用 size( )和 theItems[current ++]作为 MyArrayList.this.size()和 MyArrayList.this.theItems[current ++]的简记符。theList 作为数据成员，它的去除也删除了相关的构造器，因此程序又转变成1号版本的样式。

我们可以通过调用 MyArrayList 的 remove 来实现迭代器的 remove 方法。由于迭代器的 remove 可能与 MyArrayList 的 remove 冲突，因此我们必须使用 MyArrayList.this.remove。注意，在该项被删除之后，一些元素需要移动，因此 current 被视为同一元素也必须移动。于是，我们使用 -- 而不是 -1。

内部类为 Java 程序员带来句法上的便利。它们不需要编写任何 Java 代码，但是它们在语言中的出现使 Java 程序员以自然的方式(如1号版本那样)编写程序，而编译器则编写使内部类对象和外部类对象相关联所需要的附加代码。

3.5 LinkedList 类的实现

本节给出可以使用的 LinkedList 泛型类的实现。和在 ArrayList 类中的情形一样，我们这里的链表类将叫作 MyLinkedList 以避免与库中的类相混。

前面提到，LinkedList 将作为双链表来实现，而且我们还需要保留到该表两端的引用。这样做可以保持每个操作花费常数时间的代价，只要操作发生在已知的位置。这个已知的位置可以是端点，也可以是由迭代器指定的一个位置(不过，我们不实现 ListIterator，因此有些代码留给读者去完成)。

在考虑设计方面，我们将需要提供三个类：

1. MyLinkedList 类本身，它包含到两端的链、表的大小以及一些方法。

2. Node 类，它可能是一个私有的嵌套类。一个节点包含数据以及到前一个节点的链和到下一个节点的链，还有一些适当的构造方法。

3. LinkedListIterator 类，该类抽象了位置的概念，是一个私有类，并实现接口 Iterator。它提供了方法 next、hasNext 和 remove 的实现。

由于这些迭代器类存储“当前节点”的引用，并且终端标记是一个合理的位置，因此它对于在表的终端创建一个额外的节点来表示终端标记是有意义的。更进一步，我们还能够在表的前端创建一个额外的节点，逻辑上代表开始的标记。这些额外的节点有时候就叫作**标记节点**(sentinel node)；特别地，在前端的节点有时候也叫作**头节点**(header node)，而在末端的节点有时候也叫作**尾节点**(tail node)。

75

使用这些额外节点的优点在于，通过排除许多特殊情形极大地简化了编码。例如，如果我们不是用头节点，那么删除第1个节点就变成了一种特殊的情况，因为在删除期间我们必须重新调整链表的到第1个节点的链，还因为删除算法一般还要访问被删除节点前面的那个节点(而若无头节点，则第1个节点前面没有节点)。图3-22显示一个带有头节点和尾节点的双链表。图3-23显示一个空链表。图3-24则显示 MyLinkedList 类的概要和部分的实现。

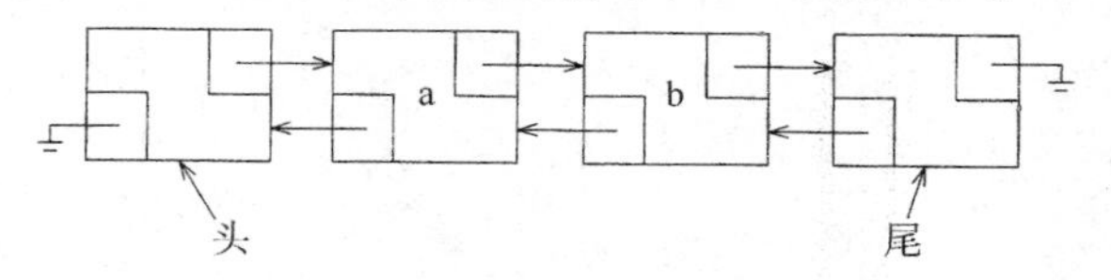

图3-22 具有头节点和尾节点的双链表

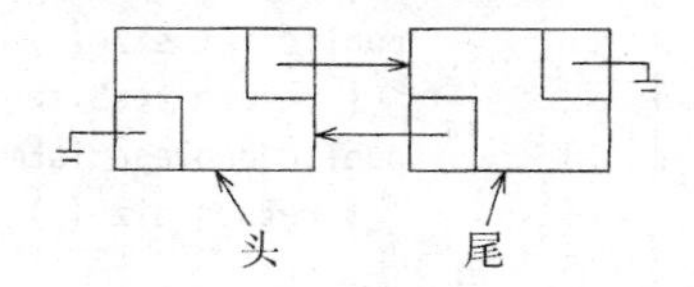

图3-23 具有头节点和尾节点的空链表

我们在第3行可以看到私有嵌套 Node 类声明的开头部分。图3-25显示这个由所存储的一项组成的 Node 类——它的连接到前一个 Node 的链和下一个 Node 的链，还有一个构造方法。所有的数据成员都是公用的。我们知道，在一个类中，数据成员通常是私有的。然而，在一个嵌套类中的成员甚至在外部类中也是可见的。由于 Node 类是私有的，因此在 Node 类中的那些数据成员的可见性是无关紧要的；那些 MyLinkedList 的方法能够见到所有的 Node 数据成员，而 MyLinkedList 外面的那些类则根本见不到 Node 类。

现在回到图3-24，第44行到第47行包含 MyLinkedList 的数据成员，即到头节点和到尾节点的引用。我们也掌握一个数据成员的大小，从而 size 方法可以以常数时间实现。在第45行有一个附加的数据域，用来帮助迭代器检测集合中的变化。modCount 代表自从构造以来对链表所做改变的次数。每次对 add 或 remove 的调用都将更新 modCount。其想法在于，当一个迭代器被建立时，他将存储集合的 modCount。每次对一个迭代器方法(next 或 remove)的调用都将用该链表内的当前 modCount 检测在迭代器内存储的 modCount，并且当这两个计数不匹配时抛出一个 ConcurrentModificationException 异常。

MyLinkedList 类的其余部分由构造方法、迭代器的实现以及一些方法组成。许多方法都只是一行代码。

76

图3-26中的 clear 方法由构造方法调用。它创建并连接头节点和尾节点，然后设置大小为0。

在图3-24的第41行可以看到私有内部 LinkedListIterator 类的声明的开头部分。当我们在后面看到其具体实现时将讨论这些细节。

图3-27解释一个包含 x 的新节点是如何被拼接在由 p 引用的一个节点和 p.prev 之间的。这些节点链的赋值可以描述如下：

```
Node newNode = new Node( x, p.prev, p );  // 第1步和第2步
p.prev.next = newNode;                    // 第3步
p.prev = newNode;                         // 第4步
```

第3步和第4步可以合并，结果只有两行：

```
Node newNode = new Node( x, p.prev, p );  // 第1步和第2步
p.prev = p.prev.next = newNode;           // 第3步和第4步
```

77
≀
78

可是这两行还可以合并，得到：

```
p.prev = p.prev.next = new Node( x, p.prev, p );
```

这就缩短了图3-28中的例程addBefore。

```
 1  public class MyLinkedList<AnyType> implements Iterable<AnyType>
 2  {
 3      private static class Node<AnyType>
 4        { /* Figure 3.25 */ }
 5
 6      public MyLinkedList( )
 7        { doClear( ); }
 8
 9      public void clear( )
10        { /* Figure 3.26 */ }
11      public int size( )
12        { return theSize; }
13      public boolean isEmpty( )
14        { return size( ) == 0; }
15
16      public boolean add( AnyType x )
17        { add( size( ), x );  return true; }
18      public void add( int idx, AnyType x )
19        { addBefore( getNode( idx, 0, size( ) ), x ); }
20      public AnyType get( int idx )
21        { return getNode( idx ).data; }
22      public AnyType set( int idx, AnyType newVal )
23      {
24          Node<AnyType> p = getNode( idx );
25          AnyType oldVal = p.data;
26          p.data = newVal;
27          return oldVal;
28      }
29      public AnyType remove( int idx )
30        { return remove( getNode( idx ) ); }
31
32      private void addBefore( Node<AnyType> p, AnyType x )
33        { /* Figure 3.28 */ }
34      private AnyType remove( Node<AnyType> p )
35        { /* Figure 3.30 */ }
36      private Node<AnyType> getNode( int idx )
37        { /* Figure 3.31 */ }
38      private Node<AnyType> getNode( int idx, int lower, int upper )
39        { /* Figure 3.31 */ }
40
41      public java.util.Iterator<AnyType> iterator( )
42        { return new LinkedListIterator( ); }
43      private class LinkedListIterator implements java.util.Iterator<AnyType>
44        { /* Figure 3.32 */ }
45
46      private int theSize;
47      private int modCount = 0;
48      private Node<AnyType> beginMarker;
49      private Node<AnyType> endMarker;
50  }
```

图3-24 MyLinkedList类

```
1      private static class Node<AnyType>
2      {
3          public Node( AnyType d, Node<AnyType> p, Node<AnyType> n )
4            { data = d; prev = p; next = n; }
5
6          public AnyType data;
7          public Node<AnyType>   prev;
8          public Node<AnyType>   next;
9      }
```

图 3-25 MyLinkedList 类的嵌套 Node 类

```
1      public void clear( )
2        { doClear( ); }
3
4      private void doClear( )
5      {
6          beginMarker = new Node<AnyType>( null, null, null );
7          endMarker = new Node<AnyType>( null, beginMarker, null );
8          beginMarker.next = endMarker;
9
10         theSize = 0;
11         modCount++;
12     }
```

图 3-26 MyLinkedList 类的 clear 例程

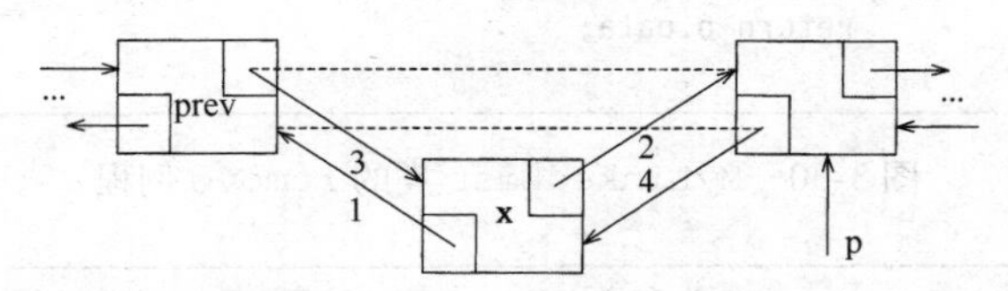

图 3-27 通过获取一个新节点，然后按所指示的顺序改变指针而完成向一个双链表中的插入操作

```
1      /**
2       * Adds an item to this collection, at specified position p.
3       * Items at or after that position are slid one position higher.
4       * @param p Node to add before.
5       * @param x any object.
6       * @throws IndexOutOfBoundsException if idx is not between 0 and size(),.
7       */
8      private void addBefore( Node<AnyType> p, AnyType x )
9      {
10         Node<AnyType> newNode = new Node<>( x, p.prev, p );
11         newNode.prev.next = newNode;
12         p.prev = newNode;
13         theSize++;
14         modCount++;
15     }
```

图 3-28 MyLinkedList 类的 add 例程

图3-29指出删除一个节点的逻辑过程。如果p引用正在被删除的节点，那么在该节点被断开连接和可以被虚拟机回收之前只有两个链改动：

79

```
p.prev.next = p.next;
p.next.prev = p.prev;
```

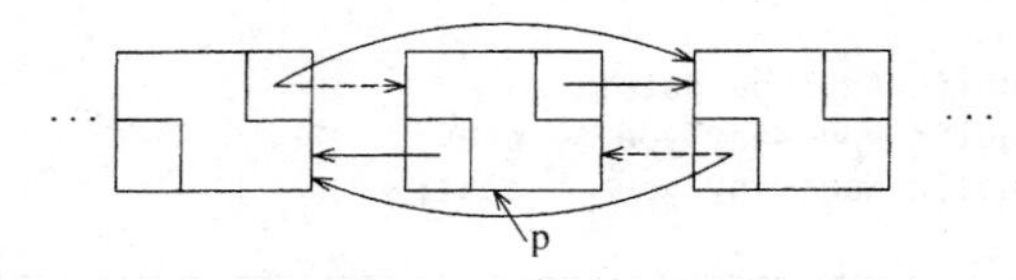

图3-29 从一个双链表中删除由p指定的节点

图3-30显示基本的私有remove例程，该例程包含上述两行代码。

图3-31包含前面提到的私有getNode方法。如果索引表示该表前半部分的一个节点，那么在第16行到第18行我们将以向后的方向遍历该链表。否则，我们从终端开始向回走，如图中第22行到第24行所示。

```
1     /**
2      * Removes the object contained in Node p.
3      * @param p the Node containing the object.
4      * @return the item was removed from the collection.
5      */
6     private AnyType remove( Node<AnyType> p )
7     {
8         p.next.prev = p.prev;
9         p.prev.next = p.next;
10        theSize--;
11        modCount++;
12
13        return p.data;
14    }
```

图3-30 MyLinkedList类的remove例程

```
1     /**
2      * Gets the Node at position idx, which must range from 0 to size( ) - 1.
3      * @param idx index to search at.
4      * @return internal node corresponding to idx.
5      * @throws IndexOutOfBoundsException if idx is not
6      *        between 0 and size( ) - 1, inclusive.
7      */
8     private Node<AnyType> getNode( int idx )
9     {
10        return getNode( idx, 0, size( ) - 1 );
11    }
12
13    /**
14     * Gets the Node at position idx, which must range from lower to upper.
15     * @param idx index to search at.
16     * @param lower lowest valid index.
```

图3-31 MyLinkedList类的私有getNode例程

```
17         * @param upper highest valid index.
18         * @return internal node corresponding to idx.
19         * @throws IndexOutOfBoundsException if idx is not
20         *         between lower and upper, inclusive.
21         */
22        private Node<AnyType> getNode( int idx, int lower, int upper )
23        {
24            Node<AnyType> p;
25
26            if( idx < lower || idx > upper )
27                throw new IndexOutOfBoundsException( );
28
29            if( idx < size( ) / 2 )
30            {
31                p = beginMarker.next;
32                for( int i = 0; i < idx; i++ )
33                    p = p.next;
34            }
35            else
36            {
37                p = endMarker;
38                for( int i = size( ); i > idx; i-- )
39                    p = p.prev;
40            }
41
42            return p;
43        }
```

图 3-31 （续）

如图 3-32 所示，LinkedListIterator 具有类似于 ArrayListIterator 的逻辑，但合并了重要的错误检测。该迭代器保留一个当前位置，如第 3 行所示。current 表示包含由调用 next 所返回的项的节点。注意，当 current 被定位于 endMarker 时，对 next 的调用是非法的。

为了检测在迭代期间集合被修改的情况，迭代器在第 4 行将迭代器被构造时的链表的 modCount 存储在数据域 expectedModCount 中。在第 5 行，如果 next 已经被执行而没有其后的 remove，则布尔数据域 okToRemove 为 true。因此，okToRemove 初始为 false，在 next 方法中置为 true，在 remove 方法中置为 false。

hasNext 是一个简单的例程。和在 java.util.LinkedList 的迭代器中一样，它不检查链表的修改。

next 方法在获得(第 17 行)将要返回(第 20 行)的节点的值后向后推进 current(第 18 行)。okToRemove 在第 19 行被更新。

最后，迭代器的 remove 方法如第 23 行至第 32 行所示。该方法主要是错误检测(这就是为什么我们避免 ArrayListIterator 中的错误检测的原因)。在第 30 行上的具体的 remove 模仿 ArrayListIterator 中的逻辑。不过在这里 current 是保持不变的，因为 current 正在观察的节点不受前面节点被删除的影响(在 ArrayListIterator 中，项被移动，要求更新 current)。

```
1       private class LinkedListIterator implements java.util.Iterator<AnyType>
2       {
3           private Node<AnyType> current = beginMarker.next;
4           private int expectedModCount = modCount;
5           private boolean okToRemove = false;
6
7           public boolean hasNext( )
8             { return current != endMarker; }
9
10          public AnyType next( )
11          {
12              if( modCount != expectedModCount )
13                  throw new java.util.ConcurrentModificationException( );
14              if( !hasNext( ) )
15                  throw new java.util.NoSuchElementException( );
16
17              AnyType nextItem = current.data;
18              current = current.next;
19              okToRemove = true;
20              return nextItem;
21          }
22
23          public void remove( )
24          {
25              if( modCount != expectedModCount )
26                  throw new java.util.ConcurrentModificationException( );
27              if( !okToRemove )
28                  throw new IllegalStateException( );
29
30              MyLinkedList.this.remove( current.prev );
31              expectedModCount++;
32              okToRemove = false;
33          }
34      }
```

图3-32 MyLinkedList类的内部Iterator类

3.6 栈ADT

80 ~ 82

3.6.1 栈模型

栈(stack)是限制插入和删除只能在一个位置上进行的表，该位置是表的末端，叫作栈的顶(top)。对栈的基本操作有push(进栈)和pop(出栈)，前者相当于插入，后者则是删除最后插入的元素。最后插入的元素可以通过使用top例程在执行pop之前进行考查。对空栈进行的pop或top一般被认为是栈ADT中的一个错误。另一方面，当运行push时空间用尽是一个实现限制，但不是ADT错误。

栈有时又叫作LIFO(后进先出)表。在图3-33中描述的模型只象征着push是输入操作而pop和top是输出操作。普通的清空栈的操作和判断是否空栈的测试都是栈的操作指令系统的一部分，但是，我们对栈所能够做的，基本上也就是push和pop操作。

图3-34表示在进行若干操作后的一个抽象的栈。一般的模型是，存在某个元素位于栈顶，而该元素是唯一的可见元素。

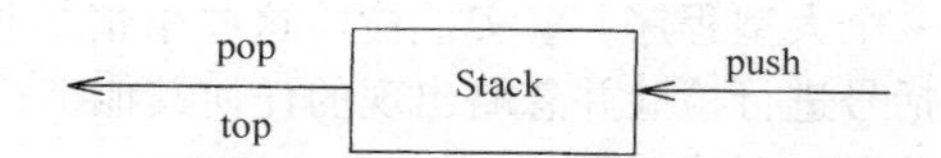

图 3-33　栈模型：通过 push 向栈输入，通过 pop 和 top 从栈中输出

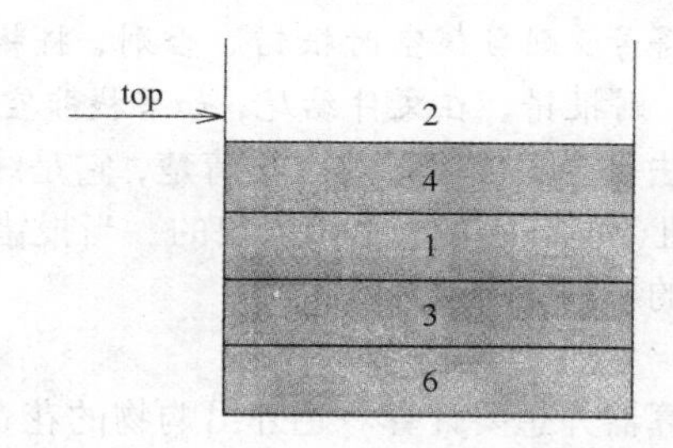

图 3-34　栈模型：只有栈顶元素是可访问的

3.6.2　栈的实现

由于栈是一个表，因此任何实现表的方法都能实现栈。显然，ArrayList 和 LinkedList 都支持栈操作；99% 的时间它们都是最合理的选择。偶尔设计一种特殊目的的实现可能会更快(例如，如果被放到栈上的项属于基本类型)。因为栈操作是常数时间操作，所以，除非在非常独特的环境下，这是不可能产生任何明显的改进的。对于这些特殊的时机，我们将给出两个流行的实现方法，一种方法使用链式结构，而另一种方法则使用数组，二者均简化了在 ArrayList 和 LinkedList 中的逻辑，因此我们不提供代码。

83

栈的链表实现

栈的第一种实现方法是使用单链表。通过在表的顶端插入来实现 push，通过删除表顶端元素实现 pop。top 操作只是考查表顶端元素并返回它的值。有时 pop 操作和 top 操作合二为一。

栈的数组实现

另一种实现方法避免了链而且可能是更流行的解决方案。由于模仿 ArrayList 的 add 操作，因此相应的实现方法非常简单。与每个栈相关联的操作是 theArray 和 topOfStack，对于空栈它是 -1(这就是空栈初始化的做法)。为将某个元素 x 推入栈中，我们使 topOfStack 增 1 然后置 theArray[topOfStack] = x。为了弹出栈元素，我们置返回值为 theArray[topOfStack]然后使 topOfStack 减 1。

注意，这些操作不仅以常数时间运行，而且是以非常快的常数时间运行。在某些机器上，若在带有自增和自减寻址功能的寄存器上操作，则(整数的)push 和 pop 都可以写成一条机器指令。最现代化的计算机将栈操作作为它的指令系统的一部分，这个事实强化了这样一种观念，即栈很可能是在计算机科学中在数组之后的最基本的数据结构。

3.6.3　应用

毫不奇怪，如果我们把操作限制在对一个表上进行，那么这些操作会执行得很快。然而，令人惊奇的是，这些少量的操作非常强大和重要。在栈的许多应用中，我们给出三个例子，第三个实例深刻说明程序是如何组织的。

平衡符号

编译器检查程序的语法错误，但是常常由于缺少一个符号(如遗漏一个花括号或是注释起始符)引起编译器列出上百行的诊断，而真正的错误并没有找出。(幸运的是，大部分 Java 编译器在这一点上是相当好的。但不是所有的语言和编译器都这么可靠。)

在这种情况下，一个有用的工具就是检验是否每件事情都能成对的程序。于是，每一个右花括号、右方括号及右圆括号必然对应其相应的左括号。序列[()]是合法的，但[(])是错误的。显然，不值得为此编写一个大型程序，事实上检验这些事情是很容易的。为简单起见，我们仅就圆括号、方括号和花括号进行检验并忽略出现的任何其他字符。

这个简单的算法用到一个栈，叙述如下：

84

> 做一个空栈。读入字符直到文件结尾。如果字符是一个开放符号，则将其推入栈中。如果字符是一个封闭符号，则当栈空时报错。否则，将栈元素弹出。如果弹出的符号不是对应的开放符号，则报错。在文件结尾，如果栈非空则报错。

我们应该能够确信这个算法是会正确运行的。很清楚，它是线性的，事实上它只需对输入进行一趟检验。因此，它是联机(on-line)的，是相当快的。当报错时决定如何处理需要做一些附加的工作——例如判断可能的原因。

后缀表达式

假设我们有一个便携式计算器并想要计算一趟外出购物的花费。为此，我们将一列数据相加并将结果乘以1.06；它是所购物品的价格以及附加的地方销售税。如果购物各项花销为4.99、5.99和6.99，那么输入这些数据的自然的方式将是

$$4.99 + 5.99 + 6.99 * 1.06 =$$

随着计算器的不同，这个结果或者是所要的答案19.05，或者是科学答案18.39。最简单的四功能计算器都将给出第一个答案，但是许多先进的计算器是知道乘法的优先级高于加法的。

另一方面，有些项是需要上税的而有些项则不是，因此，如果只有第一项和最后一项是要上税的，那么计算的顺序

$$4.99 * 1.06 + 5.99 + 6.99 * 1.06 =$$

将在科学计算器上给出正确的答案(18.69)而在简单计算器上给出错误的答案(19.37)。科学计算器一般包含括号，因此我们总可以通过加括号的方法得到正确的答案，但是使用简单计算器我们需要记住中间结果。

该例的典型计算顺序可以是将4.99和1.06相乘并存为A_1，然后将5.99和A_1相加，再将结果存入A_1；我们再将6.99和1.06相乘并将答案存为A_2，最后将A_1和A_2相加并将最后结果放入A_1。我们可以将这种操作顺序书写如下：

$$4.99\ 1.06 * 5.99 + 6.99\ 1.06 * +$$

这个记法叫作**后缀**(postfix)或**逆波兰**(reverse Polish)记法，其求值过程恰好就是上面所描述的过程。计算这个问题最容易的方法是使用一个栈。当见到一个数时就把它推入栈中；在遇到一个运算符时该算符就作用于从该栈弹出的两个数(符号)上，再将所得结果推入栈中。例如，后缀表达式

$$6\ 5\ 2\ 3 + 8 * + 3 + *$$

85

计算如下：前四个字符放入栈中，此时栈变成

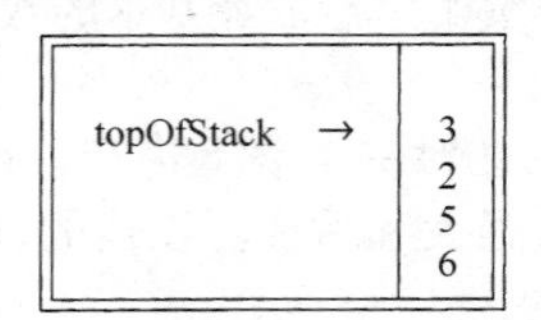

下面读到一个‘+’号，所以3和2从栈中弹出并且它们的和5被压入栈中

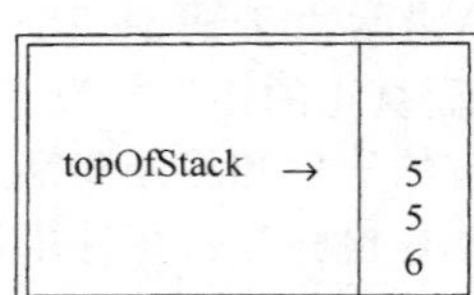

接着，8 进栈

topOfStack → 8
5
5
6

现在见到一个‘ * ’号，因此 8 和 5 弹出并且 5 * 8 = 40 进栈

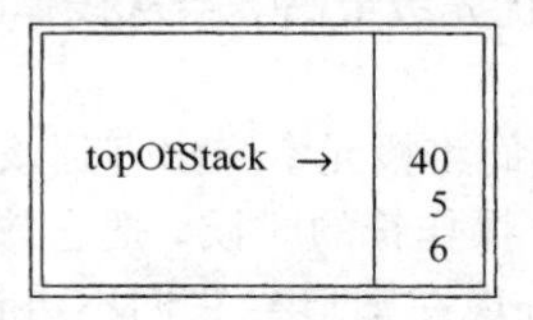

接着又见到一个‘ + ’号，因此 40 和 5 被弹出并且 5 + 40 = 45 进栈

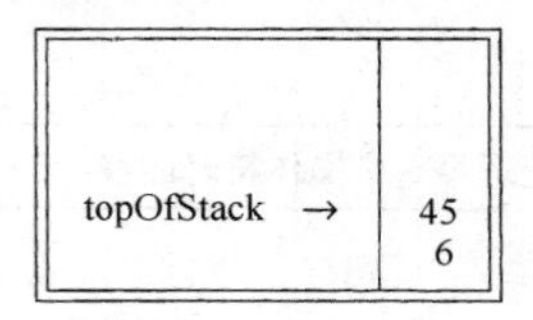

86

现在将 3 压入栈中

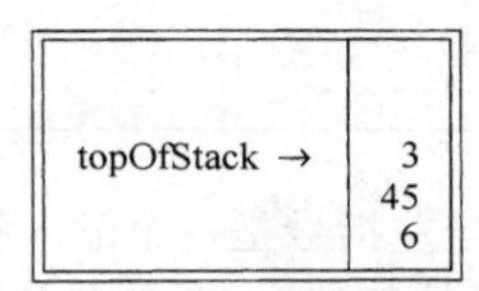

然后‘ + ’使得 3 和 45 从栈中弹出并将 45 + 3 = 48 压入栈中

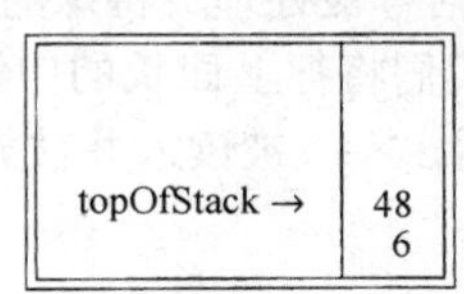

最后，遇到一个‘ * ’号，从栈中弹出 48 和 6；将结果 6 * 48 = 288 压进栈中

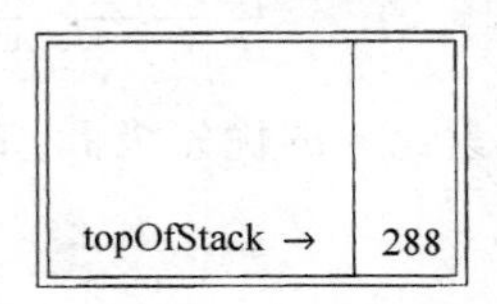

计算一个后缀表达式花费的时间是 $O(N)$，因为对输入中的每个元素的处理都是由一些栈操作组成从而花费常数的时间。该算法的计算是非常简单的。注意，当一个表达式以后缀记号给出时，没有必要知道任何优先的规则，这是一个明显的优点。

中缀到后缀的转换

栈不仅可以用来计算后缀表达式的值，而且还可以用栈将一个标准形式的表达式（或叫作中缀表达式(infix)）转换成后缀式。我们通过只允许操作 +，*，(,)，并坚持普通的优先级法则而将一般的问题浓缩成小规模的问题。此外，还要进一步假设表达式是合法的。假设将中缀表达式

```
a+b*c+(d*e+f)*g
```

转换成后缀表达式。正确的答案是 `abc*+de*f+g*+`。

当读到一个操作数的时候，立即把它放到输出中。操作符不立即输出，从而必须先存在某

个地方。正确的做法是将已经见到过但尚未放到输出中的操作符推入栈中。当遇到左圆括号时我们也要将其推入栈中。计算从一个空栈开始。

87

如果见到一个右括号，那么就将栈元素弹出，将弹出的符号写出直至遇到一个(对应的)左括号，但是这个左括号只被弹出并不输出。

如果我们见到任何其他的符号(+，*，( )，那么我们从栈中弹出栈元素直到发现优先级更低的元素为止。有一个例外：除非是在处理一个)的时候，否则我们决不从栈中移走(。对于这种操作，+的优先级最低，而(的优先级最高。当从栈弹出元素的工作完成后，我们再将操作符压入栈中。

最后，如果读到输入的末尾，我们将栈元素弹出直到该栈变成空栈，将符号写到输出中。

这个算法的想法是，当看到一个操作符的时候，把它放到栈中。栈代表挂起的操作符。然而，栈中有些具有高优先级的操作符现在知道当它们不再被挂起时要完成使用，应该被弹出。这样，在把当前操作符放入栈中之前，那些在栈中并在当前操作符之前要完成使用的操作符被弹出。详细的解释见下表：

表达式	在处理第3个操作符时的栈	动作
a*b-c+d	-	-完成，+进栈
a/b+c*d	+	没有操作符完成操作，* 进栈
a-b*c/d	- *	*完成，/ 进栈
a-b*c+d	- *	*和-完成，+进栈

圆括号增加了额外的复杂因素。当左括号是一个输入符号时我们可以把它看成是一个高优先级的操作符(使得挂起的操作符仍是挂起的)，而当它在栈中时把它看成是低优先级的操作符(从而不会被操作符意外地删除)。右括号被处理成特殊的情况。

为了理解这种算法的运行机制，我们将把上面长的中缀表达式转换成后缀形式。首先，符号a被读入，于是它被传向输出。然后，'+'被读入并被放入栈中。接下来b读入并流向输出。这一时刻的状态如下：

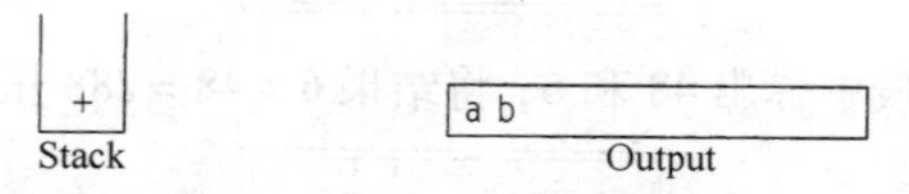

接着*号被读入。操作符栈的栈顶元素比*的优先级低，故没有输出且*进栈。接着，c被读入并输出。至此，我们有

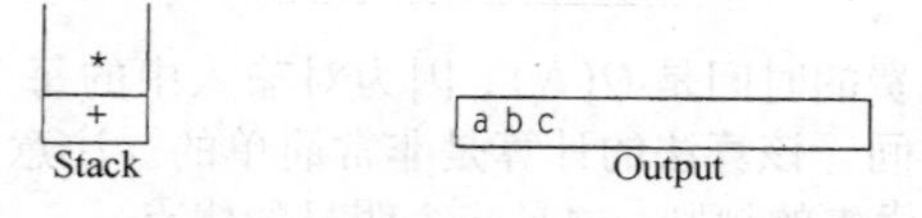

88

后面的符号是一个+号。检查一下栈我们发现，需要将*从栈弹出并把它放到输出中；弹出栈中剩下的+号，该算符不比刚刚遇到的+号优先级低而是有相同的优先级；然后，将刚刚遇到的+号压入栈中

下一个被读到的符号是一个(，由于有最高的优先级，因此它被放进栈中。然后，d读入并输出

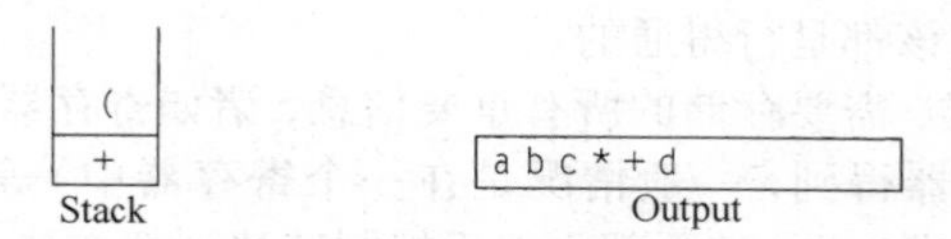

继续进行，我们又读到一个 *。由于除非正在处理闭括号否则开括号不会从栈中弹出，因此没有输出。下一个是 e，它被读入并输出

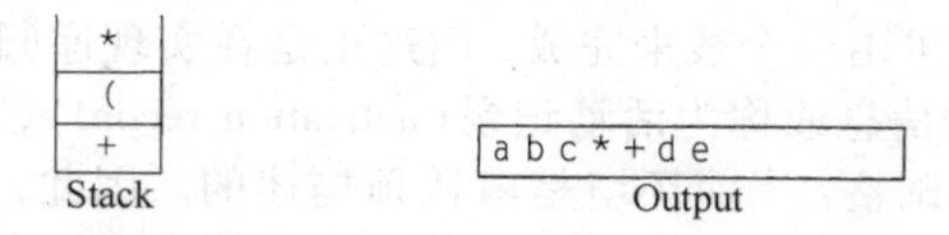

再往后读到的符号是 +。我们将 * 弹出并输出，然后将 + 压入栈中。这以后，我们读到 f 并输出

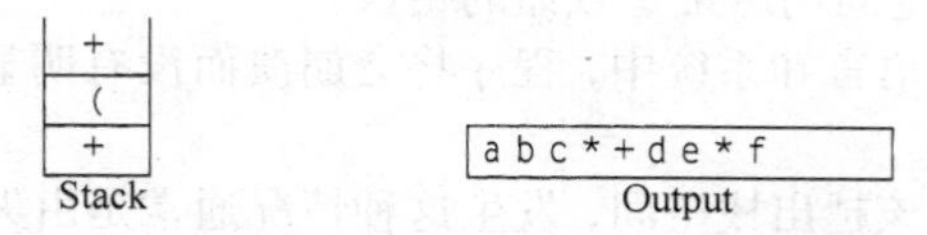

现在，我们读到一个)，因此将栈元素直到(弹出，我们将一个 + 号输出

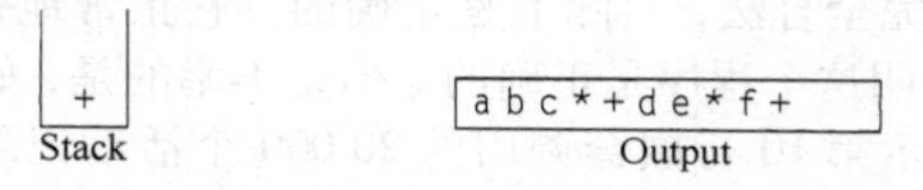

89

下面又读到一个 *；该算符被压入栈中。然后，g 被读入并输出

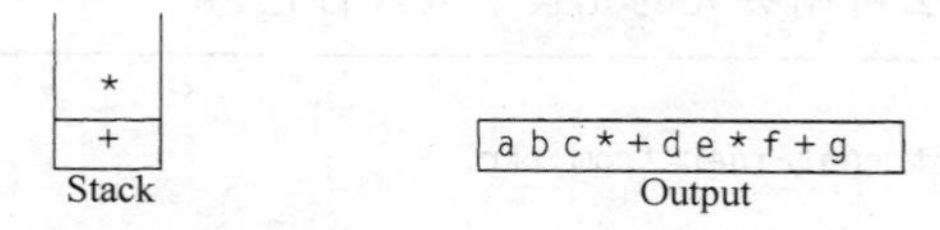

现在输入为空，因此我们将栈中的符号全部弹出并输出，直到栈变成空栈

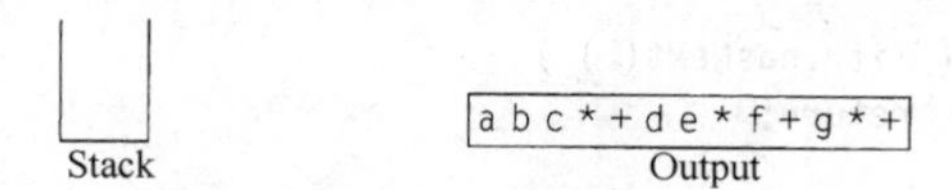

与前面相同，这种转换只需要 $O(N)$ 时间并经过一趟输入后工作完成。可以通过指定减法和加法有相同的优先级以及乘法和除法有相同的优先级而将减法和除法添加到指令集中去。需要注意的是，表达式 a - b - c 应转换成 ab - c - 而不是 abc - - 。我们的算法进行了正确的操作，因为这些操作符是从左到右结合的。一般情况未必如此，比如下面的表达式就是从右到左结合的：$2^{2^3}=2^8=256$，而不是 $4^3=64$。我们将把取幂运算添加到操作符指令集中的问题留作练习。

方法调用

检测平衡符号的算法提出一种在编译的过程语言和面向对象语言中实现方法调用的方式[⊖]。这里的问题是，当调用一个新方法时，主调例程的所有局部变量需要由系统存储起来，否则被调用的新方法将会重写由主调例程的变量所使用的内存。不仅如此，该主调例程的当前位置也必须要存储，以便在新方法运行完后知道向哪里转移。这些变量一般由编译器指派给机器的寄存器，但存在某些冲突(通常所有的方法都是获取指定给 1 号寄存器的某些变量)，特别是涉及递归的时候。该问题类似于平衡符号的原因在于，方法调用和方法返回基本上类似于开括号和

⊖ 由于 Java 是解释而不是编译执行的，因此本节有些细节不可用到 Java 上，但是一般的概念仍然可以在 Java 和许多其他语言上使用。

闭括号，二者相同的想法应该都是行得通的。

当存在方法调用的时候，需要存储的所有重要信息，诸如寄存器的值(对应变量的名字)和返回地址(它可从程序计数器得到，一般情况是在一个寄存器中)等，都要以抽象的方式存在“一张纸上”并被置于一个堆(pile)的顶部。然后控制转移到新方法，该方法自由地用它的一些值代替这些寄存器。如果它又进行其他的方法调用，那么它也遵循相同的过程。当该方法要返回时，它查看堆顶部的那张“纸”并复原所有的寄存器，然后进行返回转移。

90

显然，所有全部工作均可由一个栈来完成，而这正是在实现递归的每一种程序设计语言中实际发生的事实。所存储的信息或称为**活动记录**(activation record)，或叫作**栈帧**(stack frame)。在典型情况下，需要做些微调整：当前环境是由栈顶描述的。因此，一条返回语句就可给出前面的环境(不用复制)。在实际计算机中的栈常常是从内存分区的高端向下增长，而在许多非Java系统中是不检测溢出的。由于有太多的同时在运行着的方法，因此栈空间用尽的情况总是可能发生的。显而易见，栈空间用尽常是致命的错误。

在不进行栈溢出检测的语言和系统中，程序将会崩溃而没有明显的说明；而在Java中则抛出一个异常。

在正常情况下我们不应该越出栈空间，发生这种情况通常是由失控递归(忽视基准情形)的指向引起。另一方面，某些完全合法并且表面上无问题的程序也可以越出栈空间。图3-35中的例程打印一个集合，该例程完全合法，实际上是正确的。它正常地处理空集合的基准情形，并且递归也没有问题。可以证明这个程序是正确的。但是不幸的是，如果这个集合含有20 000个元素要打印，那么就要有表示第10行嵌套调用的20 000个活动记录的栈。一般这些活动记录由于它们包含了全部信息而特别庞大，因此这个程序很可能要越出栈空间。(如果20 000个元素还不足以使程序崩溃，那么可用更大的元素个数代替它。)

```
1       /**
2        * Print container from itr.
3        */
4       public static <AnyType> void printList( Iterator<AnyType> itr )
5       {
6           if( !itr.hasNext( ) )
7               return;
8
9           System.out.println( itr.next( ) );
10          printList( itr );
11      }
```

图3-35　递归的不当使用：打印一个链表

这个程序是称为**尾递归**(tail recursion)的使用极端不当的例子。尾递归涉及在最后一行的递归调用。尾递归可以通过将代码放到一个`while`循环中并用每个方法参数的一次赋值代替递归调用而被手工消除。它模拟了递归调用，因为它什么也不需要存储；在递归调用结束之后，实际上没有必要知道存储的值。因此，我们就可以带着在一次递归调用中已经用过的那些值转移到方法的顶部。图3-36中的方法显示手工改进后的程序。尾递归的去除是如此的简单，以至于某些编译器能够自动完成。但是即使如此，最好还是不要让你的程序带着尾递归。

91

递归总能够被彻底去除(编译器是在转变成汇编语言时完成递归去除的)，但是这么做是相当冗长乏味的。一般方法是要求使用一个栈，而且仅当你能够把最低限度的最小值放到栈上时这个方法才值得一用。我们将不对此做进一步的详细讨论，只是指出，虽然非递归程序一般说来确实比等价的递归程序要快，但是速度优势的代价却是由于去除递归而使得程序清晰性受到了影响。

```
1     /**
2      * Print container from itr.
3      */
4     public static <AnyType> void printList( Iterator<AnyType> itr )
5     {
6         while( true )
7         {
8             if( !itr.hasNext( ) )
9                 return;
10
11            System.out.println( itr.next( ) );
12        }
13    }
```

图 3-36　不用递归而打印一个表：编译器可以做到

3.7　队列 ADT

像栈一样，队列（queue）也是表。然而，使用队列时插入在一端进行而删除则在另一端进行。

3.7.1　队列模型

队列的基本操作是 enqueue（入队），它是在表的末端（叫作队尾（rear））插入一个元素，和 dequeue（出队），它是删除（并返回）在表的开头（叫作队头（front））的元素。图 3-37 显示一个队列的抽象模型。

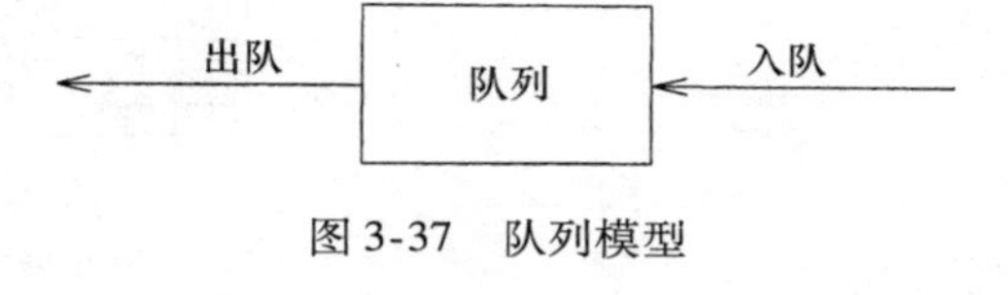

图 3-37　队列模型

3.7.2　队列的数组实现

如同栈的情形一样，对于队列而言任何的表的实现都是合法的。像栈一样，对于每一种操作，链表实现和数组实现都给出快速的 $O(1)$ 运行时间。队列的链表实现是简单直接的，我们留作练习。下面讨论队列的数组实现。

对于每一个队列数据结构，我们保留一个数组 theArray 以及位置 front 和 back，它们代表队列的两端。我们还要记录实际存在于队列中的元素的个数 currentSize。下图表示处于某个中间状态的一个队列。 92

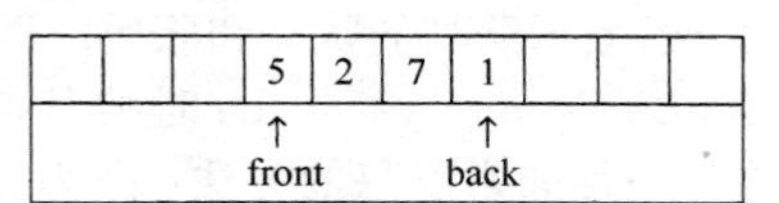

操作应该是清楚的。为使一个元素 x 入队（即执行 enqueue），我们让 currentSize 和 back 增 1，然后置 theArray[back] = x。若使元素 dequeue（出队），我们置返回值为 theArray[front]，且 currentSize 减 1，然后使 front 增 1。也可以有其他的方法（将在后面讨论）。现在论述错误检测。

上述实现存在一个潜在的问题。经过 10 次 enqueue 后队列似乎是满了，因为 back 现在是数组的最后一个下标，而下一次再 enqueue 就会是一个不存在的位置。然而，队列中也许只存在几个元素，因为若干元素可能已经出队了。像栈一样，即使在有许多操作的情况下队列也常常不是很大。

简单的解决方法是，只要 front 或 back 到达数组的尾端，它就又绕回到开头。下面诸图显示在某些操作期间的队列情况。这叫作**循环数组**（circular array）实现。 93

实现回绕所需要的附加代码是极小的(不过它可能使得运行时间加倍)。如果 front 或 back 增1导致超越了数组，那么其值就要重置到数组的第一个位置。

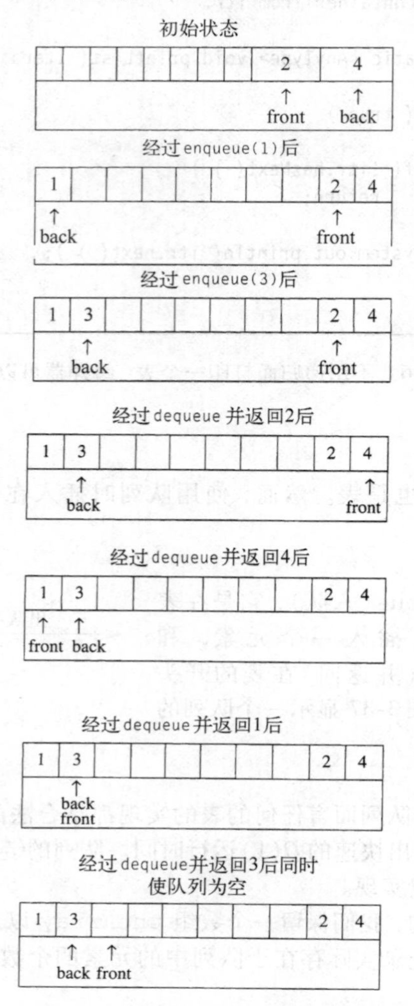

有些程序设计员使用不同的方法表示队列的队头和队尾。例如，有人不使用一项来记录大小，因为他们依赖于当队列为空(back = front - 1)时的基准情形。队列的大小通过比较 back 和 front 隐式地算出。这是一种非常隐秘的方法，因为存在某些特殊的情形，因此，如果你想修改用这种方法编写的程序，那就要特别地小心。如果 currentSize 不作为明确的数据域被保留，那么当存在 theArray. length-1 个元素时队列就满了，因为只有 theArray. length 个不同的大小可被区分，而0是其中的一个。可以采用任意一种你喜欢的风格，但要确保你的所有例程都是一致的。由于实现方法有多种选择，因此如果不使用 currentSize 域，那就很可能有必要进行一些注释，否则会在一个程序中使用两种选择。

94

在保证 enqueue 的次数不会大于队列容量的应用中，使用回绕是没有必要的。像栈一样，除非主调例程肯定队列非空，否则 dequeue 很少执行。因此对这种操作，只要不是关键的代码，错误检测常常被跳过。一般说来这并不是无可非议的，因为这样可能得到的时间节省量是极小的。

3.7.3 队列的应用

有许多使用队列给出高效运行时间的算法。它们当中有些可以在图论中找到，我们将在第

9 章讨论它们。这里，先给出某些应用队列的简单例子。

当作业送交给一台行式打印机的时候，它们就以到达的顺序被排列起来。因此，被送往行式打印机的作业基本上被放到一个队列中。[⊖]

事实上每一个实际生活中的排队都(应该)是一个队列。例如，在一些售票口排列的队伍都是队列，因为服务的顺序是先到先买票。

另一个例子是关于计算机网络的。有多种 PC 机的网络设置，其中磁盘是放在一台叫作**文件服务器**(file server)的机器上的。使用其他计算机的用户是按照先到先使用的原则访问文件的，因此其数据结构是一个队列。

进一步的例子如下：

- 当所有的接线员忙不开的时候，对大公司的呼叫一般都被放到一个队列中。
- 在大型的大学里，如果所有的终端都被占用，由于资源有限，学生们必须在一个等待表上签字登记。在终端上停留时间最长的学生将首先被强制离开，而等待时间最长的学生则将是下一个被允许使用终端的用户。

称为**排队论**(queueing theory)的整个数学分支处理用概率的方法计算用户预计要排队等待多长时间才会得到服务、等待服务的队伍能够排多长以及其他一些诸如此类的问题。问题的答案依赖于用户到达排队的经常程度以及一旦用户得到服务时处理服务花费的时间。这两个参数作为概率分布函数给出。在一些简单的情况下，答案可以解析地算出。一种简单情况的例子是一条电话线有一个接线员。如果接线员忙，打来的电话就被放到一个等待队列中(这还与某个容许的最大限度有关)。这个问题在商业上很重要，因为研究表明，人们会很快挂上电话。

如果我们有 k 个接线员，那么这个问题解决起来要困难得多。解析地求解起来困难的问题往往使用模拟的方法进行。此时，我们需要使用一个队列来进行模拟。如果 k 很大，那么我们还需要其他一些数据结构来使得模拟更有效地进行。在第 6 章将会看到模拟是如何进行的。那时我们将对 k 的若干值进行模拟并选择能够给出合理等待时间的最小的 k。

95

正如栈一样，队列还有其他丰富的用途，这样一种简单的数据结构竟然能够如此重要，实在令人惊奇。

小结

本章描述了一些 ADT 的概念，并且利用三种最常见的抽象数据类型(ADT)阐述了这种概念。主要目的就是将抽象数据类型的具体实现与它们的功能分开。程序必须知道操作都做些什么，但是如果不知道如何去做那就更好。

表、栈和队列或许在全部计算机科学中是三个基本的数据结构，大量的例子证明了它们广泛的用途。特别地，我们看到栈是如何用来记录过程和方法调用的，以及递归实际上是如何实现的。这对于我们的理解非常重要，其原因不只因为它使得过程语言成为可能，而且还因为知道递归的实现从而消除了围绕其使用的大量谜团。虽然递归非常强大，但是它并不是完全随意的操作；递归的误用和乱用可能导致程序崩溃。

练习

3.1 给定一个表 L 和另一个表 P，它们包含以升序排列的整数。操作 printLots(L, P)将打印 L 中那些由 P 所指定的位置上的元素。例如，如果 P = 1，3，4，6，那么，L 中位于第1、第3、第4 和第6 个位置上的元素被打印出来。写出过程 printLots(L, P)。只可使用 public 型的 Collections API 容器操作。该过程的运行时间是多少？

3.2 通过只调整链(而不是数据)来交换两个相邻的元素，使用

[⊖] 我们说基本上是因为作业可以被取消。这等于从队列的中间进行一次删除，它违反了队列的严格定义。

a. 单链表。
b. 双链表。

3.3 实现 MyLinkedList 的 contains 例程。

3.4 给定两个已排序的表 L_1 和 L_2，只使用基本的表操作编写计算 $L_1 \cap L_2$ 的过程。

3.5 给定两个已排序的表 L_1 和 L_2，只使用基本的表操作编写计算 $L_1 \cup L_2$ 的过程。

3.6 Josephus 问题(Josephus problem)是下面的游戏：N 个人编号从 1 到 N，围坐成一个圆圈。从 1 号开始传递一个热土豆。经过 M 次传递后拿着热土豆的人被清除离座，围坐的圆圈缩紧，由坐在被清除的人后面的人拿起热土豆继续进行游戏。最后剩下的人取胜。因此，如果 $M=0$ 和 $N=5$，则游戏人依序被清除，5 号游戏人获胜。如果 $M=1$ 和 $N=5$，那么被清除的人的顺序是 2，4，1，5。

96

a. 编写一个程序解决 M 和 N 在一般值下的 Josephus 问题，应使程序尽可能地高效率，要确保能够清除各个单元。
b. 你的程序的运行时间是多少？

3.7 下列程序的运行时间是多少？

```
public static List<Integer> makeList( int N )
{
    ArrayList<Integer> lst = new ArrayList<>( );

    for( int i = 0; i < N; i++ )
    {
        lst.add( i );
        lst.trimToSize( );
    }
}
```

3.8 下列例程删除作为参数被传递的表的前半部分：

```
public static void removeFirstHalf( List<?> lst )
{
    int theSize = lst.size( ) / 2;

    for( int i = 0; i < theSize; i++ )
        lst.remove( 0 );
}
```

a. 为什么在进入 for 循环前存储 theSize？
b. 如果 lst 是一个 ArrayList，removeFirstHalf 的运行时间是多少？
c. 如果 lst 是一个 LinkedList，removeFirstHalf 的运行时间是多少？
d. 对于这两种类型的 List 使用迭代器都能使 removeFirstHalf 更快吗？

3.9 提供对 MyArrayList 类的 addAll 方法的实现。方法 addAll 将由 items 给定的特定集合的所有项添加到 MyArrayList 的末端。再提供上述实现的运行时间。你使用的方法声明与 Java Collections API 中的略有不同，其形式如下：

```
public void addAll( Iterable<? extends AnyType> items )
```

3.10 提供对 MyLinkedList 类的 removeAll 方法的实现。方法 removeAll 将由 items 给定的特定集合的所有项从 MyLinkedList 中删除。再提供上述实现的运行时间。你使用的方法声明与 Java Collections API 中的略有不同，其形式如下：

97

```
public void removeAll( Iterable<? extends AnyType> items )
```

3.11 假设单链表使用一个头节点实现，但无尾节点，并假设它只保留对该头节点的引用。编写一个类，包含

a. 返回链表大小的方法。
b. 打印链表的方法。

c. 测试值 x 是否含于链表的方法。

d. 如果值 x 尚未含于链表，添加值 x 到该链表的方法。

e. 如果值 x 含于链表，将 x 从该链表中删除的方法。

3.12 保持单链表以排序的顺序重复练习 3.11。

3.13 添加 ListIterator 对 MyArrayList 类的支持。java.util 中的 ListIterator 接口比 3.3.5 节所述含有更多的方法。注意，你要编写一个 listIterator 方法返回新构造的 ListIterator，并且还要注意现存的迭代器方法可以返回一个新构造的 ListIterator。这样，你将改变 ArrayListIterator，使得它实现 ListIterator 而不是 Iterator。对于 3.3.5 节中未列出的那些方法抛出 UnsupportedOperationException 异常。

3.14 如练习 3.13 所述，添加 ListIterator 对 MyLinkedList 类的支持。

3.15 将 splice 操作添加到 LinkedList 类中。该方法的声明

```
public void splice(Iterator<T> itr, MyLinkedList<? extends T> lst )
```

将所有的项从 lst 中删除(使 lst 为空)，把它们放到 MyLinkedList this 中的 itr 之前，而 lst 和 this 必须是不同的表。你的程序必须以常数时间运行。

3.16 提供 ListIterator 的另一种方式是提供带有声明

```
Iterator<AnyType> reverseIterator( )
```

的表，它返回一个 Iterator，并被初始化至最后一项，其中 next 和 hasNext 被实现成与迭代器向表的前端(而不是向后)推进一致。然后，你可以通过使用程序

```
Iterator<AnyType> ritr = L.reverseIterator( );
while( ritr.hasNext( ) )
    System.out.println( ritr.next( ) );
```

反向打印 MyArrayList L。用这种思路实现 ArrayListReverseIterator 类，让 reverseIterator 返回一个新构造的 ArrayListReverseIterator。

3.17 修改 MyArrayList 类，通过使用在 3.5 节对 MyLinkedList 所看到的那些技巧以提供严格的迭代器检测。

3.18 对 MyLinkedList 类，通过分别调用私有的 add、remove、getNode 例程实现 addFirst、addLast、removeFirst、removeLast、getFirst 和 getLast 等方法。

98

3.19 不用头节点和尾节点重写 MyLinkedList 类，并描述该类和 3.5 节所提供的类之间的区别。

3.20 不同于我们已经给出的删除方法，另一种是使用**懒惰删除**(lazy deletion)的删除方法。要删除一个元素，我们只是标记上该元素被删除(使用一个附加的位(bit)域)。表中被删除和非被删除元素的个数作为数据结构的一部分被保留。如果被删除元素和非被删除元素一样多，则遍历整个表，对所有被标记的节点执行标准的删除算法。

a. 列出懒惰删除的优点和缺点。

b. 编写使用懒惰删除实现标准链表操作的相应例程。

3.21 用下列语言编写检测平衡符号的程序：

a. Pascal(begin/end, ( ), [ ], { })

b. Java(/* */, ( ), [ ], { })

*c. 解释如何打印出一个很可能反映可能原因的错误信息。

3.22 编写一个程序计算后缀表达式的值。

3.23 a. 写出一个程序，将包含(,), +, -, * 和/等符号的中缀表达式转换成后缀表达式。

b. 将取幂运算符添加到指令系统中。

c. 编写一个程序将后缀表达式转换成中缀表达式。

3.24 编写只用一个数组而实现两个栈的例程。这些例程不应该声明溢出，除非数组中的每个单元都被使用。

3.25 *a. 提出一种数据结构支持栈 push 和 pop 操作以及第三种操作 findMin，它返回该数据结构中的最小元素。所有操作均以 $O(1)$ 最坏情形时间运行。

*b. 证明，如果我们添加找出并删除最小元素的第4种操作 deleteMin，那么至少有一种操作必然花费 $\Omega(\log N)$ 时间。（本题需要阅读第7章）

*3.26 指出如何用一个数组实现三个栈结构。

3.27 在2.4节中用于计算斐波那契数的递归例程如果对 $N=50$ 运行，栈空间有可能用完吗？为什么？

3.28 **双端队列**（deque）是由一列项组成的数据结构，对该数据结构可以进行下列操作：

push(x)：将项 x 插入到双端队列的前端。

pop()：从双端队列中删除前端项并将其返回。

inject(x)：将项 x 插入到双端队列的尾端。

eject()：从双端队列中删除尾端项并将其返回。

编写支持双端队列的例程，其中每种操作均花费 $O(1)$ 时间。

3.29 编写以倒序打印双链表的算法，只使用常数的附加空间。本题意味着，不能使用递归但可以假设该算法是一个表成员函数。

99

3.30 a. 写出**自调整表**（self-adjusting list）的数组实现。在自调整表中，所有的插入都在前端进行。自调整表添加一个 find 操作，当一个元素被 find 访问时，它就被移到表的前端而并不改变其余的项的相对顺序。

b. 写出自调整表的链表实现。

*c. 设每个元素都有其被访问的固定的概率 p_i。证明那些具有最高访问概率的元素都靠近表的前端。

3.31 使用单链表高效实现栈类，不用头节点和尾节点。

3.32 使用单链表高效实现队列类，不用头节点和尾节点。

3.33 使用循环数组高效实现队列类。

3.34 如果从某个节点 p 开始，接着跟有足够数目的 next 链将把我们带回到节点 p，那么这个链表包含一个循环。p 不必是该表的第一个节点。假设给你一个链表，它包含 N 个节点；不过 N 的值是不知道的。

a. 设计一个 $O(N)$ 算法以确定该表是否包含有循环。你可以使用 $O(N)$ 的额外空间。

*b. 重复(a)部分，但是只使用 $O(1)$ 的额外空间。（提示：使用两个迭代器，它们最初在表的开始处，但以不同的速度推进。）

3.35 实现队列的一种方法是使用一个循环链表。在循环链表中，最后一个节点的 next 链是链接到第1个节点上的。假设该表不包含表头，并假设我们最多可以保留一个迭代器，它对应表中的一个节点。对于下列的哪种表示方式，所有的基本队列操作都可以以常数最坏情形时间执行？证明你的答案是正确的。

a. 保留一个迭代器，它对应该表的第一项。

b. 保留一个迭代器，它对应该表的最后一项。

3.36 设我们有到单链表的一个节点的引用，而且保证它不是该表的最后的节点。我们没有到任何其他节点的引用（除非通过后面的一些链）。描述一个 $O(1)$ 算法，该算法逻辑上从该链表删除存储在这样一个节点上的值，同时保持链表的完整性。（提示：涉及下一个节点。）

3.37 设单链表用到一个头节点和一个尾节点来实现。描述下述操作的常数时间算法：

a. 在位置 p（由一个迭代器给出）前插入一项 x。

100

b. 删除存储在位置 p（由一个迭代器给出）的项。

树

对于大量的输入数据，链表的线性访问时间太慢，不宜使用。本章讨论一种简单的数据结构，其大部分操作的运行时间平均为 $O(\log N)$。我们还要简述对这种数据结构在概念上的简单的修改，它保证了在最坏情形下上述的时间界。此外，还讨论了第二种修改，对于长的指令序列它基本上给出每种操作的 $O(\log N)$ 运行时间。

这种数据结构叫作**二叉查找树**(binary search tree)。二叉查找树是两种库集合类 `TreeSet` 和 `TreeMap` 实现的基础，它们用于许多应用之中。在计算机科学中**树**(tree)是非常有用的抽象概念，因此，我们将讨论树在其他更一般的应用中的使用。在这一章，我们将

- 看到树是如何用于实现几个流行的操作系统中的文件系统的。
- 看到树如何能够用来计算算术表达式的值。
- 指出如何利用树支持以 $O(\log N)$ 平均时间进行的各种搜索操作，以及如何细化以得到最坏情况时间界 $O(\log N)$。我们还将讨论当数据被存放在磁盘上时如何来实现这些操作。
- 讨论并使用 `TreeSet` 类和 `TreeMap` 类。

4.1 预备知识

树(tree)可以用几种方式定义。定义树的一种自然的方式是递归的方式。一棵树是一些节点的集合。这个集合可以是空集；若不是空集，则树由称作**根**(root)的节点 r 以及0个或多个非空的(子)树 T_1, T_2, …, T_k 组成，这些子树中每一棵的根都被来自根 r 的一条有向的**边**(edge)所连结。

每一棵子树的根叫作根 r 的儿子(child)，而 r 是每一棵子树的根的**父亲**(parent)。图4-1显示用递归定义的典型的树。

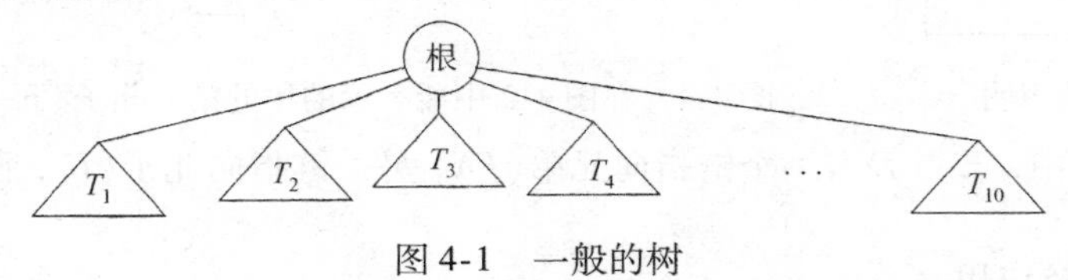

图4-1　一般的树

从递归定义中我们发现，一棵树是 N 个节点和 $N-1$ 条边的集合，其中的一个节点叫作根。存在 $N-1$ 条边的结论是由下面的事实得出的：每条边都将某个节点连接到它的父亲，而除去根节点外每一个节点都有一个父亲(见图4-2)。

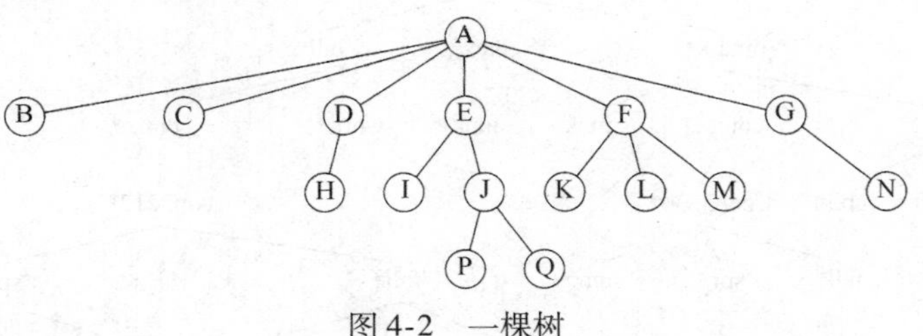

图4-2　一棵树

在图4-2的树中，节点 A 是根。节点 F 有一个父亲 A 并且有儿子 K、L 和 M。每一个节点可以有任意多个儿子，也可能是零个儿子。没有儿子的节点称为**树叶**(leaf)；上图中的树叶是 B、

C、H、I、P、Q、K、L、M 和 N。具有相同父亲的节点为**兄弟**(siblings)；因此，K、L 和 M 都是兄弟。用类似的方法可以定义**祖父**(grandparent)和**孙子**(grandchild)关系。

从节点 n_1 到 n_k 的**路径**(path)定义为节点 n_1，n_2，…，n_k 的一个序列，使得对于 $1 \leqslant i < k$ 节点 n_i 是 n_{i+1} 的父亲。这条路径的**长**(length)是为该路径上的边的条数，即 $k-1$。从每一个节点到它自己有一条长为 0 的路径。注意，在一棵树中从根到每个节点恰好存在一条路径。

对任意节点 n_i，n_i 的**深度**(depth)为从根到 n_i 的唯一的路径的长。因此，根的深度为 0。n_i 的**高**(height)是从 n_i 到一片树叶的最长路径的长。因此所有的树叶的高都是 0。一棵树的高等于它的根的高。对于图 4-2 中的树，E 的深度为 1 而高为 2；F 的深度为 1 而高也是 1；该树的高为 3。一棵树的深度等于它的最深的树叶的深度；该深度总是等于这棵树的高。

如果存在从 n_1 到 n_2 的一条路径，那么 n_1 是 n_2 的一位**祖先**(ancestor)而 n_2 是 n_1 的一个**后裔**(descendant)。如果 $n_1 \neq n_2$，那么 n_1 是 n_2 的**真祖先**(proper ancestor)而 n_2 是 n_1 的**真后裔**(proper descendant)。

4.1.1 树的实现

实现树的一种方法可以是在每一个节点除数据外还要有一些链，使得该节点的每一个儿子都有一个链指向它。然而，由于每个节点的儿子数可以变化很大并且事先不知道，因此在数据结构中建立到各(儿)子节点直接的链接是不可行的，因为这样会产生太多浪费的空间。实际上解决方法很简单：将每个节点的所有儿子都放在树节点的链表中。图 4-3 中的声明就是典型的声明。

102

图 4-4 指出一棵树如何用这种实现方法表示出来。图中向下的箭头是指向 `firstChild`(第一儿子)的链，而水平箭头是指向 `nextSibling`(下一兄弟)的链。因为 `null` 链太多了，所以没有把它们画出。

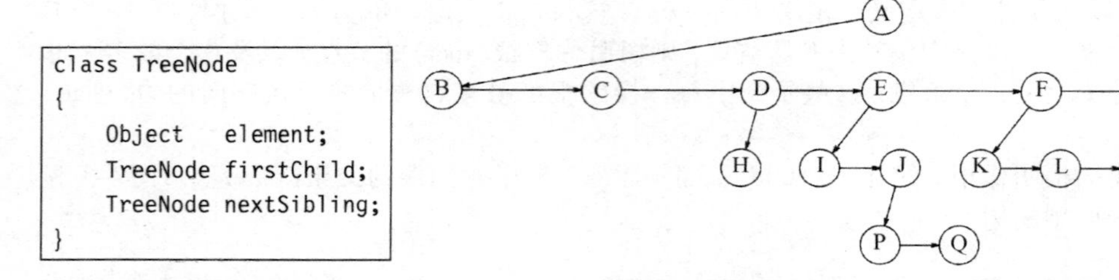

```
class TreeNode
{
    Object   element;
    TreeNode firstChild;
    TreeNode nextSibling;
}
```


图 4-3 树节点的声明

图 4-4 在图 4-2 中所表示的树的第一儿子/下一兄弟表示法

在图 4-4 的树中，节点 E 有一个链指向兄弟(F)，另一链指向儿子(I)，而有的节点这两种链都没有。

4.1.2 树的遍历及应用

树有很多应用。流行的用法之一是包括 UNIX 和 DOS 在内的许多常用操作系统中的目录结构。图 4-5 是 UNIX 文件系统中一个典型的目录。

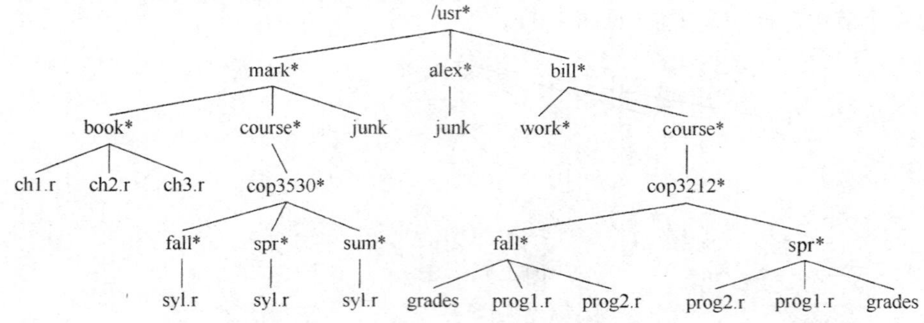

图 4-5 UNIX 目录

这个目录的根是/usr(名字后面的星号指出/usr 本身就是一个目录)。/usr 有三个儿子：mark、alex 和 bill，它们自己也都是目录。因此，/usr 包含三个目录并且没有正规的文件。文件名/usr/mark/book/ch1. r 先后三次通过最左边的子节点而得到。在第一个/后的每个/都表示一条边；结果为一全**路径名**(pathname)。这个分级文件系统非常流行，因为它能够使得用户逻辑地组织数据。不仅如此，在不同目录下的两个文件还可以享有相同的名字，因为它们必然有从根开始的不同的路径从而具有不同的路径名。在 UNIX 文件系统中的目录就是含有它的所有儿子的一个文件，因此，这些目录几乎是完全按照上述的类型声明构造的㊀。事实上，按照 UNIX 的某些版本，如果将打印一个文件的标准命令应用到一个目录上，那么在该目录中的这些文件名能够在(与其他非 ASCII 信息一起的)输出中被看到。

104

设我们想要列出目录中所有文件的名字。输出格式将是：深度为 d_i 的文件将被 d_i 次跳格(tab)缩进后打印其名。该算法在图 4-6 中以伪码给出㊁。

```
        private void listAll( int depth )
        {
1           printName( depth ); // Print the name of the object
2           if( isDirectory( ) )
3               for each file c in this directory (for each child)
4                   c.listAll( depth + 1 );
        }

        public void listAll( )
        {
            listAll( 0 );
        }
```

图 4-6　列出分级文件系统中目录的伪码例程

算法的核心为递归方法 `listAll`。为了显示根时不进行缩进，该例程需要从深度 0 开始。这里的深度是一个内部簿记变量，而不是主调例程能够期望知道的参数。因此，驱动例程用于将递归例程和外界连接起来。

算法逻辑简单易懂。文件对象的名字和适当的跳格次数一起打印出来。如果是一个目录，那么以递归方式一个一个地处理它所有的儿子。这些儿子均处在下一层的深度上，因此需要缩进一个附加的空间。整个输出在图 4-7 中表示。

这种遍历策略叫作**先序遍历**(preorder traversal)。在先序遍历中，对节点的处理工作是在它的诸儿子节点被处理之前(pre)进行的。很显然，当该程序运行时，第 1 行对每个节点恰好执行一次，因为每个名字只输出一次。由于第 1 行对每个节点最多执行一次，因此第 2 行也必然对每个节点执行一次。不仅如此，对于每个节点的每一个子节点第 4 行最多只能被执行一次。但是，儿子的个数恰好比节点的个数少 1。最后，第 4 行每执行一次，`for` 循环就迭代一次，每当循环结束时再加上一次。因此，在每个节点上总的工作量是常数。如果有 N 个文件名需要输出，则运行时间就是 $O(N)$。

105

另一种遍历树的常用方法是**后序遍历**(postorder traversal)。在后序遍历中，一个节点处的工作是在它的诸儿子节点被计算后进行的。例如，图 4-8 表示的是与前面相同的目录结构，其中圆括号内的数字代表每个文件占用的**磁盘区块**(disk blocks)的个数。

㊀ 在 UNIX 文件系统中每个目录还有一项指向该目录本身以及另一项指向该目录的父目录。因此，从技术上说，UNIX 文件系统不是树，而是类树。

㊁ 实现该算法的 Java 程序由文件 FileSystem. java 联机提供。它用到课文中尚未讨论的一些 Java 特点。

```
/usr
    mark
        book
            ch1.r
            ch2.r
            ch3.r
        course
            cop3530
                fall
                    syl.r
                spr
                    syl.r
                sum
                    syl.r
        junk
    alex
        junk
    bill
        work
        course
            cop3212
                fall
                    grades
                    prog1.r
                    prog2.r
                spr
                    prog2.r
                    prog1.r
                    grades
```

图 4-7 (先序)目录列表

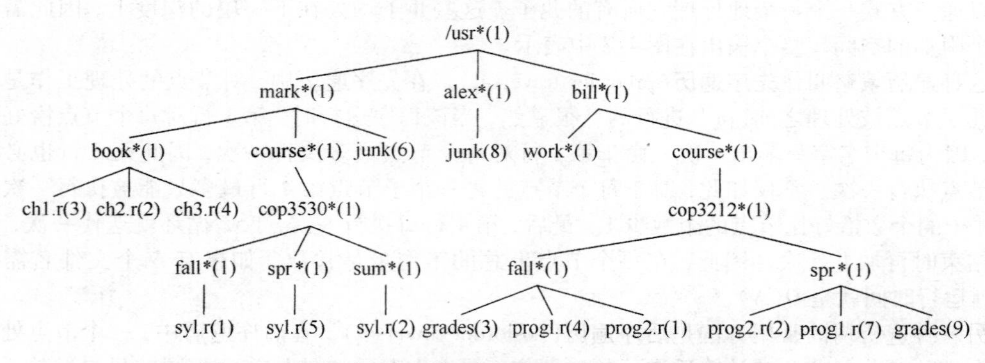

图 4-8 经由后序遍历得到的带有文件大小的 UNIX 目录

由于目录本身也是文件，因此它们也有大小。设我们想要计算被该树所有文件占用的磁盘区块的总数。最自然的做法是找出含于子目录/usr/mark(30)、/usr/alex(9)和/usr/bill(32)的区块的个数。于是，磁盘区块的总数就是子目录中的区块的总数(71)加上/usr 使用的一个区块，共 72 个区块。图 4-9 中的伪码方法 size 实现这种遍历策略。

如果当前对象不是目录，那么 `size` 只返回它所占用的区块数。否则，被该目录占用的区块数将被加到在其所有子节点(递归地)发现的区块数中去。为了区别后序遍历策略和先序遍历

策略之间的不同，图4-10显示每个目录或文件的大小是如何由该算法产生的。 106

```
    public int size( )
    {
1       int totalSize = sizeOfThisFile( );

2       if( isDirectory( ) )
3           for each file c in this directory (for each child)
4               totalSize += c.size( );

5       return totalSize;
    }
```

图4-9 计算一个目录大小的伪码例程

```
            ch1.r        3
            ch2.r        2
            ch3.r        4
        book            10
                syl.r    1
            fall         2
                syl.r    5
            spr          6
                syl.r    2
            sum          3
        cop3530         12
    course              13
        junk             6
    mark                30
        junk             8
    alex                 9
        work             1
                grades   3
                prog1.r  4
                prog2.r  1
            fall         9
                prog2.r  2
                prog1.r  7
                grades   9
            spr         19
        cop3212         29
    course              30
    bill                32
/usr                    72
```

图4-10 函数size的印迹

4.2 二叉树

二叉树(binary tree)是一棵树，其中每个节点都不能有多于两个的儿子。

图4-11显示一棵由一个根和两棵子树组成的二叉树，子树 T_L 和 T_R 均可能为空。

二叉树的一个性质是一棵平均二叉树的深度要比节点个数 N 小得多，这个性质有时很重要。分析表明，其平均深度为 $O(\sqrt{N})$，而对于特殊类型的二叉树，即**二叉查找树**(binary search tree)，其深度

107　的平均值是 $O(\log N)$。不幸的是，正如图4-12中的例子所示，这个深度是可以大到 $N-1$ 的。

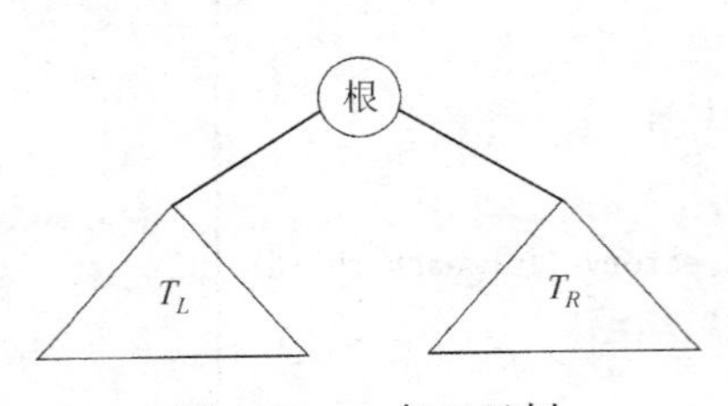

图4-11　一般二叉树

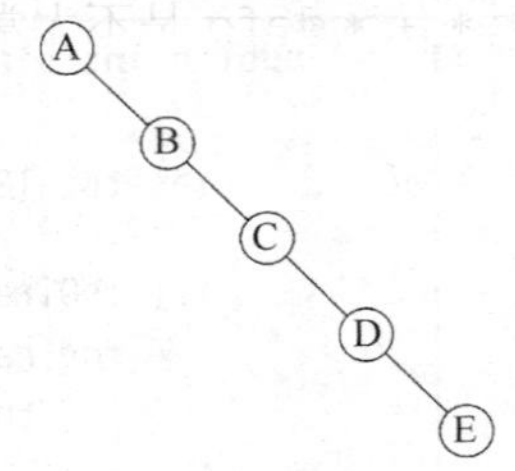

图4-12　最坏情形的二叉树

4.2.1　实现

因为一个二叉树节点最多有两个子节点，所以我们可以保存直接链接到它们的链。树节点的声明在结构上类似于双链表的声明，在声明中，节点就是由 **element**(元素)的信息加上两个到其他节点的引用(`left` 和 `right`)组成的结构(见图4-13)。

```
class BinaryNode
{
        // Friendly data; accessible by other package routines
    Object     element;       // The data in the node
    BinaryNode left;          // Left child
    BinaryNode right;         // Right child
}
```

图4-13　二叉树节点类

108　我们习惯上在画链表时使用矩形框画出二叉树，但是，树一般画成圆圈并用一些直线连接起来，因为它们实际上就是图(graph)。当涉及树时，我们也不明显地画出 `null` 链，因为具有 N 个节点的每一棵二叉树都将需要 $N+1$ 个 `null` 链。

二叉树有许多与搜索无关的重要应用。二叉树的主要用处之一是在编译器的设计领域，我们现在就来探索这个问题。

4.2.2　例子：表达式树

图4-14显示一个**表达式树**(expression tree)的例子。表达式树的树叶是**操作数**(operand)，如常数或变量名，而其他的节点为**操作符**(operator)。由于这里所有的操作都是二元的，因此这棵特定的树正好是二叉树，虽然这是最简单的情况，但是节点还是有可能含有多于两个的儿子。一个节点也有可能只有一个儿子，如具有**一目减算符**(unary minus operator)的情形。我们可以将通过递归计算左子树和右子树所得到的值应用在根处的运算符上而算出表达式树 T 的值。在本例中，左子树的值是 `a+(b*c)`，右子树的值是 `((d*e)+f)*g`，因此整个树表示 `(a+(b*c))+(((d*e)+f)*g)`。

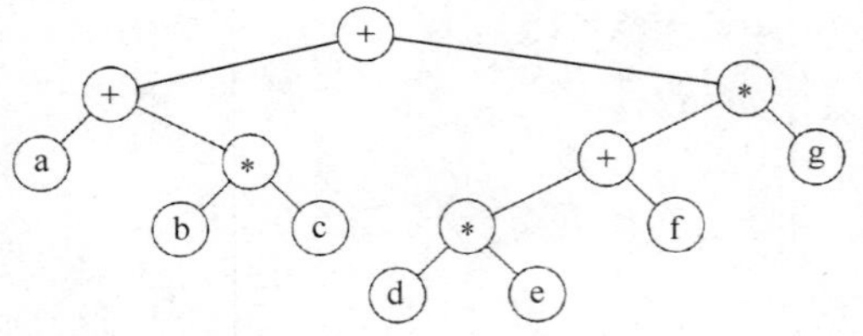

图4-14　`(a+b*c)+((d*e+f)*g)` 的表达式树

我们可以通过递归地产生一个带括号的左表达式，然后打印出在根处的运算符，最后再递归地产生一个带括号的右表达式而得到一个(对两个括号整体进行运算的)中缀表达式。这种一般的方法(左，节点，右)称为**中序遍历**(inorder traversal)。由于其产生的表达式类型，这种遍历很容易记忆。

另一种遍历策略是递归地打印出左子树、右子树，然后打印运算符。如果我们将这种策略应用于上面的树，则将输出 `a b c * + d e * f + g * +`，显而易见，它就是3.6.3节中的后缀表示法。这种遍历策略一般称为**后序遍历**。我们稍早已在4.1节见过这种遍历方法。

第三种遍历策略是先打印出运算符，然后递归地打印出右子树和左子树。此时得到的表达式 `++a*bc*+*defg` 是不太常用的前缀(prefix)记法，这种遍历策略为**先序遍历**，稍早我们也在4.1节见过。以后，我们还要在本章讨论这些遍历方法。

109

构造表达式树

我们现在给出一种算法来把后缀表达式转变成表达式树。由于我们已经有了将中缀表达式转变成后缀表达式的算法，因此我们能够从这两种常用类型的输入生成表达式树。这里所描述的方法酷似3.6.3节的后缀求值算法。我们一次一个符号地读入表达式。如果符号是操作数，那么就建立一个单节点树并将它推入栈中。如果符号是操作符，那么就从栈中弹出两棵树 T_1 和 T_2（T_1 先弹出）并形成一棵新的树，该树的根就是操作符，它的左、右儿子分别是 T_2 和 T_1。然后将这棵新树压入栈中。

来看一个例子。设输入为

`a b + c d e + * *`

前两个符号是操作数，因此创建两棵单节点树并将它们压入栈中[⊖]。

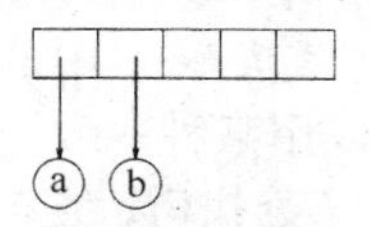

接着，‘+’被读入，因此两棵树被弹出，一棵新的树形成，并被压入栈中。

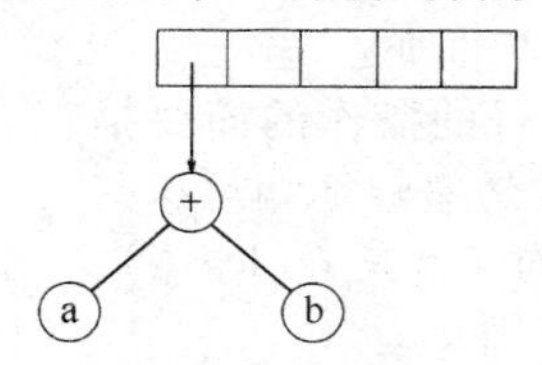

然后，c、d 和 e 被读入，在每个单节点树创建后，对应的树被压入栈中。

110

接下来读入‘+’号，因此两棵树合并。

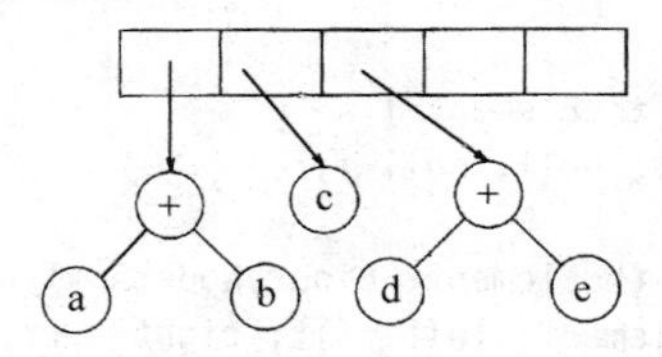

继续进行，读入‘*’号，因此，我们弹出两棵树并形成一棵新的树，‘*’号是它的根。

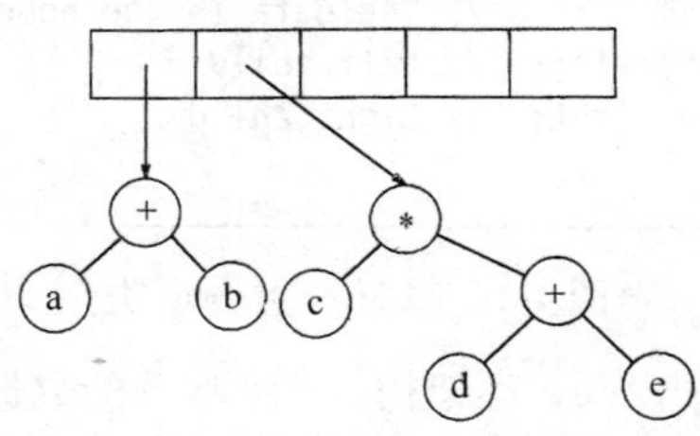

⊖ 为了方便起见，我们将让图中的栈从左到右增长。

111 最后，读入最后一个符号，两棵树合并，而最后的树被留在栈中。

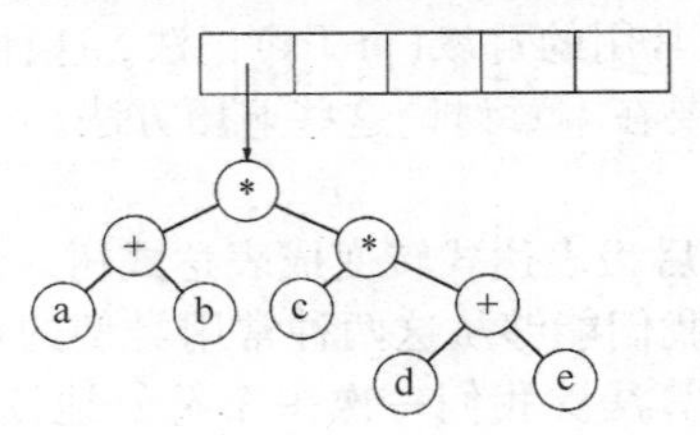

4.3 查找树ADT——二叉查找树

二叉树的一个重要的应用是它们在查找中的使用。假设树中的每个节点存储一项数据。在我们的例子中，虽然任意复杂的项在Java中都容易处理，但为简单起见还是假设它们是整数。还将假设所有的项都是互异的，以后再处理有重复元的情况。

使二叉树成为二叉查找树的性质是，对于树中的每个节点X，它的左子树中所有项的值小于X中的项，而它的右子树中所有项的值大于X中的项。注意，这意味着该树所有的元素可以用某种一致的方式排序。在图4-15中，左边的树是二叉查找树，但右边的树则不是。右边的树在其项是6的节点(该节点正好是根节点)的左子树中，有一个节点的项是7。

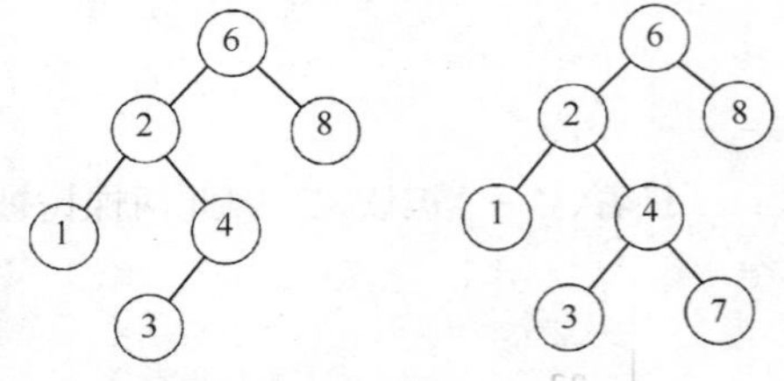

图4-15 两棵二叉树(只有左边的树是查找树)

现在给出通常对二叉查找树进行的操作的简要描述。注意，由于树的递归定义，通常是递归地编写这些操作的例程。因为二叉查找树的平均深度是$O(\log N)$，所以一般不必担心栈空间被用尽。

二叉查找树要求所有的项都能够排序。要写出一个一般的类，我们需要提供一个interface(接口)来表示这个性质。这个接口就是Comparable，第1章曾经描述过。该接口告诉我们，树中的两项总可以使用compareTo方法进行比较。由此，我们能够确定所有其他可能的关系。特别是我们不使用equals方法，而是根据两项相等当且仅当compareTo方法返回0来判断相等。另一种方法是使用一个函数对象，将在4.3.1节中描述。图4-16还指出，BinaryNode类象链表类中的节点类一样，是一个嵌套类。 112

```
1     private static class BinaryNode<AnyType>
2     {
3             // Constructors
4         BinaryNode( AnyType theElement )
5           { this( theElement, null, null ); }
6
7         BinaryNode( AnyType theElement, BinaryNode<AnyType> lt, BinaryNode<AnyType> rt )
8           { element  = theElement; left = lt; right = rt; }
9
10        AnyType element;              // The data in the node
11        BinaryNode<AnyType> left;     // Left child
12        BinaryNode<AnyType> right;    // Right child
13    }
```

图4-16 BinaryNode类

图4-17显示BinarySearchTree类架构，其中唯一的数据域是对根节点的引用，这个引用对于空树来说是null。这些public方法使用了调用诸private递归方法的一般技巧。

现在描述某些私有方法。

```
 1  public class BinarySearchTree<AnyType extends Comparable<? super AnyType>>
 2  {
 3      private static class BinaryNode<AnyType>
 4        { /* Figure 4.16 */ }
 5
 6      private BinaryNode<AnyType> root;
 7
 8      public BinarySearchTree( )
 9        { root = null; }
10
11      public void makeEmpty( )
12        { root = null; }
13      public boolean isEmpty( )
14        { return root == null; }
15
16      public boolean contains( AnyType x )
17        { return contains( x, root ); }
18      public AnyType findMin( )
19        { if( isEmpty( ) ) throw new UnderflowException( );
20          return findMin( root ).element;
21        }
22      public AnyType findMax( )
23        { if( isEmpty( ) ) throw new UnderflowException( );
24          return findMax( root ).element;
25        }
26      public void insert( AnyType x )
27        { root = insert( x, root ); }
28      public void remove( AnyType x )
29        { root = remove( x, root ); }
30      public void printTree( )
31        { /* Figure 4.56 */ }
32
33      private boolean contains( AnyType x, BinaryNode<AnyType> t )
34        { /* Figure 4.18 */ }
35      private BinaryNode<AnyType> findMin( BinaryNode<AnyType> t )
36        { /* Figure 4.20 */ }
37      private BinaryNode<AnyType> findMax( BinaryNode<AnyType> t )
38        { /* Figure 4.20 */ }
39
40      private BinaryNode<AnyType> insert( AnyType x, BinaryNode<AnyType> t )
41        { /* Figure 4.22 */ }
42      private BinaryNode<AnyType> remove( AnyType x, BinaryNode<AnyType> t )
43        { /* Figure 4.25 */ }
44      private void printTree( BinaryNode<AnyType> t )
45        { /* Figure 4.56 */ }
46  }
```

图 4-17 二叉查找树架构

4.3.1 contains 方法

如果在树 T 中存在含有项 X 的节点，那么这个操作需要返回 true，如果这样的节点不存在则返回 false。树的结构使得这种操作很简单。如果 T 是空集，那么可以就返回 false。否则，如果存储在 T 处的项是 X，那么可以返回 true。否则，我们对树 T 的左子树或右子树进行一次递归调用，这依赖于 X 与存储在 T 中的项的关系。图 4-18 中的代码就是对这种方法的一种实现。

```
1   /**
2    * Internal method to find an item in a subtree.
3    * @param x is item to search for.
4    * @param t the node that roots the subtree.
5    * @return true if the item is found; false otherwise.
6    */
7   private boolean contains( AnyType x, BinaryNode<AnyType> t )
8   {
9       if( t == null )
10          return false;
11
12      int compareResult = x.compareTo( t.element );
13
14      if( compareResult < 0 )
15          return contains( x, t.left );
16      else if( compareResult > 0 )
17          return contains( x, t.right );
18      else
19          return true;    // Match
20  }
```

图 4-18 二叉查找树的 contains 操作

注意测试的顺序。关键的问题是首先要对是否空树进行测试，否则我们就会生成一个企图通过 null 引用访问数据域的 NullPointerException 异常。剩下的测试应该使得最不可能的情况安排在最后进行。还要注意，这里的两个递归调用事实上都是尾递归并且可以用一个 while 循环很容易地代替。尾递归的使用在这里是合理的，因为算法表达式的简明性是以速度的降低为代价的，而这里所使用的栈空间的量也只不过是 $O(\log N)$ 而已。图 4-19 显示需要使用一个函数对象而不是要求这些项是 Comparable 的。它模仿 1.6 节的风格。

113

4.3.2 findMin 方法和 findMax 方法

这两个 private 例程分别返回树中包含最小元和最大元的节点的引用。为执行 findMin，从根开始并且只要有左儿子就向左进行。终止点就是最小的元素。findMax 例程除分支朝向右儿子外其余过程相同。

这种递归是如此容易以至于许多程序设计员不厌其烦地使用它。我们用两种方法编写这两个例程，用递归编写 findMin 而用非递归编写 findMax（见图 4-20）。

注意，我们是如何小心地处理空树的退化情况的。虽然这样做总是重要的，但是特别在递归程序中它尤其重要。此外，还要注意，在 findMax 中对 t 的改变是安全的，因为我们只用到引用的拷贝来进行工作。不管怎么说，还是应该随时特别小心，因为诸如 t.right = t.right.right 这样的语句将会产生一些变化。

114 ~ 115

4.3.3 insert 方法

进行插入操作的例程在概念上是简单的。为了将 X 插入到树 T 中，你可以像用 contains 那样沿着树查找。如果找到 X，则什么也不用做（或做一些“更新”）。否则，将 X 插入到遍历的路径上的最后一点上。图 4-21 显示实际的插入情况。为了插入 5，我们遍历该树就好像在运行 contains。在具有关键字 4 的节点处，我们需要向右行进，但右边不存在子树，因此 5 不在这棵树上，从而这个位置就是所要插入的位置。

```
1  public class BinarySearchTree<AnyType>
2  {
3      private BinaryNode<AnyType> root;
4      private Comparator<? super AnyType> cmp;
5
6      public BinarySearchTree( )
7        { this( null ); }
8
9      public BinarySearchTree( Comparator<? super AnyType> c )
10       { root = null; cmp = c; }
11
12     private int myCompare( AnyType lhs, AnyType rhs )
13     {
14         if( cmp != null )
15             return cmp.compare( lhs, rhs );
16         else
17             return ((Comparable)lhs).compareTo( rhs );
18     }
19
20     private boolean contains( AnyType x, BinaryNode<AnyType> t )
21     {
22         if( t == null )
23             return false;
24
25         int compareResult = myCompare( x, t.element );
26
27         if( compareResult < 0 )
28             return contains( x, t.left );
29         else if( compareResult > 0 )
30             return contains( x, t.right );
31         else
32             return true;    // Match
33     }
34
35     // Remainder of class is similar with calls to compareTo replaced by myCompare
36 }
```

图 4-19 对使用函数对象实现二叉查找树的注释

重复元的插入可以通过在节点记录中保留一个附加域以指示发生的频率来处理。这对整个的树增加了某些附加空间，但是，却比将重复信息放到树中要好（它将使树的深度变得很大）。当然，如果 compareTo 方法使用的关键字只是一个更大结构的一部分，那么这种方法行不通，此时我们可以把具有相同关键字的所有结构保留在一个辅助数据结构中，如表或是另一棵查找树。

图 4-22 显示插入例程的代码。由于 t 引用该树的根，而根又在第一次插入时变化，因此 insert 被写成一个返回对新树根的引用的方法。第 15 行和第 17 行递归地插入 x 到适当的子树中。

116～117

```
1  /**
2   * Internal method to find the smallest item in a subtree.
3   * @param t the node that roots the subtree.
4   * @return node containing the smallest item.
5   */
6  private BinaryNode<AnyType> findMin( BinaryNode<AnyType> t )
7  {
8      if( t == null )
9         return null;
10     else if( t.left == null )
11         return t;
12     return findMin( t.left );
13 }
14
15 /**
16  * Internal method to find the largest item in a subtree.
17  * @param t the node that roots the subtree.
18  * @return node containing the largest item.
19  */
20 private BinaryNode<AnyType> findMax( BinaryNode<AnyType> t )
21 {
22     if( t != null )
23         while( t.right != null )
24             t = t.right;
25
26     return t;
27 }
```

图 4-20 对二叉查找树的 findMin 的递归实现和 findMax 的非递归实现

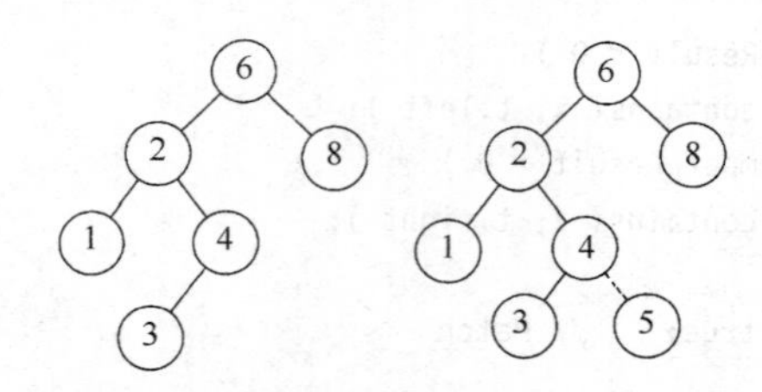

图 4-21 在插入 5 以前和以后的二叉查找树

4.3.4 remove 方法

正如许多数据结构一样，最困难的操作是 remove（删除）。一旦我们发现要被删除的节点，就需要考虑几种可能的情况。

如果节点是一片树叶，那么它可以被立即删除。如果节点有一个儿子，则该节点可以在其父节点调整自己的链以绕过该节点后被删除（为了清楚起见，我们将明确地画出链的指向），见图 4-23。

118

复杂的情况是处理具有两个儿子的节点。一般的删除策略是用其右子树的最小的数据（很容易找到）代替该节点的数据并递归地删除那个节点（现在它是空的）。因为右子树中的最小的节点不可能有左儿子，所以第二次 remove 要容易。图 4-24 显示一棵初始的树及其中一个节点被删除后的结果。要被删除的节点是根的左儿子；其关键字是 2。它被其右子树中的最小数据 3 所代替，然后关键字是 3 的原节点如前例那样被删除。

```
1    /**
2     * Internal method to insert into a subtree.
3     * @param x the item to insert.
4     * @param t the node that roots the subtree.
5     * @return the new root of the subtree.
6     */
7    private BinaryNode<AnyType> insert( AnyType x, BinaryNode<AnyType> t )
8    {
9        if( t == null )
10           return new BinaryNode<>( x, null, null );
11
12       int compareResult = x.compareTo( t.element );
13
14       if( compareResult < 0 )
15           t.left = insert( x, t.left );
16       else if( compareResult > 0 )
17           t.right = insert( x, t.right );
18       else
19           ;  // Duplicate; do nothing
20       return t;
21   }
```

图 4-22　将元素插入到二叉查找树的例程

图 4-23　具有一个儿子的节点 4 删除前后的情况　　　图 4-24　删除具有两个儿子的节点 2 前后的情况

图 4-25 中的程序完成删除的工作，但它的效率并不高，因为它沿该树进行两趟搜索以查找和删除右子树中最小的节点。通过写一个特殊的 removeMin 方法可以容易地改变这种效率不高的缺点，我们这里将它略去只是为了简明。

如果删除的次数不多，通常使用的策略是**懒惰删除**(lazy deletion)：当一个元素要被删除时，它仍留在树中，而只是被标记为删除。这特别是在有重复项时很常用，因为此时记录出现频率数的域可以减 1。如果树中的实际节点数和“被删除”的节点数相同，那么树的深度预计只上升一个小的常数(为什么?)，因此，存在一个与懒惰删除相关的非常小的时间损耗。再有，如果被删除的项是重新插入的，那么分配一个新单元的开销就避免了。 119

4.3.5　平均情况分析

直观上，我们期望前一节所有的操作都花费 $O(\log N)$ 时间，因为我们用常数时间在树中降低了一层，这样一来，对其进行操作的树大致减小一半左右。因此，所有操作的运行时间都是 $O(d)$，其中 d 是包含所访问的项的节点的深度。

我们在本节要证明，假设所有的插入序列都是等可能的，则树的所有节点的平均深度为 $O(\log N)$。 120

一棵树的所有节点的深度的和称为**内部路径长**(internal path length)。我们现在将要计算二叉查找树平均内部路径长，其中的平均是对向二叉查找树中所有可能的插入序列进行的。

```
1     /**
2      * Internal method to remove from a subtree.
3      * @param x the item to remove.
4      * @param t the node that roots the subtree.
5      * @return the new root of the subtree.
6      */
7     private BinaryNode<AnyType> remove( AnyType x, BinaryNode<AnyType> t )
8     {
9         if( t == null )
10            return t;   // Item not found; do nothing
11
12        int compareResult = x.compareTo( t.element );
13
14        if( compareResult < 0 )
15            t.left = remove( x, t.left );
16        else if( compareResult > 0 )
17            t.right = remove( x, t.right );
18        else if( t.left != null && t.right != null ) // Two children
19        {
20            t.element = findMin( t.right ).element;
21            t.right = remove( t.element, t.right );
22        }
23        else
24            t = ( t.left != null ) ? t.left : t.right;
25        return t;
26    }
```

图4-25　二叉查找树的删除例程

令 $D(N)$ 是具有 N 个节点的某棵树 T 的内部路径长，$D(1)=0$。一棵 N 节点树由一棵 i 节点左子树和一棵 $(N-i-1)$-节点右子树以及深度0处的一个根节点组成，其中 $0\leqslant i<N$，$D(i)$ 为根的左子树的内部路径长。但是在原树中，所有这些节点都要加深一度。同样的结论对于右子树也成立。因此我们得到递推关系

$$D(N)=D(i)+D(N-i-1)+N-1$$

如果所有子树的大小都等可能地出现，这对于二叉查找树是成立的(因为子树的大小只依赖于第一个插入到树中的元素的相对的秩(rank))，但对二叉树不成立，那么 $D(i)$ 和 $D(N-i-1)$ 的平均值都是 $(1/N)\sum_{j=0}^{N-1}D(j)$。于是

$$D(N)=\frac{2}{N}\Big[\sum_{j=0}^{N-1}D(j)\Big]+N-1$$

在第7章将遇到并求解这个递推式，得到的平均值为 $D(N)=O(N\log N)$。因此任意节点预期的深度为 $O(\log N)$。作为一个例子，图4-26所示随机生成的500个节点的树的节点期望深度为9.98。

121　由这个结果似乎可以立即看出上一节讨论的所有操作的平均运行时间是 $O(\log N)$，但这并不完全正确。原因在于删除操作，我们并不清楚是否所有的二叉查找树都是等可能出现的。特别是上面描述的删除算法有助于使得左子树比右子树深度深，因为我们总是用右子树的一个节点来代替删除的节点。这种方法的准确的效果仍然是未知的，但它似乎只是理论上的悬念。业已证明，如果我们交替插入和删除 $\Theta(N^2)$ 次，那么树的期望深度将是 $\Theta(\sqrt{N})$。在25万次随机 insert/remove 对操作后，图4-26中右沉的树看起来明显地不平衡(平均深度 = 12.51)，见图4-27。

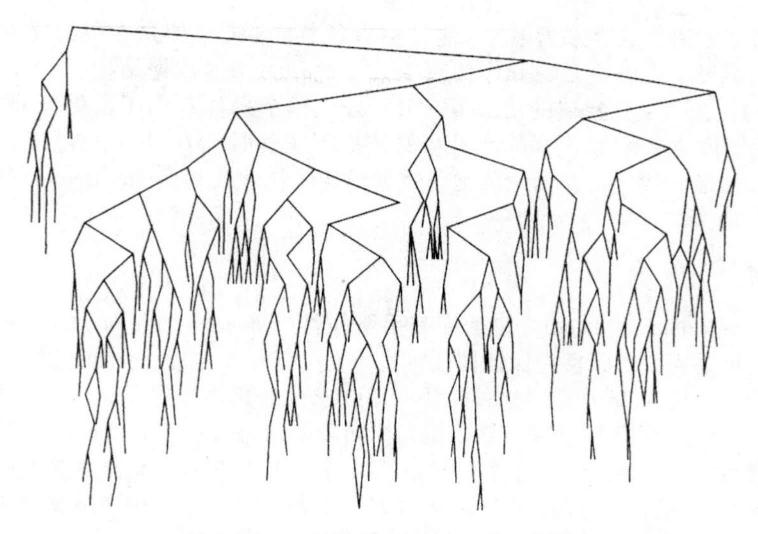

图 4-26　一棵随机生成的二叉查找树

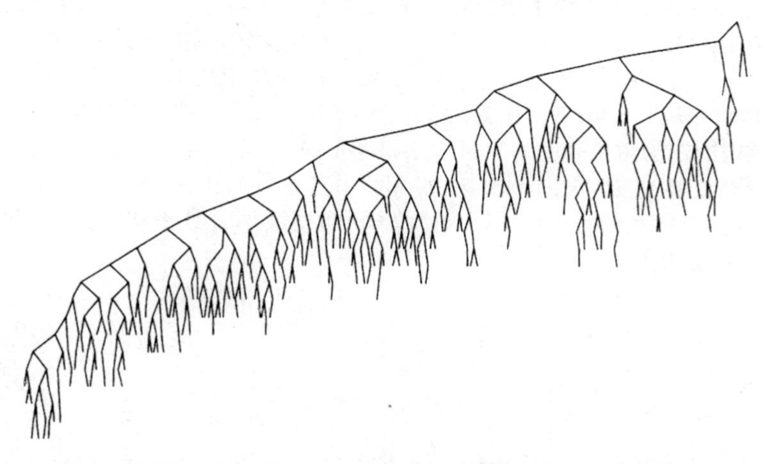

图 4-27　在 $\Theta(N^2)$ 次 insert/remove 对操作后的二叉查找树

在删除操作中，我们可以通过随机选取右子树的最小元素或左子树的最大元素来代替被删除的元素以消除这种不平衡问题。这种做法明显消除了上述偏向并使树保持平衡，但是，没有人实际上证明过这一点。无论如何，这种现象似乎主要是理论上的问题，因为对于小的树上述效果根本不明显，甚至更奇怪。如果使用 $o(N^2)$ 对 insert/remove 操作，那么树似乎可以得到平衡！

上面的讨论主要是说明，决定“平均”意味着什么一般是极其困难的，可能需要一些假设，这些假设可能合理，也可能不合理。不过，在没有删除或是使用懒惰删除的情况下，我们可以断言：上述那些操作的平均运行时间都是 $O(\log N)$。除像上面讨论的一些个别情形外，这个结果与实际观察到的情形是非常一致的。

如果向一棵树输入预先排好序的数据，那么一连串 insert 操作将花费二次的时间，而链表实现的代价会非常巨大，因为此时的树将只由那些没有左儿子的节点组成。一种解决办法就是要有一个称为平衡(balance)的附加的结构条件：任何节点的深度均不得过深。

许多一般的算法都能实现平衡树。但是，大部分算法都要比标准的二叉查找树复杂得多，而且更新要平均花费更长的时间。不过，它们确实防止了处理起来非常麻烦的一些简单情形。下面，我们将介绍最古老的一种平衡查找树，即 AVL 树。

122

另外，较新的方法是放弃平衡条件，允许树有任意的深度，但是在每次操作之后要使用一个调整规则进行调整，使得后面的操作效率要高。这种类型的数据结构一般属于自调整(self-adjusting)类结构。在二叉查找树的情况下，对于任意单个操作我们不再保证 $O(\log N)$ 的时间界，但是可以证明任意连续 M 次操作在最坏的情形下花费时间 $O(M\log N)$。一般这足以防止令人棘手的最坏情形。我们将要讨论的这种数据结构叫作伸展树(splay tree)；它的分析相当复杂，我们将在第11章讨论。

4.4 AVL 树

AVL(Adelson-Velskii 和 Landis)树是**带有平衡条件**(balance condition)的二叉查找树。这个平衡条件必须要容易保持，而且它保证树的深度须是 $O(\log N)$。最简单的想法是要求左右子树具有相同的高度。如图4-28所示，这种想法并不强求树的深度要浅。

另一种平衡条件是要求每个节点都必须有相同高度的左子树和右子树。如果空子树的高度定义为 -1(通常就是这么定义)，那么只有具有 2^k-1 个节点的理想平衡树(perfectly balanced tree)满足这个条件。因此，虽然这种平衡条件保证了树的深度小，但是它太严格而难以使用，需要放宽条件。

一棵AVL树是其每个节点的左子树和右子树的高度最多差1的二叉查找树(空树的高度定义为 -1)。在图4-29中，左边的树是AVL树，但是右边的树不是。每一个节点(在其节点结构中)保留高度信息。可以证明，粗略地说，一个AVL树的高度最多为 $1.44\log(N+2)-1.328$，但是实际上的高度只略大于 $\log N$。作为例子，图4-30显示了一棵具有最少节点(143)高度为9的AVL树。这棵树的左子树是高度为7且大小最小的AVL树，右子树是高度为8且大小最小的AVL树。它告诉我们，在高度为 h 的AVL树中，最少节点数 $S(h)$ 由 $S(h)=S(h-1)+S(h-2)+1$ 给出。对于 $h=0$，$S(h)=1$；$h=1$，$S(h)=2$。函数 $S(h)$ 与斐波那契数密切相关，由此推出上面提到的关于AVL树的高度的界。

123

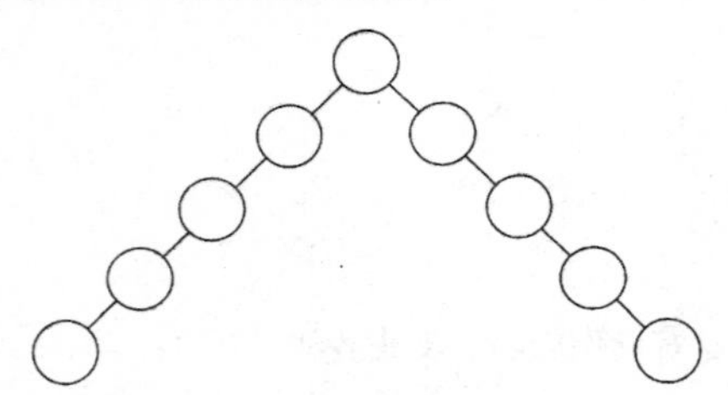

图4-28 一棵坏的二叉树。只要求在根节点平衡是不够的

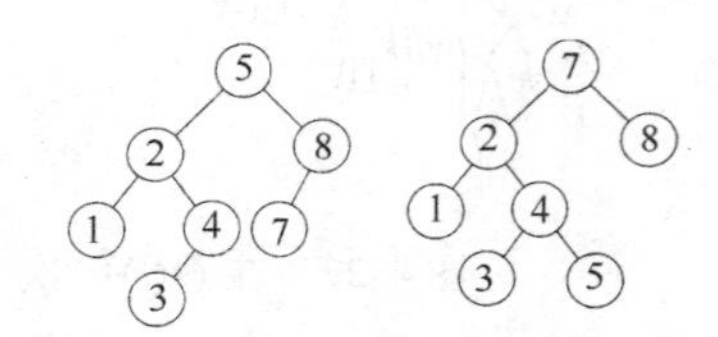

图4-29 两棵二叉查找树，只有左边的树是AVL树

因此，除去可能的插入外(我们将假设懒惰删除)，所有的树操作都可以以时间 $O(\log N)$ 执行。当进行插入操作时，我们需要更新通向根节点路径上那些节点的所有平衡信息，而插入操作隐含着困难的原因在于，插入一个节点可能破坏AVL树的特性(例如，将6插入到图4-29中的AVL树中将会破坏关键字为8的节点处的平衡条件)。如果发生这种情况，那么就要在考虑这一步插入完成之前恢复平衡的性质。事实上，这总可以通过对树进行简单的修正来做到，我们称其为**旋转**(rotation)。

124

在插入以后，只有那些从插入点到根节点的路径上的节点的平衡可能被改变，因为只有这些节点的子树可能发生变化。当我们沿着这条路径上行到根并更新平衡信息时，可以发现一个节点，它的新平衡破坏了AVL条件。我们将指出如何在第一个这样的节点(即最深的节点)重新平衡这棵树，并证明这一重新平衡保证整个树满足AVL性质。

我们把必须重新平衡的节点叫作 α。由于任意节点最多有两个儿子，因此出现高度不平衡就需要 α 点的两棵子树的高度差2。容易看出，这种不平衡可能出现在下面四种情况中：

1. 对 α 的左儿子的左子树进行一次插入。
2. 对 α 的左儿子的右子树进行一次插入。
3. 对 α 的右儿子的左子树进行一次插入。
4. 对 α 的右儿子的右子树进行一次插入。

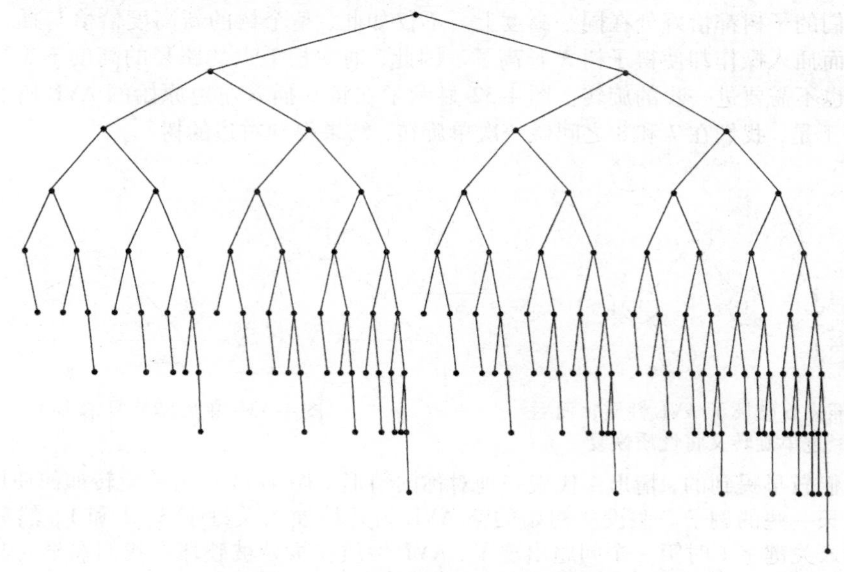

图 4-30　高度为 9 的最小的 AVL 树

情形 1 和 4 是关于 α 点的镜像对称，而 2 和 3 是关于 α 点的镜像对称。因此，理论上只有两种情况，当然从编程的角度来看还是四种情形。

第一种情况是插入发生在“外边”的情况(即左 - 左的情况或右 - 右的情况)，该情况通过对树的一次**单旋转**(single rotation)而完成调整。第二种情况是插入发生在“内部”的情形(即左 - 右的情况或右 - 左的情况)，该情况通过稍微复杂些的**双旋转**(double rotation)来处理。我们将会看到，这些都是对树的基本操作，它们多次用在一些平衡树算法中。本节其余部分将描述这些旋转，证明它们足以保持树的平衡，并顺便给出 AVL 树的一种非正式的实现。第 12 章将描述其他的平衡树方法，这些方法着眼于 AVL 树的更仔细的实现。

4.4.1　单旋转

图 4-31 显示了单旋转如何调整情形 1。旋转前的图在左边，而旋转后的图在右边。让我们来分析具体的做法。节点 k_2 不满足 AVL 平衡性质，因为它的左子树比右子树深 2 层(图中间的几条虚线标示树的各层)。该图所描述的情况只是情形 1 的一种可能的情况，在插入之前 k_2 满足 AVL 性质，但在插入之后这种性质被破坏了。子树 X 已经长出一层，这使得它比子树 Z 深出 2 层。Y 不可能与新 X 在同一水平上，因为那样 k_2 在插入以前就已经失去平衡了；Y 也不可能与 Z 在同一层上，因为那样 k_1 就会是在通向根的路径上破坏 AVL 平衡条件的第一个节点。

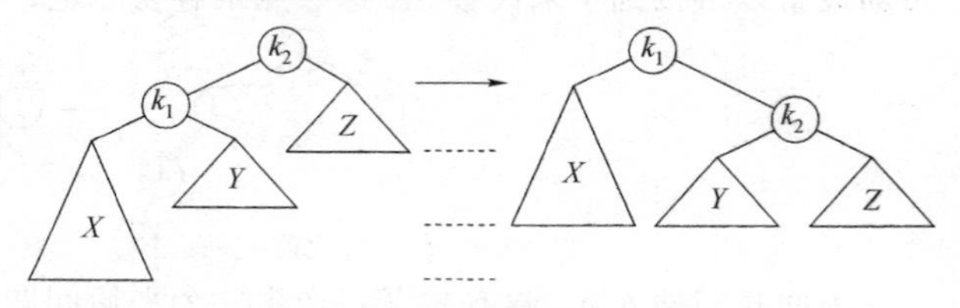

图 4-31　调整情形 1 的单旋转

为使树恢复平衡，我们把 X 上移一层，并把 Z 下移一层。注意，此时实际上超出了 AVL 性质的要求。为此，我们重新安排节点以形成一棵等价的树，如图 4-31 的第二部分所示。抽象地形容就是：把树形象地看成是柔软灵活的，抓住子节点 k_1，闭上你的双眼，使劲摇动它，在重力作用下，k_1 就变成了新的根。二叉查找树的性质告诉我们，在原树中 $k_2 > k_1$，于是在新树中 k_2 变成了 k_1 的

125

右儿子，X 和 Z 仍然分别是 k_1 的左儿子和 k_2 的右儿子。子树 Y 包含原树中介于 k_1 和 k_2 之间的那些节点，可以将它放在新树中 k_2 的左儿子的位置上，这样，所有对顺序的要求都得到满足。

这样的操作只需要一部分的链改变，结果我们得到另外一棵二叉查找树，它是一棵 AVL 树，因为 X 向上移动了一层，Y 停在原来的水平上，而 Z 下移一层。k_2 和 k_1 不仅满足 AVL 要求，而且它们的子树都恰好处在同一高度上。不仅如此，整个树的新高度恰恰与插入前原树的高度相同，而插入操作却使得子树 X 长高了。因此，通向根节点的路径的高度不需要进一步的修正，因而也不需要进一步的旋转。图 4-32 显示了在将 6 插入左边原始的 AVL 树后节点 8 便不再平衡。于是，我们在 7 和 8 之间做一次单旋转，结果得到右边的树。

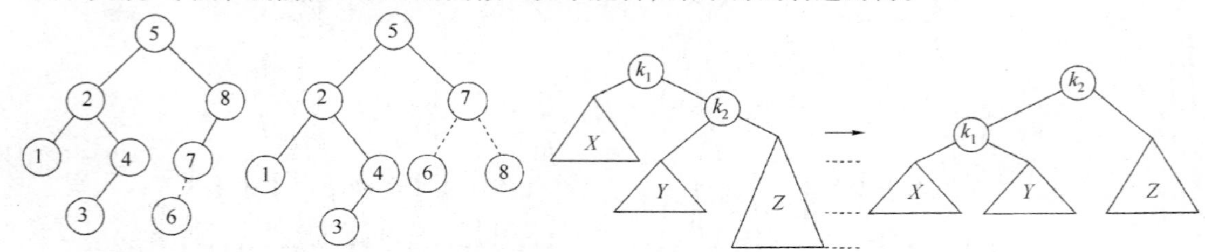

图 4-32　插入 6 破坏了 AVL 性质，而后经过单旋转又将性质恢复

图 4-33　单旋转修复情形 4

正如我们较早提到的，情形 4 代表一种对称的情形。图 4-33 指出单旋转如何使用。让我们演示一个更长一些的例子。假设从初始的空 AVL 树开始插入关键字 3、2 和 1，然后依序插入 4 ~ 7。在插入关键字 1 时第一个问题出现了，AVL 性质在根处被破坏。我们在根与其左儿子之间施行单旋转修正这个问题。下面是旋转之前和之后的两棵树：

126

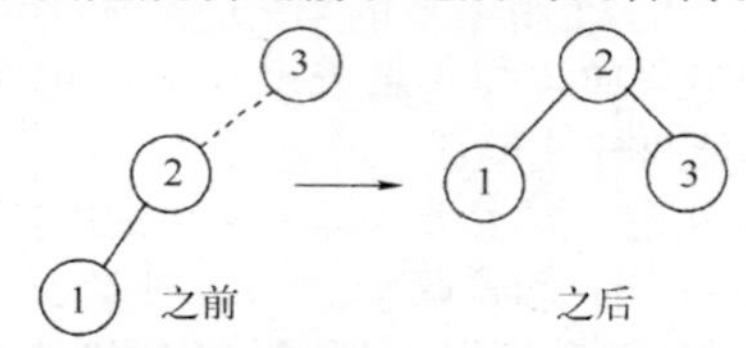

图中虚线连接两个节点，它们是旋转的主体。下面我们插入关键字为 4 的节点，这没有问题，但插入 5 就破坏了在节点 3 处的 AVL 性质，而通过单旋转又将其修正。除旋转引起的局部变化外，编程人员必须记住：树的其余部分必须被告知该变化。如本例中节点 2 的右儿子必须重新设置以链接到 4 来代替 3。这一点很容易忘记，从而导致树被破坏(4 就会是不可访问的)。

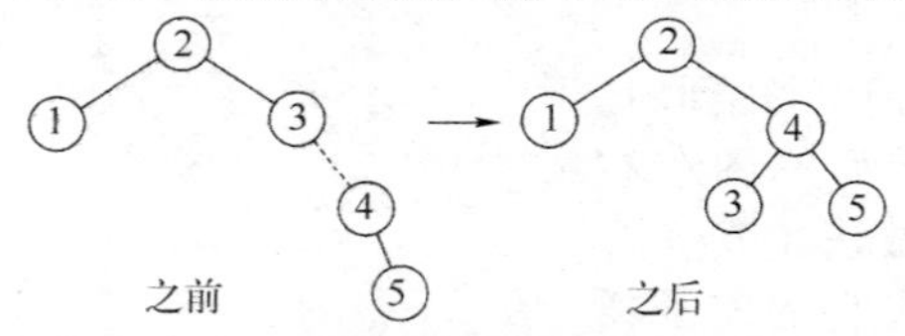

下面我们插入 6。这在根节点产生一个平衡问题，因为它的左子树高度是 0 而右子树高度为 2。因此我们在根处在 2 和 4 之间实施一次单旋转。

127

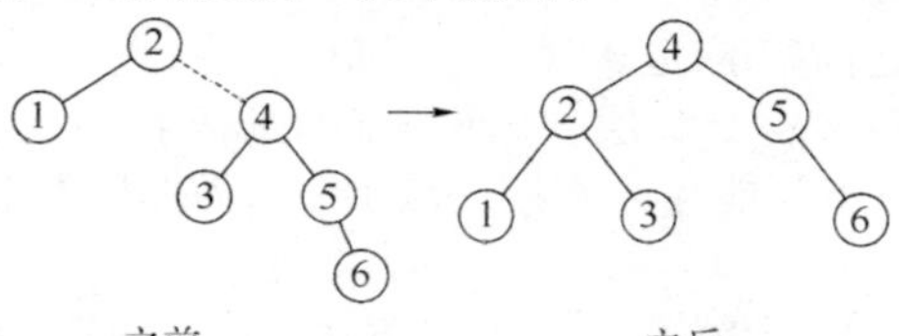

旋转的结果使得 2 是 4 的一个儿子，而 4 原来的左子树变成节点 2 的新的右子树。在该子树上的每一个关键字均在 2 和 4 之间，因此这个变换是成立的。我们插入的下一个关键字是 7，它导致另外的旋转：

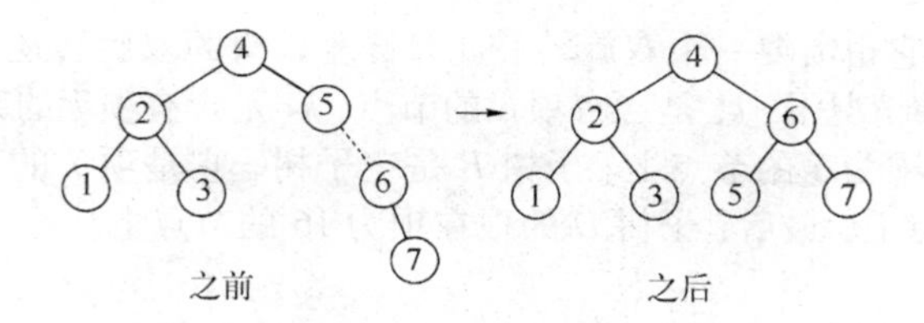

4.4.2 双旋转

上面描述的算法有一个问题；如图 4-34 所示，对于情形 2 和 3 上面的做法无效。问题在于子树 Y 太深，单旋转没有减低它的深度。解决这个问题的双旋转在图 4-35 中表出。

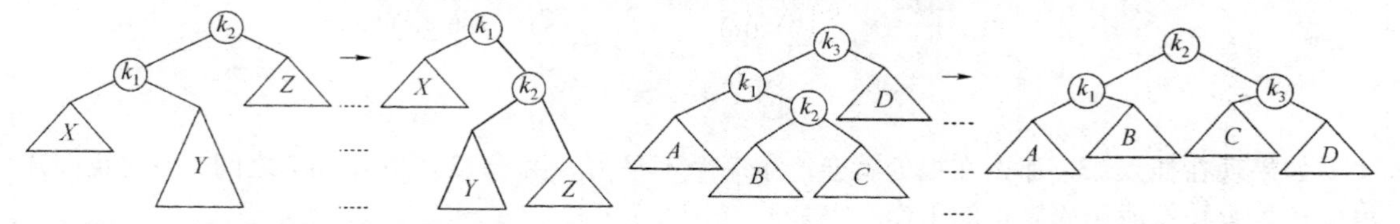

图 4-34　单旋转不能修复情形 2　　　　图 4-35　左 - 右双旋转修复情形 2

在图 4-34 中的子树 Y 已经有一项插入其中，这个事实保证它是非空的。因此，我们可以假设它有一个根和两棵子树。于是，我们可以把整棵树看成是 4 棵子树由 3 个节点连结。如图所示，恰好树 B 或树 C 中有一棵比 D 深两层（除非它们都是空的），但是我们不能肯定是哪一棵。事实上这并不要紧，在图 4-35 中 B 和 C 都被画成比 D 低 $1\frac{1}{2}$层。

128

为了重新平衡，我们看到，不能再把 k_3 用作根了，而图 4-34 所示的在 k_3 和 k_1 之间的旋转又解决不了问题，唯一的选择就是把 k_2 用作新的根。这迫使 k_1 是 k_2 的左儿子，k_3 是它的右儿子，从而完全确定了这四棵树的最终位置。容易看出，最后得到的树满足 AVL 树的性质，与单旋转的情形一样，我们也把树的高度恢复到插入以前的水平，这就保证所有的重新平衡和高度更新是完善的。图 4-36 指出，对称情形 3 也可以通过双旋转得以修正。在这两种情形下，其效果与先在 α 的儿子和孙子之间旋转而后再在 α 和它的新儿子之间旋转的效果是相同的。

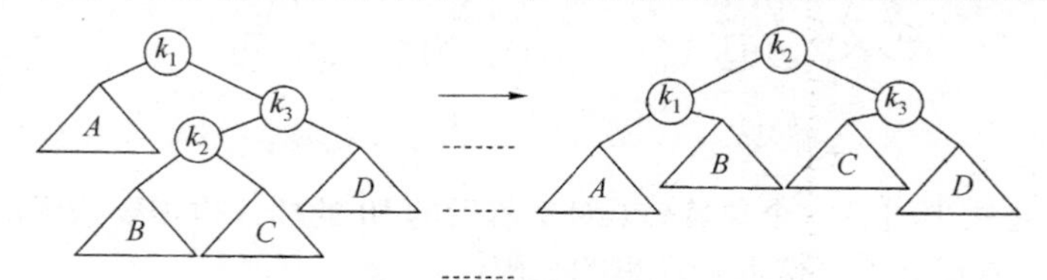

图 4-36　右 - 左双旋转修复情形 3

我们继续在前面例子的基础上以倒序插入关键字 10 ~ 16，接着插入 8，然后再插入 9。插入 16 容易，因为它并不破坏平衡性质，但是插入 15 就会引起在节点 7 处的高度不平衡。这属于情形 3，需要通过一次右 - 左双旋转来解决。在我们的例子中，这个右 - 左双旋转将涉及 7、16 和 15。此时，k_1 是含有项 7 的节点，k_3 是含有项 16 的节点，而 k_2 是含有项 15 的节点。子树 A、B、C 和 D 都是空树。

129

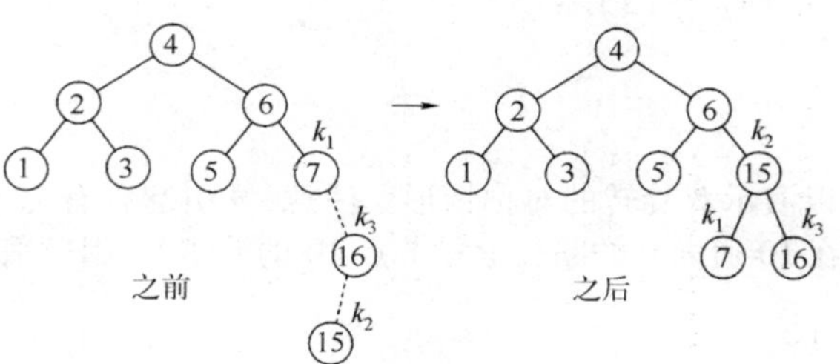

下面我们插入 14，它也需要一个双旋转。此时修复该树的双旋转还是右 - 左双旋转，它将涉及6、15 和7。在这种情况下，k_1 是含有项6 的节点，k_2 是含有项7 的节点，而 k_3 是含有项15 的节点。子树 A 的根在项为 5 的节点上，子树 B 是空子树，它是项 7 的节点原先的左儿子，子树 C 置根于项 14 的节点上，最后，子树 D 的根在项为 16 的节点上。

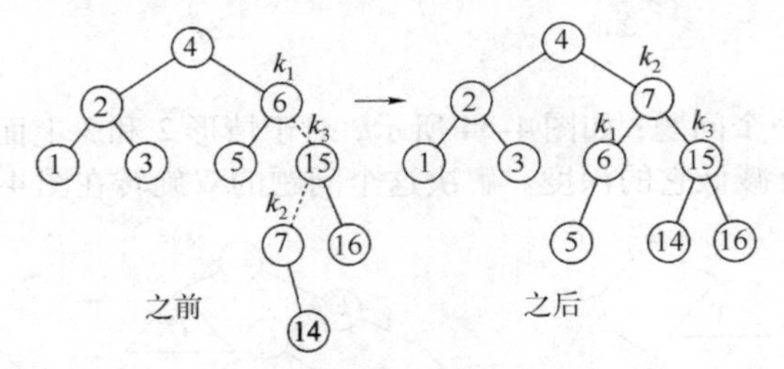

如果现在插入 13，那么在根处就会产生一个不平衡。由于 13 不在 4 和 7 之间，因此我们知道一次单旋转就能完成修正的工作。

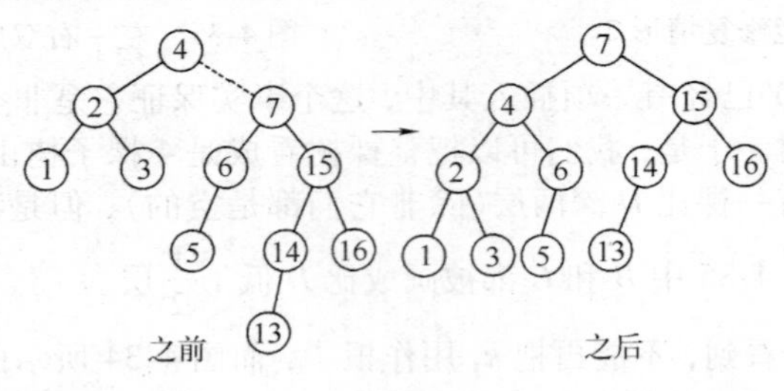

130

12 的插入也需要一个单旋转：

之前 之后

为了插入 11，还需要进行一个单旋转，对于其后的 10 的插入也需要这样的旋转。我们插入 8 不进行旋转，这样就建立了一棵近乎理想的平衡树。

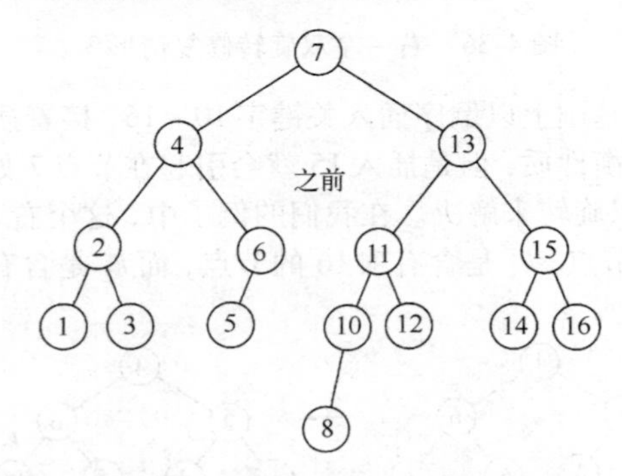

最后，我们插入 9 以演示双旋转的对称情形。注意，9 引起含有 10 的节点产生不平衡。由于9 在 10 和 8 之间(8 在 10 通向 9 的路径上是节点 10 的儿子)，因此需要进行一个双旋转，我们得到下面的树：

131

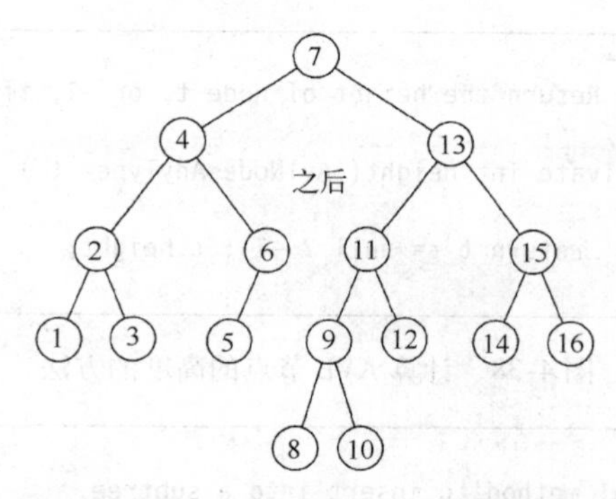

现在让我们对上面的讨论做个总结。除几种情形外，编程的细节是相当简单的。为将项是 X 的一个新节点插入到一棵 AVL 树 T 中去，我们递归地将 X 插入到 T 的相应的子树(称为 T_{LR})中。如果 T_{LR} 的高度不变，那么插入完成。否则，如果在 T 中出现高度不平衡，则根据 X 以及 T 和 T_{LR} 中的项做适当的单旋转或双旋转，更新这些高度(并解决好与树的其余部分的链接)，从而完成插入。由于一次旋转总能足以解决问题，因此仔细地编写出来的非递归版本一般说来要比递归版本快，但是在现代编译器上，这个区别已经没有过去那么明显。然而，要想把非递归程序编写正确是相当困难的，而一个简单的递归实现却是容易读懂的。

另一个效率问题涉及到高度信息的存储。由于真正需要的实际上就是子树高度的差，而它一定是很小的，所以如果我们真的想试着降低存储的话，可用两个二进制位(代表 +1、0、-1)表示这个差。这样将避免平衡因子的重复计算，但是却丧失了一定的清晰度。最后的程序多多少少要比在每一个节点存储高度复杂。如果编写递归程序，那么速度恐怕不是主要考虑的问题。此时，通过存储平衡因子所得到的些微速度优势很难抵消清晰度和相对简洁度的损失。不仅如此，由于大部分机器会把它对齐到最小是 8 个二进制位的边界，因此所用的空间量不可能有任何差别。一个 8 位的字节允许我们存储高达 127 的绝对高度值。既然树是平衡的，因此空间是足够的(见练习)。

有了上面的讨论，我们现在已准备好编写 AVL 树的一些例程。不过，这里我们只展示一部分代码，其余的在线提供。首先，我们需要 `AvlNode` 类，它在图 4-37 中给出。我们还需要一个快速的方法来返回节点的高度，这个方法必须处理 `null` 引用的麻烦情形。该程序在图 4-38 中给出。基本的插入例程写起来很容易(见图 4-39)，只要在最后加一行调用平衡的方法即可，该平衡的方法在必要时应用一个单旋转或双旋转，更新高度，最后返回结果树。

132

```
1    private static class AvlNode<AnyType>
2    {
3            // Constructors
4        AvlNode( AnyType theElement )
5          { this( theElement, null, null ); }
6
7        AvlNode( AnyType theElement, AvlNode<AnyType> lt, AvlNode<AnyType> rt )
8          { element = theElement; left = lt; right = rt; height = 0; }
9
10       AnyType           element;      // The data in the node
11       AvlNode<AnyType>  left;         // Left child
12       AvlNode<AnyType>  right;        // Right child
13       int               height;       // Height
14   }
```

图 4-37　AVL 树的节点声明

对于图 4-40 中的那些树，方法 `rotateWithLeftChild` 把左边的树变成右边的树，并返回对新根的引用。方法 `routateWithRightChild` 是对称的。程序在图 4-41 中表出。

```
1    /**
2     * Return the height of node t, or -1, if null.
3     */
4    private int height( AvlNode<AnyType> t )
5    {
6        return t == null ? -1 : t.height;
7    }
```

图4-38 计算 AVL 节点的高度的方法

```
1        /**
2         * Internal method to insert into a subtree.
3         * @param x the item to insert.
4         * @param t the node that roots the subtree.
5         * @return the new root of the subtree.
6         */
7        private AvlNode<AnyType> insert( AnyType x, AvlNode<AnyType> t )
8        {
9            if( t == null )
10               return new AvlNode<>( x, null, null );
11
12           int compareResult = x.compareTo( t.element );
13
14           if( compareResult < 0 )
15               t.left = insert( x, t.left );
16           else if( compareResult > 0 )
17               t.right = insert( x, t.right );
18           else
19               ; // Duplicate; do nothing
20           return balance( t );
21       }
22
23       private static final int ALLOWED_IMBALANCE = 1;
24
25       // Assume t is either balanced or within one of being balanced
26       private AvlNode<AnyType> balance( AvlNode<AnyType> t )
27       {
28           if( t == null )
29               return t;
30
31           if( height( t.left ) - height( t.right ) > ALLOWED_IMBALANCE )
32               if( height( t.left.left ) >= height( t.left.right ) )
33                   t = rotateWithLeftChild( t );
34               else
35                   t = doubleWithLeftChild( t );
36           else
37           if( height( t.right ) - height( t.left ) > ALLOWED_IMBALANCE )
38               if( height( t.right.right ) >= height( t.right.left ) )
39                   t = rotateWithRightChild( t );
40               else
41                   t = doubleWithRightChild( t );
42
43           t.height = Math.max( height( t.left ), height( t.right ) ) + 1;
44           return t;
45       }
```

图4-39 向 AVL 树的插入例程

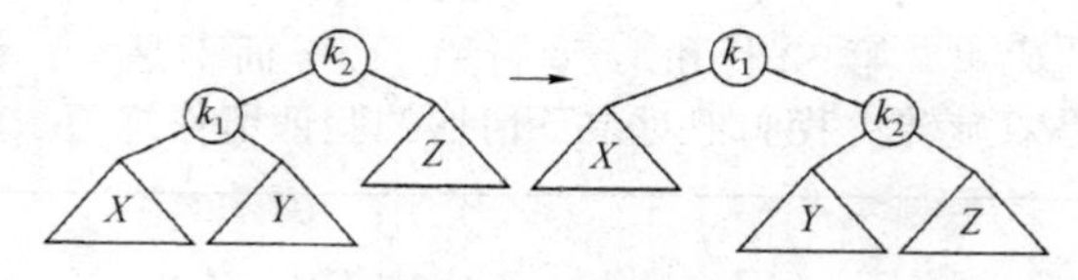

图 4-40 单旋转

```
1   /**
2    * Rotate binary tree node with left child.
3    * For AVL trees, this is a single rotation for case 1.
4    * Update heights, then return new root.
5    */
6   private AvlNode<AnyType> rotateWithLeftChild( AvlNode<AnyType> k2 )
7   {
8       AvlNode<AnyType> k1 = k2.left;
9       k2.left = k1.right;
10      k1.right = k2;
11      k2.height = Math.max( height( k2.left ), height( k2.right ) ) + 1;
12      k1.height = Math.max( height( k1.left ), k2.height ) + 1;
13      return k1;
14  }
```

图 4-41 执行单旋转的例程

类似地，图 4-42 中画出的双旋转可用图 4-43 中给出的代码实现。

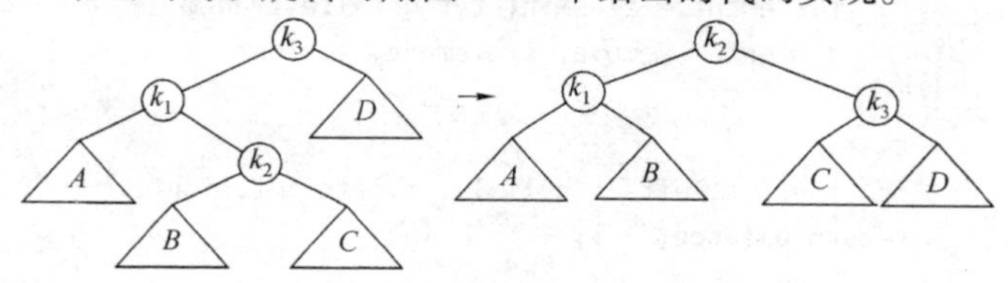

图 4-42 双旋转

```
1   /**
2    * Double rotate binary tree node: first left child
3    * with its right child; then node k3 with new left child.
4    * For AVL trees, this is a double rotation for case 2.
5    * Update heights, then return new root.
6    */
7   private AvlNode<AnyType> doubleWithLeftChild( AvlNode<AnyType> k3 )
8   {
9       k3.left = rotateWithRightChild( k3.left );
10      return rotateWithLeftChild( k3 );
11  }
```

图 4-43 执行双旋转的例程

由于二叉查找树的删除一般比插入更复杂，因此人们可以想到 AVL 树的删除也是更为复杂的。在完美世界里，人们可能期望图 4-25 中给出的删除例程可以很容易修改，只要像在插入中做的一样，把最后一行改成返回对 balance 方法的调用就好了。这就会得到图 4-44 里的代码。这种修改是管用的！删除可能造成树的一边比另一边浅两个层次。逐个情形的分析与插入引起的不平衡情形是类似的，但不完全一样。例如图 4-31 中的情形 1，在这里对应树 Z 的一个删除(而不是 X 的一个插入)，必须要额外考虑树 Y 有可能跟树 X 一样深的情况。即便如此，也容易看出旋转能令这种情形恢复平衡，并且图 4-33 中的情形 4 也可以对称地解决。因此在

图4-39中balance的代码里，第32行和第38行用了>=而不是>，就是为了保证在这些情形下用的是单旋转而不是双旋转。我们把对余下情形的验证留作练习。

```
1      /**
2       * Internal method to remove from a subtree.
3       * @param x the item to remove.
4       * @param t the node that roots the subtree.
5       * @return the new root of the subtree.
6       */
7      private AvlNode<AnyType> remove( AnyType x, AvlNode<AnyType> t )
8      {
9          if( t == null )
10             return t;    // Item not found; do nothing
11
12         int compareResult = x.compareTo( t.element );
13
14         if( compareResult < 0 )
15             t.left = remove( x, t.left );
16         else if( compareResult > 0 )
17             t.right = remove( x, t.right );
18         else if( t.left != null && t.right != null ) // Two children
19         {
20             t.element = findMin( t.right ).element;
21             t.right = remove( t.element, t.right );
22         }
23         else
24             t = ( t.left != null ) ? t.left : t.right;
25         return balance( t );
26     }
```

133 ~ 136

图4-44 AVL树的删除

4.5 伸展树

现在我们描述一种相对简单的数据结构，叫作**伸展树**(splay tree)，它保证从空树开始连续M次对树的操作最多花费$O(M \log N)$时间。虽然这种保证并不排除任意单次操作花费$O(N)$时间的可能，而且这样的界也不如每次操作最坏情形的界为$O(\log N)$时那么强，但是实际效果却是一样的：不存在坏的输入序列。一般说来，当M次操作的序列总的最坏情形运行时间为$O(Mf(N))$时，我们就说它的摊还(amortized)运行时间为$O(f(N))$。因此，一棵伸展树每次操作的摊还代价是$O(\log N)$。经过一系列的操作，有的操作可能花费时间多一些，有的可能要少一些。

伸展树基于这样的事实：对于二叉查找树来说，每次操作最坏情形时间$O(N)$并不坏，只要它相对不常发生就行。任何一次访问，即使花费$O(N)$，仍然可能非常快。二叉查找树的问题在于，虽然一系列访问整体都是坏的操作有可能发生，但是很罕见。此时，累积的运行时间很重要。具有最坏情形运行时间$O(N)$但保证对任意M次连续操作最多花费$O(M \log N)$运行时间的查找树数据结构确实可以令人满意了，因为不存在坏的操作序列。

如果任意特定操作可以有最坏时间界$O(N)$，而我们仍然要求一个$O(\log N)$的摊还时间界，那么很清楚，只要一个节点被访问，它就必须被移动。否则，一旦发现一个深层的节点，我们就有可能不断对它进行访问。如果这个节点不改变位置，而每次访问又花费$O(N)$，那么M次访问将花费$O(M \cdot N)$的时间。

伸展树的基本想法是，当一个节点被访问后，它就要经过一系列 AVL 树的旋转被推到根上。注意，如果一个节点很深，那么在其路径上就存在许多也相对较深的节点，通过重新构造可以减少对所有这些节点的进一步访问所花费的时间。因此，如果节点过深，那么我们要求重新构造应具有平衡这棵树（到某种程度）的作用。除在理论上给出好的时间界外，这种方法还可能有实际的效用，因为在许多应用中当一个节点被访问时，它很可能不久再被访问。研究表明，这种情况的发生比人们预想的要频繁得多。另外，伸展树还不要求保留高度或平衡信息，因此它在某种程度上节省空间并简化代码（特别是当实现例程经过审慎考虑而被写出的时候）。

4.5.1 一个简单的想法（不能直接使用）

实施上面描述的重新构造的一种方法是执行单旋转，从底向上进行。这意味着我们将在访问路径上的每一个节点和它们的父节点实施旋转。作为例子，考虑在下面的树中对 k_1 进行一次访问（一次 `find`）之后所发生的情况。 137

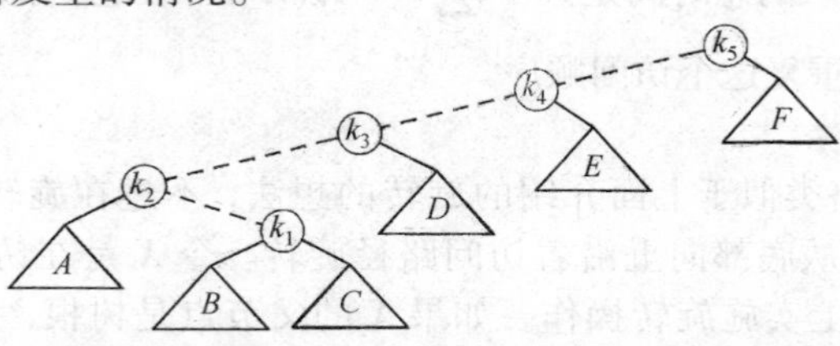

虚线是访问的路径。首先，我们在 k_1 和它的父节点之间实施一次单旋转，得到下面的树

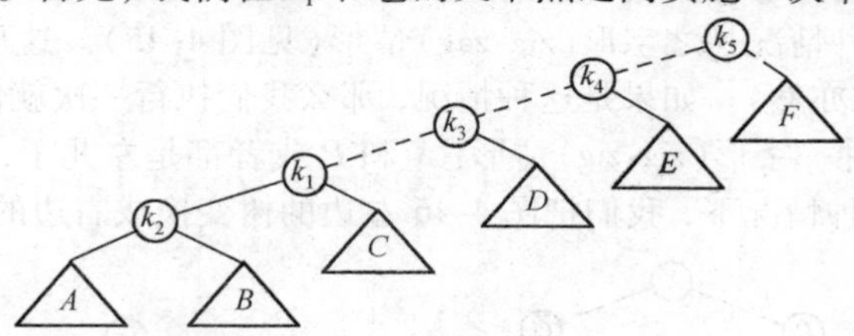

然后，我们在 k_1 和 k_3 之间旋转，得到下一棵树。

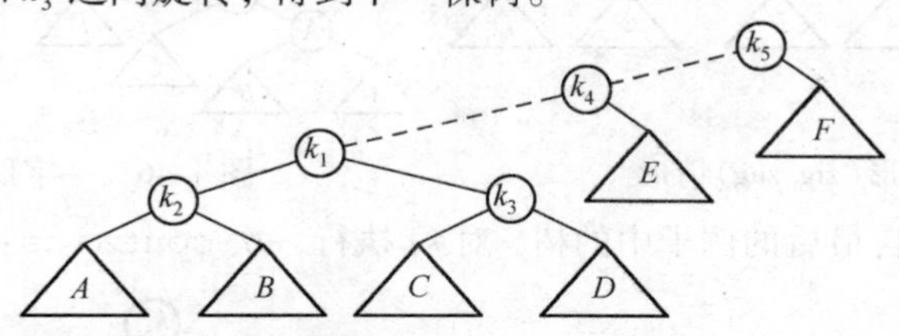

此后，再实行两次旋转直到 k_1 到达树根。 138

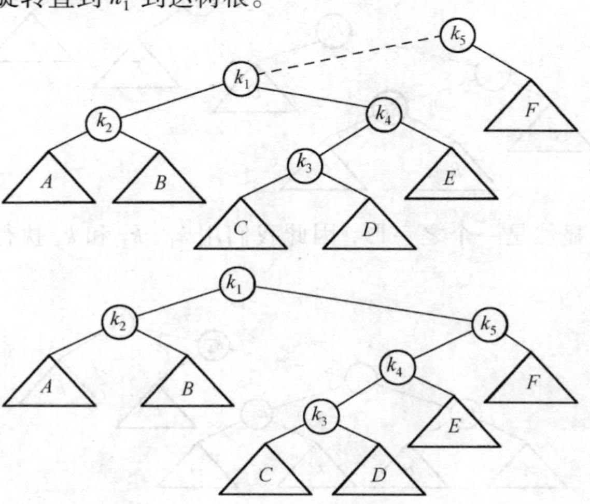

这些旋转的效果是将 k_1 一直推向树根，使得对 k_1 的进一步访问很容易(暂时的)。不足的是它把另外一个节点(k_3)几乎推向和 k_1 以前那么深。而对那个节点的访问又将把另外的节点向深处推进，如此等等。虽然这个策略使得对 k_1 的访问花费时间减少，但是它并没有明显改善(原先)访问路径上其他节点的状况。事实上可以证明，使用这种策略将会存在一系列 M 个操作共需要 $\Omega(M \cdot N)$ 的时间，因此这个想法还不够好。说明这个问题最简单的方法是考虑向初始的空树插入关键字 1，2，3，…，N 所形成的树(请将这个例子算出)。由此得到一棵树，这棵树只由一些左儿子构成。由于建立这棵树总共花费时间为 $O(N)$，因此这未必就有多坏。问题在于访问关键字为 1 的节点花费 N 个单元的时间。在一些旋转完成以后，对关键字为 2 的节点的一次访问花费 N 个单元的时间。对关键字为 3 的节点的访问花费 $N-1$ 个单元时间，以此类推。依序访问所有关键字的总时间是 $N + \sum_{i=2}^{N} i = \Omega(N^2)$。在它们都被访问以后，该树转变回原始状态，而且我们可能重复这个访问顺序。

4.5.2 展开

[139] 展开(splaying)的思路类似于上面介绍的旋转的想法，不过在旋转如何实施上我们稍微有些选择的余地。我们仍然从底部向上沿着访问路径旋转。令 X 是在访问路径上的一个(非根)节点，我们将在这个路径上实施旋转操作。如果 X 的父节点是树根，那么只要旋转 X 和树根。这就是沿着访问路径上的最后的旋转。否则，X 就有父亲(P)和祖父(G)，存在两种情况以及对称的情形要考虑。第一种情况是之字形(zig-zag)情形(见图 4-45)。这里，X 是右儿子的形式，P 是左儿子的形式(反之亦然)。如果是这种情况，那么我们执行一次就像 AVL 双旋转那样的双旋转。否则，出现另一种一字形(zig-zig)情形：X 和 P 或者都是左儿子，或者其对称的情形，X 和 P 都是右儿子。在这种情况下，我们把图 4-46 左边的树变换成右边的树。

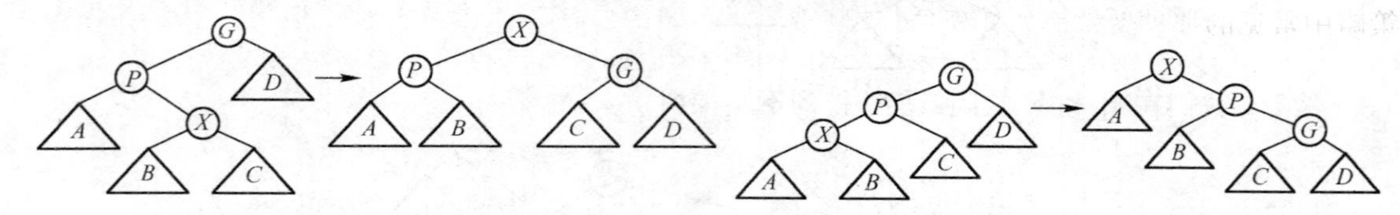

图 4-45 之字形(zig-zag)情形　　图 4-46 一字形(zig-zig)情形

作为例子，考虑来自最后的例子中的树，对 k_1 执行一次 contains：

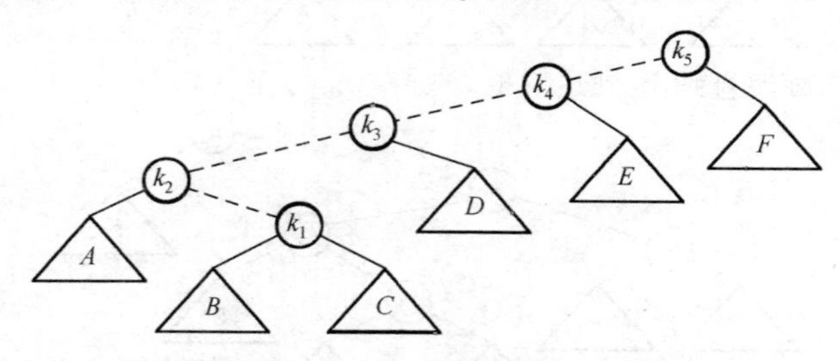

展开的第一步是在 k_1，显然是一个之字形，因此我们用 k_1、k_2 和 k_3 执行一次标准的 AVL 双旋转。得到如下的树。[140]

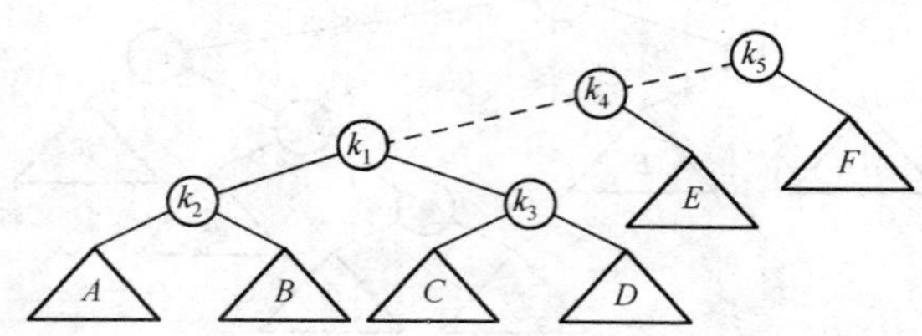

在 k_1 的下一步展开是一个一字形，因此我们用 k_1、k_4 和 k_5 做一字形旋转，得到最后的树。

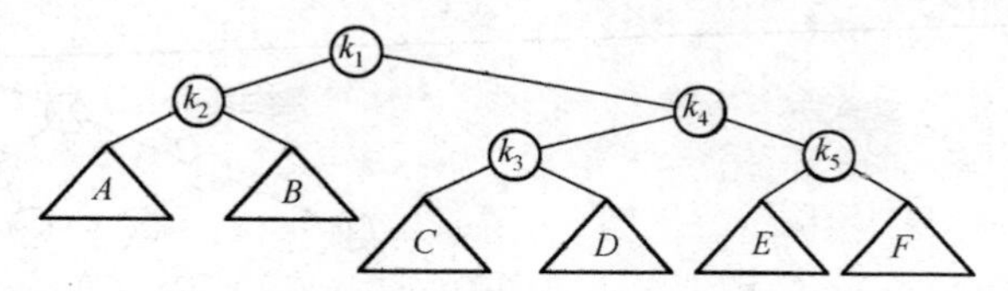

虽然从一些小例子很难看出来，但是展开操作不仅将访问的节点移动到根处，而且还把访问路径上的大部分节点的深度大致减少一半（某些浅的节点最多向下推后两层）。

为了看出展开与简单旋转的差别，再来考虑将 1，2，3，…，N 各项插入到初始空树中去的效果。如前所述可知共花费 $O(N)$ 时间，并产生与一些简单旋转结果相同的树。图 4-47 指出在项为 1 的节点展开的结果。区别在于，在对项为 1 的节点访问（花费 $N-1$ 个单元的时间）之后，对项为 2 的节点的访问只花费 $N/2$ 个时间单元而不是 $N-2$ 个时间单元；不存在像以前那么深层的节点。

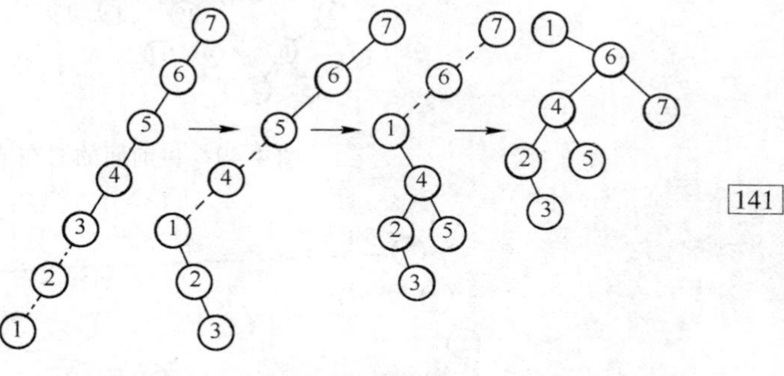

图 4-47 在节点 1 展开的结果

141

对项为 2 的节点的访问将把各个节点带到距根 $N/4$ 的深度之内，并且如此进行下去直到深度大约为 $\log N$（$N=7$ 的例子太小，不能很好地看清这种效果）。图 4-48 ~ 图 4-56 显示在 32 个节点的树中访问项 1 ~ 9 的结果，这棵树最初只含有左儿子。我们从伸展树得不到在简单旋转策略中常见的那种低效率的坏现象（实际上，这个例子只是一种非常好的情况。有一个相当复杂的证明指出，对于这个例子，N 次访问共耗费 $O(N)$ 的时间）。

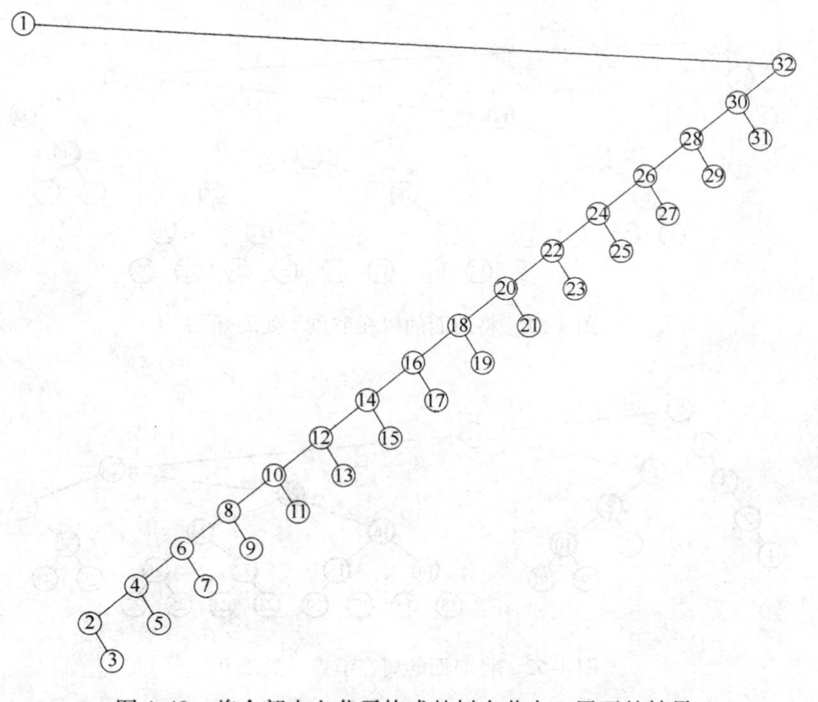

图 4-48 将全部由左儿子构成的树在节点 1 展开的结果

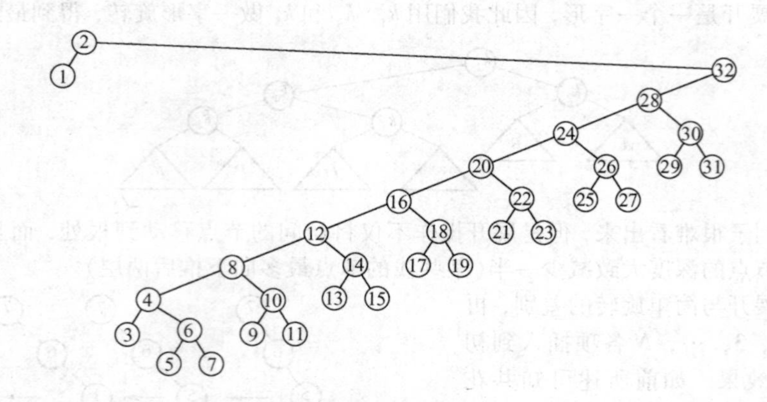

图 4-49 将前面的树在节点 2 展开的结果

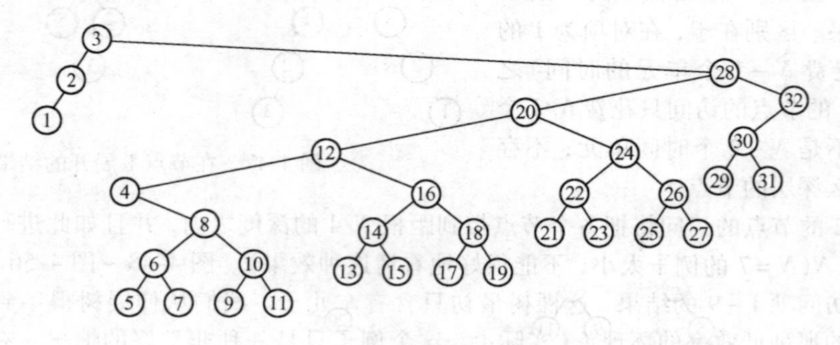

图 4-50 将前面的树在节点 3 处展开

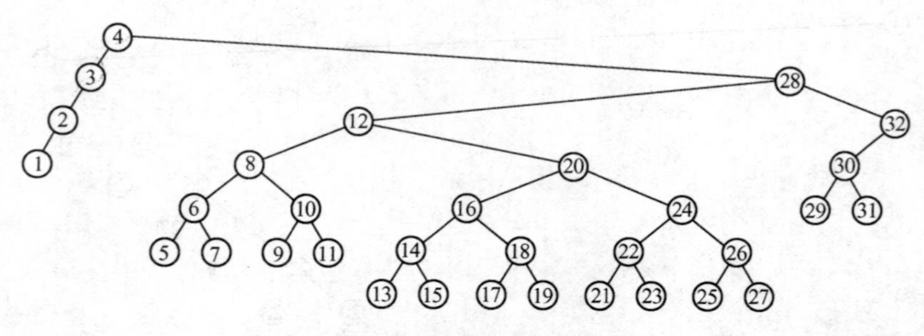

图 4-51 将前面的树在节点 4 处展开

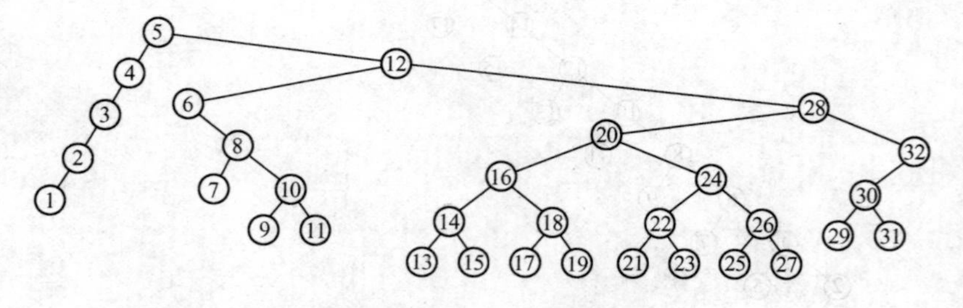

图 4-52 将前面的树在节点 5 处展开

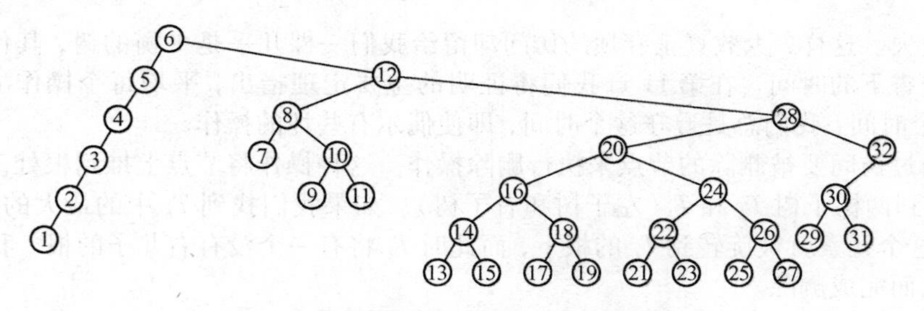

图 4-53 将前面的树在节点 6 处展开

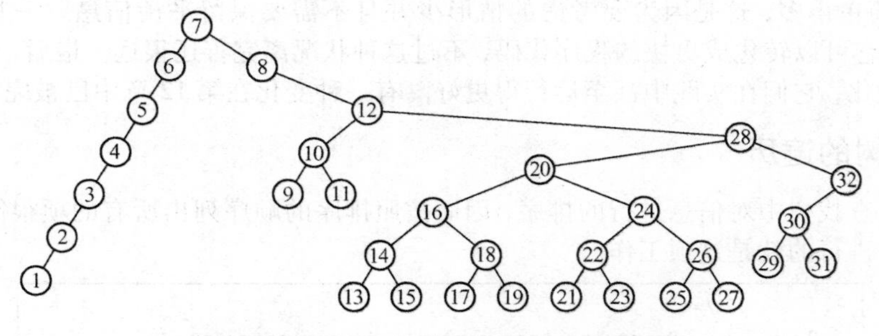

图 4-54 将前面的树在节点 7 处展开

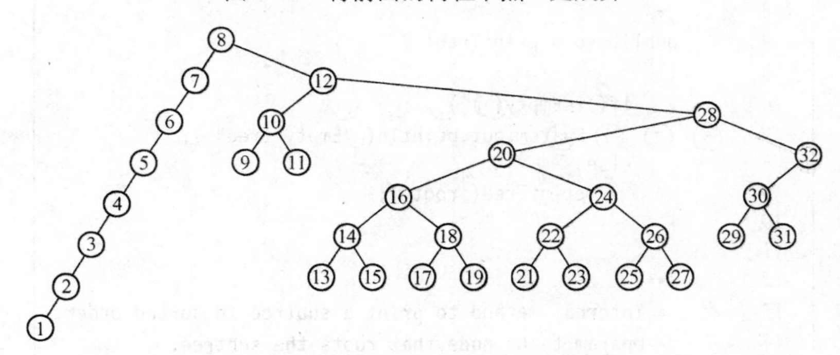

图 4-55 将前面的树在节点 8 处展开

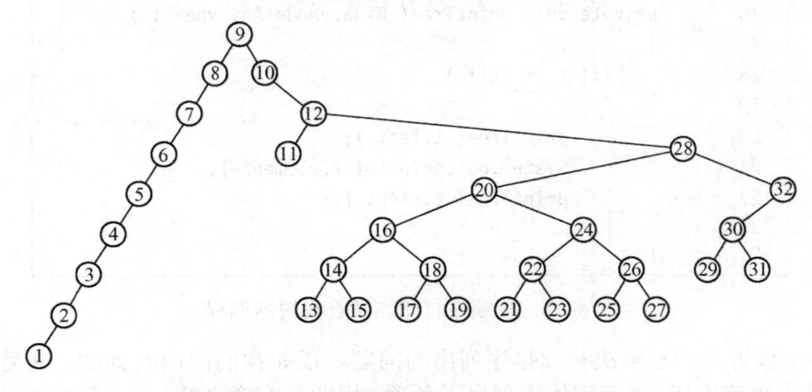

图 4-56 将前面的树在节点 9 处展开

这些图着重强调了伸展树基本的和关键的性质。当访问路径长而导致超出正常查找时间的时候，这些旋转将对未来的操作有益。当访问耗时很少的时候，这些旋转则不那么有益甚至有害。极端的情形是经过若干插入而形成的初始树。所有的插入都是导致坏的初始树的花费常数时间的操作。此时，我们会得到一棵很差的树，但是运行却比预计的快，从而总的较少运行时

142 ~ 143

间补偿了损失。这样，少数真正麻烦的访问却留给我们一棵几乎是平衡的树，其代价是必须返还某些已经省下的时间。在第11章我们将证明的主要定理指出，平均每个操作决不会落后 $O(\log N)$ 这个时间：我们总是遵守这个时间，即使偶尔有些坏的操作。

可以通过访问要被删除的节点来执行删除操作。这种操作将节点上推到根处。如果删除该节点，则得到两棵子树 T_L 和 T_R（左子树和右子树）。如果我们找到 T_L 中的最大的元素（这很容易），那么这个元素就被旋转到 T_L 的根下，而此时 T_L 将有一个没有右儿子的根。我们可以使 T_R 为右儿子从而完成删除。

对伸展树的分析很困难，因为必须要考虑树的经常变化的结构。另一方面，伸展树的编程要比AVL树简单得多，这是因为要考虑的情形少并且不需要保留平衡信息。一些实际经验指出，在实践中它可以转化成更快的程序代码，不过这种状况离完善还很远。最后，我们指出，伸展树有几种变化，它们在实践中甚至运行得更好。有一种变化在第12章中已被完全编成程序。

4.6 再探树的遍历

由于二叉查找树中对信息进行的排序，因而按照排序的顺序列出所有的项很简单，图4-57中的递归方法进行的就是这项工作。

```
1      /**
2       * Print the tree contents in sorted order.
3       */
4      public void printTree( )
5      {
6          if( isEmpty( ) )
7              System.out.println( "Empty tree" );
8          else
9              printTree( root );
10     }
11
12     /**
13      * Internal method to print a subtree in sorted order.
14      * @param t the node that roots the subtree.
15      */
16     private void printTree( BinaryNode<AnyType> t )
17     {
18         if( t != null )
19         {
20             printTree( t.left );
21             System.out.println( t.element );
22             printTree( t.right );
23         }
24     }
```

图4-57 按顺序打印二叉查找树的例程

毫无疑问，该方法能够解决将项排序列出的问题。正如我们前面看到的，这类例程当用于树的时候则称为**中序遍历**（由于它依序列出了各项，因此是有意义的）。一个中序遍历的一般方法是首先处理左子树，然后是当前的节点，最后处理右子树。这个算法的有趣部分除它简单的特性外，还在于其总的运行时间是 $O(N)$。这是因为在树的每一个节点处进行的工作是常数时间的。每一个节点访问一次，而在每一个节点进行的工作是检测是否 `null`、建立两个方法调用、并执行 `println`。由于在每个节点的工作花费常数时间以及总共有 N 个节点，因此运行时间为 $O(N)$。

有时我们需要先处理两棵子树然后才能处理当前节点。例如，为了计算一个节点的高度，首先需要知道它的子树的高度。图 4-58 中的程序就是计算高度的。由于检查一些特殊的情况总是有益的——当涉及递归时尤其重要，因此要注意这个例程声明树叶的高度为零，这是正确的。这种一般的遍历顺序叫作**后序遍历**，我们在前面也见到过。因为在每个节点的工作花费常数时间，所以总的运行时间也是 $O(N)$。

144 ~ 145

```
1       /**
2        * Internal method to compute height of a subtree.
3        * @param t the node that roots the subtree.
4        */
5       private int height( BinaryNode<AnyType> t )
6       {
7           if( t == null )
8               return -1;
9           else
10              return 1 + Math.max( height( t.left ), height( t.right ) );
11      }
```

图 4-58 使用后序遍历计算树的高度的例程

我们见过的第三种常用的遍历格式为**先序遍历**(preorder traversal)。这里，当前节点在其儿子节点之前处理。这种遍历是有用的。比如，如果要想用其深度标记每一个节点，那么这种遍历就会用到。

所有这些例程有一个共同的想法，即首先处理 `null` 的情形，然后才是其余的工作。注意，此处缺少一些附加的变量。这些例程仅仅传递对作为子树的根的节点的引用，并没有声明或是传递任何附加的变量。程序越紧凑，一些愚蠢的错误出现的可能就越少。第四种遍历用得很少，叫作**层序遍历**(level order traversal)，我们以前尚未见到过。在层序遍历中，所有深度为 `d` 的节点要在深度 `d`+1 的节点之前进行处理。层序遍历与其他类型的遍历不同的地方在于它不是递归地执行的；它用到队列，而不使用递归所默示的栈。

4.7 B 树

迄今为止，我们始终假设可以把整个数据结构存储到计算机的主存中。可是，如果数据更多装不下主存，那么这就意味着必须把数据结构放到磁盘上。此时，因为大 O 模型不再适用，所以导致游戏规则发生了变化。

问题在于，大 O 分析假设所有的操作耗时都是相等的。然而，现在这种假设就不合适了，特别是涉及磁盘 I/O 的时候。例如，一台 500 - MIPS 的机器可能每秒执行 5 亿条指令。这是相当快的，主要是因为速度主要依赖于电的特性。另一方面，磁盘操作是机械运动，它的速度主要依赖于转动磁盘和移动磁头的时间。许多磁盘以 7200RPM 旋转。即 1 分钟转 7200 转；因此，1 转占用 1/120 秒，或即 8.3 毫秒。平均可以认为磁盘转到一半的时候发现我们要寻找的信息，但这又被移动磁盘磁头的时间抵消，因此我们得到访问时间为 8.3 毫秒(这是非常宽松的估计；9 ~ 11 毫秒的访问时间更为普通)。因此，每秒大约可以进行 120 次磁盘访问。若不和处理器的速度比较，那么这听起来还是相当不错的。可是考虑到处理器的速度，5 亿条指令却花费相当于 120 次磁盘访问的时间。换句话说，一次磁盘访问的价值大约是 40 万条指令。当然，这里每一个数据都是粗略的计算，不过相对速度还是相当清楚的：磁盘访问的代价太高了。不仅如此，处理器的速度还在以比磁盘速度快得多的速度增长(增长相当快的是磁盘容量的大小)。因此，为了节省一次磁盘访问，我们愿意进行大量的计算。几乎在所有的情况下，控制运行时间的都是磁盘访问的次数。于是，如果把磁盘访问次数减少一半，那么运行时间也将减半。

在磁盘上，典型的查找树执行如下：设想要访问佛罗里达州公民的驾驶记录。假设有 1 千万项，每一个关键字是32字节（代表一个名字），而一个记录是256个字节。假设这些数据不能都装入主存，而我们是正在使用系统的20个用户中的一个（因此有1/20的资源）。这样，在1秒内，我们可以执行2 500万次指令，或者执行6次磁盘访问。

146 ~ 147

不平衡的二叉查找树是一个灾难。在最坏情形下它具有线性的深度，从而可能需要1千万次磁盘访问。平均来看，一次成功的查找可能需要1.38 $\log N$次磁盘访问，由于$\log 10\,000\,000 \approx 24$，因此平均一次查找需要32次磁盘访问，或5秒的时间。在一棵典型的随机构造的树中，我们预料会有一些节点的深度要深3倍；它们需要大约100次磁盘访问，或16秒的时间。AVL树多少要好一些。1.44 $\log N$的最坏情形不可能发生，典型的情形是非常接近于$\log N$。这样，一棵AVL树平均将使用大约25次磁盘访问，需要的时间是4秒。

我们想要把磁盘访问次数减小到一个非常小的常数，比如3或4；而且我们愿意写一个复杂的程序来做这件事，因为在合理情况下机器指令基本上是不占时间的。由于典型的AVL树接近到最优的高度，因此应该清楚的是，二叉查找树是不可行的。使用二叉查找树我们不能行进到低于$\log N$。解法直觉上看是简单的：如果有更多的分支，那么就有更少的高度。这样，31个节点的理想二叉树（perfect binary tree）有5层，而31个节点的5叉树则只有3层，如图4-59所示。一棵M叉查找树（M-ary search tree）可以有M路分支。随着分支增加，树的深度在减少。一棵完全二叉树（complete binary tree）的高度大约为$\log_2 N$，而一棵完全M叉树（complete M-ary tree）的高度大约是$\log_M N$。

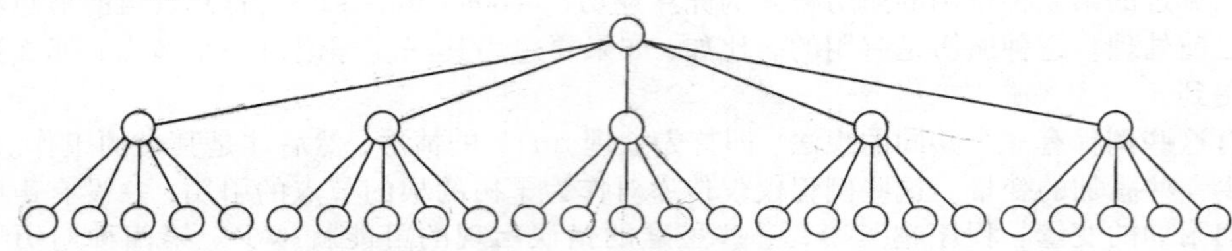

图4-59　31个节点的5叉树只有3层

我们可以以与建立二叉查找树大致相同的方式建立M叉查找树。在二叉查找树中，需要一个关键字来决定两个分支到底取用哪个分支；而在M叉查找树中需要M1个关键字来决定选取哪个分支。为使这种方案在最坏的情形下有效，需要保证M叉查找树以某种方式得到平衡。否则，像二叉查找树，它可能退化成一个链表。实际上，我们甚至想要更加限制性的平衡条件，即不想要M叉查找树退化到甚至是二叉查找树，因为那时我们又将无法摆脱$\log N$次访问了。

实现这种想法的一种方法是使用B树。这里描述基本的B树[一]。许多的变种和改进都是可能的，但实现起来多少要复杂些，因为有相当多的情形需要考虑。不过，容易看到，原则上B树保证只有少数的磁盘访问。

阶为M的B树是一棵具有下列特性的树[二]：

1. 数据项存储在树叶上。

2. 非叶节点存储直到$M-1$个关键字以指示搜索的方向；关键字i代表子树$i+1$中的最小的关键字。

148

3. 树的根或者是一片树叶，或者其儿子数在2和M之间。

4. 除根外，所有非树叶节点的儿子数在$\lceil M/2 \rceil$和M之间。

5. 所有的树叶都在相同的深度上并有$\lceil L/2 \rceil$和L之间个数据项，L的确定稍后描述。

图4-60显示5阶B树的一个例子。注意，所有的非叶节点的儿子数都在3和5之间（从而有2到4个关键字）；根可能只有两个儿子。这里，我们有$L=5$（在这个例子中L和M恰好是相

㊀ 这里所描述的是通常称为B^+树的树。

㊁ 法则3和5对于前L次插入必须要放宽。

同的，但这不是必需的）。由于 L 是 5，因此每片树叶有 3 到 5 个数据项。要求节点半满将保证 B 树不致退化成简单的二叉树。虽然存在改变该结构的各种 B 树的定义，但大部分在一些次要的细节上变化，而我们这个定义是流行的形式之一。

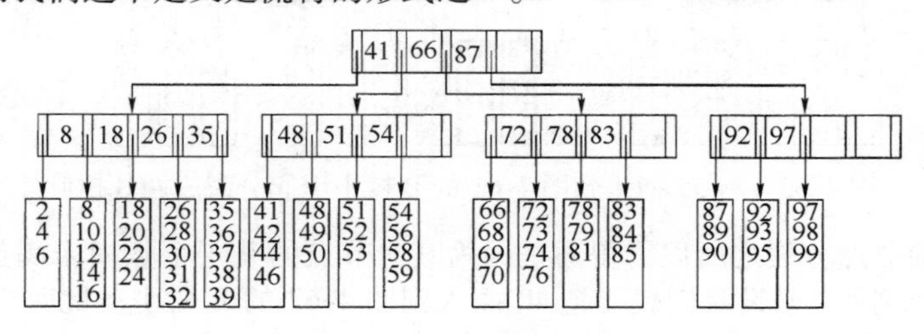

图 4-60　5 阶 B 树

每个节点代表一个磁盘区块，于是我们根据所存储的项的大小选择 M 和 L。例如，设一个区块能容纳 8192 字节。在上面的佛罗里达例子中，每个关键字使用 32 个字节。在一棵 M 阶 B 树中，有 $M-1$ 个关键字，总数为 $32M-32$ 字节，再加上 M 个分支。由于每个分支基本上都是另外的一些磁盘区块，因此可以假设一个分支是 4 个字节。这样，这些分支共用 $4M$ 个字节。一个非叶节点总的内存需求为 $36M-32$ 个字节。使得不超过 8192 字节的 M 的最大值是 228。因此，我们选择 $M=228$。由于每个数据记录是 256 字节，因此可以把 32 个记录装入一个区块中。于是，我们选择 $L=32$。这样就保证每片树叶有 16 到 32 个数据记录以及每个内部节点（除根外）至少以 114 种方式分叉。由于有 1 千万个记录，因此至多存在 625 000 片树叶。由此得知，在最坏情形下树叶将在第 4 层上。更具体地说，最坏情形的访问次数近似地由 $\log_{M/2} N$ 给出，这个数可以有 1 的误差（例如，根和下一层可以存放在主存中，使得经过长时间运行后磁盘访问将只对第 3 层或更深层是需要的）。

剩下的问题是如何向 B 树添加项和从 B 树删除项；下面将概述所涉及的想法。注意，许多论题以前见到过。

我们首先考查插入。设想要把 57 插入到图 4-60 的 B 树中。沿树向下查找揭示出它不在树中。此时我们把它作为第 5 项添加到树叶中。注意我们可能要为此重新组织该树叶上的所有数据。然而，与磁盘访问相比（在这种情况下它还包含一次磁盘写），这项操作的开销可以忽略不计。 149

当然，这是相对简单的，因为该树叶还没有被装满。设现在要插入 55。图 4-61 显示一个问题：55 想要插入其中的那片树叶已经满了。不过解法却不复杂：由于我们现在有 $L+1$ 项，因此把它们分成两片树叶，这两片树叶保证都有所需要的记录的最小个数。我们形成两片树叶，每叶 3 项。写这两片树叶需要 2 次磁盘访问，更新它们的父节点需要第 3 次磁盘访问。注意，在父节点中关键字和分支均发生了变化，但是这种变化是以容易计算的受控的方式处理的。最后得到的 B 树在图 4-62 中给出。虽然分裂节点是耗时的，因为它至少需要 2 次附加的磁盘写，但它相对很少发生。例如，如果 L 是 32，那么当节点被分裂时，具有 16 和 17 项的两片树叶分别被建立。对于有 17 项的那片树叶，我们可以再执行 15 次插入而不用另外的分裂。换句话说，对于每次分裂，大致存在 $L/2$ 次非分裂的插入。

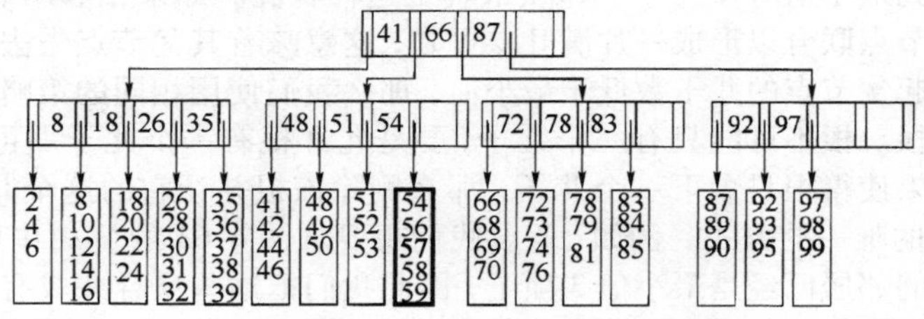

图 4-61　将 57 插入到图 4-60 的树中后的 B 树

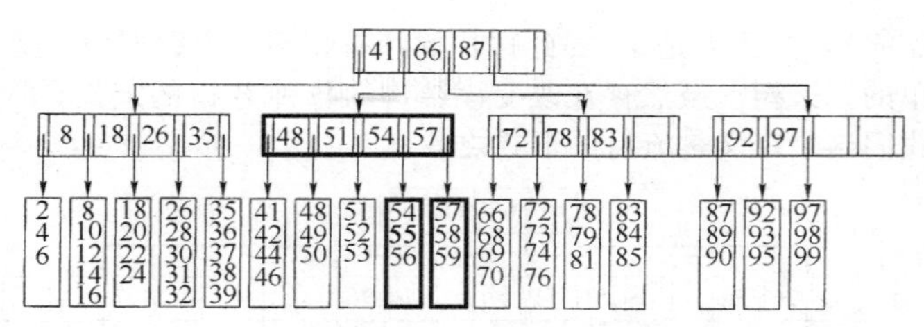

图 4-62　将 55 插入到图 4-61 的 B 树中引起分裂成两片树叶

前面例子中的节点分裂之所以行得通是因为其父节点的儿子个数尚未满员。可是，如果满员了又会怎样呢？例如，假设我们想要把 40 插入到图 4-62 的 B 树中。此时必须把包含关键字 35 到 39 而现在又要包含 40 的树叶分裂成 2 片树叶。但是这将使父节点有 6 个儿子，可是它只能有 5 个儿子。因此，解法就要分裂这个父节点。结果在图 4-63 中给出。当父节点被分裂时，必须更新那些关键字以及还有父节点的父亲的值，这样就招致额外的两次磁盘写（从而这次插入花费 5 次磁盘写）。然而，虽然由于有大量的情况要考虑而使得程序确实不那么简单，但是这些关键字还是以受控的方式变化。

150

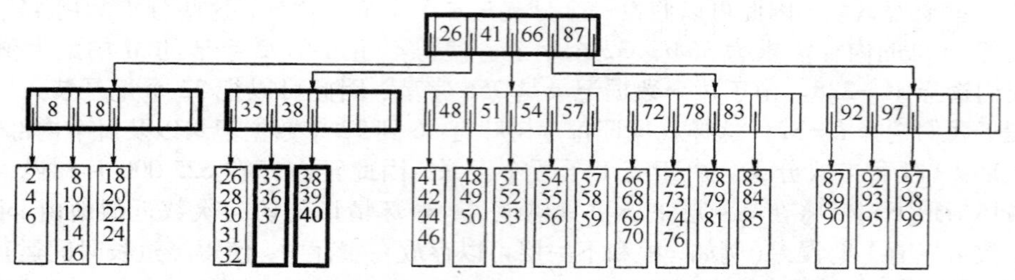

图 4-63　把 40 插入到图 4-62 的 B 树中引起树叶被分裂成两片然后又造成父节点的分裂

正如这里的情形所示，当一个非叶节点分裂时，它的父节点得到了一个儿子。如果父节点的儿子个数已经达到规定的限度怎么办呢？在这种情况下，继续沿树向上分裂节点直到找到一个不需要再分裂的父节点，或者到达树根。如果分裂树根，那么我们就得到两个树根。显然这是不可接受的，但我们可以建立一个新的根，这个根以分裂得到的两个树根作为它的两个儿子。这就是为什么准许树根可以最少有两个儿子的特权的原因。这也是 B 树增加高度的唯一方式。不用说，一路向上分裂直到根的情况是一种特别少见的异常事件，因为一棵具有 4 层的树意味着在整个插入序列中已经被分裂了 3 次（假设没有删除发生）。事实上，任何非叶节点的分裂也是相当少见的。

还有其他一些方法处理儿子过多的情况。一种方法是在相邻节点有空间时把一个儿子交给该邻节点领养。例如，为了把 29 插入到图 4-63 的 B 树中，可以把 32 移到下一片树叶而腾出一个空间。这种方法要求对父节点进行修改，因为有些关键字受到了影响。然而，它趋向于使得节点更满，从而在长时间运行中节省空间。

我们可以通过查找要删除的项并在找到后删除它来执行删除操作。问题在于，如果被删元所在的树叶的数据项数已经是最小值，那么删除后它的项数就低于最小值了。我们可以通过在邻节点本身没有达到最小值时领养一个邻项来矫正这种状况。如果相邻结点已经达到最小值，那么可以与该相邻节点联合以形成一片满叶。可是，这意味着其父节点失去一个儿子。如果失去儿子的结果又引起父节点的儿子数低于最小值，那么我们使用相同的策略继续进行。这个过程可以一直上行到根。根不可能只有一个儿子（要是允许根有一个儿子那可就愚蠢了）。如果这个领养过程的结果使得根只剩下一个儿子，那么删除该根并让它的这个儿子作为树的新根。这是 B 树降低高度的唯一的方式。例如，假设我们想要从图 4-63 的 B 树中删除 99。由于那片树叶只有两项而它的邻居已经是最小值 3 项了，因此我们把这些项合并成有 5 项的一片新的树叶。结果，它们的父节点只有两个儿子了。这时该父节点可以从它的邻节点领养，因为邻节点有 4 个儿子。领养的结果使得双方都有 3 个儿子，结果如图 4-64 所示。

151

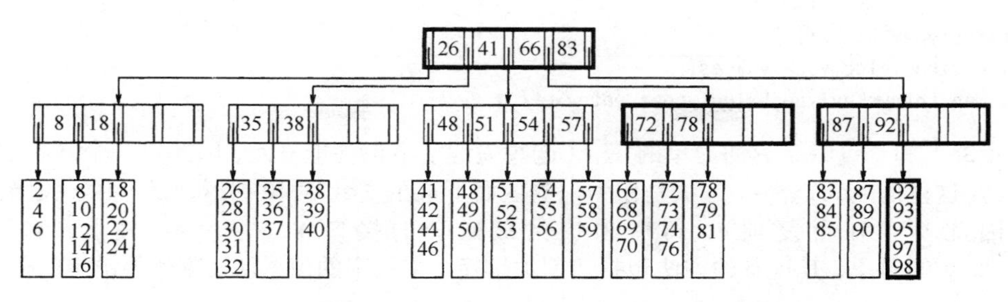

图 4-64　在从图 4-63 的 B 树中删除 99 后的 B 树

4.8　标准库中的集合与映射

在第 3 章中讨论过的 `List` 容器即 `ArrayList` 和 `LinkedList` 用于查找效率很低。因此，Collections API 提供了两个附加容器 `Set` 和 `Map`，它们对诸如插入、删除和查找等基本操作提供有效的实现。

4.8.1　关于 Set 接口

`Set` 接口代表不允许重复元的 `Collection`。由接口 `SortedSet` 给出的一种特殊类型的 `Set` 保证其中的各项处于有序的状态。因为一个 `Set IS-A Collection`，所以用于访问继承 `Collection` 的 `List` 的项的方法也对 Set 有效。图 3-6 中描述的 `print` 方法如果传送一个 Set 也将会正常工作。

由 `Set` 所要求的一些独特的操作是一些插入、删除以及(有效地)执行基本查找的能力。对于 `Set`，`add` 方法如果执行成功则返回 `true`，否则返回 `false`，因为被添加的项已经存在。保持各项以有序状态的 `Set` 的实现是 `TreeSet`。`TreeSet` 类的基本操作花费对数最坏情形时间。

默认情况下，排序假设 `TreeSet` 中的项实现 `Comparable` 接口。另一种排序可以通过用 `Comparator` 实例化 `TreeSet` 来确定。例如，我们可以创建一个存储 `String` 对象的 `TreeSet`，通过使用图 1-18 中编写的 `CaseInsensitiveCompare` 函数对象忽略大小写。下面的代码中，`Set s` 大小为 1。

```
Set<String> s = new TreeSet<>( new CaseInsensitiveCompare( ) );
s.add( "Hello" ); s.add( "HeLLo" );
System.out.println( "The size is: " + s.size( ) );
```

152

4.8.2　关于 Map 接口

`Map` 是一个接口，代表由关键字以及它们的值组成的一些项的集合。关键字必须是唯一的，但是若干关键字可以映射到一些相同的值。因此，值不必是唯一的。在 `SortedMap` 接口中，映射中的关键字保持逻辑上有序状态。`SortedMap` 接口的一种实现是 `TreeMap` 类。`Map` 的基本操作包括诸如 `isEmpty`、`clear`、`size` 等方法，而且最重要的是包含下列方法：

```
boolean containsKey( KeyType key )
ValueType get( KeyType key )
ValueType put( KeyType key, ValueType value )
```

`get` 返回 `Map` 中与 `key` 相关的值，或当 `key` 不存在时返回 `null`。如果在 `Map` 中不存在 `null` 值，那么由 `get` 返回的值可以用来确定 `key` 是否在 `Map` 中。然而，如果存在 `null` 值，那么必须使用 `containsKey`。方法 `put` 把关键字/值对置入 `Map` 中，或者返回 `null`，或者返回与 `key` 相联系的老值。

通过一个 `Map` 进行迭代要比 `Collection` 复杂，因为 `Map` 不提供迭代器，而是提供 3 种方法，将 `Map` 对象的视图作为 `Collection` 对象返回。由于这些视图本身就是 `Collection`，因此它们可以被迭代。所提供的 3 种方法如下：

```
Set<KeyType> keySet( )
Collection<ValueType> values( )
Set<Map.Entry<KeyType,ValueType>> entrySet( )
```

方法 keySet 和 values 返回简单的集合(这些关键字不包含重复元，因此以一个 Set 对象的形式返回)。这里的 entrySet 方法是作为一些项而形成的 Set 对象被返回的(由于关键字是唯一的，因此不存在重复项)。每一项均由被嵌套的接口 Map.Entry 表示。对于类型 Map.Entry 的对象，其现有的方法包括访问关键字、关键字的值，以及改变关键字的值：

```
KeyType getKey( )
ValueType getValue( )
ValueType setValue( ValueType newValue )
```

4.8.3 TreeSet 类和 TreeMap 类的实现

Java 要求 TreeSet 和 TreeMap 支持基本的 add、remove 和 contains 操作以对数最坏情形时间完成。因此，基本的实现方法就是平衡二叉查找树。一般说来，我们并不使用 AVL 树，而是经常使用一些自顶向下的红黑树，这种树我们将在 12.2 节讨论。

实现 TreeSet 和 TreeMap 的一个重要问题是提供对迭代器类的支持。当然，在内部，迭代器保留到迭代中“当前”节点的一个链接。困难部分是到下一个节点高效的推进。存在几种可能的解决方案，其中的一些方案叙述如下：

153

1. 在构造迭代器时，让每个迭代器把包含诸 TreeSet 项的数组作为该迭代器的数据存储。这有不足，因为我们还可以使用 toArray，并不需要迭代器。

2. 让迭代器保留存储通向当前节点的路径上的节点的一个栈。根据该信息，可以推出迭代器中的下一个节点，它或者是包含最小项的当前节点右子树上的节点，或者包含其左子树当前节点的最近的祖先。这使得迭代器多少有些大，并导致迭代器的代码臃肿。

3. 让查找树中的每个节点除存储子节点外还要存储它的父节点。此时迭代器不至于那么大，但是在每个节点上需要额外的内存，并且迭代器的代码仍然臃肿。

4. 让每个节点保留两个附加的链：一个通向下一个更小的节点，另一个通向下一个更大的节点。这要占用空间，不过迭代器做起来非常简单，并且保留这些链也很容易。

5. 只对那些具有 null 左链或 null 右链的节点保留附加的链。通过使用附加的布尔变量使得这些例程判断是一个左链正在被用作标准的二叉树左链还是一个通向下一个更小节点的链，类似地，对右链也有类似的判断(见练习 4.50)。这种做法叫作线索树(threaded tree)，用于许多平衡二叉查找树的实现中。

4.8.4 使用多个映射的实例

许多单词都和另外一些单词相似。例如，通过改变第 1 个字母，单词 wine 可以变成 dine、fine、line、mine、nine、pine 或 vine。通过改变第 3 个字母，wine 可以变成 wide、wife、wipe 或 wire。通过改变第 4 个字母 wine 可以变成 wind、wing、wink 或 wins。这样我们就得到 15 个不同的单词，它们仅仅通过改变 wine 中的一个字母而得到。实际上，存在 20 多个不同的单词，其中有些单词更生僻。我们想要编写一个程序以找出通过单个字母的替换可以变成至少 15 个其他单词的单词。假设我们有一个词典，由大约 89 000 个不同长度的不同单词组成。大部分单词在 6 ~ 11 个字母之间。其中 6 字母单词有 8 205 个，7 字母单词有 11 989 个，8 字母单词 13 672 个，9 字母单词 13 014 个，10 字母单词 11 297 个，11 字母单词 8 617 个(实际上，最可变化的单词是 3 字母、4 字母和 5 字母单词，不过，更长的单词检查起来更耗费时间)。

最直接了当的策略是使用一个 Map 对象，其中的关键字是单词，而关键字的值是用 1 字母替换能够从关键字变换得到的一列单词。图 4-65 中的例程显示最后得到的(我们必须写出这部分的代码)Map 如何能够用来打印所要求的答案。该程序得到项的集合并使用增强的 for 循环遍历该项集合并观察这些由一个单词和一列单词组成的序偶。

154

```
1    public static void printHighChangeables( Map<String,List<String>> adjWords,
2                                             int minWords )
3    {
4        for( Map.Entry<String,List<String>> entry : adjWords.entrySet( ) )
5        {
6            List<String> words = entry.getValue( );
7
8            if( words.size( ) >= minWords )
9            {
10               System.out.print( entry.getKey( ) + " (" );
11               System.out.print( words.size( ) + "):" );
12               for( String w : words )
13                   System.out.print( " " + w );
14               System.out.println( );
15           }
16       }
17   }
```

图 4-65　给出包含一些单词作为关键字和只在一个字母上不同的一列单词作为关键字的值，输出那些具有 minWords 个或更多个通过 1 字母替换得到的单词的单词

主要的问题是如何从包含 89 000 个单词的数组构造 Map 对象。图 4-66 中的例程是测试除一个字母替换外两个字母是否相等的简单函数。我们可以使用该例程以提供最简单的 Map 构造算法，它是所有单词序偶的蛮力测试。这个算法如图 4-67 所示。 155

```
1    // Returns true if word1 and word2 are the same length
2    // and differ in only one character.
3    private static boolean oneCharOff( String word1, String word2 )
4    {
5        if( word1.length( ) != word2.length( ) )
6            return false;
7
8        int diffs = 0;
9
10       for( int i = 0; i < word1.length( ); i++ )
11           if( word1.charAt( i ) != word2.charAt( i ) )
12               if( ++diffs > 1 )
13                   return false;
14
15       return diffs == 1;
16   }
```

图 4-66　检测两个单词是否只在一个字母上不同的例程

为了遍历单词的集合，可以使用一个迭代器，但是，因为我们正在通过一个嵌套(即多次)循环遍历该集合，因此使用 toArray 将该集合转储到一个数组(第 9 行和第 11 行)。尤其是，这避免了重复调用以使从 Object 向 String 转化，如果使用泛型那么它将发生在幕后。而我们这里则是直接给 String[ ]对象添加下标来使用。 156

如果我们发现一对单词只有一个字母不同，那么可以在 16 行和 17 行更新该 Map 对象。在私有的 update 方法中，我们在第 26 行能够看到，是否已经存在一列与关键字相关的单词，如果前面已经见过 key，因为 lst 不是 null，那么它就在这个 Map 对象中，而我们只需将该新单词添加到这个 Map 的 List 中去，这件工作是通过调用第 33 行的 add 完成的。如果以前从未见过 key，那么第 29 行和 30 行则将其放到该 Map 对象中，List 大小为 0，因此 add 将该 List 大小更新为 1。总之，这是标准的保留一个 Map 的惯用做法，其中的值是一个集合。

```
1    // Computes a map in which the keys are words and values are Lists of words
2    // that differ in only one character from the corresponding key.
3    // Uses a quadratic algorithm (with appropriate Map).
4    public static Map<String,List<String>>
5    computeAdjacentWords( List<String> theWords )
6    {
7        Map<String,List<String>> adjWords = new TreeMap<>( );
8
9        String [ ] words = new String[ theWords.size( ) ];
10
11       theWords.toArray( words );
12       for( int i = 0; i < words.length; i++ )
13           for( int j = i + 1; j < words.length; j++ )
14               if( oneCharOff( words[ i ], words[ j ] ) )
15               {
16                   update( adjWords, words[ i ], words[ j ] );
17                   update( adjWords, words[ j ], words[ i ] );
18               }
19
20       return adjWords;
21   }
22
23   private static <KeyType> void update( Map<KeyType,List<String>> m,
24                                          KeyType key, String value )
25   {
26       List<String> lst = m.get( key );
27       if( lst == null )
28       {
29           lst = new ArrayList<>( );
30           m.put( key, lst );
31       }
32
33       lst.add( value );
34   }
```

图 4-67 计算一个 Map 对象的函数，该对象以一些单词作为关键字而以只在一个字母处不同的一列单词作为关键字的值。该函数对一个 89 000 单词的词典运行 75 秒

该算法的问题在于速度慢，在我们的计算机上花费 75 秒的时间。一个明显的改进是避免比较不同长度的单词。我们可以把单词按照长度分组，然后对各个分组运行刚才提供的程序。

为此，可以使用第 2 个映射！此时的关键字是个整数，代表单词的长，而值则是该长度的所有单词的集合。我们可以使用一个 List 存储每个集合，然后应用相同的做法。程序如图 4-68 所示。第 9 行是第 2 个 Map 的声明，第 13 行和第 14 行将分组置入该 Map，然后用一个附加的循环对每组单词迭代。与第 1 个算法比较，第 2 个算法只是在边际上编程困难，其运行时间为 16 秒，大约快了 5 倍。

第 3 个算法更复杂，使用一些附加的映射！和前面一样，将单词按照长度分组，然后分别对每组运算。为理解这个算法是如何工作的，假设我们对长度为 4 的单词操作。这时，首先要找出像 wine 和 nine 这样的单词对，它们除第 1 个字母外完全相同。对于长度为 4 的每一个单词，一种做法是删除第 1 个字母，留下一个 3 字母单词代表。这样就形成一个 Map，其中的关键字为这种代表，而其值是所有包含同一代表的单词的一个 List。例如，在考虑 4 字母单词组的第 1 个字母时，代表 “ine” 对应 “dine”“fine”“wine”“nine”“mine”“vine”“pine”“line”。代表 “oot” 对应 “boot”“foot”“hoot”“loot”“soot”“zoot”。每一个作为最后的 Map 的一个值的 List 对象都形成单词的一个集团，其中任何一个单词均可以通过单字母替换变成另一个单词，因此在这个最后的 Map 构成之后，很容易遍历它以及添加一些项到正在计算的原始 Map

中。然后，我们使用一个新的 Map 再处理 4 字母单词组的第 2 个字母。此后是第 3 个字母，最后处理第 4 个字母。

```
1      // Computes a map in which the keys are words and values are Lists of words
2      // that differ in only one character from the corresponding key.
3      // Uses a quadratic algorithm (with appropriate Map), but speeds things by
4      // maintaining an additional map that groups words by their length.
5      public static Map<String,List<String>>
6      computeAdjacentWords( List<String> theWords )
7      {
8          Map<String,List<String>> adjWords = new TreeMap<>( );
9          Map<Integer,List<String>> wordsByLength = new TreeMap<>( );
10
11           // Group the words by their length
12         for( String w : theWords )
13             update( wordsByLength, w.length( ), w );
14
15           // Work on each group separately
16         for( List<String> groupsWords : wordsByLength.values( ) )
17         {
18             String [ ] words = new String[ groupsWords.size( ) ];
19
20             groupsWords.toArray( words );
21             for( int i = 0; i < words.length; i++ )
22                 for( int j = i + 1; j < words.length; j++ )
23                     if( oneCharOff( words[ i ], words[ j ] ) )
24                     {
25                         update( adjWords, words[ i ], words[ j ] );
26                         update( adjWords, words[ j ], words[ i ] );
27                     }
28         }
29
30         return adjWords;
31     }
```

图 4-68 计算一个映射的函数，该映射以单词作为关键字并且以只有一个字母不同的一列单词作为关键字的值。将单词按照长度分组。该算法对 89 000 个单词的词典运行 16 秒

一般概述如下：

```
for each group g, containing words of length len
    for each position p (ranging from 0 to len-1)
    {
        Make an empty Map<String,List<String> > repsToWords
        for each word w
        {
            Obtain w's representative by removing position p
            Update repsToWords
        }
        Use cliques in repsToWords to update adjWords map
    }
```

157

图 4-69 包含该算法的一种实现，其运行时间改进到 4 秒。虽然这些附加的 Map 使得算法更快，而且句子结构也相对清晰，但是程序没有利用到该 Map 的关键字保持有序排列的事实，

注意到这一点很有趣。

```
1      // Computes a map in which the keys are words and values are Lists of words
2      // that differ in only one character from the corresponding key.
3      // Uses an efficient algorithm that is O(N log N) with a TreeMap.
4      public static Map<String,List<String>>
5      computeAdjacentWords( List<String> words )
6      {
7          Map<String,List<String>> adjWords = new TreeMap<>( );
8          Map<Integer,List<String>> wordsByLength = new TreeMap<>( );
9
10           // Group the words by their length
11         for( String w : words )
12             update( wordsByLength, w.length( ), w );
13
14           // Work on each group separately
15         for( Map.Entry<Integer,List<String>> entry : wordsByLength.entrySet( ) )
16         {
17             List<String> groupsWords = entry.getValue( );
18             int groupNum = entry.getKey( );
19
20             // Work on each position in each group
21             for( int i = 0; i < groupNum; i++ )
22             {
23                 // Remove one character in specified position, computing
24                 // representative.  Words with same representative are
25                 // adjacent, so first populate a map ...
26                 Map<String,List<String>> repToWord = new TreeMap<>( );
27
28                 for( String str : groupsWords )
29                 {
30                     String rep = str.substring( 0, i ) + str.substring( i + 1 );
31                     update( repToWord, rep, str );
32                 }
33
34                 // and then look for map values with more than one string
35                 for( List<String> wordClique : repToWord.values( ) )
36                     if( wordClique.size( ) >= 2 )
37                         for( String s1 : wordClique )
38                             for( String s2 : wordClique )
39                                 if( s1 != s2 )
40                                     update( adjWords, s1, s2 );
41             }
42         }
43
44         return adjWords;
45     }
```

图4-69 计算包含单词作为关键字及只有一个字母不同的一列单词作为值的映射的函数。对一个89 000单词的词典只运行1秒钟

同样，有可能一种支持 `Map` 的操作但不保证有序排列的数据结构可能运行得更快，因为它要做的工作更少。第 5 章将探索这种可能性，并讨论隐藏在另一种 `Map` 实现背后的想法，这种实现叫作 `HashMap`。`HashMap` 将实现的运行时间从 1 秒减少到 0.8 秒。

158 ~ 159

小结

我们已经看到树在操作系统、编译器设计以及查找中的应用。表达式树是更一般结构即所谓分析树(parse tree)的一个小例子，分析树是编译器设计中的核心数据结构。分析树不是二叉树，而是表达式树相对简单的扩充(不过，建立分析树的算法却并不这么简单)。

查找树在算法设计中是非常重要的。它们几乎支持所有有用的操作，而其对数平均开销很小。查找树的非递归实现多少要快一些，但是递归实现更巧妙、更精彩，而且更易于理解和除错。查找树的问题在于，其性能严重地依赖于输入，而输入却是随机的。如果情况不是这样，则运行时间会显著增加，查找树会成为昂贵的链表。

我们见到了处理这个问题的几种方法。AVL 树要求所有节点的左子树与右子树的高度相差最多是 1。这就保证了树不至于太深。不改变树的操作(但插入操作改变树)都可以使用标准二叉查找树的程序。改变树的操作必须将树恢复。这多少有些复杂，特别是在删除的情况。我们叙述了在以 $O(\log N)$ 的时间插入后如何将树恢复。

我们还考察了伸展树。伸展树中的节点可以达到任意深度，但是在每次访问之后树又以多少有些神秘的方式被调整。实际效果是，任意连续 M 次操作花费 $O(M \log N)$ 时间，它与平衡树花费的时间相同。

与 2 路树或二叉树不同，B 树是平衡 M 路树，它能很好地适应磁盘操作的情况；一种特殊情形是 2－3 树($M=3$)，它是实现平衡查找树的另一种方法。

在实践中，所有平衡树方案的运行时间对于插入和删除操作(除查找稍微快一些外)都不如简单二叉查找树省时(差一个常数因子)，但这一般说来是可以接受的，它防止轻易得到最坏情形的输入。第 12 章将讨论某些另外的查找树数据结构并给出一些详细的实现方法。

最后注意：通过将一些元素插入到查找树然后执行一次中序遍历，我们得到的是排过顺序的元素。这给出排序的一种 $O(N \log N)$ 算法，如果使用任何成熟的查找树则它就是最坏情形的界。我们将在第 7 章看到一些更好的方法，不过，这些方法的时间界都不可能更低。

练习

问题 4.1 ~ 4.3 参考图 4-70 中的树。

4.1 对于图 4-70 中的树：
   a. 哪个节点是根？
   b. 哪些节点是树叶？

160

4.2 对于图 4-70 中树上的每一个节点：
   a. 指出它的父节点。
   b. 列出它的儿子。
   c. 列出它的兄弟。
   d. 计算它的深度。
   e. 计算它的高度。

4.3 图 4-70 中树的深度是多少？

4.4 证明在 N 个节点的二叉树中，存在 $N+1$ 个 `null` 链，代表 $N+1$ 个儿子。

4.5 证明在高度为 h 的二叉树中，节点的最大个数是 $2^{h+1}-1$。

4.6 满节点(full node)是具有两个儿子的节点。证明满节点的个数加 1 等于非空二叉树的树叶的个数。

4.7 设二叉树有树叶 l_1，l_2，…，l_M，各树叶的深度分别是 d_1，d_2，…，d_M。证明，$\sum_{i=1}^{M} 2^{-d_i} \leq 1$ 并确

定何时等号成立。

4.8 给出对应图4-71中的树的前缀表达式、中缀表达式以及后缀表达式。

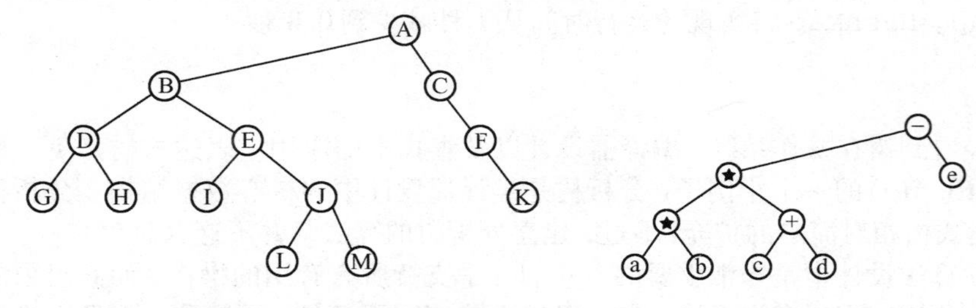

图4-70 练习4.1～4.3所用的图　　图4-71 练习4.8中的树

4.9 a. 指出将3, 1, 4, 6, 9, 2, 5, 7插入到初始为空二叉查找树中的结果。

b. 指出删除根后的结果。

4.10 编写一个程序，该程序列出一个目录中所有的文件和它们的大小。模拟联机代码中的程序。

4.11 编写 `TreeSet` 类的实现程序，其中相关的迭代器使用二叉查找树。在每个节点上添加一个指向其父节点的链。

4.12 通过存储类型 `TreeSet<Map.Entry<KeyType, ValueType>>` 的一个数据成员编写实现 `TreeMap` 类的程序。

161

4.13 编写 `TreeSet` 类的实现程序，其中相关的迭代器使用二叉查找树。在每个节点上添加通向下一个最小节点和下一个最大节点的链。为使所编程序更简单，添加头节点和尾节点，它们不属于二叉树的一部分，但有助于使得程序的链表部分更简单。

4.14 设欲做一个实验来验证由随机 `insert/remove` 操作对可能引起的问题。这里有一个策略，它不是完全随机的，但却是足够封闭的。通过插入从1到 $M=\alpha N$ 之间随机选出的 N 个元素来建立一棵具有 N 个元素的树。然后执行 N^2 对先插入后删除的操作。假设存在例程 `randomInteger(a, b)`，它返回一个在 a 和 b 之间(包括 a、b)的均匀随机整数。

a. 解释如何生成在1和 M 之间的一个随机整数，该整数不在这棵树上(从而可以进行随机插入)。用 N 和 α 来表示这个操作的运行时间。

b. 解释如何生成在1和 M 之间的一个随机整数，该整数已经存在于这棵树上(从而可以进行随机删除)。这个操作的运行时间是多少？

c. α 的好的选择是什么？为什么？

4.15 编写一个程序，凭经验计算下列删除具有两个儿子的节点的各方法的值：

a. 用 T_L 中最大节点 X 来代替，递归地删除 X。

b. 交替地用 T_L 中最大的节点以及 T_R 中最小的节点来代替，并递归地删除适当的节点。

c. 随机地选用 T_L 中最大的节点或 T_R 中最小的节点来代替(递归地删除适当的节点)。

162

哪种方法给出最好的平衡？哪种在处理整个操作序列过程中花费最少的CPU时间？

4.16 重做二叉查找树类以实现懒惰删除。仔细注意这将影响所有的例程。特别具有挑战性的是 `findMin` 和 `findMax`，它们现在必须递归地完成。

**4.17 证明，随机二叉查找树的深度(最深的节点的深度)平均为 $O(\log N)$。

4.18 *a. 给出高度为 h 的AVL树的节点的最少个数的精确表达式。

b. 高度为15的AVL树中节点的最小个数是多少？

4.19 指出将2, 1, 4, 5, 9, 3, 6, 7插入到初始空AVL树后的结果。

*4.20 依次将关键字1, 2, …, 2^k-1 插入到一棵初始空AVL树中。证明所得到的树是理想平衡(perfectly balanced)的。

4.21 写出实现AVL单旋转和双旋转的其余的过程。

4.22 设计一个线性时间算法，该算法检验AVL树中的高度信息是否被正确保留并且平衡性质是否成立。

4.23 写出向AVL树进行插入的非递归方法。

*4.24 如何能够在 AVL 树中实现(非懒惰)删除?

4.25 a. 为了存储一棵 N－节点的 AVL 树中一个节点的高度,每个节点需要多少比特(bit)?

b. 使 8－比特高度计数器溢出的最小 AVL 树是什么?

4.26 写出执行双旋转的方法,其效率要超过做两个单旋转。

4.27 指出依序访问图 4-72 的伸展树中的关键字 3,9,1,5 后的结果。

4.28 指出在前一道练习所得到的伸展树中删除具有关键字 6 的元素后的结果。

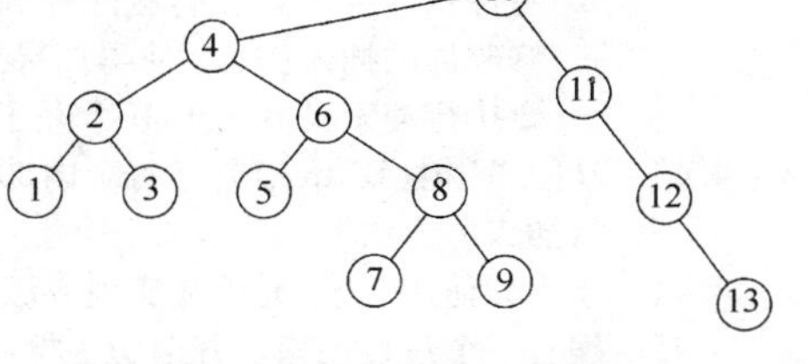

图 4-72 练习 4.27 中的树

4.29 a. 证明如果按顺序访问伸展树中的所有节点,则所得到的树由一连串的左儿子组成。

163

**b. 证明如果按顺序访问伸展树中的所有节点,则总的访问时间是 $O(N)$,与初始树无关。

4.30 编写一个程序对伸展树执行随机操作。计算所执行的总的旋转次数。与 AVL 树和非平衡二叉查找树相比,其运行时间如何?

4.31 编写一些高效率的方法,只使用对二叉树的根的引用 T,并计算:

a. T 中节点的个数。

b. T 中树叶的片数。

c. T 中满节点的个数。

4.32 设计一个递归的线性算法,该算法测试一棵二叉树是否在每一个节点都满足查找树的序的性质。

4.33 编写一个递归方法,该方法使用对树 T 的根节点的引用而返回从 T 删除所有树叶所得到的树的根节点的引用。

4.34 写出生成一棵 N－节点随机二叉查找树的方法,该树具有从 1 直到 N 的不同的关键字。你所编写的例程的运行时间是多少?

4.35 写出生成具有最少节点高度为 h 的 AVL 树的方法,该方法的运行时间是多少?

4.36 编写一个方法,使它生成一棵具有关键字从 1 直到 $2^{h+1}-1$ 且高为 h 的理想平衡二叉查找树(perfectly balanced binary search tree)。该方法运行时间是多少?

4.37 编写一个方法以二叉查找树 T 和两个有序的关键字 k_1 和 k_2 作为输入,其中 $k_1 \leqslant k_2$,并打印树中所有满足 $k_1 \leqslant \text{Key}(X) \leqslant k_2$ 的元素 X。除可以被排序外,不对关键字的类型做任何假设。所写的程序应该以平均时间 $O(K+\log N)$ 运行,其中 K 是所打印的关键字的个数。确定你的算法的运行时间界。

4.38 本章中一些更大的二叉树是由一个程序自动生成的。可以采取这种办法:给树的每一个节点指定坐标(x, y),围绕每个坐标点画一个圆圈(在某些图片中这可能很难看清),并将每个节点连到它的父节点上。假设在存储器中存有一棵二叉查找树(或许是由上面的一个例程生成的)并设每个节点都有两个附加的域存放坐标。

a. 坐标 x 可以通过指定中序遍历数来计算。写出一个例程对树中的每个节点做这个工作。

b. 坐标 y 可以通过使用节点深度的负值算出。写出一个例程对树中的每个节点做这个工作。

c. 若使用某个虚拟的单位表示,则所画图形的具体尺寸是多少?如何调整单位使得所画的树总是高大约为宽的三分之二?

164

d. 证明,使用这个系统没有交叉的线出现,同时,对于任意节点 X,X 的左子树的所有元素都出现在 X 的左边,X 的右子树的所有元素都出现在 X 的右边。

4.39 编写一个通用的画树程序,该程序将把一棵树转变成下列的图－汇编指令:

a. Circle(X, Y)

b. DrawLine(i, j)

第一个指令在(X, Y)处画一个圆,而第二个指令则连接第 i 个圆和第 j 个圆(圆以所画的顺序编号)。你或者把它写成一个程序并定义某种输入语言,或者把它写成一个方法,该方法可以被任何程序调用。你的程序的运行时间是多少?

4.40 (这道题假设熟悉 Java 的 Swing 类库)编写一个程序,该程序读图－汇编指令并生成 Java 程序,后者画到画布(Canvas)上(注意,你必须把所存储的坐标用像素来表示)。

4.41 编写一个例程以层序(level-order)列出二叉树的节点。先列出根，然后列出深度为1的那些节点，再列出深度为2的节点，等等。必须要在线性时间内完成这个工作。证明你的时间界。

4.42 *a. 写出向一棵B树进行插入的例程。

*b. 写出从一棵B树执行删除的例程。当一项被删除时，是否有必要更新内部节点的信息?

*c. 修改你的插入例程，使得如果想要向一个已经有 M 项的节点添加元素，则在分裂该节点以前要执行搜索具有少于 M 个儿子的兄弟的工作。

4.43 M 阶 B^* 树(B^* tree)是其每个内部节点的儿子数在 $2M/3$ 和 M 之间的B树。描述一种向 B^* 树执行插入的方法。

4.44 指出如何用儿子/兄弟链实现方法表示图4-73中的树。

165

4.45 编写一个过程使该过程遍历一棵用儿子/兄弟链存储的树。

4.46 如果两棵二叉树或者都是空树，或者非空且具有相似的左子树和右子树，则这两棵二叉树是相似的。编写一个方法以确定是否两棵二叉树是相似的。你的方法的运行时间如何?

4.47 如果树 T_1 通过交换其(某些)节点的左右儿子变换成树 T_2，则称树 T_1 和 T_2 是同构的(isomorphic)。例如，图4-74中的两棵树是同构的，因为交换A、B、G的儿子而不交换其他节点的儿子后这两棵树是相同的。

a. 给出一个多项式时间算法以决定是否两棵树是同构的。

*b. 你的程序的运行时间是多少(存在一个线性的解决方案)?

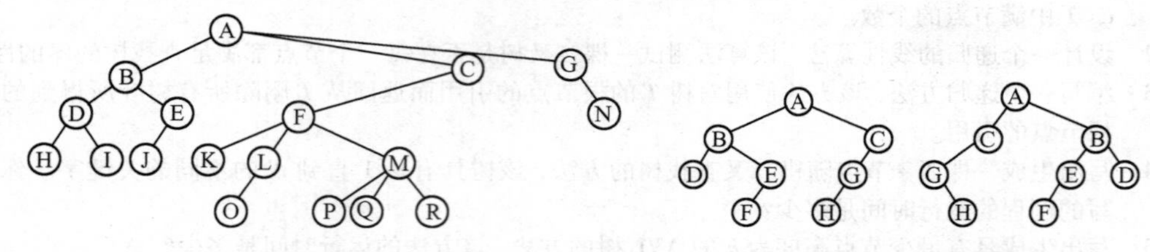

图4-73 练习4.44中的树　　图4-74 两棵同构的树

4.48 *a. 证明，经过一些AVL单旋转，任意二叉查找树 T_1 可以变换成另一棵(具有相同项的)查找树 T_2。

*b. 给出一个算法平均用 $O(N\log N)$ 次旋转完成这种变换。

**c. 证明该变换在最坏的情形下可以用 $O(N)$ 次旋转完成。

4.49 设我们想要把运算 `findKth` 添加到指令集中。该运算 `findKth(k)` 返回树的第 k 个最小项。假设所有的项都是互异的。解释如何修改二叉树以平均 $O(\log N)$ 时间支持这种运算，而又不影响任何其他操作的时间界。

4.50 由于具有 N 个节点的二叉查找树有 $N+1$ 个 `null` 引用，因此在二叉查找树中指定给链接信息的空间的一半被浪费了。设若一个节点有一个 `null` 左儿子，我们使它的左儿子链接到它的中序前驱元(inorder predecessor)，若一个节点有一个 `null` 右儿子，我们让它的右儿子链接到它的中序后继元(inorder successor)。这就叫作线索树(threaded tree)，而附加的链就叫作线索(thread)。

a. 我们如何能够从实际儿子的链中区分出线索?

b. 编写执行向由上面描述的方式形成的线索树进行插入的例程和删除的例程。

c. 使用线索树的优点是什么?

4.51 令 $f(N)$ 为一棵 N 节点二叉查找树中满节点的平均个数。

a. 确定 $f(0)$ 和 $f(1)$ 的值。

b. 证明，对于 $N>1$

166

$$f(N) = \frac{N-2}{N} + \frac{1}{N}\sum_{i=0}^{N-1}\left(f(i) + f(N-i-1)\right)$$

c. (用归纳法)证明 $f(N)=(N-2)/3$ 是问题(b)中的方程的解，其初始条件在问题(a)中。

d. 应用练习4.6的结果确定二叉查找树中树叶的平均个数。

4.52 编写一个程序，该程序读Java源代码文件并以字母顺序输出所有的标识符(即变量名而非关键字，并且这些变量名不是从注释和串常数中找出的)。每个标识符要和它所在的那些行的一列行号一起输出。

4.53 为一本书生成一个索引。输入文件由一组索引项组成。每行由串 IX：组成，后跟一个索引项的名字（封在大括号内），后面是封在大括号内的页号。在索引项名字中的每个！代表一个子层（sub-level）。符号“|(”代表一个范围的开始，而“|)”则代表这个范围的结束。偶尔这个范围是同一页。在这种情形下只输出一个页号。在其他情况下不要套叠，否则你自己就扩大了范围。例如，图 4-75 显示一个样本输入，而图 4-76 则显示对应的输出。

```
IX: {Series |(}              {2}
IX: {Series!geometric|(}     {4}
IX: {Euler's constant}       {4}
IX: {Series!geometric|)}     {4}
IX: {Series!arithmetic|(}    {4}
IX: {Series!arithmetic|)}    {5}
IX: {Series!harmonic|(}      {5}
IX: {Euler's constant}       {5}
IX: {Series!harmonic|)}      {5}
IX: {Series|)}               {5}
```

图 4-75 练习 4.53 的样本输入

```
Euler's constant: 4, 5
Series: 2-5
  arithmetic: 4-5
  geometric: 4
  harmonic: 5
```

图 4-76 练习 4.53 的样本输出

参考文献

关于二叉查找树更多的信息，特别是树的数学性质可以在 Knuth[22]和[23]的两本书中找到。

有几篇论文讨论了由在二叉查找树中的有偏删除（biased deletion）算法引起的平衡不足问题。Hibbard 的论文[19]提出原始删除算法并确立了一次删除保持树的随机性的结论。文献[20]和[5]分别对只有 3 个节点的树和 4 个节点的树进行了全面的分析。Eppinger 的论文[14]提供了非随机性的早期经验性的证据，而 Calberson 和 Munro 的论文[10]和[11]则提供了某些解析论证（但不是对混杂插入和删除的一般情形的完整证明）。 167

AVL 树由 Adelson-Velskii 和 Landis[1]提出。AVL 树的模拟结果以及高度的不平衡允许最多到 k 的各种变化在[21]中讨论。AVL 树的删除算法可以在[23]中找到。在 AVL 树中平均搜索开销的分析是不完全的，但是，[24]中得到了某些结果。

文献[3]和[8]考虑了类似本书 4.5.1 节类型的自调整树。伸展树在[28]中作了描述。

B 树首先出现在[6]中。原始论文中所描述的实现方法允许数据存储在内部节点也能存储在树叶上。我们描述过的数据结构有时叫作 B^+ 树。[9]对不同类型的 B 树进行了综合分析。[17]报告了各种方案的经验性结果。2-3 树和 B 树的分析可以在[4]、[13]以及[32]中找到。

练习 4.17 看上去很难。一种解法可以在[15]中找到。练习 4.29 取自[31]。在练习 4.43 中描述的 B^* 树的信息可以在[12]中找到。练习 4.47 取自文献[2]。练习 4.48 的解法使用 $2N-6$ 次旋转，该解法在[29]中给出。按照练习 4.50 的方式使用的线索（threads）首先在[27]中提出。k-d 树是最早在[7]中提出来的，将在本书第 12 章进行讨论，它处理多维数据。

另外一些流行的平衡查找树是红黑树[18]和赋权平衡树[26]。在第 12 章可以找到更多的平衡树方案，此外也可以在著作[16]、[25]以及[30]中找到。

1. G. M. Adelson-Velskii and E. M. Landis, "An Algorithm for the Organization of Information," *Soviet. Mat. Doklady,* 3 (1962), 1259–1263.
2. A. V. Aho, J. E. Hopcroft, and J. D. Ullman, *The Design and Analysis of Computer Algorithms,* Addison-Wesley, Reading, Mass., 1974.
3. B. Allen and J. I. Munro, "Self Organizing Search Trees," *Journal of the ACM,* 25 (1978), 526–535.
4. R. A. Baeza-Yates, "Expected Behaviour of B^+-trees under Random Insertions," *Acta Informatica,* 26 (1989), 439–471.
5. R. A. Baeza-Yates, "A Trivial Algorithm Whose Analysis Isn't: A Continuation," *BIT,* 29 (1989), 88–113.
6. R. Bayer and E. M. McCreight, "Organization and Maintenance of Large Ordered Indices,"

Acta Informatica, 1 (1972), 173–189.

7. J. L. Bentley, "Multidimensional Binary Search Trees Used for Associative Searching," *Communications of the ACM,* 18 (1975), 509–517.
8. J. R. Bitner, "Heuristics that Dynamically Organize Data Structures," *SIAM Journal on Computing,* 8 (1979), 82–110.
9. D. Comer, "The Ubiquitous B-tree," *Computing Surveys,* 11 (1979), 121–137.
10. J. Culberson and J. I. Munro, "Explaining the Behavior of Binary Search Trees under Prolonged Updates: A Model and Simulations," *Computer Journal,* 32 (1989), 68–75.
11. J. Culberson and J. I. Munro, "Analysis of the Standard Deletion Algorithms in Exact Fit Domain Binary Search Trees," *Algorithmica,* 5 (1990), 295–311.

168

12. K. Culik, T. Ottman, and D. Wood, "Dense Multiway Trees," *ACM Transactions on Database Systems,* 6 (1981), 486–512.
13. B. Eisenbath, N. Ziviana, G. H. Gonnet, K. Melhorn, and D. Wood, "The Theory of Fringe Analysis and Its Application to 2–3 Trees and B-trees," *Information and Control,* 55 (1982), 125–174.
14. J. L. Eppinger, "An Empirical Study of Insertion and Deletion in Binary Search Trees," *Communications of the ACM,* 26 (1983), 663–669.
15. P. Flajolet and A. Odlyzko, "The Average Height of Binary Trees and Other Simple Trees," *Journal of Computer and System Sciences,* 25 (1982), 171–213.
16. G. H. Gonnet and R. Baeza-Yates, *Handbook of Algorithms and Data Structures,* 2d ed., Addison-Wesley, Reading, Mass., 1991.
17. E. Gudes and S. Tsur, "Experiments with B-tree Reorganization," *Proceedings of ACM SIGMOD Symposium on Management of Data* (1980), 200–206.
18. L. J. Guibas and R. Sedgewick, "A Dichromatic Framework for Balanced Trees," *Proceedings of the Nineteenth Annual IEEE Symposium on Foundations of Computer Science* (1978), 8–21.
19. T. H. Hibbard, "Some Combinatorial Properties of Certain Trees with Applications to Searching and Sorting," *Journal of the ACM,* 9 (1962), 13–28.
20. A. T. Jonassen and D. E. Knuth, "A Trivial Algorithm Whose Analysis Isn't," *Journal of Computer and System Sciences,* 16 (1978), 301–322.
21. P. L. Karlton, S. H. Fuller, R. E. Scroggs, and E. B. Kaehler, "Performance of Height Balanced Trees," *Communications of the ACM,* 19 (1976), 23–28.
22. D. E. Knuth, *The Art of Computer Programming: Vol. 1: Fundamental Algorithms,* 3d ed., Addison-Wesley, Reading, Mass., 1997.
23. D. E. Knuth, *The Art of Computer Programming: Vol. 3: Sorting and Searching,* 2d ed., Addison-Wesley, Reading, Mass., 1998.
24. K. Melhorn, "A Partial Analysis of Height-Balanced Trees under Random Insertions and Deletions," *SIAM Journal of Computing,* 11 (1982), 748–760.
25. K. Melhorn, *Data Structures and Algorithms 1: Sorting and Searching,* Springer-Verlag, Berlin, 1984.
26. J. Nievergelt and E. M. Reingold, "Binary Search Trees of Bounded Balance," *SIAM Journal on Computing,* 2 (1973), 33–43.
27. A. J. Perlis and C. Thornton, "Symbol Manipulation in Threaded Lists," *Communications of the ACM,* 3 (1960), 195–204.
28. D. D. Sleator and R. E. Tarjan, "Self-adjusting Binary Search Trees," *Journal of ACM,* 32 (1985), 652–686.
29. D. D. Sleator, R. E. Tarjan, and W. P. Thurston, "Rotation Distance, Triangulations, and Hyperbolic Geometry," *Journal of AMS* (1988), 647–682.
30. H. F. Smith, *Data Structures—Form and Function,* Harcourt Brace Jovanovich, Orlando, Fla., 1987.
31. R. E. Tarjan, "Sequential Access in Splay Trees Takes Linear Time," *Combinatorica,* 5 (1985), 367–378.
32. A. C. Yao, "On Random 2–3 Trees," *Acta Informatica,* 9 (1978), 159–170.

169 ~ 170

散　　列

我们在第4章讨论了查找树 ADT，它允许对元素的集合进行各种操作。本章讨论**散列表**(hash table) ADT，不过它只支持二叉查找树所允许的一部分操作。

散列表的实现常常叫作**散列**(hashing)。散列是一种用于以常数平均时间执行插入、删除和查找的技术。但是，那些需要元素间任何排序信息的树操作将不会得到有效的支持。因此，诸如 findMin、findMax 以及以线性时间将排过序的整个表进行打印的操作都是散列所不支持的。

本章的中心数据结构是散列表。我们将

- 看到实现散列表的几种方法。
- 解析地比较这些方法。
- 介绍散列的多种应用。
- 将散列表和二叉查找树进行比较。

5.1　一般想法

理想的散列表数据结构只不过是一个包含一些项(item)的具有固定大小的数组。第4章讨论过，通常查找是对项的某个部分(即数据域)进行的。这部分就叫作**关键字**(key)。例如，项可以由一个串(它可以作为关键字)和其他一些数据域组成(例如，姓名是大型雇员结构的一部分)。我们把表的大小记作 *TableSize*，并将其理解为散列数据结构的一部分，而不仅仅是浮动于全局的某个变量。通常的习惯是让表从0到 *TableSize* - 1 变化；稍后我们就会明白为什么要这样做。

每个关键字被映射到从0到 *TableSize* - 1 这个范围中的某个数，并且被放到适当的单元中。这个映射就叫作散列函数(hash function)，理想情况下它应该计算起来简单，并且应该保证任何两个不同的关键字映射到不同的单元。不过，这是不可能的，因为单元的数目是有限的，而关键字实际上是用不完的。因此，我们寻找一个散列函数，该函数要在单元之间均匀地分配关键字。图5-1是完美情况的一个典型。在这个例子中，john 散列到3，phil 散列到4，dave 散列到6，mary 散列到7。

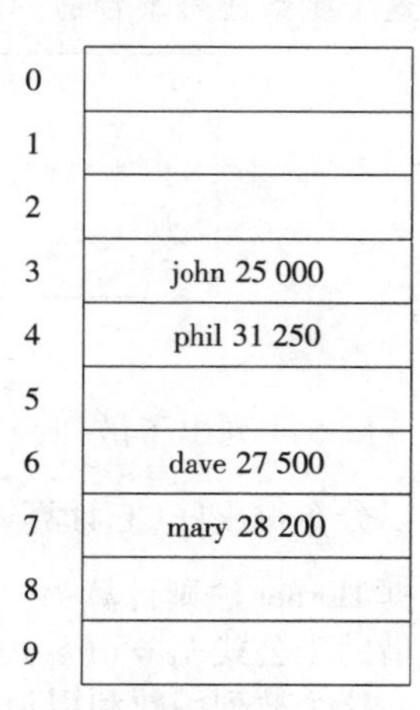

图5-1　一个理想的散列表

这就是散列的基本想法。剩下的问题就是要选择一个函数，决定当两个关键字散列到同一个值的时候(这叫作**冲突**(collision))应该做什么以及如何确定散列表的大小。

5.2　散列函数

如果输入的关键字是整数，则一般合理的方法就是直接返回 Key mod *Tablesize*，除非 Key 碰巧具有某些不合乎需要的性质。在这种情况下，散列函数的选择需要仔细地考虑。例如，若表的大小是10而关键字都以0为个位，则此时上述标准的散列函数就是一个不好的选择。其原因我们将在后面看到，而为了避免上面那样的情况，好的办法通常是保证表的大小是素数。当输入的关键字是随机整数时，散列函数不仅计算起来简单而且关键字的分配也很均匀。

通常，关键字是字符串；在这种情形下，散列函数需要仔细地选择。

一种选择方法是把字符串中字符的 ASCII 码(或 Unicode 码)值加起来。图 5-2 中的例程实现这种策略。

```
1    public static int hash( String key, int tableSize )
2    {
3        int hashVal = 0;
4
5        for( int i = 0; i < key.length( ); i++ )
6            hashVal += key.charAt( i );
7
8        return hashVal % tableSize;
9    }
```

图 5-2　一个简单的散列函数

图 5-2 中描述的散列函数实现起来简单而且能够很快地计算出答案。不过，如果表很大，函数将不会很好地分配关键字。例如，设 $TableSize = 10\,007$(10 007 是素数)，并设所有的关键字至多8 个字符长。由于 ASCII 字符的值最多是 127，因此散列函数只能假设值在0 和 1 016 之间，其中 1 016 为 127 * 8。显然这不是一种均匀的分配。

另一个散列函数如图 5-3 所示。这个散列函数假设 Key 至少有 3 个字符。值 27 表示英文字母表的字母外加一个空格的个数，而 729 是 27^2。该函数只考查前三个字符，但是，假如它们是随机的，而表的大小像前面那样还是 10 007，那么我们就会得到一个合理的均衡分布。可是不巧的是，英文不是随机的。虽然 3 个字符(忽略空格)有 $26^3 = 17\,576$ 种可能的组合，但查验合理的足够大的联机词典却揭示：3 个字母的不同组合数实际只有 2 851。即使这些组合没有冲突，也不过只有表的 28% 被真正散列到。因此，虽然很容易计算，但是当散列表具有合理大小的时候这个函数还是不合适的。

172

```
1    public static int hash( String key, int tableSize )
2    {
3        return ( key.charAt( 0 ) + 27 * key.charAt( 1 ) +
4                 729 * key.charAt( 2 ) ) % tableSize;
5    }
```

图 5-3　另一个可能的散列函数——不是太好

图 5-4 列出了散列函数的第 3 种尝试。这个散列函数涉及关键字中的所有字符，并且一般可以分布得很好(它计算 $\sum_{i=0}^{KeySize-1} Key[KeySize - i - 1] \cdot 37^i$，并将结果限制在适当的范围内)。程序根据 Horner 法则计算一个(37 的)多项式函数。例如，计算 $h_k = k_0 + 37k_1 + 37^2k_2$ 的另一种方式是借助于公式 $h_k = ((k_2) * 37 + k_1) * 37 + k_0$ 进行。Horner 法则将其扩展到用于 n 次多项式。

这个散列函数利用到事实：允许溢出。这可能会引进负的数，因此在末尾有附加的测试。

图 5-4 所描述的散列函数就表的分布而言未必是最好的，但确实具有极其简单的优点而且速度也很快。如果关键字特别长，那么该散列函数计算起来将会花费过多的时间。在这种情况下通常的经验是不使用所有的字符。此时关键字的长度和性质将影响选择。例如，关键字可能是完整的街道地址，散列函数可以包括街道地址的几个字符，也许还有城市名和邮政编码的几个字符。有些程序设计人员通过只使用奇数位置上的字符来实现他们的散列函数，这里有这么一层想法：用计算散列函数节省下的时间来补偿由此产生的对均匀地分布的函数的轻微干扰。

173

```
1   /**
2    * A hash routine for String objects.
3    * @param key the String to hash.
4    * @param tableSize the size of the hash table.
5    * @return the hash value.
6    */
7   public static int hash( String key, int tableSize )
8   {
9       int hashVal = 0;
10
11      for( int i = 0; i < key.length( ); i++ )
12          hashVal = 37 * hashVal + key.charAt( i );
13
14      hashVal %= tableSize;
15      if( hashVal < 0 )
16          hashVal += tableSize;
17
18      return hashVal;
19  }
```

图 5-4　一个好的散列函数

剩下的主要编程细节是解决冲突的消除问题。如果当一个元素被插入时与一个已经插入的元素散列到相同的值，那么就产生一个冲突，这个冲突需要消除。解决这种冲突的方法有几种，我们将讨论其中最简单的两种：分离链接法和开放定址法。

5.3　分离链接法

解决冲突的第一种方法通常叫作**分离链接法**(separate chaining)，其做法是将散列到同一个值的所有元素保留到一个表中。我们可以使用标准库表的实现方法。如果空间很紧，则更可取的方法是避免使用它们(因为这些表是双向链接的并且浪费空间)。本节我们假设关键字是前 10 个完全平方数并设散列函数就是 $hash(x) = x \bmod 10$(表的大小不是素数，用在这里是为了简单)。图 5-5 对此做出更清晰的解释。

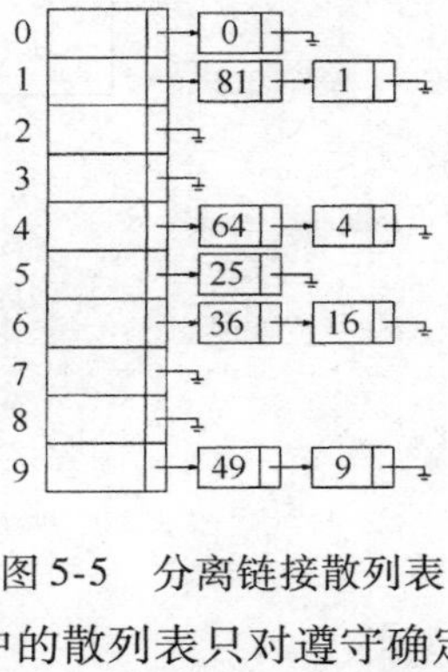

为执行一次查找，我们使用散列函数来确定究竟遍历哪个链表。然后我们再在被确定的链表中执行一次查找。为执行 insert，我们检查相应的链表看看该元素是否已经处在适当的位置(如果允许插入重复元，那么通常要留出一个额外的域，这个域当出现匹配事件时增 1)。如果这个元素是个新元素，那么它将被插入到链表的前端，这不仅因为方便，还因为常常发生这样的事实：新近插入的元素最有可能不久又被访问。

实现分离链接法所需要的类架构如图 5-6 所示。散列表存储一个链表数组，它们在构造方法中被指定。

图 5-5　分离链接散列表

174

就像二叉查找树只对那些是 Comparable 的对象工作一样，本章中的散列表只对遵守确定协议的那些对象工作。在 Java 中这样的对象必须提供适当 equals 方法和返回一个 int 型量的 hashCode 方法，此时，散列表把这个 int 型量通过 myHash 转成适当的数组下标，如图 5-7 所示。图 5-8 解释了 Employee 类，可以将其存放在一个散列表中。类 Employee 提供 equals 方法和基于 Employee 名字的 hashCode 方法。Employee 类的 hashCode 通过使用标准 String 类中定义的 hashCode 来工作。这个标准类中的 hashCode 基本上是图 5-4 中将

175 ~ 176

14行到16行除去后的程序。

图5-9列出构造方法和方法 makeEmpty。

实现 contains、insert 和 remove 的例程如图5-10所示。

在插入例程中，如果被插入的项已经存在，那么我们不执行任何操作；否则，我们将其放入链表中。该元素可以被放到链表中的任何位置；在我们的情形下使用 add 方法是最方便的。

```
1   public class SeparateChainingHashTable<AnyType>
2   {
3       public SeparateChainingHashTable( )
4         { /* Figure 5.9 */ }
5       public SeparateChainingHashTable( int size )
6         { /* Figure 5.9 */ }
7
8       public void insert( AnyType x )
9         { /* Figure 5.10 */ }
10      public void remove( AnyType x )
11        { /* Figure 5.10 */ }
12      public boolean contains( AnyType x )
13        { /* Figure 5.10 */ }
14      public void makeEmpty( )
15        { /* Figure 5.9 */ }
16
17      private static final int DEFAULT_TABLE_SIZE = 101;
18
19      private List<AnyType> [ ] theLists;
20      private int currentSize;
21
22      private void rehash( )
23        { /* Figure 5.22 */ }
24      private int myhash( AnyType x )
25        { /* Figure 5.7 */ }
26
27      private static int nextPrime( int n )
28        { /* See online code */ }
29      private static boolean isPrime( int n )
30        { /* See online code */ }
31  }
```

图5-6 分离链接散列表的类架构

```
1       private int myhash( AnyType x )
2       {
3           int hashVal = x.hashCode( );
4
5           hashVal %= theLists.length;
6           if( hashVal < 0 )
7               hashVal += theLists.length;
8
9           return hashVal;
10      }
```

图5-7 散列表的 myHash 方法

```
 1  public class Employee
 2  {
 3      public boolean equals( Object rhs )
 4        { return rhs instanceof Employee && name.equals( ((Employee)rhs).name ); }
 5
 6      public int hashCode( )
 7        { return name.hashCode( ); }
 8
 9      private String name;
10      private double salary;
11      private int seniority;
12
13        // Additional fields and methods
14  }
```

图 5-8　可以放在一个散列表中的 Employee 类的例子

```
 1      /**
 2       * Construct the hash table.
 3       */
 4      public SeparateChainingHashTable( )
 5      {
 6          this( DEFAULT_TABLE_SIZE );
 7      }
 8
 9      /**
10       * Construct the hash table.
11       * @param size approximate table size.
12       */
13      public SeparateChainingHashTable( int size )
14      {
15          theLists = new LinkedList[ nextPrime( size ) ];
16          for( int i = 0; i < theLists.length; i++ )
17              theLists[ i ] = new LinkedList<>( );
18      }
19
20      /**
21       * Make the hash table logically empty.
22       */
23      public void makeEmpty( )
24      {
25          for( int i = 0; i < theLists.length; i++ )
26              theLists[ i ].clear( );
27          currentSize = 0;
28      }
```

图 5-9　分离链接散列表的构造方法和 makeEmpty 方法

除链表外，任何方案都可以解决冲突现象；一棵二叉查找树或甚至另一个散列表都将胜任这个工作，但是，我们期望如果散列表是大的并且散列函数是好的，那么所有的链表都应该是短的，从而任何复杂的尝试就都不值得考虑了。

```
1   /**
2    * Find an item in the hash table.
3    * @param x the item to search for.
4    * @return true if x is not found.
5    */
6   public boolean contains( AnyType x )
7   {
8       List<AnyType> whichList = theLists[ myhash( x ) ];
9       return whichList.contains( x );
10  }
11
12  /**
13   * Insert into the hash table. If the item is
14   * already present, then do nothing.
15   * @param x the item to insert.
16   */
17  public void insert( AnyType x )
18  {
19      List<AnyType> whichList = theLists[ myhash( x ) ];
20      if( !whichList.contains( x ) )
21      {
22          whichList.add( x );
23
24              // Rehash; see Section 5.5
25          if( ++currentSize > theLists.length )
26              rehash( );
27      }
28  }
29
30  /**
31   * Remove from the hash table.
32   * @param x the item to remove.
33   */
34  public void remove( AnyType x )
35  {
36      List<AnyType> whichList = theLists[ myhash( x ) ];
37      if( whichList.contains( x ) )
38      {
39          whichList.remove( x );
40          currentSize--;
41      }
42  }
```

图5-10　分离链接散列表的 contains 例程、insert 例程和 remove 例程

我们定义散列表的装填因子(load factor)λ 为散列表中的元素个数对该表大小的比。在上面的例子中，$\lambda=1.0$。链表的平均长度为 λ。执行一次查找所需要的工作是计算散列函数值所需要的常数时间加上遍历链表所用的时间。在一次不成功的查找中，要考查的节点数平均为 λ。一次成功的查找则需要遍历大约 $1+(\lambda/2)$ 个链。为了看清这一点，注意被搜索的链表包含一个存储匹配的节点再加上 0 个或更多其他的节点。在 N 个元素的散列表以及 M 个链表中“其他节点”的期望个数为 $(N-1)/M=\lambda-1/M$，它基本上就是 λ，因为假设 M 是大的。平均看来，

177

一半的“其他”节点被搜索到，再结合匹配节点，我们得到 $1+\lambda/2$ 个节点的平均查找代价。这个分析指出，散列表的大小实际上并不重要，而装填因子才是重要的。分离链接散列法的一般法则是使得表的大小与预料的元素个数大致相等（换句话说，让 $\lambda\approx1$）。在图5-10的程序中，如果装填因子超过1，那么我们通过调用在26行上的 `rehash` 函数扩大散列表的大小。`rehash` 将在5.5节讨论。正如前面提到的，使表的大小是素数以保证一个好的分布，这个想法很好。

5.4 不用链表的散列表

分离链接散列算法的缺点是使用一些链表。由于给新单元分配地址需要时间（特别是在其他语言中），因此这就导致算法的速度有些减慢，同时算法实际上还要求对第二种数据结构的实现。另有一种不用链表解决冲突的方法是尝试另外一些单元，直到找出空的单元为止。更常见的是，单元 $h_0(x)$，$h_1(x)$，$h_2(x)$，…相继被试选，其中 $h_i(x)=(hash(x)+f(i))\bmod TableSize$，且 $f(0)=0$。函数 f 是冲突解决方法。因为所有的数据都要置入表内，所以这种解决方案所需要的表要比分离链接散列的表大。一般说来，对于不使用分离链接的散列表来说，其装填因子应该低于 $\lambda=0.5$。我们把这样的表叫作**探测散列表**（probing hash table）。现在我们就来考察三种通常的冲突解决方案。

5.4.1 线性探测法

在线性探测法中，函数 f 是 i 的线性函数，典型情形是 $f(i)=i$。这相当于相继探测逐个单元（必要时可以回绕）以查找出一个空单元。图5-11显示使用与前面相同的散列函数将各个关键字{89，18，49，58，69}插入到一个散列表中的情况，而此时的冲突解决方法就是 $f(i)=i$。

	Empty Table	After 89	After 18	After 49	After 58	After 69
0				49	49	49
1					58	58
2						69
3						
4						
5						
6						
7						
8			18	18	18	18
9		89	89	89	89	89

图5-11　每次插入后使用线性探测得到的散列表

第一个冲突在插入关键字49时产生；它被放入下一个空闲地址，即地址0，该地址是开放的。关键字58先与18冲突，再与89冲突，然后又和49冲突，试选三次之后才找到一个空单元。对69的冲突用类似的方法处理。只要表足够大，总能够找到一个自由单元，但是如此花费的时间是相当多的。更糟的是，即使表相对较空，这样占据的单元也会开始形成一些区块，其结果称为**一次聚集**（primary clustering），就是说，散列到区块中的任何关键字都需要多次试选单元才能够解决冲突，然后该关键字被添加到相应的区块中。

虽然我们不在这里进行具体计算，但是可以证明，使用线性探测的预期探测次数对于插入和不成功的查找来说大约为 $\frac{1}{2}(1+1/(1-\lambda)^2)$，而对于成功的查找来说则是 $\frac{1}{2}(1+1/(1-\lambda))$。相关的一些计算多少有些复杂。从程序中容易看出，插入和不成功查找需要相同次数的探测。略加思考不难得出，成功查找应该比不成功查找平均花费较少的时间。

如果聚集不算是问题，那么对应的公式就不难得到。我们假设有一个很大的散列表，并设

178～179

每次探测都与前面的探测无关。对于随机冲突解决方法而言，这些假设是成立的，并且当 λ 不是非常接近于 1 时也是合理的。首先，我们导出在一次不成功查找中探测的期望次数，而这正是直到我们找到一个空单元的探测的期望次数。由于空单元所占的份额为 1 − λ，因此我们预计要探测的单元数是 1/(1 − λ)。一次成功查找的探测次数等于该特定元素插入时所需要的探测次数。当一个元素被插入时，可以看成进行一次不成功查找的结果。因此，我们可以使用一次不成功查找的开销来计算一次成功查找的平均开销。

需要指出的是，λ 从 0 到当前值之间变化，因此早期的插入操作开销较少，从而将平均开销拉低。例如，在上面的图 5-11 中，λ = 0.5，访问 18 的开销是在 18 被插入时确定的，此时 λ = 0.2。由于 18 是插入到一个相对空的散列表中，因此对它的访问应该比新近插入的元素(比如 69)的访问更容易。我们可以通过使用积分计算插入时间平均值的方法来估计平均值，如此得到：

$$I(\lambda) = \frac{1}{\lambda}\int_0^{\lambda}\frac{1}{1-x}\mathrm{d}x = \frac{1}{\lambda}\ln\frac{1}{1-\lambda}$$

这些公式显然优于线性探测那些相应的公式。聚集不仅是理论上的问题，而且实际上也发生在具体的实现中。图 5-12 把线性探测的性能(虚曲线)与从更随机的冲突解决方法中期望的性能作了比较。成功的查找用 S 标记，不成功查找和插入分别用 U 和 I 标记。

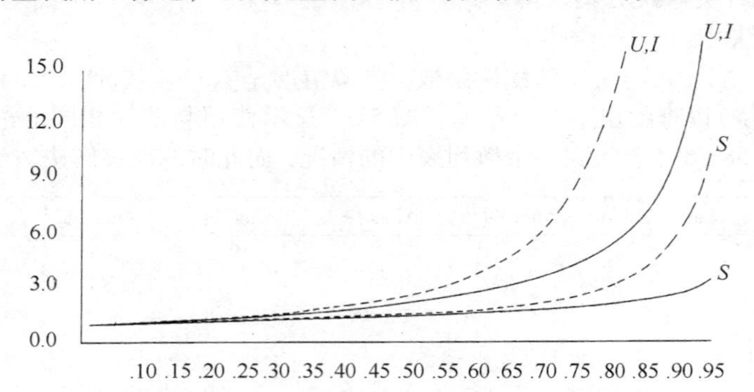

图 5-12 对线性探测(虚线)和随机方法的装填因子画出的探测次数
(S 为成功查找，U 为不成功查找，I 为插入)

如果 λ = 0.75，那么上面的公式指出在线性探测中一次插入预计 8.5 次探测。如果 λ = 0.9，则预计为 50 次探测，这就不切实际了。假如聚集不是问题，那么这可与相应的装填因子的 4 次和 10 次探测相比。从这些公式看到，如果表可以有多于一半被填满的话，那么线性探测就不是个好办法。然而，如果 λ = 0.5，那么插入操作平均只需要 2.5 次探测，并且对于成功的查找平均只需要 1.5 次探测。

5.4.2 平方探测法

平方探测是消除线性探测中一次聚集问题的冲突解决方法。平方探测就是冲突函数为二次的探测方法。流行的选择是 $f(i) = i^2$。图 5-13 显示与前面线性探测例子相同的输入使用该冲突函数所得到的散列表。

180 ~ 181

当 49 与 89 冲突时，其下一个位置为下一个单元，该单元是空的，因此 49 就被放在那里。此后，58 在位置 8 处产生冲突，其后相邻的单元经探测得知发生了另外的冲突。下一个探测的单元在距位置 8 为 $2^2 = 4$ 远处，这个单元是个空单元。因此，关键字 58 就放在单元 2 处。对于关键字 69，处理的过程也一样。

对于线性探测，让散列表几乎填满元素并不是个好主意，因为此时表的性能会降低。对于平方探测情况甚至更糟：一旦表被填充超过一半，当表的大小不是素数时甚至在表被填充一半之前，就不能保证一次找到空的单元了。这是因为最多有表的一半可以用作解决冲突的备选位置。

	Empty Table	After 89	After 18	After 49	After 58	After 69
0				49	49	49
1						
2					58	58
3						69
4						
5						
6						
7						
8			18	18	18	18
9		89	89	89	89	89

图 5-13　在每次插入后，利用平方探测得到的散列表

我们现在就来证明，如果表有一半是空的，并且表的大小是素数，那么我们保证总能够插入一个新的元素。

定理5.1　如果使用平方探测，且表的大小是素数，那么当表至少有一半是空的时候，总能够插入一个新的元素。

证明：

令表的大小 *TableSize* 是一个大于3的(奇)素数。我们证明，前$\lceil TableSize/2 \rceil$个备选位置(包括初始位置 $h_0(x)$)是互异的。$h(x)+i^2 \pmod{TableSize}$ 和 $h(x)+j^2 \pmod{TableSize}$ 是这些位置中的两个，其中 $0 \leqslant i, j \leqslant \lfloor TableSize/2 \rfloor$。为推出矛盾，假设这两个位置相同，但 $i \neq j$，于是

$$h(x)+i^2 = h(x)+j^2 \quad (\bmod\ TableSize)$$
$$i^2 = j^2 \quad (\bmod\ TableSize)$$
$$i^2 - j^2 = 0 \quad (\bmod\ TableSize)$$
$$(i-j)(i+j) = 0 \quad (\bmod\ TableSize)$$

由于 *TableSize* 是素数，因此，要么 $(i-j)$ 等于 $0 \pmod{TableSize}$ 要么 $(i+j)$ 等于 $0 \pmod{TableSize}$。既然 i 和 j 是互异的，那么第一个选择是不可能的。但 $0 \leqslant i, j \leqslant \lfloor TableSize/2 \rfloor$，因此第二个选择也是不可能的。从而，前$\lceil TableSize/2 \rceil$个备选位置是互异的。如果最多有$\lfloor TableSize/2 \rfloor$个位置被使用，那么空单元总能够找到。□

即使表被填充的位置仅仅比一半多一个，那么插入都有可能失败(虽然这是非常难于见到的)。因此，把它记住很重要。另外，表的大小是素数也非常重要㊀。如果表的大小不是素数，则备选单元的个数可能会锐减。例如，若表的大小是16，那么备选单元只能在距散列值1，4或9远处。

在探测散列表中标准的删除操作不能执行，因为相应的单元可能已经引起过冲突，元素绕过它存在了别处。例如，如果我们删除89，那么实际上所有剩下的 `contains` 操作都将失败。因此，探测散列表需要懒惰删除，不过在这种情况下实际上并不存在所意味的懒惰。　182

实现探测散列表所需要的类架构如图5-14中所示。这里，我们不用链表数组，而是使用散列表项单元的数组，它们也在图5-14中表出。`HashEntry` 引用数组的每一项是下列3种情形之一：

1. `null`。
2. 非 `null`，且该项是活动的(`isActive` 为 `true`)。

㊀ 如果表的大小是形如 $4k+3$ 的素数，且使用的平方冲突解决方法为 $F(i)=\pm i^2$，那么整个表均可被探测到。其代价则是例程要略微复杂。

3. 非null，且该项标记被删除(isActive为false)。

```
1   public class QuadraticProbingHashTable<AnyType>
2   {
3       public QuadraticProbingHashTable( )
4         { /* Figure 5.15 */ }
5       public QuadraticProbingHashTable( int size )
6         { /* Figure 5.15 */ }
7       public void makeEmpty( )
8         { /* Figure 5.15 */ }
9
10      public boolean contains( AnyType x )
11        { /* Figure 5.16 */ }
12      public void insert( AnyType x )
13        { /* Figure 5.17 */ }
14      public void remove( AnyType x )
15        { /* Figure 5.17 */ }
16
17      private static class HashEntry<AnyType>
18      {
19          public AnyType  element;  // the element
20          public boolean isActive;  // false if marked deleted
21
22          public HashEntry( AnyType e )
23            { this( e, true ); }
24
25          public HashEntry( AnyType e, boolean i )
26            { element  = e; isActive = i; }
27      }
28
29      private static final int DEFAULT_TABLE_SIZE = 11;
30
31      private HashEntry<AnyType> [ ] array; // The array of elements
32      private int currentSize;              // The number of occupied cells
33
34      private void allocateArray( int arraySize )
35        { /* Figure 5.15 */ }
36      private boolean isActive( int currentPos )
37        { /* Figure 5.16 */ }
38      private int findPos( AnyType x )
39        { /* Figure 5.16 */ }
40      private void rehash( )
41        { /* Figure 5.22 */ }
42
43      private int myhash( AnyType x )
44        { /* See online code */ }
45      private static int nextPrime( int n )
46        { /* See online code */ }
47      private static boolean isPrime( int n )
48        { /* See online code */ }
49  }
```

图5-14 使用探测方法的散列表的类架构，包括嵌套的HashEntry类

该表(图5-15)的构造由分配空间然后设置每个HashEntry引用为null组成。

```
1     /**
2      * Construct the hash table.
3      */
4     public QuadraticProbingHashTable( )
5     {
6         this( DEFAULT_TABLE_SIZE );
7     }
8
9     /**
10     * Construct the hash table.
11     * @param size the approximate initial size.
12     */
13    public QuadraticProbingHashTable( int size )
14    {
15        allocateArray( size );
16        makeEmpty( );
17    }
18
19    /**
20     * Make the hash table logically empty.
21     */
22    public void makeEmpty( )
23    {
24        currentSize = 0;
25        for( int i = 0; i < array.length; i++ )
26            array[ i ] = null;
27    }
28
29    /**
30     * Internal method to allocate array.
31     * @param arraySize the size of the array.
32     */
33    private void allocateArray( int arraySize )
34    {
35        array = new HashEntry[ nextPrime( arraySize ) ];
36    }
```

图5-15　初始化散列表的例程

在图5-16中所示的contains(x)调用私有方法isActive和findPos。这里的private方法findPos实施对冲突的解决。我们肯定在insert例程中散列表至少为该表中元素个数的两倍大，这样平方探测解决方案总可以实现。在图5-16的实现中，标记为删除的那些元素被认为还在表内。这可能引起一些问题，因为该表可能提前过满。我们现在就来讨论它。

第25行到第28行为进行平方探测的快速方法。由平方解决函数的定义可知，$f(i)=f(i-1)+2i-1$，因此，下一个要探测的单元离上一个被探测过的单元有一段距离，而这个距离在连续探测中增2。如果新的定位越过数组，那么可以通过减去*TableSize*把它拉回到数组范围内。这比通常的方法要快，因为它避免了看似需要的乘法和除法。注意一条重要的警告：第22行和第23行的测试顺序很重要，切勿改变它！

```
1       /**
2        * Find an item in the hash table.
3        * @param x the item to search for.
4        * @return the matching item.
5        */
6       public boolean contains( AnyType x )
7       {
8           int currentPos = findPos( x );
9           return isActive( currentPos );
10      }
11
12      /**
13       * Method that performs quadratic probing resolution in half-empty table.
14       * @param x the item to search for.
15       * @return the position where the search terminates.
16       */
17      private int findPos( AnyType x )
18      {
19          int offset = 1;
20          int currentPos = myhash( x );
21
22          while( array[ currentPos ] != null &&
23                  !array[ currentPos ].element.equals( x ) )
24          {
25              currentPos += offset;  // Compute ith probe
26              offset += 2;
27              if( currentPos >= array.length )
28                  currentPos -= array.length;
29          }
30
31          return currentPos;
32      }
33
34      /**
35       * Return true if currentPos exists and is active.
36       * @param currentPos the result of a call to findPos.
37       * @return true if currentPos is active.
38       */
39      private boolean isActive( int currentPos )
40      {
41          return array[ currentPos ] != null && array[ currentPos ].isActive;
42      }
```

图5-16 使用平方探测进行散列的 contains 例程(及两个 private 型支撑方法)

最后的例程是插入。正如分离链接散列方法那样，若 x 已经存在，则我们就什么也不做。有些工作也只是简单的修正。否则，我们就把要插入的元素放在 findPos 例程指出的地方。程序在图5-17中显示。如果装填因子超过0.5，则表是满的，需要将该散列表放大。这称为再散列(rehashing)，我们将在5.5节进行讨论。

```
 1    /**
 2     * Insert into the hash table. If the item is
 3     * already present, do nothing.
 4     * @param x the item to insert.
 5     */
 6    public void insert( AnyType x )
 7    {
 8            // Insert x as active
 9        int currentPos = findPos( x );
10        if( isActive( currentPos ) )
11            return;
12
13        array[ currentPos ] = new HashEntry<>( x, true );
14
15            // Rehash; see Section 5.5
16        if( currentSize > array.length / 2 )
17            rehash( );
18    }
19
20    /**
21     * Remove from the hash table.
22     * @param x the item to remove.
23     */
24    public void remove( AnyType x )
25    {
26        int currentPos = findPos( x );
27        if( isActive( currentPos ) )
28            array[ currentPos ].isActive = false;
29    }
```

图5-17　使用平方探测散列表的 insert 例程

虽然平方探测排除了一次聚集，但是散列到同一位置上的那些元素将探测相同的备选单元。这叫作**二次聚集**(secondary clustering)。二次聚集是理论上的一个小缺憾。模拟结果指出，对每次查找，它一般要引起另外的少于一半的探测。下面的技术将会排除这个缺憾，不过这要付出计算一个附加的散列函数的代价。

5.4.3　双散列

我们将要考察的最后一个冲突解决方法是双散列(double hashing)。对于双散列，一种流行的选择是$f(i)=i\cdot hash_2(x)$。这个公式是说，我们将第二个散列函数应用到x并在距离$hash_2(x)$，$2hash_2(x)$，…等处探测。$hash_2(x)$选择得不好将会是灾难性的。例如，若把99插入到前面例子中的输入中去，则通常的选择$hash_2(x)=x \bmod 9$将不起作用。因此，函数一定不要算得0值。另外，保证所有的单元都能被探测到也是很重要的(但在下面的例子中这是不可能的，因为表的大小不是素数)。诸如$hash_2(x)=R-(x \bmod R)$这样的函数将起到良好的作用，其中R为小于$TableSize$的素数。如果我们选择$R=7$，则图5-18显示插入与前面相同的一些关键字的结果。

第一个冲突发生在49被插入的时候。$hash_2(49)=7-0=7$，故49被插入到位置6。$hash_2(58)=7-2=5$，于是58被插入到位置3。最后，69产生冲突，从而被插入到距离为$hash_2(69)=7-6=1$远的地方。如果我们试图将60插入到位置0处，那么就会产生一个冲突。由于$hash_2(60)=7-4=3$，因此我们尝试位置3、6、9，然后是2，直到找出一个空的单元。一般是有可能发现某个坏

183～185

情形的，不过这里没有太多这样的情形。

	Empty Table	After 89	After 18	After 49	After 58	After 69
0						69
1						
2						
3					58	58
4						
5						
6				49	49	49
7						
8			18	18	18	18
9		89	89	89	89	89

图 5-18　使用双散列方法在每次插入后的散列表

前面已经提到，上面的散列表实例的大小不是素数。我们这么做是为了计算散列函数时方便，但是，有必要了解在使用双散列时为什么保证表的大小为素数是很重要的。如果想要把 23 插入到表中，那么它就会与 58 发生冲突。由于 $hash_2(23) = 7 - 2 = 5$，且该表大小是 10，因此我们实际上只有一个备选位置，而这个位置已经被使用了。因此，如果表的大小不是素数，那么备选单元就有可能提前用完。然而，如果双散列正确实现，则模拟表明，预期的探测次数几乎和随机冲突解决方法的情形相同。这使得双散列理论上很有吸引力。不过，平方探测不需要使用第二个散列函数，从而在实践中使用可能更简单并且更快，特别对于像串这样的关键字，它们的散列函数计算起来相当耗时。

186 ~ 187

5.5 再散列

对于使用平方探测的开放定址散列法，如果散列表填得太满，那么操作的运行时间将开始消耗过长，且插入操作可能失败。这可能发生在有太多的移动和插入混合的场合。此时，一种解决方法是建立另外一个大约两倍大的表(而且使用一个相关的新散列函数)，扫描整个原始散列表，计算每个(未删除的)元素的新散列值并将其插入到新表中。

例如，设将元素 13、15、24 和 6 插入到大小为 7 的线性探测散列表中。散列函数是 $h(x) = x \bmod 7$。设使用线性探测方法解决冲突问题。插入结果得到的散列表如图 5-19 所示。

如果将 23 插入表中，那么图 5-20 中插入后的表将有超过 70% 的单元是满的。因为散列表太满，所以我们建立一个新的表。该表大小所以为 17，是因为 17 是原表大小两倍后的第一个素数。新的散列函数为 $h(x) = x \bmod 17$。扫描原来的表，并将元素 6、15、23、24 和 13 插入到新表中。最后得到的表见图 5-21。

整个操作就叫作**再散列**(rehashing)。显然这是一种开销非常大的操作；其运行时间为 $O(N)$，因为有 N 个元素要再散列而表的大小约为 $2N$，不过，由于不是经常发生，因此实际效果根本没有这么差。特别是在最后的再散列之前必然已经存在 $N/2$ 次 `insert`，因此添加到每个插入上的花费基本上是一个常数开销[⊖]。如果这种数据结构是程序的一部分，那么其影响是不明显的。另一方面，如果再散列作为交互系统的一部分运行，那么其插入引起再散列的不幸用户将会感到速度减慢。

⊖ 这就是为什么新表要做成老表两倍大的原因。

0	6
1	15
2	
3	24
4	
5	
6	13

图 5-19 使用线性探测插入 13、15、6、24 的散列表

0	6
1	15
2	23
3	24
4	
5	
6	13

图 5-20 使用线性探测插入 23 后的散列表

0	
1	
2	
3	
4	
5	
6	6
7	23
8	24
9	
10	
11	
12	
13	13
14	
15	15
16	

图 5-21 在再散列之后的线性探测散列表

再散列可以用平方探测以多种方法实现。一种做法是只要表满到一半就再散列。另一种极端的方法是只有当插入失败时才再散列。第三种方法即途中(middle-of-the-road)策略：当散列表到达某一个装填因子时进行再散列。由于随着装填因子的增长散列表的性能确实下降，因此，以好的截止手段实现的第三种策略，可能是最好的策略。

188

对于分离链接散列表其再散列是类似的。图 5-22 显示再散列实现起来是简单的，并且还对分离链接再散列提供一种实现方法。

```
 1    /**
 2     * Rehashing for quadratic probing hash table.
 3     */
 4    private void rehash( )
 5    {
 6        HashEntry<AnyType> [ ] oldArray = array;
 7
 8            // Create a new double-sized, empty table
 9        allocateArray( nextPrime( 2 * oldArray.length ) );
10        currentSize = 0;
11
12            // Copy table over
13        for( int i = 0; i < oldArray.length; i++ )
14            if( oldArray[ i ] != null && oldArray[ i ].isActive )
15                insert( oldArray[ i ].element );
16    }
```

图 5-22 对分离链接散列表和探测散列表的再散列

```
17
18      /**
19       * Rehashing for separate chaining hash table.
20       */
21      private void rehash( )
22      {
23          List<AnyType> [ ]  oldLists = theLists;
24
25              // Create new double-sized, empty table
26          theLists = new List[ nextPrime( 2 * theLists.length ) ];
27          for( int j = 0; j < theLists.length; j++ )
28              theLists[ j ] = new LinkedList<>( );
29
30              // Copy table over
31          currentSize = 0;
32          for( int i = 0; i < oldLists.length; i++ )
33              for( AnyType item : oldLists[ i ] )
34                  insert( item );
35      }
```

图 5-22 （续）

5.6 标准库中的散列表

标准库包括 Set 和 Map 的散列表的实现，即 HashSet 类和 HashMap 类。HashSet 中的项(或 HashSet 中的关键字)必须提供 equals 方法和 hashCode 方法，如较早我们在节 5.3 所描述的那样。HashSet 和 HashMap 通常是用分离链接散列实现的。

如果这些表项是否可以依有序方式查看这一点并不重要，那么这些类可以使用。例如，在 189 4.8 节的单词变换例子中，存在三种映射：

1. 其中关键字为单词长度(word length)，而关键字的值是长为该单词长度的所有单词的集合。

2. 关键字是一个代表(representative)，而关键字的值是具有该代表的所有单词的集合。

3. 关键字是一个单词(word)，而关键字的值是与该单词只有一个字母不同的所有单词的集合。

因为单词长度被处理的顺序并不重要，所以第 1 个映射可以是 HashMap。而由于第 2 个映射建立以后甚至不需要代表，因此第 2 个映射也可以是 HashMap。第 3 个映射还可以是 HashMap，除非我们想要 printHighChangeables 依字母顺序列出单词的子集(这些单词可以被变换成许多其他单词)。

HashMap 的性能常常优于 TreeMap 的性能，不过不按这两种方式编写代码很难有把握肯定。因此，在 HashMap 或 TreeMap 可以接受的情况下，更可取的方法是：使用接口类型 Map 190 进行变量的声明，然后，将 TreeMap 的实例变成 HashMap 的实例并进行计时测试。

在 Java 中，能够被合理地插入到一个 HashSet 中去或是所谓关键字被插入到 HashMap 中去的那些库类型已经被定义了 equals 和 hashCode 方法。特别是 String 类中有一个 hashCode 方法，它基本上就是图 5-4 中除掉第 14 行到第 16 行并将第 37 行用第 31 行代替后的程序。因为散列表操作中费时多的部分就是计算 hashCode 方法，所以在 String 类中的 hashCode 方法包含一个重要的优化：每个 String 对象内部都存储它的 hashCode 值。该值初始为 0，但若 hashCode 被调用，那么这个值就被记住。因此，如果 hashCode 对同一个 String对象被第2次计算，我们则可以避免昂贵的重新计算。这个技巧叫作**闪存散列代码**(caching the hash code)，并且表示另一种经典的时空交换。图5-23显示闪存散列代码的 String 类的一种实现。

```
1    public final class String
2    {
3        public int hashCode( )
4        {
5            if( hash != 0 )
6                return hash;
7
8            for( int i = 0; i < length( ); i++ )
9                hash = hash * 31 + (int) charAt( i );
10           return hash;
11       }
12
13       private int hash = 0;
14   }
```

图5-23　String 类 hashCode 摘录

闪存散列代码之所以有效，只是因为 Sting 类是不可改变的：要是 String 允许变化，那么它就会使 hashCode 无效，而 hashCode 就只能重置回0。虽然两个具有相同状态的 String 对象的 hashCode 必须独立计算，但是，存在许多情况使同一个 String 对象的散列代码总是被查询。闪存散列代码有用的一种情况是在再散列期间发生，因为在再散列中所涉及的所有 String 对象的散列代码都已经闪存过。另一方面，闪存散列代码对于单词变换例子中的代表映射(representative map)是无用的。每个代表都是通过从一个更大的 String 中删除一个字母所计算出的一个不同的 String，因此每一个 String 只能让它的散列代码单独计算。然而，在第3个映射中，闪存散列代码没有什么用处，因为那些关键字都只是些 String，它们被存放在 String 的原始数组中。

5.7　最坏情形下 $O(1)$ 访问的散列表

目前我们讨论过的散列表都具有的性质是，当有合理的装填因子和合适的散列函数时，可以期望插入、删除和查找的平均花销都是 $O(1)$。但在假设散列函数表现良好的前提下，查找的最坏情形的期望值是多少？

对分离链接法而言，假设装填因子为1，这就是经典的**球盒问题**的一个版本：给定 N 个球，(均匀)随机地放在 N 个盒子里，在装球最多的盒子里，球的个数的期望值是多少？答案是著名的 $\Theta(\log N/\log\log N)$，意即平均而言，我们期望部分查询会花费近乎对数级的时间。对于探测散列表中的最长期望探测序列，也可观察到(或证明)相似类型的上界。

191
~
192

我们想要得到 $O(1)$ 的最坏情形的花销。在某些应用中，如路由器和内存缓存的查找表的硬件实现，令查找具有确定的(例如常数级的)完成时间是特别重要的。假设我们事先知道 N 的值，于是不需要再散列。如果我们可以在插入的过程中重新排列各项，则查找的 $O(1)$ 最坏情形花销是可以达到的。

本节随后将描述这个问题的最早的解法，即完美散列，然后介绍两种更新的方法，它们颇有取代多年流行的经典散列法的前途。

5.7.1　完美散列

为简单起见，假设所有 N 项都事先已知。如果分离链接的实现可以保证每张表最多有常数多个项，问题就解决了。我们知道，如果多用一些表，则这些表的平均长度就会短一些，于是理论上讲，如果我们有充分多的表，则在相当高的概率下可以期待根本没有冲突！

但是这种方法存在两个基本的问题：首先，表的数量可能大得离谱；其次，即使有很多表，我们还是可能碰到坏运气。

第二个问题原则上比较好处理。假设我们将表的个数选定为M(即令*TableSize*为M)，且令其充分大以保证没有冲突的概率至少是1/2。则如果检测到冲突，我们只要简单地把散列表清空，再用独立于第一个函数的不同的散列函数去试一下。如果仍然有冲突，我们就试第三个散列函数，以此类推。尝试次数的期望值将最多是2(因为成功的概率是1/2)，且全部可以归结为插入的成本。5.8节将讨论如何做出额外的散列函数这个关键的问题。

于是接下来我们只需要决定表的个数M的大小。不幸的是，M必须非常大，具体来说，$M=\Omega(N^2)$。然而，如果$M=N^2$，那么我们可以证明散列表有至少1/2的概率是没有冲突的，这个结论可以用来对基本方法做出可行的修改。

定理5.2 若N个球被放入$M=N^2$个盒子，则没有任何盒子装有超过1个球的概率不小于1/2。

证明：

若一对球(i, j)被放进同一个盒子，则称之为一次冲突。令$C_{i,j}$为任意两球(i, j)产生的冲突次数的期望值。则显然有任意两个确定的球冲突的概率是$1/M$，故$C_{i,j}$是$1/M$，因为涉及一对(i, j)的冲突次数是0或1。所以整个散列表的冲突次数期望值是$\sum_{(i,j),i<j} C_{i,j}$。因为一共存在$N(N-1)/2$对，所以这个和就是$N(N-1)/(2M)=N(N-1)/(2N^2)<1/2$。由于冲突次数的期望值小于1/2，则产生哪怕一次冲突的概率都一定在1/2以下。 □

193

当然，使用N^2个表是不现实的。但是前面的分析暗示了另一种选择：只用N个盒子，但是用散列表去解决每个盒子的冲突，而不是用链表。思路是，因为期望每个盒子里个有少量的球，所以给每个盒子用的散列表的大小可以是盒子容量的平方。图5-24展示了基本结构。在这里，主散列表有10个盒子。盒1、3、5、7都是空的。盒0、4、8各有1项，故它们被解析为带有1个位置的二级散列表。盒2和6各有两项，故它们将被解析为带有4(2^2)个位置的二级散列表。盒9有3项，故它被解析为带有9(3^2)个位置的二级散列表。

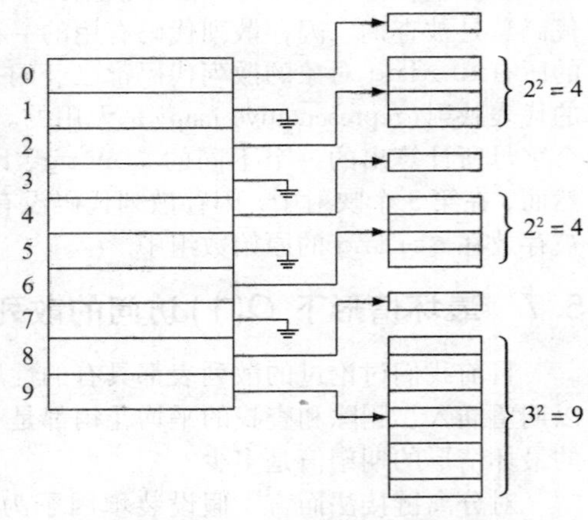

图5-24 使用二级散列表的完美散列表

按照最原始的思路，每个二级散列表将用一个不同的散列函数进行构造，直到没有冲突为止。如果产生的冲突次数高于要求的值，主散列表也可以被构建多次。这种方法称为**完美散列**。剩下来要证明的就只是二级散列表的总容量的确具有线性期望值。

定理5.3 若N个项被放入包含N个盒子的主散列表中，则二级散列表的总容量的期望值最多是$2N$。

证明：

用证明定理5.2的同样逻辑，成对冲突次数的期望值最多是$N(N-1)/2N$或$(N-1)/2$。令b_i为主散列表中被散列到位置i的项的个数，观察到这个盒子在二级散列表中用掉了b_i^2个空间，且占了$b_i(b_i-1)/2$次成对冲突，我们将称之为c_i。于是第i个二级散列表用掉的空间就是$2c_i+b_i$，总空间就是$2\sum c_i+\sum b_i$。冲突的总次数是$(N-1)/2$(从本证明的第一句话得到)，项的总个数当然是N，所以我们得到总的二级空间需求量是$2(N-1)/2+N<2N$。 □

194

于是总的二级空间需求量超过$4N$的概率最多是1/2(这是因为，若不然，则期望值就会高于$2N$)，所以我们可以不断地为主表选择散列函数，直到生成合适的二级空间需求量。一旦此事完成，每个二级散列表自己将只需要平均两次尝试就可以做到无冲突。当这些表被建好以后，任何查询都可以用两次以内的探测完成。

如果所有的项都事先知道，则完美散列是好用的。还有些动态的方法允许插入和删除(**动态完美散列**)，但我们却代之以研究两种更新的方法，它们相对容易编程，并且与经典的散列算法相比在实践中也颇具竞争力。

5.7.2 布谷鸟散列

从之前的讨论可知，在球盒问题中，如果 N 个项被随机地投入 N 个盒子，则盒子容量的最大期望值是 $\Theta(\log N/\log\log N)$。因为这个界已经久为人知，且这个问题已经被数学家们充分研究过了，所以在 20 世纪 90 年代中期，人们惊讶于一个明显更小的界被证明，即在每次投放时，如果随机选择两个盒子，将该项投入(当时)比较空的那个盒子，则最大的盒子容量仅是 $\Theta(\log\log N)$。很快，许多潜在的算法和数据结构从这个新的“两种选择的力量”的概念中产生出来。

其中一种思路便是**布谷鸟散列**(cuckoo hashing)。在布谷鸟散列中，假设有 N 个项。我们维护两个分别超过半空的表，且有两个独立的散列函数，可以把每个项分配到每个表中的一个位置。布谷鸟散列保持不变的是一个项总是会被存储在这两个位置之一。

作为例子，图 5-25 展示了一个有 6 个项的潜在的布谷鸟散列表，带有两个规模为 5 的表(这些表太小了，但是作为例子够用了)。基于随机选取的散列函数，项 A 可以或者在表 1 的位置 0，或者在表 2 的位置 2。项 F 可以或者在表 1 的位置 3，或者在表 2 的位置 4，以此类推。这意味着在布谷鸟散列表中一次查找需要最多访问两次表，并且一旦该项被找到，删除就成了小事一桩(懒惰删除都不需要了！)。

195

但是这里有一个重要的细节：这个表是怎么建立的？例如，在图 5-25 中，这 6 个项在第一个表里只有 3 个可用的位置，在第二个表里也只有 3 个可用的位置。于是这 6 个项只有 6 个可用的位置，导致我们必须为这 6 个项找到一种理想的空槽匹配。显然，如果还有第 7 个项 G 在表 1 的位置 1 和表 2 的位置 2，用任何算法都不能将其插入表中(第 7 个项会竞争 6 个表位)。你可以争辩说这只说明表太满载了(G 会导致装填因子为 0.70)，但同时，如果表中有数千项且负载很轻，而我们有在如此散列位置上的 A，B，C，D，E，F，G，还是不可能把 7 个项都插进去。所以这种方法是否能管用，完全不是一件显然的事。这种情况下，答案可以是另外选一个散列函数，只要这种情况不大会发生就可以。

布谷鸟散列算法本身是简单的：要插入一个新的项 x，首先确保它之前并不存在。然后我们可以用第一个散列函数，如果(第一个)表的位置为空，则该项可以放入。图 5-26 展示了将 A 插入一个空散列表的结果。

表1		表2	
0	B	0	D
1	C	1	
2		2	A
3	E	3	
4		4	F

A：0,2
B：0,0
C：1,4
D：1,0
E：3,2
F：3,4

图 5-25 潜在的布谷鸟散列表。散列函数在右边给出。对这 6 项而言，在表 1 中只有 3 个有效的位置，在表 2 中也只有 3 个有效的位置，所以并不一定能很容易地找到这种安排

表1		表2	
0	A	0	
1		1	
2		2	
3		3	
4		4	

A：0,2

图 5-26 插入 A 以后的布谷鸟散列表

现在假设我们要插入 B，其在表 1 中有散列位置 0，且在表 2 中有位置 0。接下来的算法描述中，我们将用 (h_1, h_2) 来表示两个位置，于是 B 的位置就用(0，0)给出。表 1 的位置 0 已经被占了。此时有两种选择，一种是在表 2 里找，问题是表 2 中的位置 0 也可能被占。在现在这个情形中碰巧不是这样，但标准的布谷鸟散列表用到的算法根本不会去找，而是先发制人地把新的项 B 放进表 1。为了做到这一步，就必须换掉 A，于是 A 被移到了表 2，用它在表 2 中的散列位置，即位置 2。结果在图 5-27 中给出。C 的插入是容易的，在图 5-28 中给出。

表1		表2	
0	B	0	
1		1	
2		2	A
3		3	
4		4	

A：0,2
B：0,0

图5-27 插入B以后的布谷鸟散列表

表1		表2	
0	B	0	
1	C	1	
2		2	A
3		3	
4		4	

A：0,2
B：0,0
C：1,4

图5-28 插入C以后的布谷鸟散列表

下一步我们要插入D，其散列位置为(1，0)。但是表1的位置(位置1)已经被占了。还要注意的是，表2的位置还没有被占，但我们不找那里，而是用D替换掉C，令C按照其第二个散列函数的建议去往表2的位置4。结果表在图5-29中给出。这步做完以后，E可以很容易地被插入。到此为止，一切都好，但是现在我们能插入F吗？图5-30～图5-33展示了该算法通过先后对E、A、B的换位，成功地插入了F。

196

表1		表2	
0	B	0	
1	D	1	
2		2	A
3	E	3	
4		4	C

A：0,2
B：0,0
C：1,4
D：1,0
E：3,2

图5-29 插入D以后的布谷鸟散列表

表1		表2	
0	B	0	
1	D	1	
2		2	A
3	**F**	3	
4		4	C

A：0,2
B：0,0
C：1,4
D：1,0
E：3,2
F：3,4

图5-30 开始向图5-29中的表插入F的布谷鸟散列表。首先，F替换E

表1		表2	
0	B	0	
1	D	1	
2		2	**E**
3	**F**	3	
4		4	C

A：0,2
B：0,0
C：1,4
D：1,0
E：3,2
F：3,4

图5-31 继续向图5-29中的表插入F。下一步，E替换A

表1		表2	
0	**A**	0	
1	D	1	
2		2	**E**
3	**F**	3	
4		4	C

A：0,2
B：0,0
C：1,4
D：1,0
E：3,2
F：3,4

图5-32 继续向图5-29中的表插入F。下一步，A替换B

显然如我们之前提到的，无法成功地插入具有散列位置(1，2)的G。如果我们尝试一下，那么得替换D，然后是B，然后是A、E、F和C，随后C会企图回到表1的位置1，替换从一开始就被放在那里的G。这样我们会得到图5-34。于是现在G会尝试其在表2中的另一个位置(位置2)并且替换掉A，A会替换掉B，B会替换掉D，D会替换掉C，C会替换掉F，F会替换掉E，E现在又会从位置2替换掉G。至此，G就陷入了一个循环。

197

表1		表2	
0	**A**	0	**B**
1	D	1	
2		2	**E**
3	**F**	3	
4		4	C

A：0,2
B：0,0
C：1,4
D：1,0
E：3,2
F：3,4

图5-33 完成向图5-29中的表插入F。奇迹般地，B在表2中找到一个空位

表1		表2	
0	B	0	D
1	C	1	
2		2	A
3	E	3	
4		4	F

A：0,2
B：0,0
C：1,4
D：1,0
E：3,2
F：3,4
G：1,2

图5-34 将G插入图5-33中的表。G替换掉D，D替换掉B，B替换掉A，A替换掉E，E替换掉F，F替换掉C，C替换掉G。现在还并非没有希望，因为当被G替换时，我们还可以尝试另一个散列表的位置2。然而，虽然在一般情况下是可以成功的，但在这个情形中却存在一个循环，使得插入不会终止

于是焦点问题就在于，存在阻碍插入成功的循环的概率有多大，以及成功插入需要的替换次数的期望值是多少？幸运的是，如果表的装填因子小于0.5，有分析证明，循环的概率非常低，替换次数的期望值是一个小常数，并且一次成功的插入需要超过$O(\log N)$次替换的可能性是极低的。因此，在若干次替换被检测到以后，我们可以简单地用新的散列函数重新建表。更准确地讲，单次插入需要一套新散列函数的概率可以是$O(1/N^2)$；新的散列函数自己会多产生N次插入以重新建表，但即便如此，也意味着重建的花销是最小的。然而，如果表的装填因子达到了0.5或者更高，循环的概率就会大幅提高，这种方法就不大好用了。

198

在布谷鸟散列发表后，人们又提出了大量的扩展。例如，与其用两张表，其实还可以用更多的表，例如3张或4张。虽然这样做增加了查找的开销，但也大幅增加了理论上空间的利用。在某些应用中，通过分开的散列函数进行查找是可以并行完成的，于是额外的时间花销就很少甚至没有。另一种扩展是允许每张表存多个关键字，这么做也能增加空间的利用，还使得插入容易实现，并且更具有缓存友好性。各种组合都是可能的，如图5-35所示。最后，布谷鸟散列表经常被实现成一张巨大的表，带有两个(或多个)可以探测整表的散列函数，以及各种变形算法，不是从一系列替换出发，而是只要有可用的地方就立刻尝试将一个项放入第二张散列表。

	每个单元1项	每个单元2项	每个单元4项
2散列函数	0.49	0.86	0.93
3散列函数	0.91	0.97	0.98
4散列函数	0.97	0.99	0.999

图5-35　布谷鸟散列变化情形下的最大装填因子

布谷鸟散列表的实现

实现布谷鸟散列需要一个散列函数的集合；简单地用hashCode生成散列函数的集合是没有意义的，因为任何hashCode冲突都将导致集合中所有散列函数冲突。图5-36给出了一个可用于将散列函数族发送给布谷鸟散列的简单接口。

```
1  public interface HashFamily<AnyType>
2  {
3      int hash( AnyType x, int which );
4      int getNumberOfFunctions( );
5      void generateNewFunctions( );
6  }
```

图5-36　布谷鸟散列的通用HashFamily接口

图5-37为布谷鸟散列提供了一个类的框架。我们将编写一个经典实现的变种代码，允许任意数量的散列函数(由创建散列表的HashFamily对象指定)，仅用一个数组来让所有散列函数寻址。因此，我们的实现不同于经典的使用两个分开寻址的散列表的概念。我们可以通过相对较小的代码改动来实现经典版，然而，本节提供的这个版本似乎在用简单散列函数的测试中有更好的表现。

199

在图5-37中，我们指定表的最大负载是0.4，如果表的装填因子快要超过此限，就执行自动的表扩展。我们还定义了ALLOWED_REHASHES，如果替换过程执行了太长时间，它将指定我们要执行多少次再散列。在理论上，ALLOWED_REHASHES可以是无限的，因为我们期望需要再散列的次数只是一个小常数。实际上，这取决于一些因素，如散列函数的个数、散列函数的质量以及装填因子，再散列可能令过程显著变慢，因此进行表扩展可能是值得的，尽管这将花费空间。布谷鸟散列的数据表示是非常直截了当的：我们存储一个简单的数组、当前规模以及散列函数的集合，表示在一个 HashFamily 的实例中。我们还维护散列函数的个数，尽管这总是可以从 HashFamily 的实例中得到。

```
1   public class CuckooHashTable<AnyType>
2   {
3       public CuckooHashTable( HashFamily<? super AnyType> hf )
4         { /* Figure 5.38 */ }
5       public CuckooHashTable( HashFamily<? super AnyType> hf, int size );
6         { /* Figure 5.38 */ }
7
8       public void makeEmpty( )
9         { doClear( ); }
10
11      public boolean contains( AnyType x )
12        { /* Figure 5.40 */ }
13
14      private int myhash( AnyType x, int which )
15        { /* Figure 5.39 */ }
16
17      private int findPos( AnyType x )
18        { /* Figure 5.39 */ }
19
20      public boolean remove( AnyType x )
21        { /* Figure 5.41 */ }
22
23      public boolean insert( AnyType x )
24        { /* Figure 5.42 */ }
25
26      private void expand( )
27        { /* Figure 5.44 */ }
28
29      private void rehash( )
30        { /* Figure 5.44 */ }
31
32      private void doClear( )
33        { /* Figure 5.38 */ }
34
35      private void allocateArray( int arraySize )
36        { array = (AnyType[]) new Object[ arraySize ]; }
37
38      private static final double MAX_LOAD = 0.4;
39      private static final int ALLOWED_REHASHES = 1;
40      private static final int DEFAULT_TABLE_SIZE = 101;
41
42      private final HashFamily<? super AnyType> hashFunctions;
43      private final int numHashFunctions;
44      private AnyType [ ] array;
45      private int currentSize;
46  }
```

图 5-37 布谷鸟散列的类的框架

图5-38 给出了构造函数和 doClear 方法，这些都是很简单的。图5-39 给出了一对私有方法。第一个 myHash 用于选择合适的散列函数，然后将它的值按比例对应到一个有效的数组下标。第二个 findPos 去查所有散列函数，返回包含 x 项的数组下标，如果找不到 x 就返回 -1。然后 findPos 会被图5-40 中的 contains 和图5-41 中的 remove 函数分别用到，我们看到这些方法是很容易实现的。

```
1     /**
2      * Construct the hash table.
3      * @param hf the hash family
4      */
5     public CuckooHashTable( HashFamily<? super AnyType> hf )
6     {
7         this( hf, DEFAULT_TABLE_SIZE );
8     }
9
10    /**
11     * Construct the hash table.
12     * @param hf the hash family
13     * @param size the approximate initial size.
14     */
15    public CuckooHashTable( HashFamily<? super AnyType> hf, int size )
16    {
17        allocateArray( nextPrime( size ) );
18        doClear( );
19        hashFunctions = hf;
20        numHashFunctions = hf.getNumberOfFunctions( );
21    }
22
23    private void doClear( )
24    {
25        currentSize = 0;
26        for( int i = 0; i < array.length; i++ )
27            array[ i ] = null;
28    }
```

图5-38 布谷鸟散列表的初始化例程

难写的例程是插入。在图5-42 中，我们可以看到基本的计划是检查该项是否已经存在，如果是的话就返回。否则，我们检查表是否已经满载，如果是的话就扩展之。最后我们调用一个辅助函数来干所有的脏活累活。

插入用的辅助函数在图5-43 中给出。我们声明一个变量 rehashes 来跟踪已经为这次插入尝试了多少次再散列。我们的插入函数是互递归的：在必要时，insert 最终要调用 rehash，而它最终又回头调用 insert。所以为了代码简洁，rehash 在外部声明。

我们的基本逻辑跟经典方法是不同的。我们已经检测到要插入的项不是已经存在的。在第15~25 行，我们检查是否有任何有效的位置是空着的，如果是的话，就把该项放到第一个可以用的位置，然后就完事了。否则，我们替换掉其中一个已经存在的项。然而，有一些棘手的问题：

200~201

- 替换第一项在实验中表现不好。
- 替换最后一项在实验中表现不好。
- 按序列替换项(即第一次替换用散列函数0，下一次用散列函数1，等等)在实验中表现不好。

- 纯粹随机地替换项在实验中表现不好，特别是对于只有两个散列函数的情况，这样做往往会产生循环。

```
1       /**
2        * Compute the hash code for x using specified hash function
3        * @param x the item
4        * @param which the hash function
5        * @return the hash code
6        */
7       private int myhash( AnyType x, int which )
8       {
9           int hashVal = hashFunctions.hash( x, which );
10
11          hashVal %= array.length;
12          if( hashVal < 0 )
13              hashVal += array.length;
14
15          return hashVal;
16      }
17
18      /**
19       * Method that searches all hash function places.
20       * @param x the item to search for.
21       * @return the position where the search terminates, or -1 if not found.
22       */
23      private int findPos( AnyType x )
24      {
25          for( int i = 0; i < numHashFunctions; i++ )
26          {
27              int pos = myhash( x, i );
28              if( array[ pos ] != null && array[ pos ].equals( x ) )
29                  return pos;
30          }
31
32          return -1;
33      }
```

图 5-39 在布谷鸟散列表中找某项的位置，并且对某给定表计算散列编码的例程

```
1       /**
2        * Find an item in the hash table.
3        * @param x the item to search for.
4        * @return true if item is found.
5        */
6       public boolean contains( AnyType x )
7       {
8           return findPos( x ) != -1;
9       }
```

图 5-40 布谷鸟散列表的查找例程

```
1     /**
2      * Remove from the hash table.
3      * @param x the item to remove.
4      * @return true if item was found and removed
5      */
6     public boolean remove( AnyType x )
7     {
8         int pos = findPos( x );
9
10        if( pos != -1 )
11        {
12            array[ pos ] = null;
13            currentSize--;
14        }
15
16        return pos != -1;
17    }
```

图 5-41　布谷鸟散列表的删除例程

```
1     /**
2      * Insert into the hash table. If the item is
3      * already present, return false.
4      * @param x the item to insert.
5      */
6     public boolean insert( AnyType x )
7     {
8         if( contains( x ) )
9             return false;
10
11        if( currentSize >= array.length * MAX_LOAD )
12            expand( );
13
14        return insertHelper1( x );
15    }
```

图 5-42　布谷鸟散列的公共插入例程

为了缓解最后一个问题，我们维护被替换的最后一个位置，如果随机项是最后一个被替换的项，我们就选择一个新的随机项。这种做法有时候会无限循环，即当有两个散列函数，这两个散列函数都正巧探测同一个位置，而且该位置属于上次被替换的项的时候。所以我们将循环次数限制为 5 次(特意用了一个奇数)。

实现 expand 和 rehash 的代码在图 5-44 中给出。函数 expand 创建一个更大的数组，但是保持用同样的散列函数。零参数的 rehash 函数保持数组规模不变，但创建一个新的数组，用新选的散列函数去填充。

最后，图 5-45 给出 StringHashFamily 类，提供了一套简单的处理字符串的散列函数。这些散列函数用随机选取的数字(不一定是素数)替换掉图 5-4 中的常数 37。

布谷鸟散列的好处包括最坏情况下常数级的查找和删除时间，避免了懒惰删除和额外的数据以及并行化处理的可能性。然而，布谷鸟散列对于散列函数的选择极其敏感，布谷鸟散列表的发明人报告称，他们在测试中试用的很多标准散列函数都表现不好。另外，虽说只要装填因子小于1/2，期望的插入时间就应该是常数，但对使用两个分开的表(其装填因子均为λ)的经典布谷鸟散列的插入开销期望值来说，已经证明了上界大约是$1/(1-(4\lambda^2)^{1/3})$，这个上界随着装填因子趋近1/2而快速恶化(当λ等于或超过1/2时，这个公式本身就没有意义了)。使用低一些的装填因子或多于两个散列函数似乎是一个合理的选择。

202 ~ 204

```
1     private int rehashes = 0;
2     private Random r = new Random( );
3
4     private boolean insertHelper1( AnyType x )
5     {
6         final int COUNT_LIMIT = 100;
7
8         while( true )
9         {
10            int lastPos = -1;
11            int pos;
12
13            for( int count = 0; count < COUNT_LIMIT; count++ )
14            {
15                for( int i = 0; i < numHashFunctions; i++ )
16                {
17                    pos = myhash( x, i );
18
19                    if( array[ pos ] == null )
20                    {
21                        array[ pos ] = x;
22                        currentSize++;
23                        return true;
24                    }
25                }
26
27                // none of the spots are available. Evict out a random one
28                int i = 0;
29                do
30                {
31                    pos = myhash( x, r.nextInt( numHashFunctions ) ) ;
32                } while( pos == lastPos && i++ < 5 );
33
34                AnyType tmp = array[ lastPos = pos ];
35                array[ pos ] = x;
36                x = tmp;
37            }
38
39            if( ++rehashes > ALLOWED_REHASHES )
40            {
41                expand( );       // Make the table bigger
42                rehashes = 0;    // Reset the # of rehashes
43            }
44            else
45                rehash( );       // Same table size, new hash functions
46        }
47    }
```

图5-43　布谷鸟散列的插入例程用了一种不同的算法来选取项做随机替换，不要试图将最后一项重新替换。如果有太多次的替换，该表将试图选择新的散列函数(再散列)，并且如果有太多次再散列，将进行表的扩展

```
 1    private void expand( )
 2    {
 3        rehash( (int) ( array.length / MAX_LOAD ) );
 4    }
 5
 6    private void rehash( )
 7    {
 8        hashFunctions.generateNewFunctions( );
 9        rehash( array.length );
10    }
11
12    private void rehash( int newLength )
13    {
14        AnyType [ ] oldArray = array;
15        allocateArray( nextPrime( newLength ) );
16        currentSize = 0;
17
18            // Copy table over
19        for( AnyType str : oldArray )
20            if( str != null )
21                insert( str );
22    }
```

图 5-44　布谷鸟散列表的再散列和扩展代码

5.7.3　跳房子散列

跳房子散列(hopscotch hashing)是一种新算法。它尝试改进经典的线性探测算法。回顾在线性探测中，从散列地址开始的单元被顺序探测。因为有一次和二次聚集，所以这个序列的平均长度会随着表的装载而变长，于是很多改进被提出，如平方探测、双散列等，试图降低冲突次数。然而，在一些现代体系结构中，探测相邻单元所能产生的位置与额外的探测需要相比，前者是更为重要的因素，所以线性探测仍然是实用的，甚至是最佳选择。

跳房子散列的思路是，用事先确定的、对计算机的底层体系结构而言是最优的一个常数，给探测序列的最大长度加个上界。这样做可以给出常数级的最坏查询时间，并且与布谷鸟散列一样，查询可以并行化，以同时检查可用位置的有限集。

如果某次插入要把一个新的项放到距离它的散列位置太远的地方，我们会很有效地掉头向散列位置走，替换掉潜在的项。如果足够谨慎，那么替换可以很快完成，并且保证那些被替换的项都不会放到距离它们的散列位置太远的地方。该算法在某种意义上是确定的，即给定一个散列函数，那些项或者是可以被替换的，或者不可以。后者意味着散列表可能太挤了，该做再散列了，但这只有在超过0.9的极高的装填因子下才会发生。对于装填因子为1/2的表来说，失败的概率几乎为零(见练习5.23)。

令 *MAX_DIST* 为所选的最大探测序列的上界，即项 x 必须在列出的 $hash(x)$，$hash(x)+1$，…，$hash(x)+(MAX\_DIST-1)$ 这 *MAX_DIST* 个位置中的某处被找到。为了有效地处理替换，我们对每个位置 x 保存一个信息，即处于替换位置的那个项是否被一个散列到位置 x 的元素所占。

205 ~ 206

例如，图5-46给出了一个很挤的跳房子散列表，用到的 $MAX\_DIST=4$。位置6的位数组表明只有位置6有一项(C)的散列值是6：只有Hop[6]的第一位被设置了。Hop[7]的前两位都被设置了，表明位置7和8(A 和 D)都被散列值为7的项所占。Hop[8]只有第三位被设置，表明在位置10的项(E)具有散列值8。如果 *MAX_DIST* 不超过32，则Hop数组实质上是一个32位整数的数组，于是额外的空间需求不是很大。如果对于某个 *pos*，Hop[*pos*]的所有位都设置为1，则将一个散列值为 *pos* 的项进行插入的企图很显然会失败，因为会有 *MAX_DIST* + 1 个项企图待在 *pos* 的 *MAX_DIST* 个位置上——这是不可能的。

```
 1  public class StringHashFamily implements HashFamily<String>
 2  {
 3      private final int [ ] MULTIPLIERS;
 4      private final java.util.Random r = new java.util.Random( );
 5
 6      public StringHashFamily( int d )
 7      {
 8          MULTIPLIERS = new int[ d ];
 9          generateNewFunctions( );
10      }
11
12      public int getNumberOfFunctions( )
13      {
14          return MULTIPLIERS.length;
15      }
16
17      public void generateNewFunctions( )
18      {
19          for( int i = 0; i < MULTIPLIERS.length; i++ )
20              MULTIPLIERS[ i ] = r.nextInt( );
21      }
22
23      public int hash( String x, int which )
24      {
25          final int multiplier = MULTIPLIERS[ which ];
26          int hashVal = 0;
27
28          for( int i = 0; i < x.length( ); i++ )
29              hashVal = multiplier * hashVal + x.charAt( i );
30
31          return hashVal;
32      }
33  }
```

图 5-45 布谷鸟散列的简单字符串散列。这些散列函数可能不满足布谷鸟散列的要求，但是如果表不是特别满载，并且用了图 5-43 中的另一种插入例程的话，它们的表现还是良好的

	项	Hop
...		
6	*C*	1000
7	*A*	1100
8	*D*	0010
9	*B*	1000
10	*E*	0000
11	*G*	1000
12	*F*	1000
13		0000
14		0000
...		

A: 7
B: 9
C: 6
D: 7
E: 8
F: 12
G: 11

图 5-46 跳房子散列表。跳跃值说明在区块中的哪些位置是被包含了这个散列值的单元所占据的。于是 Hop[8] = 0010 表明只有位置 10 目前包含了散列值为 8 的项，而位置 8、9 和 11 都没有包含

继续看例子，假设我们现在插入散列值为 9 的项 H。正常的线性探测会企图将之放到位置 13，但这距离散列值 9 太远了。于是，我们找一个项来替换掉，并且把它重置到位置 13。可以去到位置 13 的候选项只能是散列值为 10、11、12 或 13 的项。如果我们检查 Hop[10]，可以看到没有散列值为 10 的候选项。但是 Hop[11]产生了一个候选项 G，其值为 11，可以被放到位置 13。由于位置 11 现在距离 H 的散列值充分近了，因此现在就可以插入 H。以上步骤及 Hop 信息的改变一起在图 5-47 中给出。

	项	Hop
...		
6	*C*	1000
7	*A*	1100
8	*D*	0010
9	*B*	1000
10	*E*	0000
11	*G*	1000
12	*F*	1000
13		0000
14		0000
...		

→

	项	Hop
...		
6	*C*	1000
7	*A*	1100
8	*D*	0010
9	*B*	1000
10	*E*	0000
11		**0010**
12	*F*	1000
13	***G***	0000
14		0000
...		

→

	项	Hop
...		
6	*C*	1000
7	*A*	1100
8	*D*	0010
9	*B*	**1010**
10	*E*	0000
11	***H***	0010
12	*F*	1000
13	*G*	0000
14		0000
...		

A: 7
B: 9
C: 6
D: 7
E: 8
F: 12
G: 11
H: 9

图 5-47　跳房子散列表。尝试插入 H。线性探测建议位置 13，但是太远了，所以我们从位置 11 替换掉 G 以找到一个近一点的位置

最后，我们将尝试把散列值为 6 的 I 插入。线性探测建议放位置 14，当然那太远了。于是我们在 Hop[11]里找，发现 G 可以向下移，释放位置 13。现在 13 空了，我们可以在 Hop[10]里找另一个元素来替换。但是 Hop[10]的前三位全是零，所以没有散列值为 10 的项可以被移动。所以我们检查 Hop[11]，发现其前两位都是零。

于是再试 Hop[12]，我们需要它的第一位是 1，这回对了。所以 F 可以向下移。这两步展示在图 5-48 中。注意，如果不是这种情况——比如说如果 hash(F)是 9 而不是 12——我们就卡住了，只能进行再散列。然而这对于我们的算法不是问题，成问题的是，我们根本就无法放入所有的项 C, I, A, D, E, B, H 以及 F(如果 F 的散列值是 9 的话)。这些项的散列值全在 6~9 之间，于是需要放在 6~12 之间的 7 个点上。但那样要把 8 个项放在 7 个点上——不可能。然而，既然那不是我们这个例子的情况，我们已经把一个项从位置 12 替换掉了，现在就可以继续。图 5-49 展示了从位置 9 开始的剩下的替换，以及随后 I 的放置。

207
~
209

	项	Hop
...		
6	*C*	1000
7	*A*	1100
8	*D*	0010
9	*B*	1010
10	*E*	0000
11	*H*	0010
12	*F*	1000
13	*G*	0000
14		0000
...		

→

	项	Hop
...		
6	*C*	1000
7	*A*	1100
8	*D*	0010
9	*B*	1010
10	*E*	0000
11	*H*	**0001**
12	*F*	1000
13		0000
14	***G***	0000
...		

→

	项	Hop
...		
6	*C*	1000
7	*A*	1100
8	*D*	0010
9	*B*	1010
10	*E*	0000
11	*H*	0001
12		**0100**
13	***F***	0000
14	*G*	0000
...		

A: 7
B: 9
C: 6
D: 7
E: 8
F: 12
G: 11
H: 9
I: 6

图 5-48　跳房子散列表。尝试插入 I。线性探测建议位置 14，但是太远了。咨询 Hop[11]，我们看到 G 可以向下移，释放位置 13。咨询 Hop[10]得不到任何建议。Hop[11]也帮不上忙(为什么?)，所以 Hop[12]建议移动 F

	项	Hop
...		
6	*C*	1000
7	*A*	1100
8	*D*	0010
9	*B*	1010
10	*E*	0000
11	*H*	0001
12		0100
13	*F*	0000
14	*G*	0000
...		

→

	项	Hop
...		
6	*C*	1000
7	*A*	1100
8	*D*	0010
9		**0011**
10	*E*	0000
11	*H*	0001
12	***B***	0100
13	*F*	0000
14	*G*	0000
...		

→

	项	Hop
...		
6	*C*	**1001**
7	*A*	1100
8	*D*	0010
9	***I***	0011
10	*E*	0000
11	*H*	0001
12	*B*	0100
13	*F*	0000
14	*G*	0000
...		

A: 7
B: 9
C: 6
D: 7
E: 8
F: 12
G: 11
H: 9
I: 6

图 5-49 跳房子散列表。继续插入 *I*：下一个 *B* 被替换，我们终于有了一个距离散列值充分近的点可以插入 *I*

跳房子散列是一种比较新的算法，但是初始的实验结果很有前途，特别是对那些使用多处理器并且需要大量并行和并发的应用而言。布谷鸟散列或跳房子散列相对于经典的分离链接法和线性/二次探测法而言，是否能成为一种实际的替代算法，还有待观察。[210]

5.8 通用散列法

尽管散列表是很有效的，并且在装填因子适当的前提假设下每个操作都有固定的平均花销，但是其表现和分析却取决于散列函数具有以下两种性质：

1. 散列函数必须可在常数时间(即与表中项的个数无关)内计算。
2. 散列函数必须将各项均匀分布在数组单元中。

特别是，如果散列函数不好，一切皆是徒劳，每个操作的花销可能是线性的。在这一节，我们讨论**通用散列函数**，允许我们随机地选择散列函数以使上述条件 2 可以得到满足。与 5.7 节一样，我们用 M 来表示 *Tablesize*。虽然使用通用散列函数的一个强烈动机是为经典散列表的分析中用到的假设提供理论论证，但这些函数也可以用于那些需要高层次鲁棒性的应用，在这些应用中，其最坏情况下(甚或是大幅下降)的效率——也许是基于破坏者或黑客产生的输入——是根本不能容忍的。

定义 5.1 如果对任意的 $x \neq y$，H 中有 $h(x)=h(y)$ 的散列函数 h 的个数至多为 $|H|/M$，则一个散列函数族 H 是*通用的*。

注意这个定义对每一对项都成立，而不是对所有对项求平均后成立。上述定义意味着，如果我们从一个通用族 H 中随机选取一个散列函数，则任意两个不同的项之间发生冲突的概率至多是 $1/M$，并且当向表中加入 N 个项时，在起始点发生冲突的概率至多是 N/M，或者是装填因子。

对分离链接法或跳房子散列法使用通用散列函数，对于满足分析这些数据结构所用到的假设是足够的。但是对需要很强的独立性概念的布谷鸟散列法而言，却是不够的。在布谷鸟散列法中，我们首先看有没有空的位置；如果没有，我们就做个替换，另一个不同的项就得去找个空的位置。如此类推，直到我们找到了空位置，或决定进行再散列(一般是在 $O(\log N)$ 步以内)。为了让分析成立，每一步向散列函数代入不同的项 x 时，其冲突概率都必须独立地是 N/M。我们可以在下列定义中正式描述这种独立性需求。[211]

定义 5.2 如果对任意的 $x_1 \neq y_1$，$x_2 \neq y_2$，$\cdots$，$x_k \neq y_k$，H 中有 $h(x_1)=h(y_1)$，$h(x_2)=h(y_2)$，$\cdots$，$h(x_k)=h(y_k)$ 的散列函数 h 的个数至多为 $|H|/M^k$，则一个散列函数族 H 是 *k-通用的*。

有了这个定义，我们看到布谷鸟散列法的分析需要一个 $O(\log N)$-通用的散列函数(在替换了那么多次之后，我们放弃寻找并进行再散列)。在本节中，我们只看通用散列函数。

要设计一个简单的通用散列函数，我们将首先假设会把非常大的整数映射到从 0 到 $M-1$ 范围内的比较小的整数。令 p 为比最大输入键值大的一个素数。我们的通用族 H 将由下列函数集组成，其中 a 和 b 是随机选取的：

$$H=\{H_{a,b}(x)=((ax+b)\bmod p)\bmod M，其中 1\leqslant a\leqslant p-1,\ 0\leqslant b\leqslant p-1\}$$

例如，在这个族中，(a, b)的三种可能的随机选择导致三种不同的散列函数：

$$H_{3,7}(x)=((3x+7)\bmod p)\bmod M$$
$$H_{4,1}(x)=((4x+1)\bmod p)\bmod M$$
$$H_{8,0}(x)=((8x)\bmod p)\bmod M$$

观察到存在 $p(p-1)$种有可能被选取的散列函数。

定理 5.4　散列族 $H=\{H_{a,b}(x)=((ax+b)\bmod p)\bmod M$，其中 $1\leqslant a\leqslant p-1$，$0\leqslant b\leqslant p-1\}$ 是通用的。

证明：

令 x 和 y 取不同的值且 $x>y$，使得 $H_{a,b}(x)=H_{a,b}(y)$。

显然如果$(ax+b)\bmod p$ 等于$(ay+b)\bmod p$，就会有冲突。然而，这是不会发生的：两式相减得到 $a(x-y)\equiv 0(\bmod p)$，意味着 p 整除 a 或者 p 整除 $x-y$，因为 p 是素数。但是哪个都不可能发生，因为 a 和 $x-y$ 都在 $1\sim p-1$ 之间。

所以令 $r=(ax+b)\bmod p$，并令 $s=(ay+b)\bmod p$，由上述推导可知 $r\neq s$。于是 r 有 p 个可能的值，且对每个 r 存在 $p-1$ 个可能的 s 的值，一共有 $p(p-1)$对可能的(r, s)。注意到(a, b)对的个数和(r, s)对的个数是一样的，所以如果我们可以用 r 和 s 把(a, b)解出来，则每对(r, s)将只对应一对(a, b)。那很容易：和前面一样，两式相减得到 $a(x-y)\equiv(r-s)(\bmod p)$，意味着两边同乘以$(x-y)$的唯一倒数（此倒数一定存在，因为 $x-y$ 非零并且 p 是素数），我们就得到了用 r 和 s 表示的 a，然后 b 也随之得到。

最后，这意味着 x 和 y 冲突的概率等于 $r\equiv s(\bmod M)$的概率，而上述分析允许我们假设 r 和 s 是随机选取的，而不是 a 和 b。直觉立刻觉得这个概率应该是 $1/M$，但这仅当 p 是 M 的整数倍并且所有可能的(r, s)对是等概率出现时才成立。既然 p 是素数，并且 $r\neq s$，这就不成立了，所以需要更谨慎的分析。　212

对一个给定的 r，能够对 M 取模后发生冲突的 s 的值的个数至多是$\lceil p/M\rceil-1$（有 -1 是因为 $r\neq s$）。容易看出这个值至多是$(p-1)/M$。所以 r 和 s 会产生冲突的概率至多是 $1/M$（我们除以 $p-1$，是因为如前所述，对给定的 r 仅有 $p-1$ 种对 s 的选择）。这就意味着此散列族是通用的。□

这个散列函数的实现好像需要做两次取模操作：第一次对 p 取模，第二次对 M 取模。图 5-50 展示了一个 Java 的简单实现，假设 M 远小于 Java 整数的上限 $2^{31}-1$。因为现在要求计算必须严格按照指定的进行，所以溢出是不能接受的，我们提升到 64 位长的计算。

```
1       public static int universalHash( int x, int A, int B, int P, int M )
2       {
3           return (int) ( ( ( (long) A * x ) + B ) % P ) % M;
4       }
```

图 5-50　通用散列的简单实现

然而，我们可以选择任何素数 p，只要它大于 M。所以，选一个对计算最有利的素数是有意义的。$p=2^{31}-1$ 就是一个这样的素数。这种形式的素数叫梅森（Mersenne）素数，其他的梅森素数包括 2^5-1、$2^{61}-1$ 以及 $2^{89}-1$。乘一个如 31 这样的梅森素数可以用位移运算和一次减法来完成，同样，一次对梅森素数的取模运算也可以用位移运算和一次加法来完成：

设 $r\equiv y(\bmod p)$。若我们用 y 除以$(p+1)$，则 $y=q'(p+1)+r'$，其中 q' 和 r'分别是商和

余数。所以，$r \equiv q'(p+1)+r'(\bmod p)$。且因为$(p+1)\equiv 1(\bmod p)$，所以我们得到$r \equiv q'+r'(\bmod p)$。

213

图5-51实现了这个称为**卡特-韦格曼绝招**(Carter-Wegman trick)的思路。在第8行，位移计算除以$(p+1)$时的商，按位与则计算余数。这些位运算之所以能用，是因为$(p+1)$是2的整数次方。因为余数有可能跟p一样大，得到的和有可能大于p，所以我们在第9行和第10行把它缩减回来。

```
 1    public static final int DIGS = 31;
 2    public static final int mersennep = (1<<DIGS) - 1;
 3
 4    public static int universalHash( int x, int A, int B, int M )
 5    {
 6        long hashVal = (long) A * x + B;
 7
 8        hashVal = ( ( hashVal >> DIGS ) + ( hashVal & mersennep ) );
 9        if( hashVal >= mersennep )
10            hashVal -= mersennep;
11
12        return (int) hashVal % M;
13    }
```

图5-51 通用散列的简单实现

针对字符串的通用散列函数也是存在的。首先，选取任意大于M(并且大于最大的字符编码)的素数p。然后用我们的标准字符串散列函数，在$1 \sim p-1$之间随机选取乘数，返回一个$0 \sim p-1$闭区间内的中间散列值。最后，用一个通用散列函数生成$0 \sim M-1$之间的最后的散列值。

5.9 可扩散列

本章最后的论题处理数据量太大以至于装不进主存的情况。正如我们在第4章看到的，此时主要的考虑是检索数据所需的磁盘存取次数。

与前面一样，我们假设在任一时刻都有N个记录要存储；N的值随时间而变化。此外，最多可把M个记录放入一个磁盘区块。本节将设$M=4$。

如果使用探测散列或分离链接散列，那么主要的问题在于，在一次查找操作期间冲突可能引起多个区块被检察，甚至对于理想分布的散列表也在所难免。不仅如此，当散列表变得过满的时候，必须执行代价巨大的再散列这一步，它需要$O(N)$次磁盘访问。

一种聪明的选择叫作**可扩散列**(extendible hashing)，它使得用两次磁盘访问执行一次查找。插入操作也需要很少的磁盘访问。

回忆第4章，B树具有深度$O(\log_{M/2} N)$。随着M的增长，B树的深度降低。理论上我们可以选择M非常大，使得B树的深度为1。此时，在第一次以后的任何查找都将花费一次磁盘访问，因为根节点很可能存放在主存中。这种方法的问题在于分支系数(branching factor)太高，以至于为了确定数据在哪片树叶上要进行大量的处理工作。如果运行这一步的时间可以减缩，那么我们就将有一个实际的方案。这正是可扩散列使用的策略。

现在假设我们的数据由几个6比特整数组成。图5-52显示这些数据的可扩散列格式。这里的“树”的根含有4个链，它们由这些数据的前两个比特确定。每片树叶有直到$M=4$个元素。碰巧这里每片树叶中数据的前两个比特都是相同的；这由圆括号内的数指出。为了更正式，用D代表根所使用的比特数，有时称其为**目录**(directory)。于是，目录中的项数为2^D。d_L

为树叶 L 所有元素共有的最高位的比特位数。d_L 将依赖于特定的树叶，因此 $d_L \leqslant D$。

设欲插入关键字 100 100。它将进入第三片树叶，但是第三片树叶已经满了，没有空间存放它。因此我们将这片树叶分裂成两片树叶，它们由前三个比特确定。这需要将目录的大小增加到 3。这些变化由图 5-53 反映出来。

214

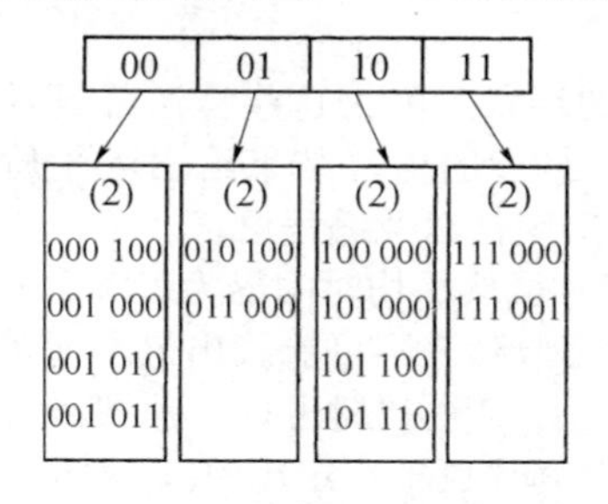

图 5-52　可扩散列：原始数据

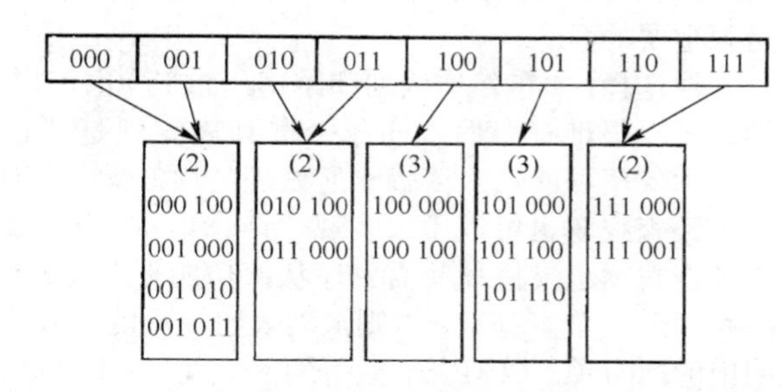

图 5-53　可扩散列：在 100 100 插入及目录分裂后

注意，所有未被分裂的树叶现在各由两个相邻目录项所指。因此，虽然整个目录被重写，但是其他树叶都没有被实际访问。

如果现在插入关键字 000 000，那么第一片树叶就要被分裂，生成 $d_L=3$ 的两片树叶。由于 $D=3$，故在目录中所作的唯一变化是 000 和 001 两个链的更新。见图 5-54。

215

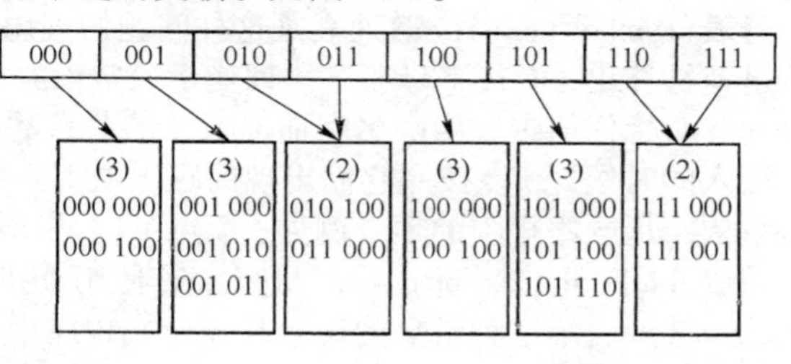

图 5-54　可扩散列：在 000 000 插入及树叶分裂后

这个非常简单的方法提供了对大型数据库 insert 操作和查找操作的快速存取时间。这里，还有一些重要细节我们尚未考虑。

首先，有可能当一片树叶的元素有多于 $D+1$ 个前导比特位相同时需要多次目录分裂。例如，从原先的例子开始，$D=2$，如果插入 111 010、111 011，并在最后插入 111 100，那么目录大小必须增加到 4 以区分 5 个关键字。这是一个容易考虑到的细节，但是千万不要忘记它。其次，存在重复关键字（duplicate keys）的可能性；若存在多于 M 个重复关键字，则该算法根本无效。此时，需要作出某些其他的安排。

上述可能性指出，这些比特完全随机是相当重要的，它可以通过把那些关键字散列到合理的长整数来实现。

最后，我们介绍可扩散列的某些性能，这些性能是经过非常困难的分析后得到的。这些结果基于合理的假设：位模式（bit pattern）是均匀分布的。

树叶的期望个数为 $(N/M)\log_2 e$。因此，平均树叶满的程度为 $\ln 2=0.69$。这和 B 树是一样的，其实这完全不奇怪，因为对于两种数据结构，都是当第 $(M+1)$ 项被添加进来时一些新的节点被建立。

更令人惊奇的结果是目录的期望大小（换句话说即 2^D）为 $O(N^{1+1/M}/M)$。如果 M 很小，那么目录可能过大。在这种情况下，我们可以让树叶包含指向记录的链而不是实际的记录，这样可以增加 M 的值。为了维持更小的目录，这就对每次查找操作增加了第二次磁盘访问。如果目录太大装不进主存，那么第二次磁盘访问无论如何也还是需要的。

216

小结

散列表可以用来以常数平均时间实现 insert 和查找操作。当使用散列表时注意诸如装填因子这样的细节是特别重要的，否则时间界将不再有效。当关键字不是短的串或整数时，仔细选择散列函数也是很重要的。

对于分离链接散列法，虽然装填因子不很大时性能并不明显降低，但装填因子还是应该接近于1。对于探测散列算法，除非完全不可避免，否则装填因子不应该超过0.5。如果使用线性探测，那么性能随着装填因子接近于1将急速下降。再散列运算可以通过使散列表增长（和收缩）来实现，这样将会保持合理的装填因子。对于空间紧缺并且不可能声明巨大散列表的情况，这是很重要的。

其他选择（如布谷鸟散列和跳房子散列）也可以得到好的结果。因为这些算法都是常数时间的，所以很难有力地说明哪个散列表实现是“最好的”。最近的仿真结果给出了矛盾的导向，暗示效率可能强烈依赖于所处理的项的类型、计算机底层硬件以及编程语言。

二叉查找树也可以用来实现 `insert` 和 `contains` 运算。虽然平均时间界为 $O(\log N)$，但是二叉查找树也支持那些需要序从而功能更强大的例程。使用散列表不可能找出最小元素。除非准确知道一个字符串，否则散列表也不可能有效地查找它。二叉查找树可以迅速找到在一定范围内的所有项；散列表是做不到的。此外，$O(\log N)$ 这个时间界也不一定比 $O(1)$ 大很多，这特别是因为使用查找树不需要乘法和除法。

另一方面，散列的最坏情况一般来自于实现的错误，而有序的输入却可能使二叉树运行得很差。平衡查找树实现的代价相当高，因此，如果不需要有序的信息以及对输入是否被排序存有怀疑，那么就应该选择散列这种数据结构。

散列有着丰富的应用。编译器使用散列表跟踪源代码中声明的变量。这种数据结构叫作**符号表**（symbol table）。散列表是这种问题的理想应用。标识符一般都不长，因此其散列函数能够迅速被算出，而按字母顺序排列变量通常没有必要。

对于任何带有实际名字而非数字的节点的图论问题，散列表都是有用的。这里，当输入被读入的时候，顶点按照它们出现的顺序从1开始被指定一些整数。再有，输入很可能有一组一组依字母顺序排列的项。例如，顶点可以是计算机。此时，如果一个特定的设备把它的计算机列成 ibm1，ibm2，ibm3，…，那么，若使用查找树则在效率方面可能会受到戏剧性的影响。

散列表第三种常见的用途是在游戏程序中。当程序搜索游戏不同的行时，它跟踪通过计算基于位置的散列函数而看到的一些位置（并把对于该位置的移动存储起来）。如果同样的位置再出现，程序通常通过移动的简单变换来避免昂贵的重复计算。所有游戏程序的这种一般特征叫作**转移表**（tranposition table）。

217

散列的另一个用途是在线拼写检验程序。如果错拼检测（与正确性相比）重要，那么整个词典可以预先被散列，单词则可以常数时间被检测。散列表很适合这项工作，因为以字母顺序排列单词并不重要；而以它们在文件中出现的顺序显示出错误拼写当然是可接受的。

散列表经常用于实现缓存，既在软件中（例如，你的互联网浏览器的缓存）也在硬件中（例如，现代计算机中内存的缓存）。它们还被用于路由器的硬件实现。

我们以第一章的字谜问题来结束本章。如果使用第一章中描述的第二个算法，并且假设最大单词的大小是某个小常数，那么读入包含 W 个单词的词典并把它放入散列表的时间是 $O(W)$。这个时间很可能由磁盘 I/O 而不是由那些散列例程起支配作用。算法的其余部分将对每一个四元组（行，列，方向，字符数）测试一个单词是否出现。由于每次查询时间为 $O(1)$，而只存在常数个数的方向(8)和每个单词的字符，因此这一阶段的运行时间为 $O(R \cdot C)$。总的运行时间是 $O(R \cdot C + W)$，它是对原始 $O(R \cdot C \cdot W)$ 的明显的改进。我们还可以做进一步的优化，它能够降低实际的运行时间；这些将在练习中描述。

练习

5.1 给定输入{4 371，1 323，6 173，4 199，4 344，9 679，1 989}和散列函数 $h(x) = x (\bmod 10)$，给出下列结果：

a. 分离链接散列表。

b. 使用线性探测的散列表。

c. 使用平方探测的散列表。

d. 第二个散列函数为 $h_2(x)=7-x(\mathrm{mod}\ 7)$ 的散列表。

5.2 给出将练习5.1中的散列表再散列的结果。

5.3 编写一个程序，计算使用线性探测、平方探测、双散列时的长随机插入序列中所需的冲突次数。

5.4 在分离链接散列表中进行大量的删除可能造成表非常稀疏，浪费空间。在这种情况下，可以再散列一个表，为原表的一半大。设当存在相当于表的大小的二倍的元素的时候，我们再散列到一个更大的表。该表应该有多么稀疏才能再散列到一个更小的表？

5.5 用单链表而非 `java.util.LinkedList` 重新实现分离链接散列表。

5.6 平方探测的 `isEmpty` 例程还没有写出。你能通过返回表达式 `currentSize==0` 实现它吗？ 218

5.7 在平方探测散列表中，设我们把一个新项插入到搜索路径上第一个非活动的单元而不是把它插入到由 `findPos` 指定的位置(这样，能够重新声明一个标记“deleted”的单元，潜在地节省了空间)。

a. 使用上述分析重新编写插入算法。通过使用一个附加变量让 `findPos` 保留它遇到的第一个非活动单元的位置来完成重写的工作。

b. 解释使得重写的算法快于原来算法的环境。重写的算法可能会更慢吗？

5.8 假设我们用“立方探测”取代平方探测，这里第 i 次探测在 $hash(x)+i^3$。立方探测比平方探测有改进吗？

5.9 图5-4中的散列函数在 `for` 循环中对 `key.length()` 进行重复调用。每次进入循环以前对它进行一次计算值得吗？

5.10 各种冲突解决方案的优点和缺点是什么？

5.11 假设为了减轻二次聚集的影响，我们使用函数 $f(i)=i\cdot r(hash(x))$ 作为冲突解决方案，其中 $hash(x)$ 为32比特散列值(尚未化成适当的数组下标)，而 $r(y)=|48\ 271\ y(\mathrm{mod}(2^{31}-1))|\ \mathrm{mod}\ TableSize$。(10.4.1节描述一种执行这种计算而不溢出的方法，不过，在这种情况下溢出是不可能的)。解释为什么这种方法趋向于避免二次聚集，并将这种方法与双散列及平方探测进行比较。

5.12 再散列要求对散列表中的所有项重新计算散列函数。由于计算散列函数开销巨大，因此设对象提供它们自己的散列成员函数，而每个对象在散列函数第1次被计算时都把结果存入一个附加的数据成员中。指出这种方案如何用于图5-8中的 `Employee` 类，并解释在什么情况下这些所记忆的散列值在每个 `Employee` 中仍然有效。

5.13 编写一个程序，实现下面的方案，将大小分别为 M 和 N 的两个稀疏多项式(sparse polynomial) P_1 和 P_2 相乘。每个多项式表示成为对象的一个链表，这些对象由系数和幂组成(练习3.12)。我们用 P_2 的项乘以 P_1 的每一项，总数为 MN 次运算。一种方法是将这些项排序并合并同类项，但是，这需要排序 MN 个记录，代价可能很高，特别是在小内存环境下。另一种方案，我们可在多项式的项进行计算时将它们合并，然后将结果排序。

a. 编写一个程序实现第二种方案。

b. 如果输出多项式大约有 $O(M+N)$ 项，两种方法的运行时间各是多少？

*5.14 描述一个避免初始化散列表的过程(以内存消耗为代价)。 219

5.15 设欲找出在长输入串 $A_1A_2\cdots A_N$ 中串 $P_1P_2\cdots P_k$ 的第一次出现。我们可以通过散列模式串(pattern string)得到一个散列值 H_p，并将该值与从 $A_1A_2\cdots A_k$，$A_2A_3\cdots A_{k+1}$，$A_3A_4\cdots A_{k+2}$，等等直到 $A_{N-k+1}A_{N-k+2}\cdots A_N$ 形成的散列值比较来解决这个问题。如果得到散列值的一个匹配，那么再逐个字符地对串进行比较以检验这个匹配。如果串实际上确实匹配，那么返回其(在 A 中的)位置，而在匹配失败这种不大可能的情况下继续进行查找。

*a. 证明如果 $A_iA_{i+1}\cdots A_{i+k-1}$ 的散列值已知，那么 $A_{i+1}A_{i+2}\cdots A_{i+k}$ 的散列值可以以常数时间算出。

b. 证明运行时间为 $O(k+N)$ 加上排除错误匹配所耗费的时间。

*c. 证明错误匹配的期望次数是微不足道的。

d. 编写一个程序实现该算法。

**e. 描述一个算法，其最坏情形的运行时间为 $O(k+N)$。

**f. 描述一个算法，其平均运行时间为 $O(N/k)$。

5.16 Java 7增加了一项语法，允许switch语句处理字符串类型(而不是原来的整数类型)。解释编译器如何将散列表用于实现这个语言的扩展。

5.17 一个(老式的)BASIC程序由一系列按递增顺序编号的语句组成。控制是通过使用goto或gosub和一个语句编号实现的。编写一个程序读进合法的BASIC程序并给语句重新编号，使得第一句在序号F处开始并且每一个语句的序号比前一语句高D。可以假设N条语句的一个上限，但是在输入中语句序号可以大到32比特的整数。所编的程序必须以线性时间运行。

5.18 a. 利用本章末尾描述的算法实现字谜程序。

b. 通过存储每一个单词W以及W的所有前缀，可以大大加快运行速度(如果W的一个前缀刚好是词典中的一个单词，那么就把它作为实际的单词来储存)。虽然这看起来极大地增加了散列表的大小，但实际上并非如此，因为许多单词有相同的前缀。当以某个特定的方向执行一次扫描的时候，如果被查找的单词甚至作为前缀都不在散列表中，那么在这个方向上的扫描可以及早终止。利用这种想法编写一个改进的程序来解决字谜游戏问题。

c. 如果我们愿意牺牲散列表ADT的性能，那么可以在(b)部分使程序加速：例如，如果我们刚刚计算出“excel”的散列函数，那么就不必再从头开始计算“excels”的散列函数。调整散列函数使得它能够利用前面的计算。

d. 在第2章我们建议使用折半查找。把使用前缀的想法结合到你的折半查找算法中。修改工作应该简单。哪个算法更快？

220

5.19 在某些假设下，向带有二次聚集的散列表进行的一次插入操作的期望代价由$1/(1-\lambda)-\lambda-\ln(1-\lambda)$给出。不过，这个公式对于平方探测并不精确。我们假设它是准确的，确定：

a. 一次不成功查找的期望代价。

b. 一次成功查找的期望代价。

5.20 实现支持put和get操作的泛型Map。该实现方法将存储(关键字，定义)对的散列表。图5-55提供Map的说明(去掉某些细节)。

```
 1  class Map<KeyType,ValueType>
 2  {
 3      public Map( )
 4
 5      public void put( KeyType key, ValueType val )
 6      public ValueType get( KeyType key )
 7      public boolean isEmpty( )
 8      public void makeEmpty( )
 9
10      private QuadraticProbingHashTable<Entry<KeyType,ValueType>> items;
11
12      private static class Entry<KeyType,ValueType>
13      {
14          KeyType key;
15          ValueType value;
16          // Appropriate Constructors, etc.
17      }
18  }
```

图5-55 练习5.20的Map架构

5.21 通过使用散列表实现一个拼写检查程序。设词典来自两个来源：一本现有的大词典以及包含一本个人词典的第二个文件。输出所有错拼的单词和这些单词出现的行号。再有，对于每个错拼的单词，列出应用下列任一种法则在词典中能够得到的任意的单词：

a. 添加一个字符。

b. 去掉一个字符。

c. 交换两个相邻的字符。

5.22 证明**马尔可夫**不等式(Markov's Inequality)：如果X是任意随机变量，且$a>0$，则$\Pr(|X|\geqslant a)\leqslant$

E(| X |)/a。证明如何将这个不等式用于定理5.2和定理5.3。

5.23 如果一个带参数 *MAX_DIST* 的跳房子散列表具有装填因子0.5，一次插入需要再散列的近似概率是多少？

221

5.24 实现一个跳房子散列表，并将其表现与线性探测、分离链接以及布谷鸟散列进行比较。

5.25 实现分别维护两个表的经典布谷鸟散列表。最简单的做法是用单个数组，修改散列函数实现访问上半部分或者访问下半部分。

5.26 扩展经典布谷鸟散列表以使用 d 散列函数。

5.27 指出将关键字10 111 101、00 000 010、10 011 011、10 111 110、01 111 111、01 010 001、10 010 110、00 001 011、11 001 111、10 011 110、11 011 011、00 101 011、01 100 001、11 110 000、01 101 111插入到一个空的初始可扩散列数据结构中的结果，其中 $M=4$。

5.28 编写一个程序实现可扩散列法。如果散列表小到足可装入内存，那么它的性能与分离链接法和开放定址散列法相比如何？

参考文献

尽管散列具有显而易见的简单特性，但是对它的很多分析还是相当困难的，而且仍然留有许多未解决的问题，同时存在诸多有趣的理论问题。

散列至少可追溯到1953年，当时H. P. Luhn写了一篇IBM内部备忘录，用到了分离链接散列法。散列的早期论文是[11]和[32]。关于这方面的更丰富的信息，包括在完全随机和独立散列的假设下对使用线性探测的散列的分析，可以在[25]中找到。更近期的结果表明线性探测仅需要5-独立的散列函数[31]。[28]是对早期经典散列表方法的极好的综述，[29]包含选择散列函数的一些建议以及一些要注意的陷阱。对于分离链接法、线性探测、平方探测以及双散列的精确分析和模拟结果可以在[19]中找到。然而，由于计算机体系结构和编译器的改变(改进)，模拟结果很快就会过时。

对双散列的分析见[20]和[27]。另外一种冲突解决方案是接合散列(coalesced hashing)，[33]对此作了描述。Yao[37]业已证明，假设所有项一旦放置就不能移动，则关于一次成功查找的开销，均匀散列(uniform hashing)是最优的，在这种散列中不存在聚集。

通用散列函数在[5]和[35]中被首次描述，后者介绍了使用梅森素数以避免较贵的取模运算的“卡特-韦格曼绝招”。完美散列在[16]中描述，[8]中描述了一个完美散列的动态版本。[12]是关于一些经典动态散列法的综述。

分离链接最长表的 $\Theta(\log N/\log\log N)$ 长度上界在[18]中给出了(精确形式的)证明。“两种选择的力量”首次在[2]中描述，即证明了当随机选择的两个表中比较短的表被选中时，最长表长的上界会被降低到只有 $\Theta(\log\log N)$。关于两种选择的力量的早期例子是[4]。布谷鸟散列方面经典的工作是[30]。自从最初的论文发表以后，许许多多新结果冒了出来，分析散列函数需要的独立性的量，以及描述其他的实现方法，见[7]、[34]、[15]、[10]、[23]、[24]、[1]、[6]、[9]和[17]。跳房子散列出自[21]。

222

可扩散列出自[13]，分析见于[14]和[36]。

练习5.15a ~ d部分取自[22]，e部分取自[26]，而f部分取自[3]。

1. Y. Arbitman, M. Naor, and G. Segev, “De-Amortized Cuckoo Hashing: Provable Worst-Case Performance and Experimental Results,” *Proceedings of the 36th International Colloquium on Automata, Languages and Programming* (2009), 107–118.
2. Y. Azar, A. Broder, A. Karlin, and E. Upfal, “Balanced Allocations,” *SIAM Journal of Computing*, 29 (1999), 180–200.
3. R. S. Boyer and J. S. Moore, “A Fast String Searching Algorithm,” *Communications of the ACM*, 20 (1977), 762–772.
4. A. Broder and M. Mitzenmacher, “Using Multiple Hash Functions to Improve IP Lookups,” *Proceedings of the Twentieth IEEE INFOCOM* (2001), 1454–1463.
5. J. L. Carter and M. N. Wegman, “Universal Classes of Hash Functions,” *Journal of Computer and System Sciences*, 18 (1979), 143–154.
6. J. Cohen and D. Kane, “Bounds on the Independence Required for Cuckoo Hashing,” preprint.

7. L. Devroye and P. Morin, "Cuckoo Hashing: Further Analysis," *Information Processing Letters*, 86 (2003), 215–219.
8. M. Dietzfelbinger, A. R. Karlin, K. Melhorn, F. Meyer auf der Heide, H. Rohnert, and R. E. Tarjan, "Dynamic Perfect Hashing: Upper and Lower Bounds," *SIAM Journal on Computing*, 23 (1994), 738–761.
9. M. Dietzfelbinger and U. Schellbach, "On Risks of Using Cuckoo Hashing with Simple Universal Hash Classes," *Proceedings of the Twentieth Annual ACM-SIAM Symposium on Discrete Algorithms* (2009), 795–804.
10. M. Dietzfelbinger and C. Weidling, "Balanced Allocation and Dictionaries with Tightly Packed Constant Size Bins," *Theoretical Computer Science*, 380 (2007), 47–68.
11. I. Dumey, "Indexing for Rapid Random-Access Memory," *Computers and Automation*, 5 (1956), 6–9.
12. R. J. Enbody and H. C. Du, "Dynamic Hashing Schemes," *Computing Surveys*, 20 (1988), 85–113.
13. R. Fagin, J. Nievergelt, N. Pippenger, and H. R. Strong, "Extendible Hashing—A Fast Access Method for Dynamic Files," *ACM Transactions on Database Systems*, 4 (1979), 315–344.
14. P. Flajolet, "On the Performance Evaluation of Extendible Hashing and Trie Searching," *Acta Informatica*, 20 (1983), 345–369.
15. D. Fotakis, R. Pagh, P. Sanders, and P. Spirakis, "Space Efficient Hash Tables with Worst Case Constant Access Time," *Theory of Computing Systems*, 38 (2005), 229–248.
16. M. L. Fredman, J. Komlos, and E. Szemeredi, "Storing a Sparse Table with $O(1)$ Worst Case Access Time," *Journal of the ACM*, 31 (1984), 538–544.
17. A. Frieze, P. Melsted, and M. Mitzenmacher, "An Analysis of Random-Walk Cuckoo Hashing," *Proceedings of the Twelfth International Workshop on Approximation Algorithms in Combinatorial Optimization (APPROX)* (2009), 350–364.
223
18. G. Gonnet, "Expected Length of the Longest Probe sequence in Hash Code Searching," *Journal of the Association for Computing Machinery*, 28 (1981), 289–304.
19. G. H. Gonnet and R. Baeza-Yates, *Handbook of Algorithms and Data Structures*, 2nd ed., Addison-Wesley, Reading, Mass., 1991.
20. L. J. Guibas and E. Szemeredi, "The Analysis of Double Hashing," *Journal of Computer and System Sciences*, 16 (1978), 226–274.
21. M. Herlihy, N. Shavit, and M. Tzafrir, "Hopscotch Hashing," *Proceedings of the Twenty-Second International Symposium on Distributed Computing* (2008), 350–364.
22. R. M. Karp and M. O. Rabin, "Efficient Randomized Pattern-Matching Algorithms," *Aiken Computer Laboratory Report TR-31-81*, Harvard University, Cambridge, Mass., 1981.
23. A. Kirsch and M. Mitzenmacher, "The Power of One Move: Hashing Schemes for Hardware," *Proceedings of the 27th IEEE International Conference on Computer Communications (INFOCOM)* (2008), 106–110.
24. A. Kirsch, M. Mitzenmacher, and U. Wieder, "More Robust Hashing: Cuckoo Hashing with a Stash," *Proceedings of the Sixteenth Annual European Symposium on Algorithms* (2008), 611–622.
25. D. E. Knuth, *The Art of Computer Programming, Vol. 3: Sorting and Searching*, 2nd ed., Addison-Wesley, Reading, Mass., 1998.
26. D. E. Knuth, J. H. Morris, and V. R. Pratt, "Fast Pattern Matching in Strings," *SIAM Journal on Computing*, 6 (1977), 323–350.
27. G. Lueker and M. Molodowitch, "More Analysis of Double Hashing," *Proceedings of the Twentieth ACM Symposium on Theory of Computing* (1988), 354–359.
28. W. D. Maurer and T. G. Lewis, "Hash Table Methods," *Computing Surveys*, 7 (1975), 5–20.
29. B. J. McKenzie, R. Harries, and T. Bell, "Selecting a Hashing Algorithm," *Software—Practice and Experience*, 20 (1990), 209–224.
224
30. R. Pagh and F. F. Rodler, "Cuckoo Hashing," *Journal of Algorithms*, 51 (2004), 122–144.

31. M. Pătrașcu and M. Thorup, "On the k-Independence Required by Linear Probing and Minwise Independence," *Proceedings of the 37th International Colloquium on Automata, Languages, and Programming* (2010), 715–726.
32. W. W. Peterson, "Addressing for Random Access Storage," *IBM Journal of Research and Development*, 1 (1957), 130–146.
33. J. S. Vitter, "Implementations for Coalesced Hashing," *Communications of the ACM*, 25 (1982), 911–926.
34. B. Vöcking, "How Asymmetry Helps Load Balancing," *Journal of the ACM*, 50 (2003), 568–589.
35. M. N. Wegman and J. Carter, "New Hash Functions and Their Use in Authentication and Set Equality," *Journal of Computer and System Sciences*, 22 (1981), 265–279.
36. A. C. Yao, "A Note on the Analysis of Extendible Hashing," *Information Processing Letters*, 11 (1980), 84–86.
37. A. C. Yao, "Uniform Hashing Is Optimal," *Journal of the ACM*, 32 (1985), 687–693.

第 6 章

Data Structures and Algorithm Analysis in Java, Third Edition

优先队列(堆)

虽然发送到打印机的作业一般被放到队列中，但这未必总是最好的做法。例如，可能有一项作业特别重要，因此希望只要打印机一有空闲就来处理这项作业。反之，若在打印机有空时正好有多个单页的作业及一项 100 页的作业等待打印，则更合理的做法也许是最后处理长的作业，尽管它不是最后提交上来的(不幸的是，大多数的系统并不这么做，有时可能特别令人懊恼)。

类似地，在多用户环境中，操作系统调度程序必须决定在若干进程中运行哪个进程。一般一个进程只被允许运行一个固定的时间片。一种算法是使用一个队列。开始时作业被放到队列的末尾。调度程序将反复提取队列中的第一个作业并运行它，直到运行完毕，或者该作业的时间片用完，并在作业未运行完毕时把它放到队列的末尾。这种策略一般并不太合适，因为一些很短的作业由于一味等待运行而要花费很长的时间去处理。一般说来，短的作业要尽可能快地结束，这一点很重要，因此在已经运行的作业当中这些短作业应该拥有优先权。此外，有些作业虽不短小但很重要，也应该拥有优先权。

这种特殊的应用似乎需要一类特殊的队列，我们称之为**优先队列**(priority queue)。在本章中，我们将讨论：

- 优先队列 ADT 的有效实现。
- 优先队列的使用。
- 优先队列的高级实现。

我们将看到的这类数据结构属于计算机科学中最精致的一种。

6.1 模型

优先队列是允许至少下列两种操作的数据结构：`insert`(插入)，它的作用是显而易见的；以及`deleteMin`(删除最小者)，它的工作是找出、返回并删除优先队列中最小的元素。`insert` 操作等价于 `enqueue`(入队)，而 `deleteMin` 则是队列运算 `dequeue`(出队)在优先队列中的等价操作。

如同大多数数据结构那样，有时可能要添加一些其他的操作，但这些添加的操作属于扩展的操作，而不是图 6-1 所描述的基本模型的一部分。

图 6-1 优先队列的基本模型

225

除了操作系统外，优先队列还有许多的应用。在第 7 章，我们将看到优先队列如何用于外部排序。在**贪婪算法**(greedy algorithm)的实现方面优先队列也是很重要的，该算法通过反复求出最小元来进行操作；在第 9 章和第 10 章我们将看到一些特殊的例子。本章将介绍优先队列在离散事件模拟中的一个应用。

6.2 一些简单的实现

有几种明显的方法可用于实现优先队列。我们可以使用一个简单链表在表头以 $O(1)$ 执行插入操作，并遍历该链表以删除最小元，这又需要 $O(N)$ 时间。另一种方法是始终让链表保持排序状态；这使得插入代价高昂($O(N)$)而 `deleteMin` 花费低廉($O(1)$)。基于 `deleteMin` 的操作从不多于插入操作的事实，前者恐怕是更好的想法。

另一种实现优先队列的方法是使用二叉查找树，它对这两种操作的平均运行时间都是 $O(\log N)$。尽管插入是随机的，而删除则不是，但这个结论还是成立的。记住我们删除的唯一元素是最小元。反复除去左子树中的节点似乎会损害树的平衡，使得右子树加重。然而，右子树是随机的。在最坏的情形下，即 deleteMin 将左子树删空的情形下，右子树拥有的元素最多也就是它应具有的两倍。这只是在期望的深度上加了一个小常数。注意，通过使用一棵平衡树，可以把这个界变成最坏情形的界；这将防止出现坏的插入序列。

使用查找树可能有些过分，因为它支持许许多多并不需要的操作。我们将要使用的基本的数据结构不需要链，它以最坏情形时间 $O(\log N)$ 支持上述两种操作。插入操作实际上将花费常数平均时间，若无删除操作的干扰，该结构的实现将以线性时间建立一个具有 N 项的优先队列。然后，我们将讨论如何实现优先队列以支持有效的合并。这个附加的操作似乎有些复杂，它显然需要使用链接的结构。

6.3 二叉堆

我们将要使用的这种工具叫作**二叉堆**(binary heap)，它的使用对于优先队列的实现相当普遍，以至于当堆(heap)这个词不加修饰地用在优先队列的上下文中时，一般都是指数据结构的这种实现。在本节，我们把二叉堆只叫作堆。像二叉查找树一样，堆也有两个性质，即结构性和堆序性。恰似 AVL 树，对堆的一次操作可能破坏这两个性质中的一个，因此，堆的操作必须到堆的所有性质都被满足时才能终止。事实上这并不难做到。

226

6.3.1 结构性质

堆是一棵被完全填满的二叉树，有可能的例外是在底层，底层上的元素从左到右填入。这样的树称为完全二叉树(complete binary tree)。图 6-2 给出了一个例子。

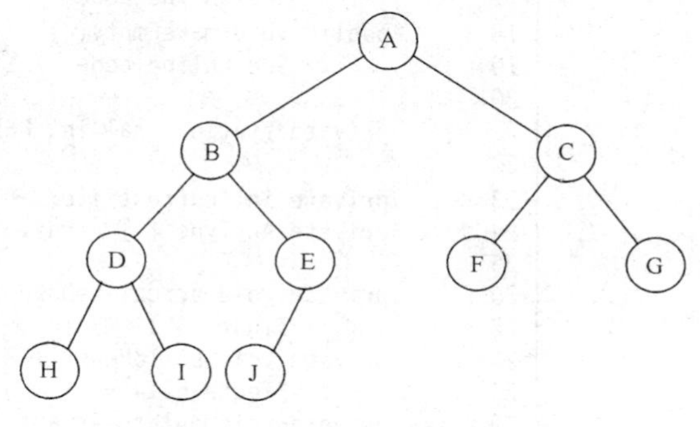

图 6-2　一棵完全二叉树

容易证明，一棵高为 h 的完全二叉树有 2^h 到 $2^{h+1}-1$ 个节点。这意味着完全二叉树的高是 $\lfloor \log N \rfloor$，显然它是 $O(\log N)$。

一个重要的观察发现，因为完全二叉树这么有规律，所以它可以用一个数组表示而不需要使用链。图 6-3 中的数组对应图 6-2 中的堆。

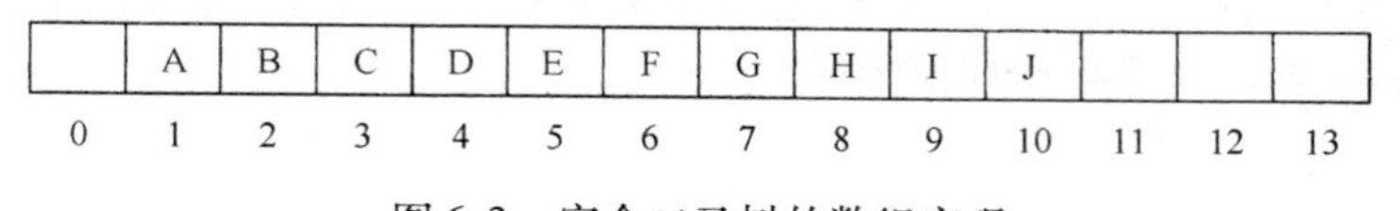

图 6-3　完全二叉树的数组实现

对于数组中任一位置 i 上的元素，其左儿子在位置 $2i$ 上，右儿子在左儿子后的单元 $(2i+1)$ 中，它的父亲则在位置 $\lfloor i/2 \rfloor$ 上。因此，这里不仅不需要链，而且遍历该树所需要的操作极简单，在大部分计算机上运行很可能非常快。这种实现方法的唯一问题在于，最大的堆大小需要事先估计，但一般这并不成问题(而且如果需要，我们可以重新调整大小)。在图 6-3 中，堆大小的限界是 13 个元素。该数组有一个位置 0，后面将详细叙述。

227

因此，一个堆结构将由一个(Comparable 对象的)数组和一个代表当前堆的大小的整数组成。图 6-4 显示一个优先队列的架构。

本章我们将始终把堆画成树，这意味着具体的实现将使用简单的数组。

6.3.2 堆序性质

让操作快速执行的性质是**堆序性质**(heap-order property)。由于我们想要快速找出最小元，因此最小元应该在根上。如果我们考虑任意子树也应该是一个堆，那么任意节点就应该小于它的所有后裔。

```
1  public class BinaryHeap<AnyType extends Comparable<? super AnyType>>
2  {
3      public BinaryHeap( )
4        { /* See online code */ }
5      public BinaryHeap( int capacity )
6        { /* See online code */ }
7      public BinaryHeap( AnyType [ ] items )
8        { /* Figure 6.14 */ }
9
10     public void insert( AnyType x )
11       { /* Figure 6.8 */ }
12     public AnyType findMin( )
13       { /* See online code */ }
14     public AnyType deleteMin( )
15       { /* Figure 6.12 */ }
16     public boolean isEmpty( )
17       { /* See online code */ }
18     public void makeEmpty( )
19       { /* See online code */ }
20
21     private static final int DEFAULT_CAPACITY = 10;
22
23     private int currentSize;      // Number of elements in heap
24     private AnyType [ ] array;    // The heap array
25
26     private void percolateDown( int hole )
27       { /* Figure 6.12 */ }
28     private void buildHeap( )
29       { /* Figure 6.14 */ }
30     private void enlargeArray( int newSize )
31       { /* See online code */ }
32 }
```

图 6-4 优先队列的类架构

应用这个逻辑，我们得到堆序性质。在一个堆中，对于每一个节点 X，X 的父亲中的关键字小于(或等于) X 中的关键字，根节点除外(它没有父亲)[⊖]。在图 6-5 中左边的树是一个堆，而右边的树则不是(虚线表示堆有序性被破坏)。

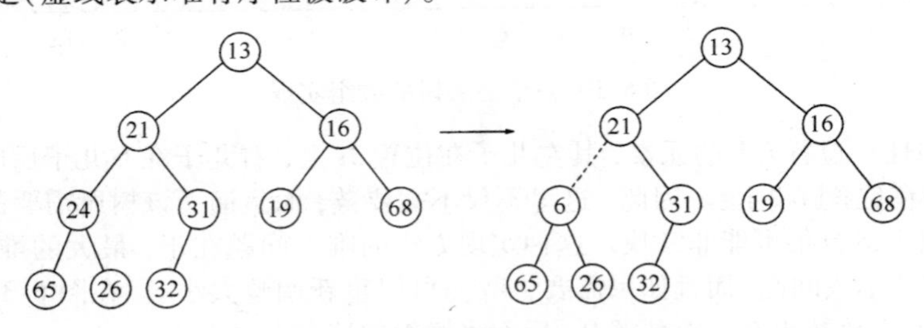

图 6-5 两棵完全树(只有左边的树是堆)

根据堆序性质，最小元总可以在根处找到。因此，我们以常数时间得到附加操作 findMin。

6.3.3 基本的堆操作

无论从概念上还是实际上考虑，执行这两个所要求的操作都是容易的。所有的工作都需要

⊖ 类似地，我们可以声明一个(max)堆，它使我们通过改变堆序性质能够有效地找出和删除最大元。因此，优先队列可以用来找出最大元或最小元，但这需要提前决定。

保证始终保持堆序性质。

insert(插入)

为将一个元素 X 插入到堆中，我们在下一个可用位置创建一个空穴，否则该堆将不是完全树。如果 X 可以放在该空穴中而并不破坏堆的序，那么插入完成。否则，我们把空穴的父节点上的元素移入该空穴中，这样，空穴就朝着根的方向上冒一步。继续该过程直到 X 能被放入空穴中为止。如图 6-6 所示，为了插入 14，我们在堆的下一个可用位置建立一个空穴。由于将 14 插入空穴破坏了堆序性质，因此将 31 移入该空穴。在图 6-7 中继续这种策略，直到找出置入 14 的正确位置。

228 ~ 229

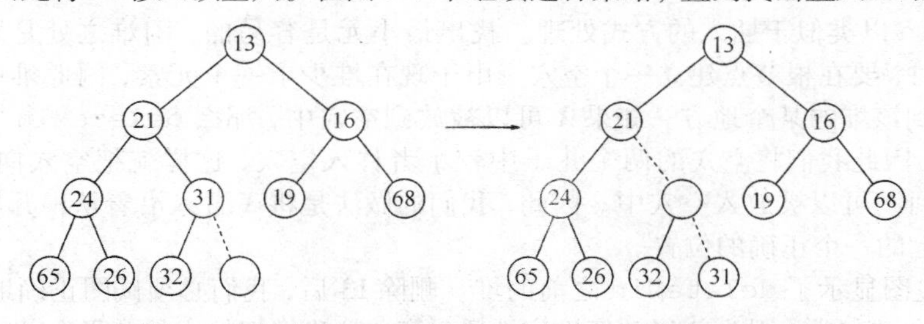

图 6-6　尝试插入 14：创建一个空穴，再将空穴上冒

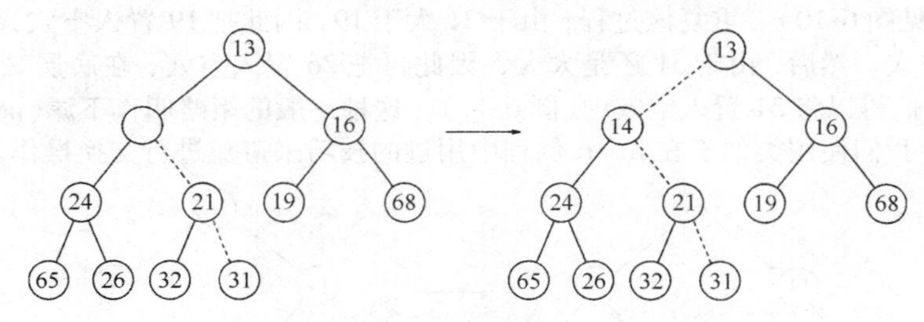

图 6-7　将 14 插入到前面的堆中的其余两步

这种一般的策略叫作**上滤**(percolate up)；新元素在堆中上滤直到找出正确的位置。使用图 6-8所示的代码很容易实现插入。

```
1        /**
2         * Insert into the priority queue, maintaining heap order.
3         * Duplicates are allowed.
4         * @param x the item to insert.
5         */
6        public void insert( AnyType x )
7        {
8            if( currentSize == array.length - 1 )
9                enlargeArray( array.length * 2 + 1 );
10
11               // Percolate up
12           int hole = ++currentSize;
13           for( array[ 0 ] = x; x.compareTo( array[ hole / 2 ] ) < 0; hole /= 2 )
14               array[ hole ] = array[ hole / 2 ];
15           array[ hole ] = x;
16       }
```

图 6-8　插入到一个二叉堆的过程

其实我们本可以使用 insert 例程通过反复执行交换操作直至建立正确的序来实现上滤过程，可是一次交换需要 3 条赋值语句。如果一个元素上滤 d 层，那么由于交换而执行的赋值次数就达到 $3d$，而我们这里的方法却只用到 $d+1$ 次赋值。

如果要插入的元素是新的最小值，那么它将一直被推向顶端。这样在某一时刻 `hole` 将是 1，并且需要程序跳出循环。当然我们可以用显式的测试做到这一点，或者把对被插入项的引用放到位置 0 处使循环终止。我们选择显式的方式来完成插入的实现。

如果欲插入的元素是新的最小元从而一直上滤到根处，那么这种插入的时间将长达 $O(\log N)$。平均看来，上滤终止得要早；业已证明，执行一次插入平均需要 2.607 次比较，因此平均 `insert` 操作上移元素 1.607 层。

`deleteMin`(删除最小元)

`deleteMin` 以类似于插入的方式处理。找出最小元是容易的，困难之处是删除它。当删除一个最小元时，要在根节点建立一个空穴。由于现在堆少了一个元素，因此堆中最后一个元素 X 必须移动到该堆的某个地方。如果 X 可以被放到空穴中，那么 `deleteMin` 完成。不过这一般不太可能，因此我们将空穴的两个儿子中较小者移入空穴，这样就把空穴向下推了一层。重复该步骤直到 X 可以被放入空穴中。因此，我们的做法是将 X 置入沿着从根开始包含最小儿子的一条路径上的一个正确的位置。

230 ~ 231

图 6-9 中左图显示了 `deleteMin` 之前的堆。删除 13 后，我们必须试图正确地将 31 放到堆中。31 不能放在空穴中，因为这将破坏堆序性质。于是，我们把较小的儿子 14 置入空穴，同时空穴下滑一层(见图 6-10)。重复该过程，由于 31 大于 19，因此把 19 置入空穴，在更下一层上建立一个新的空穴。然后，由于 31 还是太大，因此再把 26 置入空穴，在底层又建立一个新的空穴。最后，我们得以将 31 置入空穴中(图 6-11)。这种一般的策略叫作**下滤**(percolate down)。在其实现例程中我们使用类似于在 insert 例程中用过的技巧来避免进行交换操作。

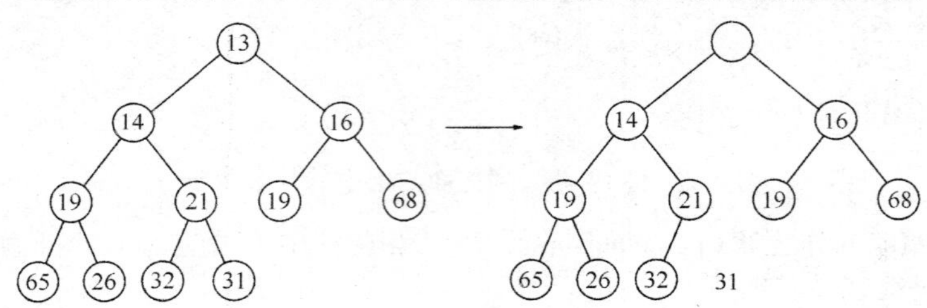

图 6-9 在根处建立空穴

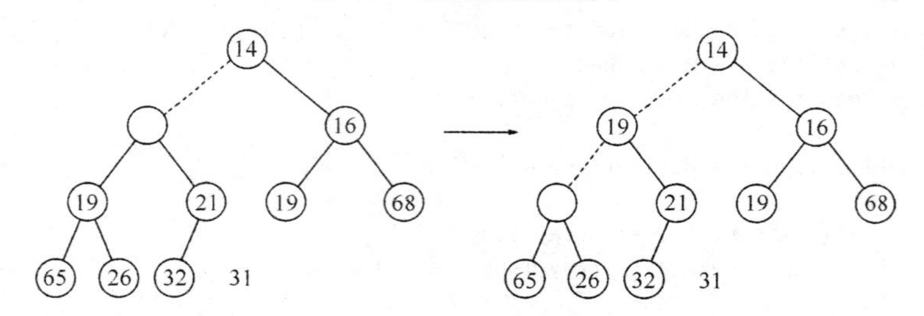

图 6-10 在 `deleteMin` 中的接下来的两步

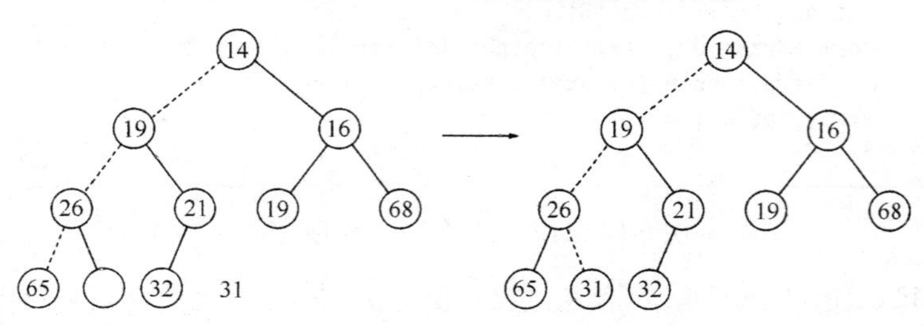

图 6-11 在 `deleteMin` 中的最后两步

在堆的实现中经常发生的错误是当堆中存在偶数个元素的时候，将遇到一个节点只有一个儿子的情况。我们必须保证节点不总有两个儿子的前提，因此这就涉及一个附加的测试。在图6-12描述的程序中，我们已在第29行进行了这种测试。一种极其巧妙的解决方法是始终保证算法把每一个节点都看成有两个儿子。为了实施这种解法，当堆的大小为偶数时在每个下滤开始处，可将其值大于堆中任何元素的标记放到堆的终端后面的位置上。我们必须在深思熟虑以后再这么做，而且必须插入一个是否确实使用这种技巧的评判。虽然这不再需要测试右儿子的存在性，但是还是需要测试何时到达底层，因为对每一片树叶算法将需要一个标记。

```
1       /**
2        * Remove the smallest item from the priority queue.
3        * @return the smallest item, or throw UnderflowException, if empty.
4        */
5       public AnyType deleteMin( )
6       {
7           if( isEmpty( ) )
8               throw new UnderflowException( );
9
10          AnyType minItem = findMin( );
11          array[ 1 ] = array[ currentSize-- ];
12          percolateDown( 1 );
13
14          return minItem;
15      }
16
17      /**
18       * Internal method to percolate down in the heap.
19       * @param hole the index at which the percolate begins.
20       */
21      private void percolateDown( int hole )
22      {
23          int child;
24          AnyType tmp = array[ hole ];
25
26          for( ; hole * 2 <= currentSize; hole = child )
27          {
28              child = hole * 2;
29              if( child != currentSize &&
30                      array[ child + 1 ].compareTo( array[ child ] ) < 0 )
31                  child++;
32              if( array[ child ].compareTo( tmp ) < 0 )
33                  array[ hole ] = array[ child ];
34              else
35                  break;
36          }
37          array[ hole ] = tmp;
38      }
```

图6-12　在二叉堆中执行 deleteMin 的方法

232 ~ 233

这种操作最坏情形运行时间为 $O(\log N)$。平均而言，被放到根处的元素几乎下滤到堆的底层(即它所来自的那层)，因此平均运行时间为 $O(\log N)$。

6.3.4 其他的堆操作

注意，虽然求最小值操作可以在常数时间完成，但是，按照求最小元设计的堆(也称作最小堆，(min)heap)在求最大元方面却无任何帮助。事实上，一个堆所蕴涵的序信息很少，因此，若不对整个堆进行线性搜索，是没有办法找出任何特定的关键字的。为说明这一点，考虑图6-13所示的大型堆结构(具体元素没有标出)，我们在这里看到，关于最大值的元素所知道的唯一信息是：该元素在树叶上。但是，半数的元素位于树叶上，因此该信息是没什么价值的。由于这个原因，如果重要的是要知道元素都在什么地方，那么除堆之外，还必须用到诸如散列表等某些其他数据结构(回忆：该模型并不允许查看堆内部)。

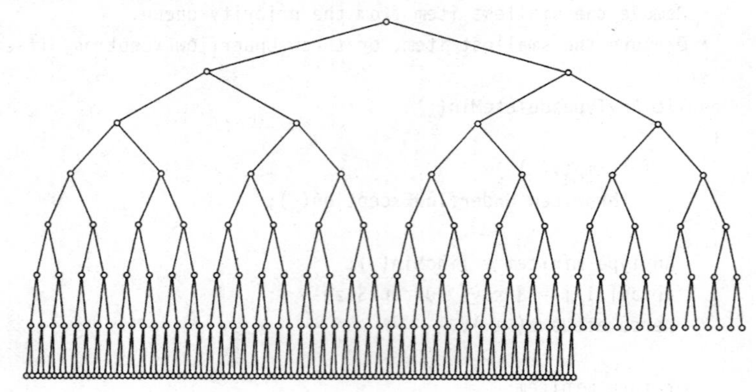

图6-13 一棵巨大的完全二叉树

如果我们假设通过某种其他方法得知每一个元素的位置，那么就有几种其他操作的开销变小。下述前三种操作均以对数最坏情形时间运行。

decreaseKey(降低关键字的值)

decreaseKey(p, Δ)操作降低在位置 p 处的项的值，降值的幅度为正的量 Δ。由于这可能破坏堆序性质，因此必须通过上滤对堆进行调整。该操作对系统管理员是有用的：系统管理员能够使他们的程序以最高的优先级来运行。

increaseKey(增加关键字的值)

increaseKey(p, Δ)操作增加在位置 p 处的项的值，增值的幅度为正的量 Δ。这可以用下滤来完成。许多调度程序自动地降低正在过多地消耗 CPU 时间的进程的优先级。

234

delete(删除)

delete(p)操作删除堆中位置 p 上的节点。该操作通过首先执行 decreaseKey(p, ∞)然后再执行 deleteMin()来完成。当一个进程被用户中止(而不是正常终止)时，它必须从优先队列中除去。

buildHeap(构建堆)

有时二叉堆是由一些项的初始集合构造而得。这种构造方法以 N 项作为输入，并把它们放到一个堆中。显然，这可以使用 N 个相继的 insert 操作来完成。由于每个 insert 将花费 $O(1)$ 平均时间以及 $O(\log N)$ 的最坏情形时间，因此该算法的总的运行时间是 $O(N)$ 平均时间而不是 $O(N \log N)$ 最坏情形时间。由于这是一种特殊的指令，没有其他操作干扰，而且我们已经知道该指令能够以线性平均时间来执行，因此，期望能够保证线性时间界的考虑是合乎情理的。

一般的算法是将 N 项以任意顺序放入树中，保持结构特性。此时，如果 percolateDown(i)从节点 i 下滤，那么图6-14中的 buildHeap 程序则可以由构造方法用于创建一棵堆序的树(heap-ordered tree)。

```
1       /**
2        * Construct the binary heap given an array of items.
3        */
4       public BinaryHeap( AnyType [ ] items )
5       {
6           currentSize = items.length;
7           array = (AnyType[]) new Comparable[ ( currentSize + 2 ) * 11 / 10 ];
8
9           int i = 1;
10          for( AnyType item : items )
11              array[ i++ ] = item;
12          buildHeap( );
13      }
14
15      /**
16       * Establish heap order property from an arbitrary
17       * arrangement of items. Runs in linear time.
18       */
19      private void buildHeap( )
20      {
21          for( int i = currentSize / 2; i > 0; i-- )
22              percolateDown( i );
23      }
```

图 6-14　buildHeap 的架构

图6-15 中的第一棵树是无序树。从图 6-15 到图 6-18 中其余 7 棵树表示出 7 个 percolateDown 中每一个的执行结果。每条虚线对应两次比较：一次是找出较小的儿子节点，另一个是较小的儿子与该节点的比较。注意，在整个算法中只有 10 条虚线(可能已经存在第 11 条——在哪里?)，它们对应 20 次比较。

为了确定 buildHeap 的运行时间的界，我们必须确定虚线的条数的界。这可以通过计算堆中所有节点的高度的和来得到，它是虚线的最大条数。现在我们想要说明的是：该和为 $O(N)$。

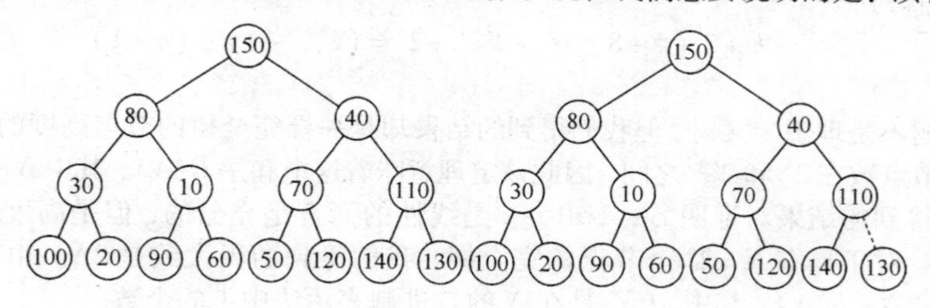

图 6-15　左：初始堆；右：在 percolateDown(7)后

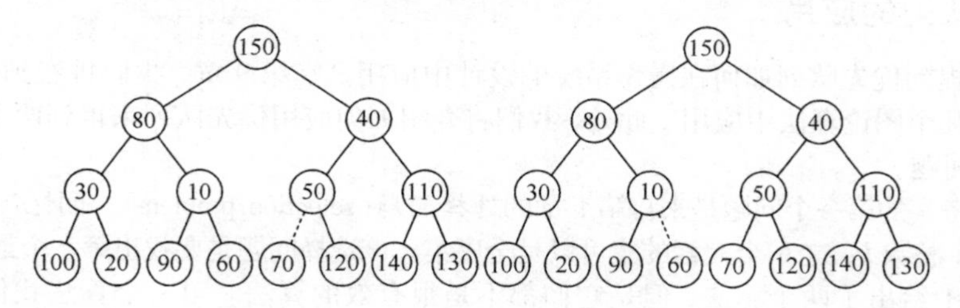

图 6-16　左：在 percolateDown(6)后；右：在 percolateDown(5)后

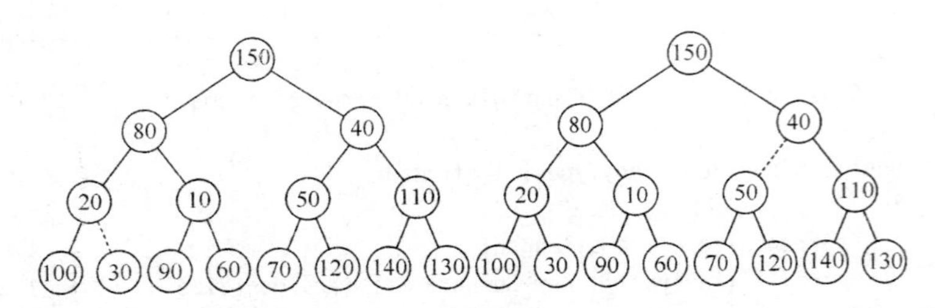

图6-17 左：在 percolateDown(4)后；右：在 percolateDown(3)后

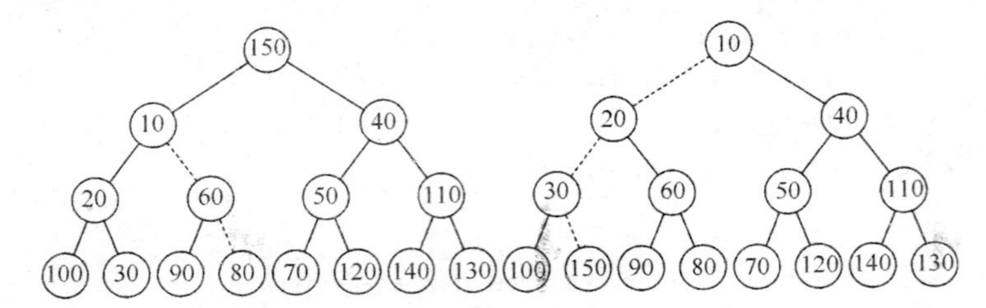

图6-18 左：在 percolateDown(2)后；右：在 percolateDown(1)后

定理6.1 包含$2^{h+1}-1$个节点、高为 h 的理想二叉树(perfect binary tree)的节点的高度的和为 $2^{h+1}-1-(h+1)$。

证明：

容易看出，该树由高度 h 上的1个节点、高度 $h-1$ 上的2个节点、高度 $h-2$ 上的 2^2 个节点以及一般地在高度 $h-i$ 上的 2^i 个节点等组成。则所有节点的高度的和为

$$S=\sum_{i=0}^{h}2^i(h-i)=h+2(h-1)+4(h-2)+8(h-3)+16(h-4)+\cdots+2^{h-1}(1) \tag{6.1}$$

两边乘以2得到方程

$$2S=2h+4(h-1)+8(h-2)+16(h-3)+\cdots+2^h(1) \tag{6.2}$$

将这两个方程相减得到方程(6.3)。我们发现，非常数项差不多都消去了，例如，$2h-2(h-1)=2$，$4(h-1)-4(h-2)=4$，等等。方程(6.2)的最后一项 2^h 在方程(6.1)中不出现；因此，它出现在方程(6.3)中。方程(6.1)中的第一项 h 在方程(6.2)中不出现；因此，$-h$ 出现在方程(6.3)中。我们得到

$$S=-h+2+4+8+\cdots+2^{h-1}+2^h=(2^{h+1}-1)-(h+1) \tag{6.3}$$

该定理得证。 □

一棵完全树不是理想二叉树，但我们得到的结果却是一棵完全树的节点高度的和的上界。由于一棵完全树节点数在 2^h 和 2^{h+1} 之间，因此该定理意味着这个和是 $O(N)$，其中 N 是节点的个数。

235 ~ 237

虽然我们得到的结果对证明 buildHeap 是线性的而言是充分的，但是高度的和的界却不是尽可能的强。对于具有 $N=2^h$ 个节点的完全树，我们得到的界大致是 $2N$。由归纳法可以证明，高度的和是 $N-b(N)$，其中 $b(N)$ 是在 N 的二进制表示法中1的个数。

6.4 优先队列的应用

我们已经提到优先队列如何在操作系统的设计中应用。在第9章，我们将看到优先队列如何在有效地实现几个图论算法中应用。此处，我们将介绍如何应用优先队列来得到两个问题的解答。

6.4.1 选择问题

我们将要考察的第一个问题是来自第1章的选择问题(selection problem)。回忆当时的输入是 N 个元素以及一个整数 k，这 N 个元素的集可以是全序集。该选择问题是要找出第 k 个最大的元素。

在第1章中给出了两个算法，但是它们都不是很有效的算法。第一个算法我们称为1A，是把这些元素读入数组并将它们排序，返回适当的元素。假设使用的是简单的排序算法，则运行

时间为$O(N^2)$。另一个算法叫作1B，是将k个元素读入一个数组并将它们排序。这些元素中的最小者在第k个位置上。我们一个一个地处理其余的元素。当一个元素开始被处理时，它先与数组中第k个元素比较，如果该元素大，那么将第k个元素除去，而这个新元素则被放在其余$k-1$个元素中正确的位置上。当算法结束时，第k个位置上的元素就是问题的解答。该方法的运行时间为$O(N \cdot k)$(为什么?)。如果$k=\lceil N/2 \rceil$，那么这两种算法都是$O(N^2)$。注意，对于任意的k，我们可以求解对称的问题：找出第$(N-k+1)$个最小的元素，从而$k=\lceil N/2 \rceil$实际上是这两个算法的最困难的情况。这刚好也是最有趣的情形，因为k的这个值称为中位数(median)。

我们在这里给出两个算法，在$k=\lceil N/2 \rceil$的极端情形它们均以$O(N \log N)$运行，这是明显的改进。

算法 6A

为了简单起见，假设我们只考虑找出第k个最小的元素。该算法很简单。我们将N个元素读入一个数组。然后对该数组应用`buildHeap`算法。最后，执行k次`deleteMin`操作。从该堆最后提取的元素就是我们的答案。显然，只要改变堆序性质，就可以求解原始的问题：找出第k个最大的元素。

这个算法的正确性应该是显然的。如果使用`buildHeap`，则构造堆的最坏情形用时$O(N)$，而每次`deleteMin`用时$O(\log N)$。由于有k次`deleteMin`，因此我们得到总的运行时间为$O(N+k \log N)$。如果$k=O(N/\log N)$，那么运行时间取决于`buildHeap`操作，即$O(N)$。对于大的k值，运行时间为$O(k \log N)$。如果$k=\lceil N/2 \rceil$，那么运行时间为$\Theta(N \log N)$。

注意，如果我们对$k=N$运行该程序并在元素离开堆时记录它们的值，那么实际上已经对输入文件以时间$O(N \log N)$做了排序。在第7章，我们将细化该想法，得到一种快速的排序算法，叫作堆排序(heapsort)。

238

算法 6B

关于第2个算法，我们回到原始问题，找出第k个最大的元素。我们使用算法1B的思路。在任一时刻我们都将维持k个最大元素的集合S。在前k个元素读入以后，当再读入一个新的元素时，该元素将与第k个最大元素进行比较，记这第k个最大的元素为S_k。注意，S_k是S中最小的元素。如果新的元素更大，那么用新元素代替S中的S_k。此时，S将有一个新的最小元素，它可能是新添加进来的元素，也可能不是。在输入终了时，我们找到S中的最小的元素，将其返回，它就是答案。

这基本上与第1章中描述的算法相同。不过，这里我们使用一个堆来实现S。前k个元素通过调用一次`buildHeap`以总时间$O(k)$被置入堆中。处理每个其余的元素的时间为$O(1)$，用于检测是否元素进入S，再加上时间$O(\log k)$，用于在必要时删除S_k并插入新元素。因此，总的时间是$O(k+(N-k)\log k)=O(N \log k)$。该算法也给出找出中位数的时间界$\Theta(N \log N)$。

在第7章，我们将看到如何以平均时间$O(N)$解决这个问题。在第10章，我们将看到一个以$O(N)$最坏情形时间求解该问题的算法，虽然不实用但却很精妙。

6.4.2 事件模拟

在3.7.3节我们描述了一个重要的排队问题。在那里我们有一个系统，比如银行，顾客们到达并排队等待直到k个出纳员有一个腾出手来。顾客的到达情况由概率分布函数控制，服务时间(一旦出纳员腾出时间用于服务的时间量)也是如此。我们的兴趣在于一位顾客平均必须要等多久或所排的队伍可能有多长这类统计问题。

对于某些概率分布以及k的一些值，答案都可以精确地计算出来。然而随着k的增大，分析明显地变得困难，因此使用计算机模拟银行的运作很有吸引力。用这种方法，银行管理人员可以确定为保证合理、通畅的服务需要多少出纳员。

模拟由处理中的事件组成。这里的两个事件是(a)一位顾客到达，和(b)一位顾客离去，从而腾出一名出纳员。

我们可以使用概率函数来生成一个输入流，它由每位顾客的到达时间和服务时间的序偶组成，并按到达时间排序。我们不必使用一天中的准确时间，而是使用一份单位时间量，称之为一个滴答(tick)。

进行这种模拟的一种方法是启动处在0滴答处的一台模拟钟表。我们让钟表一次走一个滴答，同时查看是否有事件发生。如果有，就处理这个(些)事件，搜集统计资料。当没有顾客留在输入流且所有的出纳员都空闲的时候，模拟结束。

这种模拟策略的问题是，它的运行时间不依赖顾客数或事件数(每位顾客有两个事件)，但是却依赖滴答数，而后者实际又不是输入的一部分。为了看清为什么问题在于此，假设将钟表的单位改成毫(千分之一)滴答(millitick)并将输入中的所有时间乘以1000，则结果将是：模拟用时长1000倍！

239

避免这种问题的关键是在每一个阶段让钟表直接走到下一个事件时间。从概念上看这是容易做到的。在任一时刻，可能出现的下一事件要么是(a)在输入文件中下一顾客的到达，要么是(b)在一名出纳员处一位顾客离开。由于事件将要发生的所有的时间都是可以达到的，因此我们只需找出在最近的将来发生的事件并处理这个事件。

如果事件是离开，那么处理过程包括搜集离开的顾客的统计资料以及检验队伍(队列)看是否还有另外的顾客在等待。如果有，那么我们加上这位顾客，处理需要的统计资料，计算顾客将要离开的时间，并将离开加到等待发生的事件集中去。

如果事件是到达，则检查处于空闲的出纳员。如果没有，就把该到达放到队伍(队列)中去；否则，我们分配顾客一个出纳员，计算顾客的离开时间，并将离开加到等待发生的事件集中去。

顾客在等待的队伍可以实现为一个队列。由于我们需要找到最近的将来发生的事件，因此合适的办法是将等待发生的离开的集合编入一个优先队列中。下一事件是下一个到达或下一个离开(哪个先发生就是哪个)；它们都容易达到。

现在就可以为模拟编写例程了，虽然很可能耗费时间。如果有 C 个顾客(因此有 $2C$ 个事件)和 k 个出纳员，那么模拟的运行时间将会是 $O(C\log(k+1))$，因为计算和处理每个事件花费 $O(\log H)$，其中 $H=k+1$ 为堆的大小[⊖]。

6.5 d-堆

二叉堆是如此简单，以至于它们几乎总是用在需要优先队列的时候。d-堆是二叉堆的简单推广，它就像一个二叉堆，只是所有的节点都有 d 个儿子(因此，二叉堆是2-堆)。

图6-19表示的是一个3-堆。注意，d-堆要比二叉堆浅得多，它将 insert 操作的运行时间改进为 $O(\log_d N)$。然而，对于大的 d，deleteMin 操作费时得多，因为虽然树是浅了，但是 d 个儿子中的最小者是必须要找出的，如使用标准的算法，这会花费 $d-1$ 次比较，于是将操作的用时提高到 $O(d\log_d N)$。如果 d 是常数，那么当然两个的运行时间都是 $O(\log N)$。虽然仍然可以使用一个数组，但是，现在找出儿子和父亲的乘法和除法都有个因子 d，除非 d 是2的幂，否则将会大大增加运行时间，因为我们不能再通过移一个二进制位来实现除法了。d-堆在理论上很有趣，因为存在许多算法，其插入次数比 deleteMin 的次数多得多(因此理论上的加速是可能的)。当优先队列太大而不能完全装入主存的时候，d-堆也是很有用的。在这种情况下，d-堆能够以与B树大致相同的方式发挥作用。最后，有证据显示，在实践中4-堆可以胜过二叉堆。

240

除不能实施 find 外，堆实现的最明显的缺点是：将两个堆合并成一个堆是困难的操作。这种附加的操作叫作合并(merge)。存在许多实现堆的方法使得一次 merge 操作的运行时间是 $O(\log N)$。现在我们就来讨论三种复杂程度不一的数据结构，它们都有效地支持 merge 操作。我们将把复杂的分析推迟到第11章讨论。

⊖ 我们用 $O(C\log(k+1))$ 而不用 $O(C\log k)$ 以避免 $k=1$ 情形的混乱。

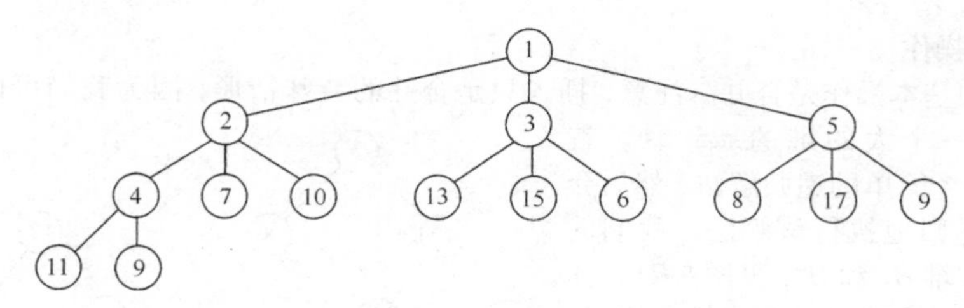

图 6-19　一个 d-堆

6.6　左式堆

设计一种堆结构像二叉堆那样有效地支持合并操作(即以 $o(N)$ 时间处理一个 `merge`)而且只使用一个数组似乎很困难。原因在于，合并似乎需要把一个数组拷贝到另一个数组中去，对于相同大小的堆这将花费时间 $\Theta(N)$。正因为如此，所有支持有效合并的高级数据结构都需要使用链式数据结构。实践中，我们预计这将可能使得所有其他操作变慢。

左式堆(leftist heap)像二叉堆那样也具有结构性和有序性。事实上，和所有使用的堆一样，左式堆具有相同的堆序性质，该性质我们已经看到过。不仅如此，左式堆也是二叉树。左式堆和二叉堆唯一的区别是：左式堆不是理想平衡的(perfectly balanced)，而实际上趋向于非常不平衡。

6.6.1　左式堆性质

我们把任一节点 X 的零路径长(null path length)`npl(X)`定义为从 X 到一个不具有两个儿子的节点的最短路径的长。因此，具有 0 个或一个儿子的节点的 `npl` 为 0，而 `npl(null) = -1`。在图 6-20 的树中，零路径长标记在树的节点内。

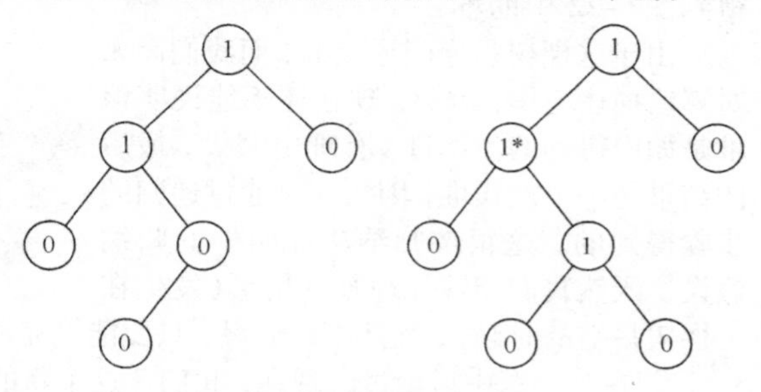

图 6-20　两棵树的零路径长；只有左边的树是左式的

注意，任一节点的零路径长比它的各个儿子节点的零路径长的最小值大 1。这个结论也适用少于两个儿子的节点，因为 null 的零路径长是 -1。

左式堆性质是：对于堆中的每一个节点 X，左儿子的零路径长至少与右儿子的零路径长相等。图 6-20 中只有一棵树，即左边的那棵树满足该性质。这个性质实际上超出了它确保树不平衡的要求，因为它显然偏重于使树向左增加深度。确实有可能存在由左节点形成的长路径构成的树(而且实际上更便于合并操作)——因此，我们就有了名称左式堆(leftist heap)。

241

因为左式堆趋向于加深左路径，所以右路径应该短。事实上，沿左式堆右侧的右路径确实是该堆中最短的路径。否则，就会存在过某个节点 X 的一条路径通过它的左儿子，此时 X 就破坏了左式堆的性质。

定理 6.2　在右路径上有 r 个节点的左式树必然至少有 2^r-1 个节点。

证明：

用数学归纳法证明。如果 $r=1$，则必然至少存在一个树节点。其次，设定理对 1、2、...、r 个节点成立。考虑在右路径上有 $r+1$ 个节点的左式树。此时，根具有在右路径上含 r 个节点的右子树，以及在右路径上至少含 r 个节点的左子树(否则它就不是左式树)。对这两棵子树应用归纳假设，得知在每棵子树上最少有 2^r-1 个节点，再加上根节点，于是在该树上至少有 $2^{r+1}-1$ 个节点，定理得证。

□

从这个定理立刻得到，N 个节点的左式树有一条右路径最多含有$\lfloor \log(N+1) \rfloor$个节点。对左式堆操作的一般思路是将所有的工作放到右路径上进行，它保证树深度短。唯一的棘手部分在于，对右路径的 `insert` 和 `merge` 可能会破坏左式堆性质。事实上，恢复该性质是非常容易的。

6.6.2 左式堆操作

对左式堆的基本操作是合并。注意，插入只是合并的特殊情形，因为我们可以把插入看成是单节点堆与一个大的堆的 merge。首先，我们给出一个简单的递归解法，然后介绍如何能够非递归地执行该解法。我们的输入是两个左式堆 H_1 和 H_2，见图6-21。读者应该验证，这些堆确实是左式堆。注意，最小的元素在根处。除数据、左引用和右引用所用空间外，每个节点还要有一个指示零路径长的项。

242

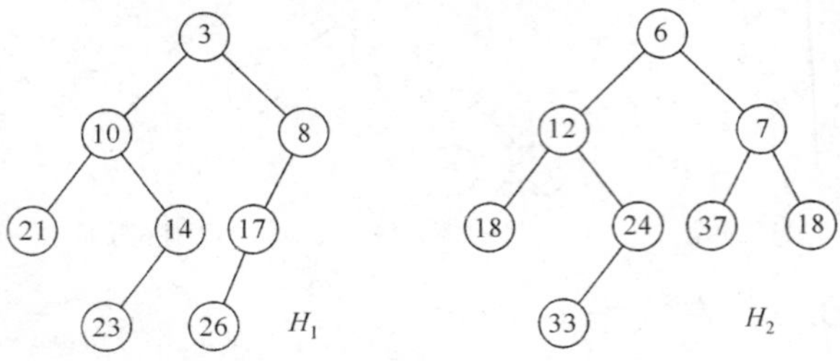

图6-21 两个左式堆 H_1 和 H_2

如果这两个堆中有一个堆是空的，那么我们可以返回另外一个堆。否则，合并这两个堆，比较它们的根。首先，我们递归地将具有大的根值的堆与具有小的根值的堆的右子堆合并。在本例中，我们递归地将 H_2 与 H_1 的根在 8 处的右子堆合并，得到图6-22中的堆。

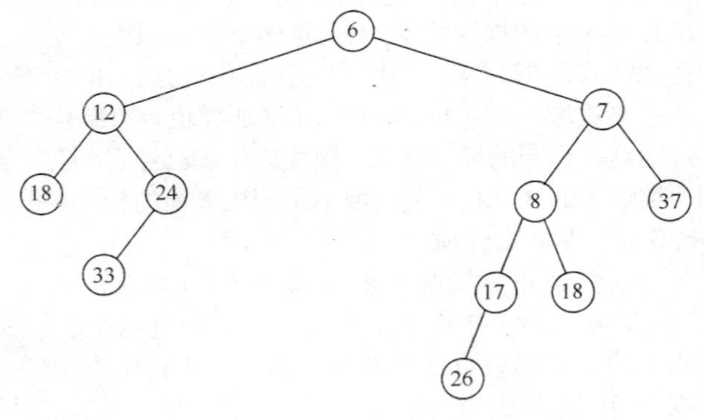

图6-22 将 H_2 与 H_1 的右子堆合并的结果

由于这棵树是递归形成的，而我们尚未对算法描述完毕，因此，现在还不能说明该堆是如何得到的。不过，有理由假设，最后的结果是一个左式堆，因为它是通过递归的步骤得到的。这很像归纳法证明中的归纳假设。既然我们能够处理基准情形(发生在一棵树是空的时候)，当然可以假设，只要能够完成合并那么递归步骤就是成立的；这是递归法则3，我们在第一章中讨论过。现在，我们让这个新的堆成为 H_1 的根的右儿子(见图6-23)。

243

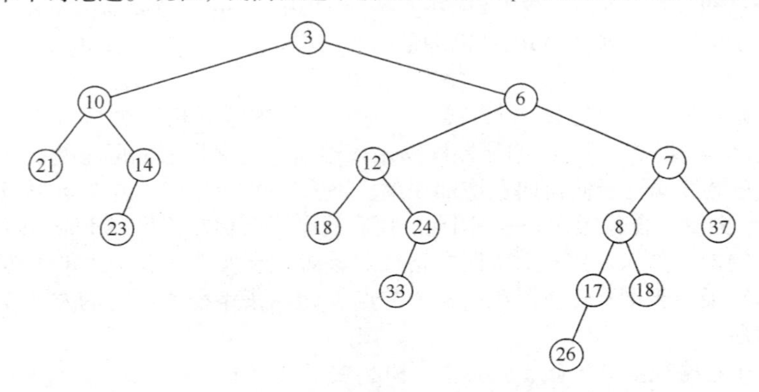

图6-23 将前面图中的左式堆作为 H_1 的右儿子接上后的结果

虽然最后得到的堆满足堆序性质，但是，它不是左式堆，因为根的左子树的零路径长为1，而根的右子树的零路径长为2。因此，左式的性质在根处被破坏。不过，容易看到，树的其余部分必然是左式的。由于递归步骤，根的右子树是左式的。根的左子树没有变化，当然它也必然还是左式的。这样一来，我们只要对根进行调整就可以了。使整个树是左式的操作如下：只要交换根的左儿子和右儿子(图6-24)并更新零路径长，就完成了 merge，新的零路径长是新的右儿子的零路径长加1。注意，如果零路径长不更新，那么所有的零路径长都将是0，而堆将不是左式的，只是随机的。在这种情况下，算法仍然成立，但是，我们宣称的时间界将不再有效。

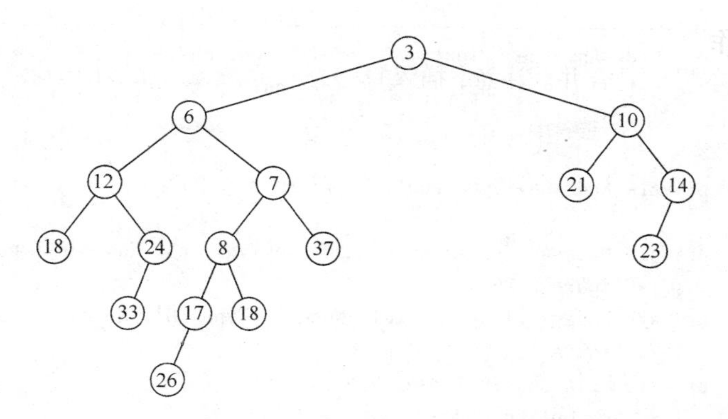

图 6-24 交换 H_1 的根的儿子得到的结果

将算法的描述直接翻译成代码。除了增加 npl(零路径长)域外，节点类(图 6-25)与二叉树是相同的。左式堆把对根的引用作为其数据成员存储。我们在第 4 章已经看到，当一个元素被插入到一棵空的二叉树时，由根引用的节点将需要改变。我们使用通常的实现 private 递归方法的技巧进行合并。该类的架构也如图 6-25 所示。

```
1  public class LeftistHeap<AnyType extends Comparable<? super AnyType>>
2  {
3      public LeftistHeap( )
4        { root = null; }
5
6      public void merge( LeftistHeap<AnyType> rhs )
7        { /* Figure 6.26 */ }
8      public void insert( AnyType x )
9        { /* Figure 6.29 */ }
10     public AnyType findMin( )
11       { /* See online code */ }
12     public AnyType deleteMin( )
13       { /* Figure 6.30 */ }
14
15     public boolean isEmpty( )
16       { return root == null; }
17     public void makeEmpty( )
18       { root = null; }
19
20     private static class Node<AnyType>
21     {
22             // Constructors
23         Node( AnyType theElement )
24           { this( theElement, null, null ); }
25
26         Node( AnyType theElement, Node<AnyType> lt, Node<AnyType> rt )
27           { element = theElement; left = lt; right = rt; npl = 0; }
28
29         AnyType       element;      // The data in the node
30         Node<AnyType> left;         // Left child
```

图 6-25 左式堆类型声明

```
31          Node<AnyType> right;         // Right child
32          int           npl;           // null path length
33      }
34
35      private Node<AnyType> root;    // root
36
37      private Node<AnyType> merge( Node<AnyType> h1, Node<AnyType> h2 )
38        { /* Figure 6.26 */ }
39      private Node<AnyType> merge1( Node<AnyType> h1, Node<AnyType> h2 )
40        { /* Figure 6.27 */ }
41      private void swapChildren( Node<AnyType> t )
42        { /* See online code */ }
43  }
```

图 6-25 （续）

两个 merge 例程(图 6-26)被设计成消除一些特殊情形并保证 H_1 有较小根的驱动程序。实际的合并操作在 merge1 中进行(图 6-27)。公有的 merge 方法将 rhs 合并到控制堆中。rhs 变成了空的。在这个公有方法中的别名测试不接受 h.merge(h)。

```
 1      /**
 2       * Merge rhs into the priority queue.
 3       * rhs becomes empty. rhs must be different from this.
 4       * @param rhs the other leftist heap.
 5       */
 6      public void merge( LeftistHeap<AnyType> rhs )
 7      {
 8          if( this == rhs )    // Avoid aliasing problems
 9              return;
10
11          root = merge( root, rhs.root );
12          rhs.root = null;
13      }
14
15      /**
16       * Internal method to merge two roots.
17       * Deals with deviant cases and calls recursive merge1.
18       */
19      private Node<AnyType> merge( Node<AnyType> h1, Node<AnyType> h2 )
20      {
21          if( h1 == null )
22              return h2;
23          if( h2 == null )
24              return h1;
25          if( h1.element.compareTo( h2.element ) < 0 )
26              return merge1( h1, h2 );
27          else
28              return merge1( h2, h1 );
29      }
```

图 6-26 合并左式堆的驱动例程

```
1     /**
2      * Internal method to merge two roots.
3      * Assumes trees are not empty, and h1's root contains smallest item.
4      */
5     private Node<AnyType> merge1( Node<AnyType> h1, Node<AnyType> h2 )
6     {
7         if( h1.left == null )   // Single node
8             h1.left = h2;       // Other fields in h1 already accurate
9         else
10        {
11            h1.right = merge( h1.right, h2 );
12            if( h1.left.npl < h1.right.npl )
13                swapChildren( h1 );
14            h1.npl = h1.right.npl + 1;
15        }
16        return h1;
17    }
```

图 6-27 合并左式堆的实际例程

执行合并的时间与诸右路径的长的和成正比，因为在递归调用期间对每一个被访问的节点花费的是常数工作量。因此，我们得到合并两个左式堆的时间界为 $O(\log N)$。也可以分两趟来非递归地执行该操作。在第一趟，我们通过合并两个堆的右路径建立一棵新的树。为此，以排序的方式安排 H_1 和 H_2 右路径上的节点，保持它们各自的左儿子不变。在我们的例子中，新的右路径是 3，6，7，8，18，而最后得到的树如图 6-28 所示。第二趟构成堆，儿子的交换工作在左式堆性质被破坏的那些节点上进行。在图 6-28 中，在节点 7 和 3 各有一次交换，并得到与前面相同的树。非递归的做法更容易理解，但编程困难。我们留给读者去证明：递归过程和非递归过程的结果是相同的。

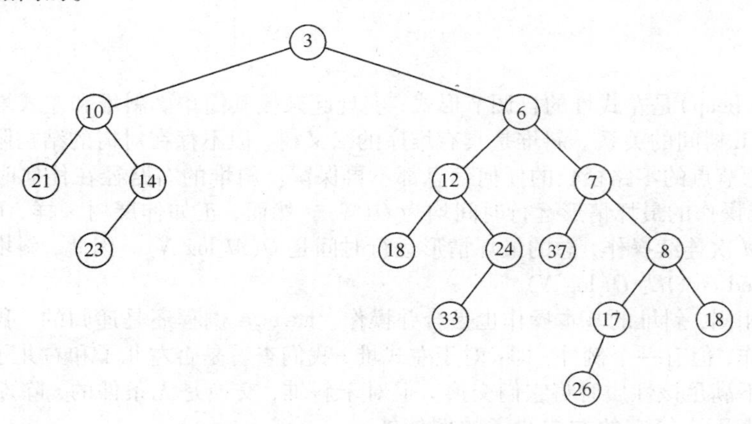

图 6-28 合并 H_1 和 H_2 的右路径的结果

上面提到，我们可以通过把被插入项看成单节点堆并执行一次 merge 来完成插入。为了执行 deleteMin，我们只要除掉根而得到两个堆，然后再将这两个堆合并即可。因此，执行一次 deleteMin 的时间为 $O(\log N)$。这两个例程在图 6-29 和图 6-30 中给出。

最后，我们可以通过建立一个二叉堆（显然使用链接实现）来以 $O(N)$ 时间建立一个左式堆。尽管二叉堆显然是左式的，但是，这未必是最佳解决方案，因为我们得到的堆可能是最差的左式堆。不仅如此，以相反的层序遍历树用一些链来进行也不那么容易。buildHeap 的效果可以通过递归地建立左右子树然后将根下滤而达到。练习中包括另外一个解决方案。

```
1       /**
2        * Insert into the priority queue, maintaining heap order.
3        * @param x the item to insert.
4        */
5       public void insert( AnyType x )
6       {
7           root = merge( new Node<>( x ), root );
8       }
```

图 6-29 左式堆的插入例程

```
1       /**
2        * Remove the smallest item from the priority queue.
3        * @return the smallest item, or throw UnderflowException if empty.
4        */
5       public AnyType deleteMin( )
6       {
7           if( isEmpty( ) )
8               throw new UnderflowException( );
9
10          AnyType minItem = root.element;
11          root = merge( root.left, root.right );
12
13          return minItem;
14      }
```

图 6-30 左式堆的 deleteMin 例程

6.7 斜堆

斜堆(skew heap)是左式堆的自调节形式，实现起来极其简单。斜堆和左式堆间的关系类似于伸展树和 AVL 树间的关系。斜堆是具有堆序的二叉树，但不存在对树的结构限制。不同于左式堆，关于任意节点的零路径长的任何信息都不再保留。斜堆的右路径在任何时刻都可以任意长，因此，所有操作的最坏情形运行时间均为 $O(N)$。然而，正如伸展树一样，可以证明(见第 11 章)对任意 M 次连续操作，总的最坏情形运行时间是 $O(M \log N)$。因此，斜堆每次操作的摊还开销(amortized cost)为 $O(\log N)$。

244 ~ 249

与左式堆相同，斜堆的基本操作也是合并操作。merge 例程还是递归的，我们执行与以前完全相同的操作，但有一个例外，即：对于左式堆，我们查看是否左儿子和右儿子满足左式堆结构性质，并在不满足该性质时将它们交换。但对于斜堆，交换是无条件的，除那些右路径上所有节点的最大者不交换它的左右儿子的例外外，我们都要进行这种交换。这个例外就是在自然递归实现时所发生的情况，因此它实际上根本不是特殊情形。此外，证明时间界也是不必要的，但是，由于这样的节点肯定没有右儿子，因此执行交换是不明智的(在我们的例子中，该节点没有儿子，因此我们不必为此担心)。另外，仍设我们的输入是与前面相同的两个堆，见图 6-31。

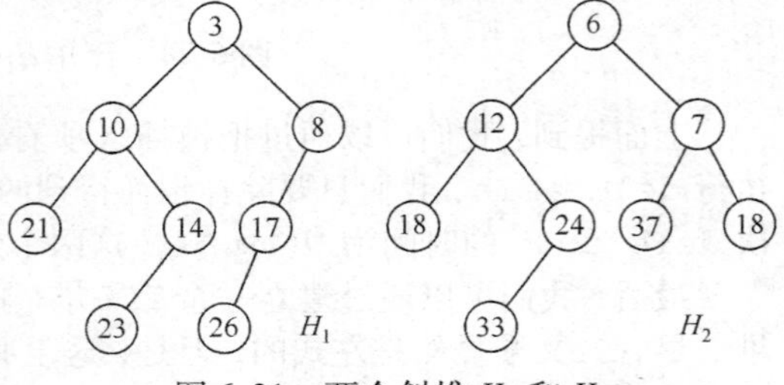

图 6-31 两个斜堆 H_1 和 H_2

如果我们递归地将 H_2 与 H_1 的根在 8 处的子堆合并，那么将得到图 6-32 中的堆。

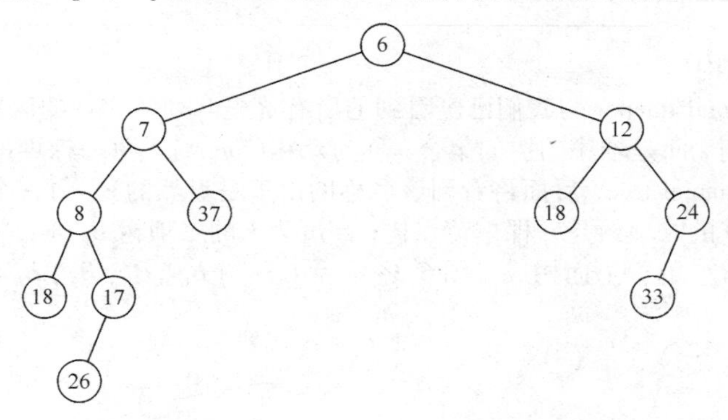

图 6-32 将 H_2 与 H_1 的右子堆合并的结果

这又是递归完成的，因此，根据递归的第三个法则(1.3 节)我们不必担心它是如何得到的。这个堆碰巧是左式的，不过不能保证情况总是如此。我们使这个堆成为 H_1 的新的左儿子，而 H_1 的老的左儿子变成了新的右儿子(见图 6-33)。

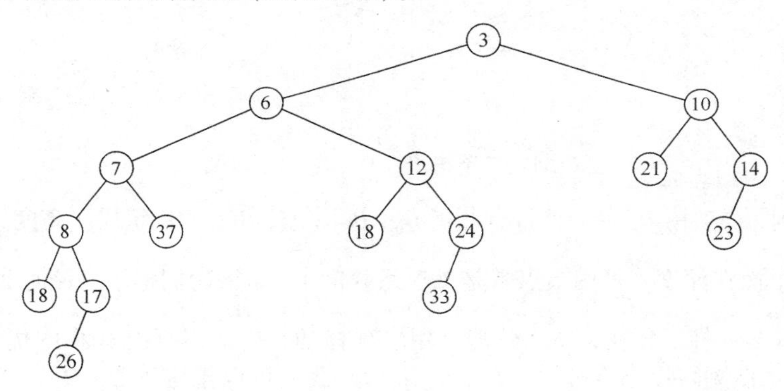

图 6-33 合并斜堆 H_1 和 H_2 的结果

整个树是左式的，但是容易看到这并不总是成立的：将 15 插入到新堆中将破坏左式性质。

我们也可像左式堆那样非递归地进行所有操作：合并右路径，除最后的节点外交换右路径上每个节点的左儿子和右儿子。经过几个例子之后，事情变得很清楚，由于除去右路径上最后的节点外的所有节点都将它们的儿子交换，因此最终效果是它变成了新的左路径(参见前面的例子以便使你自己确信)。这使得合并两个斜堆非常容易[⊖]。

斜堆的实现留作(平凡的)练习。注意，因为右路径可能很长，所以递归实现可能由于缺乏栈空间而失败，尽管在其他方面性能是可接受的。斜堆有一个优点，即不需要附加的空间保留路径长以及不需要测试以确定何时交换儿子。精确确定左式堆和斜堆的右路径长的期望值是一个尚未解决的问题(后者无疑更为困难)。这样的比较将更容易确定平衡信息的轻微遗失是否可由缺乏测试来补偿。

250
~
251

6.8 二项队列

虽然左式堆和斜堆都在每次操作以 $O(\log N)$ 时间有效地支持合并、插入和 deleteMin，但还是有改进的余地，因为我们知道，二叉堆以每次操作花费常数平均时间支持插入。二项队

⊖ 这与递归实现不完全相同(但服从相同的时间界)。如果一个堆的右路径用完而导致右路径合并终止，而我们只交换终止的那一点上面的右路径上那些节点的儿子，那么将得到与递归做法相同的结果。

列支持所有这三种操作，每次操作的最坏情形运行时间为 $O(\log N)$，而插入操作平均花费常数时间。

6.8.1 二项队列结构

二项队列(binomial queue)与我们已经看到的所有优先队列的实现的区别在于，一个二项队列不是一棵堆序的树，而是堆序的树的集合，称为*森林*(forest)。每一棵堆序树都是有约束的形式，叫作*二项树*(binomial tree，后面将看到该名称的由来是显然的)。每一个高度上至多存在一棵二项树。高度为0的二项树是一棵单节点树；高度为 k 的二项树 B_k 通过将一棵二项树 B_{k-1} 附接到另一棵二项树 B_{k-1} 的根上而构成。图6-34显示二项树 B_0、B_1、B_2、B_3 以及 B_4。

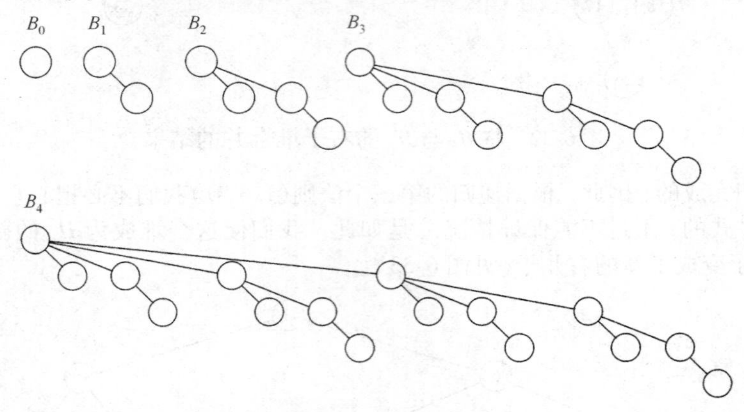

图6-34 二项树 B_0、B_1、B_2、B_3 以及 B_4

从图中看到，二项树 B_k 由一个带有儿子 $B_0, B_1, \ldots, B_{k-1}$ 的根组成。高度为 k 的二项树恰好有 2^k 个节点，而在深度 d 处的节点数是二项系数 $\binom{k}{d}$。如果我们把堆序施加到二项树上并允许任意高度上最多一棵二项树，那么就能够用二项树的集合表示任意大小的优先队列。例如，大小为13的优先队列可以用森林 B_3，B_2，B_0 表示。我们可以把这种表示写成1101，它不仅以二进制表示了13，而且也表示这样的事实：在上述表示中，B_3，B_2，B_0 出现，而 B_1 则没有。

252

作为一个例子，6个元素的优先队列可以表示为图6-35中的形状。

6.8.2 二项队列操作

此时，最小元可以通过搜索所有的树的根来找出。由于最多有 $\log N$ 棵不同的树，因此找到最小元的时间可以为 $O(\log N)$。另外，如果我们记住当最小元在其他操作期间变化时更新它，那么也可保留最小元的信息并以 $O(1)$ 时间执行这种操作。

合并两个二项队列在概念上是一个容易的操作，我们将通过例子描述它。考虑两个二项队列 H_1 和 H_2，它们分别具有6个和7个元素，见图6-36。

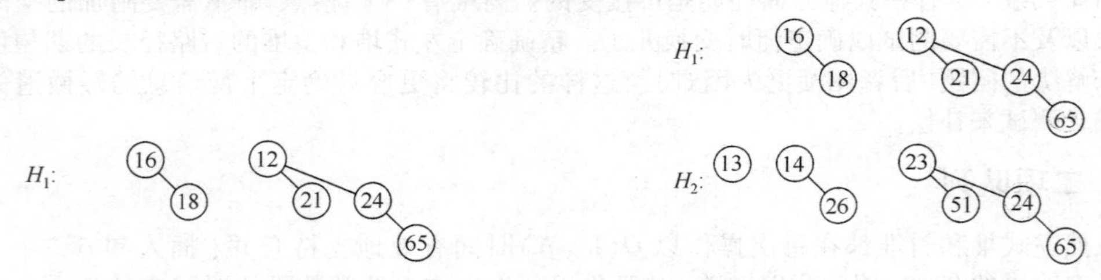

图6-35 具有6个元素的二项队列 H_1

图6-36 两个二项队列 H_1 和 H_2

合并操作基本上是通过将两个队列加到一起来完成的。令 H_3 是新的二项队列。由于 H_1 没有高度为0的二项树而 H_2 有，因此我们就用 H_2 中高度为0的二项树作为 H_3 的一部分。然后，将两个高度为 1 的二项树相加。由于 H_1 和 H_2 都有高度为 1 的二项树，因此可以将它们合并，让大的根成为小的根的子树，从而建立高度为 2 的二项树，见图 6-37。这样，H_3 将没有高度为 1 的二项树。现在存在 3 棵高度为 2 的二项树，即 H_1 和 H_2 原有的两棵二项树以及由上一步形成的一棵二项树。我们将一棵高度为 2 的二项树放到 H_3 中并合并其他两个二项树，得到一棵高度为 3 的二项树。由于 H_1 和 H_2 都没有高度为 3 的二项树，因此该二项树就成为 H_3 的一部分，合并结束。最后得到的二项队列如图 6-38 所示。

253

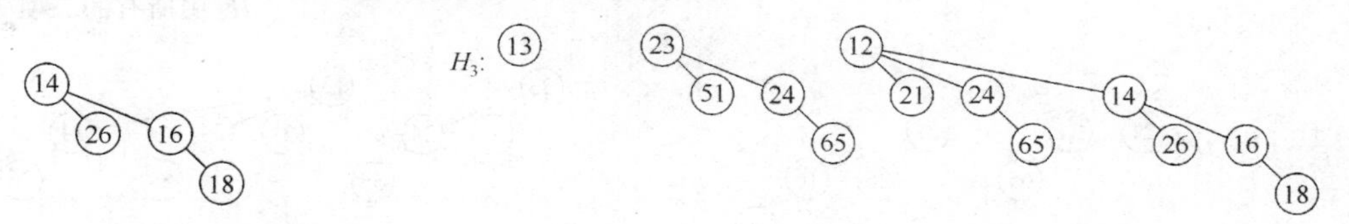

图 6-37 H_1 和 H_2 中两棵 B_1 树合并　　　图 6-38 二项队列 H_3：合并 H_1 和 H_2 的结果

由于几乎使用任意合理的实现方法合并两棵二项树均花费常数时间，而总共存在 $O(\log N)$ 棵二项树，因此合并操作在最坏情形下花费时间 $O(\log N)$。为使该操作更有效，我们需要将这些树放到按照高度排序的二项队列中，当然这是一项简单的操作。

插入实际上就是特殊情形的合并，因为我们只要创建一棵单节点树并执行一次合并即可。这种操作的最坏情形运行时间也是 $O(\log N)$。更准确地说，如果元素将要插入的那个优先队列中不存在的最小的二项树是 B_i，那么运行时间与 $i+1$ 成正比。例如，H_3（见图 6-38）缺少高度为 1 的二项树，因此插入将进行两步终止。由于二项队列中的每棵树均以概率 1/2 出现，于是我们预计插入在两步后终止，因此，平均时间是常数。不仅如此，分析将指出，对一个初始为空的二项队列进行 N 次 insert 将花费 $O(N)$ 最坏情形时间。事实上，只用 $N-1$ 次比较就有可能进行该操作；我们把它留作练习。

作为一个例子，我们用图 6-39 到图 6-45 演示通过依序插入 1 到 7 来构成一个二项队列。4 的插入展现一种坏的情形。我们把 4 与 B_0 合并，得到一棵新的高度为 1 的树。然后将该树与 B_1 合并，得到一棵高度为 2 的树，它是新的优先队列。我们把这些算作 3 步（两棵树合并加上终止情形）。在插入 7 以后的下一次插入又是一个坏情形，需要 3 次树的合并操作。

254

图 6-39 在 1 插入之后　　图 6-40 在 2 插入之后　　图 6-41 在 3 插入之后　　图 6-42 在 4 插入之后

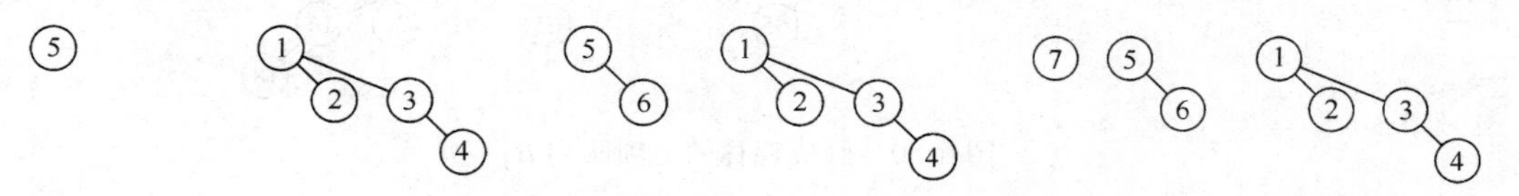

图 6-43 在 5 插入之后　　　图 6-44 在 6 插入之后　　　图 6-45 在 7 插入之后

deleteMin 可以通过首先找出一棵具有最小根的二项树来完成。令该树为 B_k，并令原始的优先队列为 H。我们从 H 的树的森林中除去二项树 B_k，形成新的二项树队列 H'。再除去 B_k 的根，得到一些二项树 $B_0, B_1, \ldots, B_{k-1}$，它们共同形成优先队列 H''。合并 H' 和 H''，操作结束。

作为例子，设对 H_3 执行一次 deleteMin，它在图 6-46 中表示。最小的根是 12，因此我们得到图 6-47 和图 6-48 中的两个优先队列 H′和 H″。合并 H′和 H″得到的二项队列是最后的答案，如图 6-49 所示。

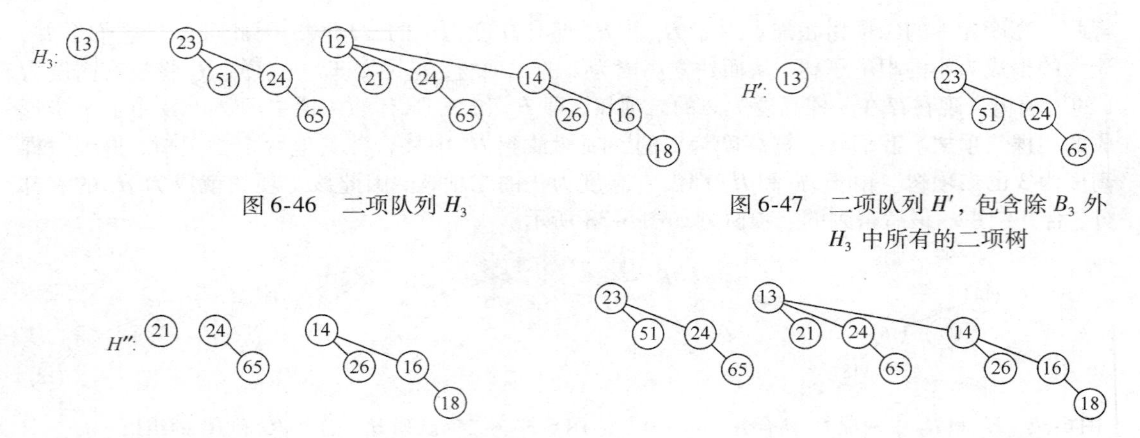

图 6-46　二项队列 H_3

图 6-47　二项队列 H'，包含除 B_3 外 H_3 中所有的二项树

图 6-48　二项队列 H''：除去 12 后的 B_3

图 6-49　deleteMin 应用到 H_3 的结果

为了分析，首先注意，deleteMin 操作将原二项队列一分为二。找出含有最小元素的树并创建队列 H′和 H″花费时间 $O(\log N)$。合并这两个队列又花费 $O(\log N)$时间，因此，整个 deleteMin 操作花费时间 $O(\log N)$。

255 ~ 256

6.8.3　二项队列的实现

deleteMin 操作需要快速找出根的所有子树的能力，因此，需要一般树的标准表示方法：每个节点的儿子都在一个链表中，而且每个节点都有一个对它的第一个儿子(如果有的话)的引用。该操作还要求各个儿子按照它们的子树的大小排序。我们还需要保证合并两棵树容易。当两棵树被合并时，其中的一棵树作为儿子被加到另一棵树上。由于这棵新树将是最大的子树，因此，以大小递减的方式保持这些子树是有意义的。只有这时我们才能够有效地合并两棵二项树从而合并两个二项队列。二项队列将是二项树的数组。

总而言之，二项树的每一个节点将包含数据、第一个儿子以及右兄弟。二项树中的各个儿子以降秩次序排列。

图 6-51 解释了如何表示图 6-50 中的二项队列。图 6-52 显示二项树中的节点的类型声明以及二项队列的类架构。

为了合并两个二项队列，我们需要一个例程来合并两个同样大小的二项树。图 6-53 表明两个二项树合并时链是如何变化的。合并同样大小的两棵二项树的程序很简单，见图 6-54。

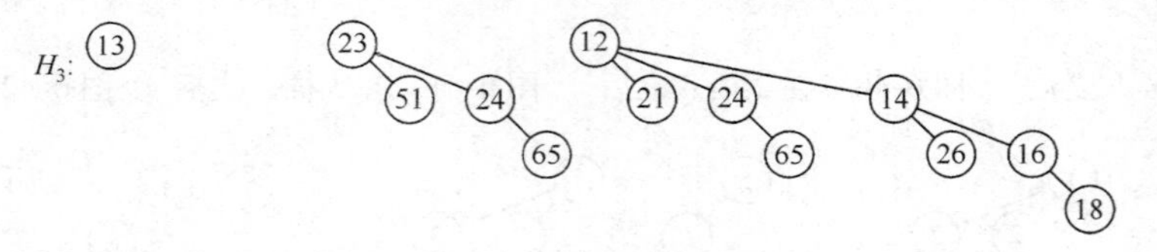

图 6-50　画成森林的二项队列 H_3

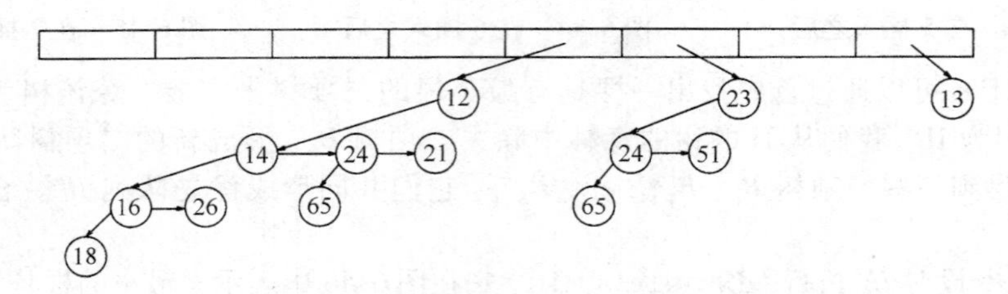

图 6-51　二项队列 H_3 的表示方式

```
1  public class BinomialQueue<AnyType extends Comparable<? super AnyType>>
2  {
3      public BinomialQueue( )
4        { /* See online code */ }
5      public BinomialQueue( AnyType item )
6        { /* See online code */ }
7
8      public void merge( BinomialQueue<AnyType> rhs )
9        { /* Figure 6.55 */ }
10     public void insert( AnyType x )
11       { merge( new BinomialQueue<>( x ) ); }
12     public AnyType findMin( )
13       { /* See online code */ }
14     public AnyType deleteMin( )
15       { /* Figure 6.56 */ }
16
17     public boolean isEmpty( )
18       { return currentSize == 0; }
19     public void makeEmpty( )
20       { /* See online code */ }
21
22     private static class Node<AnyType>
23     {
24             // Constructors
25         Node( AnyType theElement )
26           { this( theElement, null, null ); }
27
28         Node( AnyType theElement, Node<AnyType> lt, Node<AnyType> nt )
29           { element = theElement; leftChild = lt;  nextSibling = nt; }
30
31         AnyType       element;     // The data in the node
32         Node<AnyType> leftChild;   // Left child
33         Node<AnyType> nextSibling; // Right child
34     }
35
36     private static final int DEFAULT_TREES = 1;
37
38     private int currentSize;              // # items in priority queue
39     private Node<AnyType> [ ] theTrees;  // An array of tree roots
40
41     private void expandTheTrees( int newNumTrees )
42       { /* See online code */ }
43     private Node<AnyType> combineTrees( Node<AnyType> t1, Node<AnyType> t2 )
44       { /* Figure 6.54 */ }
45
46     private int capacity( )
47       { return ( 1 << theTrees.length ) - 1; }
48     private int findMinIndex( )
49       { /* See online code */ }
50 }
```

图 6-52　二项队列类架构及节点定义

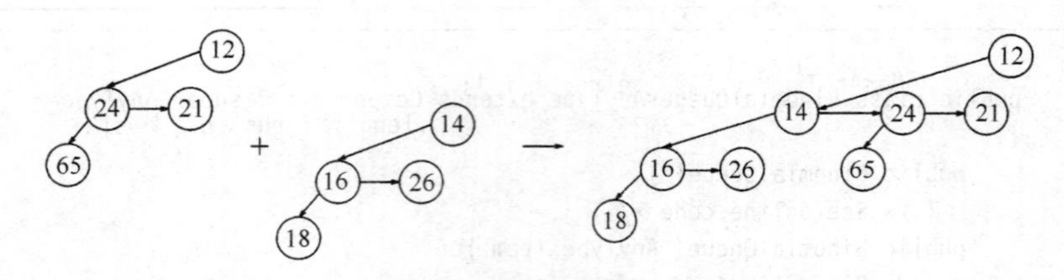

图 6-53 合并两棵二项树

```
1        /**
2         * Return the result of merging equal-sized t1 and t2.
3         */
4        private Node<AnyType> combineTrees( Node<AnyType> t1, Node<AnyType> t2 )
5        {
6            if( t1.element.compareTo( t2.element ) > 0 )
7                return combineTrees( t2, t1 );
8            t2.nextSibling = t1.leftChild;
9            t1.leftChild = t2;
10           return t1;
11       }
```

图 6-54 合并同样大小的两棵二项树的例程

现在我们介绍 merge 例程的简单实现。H_1 由当前的对象表示而 H_2 则用 rhs 表示。该例程将 H_1 和 H_2 合并，把合并结果放入 H_1 中，并清空 H_2。在任意时刻我们在处理的是秩(rank)为 i 的那些树。t_1 和 t_2 分别是 H_1 和 H_2 中的树，而 carry 是从上一步得来的树(它可能是 null)。从秩为 i 的树以及秩为 $i+1$ 的 carry 的树所形成的树，依赖于 8 种可能情形中的每一种。程序见图 6-55。对程序的改进在练习 6.35 中提出。

```
1        /**
2         * Merge rhs into the priority queue.
3         * rhs becomes empty. rhs must be different from this.
4         * @param rhs the other binomial queue.
5         */
6        public void merge( BinomialQueue<AnyType> rhs )
7        {
8            if( this == rhs )    // Avoid aliasing problems
9                return;
10
11           currentSize += rhs.currentSize;
12
13           if( currentSize > capacity( ) )
14           {
15               int maxLength = Math.max( theTrees.length, rhs.theTrees.length );
16               expandTheTrees( maxLength + 1 );
17           }
18
19           Node<AnyType> carry = null;
20           for( int i = 0, j = 1; j <= currentSize; i++, j *= 2 )
```

图 6-55 合并两个优先队列的例程

```
21          {
22              Node<AnyType> t1 = theTrees[ i ];
23              Node<AnyType> t2 = i < rhs.theTrees.length ? rhs.theTrees[ i ] : null;
24
25              int whichCase = t1 == null ? 0 : 1;
26              whichCase += t2 == null ? 0 : 2;
27              whichCase += carry == null ? 0 : 4;
28
29              switch( whichCase )
30              {
31                case 0: /* No trees */
32                case 1: /* Only this */
33                  break;
34                case 2: /* Only rhs */
35                  theTrees[ i ] = t2;
36                  rhs.theTrees[ i ] = null;
37                  break;
38                case 4: /* Only carry */
39                  theTrees[ i ] = carry;
40                  carry = null;
41                  break;
42                case 3: /* this and rhs */
43                  carry = combineTrees( t1, t2 );
44                  theTrees[ i ] = rhs.theTrees[ i ] = null;
45                  break;
46                case 5: /* this and carry */
47                  carry = combineTrees( t1, carry );
48                  theTrees[ i ] = null;
49                  break;
50                case 6: /* rhs and carry */
51                  carry = combineTrees( t2, carry );
52                  rhs.theTrees[ i ] = null;
53                  break;
54                case 7: /* All three */
55                  theTrees[ i ] = carry;
56                  carry = combineTrees( t1, t2 );
57                  rhs.theTrees[ i ] = null;
58                  break;
59              }
60          }
61
62          for( int k = 0; k < rhs.theTrees.length; k++ )
63              rhs.theTrees[ k ] = null;
64          rhs.currentSize = 0;
65      }
```

图 6-55 (续)

二项队列的 deleteMin 例程在图 6-56 中给出。

我们可以将二项队列扩展到支持二叉堆所允许的某些非标准的操作，诸如 decreaseKey 和 delete 等，前提是受到影响的元素的位置已知。decreaseKey 是一个 percolateUp，如果我们将一个域加到每个节点上存储其父链，那么这个操作可以在时间 $O(\log N)$ 内完成。一次任意的 delete 可以通过结合 decreaseKey 和 deleteMin 而以时间 $O(\log N)$完成。

```
1     /**
2      * Remove the smallest item from the priority queue.
3      * @return the smallest item, or throw UnderflowException if empty.
4      */
5     public AnyType deleteMin( )
6     {
7         if( isEmpty( ) )
8             throw new UnderflowException( );
9
10        int minIndex = findMinIndex( );
11        AnyType minItem = theTrees[ minIndex ].element;
12
13        Node<AnyType> deletedTree = theTrees[ minIndex ].leftChild;
14
15        // Construct H''
16        BinomialQueue<AnyType> deletedQueue = new BinomialQueue<>( );
17        deletedQueue.expandTheTrees( minIndex + 1 );
18
19        deletedQueue.currentSize = ( 1 << minIndex ) - 1;
20        for( int j = minIndex - 1; j >= 0; j-- )
21        {
22            deletedQueue.theTrees[ j ] = deletedTree;
23            deletedTree = deletedTree.nextSibling;
24            deletedQueue.theTrees[ j ].nextSibling = null;
25        }
26
27        // Construct H'
28        theTrees[ minIndex ] = null;
29        currentSize -= deletedQueue.currentSize + 1;
30
31        merge( deletedQueue );
32
33        return minItem;
34    }
```

图6-56　二项队列的 deleteMin，用到 findMinIndex 方法

6.9　标准库中的优先队列

在 Java 1.5 之前，Java 类库中不存在对优先队列的支持。然而在 Java 1.5 中出现了泛型类 PriorityQueue，在该类中 insert、findMin 和 deleteMin 通过调用 add、element 和 remove 而被表示。PriorityQueue 对象可以通过无参数、一个比较器、或另一个兼容的集合构造出来。

由于优先队列有许多有效的实现方法，因此该类库的设计者们没有选择让 PriorityQueue 成为一个接口。虽然如此，PriorityQueue 在 Java 1.5 中的实现对大多数优先队列的应用还是足够的。

小结

本章介绍了优先队列 ADT 的各种实现方法和用途。标准的二叉堆实现具有简单和快速的

优点。它不需要链，只需要常量的附加空间，且有效地支持优先队列的操作。

我们考虑了附加的 merge 操作，开发了三种实现方法，每种都有其独到之处。左式堆是递归威力的完美实例。斜堆则代表缺少平衡原则的一种重要的数据结构。它的分析是有趣的，我们将在第 11 章进行。二项队列指出一个简单的想法如何能够用来达到好的时间界。

我们还看到优先队列的几个用途，从操作系统的工作调度到事件模拟。我们将在第 7、9 和 10 章再次看到它们的应用。

257~262

练习

6.1 操作 insert 和 findMin 都能以常数时间实现吗?

6.2 a. 写出一次一个地将 10、12、1、14、6、5、8、15、3、9、7、4、11、13 和 2 插入到一个初始为空的二叉堆中的结果。

b. 写出使用上述相同的输入通过线性时间算法建立一个二叉堆的结果。

6.3 写出对上面练习中的堆执行 3 次 deleteMin 操作的结果。

6.4 N 个元素的完全二叉树用到数组位置 1 到 N。设试图使用数组表示法表示非完全的二叉树。对于下列的情况确定数组必须要多大:

a. 一棵有两个附加层(即它是非常轻微地不平衡)的二叉树

b. 在深度 $2 \log N$ 处有一个最深的节点的二叉树

c. 在深度 $4.1 \log N$ 处有一个最深的节点的二叉树

d. 最坏情形的二叉树

6.5 通过把被插入项的引用放在位置 0 处重写 BinaryHeap 的 inset 方法。

6.6 在图 6-13 的大的堆中有多少节点?

6.7 a. 证明对于二叉堆，buildHeap 至多在元素间进行 $2N-2$ 次比较。

b. 证明 8 个元素的堆可以通过堆元素间的 8 次比较构成。

** c. 给出一个算法，用 $\frac{13}{8}N+O(\log N)$ 次元素比较构建一个二叉堆。

6.8 证明下列关于堆中的最大项的结论:

a. 它必然在一片树叶上。

b. 恰好存在 $\lceil N/2 \rceil$ 片树叶。

c. 为找出它必须考查每一片树叶。

**6.9 证明，在一个大的完全堆(可以假设 $N=2^k-1$)中第 k 个最小元的期望深度以 $\log k$ 为界。

6.10 * a. 给出一个算法找出二叉堆中小于某个值 X 的所有节点。你的算法应该以 $O(K)$ 时间运行，其中，K 是输出的节点的个数。

b. 该算法可以扩展到本章讨论过的任何其他堆结构吗?

* c. 给出一个算法，最多使用大约 $3N/4$ 次比较找出二叉堆中任意的项 X。

**6.11 提出一个算法，以 $O(M+\log N \log\log N)$ 时间将 M 个节点插入到 N 个元素的二叉堆中。证明该算法的时间界。

6.12 编写一个程序输入 N 个元素并

a. 将它们一个一个地插入到一个堆中。

b. 以线性时间建立一个堆。

比较这两个算法对于已排序、反序、以及随机输入的运行时间。

263

6.13 每个 deleteMin 操作在最坏情形下使用 $2\log N$ 次比较。

* a. 提出一种方案使得 deleteMin 操作只使用 $\log N+\log\log N+O(1)$ 次元素间的比较。这未必就意味着较少的数据移动。

** b. 扩展你在(a)部分中的方案使得只执行 $\log N+\log\log\log N+O(1)$ 次比较。

** c. 你能够把这种想法推向多远?

d. 在比较中节省下的资源能否补偿你的算法增加的复杂性?

6.14 如果一个 d-堆作为一个数组存储，对位于位置 i 的项，其父亲和儿子都在哪里?

6.15 设一个 d-堆初始时有 N 个元素，而我们需要对其执行 M 次 `percolateUp` 和 N 次 `deleteMin`。

a. 用 M、N 和 d 表示的所有操作的总运行时间是多少？

b. 如果 $d=2$，所有的堆操作的运行时间是多少？

c. 如果 $d=\Theta(N)$，总运行时间是多少？

*d. 对 d 作什么选择将使总运行时间最小？

6.16 设二叉堆用显式链表示。给出一个简单算法来找出位于位置 i 上的树节点。

6.17 设二叉堆用显式链表示。考虑将二叉堆 `lhs` 和 `rhs` 合并的问题。假设这两个二叉堆均为满的完全树，分别包含 2^l-1 和 2^r-1 个节点。

a. 若 $l=r$，给出合并这两个堆的 $O(\log N)$ 算法。

b. 若 $|l-r|=1$，给出合并这两个堆的 $O(\log N)$ 算法。

c. 给出合并这两个堆的与 l 和 r 无关的 $O(\log^2 N)$ 算法。

6.18 **最小-最大堆**(min-max heap)是支持两种操作 `deleteMin` 和 `deleteMax` 的数据结构，每个操作用时 $O(\log N)$。该结构与二叉堆相同，不过，其堆序性质为：对于在偶数深度上的任意节点 X，存储在 X 上的元素小于它的父亲但是大于它的祖父(当这是有意义的时候)，对于奇数深度上的任意节点 X，存储在 X 上的元素大于它的父亲但是小于它的祖父，见图 6-57。

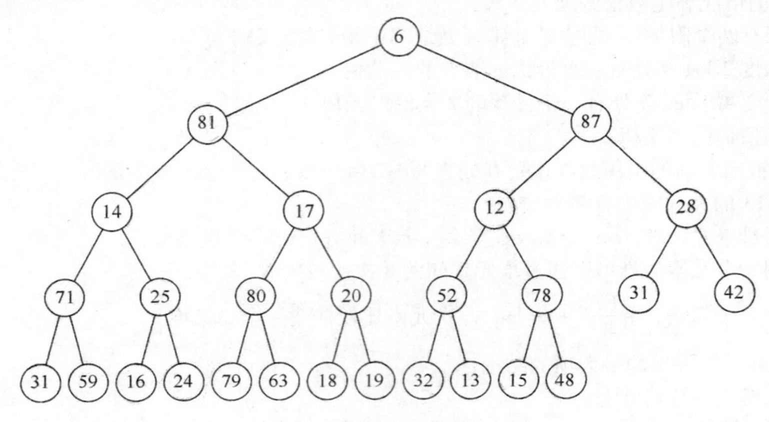

图 6-57 最小-最大堆

a. 如何找到最小元和最大元？

*b. 给出一个算法将一个新节点插入到该最小-最大堆中。

*c. 给出一个算法执行 `deleteMin` 和 `deleteMax`。

*d. 你能否以线性时间建立一个最小最大堆？

**e. 设我们想要支持操作 `deleteMin`、`deleteMax` 以及 `merge`。提出一种数据结构以时间 $O(\log N)$ 支持所有的操作。

6.19 合并图 6-58 中的两个左式堆。

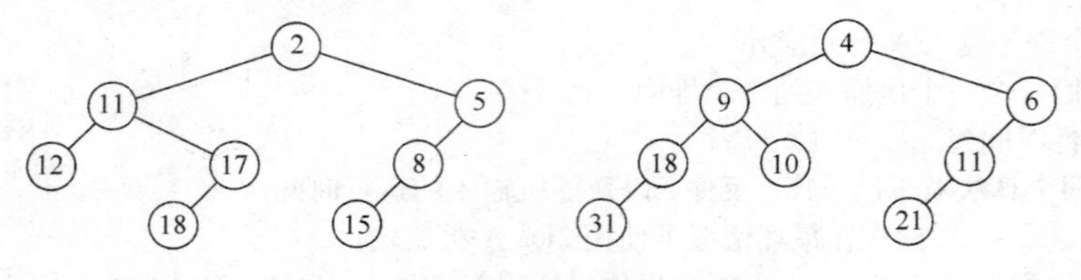

图 6-58 练习 6.19 和 6.26 的输入

6.20 写出依序将关键字 1 到 15 插入到一个初始为空的左式堆中的结果。

6.21 证明下述结论成立或证明其不成立：如果将关键字 1 到 2^k-1 依序插入到一个初始为空的左式堆中，那么结果形成一棵理想平衡树(perfectly balanced tree)。

264

6.22 给出生成最佳左式堆的输入的例子。

6.23 a. 左式堆能否有效地支持 decreaseKey?

b. 完成该功能需要哪些改变(如果可能的话)?

6.24 从左式堆中一个已知位置删除节点的一种方法是使用懒惰策略。为了删除一个节点,只要将其标记为被删除即可。当执行一个 findMin 或 deleteMin 时,若标记根节点被删除则存在一个潜在的问题,因为此时该节点必须被实际删除且需要找到实际的最小元,这可能涉及到删除其他一些已做标记的节点。在该策略中,这些 delete 花费一个单位,但一次 deleteMin 或 findMin 的开销却依赖于被作删除标记的节点的个数。设在一次 deleteMin 或 findMin 后作标记的节点比操作前减少 k 个。

*a. 说明如何以 $O(k \log N)$ 时间执行 deleteMin。

**b. 提出一种实现方法,通过分析,证明执行 deleteMin 的时间为 $O(k \log(2N/k))$。 265

6.25 我们可以以线性时间对一些左式堆执行 buildHeap 操作:把每个元素当作是单节点左式堆,把所有这些堆放到一个队列中,之后,让两个堆出队,合并它们,再将合并结果入队,直到队列中只有一个堆为止。

a. 证明该算法在最坏情形下为 $O(N)$。

b. 为什么该算法优于课文中描述的算法?

6.26 合并图 6.58 中的两个斜堆

6.27 写出将关键字 1 到 15 依序插入到一斜堆内的结果。

6.28 证明下述结论成立或不成立:如果将关键字 1 到 2^k-1 依序插入到一个初始为空的斜堆中,那么结果形成一棵理想平衡树(perfectly balanced tree)。

6.29 使用标准的二叉堆算法可以建立一个 N 个元素的斜堆。我们能否使用练习 6.25 中描述的同样的合并策略用于斜堆而得到 $O(N)$ 运行时间?

6.30 证明二项树 B_k 以二项树 $B_0, B_1, \ldots, B_{k-1}$ 作为其根的儿子。

6.31 证明高度为 k 的二项树在深度 d 有 $\binom{k}{d}$ 个节点。

6.32 将图 6-59 中的两个二项队列合并。

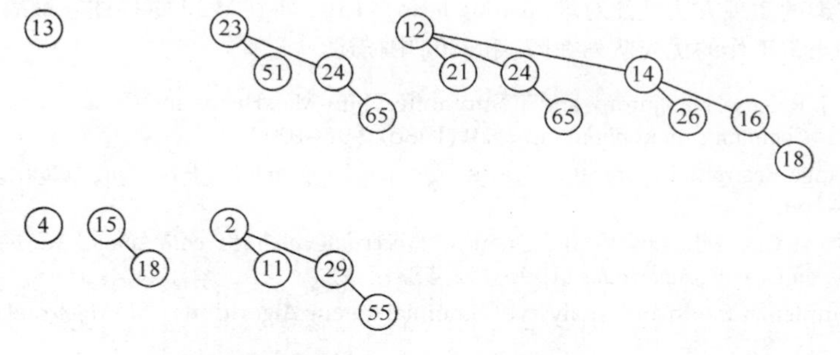

图 6-59 练习 6.32 中的输入

6.33 a. 证明,向初始为空的二项队列进行 N 次 insert 在最坏情形下花费 $O(N)$ 的时间。

b. 给出一个算法来建立有 N 个元素的二项队列,在元素间最多使用 $N-1$ 次比较。

*c. 提出一个算法,以 $O(M+\log N)$ 最坏情形运行时间将 M 个节点插入到 N 个元素的二项队列中。证明该算法的界。

6.34 写出一个高效的例程使用二项队列来完成 insert 操作。不要调用 merge 方法。 266

6.35 对于二项队列:

a. 如果没有树留在 H_2 中且 carry 树为 null,则修改 merge 例程以终止合并。

b. 修改 merge 使得较小的队列总被合并到较大的队列中。

**6.36 假设我们将二项队列扩充为允许每个结构同一高度至多有两棵树。我们能否在其他操作保留为 $O(\log N)$ 时得到插入为 $O(1)$ 的最坏情形时间?

6.37 设有许多盒子,每个盒子都能容纳总重量 C,而物品 $i_1, i_2, i_3, \cdots, i_N$ 分别重 $w_1, w_2, w_3, \cdots, w_N$。现在想要把所有的物品包装起来,但任一盒子都不能放置超过其容量的重物,而且要使用尽量少的盒子。例如，若 $C=5$，物品分别重 2，2，3，3，则我们可用两个盒子解决该问题。一般说来，这个问题很困难，尚不知有高效的解决方案。编写程序高效地实现下列各近似解法：

*a. 将重物放入能够承受其重量的第一个盒子内(如果没有盒子拥有足够的容量就开辟一个新的盒子)(该方法以及后面所有的方法都将得出 3 个盒子，这不是最优的结果)。

b. 把重物放入对其有最大空间的盒子内。

*c. 把重物放入能够容纳它而又不过载的装填得最满的盒子中。

**d. 这些方法有通过将重物按重量预先排序而功能得到增强的吗?

6.38 设我们想要将操作 `decreaseAllKeys(Δ)` 添加到堆的指令系统中。该操作的结果是堆中所有的关键字都将它们的值减少量 Δ。对于你所选择的堆的实现方法，解释所作的必要的修改使得所有其他操作都保持它们的运行时间而 `decreaseAllKeys` 以 $O(1)$ 运行。

6.39 两个选择算法中哪个具有更好的时间界?

参考文献

二叉堆首先在[28]中描述。构造它的线性时间算法来自[14]。

d-堆最初的描述见于[19]。最近的结果提出，4 叉堆在某些情形下可以改进二叉堆[22]。左式堆由 Crane[11]发现并在 Knuth[21]中描述。斜堆由 Sleator 和 Tarjan[24]开发。二项队列由 Vuillemin[27]发明；Brown 提供了详细的分析和经验性的研究，指出若能仔细地实现它们则在实践中性能很好[4]。

练习 6.7(b~c)取自[17]。练习 6.10(c)源于[6]。平均使用大约 $1.52N$ 次比较构造二叉堆的方法在[23]中描述。左式堆中的懒惰删除(练习 6.24)出自[10]。练习 6.36 的一种解法可在[8]中查到。

267

最小 - 最大堆(练习 6.18)原始描述见于[1]。这些操作的更有效的实现在[18]和[25]中给出。双端优先队列(double-ended priority queues)的另外一些表示形式是 `deap` 双端堆和菱形双端队列(`diamond deque`)，细节可见于[5]、[7]和[9]。练习 6.18(e)的解法在[12]和[20]中给出。

理论上有趣的优先队列表示法是斐波那契堆(Fibonacci heap)[16]，我们将在第 11 章中描述它。斐波那契堆使得所有的操作均以 $O(1)$ 摊还时间执行，但要除去删除操作，它是 $O(\log N)$。松堆(relaxed heaps)[13]得到最坏情形下完全相同的界(但 `merge` 除外)。[3]的过程对所有操作均得到最佳的最坏情形界。另外一种有趣的实现方法是配对堆(pairing heap)[15]，将在第 12 章描述。最后，当数据由一些小的整数组成时能够正常工作的优先队列在[2]和[26]中描述。

1. M. D. Atkinson, J. R. Sack, N. Santoro, and T. Strothotte, “Min-Max Heaps and Generalized Priority Queues,” *Communications of the ACM*, 29 (1986), 996–1000.
2. J. D. Bright, “Range Restricted Mergeable Priority Queues,” *Information Processing Letters*, 47 (1993), 159–164.
3. G. S. Brodal, “Worst-Case Efficient Priority Queues,” *Proceedings of the Seventh Annual ACM-SIAM Symposium on Discrete Algorithms* (1996), 52–58.
4. M. R. Brown, “Implementation and Analysis of Binomial Queue Algorithms,” *SIAM Journal on Computing*, 7 (1978), 298–319.
5. S. Carlsson, “The Deap—A Double-Ended Heap to Implement Double-Ended Priority Queues,” *Information Processing Letters*, 26 (1987), 33–36.
6. S. Carlsson and J. Chen, “The Complexity of Heaps,” *Proceedings of the Third Symposium on Discrete Algorithms* (1992), 393–402.
7. S. Carlsson, J. Chen, and T. Strothotte, “A Note on the Construction of the Data Structure ‘Deap’,” *Information Processing Letters*, 31 (1989), 315–317.
8. S. Carlsson, J. I. Munro, and P. V. Poblete, “An Implicit Binomial Queue with Constant Insertion Time,” *Proceedings of First Scandinavian Workshop on Algorithm Theory* (1988), 1–13.
9. S. C. Chang and M. W. Due, “Diamond Deque: A Simple Data Structure for Priority Deques,” *Information Processing Letters*, 46 (1993), 231–237.
10. D. Cheriton and R. E. Tarjan, “Finding Minimum Spanning Trees,” *SIAM Journal on Computing*, 5 (1976), 724–742.
11. C. A. Crane, “Linear Lists and Priority Queues as Balanced Binary Trees,” *Technical Report*

STAN-CS-72-259, Computer Science Department, Stanford University, Stanford, Calif., 1972.

12. Y. Ding and M. A. Weiss, "The Relaxed Min-Max Heap: A Mergeable Double-Ended Priority Queue," *Acta Informatica*, 30 (1993), 215–231.
13. J. R. Driscoll, H. N. Gabow, R. Shrairman, and R. E. Tarjan, "Relaxed Heaps: An Alternative to Fibonacci Heaps with Applications to Parallel Computation," *Communications of the ACM*, 31 (1988), 1343–1354.
14. R. W. Floyd, "Algorithm 245: Treesort 3," *Communications of the ACM*, 7 (1964), 701.
15. M. L. Fredman, R. Sedgewick, D. D. Sleator, and R. E. Tarjan, "The Pairing Heap: A New Form of Self-adjusting Heap," *Algorithmica*, 1 (1986), 111–129.
16. M. L. Fredman and R. E. Tarjan, "Fibonacci Heaps and Their Uses in Improved Network Optimization Algorithms," *Journal of the ACM*, 34 (1987), 596–615.
17. G. H. Gonnet and J. I. Munro, "Heaps on Heaps," *SIAM Journal on Computing*, 15 (1986), 964–971.
18. A. Hasham and J. R. Sack, "Bounds for Min-max Heaps," *BIT*, 27 (1987), 315–323.
19. D. B. Johnson, "Priority Queues with Update and Finding Minimum Spanning Trees," *Information Processing Letters*, 4 (1975), 53–57.
20. C. M. Khoong and H. W. Leong, "Double-Ended Binomial Queues," *Proceedings of the Fourth Annual International Symposium on Algorithms and Computation* (1993), 128–137.
21. D. E. Knuth, *The Art of Computer Programming, Vol 3: Sorting and Searching*, 2d ed, Addison-Wesley, Reading, Mass., 1998.
22. A. LaMarca and R. E. Ladner, "The Influence of Caches on the Performance of Sorting," *Proceedings of the Eighth Annual ACM-SIAM Symposium on Discrete Algorithms* (1997), 370–379.
23. C. J. H. McDiarmid and B. A. Reed, "Building Heaps Fast," *Journal of Algorithms*, 10 (1989), 352–365.
24. D. D. Sleator and R. E. Tarjan, "Self-adjusting Heaps," *SIAM Journal on Computing*, 15 (1986), 52–69.
25. T. Strothotte, P. Eriksson, and S. Vallner, "A Note on Constructing Min-max Heaps," *BIT*, 29 (1989), 251–256.
26. P. van Emde Boas, R. Kaas, and E. Zijlstra, "Design and Implementation of an Efficient Priority Queue," *Mathematical Systems Theory*, 10 (1977), 99–127.
27. J. Vuillemin, "A Data Structure for Manipulating Priority Queues," *Communications of the ACM*, 21 (1978), 309–314.
28. J. W. J. Williams, "Algorithm 232: Heapsort," *Communications of the ACM*, 7 (1964), 347–348.

268

269 ~ 270

排　　序

在这一章，我们讨论元素数组的排序问题。为简单起见，假设例子中的数组只包含整数，当然我们的程序也允许更一般的对象。对于本章的大部分内容，我们还假设整个排序工作能够在主存中完成，因此，元素的个数相对来说比较小(小于几百万)。当然，不能在主存中完成而必须在磁盘或磁带上完成的排序也相当重要。这种类型的排序叫作外部排序(external sorting)，将在本章末尾进行讨论。

我们对内部排序的考查将指出：

- 存在几种容易的算法以 $O(N^2)$ 完成排序，如插入排序。
- 有一种算法叫作希尔排序(Sellsort)，它编程非常简单，以 $o(N^2)$ 运行，并在实践中很有效。
- 存在一些稍微复杂的 $O(N \log N)$ 的排序算法。
- 任何通用的排序算法均需要 $\Omega(N \log N)$ 次比较。

本章的其余部分将描述和分析各种排序算法。这些算法包含一些有趣的和重要的代码优化和算法设计思想。排序也是使得分析能够得以精确地进行的范例。预先说明，在适当的时机，我们将尽可能多地做一些分析。

7.1 预备知识

我们描述的算法都将是可以互换的。每个算法都将接收包含一些元素的数组；假设所有的数组位置都包含要被排序的数据。我们还假设 N 是传递到排序例程的元素的个数。

正如1.4节所描述的，被排序的对象属于 `Comparable` 类型。因此我们使用 `CompareTo` 方法对输入数据施加相容的排序。除(引用)赋值运算外，这是仅有的允许对输入数据进行的操作。在这些条件下的排序叫作**基于比较的排序**(comparison-based sorting)。在默认的排序没有或不可接受的情况下，我们很容易用 `Comparator` 来重写排序算法。

271

7.2 插入排序

7.2.1 算法

最简单的排序算法之一是**插入排序**(insertion sort)。插入排序由 $N-1$ 趟排序组成。对于 $p=1$ 到 $N-1$ 趟，插入排序保证从位置0到位置 p 上的元素为已排序状态。插入排序利用了这样的事实：已知位置0到位置 $p-1$ 上的元素已经处于排过序的状态。图7-1显示一个数组样例在每一趟插入排序后的情况。

原始数组	34	8	64	51	32	21	移动的位置
$p=1$ 趟之后	8	34	64	51	32	21	1
$p=2$ 趟之后	8	34	64	51	32	21	0
$p=3$ 趟之后	8	34	51	64	32	21	1
$p=4$ 趟之后	8	32	34	51	64	21	3
$p=5$ 趟之后	8	21	32	34	51	64	4

图7-1　每趟后的插入排序

图7-1表达了一般的策略。在第 p 躺，我们将位置 p 上的元素向左移动，直到它在前 $p+1$ 个元素中的正确位置被找到的地方。图7-2中的程序实现这种策略。第12行到第15行实现数

据移动而没有明显地使用交换。位置 p 上的元素储存于 tmp，而(在位置 p 之前)所有更大的元素都被向右移动一个位置。然后 tmp 被置于正确的位置上。这是与在二叉堆实现时所用到的相同技巧。

```
1     /**
2      * Simple insertion sort.
3      * @param a an array of Comparable items.
4      */
5     public static <AnyType extends Comparable<? super AnyType>>
6     void insertionSort( AnyType [ ] a )
7     {
8         int j;
9
10        for( int p = 1; p < a.length; p++ )
11        {
12            AnyType tmp = a[ p ];
13            for( j = p; j > 0 && tmp.compareTo( a[ j - 1 ] ) < 0; j-- )
14                a[ j ] = a[ j - 1 ];
15            a[ j ] = tmp;
16        }
17    }
```

图 7-2　插入排序例程

7.2.2　插入排序的分析

由于嵌套循环的每一个都花费 N 次迭代，因此插入排序为 $O(N^2)$，而且这个界是精确的，因为以反序的输入可以达到该界。精确计算指出，图 7-2 内循环中元素的比较次数对于 p 的每个值最多是 $p+1$ 次。对所有的 p 求和得到总数为

$$\sum_{i=2}^{N} i = 2 + 3 + 4 + \cdots + N = \Theta(N^2)$$

另一方面，如果输入数据已预先排序，那么运行时间为 $O(N)$，因为内层 for 循环的检测总是立即判定不成立而终止。事实上，如果输入几乎被排序(该术语将在下一节更严格地定义)，那么插入排序将运行得很快。由于这种变化差别很大，因此值得我们去分析该算法平均情形的行为。实际上，和各种其他排序算法一样，插入排序的平均情形也是 $\Theta(N^2)$，详见下节的分析。

272

7.3　一些简单排序算法的下界

成员是数的数组的逆序(inversion)即具有性质 $i<j$ 但 $a[i]>a[j]$ 的序偶($a[i]$, $a[j]$)。在上节的例子中，输入数据 34, 8, 64, 51, 32, 21 有 9 个逆序，即(34, 8)，(34, 32)，(34, 21)，(64, 51)，(64, 32)，(64, 21)，(51, 32)，(51, 21)以及(32, 21)。注意，这正好是需要由插入排序(隐含)执行的交换次数。情况总是这样，因为交换两个不按顺序排列的相邻元素恰好消除一个逆序，而一个排过序的数组没有逆序。由于算法中还有 $O(N)$ 量的其他工作，因此插入排序的运行时间是 $O(I+N)$，其中 I 为原始数组中的逆序数。于是，若逆序数是 $O(N)$，则插入排序以线性时间运行。

可以通过计算排列中的平均逆序数得出插入排序平均运行时间的精确的界。如往常一样，定义平均是一个困难的课题。我们将假设不存在重复元素(如果我们允许重复，那么甚至连重复的平均次数究竟是什么都不清楚)。利用该假设，可设输入数据是前 N 个整数的某个排列(因为只有相对顺序才是重要的)并设所有的排列都是等可能的。在这些假设下，我们有如下定理：

定理 7.1　N 个互异数的数组的平均逆序数是 $N(N-1)/4$。

273

证明：

对于元素的任意表列 L，考虑其反序表列 L_r。上例中的反序表列是 21，32，51，64，8，34。考虑该表列中任意两个元素的序偶 (x, y)，$y < x$。显然，在恰好 L 和 L_r 的一个中该序偶表示一个逆序。在表列 L 和它的反序表列 L_r 中序偶的总个数为 $N(N-1)/2$。因此，平均表列有该量的一半，即 $N(N-1)/4$ 个逆序。 □

这个定理意味着插入排序平均是二次的，同时也提供了只交换相邻元素的任何算法的一个很强的下界。

定理 7.2 通过交换相邻元素进行排序的任何算法平均都需要 $\Omega(N^2)$ 时间。

证明：

初始的平均逆序数是 $N(N-1)/4 = \Omega(N^2)$，而每次交换只减少一个逆序，因此需要 $\Omega(N^2)$ 次交换。 □

这是证明下界的一个例子，它不仅对隐含地执行相邻元素交换的插入排序有效，而且对诸如冒泡排序和选择排序等其他一些简单算法也是有效的，不过这些算法我们将不在这里描述。事实上，它对一整类只进行相邻元素的交换的排序算法，包括那些未被发现的算法，都是有效的。正因为如此，这个证明在经验上是不能被认可的。虽然这个下界的证明非常简单，但是一般说来证明下界要比证明上界复杂得多，在某些情形下甚至有些像魔术。

这个下界告诉我们，为了使一个排序算法以亚二次(subquadratic)或 $O(N^2)$ 时间运行，必须执行一些比较，特别是要对相距较远的元素进行交换。一个排序算法通过删除逆序得以向前进行，而为了有效地进行，它必须使每次交换删除不止一个逆序。

7.4 希尔排序

希尔排序(Shellsort)的名称源于它的发明者 Donald Shell，该算法是冲破二次时间屏障的第一批算法之一，不过，直到它最初被发现的若干年后才证明了它的亚二次时间界。正如上节所提到的，它通过比较相距一定间隔的元素来工作；各趟比较所用的距离随着算法的进行而减小，直到只比较相邻元素的最后一趟排序为止。由于这个原因，希尔排序有时也叫作**缩减增量排序**(diminishing increment sort)。

希尔排序使用一个序列 $h_1, h_2, \ldots, h_t$，叫作**增量序列**(increment sequence)。只要 $h_1 = 1$，任何增量序列都是可行的，不过，有些增量序列比另外一些增量序列更好(后面我们将讨论这个问题)。在使用增量 h_k 的一趟排序之后，对于每一个 i 我们都有 $a[i] \leqslant a[i+h_k]$(此时该不等式是有意义的)；所有相隔 h_k 的元素都被排序。此时称文件是 h_k 排序的(h_k-sorted)。例如。图 7-3 显示在几趟希尔排序后数组的情况。希尔排序的一个重要性质是(我们只叙述而不证明)，一个 h_k 排序的文件(然后将是 h_{k-1} 排序的)保持它的 h_k 排序性。事实上，假如情况不是这样的话，那么该算法很可能也就没什么价值了，因为前面各趟排序的成果就会被后面各趟排序给打乱。

274

原始数组	81	94	11	96	12	35	17	95	28	58	41	75	15
5 排序后	35	17	11	28	12	41	75	15	96	58	81	94	95
3 排序后	28	12	11	35	15	41	58	17	94	75	81	96	95
1 排序后	11	12	15	17	28	35	41	58	75	81	94	95	96

图 7-3 希尔排序每趟之后的情况

h_k 排序的一般做法是，对于 $h_k, h_k+1, \cdots, N-1$ 中的每一个位置 i，把其上的元素放到 $i, i-h_k, i-2h_k, \cdots$ 中的正确位置上。虽然这并不影响最终结果，但通过仔细观察可以发现，一趟 h_k 排序的作用就是对 h_k 个独立的子数组执行一次插入排序。当我们分析希尔排序的运行时间时，这个观察结果将是很重要的。

增量序列的一个流行(但是不好)的选择是使用 Shell 建议的序列：$h_t = \lfloor N/2 \rfloor$和 $h_k = \lfloor h_{k+1}/2 \rfloor$

(这不是用在图 7-3 的例子中的序列)。图 7-4 包含一个使用该序列实现希尔排序的方法。后面我们将看到,存在一些递增的序列,它们对该算法的运行时间给出了重要的改进;即使是一个小的改变都可能严重影响算法的性能(见练习 7.10)。

275

```
1       /**
2        * Shellsort, using Shell's (poor) increments.
3        * @param a an array of Comparable items.
4        */
5       public static <AnyType extends Comparable<? super AnyType>>
6       void shellsort( AnyType [ ] a )
7       {
8           int j;
9
10          for( int gap = a.length / 2; gap > 0; gap /= 2 )
11              for( int i = gap; i < a.length; i++ )
12              {
13                  AnyType tmp = a[ i ];
14                  for( j = i; j >= gap &&
15                              tmp.compareTo( a[ j - gap ] ) < 0; j -= gap )
16                      a[ j ] = a[ j - gap ];
17                  a[ j ] = tmp;
18              }
19      }
```

图 7-4　使用希尔增量的希尔排序例程(可能有更好的增量)

图 7-4 中的程序以与我们在插入排序实现方法中相同的方式避免明显地使用交换。

希尔排序的最坏情形分析

虽然希尔排序编程简单,但是,其运行时间的分析则完全是另外一回事。希尔排序的运行时间依赖于增量序列的选择,而证明可能相当复杂。希尔排序的平均情形分析,除最平凡的一些增量序列外,是一个长期未解决的问题。我们将对两个特别的增量序列证明最坏情形的精确的界。

定理 7.3　使用希尔增量时希尔排序的最坏情形运行时间为 $\Theta(N^2)$。

证明:

证明不仅需要指出最坏情形运行时间的上界,而且还需要指出存在某个输入实际上正好花费 $\Omega(N^2)$ 时间运行。首先通过构造一个坏情形来证明下界。我们首先选择 N 是 2 的幂。这使得除最后一个增量是 1 外所有的增量都是偶数。现在,我们给出一个数组作为输入,它的偶数位置上有 $N/2$ 个同为最大的数,而在奇数位置上有 $N/2$ 个同为最小的数(对该证明,第一个位置是位置 1)。由于除最后一个增量外所有的增量都是偶数,因此,当进行最后一趟排序前,$N/2$ 个最大的元素仍然在偶数位置上,而 $N/2$ 个最小的元素也还是在奇数位置上。于是,在最后一趟排序开始之前第 i 个最小的数($i \leqslant N/2$)在位置 $2i-1$ 上。将第 i 个元素恢复到其正确位置需要在数组中移动 $i-1$ 个间隔。这样,仅仅将 $N/2$ 个最小的元素放到正确的位置上就需要至少 $\sum_{i=1}^{N/2} i-1 = \Omega(N^2)$ 的工作。作为一个例子,图 7-5 显示一个 $N=16$ 时的坏(但不是最坏)的输入。在 2-排序后的逆序数一直保持恰好为 $1+2+3+4+5+6+7=28$;因此,最后一趟排序将花费相当多的时间。

现在我们证明上界 $O(N^2)$ 以结束本证明。前面我们已观察到,带有增量 h_k 的一趟排序由 h_k 次关于 N/h_k 个元素的插入排序组成。由于插入排序是二次的,因此一趟排序总的开销是 $O(h_k(N/h_k)^2) = O(N^2/h_k)$。对所有各趟排序求和则给出总的界为 $O\left(\sum_{i=1}^{t} N^2/h_i\right) = O(N^2 \sum_{i=1}^{t} 1/h_i)$。因为这些增量形成一个几何级数，其公比为2，而该级数中的最大项是 $h_1=1$，因此，$\sum_{i=1}^{t} 1/h_i<2$。

276　于是，我们得到总的界 $O(N^2)$。 □

开始	1	9	2	10	3	11	4	12	5	13	6	14	7	15	8	16
8 排序后	1	9	2	10	3	11	4	12	5	13	6	14	7	15	8	16
4 排序后	1	9	2	10	3	11	4	12	5	13	6	14	7	15	8	16
2 排序后	1	9	2	10	3	11	4	12	5	13	6	14	7	15	8	16
1 排序后	1	2	3	4	5	6	7	8	9	10	11	12	13	14	15	16

图 7-5　具有希尔增量的坏情形希尔排序(位置编号从1到16)

希尔增量的问题在于，这些增量对未必是互素的，因此较小的增量可能影响很小。Hibbard 提出一个稍微不同的增量序列，它在实践中(并且理论上)给出更好的结果。他的增量形如 1, 3, 7, …, 2^k-1。虽然这些增量几乎是相同的，但关键的区别是相邻的增量没有公因子。现在我们就来分析使用这个增量序列的希尔排序的最坏情形运行时间，这个证明相当复杂。

定理 7.4　使用 Hibbard 增量的希尔排序的最坏情形运行时间为 $\Theta(N^{3/2})$。

证明：

我们只证明上界，而将下界的证明留作练习。这个证明需要堆垒数论(additive number theory)中某些众所周知的结果。本章结尾提供了这些结果的参考资料。

和前面一样，对于上界，我们还是计算每一趟排序的运行时间的界，然后对各趟求和。对于那些 $h_k>N^{1/2}$ 的增量，我们将使用前一定理得到的界 $O(N^2/h_k)$。虽然这个界对于其他增量也是成立的，但是它太大，用不上。直观地看，我们必须利用这个增量序列是特殊的这样一个事实。我们需要证明的是，对于位置 p 上的任意元素 $a[p]$，当要执行 h_k-排序时，只有几个元素在位置 p 的左边且大于 $a[p]$。

当对输入数组进行 h_k-排序时，我们知道它已经是 h_{k+1}-排序和 h_{k+2}-排序的了。在 h_k-排序以前，考虑位置 p 和 $p-i$ 上的两个元素，其中 $i\leqslant p$。如果 i 是 h_{k+1} 或 h_{k+2} 的倍数，那么显然 $a[p-i]<a[p]$。不仅如此，如果 i 可以表为 h_{k+1} 和 h_{k+2} 的线性组合(以非负整数的形式)，那么也有 $a[p-i]<a[p]$。作为一个例子，当进行3-排序时，文件已经是7-排序和15-排序的了。52 可以表为7和15的线性组合：$52=1\times7+3\times15$。因此，$a[100]$ 不可能大于 $a[152]$，因为 $a[100]\leqslant a[107]\leqslant a[122]\leqslant a[137]\leqslant a[152]$。

现在，$h_{k+2}=2h_{k+1}+1$，因此 h_{k+1} 和 h_{k+2} 没有公因子。在这种情形下，可以证明，至少和 $(h_{k+1}-1)(h_{k+2}-1)=8h_k^2+4h_k$ 一样大的所有整数都可以表示为 h_{k+1} 和 h_{k+2} 的线性组合(见本章末尾的参考文献)。

这就告诉我们，最内层 `for` 循环对于这些 $N-h_k$ 位置上的每一个最多执行 $8h_k+4=O(h_k)$ 次。于是我们得到每趟的界 $O(Nh_k)$。

利用大约一半的增量满足 $h_k<\sqrt{N}$ 的事实并假设 t 是偶数，那么总的运行时间为：

277

$$O\Big(\sum_{k=1}^{t/2} Nh_k+\sum_{k=t/2+1}^{t} N^2/h_k\Big)=O\Big(N\sum_{k=1}^{t/2} h_k+N^2\sum_{k=t/2+1}^{t} 1/h_k\Big)$$

因为两个和都是几何级数，并且 $h_{t/2}=\Theta(\sqrt{N})$，所以上式简化为：

$$=O(Nh_{t/2})+O\left(\frac{N^2}{h_{t/2}}\right)=O(N^{3/2})$$ □

使用 Hibbard 增量的希尔排序平均情形运行时间基于模拟的结果被认为是 $O(N^{5/4})$，但是没有人能够证明该结果。Pratt 证明了 $\Theta(N^{3/2})$ 的界适用于广泛的增量序列。

Sedgewick 提出了几种增量序列，其最坏情形运行时间(也是可以达到的)为 $O(N^{4/3})$。对于这些增量序列的平均运行时间猜测为 $O(N^{7/6})$。经验研究指出，在实践中这些序列的运行要比

Hibbard 的好得多，其中最好的是序列{1，5，19，41，109，…}，该序列中的项或者是$9 \cdot 4^i - 9 \cdot 2^i + 1$的形式，或者是$4^i - 3 \cdot 2^i + 1$的形式。该算法通过将这些值放到一个数组中最容易实现。虽然有可能存在某个增量序列使得能够对希尔排序的运行时间给出重大改进，但是，这个增量序列在实践中还是最为人们称道的。

关于希尔排序还有几个其他结果，它们需要数论和组合数学中一些困难的定理而且主要是在理论上有用。希尔排序是算法非常简单且又具有极其复杂的分析的一个好例子。

希尔排序的性能在实践中是完全可以接受的，即使是对于数以万计的 N 仍是如此。编程的简单特点使得它成为对适度地大量的输入数据经常选用的算法。

7.5 堆排序

正如第 6 章提到的，优先队列可以用于以 $O(N \log N)$时间的排序。基于该思想的算法叫作堆排序(heapsort)，它给出了我们至今所见到的最佳的大 O 运行时间。

回忆在第 6 章建立 N 个元素的二叉堆的基本策略，这个阶段花费 $O(N)$时间。然后我们执行 N 次 deleteMin 操作。按照顺序，最小的元素先离开堆。通过将这些元素记录到第二个数组然后再将数组拷贝回来，得到 N 个元素的排序。由于每个 deleteMin 花费时间 $O(\log N)$，因此总的运行时间是 $O(N \log N)$。

该算法的主要问题在于它使用了一个附加的数组。因此，存储需求增加一倍。在某些实例中这可能是个问题。注意，将第二个数组拷贝回第一个数组的附加时间消耗只是 $O(N)$，这不可能显著影响运行时间。这里的问题是空间的问题。

回避使用第二个数组的聪明的方法是利用这样的事实：在每次 deleteMin 之后，堆缩小 1。因此，位于堆中最后的单元可以用来存放刚刚删去的元素。例如，设我们有一个堆，它含有 6 个元素。第一次 deleteMin 产生个 a_1。现在该堆只有 5 个元素，因此我们可以把 a_1 放在位置 6 上。下一次 deleteMin 产生个 a_2，由于该堆现在只有 4 个元素，因此我们把 a_2 放在位置 5 上。 278

使用这种策略，在最后一次 deleteMin 后，该数组将以递减的顺序包含这些元素。如果我们想要这些元素排成更典型的递增顺序，那么可以改变有序的特性使得父亲的关键字的值大于儿子的关键字的值。这样就得到(max)堆。

在我们的实现方法中将使用一个(max)堆，但由于速度的原因避免了实际的 ADT。照通常的习惯，每一件事都是在数组中完成的。第一步以线性时间建立一个堆。然后通过每次将堆中的最后元素与第一个元素交换，执行 $N-1$ 次 deleteMax 操作，每次将堆的大小缩减 1 并进行下滤。当算法终止时，数组则以排好的顺序包含这些元素。例如，考虑输入序列 31，41，59，26，53，58，97。最后得到的堆如图 7-6 所示。

图 7-7 显示在第一次 deleteMax 之后的堆。从图中看出，堆中的最后元素是 31；97 已经被放在堆数组的从技术上说不再属于该堆的部分上。在此后的 5 次 deleteMax 操作之后，该堆实际上只有一个元素，而在堆数组中留下的元素将是排序后的顺序。

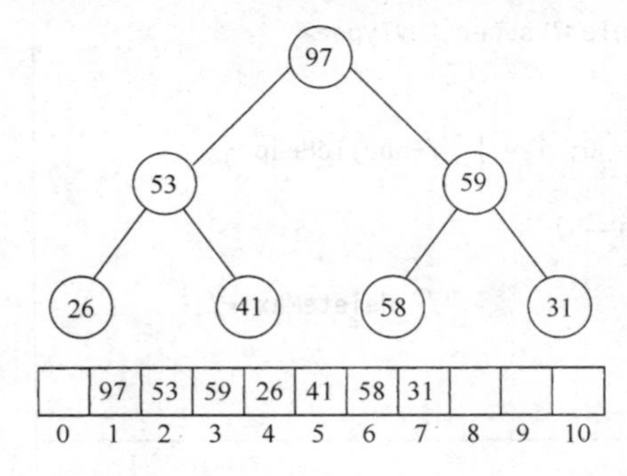

图 7-6　在 buildHeap 阶段之后的(Max)堆

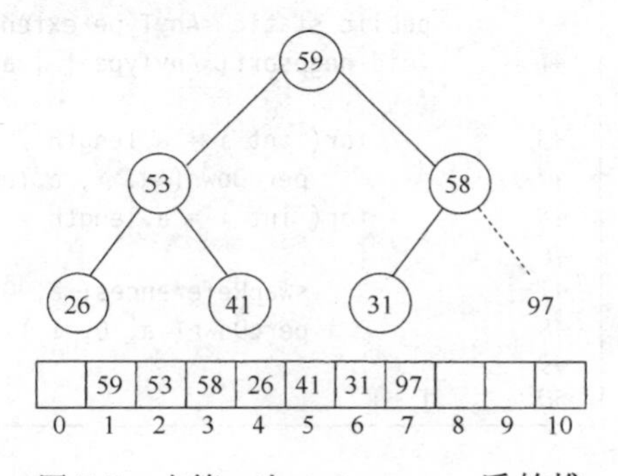

图 7-7　在第一次 deleteMax 后的堆

执行堆排序的代码在图 7-8 中给出。稍微有些复杂的是，这里不像二叉堆，二叉堆时的数据在数组下标 1 处开始，而此处堆排序的数组包含位置 0 处的数据。因此，这时的程序与二叉堆的代码有些不同，不过变化很小。

```
1     /**
2      * Internal method for heapsort.
3      * @param i the index of an item in the heap.
4      * @return the index of the left child.
5      */
6     private static int leftChild( int i )
7     {
8         return 2 * i + 1;
9     }
10
11    /**
12     * Internal method for heapsort that is used in deleteMax and buildHeap.
13     * @param a an array of Comparable items.
14     * @int i the position from which to percolate down.
15     * @int n the logical size of the binary heap.
16     */
17    private static <AnyType extends Comparable<? super AnyType>>
18    void percDown( AnyType [ ] a, int i, int n )
19    {
20        int child;
21        AnyType tmp;
22
23        for( tmp = a[ i ]; leftChild( i ) < n; i = child )
24        {
25            child = leftChild( i );
26            if( child != n - 1 && a[ child ].compareTo( a[ child + 1 ] ) < 0 )
27                child++;
28            if( tmp.compareTo( a[ child ] ) < 0 )
29                a[ i ] = a[ child ];
30            else
31                break;
32        }
33        a[ i ] = tmp;
34    }
35
36    /**
37     * Standard heapsort.
38     * @param a an array of Comparable items.
39     */
40    public static <AnyType extends Comparable<? super AnyType>>
41    void heapsort( AnyType [ ] a )
42    {
43        for( int i = a.length / 2 - 1; i >= 0; i-- )  /* buildHeap */
44            percDown( a, i, a.length );
45        for( int i = a.length - 1; i > 0; i-- )
46        {
47            swapReferences( a, 0, i );                /* deleteMax */
48            percDown( a, 0, i );
49        }
50    }
```

图 7-8　堆排序

堆排序的分析

我们在第6章已经看到，第一阶段构建堆最多用到 $2N$ 次比较。在第二阶段，第 i 次 `deleteMax` 最多用到 $2\lfloor \log i \rfloor$ 次比较，总数最多 $2N \log N - O(N)$ 次比较(设 $N \geq 2$)。因此，在最坏的情形下堆排序最多使用 $2N \log N - O(N)$ 次比较。练习 7.13 要求证明对于所有的 `deleteMax` 操作有可能同时达到它们的最坏情形。

279

经验表明，堆排序是一个非常稳定的算法：它使用的比较平均只比最坏情形界指出的略少。多年来，还没有人能够指出堆排序平均运行时间的非平凡界。似乎问题在于连续的 deleteMax 操作破坏了堆的随机性，使得概率论证非常复杂。最后，另一种处理方法终于被证明是成功的。

定理 7.5　对 N 个互异项的随机排列进行堆排序所用比较的平均次数为 $2N \log N - O(N \log \log N)$。

证明：

构建堆的阶段平均使用 $\Theta(N)$ 次比较，因此我们只需要证明第二阶段的界。设有 $\{1, 2, \cdots, N\}$ 的一个排列。

设第 i 次 `deleteMax` 将根元素向下推低 d_i 层。此时它使用了 $2d_i$ 次比较。对于对任意的输入数据的堆排序，存在一个开销序列(cost sequence) D：$d_1, d_2, ..., d_N$，它确定了第二阶段的开销，该开销由 $M_D = \sum_{i=1}^{N} d_i$ 给出；因此所使用的比较次数是 $2M_D$。

令 $f(N)$ 是 N 项的堆的个数。可以证明(练习 7.53)，$f(N) > (N/(4e))^N$，其中，$e = 2.71828\cdots$。我们将证明，只有这些堆中指数上很小的部分(特别是 $(N/16)^N$)的开销小于 $M = N(\log N - \log \log N - 4)$。当该结论得证时可以推出 M_D 的平均值至少是 M 减去大小为 $o(1)$ 的一项，这样，比较的平均次数至少是 $2M$。因此，我们的基本目标则是证明存在很少的具有小的开销序列的堆。

280

因为第 d_i 层上最多有 2^{d_i} 个节点，所以对于任意的 d_i 存在根元素可能去到的 2^{d_i} 个可能的位置。于是，对任意的序列 D，对应 `deleteMax` 的互异序列的个数最多是

$$S_D = 2^{d_1} 2^{d_2} \cdots 2^{d_N}$$

简单的代数处理表明，对一个给定的序列 D

$$S_D = 2^{M_D}$$

因为每个 d_i 可取 1 和 $\lfloor \log N \rfloor$ 之间的任一值，所以最多存在 $(\log N)^N$ 个可能的序列 D。由此可知，需要花费开销恰好为 M 的互异 `deleteMax` 序列的个数最多是总开销为 M 的开销序列的个数乘以每个这种开销序列的 `deleteMax` 序列的个数。这样就立刻得到界 $(\log N)^N 2^M$。

开销序列小于 M 的堆的总数最多为

$$\sum_{i=1}^{M-1} (\log N)^N 2^i < (\log N)^N 2^M$$

如果我们选择 $M = N(\log N - \log \log N - 4)$，那么开销序列小于 M 的堆的个数最多为 $(N/16)^N$，根据我们前面的评述，定理得证。□

通过更复杂的论述可以证明，堆排序总是使用至少 $N \log N - O(N)$ 次比较，而且存在输入数据能够达到这个界。似乎平均情形也应该是 $2N \log N - O(N)$ 次比较(而不是定理 7.5 中非线性的第二项)；这是否能够证明(甚至是否成立)还是个未解决的问题。

7.6　归并排序

现在我们把注意力转到归并排序(mergesort)。归并排序以 $O(N \log N)$ 最坏情形时间运行，而所使用的比较次数几乎是最优的。它是递归算法一个好的实例。

这个算法中基本的操作是合并两个已排序的表。因为这两个表是已排序的，所以若将输出放到第3个表中，则该算法可以通过对输入数据一趟排序来完成。基本的合并算法是取两个输

入数组 A 和 B，一个输出数组 C，以及3个计数器 Actr、Bctr、Cctr，它们初始置于对应数组的开始端。A[Actr]和B[Bctr]中的较小者被拷贝到 C 中的下一个位置，相关的计数器向前推进一步。当两个输入表有一个用完的时候，则将另一个表中剩余部分拷贝到 C 中。合并例程如何工作的例子见下面各图。

281~282

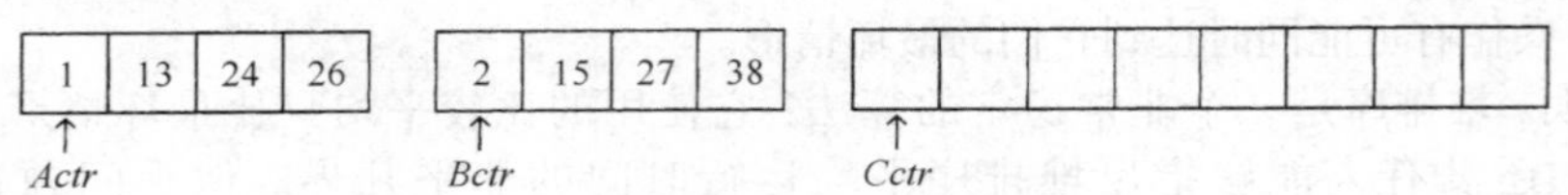

如果数组 A 含有1、13、24、26，数组 B 含有2、15、27、38，那么该算法的过程如下：首先，比较在1和2之间进行，1被添加到 C 中，然后13和2进行比较。

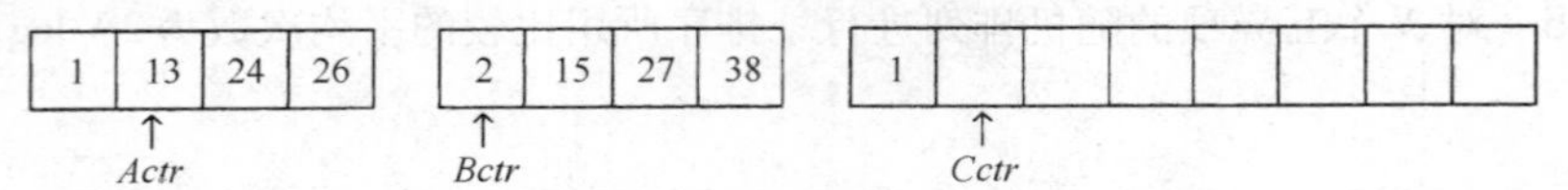

2被添加到 C 中，然后13和15进行比较。

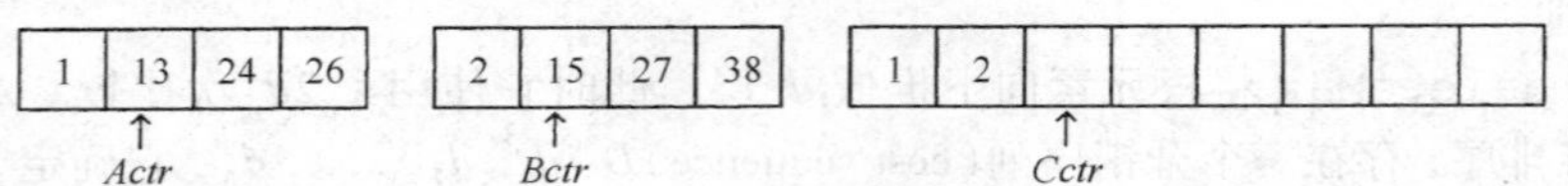

13被添加到 C 中，接下来比较24和15，这样一直进行到26和27进行比较。

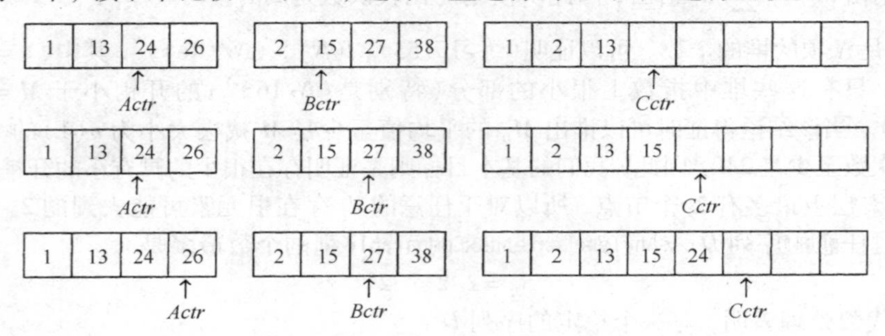

将26添加到 C 中，数组 A 已经用完。

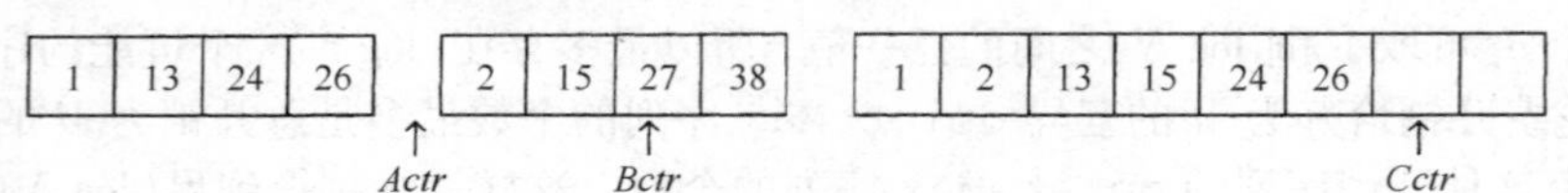

283

然后将数组 B 的其余部分拷贝到 C 中。

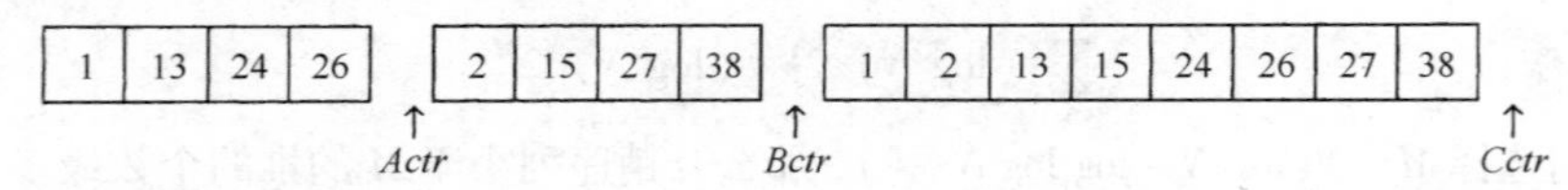

合并两个已排序的表的时间显然是线性的，因为最多进行 $N-1$ 次比较，其中 N 是元素的总数。为了看清这一点，注意每次比较都把一个元素添加到 C 中，但最后的比较除外，它至少添加两个元素。

因此，归并排序算法很容易描述。如果 $N=1$，那么只有一个元素需要排序，答案是显然的。否则，递归地将前半部分数据和后半部分数据各自归并排序，得到排序后的两部分数据，然后使用上面描述的合并算法再将这两部分合并到一起。例如，欲将8元素数组24，13，26，1，2，27，38，15排序，递归地将前4个数据和后4个数据分别排序，得到1，13，24，26，2，15，27，38。然后，像上面那样将这两部分合并，得到最后的表1，2，13，15，24，26，27，38。该算法是经典的分治(divide-and-conquer)策略，它将问题分(divide)成一些小的问题然后递归求解，而治(conquer)的阶段则将分的阶段解得的各答案修补在一起。分而治之是递归非常有效的用法，我们将会多次遇到。

归并排序的一种实现在图 7-9 中给出。这里 public 型的 mergeSort 正是 private 型递归方法 mergeSort 的一个驱动程序。

```
1      /**
2       * Internal method that makes recursive calls.
3       * @param a an array of Comparable items.
4       * @param tmpArray an array to place the merged result.
5       * @param left the left-most index of the subarray.
6       * @param right the right-most index of the subarray.
7       */
8      private static <AnyType extends Comparable<? super AnyType>>
9      void mergeSort( AnyType [ ] a, AnyType [ ] tmpArray, int left, int right )
10     {
11         if( left < right )
12         {
13             int center = ( left + right ) / 2;
14             mergeSort( a, tmpArray, left, center );
15             mergeSort( a, tmpArray, center + 1, right );
16             merge( a, tmpArray, left, center + 1, right );
17         }
18     }
19
20     /**
21      * Mergesort algorithm.
22      * @param a an array of Comparable items.
23      */
24     public static <AnyType extends Comparable<? super AnyType>>
25     void mergeSort( AnyType [ ] a )
26     {
27         AnyType [ ] tmpArray = (AnyType[]) new Comparable[ a.length ];
28
29         mergeSort( a, tmpArray, 0, a.length - 1 );
30     }
```

图 7-9　归并排序例程

merge 例程很精巧。如果对 merge 的每个递归调用均局部声明一个临时数组，那么在任一时刻就可能有 $\log N$ 个临时数组处在活动期。精密的考察表明，由于 merge 是 mergeSort 的最后一行，因此在任一时刻只需要一个临时数组在活动，而且这个临时数组可以在 public 型的 mergeSort 驱动程序中建立。不仅如此，我们还可以使用该临时数组的任意部分；我们将使用与输入数组 a 相同的部分，这就达到本节末尾描述的改进。图 7-10 实现这个 merge 例程。

归并排序的分析

归并排序是用于分析递归例程技巧的经典实例：我们必须为运行时间写出一个递归关系。假设 N 是 2 的幂，我们总可以将它分裂成相等的两部分。对于 $N=1$，归并排序所用时间是常数，我们将其记为 1。否则，对 N 个数归并排序的用时等于完成两个大小为 $N/2$ 的递归排序所用的时间再加上合并的时间，它是线性的。下述方程给出了准确的表示：

$$T(1)=1$$

$$T(N)=2T(N/2)+N$$

这是一个标准的递推关系，它可以用多种方法求解。我们将介绍两种方法。第一种方法是用 N

去除递推关系的两边，我们很快就会发现其明显的理由。相除后得到

$$\frac{T(N)}{N}=\frac{T(N/2)}{N/2}+1$$

```
1     /**
2      * Internal method that merges two sorted halves of a subarray.
3      * @param a an array of Comparable items.
4      * @param tmpArray an array to place the merged result.
5      * @param leftPos the left-most index of the subarray.
6      * @param rightPos the index of the start of the second half.
7      * @param rightEnd the right-most index of the subarray.
8      */
9     private static <AnyType extends Comparable<? super AnyType>>
10    void merge( AnyType [ ] a, AnyType [ ] tmpArray,
11                int leftPos, int rightPos, int rightEnd )
12    {
13        int leftEnd = rightPos - 1;
14        int tmpPos = leftPos;
15        int numElements = rightEnd - leftPos + 1;
16
17        // Main loop
18        while( leftPos <= leftEnd && rightPos <= rightEnd )
19            if( a[ leftPos ].compareTo( a[ rightPos ] ) <= 0 )
20                tmpArray[ tmpPos++ ] = a[ leftPos++ ];
21            else
22                tmpArray[ tmpPos++ ] = a[ rightPos++ ];
23
24        while( leftPos <= leftEnd )    // Copy rest of first half
25            tmpArray[ tmpPos++ ] = a[ leftPos++ ];
26
27        while( rightPos <= rightEnd )  // Copy rest of right half
28            tmpArray[ tmpPos++ ] = a[ rightPos++ ];
29
30        // Copy tmpArray back
31        for( int i = 0; i < numElements; i++, rightEnd-- )
32            a[ rightEnd ] = tmpArray[ rightEnd ];
33    }
```

图 7-10 merge 例程

该方程对作为 2 的幂的任意的 N 是成立的，于是我们还可以写成

$$\frac{T(N/2)}{N/2}=\frac{T(N/4)}{N/4}+1$$

和

$$\frac{T(N/4)}{N/4}=\frac{T(N/8)}{N/8}+1$$

$$\vdots$$

$$\frac{T(2)}{2}=\frac{T(1)}{1}+1$$

将所有这些方程相加，即将等号左边的所有各项相加并使结果等于右边所有各项的和。项 $T(N/2)/(N/2)$ 出现在等号两边可以消去。事实上，实际出现在两边的项均被消去，我们称之为

叠缩(telescoping)求和。在所有的加法完成之后，最后的结果为

284～286

$$\frac{T(N)}{N}=\frac{T(1)}{1}+\log N$$

这是因为所有其余的项都被消去了，而方程的个数是 log N 个，故而将各方程末尾的 1 相加起来得到 log N。再将两边同乘以 N，得到最后的答案

$$T(N)=N\log N+N=O(N\log N)$$

注意，假如在求解开始时不是通除以 N，那么两边的和也就不可能叠缩。这就是为什么我们要通除以 N 的缘故。

另一种方法是在右边连续地代入递推关系。我们得到

$$T(N)=2T(N/2)+N$$

由于可以将 $N/2$ 代入到主要的方程中

$$2T(N/2)=2(2(T(N/4))+N/2)=4T(N/4)+N$$

因此得到

$$T(N)=4T(N/4)+2N$$

再将 $N/4$ 代入到主要的方程中去，我们看到

$$4T(N/4)=4(2T(N/8)+N/4)=8T(N/8)+N$$

因此我们有

$$T(N)=8T(N/8)+3N$$

将这种方式继续下去，得到

$$T(N)=2^kT(N/2^k)+k\cdot N$$

利用 $k=\log N$，得到

$$T(N)=NT(1)+N\log N=N\log N+N$$

选择使用哪种方法是风格问题。第一种方法引起一些琐碎的工作，把它写到一张 $8\frac{1}{2}\times 11$ 的纸上可能更好，这样会减少数学错误，不过需要用到一定的经验。第二种方法更偏重于使用蛮力计算。

回忆我们已经假设 $N=2^k$。分析可以精化以处理 N 不是 2 的幂的情形。事实上，答案几乎是一样的(通常出现的就是这样的情形)。

虽然归并排序的运行时间是 $O(N\log N)$，但是它有一个明显的问题，即合并两个已排序的表用到线性附加内存[㊀]。在整个算法中还要花费将数据拷贝到临时数组再拷贝回来这样一些附加的工作，它明显减慢了排序的速度。这种拷贝可以通过在递归的那些交替层次上审慎地交换 a 和 `tmpArray` 的角色得以避免。归并排序的一种变形也可以非递归地实现(见练习 7.16)。

287

与其他的 $O(N\log N)$ 排序算法比较，归并排序的运行时间严重依赖于比较元素和在数组(以及临时数组)中移动元素的相对开销。这些开销是与语言相关的。

例如，在 Java 中，当执行一次泛型排序(使用 `Comparator`)时，进行一次元素比较可能是昂贵的(因为比较可能不容易被内嵌，从而动态调度的开销可能会减慢执行的速度)，但是移动元素则是省时的(因为它们是引用的赋值，而不是庞大对象的拷贝)。归并排序使用所有流行的排序算法中最少的比较次数，因此是使用 Java 的通用排序算法中的上好的选择。事实上，它就是标准 Java 类库中泛型排序所使用的算法。

另一方面，在C++的泛型排序中，如果对象庞大，那么拷贝对象可能需要很大开销，而由于编译器具有主动执行内嵌优化的能力，因此比较对象常常是相对省时的。在这种情形下，如果我们还能够使用更少的数据移动，那么有理由让一个算法多使用一些比较。下一节将要讨论

㊀ 理论上使用更少的附加内存是可能的，但所得到的算法是复杂的和不实际的。

的 Quicksort(快速排序)达到了这种权衡，并且是C++库中通常所使用的排序例程。

在 Java 中，快速排序也用作基本类型的标准库排序。这里，比较和数据移动的开销是类似的，因此使用少得多的数据移动足以补偿那些附加的比较而且还有盈余。

7.7 快速排序

顾名思义，**快速排序**(quicksort)是实践中的一种快速的排序算法，在C++或对 Java 基本类型的排序中特别有用。它的平均运行时间是 $O(N\log N)$。该算法之所以特别快，主要是由于非常精练和高度优化的内部循环。它的最坏情形性能为 $O(N^2)$，但经过稍许努力可使这种情形极难出现。通过将快速排序和堆排序结合，由于堆排序的 $O(N\log N)$ 最坏情形运行时间，我们可以对几乎所有的输入都能达到快速排序的快速运行时间。练习 7.27 描述的就是这种方法。

虽然多年来快速排序算法曾被认为是理论上高度优化而在实践中不可能正确编程的一种算法，但是如今该算法简单易懂并且被证明是正确的。像归并排序一样，快速排序也是一种分治的递归算法。

```
 1  public static void sort( List<Integer> items )
 2  {
 3      if( items.size( ) > 1 )
 4      {
 5          List<Integer> smaller = new ArrayList<>( );
 6          List<Integer> same    = new ArrayList<>( );
 7          List<Integer> larger  = new ArrayList<>( );
 8
 9          Integer chosenItem = items.get( items.size( ) / 2 );
10          for( Integer i : items )
11          {
12              if( i < chosenItem )
13                  smaller.add( i );
14              else if( i > chosenItem )
15                  larger.add( i );
16              else
17                  same.add( i );
18          }
19
20          sort( smaller );   // Recursive call!
21          sort( larger );    // Recursive call!
22
23          items.clear( );
24          items.addAll( smaller );
25          items.addAll( same );
26          items.addAll( larger );
27      }
28  }
```

图 7-11 简单的递归排序算法

让我们从下面这个简单排序算法开始将一列表排序。随便选取任一项，然后形成三个组：小于被选项的一组，等于被选项的一组，大于被选项的一组。递归地对第一和第三组排序，然后把三组接龙。根据递归的基本原理，结果保证是对原始列表的一个有序排列。图 7-11 给出了这种算法的一个直接的实现，并且其效率一般来讲对大多数的输入还是很不错的。事实上，如果表中含有大量重复项，以及相对较少的不同项，其表现是非常好的。

我们描述的这种算法形成了快速排序的基础。然而，它会产生额外的列表，并且还是递归地这么做，我们很难看到这比归并排序进步了多少。事实上，目前为止，我们的确没什么进步。为了做得更好一些，我们必须避免使用大量额外的内存，并且有干净的内循环。于是快速排序通常应避免建立第二组(包含等于项的)，并且该算法还有很多微妙的细节会影响到效率，所以才这么复杂。

288

现在我们描述最常用的快速排序的实现——“经典快速排序”，其中输入存放在数组里，且算法不产生额外的数组。

将数组 S 排序的基本算法由下列简单的四步组成：

1. 如果 S 中元素个数是 0 或 1，则返回。
2. 取 S 中任一元素 v，称之为**枢纽元**(pivot)。
3. 将 $S-\{v\}$ (S 中其余元素)划分成两个不相交的集合：$S_1=\{x\in S-\{v\}\mid x\leqslant v\}$ 和 $S_2=\{x\in S-\{v\}\mid x\geqslant v\}$。
4. 返回{quicksort(S_1)后跟 v，继而返回 quicksort(S_2)}。

289

由于对那些等于枢纽元的元素的处理上，第 3 步分割的描述不是唯一的，因此这就成了一种设计决策。一部分好的实现方法是将这种情形尽可能有效地处理。直观地看，我们希望把等于枢纽元的大约一半的关键字分到 S_1 中，而另外的一半分到 S_2 中，很像我们希望二叉查找树保持平衡的情形。

图 7-12 显示了快速排序对一个数集的做法。这里的枢纽元(随机地)选为 65，集合中其余元素分成两个更小的集合。递归地将较小的数的集合排序得到 0，13，26，31，43，57(递归法则 3)，较大的数的集合类似地排序，此时整个集合排序后的排列很容易得到。

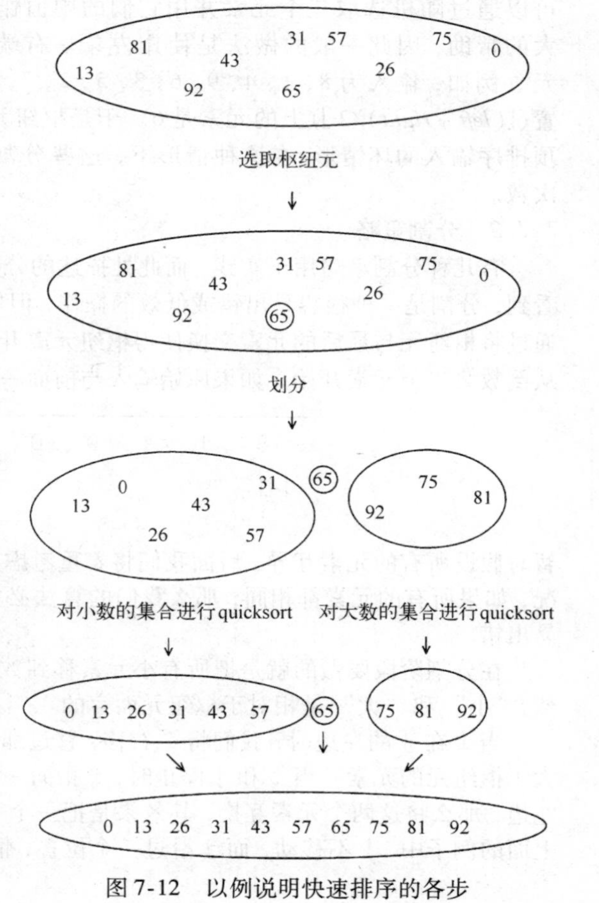

图 7-12　以例说明快速排序的各步

该算法显然成立，但是不清楚的是，为什么它比归并排序快。如同归并排序那样，快速排序递归地解决两个子问题并需要线性的附加工作(第 3 步)，不过，与归并排序不同，这两个子问题并不保证具有相等的大小，这是个潜在的隐患。快速排序更快的原因在于，第 3 步分割成两组实际上是在适当的位置进行并且非常有效，它的高效不仅可以弥补大小不等的递归调用的不足而且还能有所超出。

迄今为止，对该算法的描述尚缺少许多细节，我们现在就来补充这些细节。实现第 2 步和第 3 步有许多方法；这里介绍的方法是大量分析和经验研究的结果，它代表实现快速排序的非常有效的方法，即使是对该方法最微小的偏差都可能引起意想不到的坏结果。

7.7.1　选取枢纽元

虽然上面描述的算法无论选择哪个元素作为枢纽元都能完成排序工作，但是有些选择显然优于其他选择。

一种错误的方法

通常的、无知的选择是将第一个元素用作枢纽元。如果输入是随机的，那么这是可以接受的，而如果输入是预排序的或是反序的，那么这样的枢纽元就产生一个劣质的分割，因为所有的元素不是都被划入 S_1 就是都被划入 S_2。更糟糕的是，这种情况毫无例外地发生在所有的递归调用中。实际上，如果第一个元素用作枢纽元而且输入是预先排序的，那么快速排序花费的时间将是二次的，可是实际上却根本没干什么事，这是相当尴尬的。而且，预排序的输入（或具有一大段予排序数据的输入）是相当常见的，因此，使用第一个元素作为枢纽元是绝对可怕的坏主意，应该立即放弃这种想法。另一种想法是选取前两个互异的关键字中的较大者作为枢纽元，不过这和只选取第一个元素作为枢纽元具有相同的害处。不要使用这两种选取枢纽元的策略。

290

一种安全的做法

一种安全的方针是随机选取枢纽元。一般来说这种策略非常安全，除非随机数发生器有问题（它并不像你可能想象的那么罕见），因为随机的枢纽元不可能总在接连不断地产生劣质的分割。另一方面，随机数的生成一般开销很大，根本减少不了算法其余部分的平均运行时间。

三数中值分割法（Median-of-Three Partitioning）

一组 N 个数的中值（也叫作中位数）是第$\lceil N/2 \rceil$个最大的数。枢纽元的最好的选择是数组的中值。不幸的是，这很难算出并且会明显减慢快速排序的速度。这样的中值的估计量可以通过随机选取三个元素并用它们的中值作为枢纽元而得到。事实上，随机性并没有多大的帮助，因此一般的做法是使用左端、右端和中心位置上的三个元素的中值作为枢纽元。例如，输入为8，1，4，9，6，3，5，2，7，0，它的左边元素是8，右边元素是0，中心位置（$\lfloor (left + right)/2 \rfloor$）上的元素是6。于是枢纽元则是 $v=6$。显然使用三数中值分割法消除了预排序输入的坏情形（在这种情形下，这些分割都是一样的），并且实际减少了14%的比较次数。

7.7.2 分割策略

有几种分割策略用于实践，而此处描述的分割策略已被证明能够给出好的结果。我们将会看到，分割是一种很容易出错或低效的操作，但使用一种已知方法是安全的。该法的第一步是通过将枢纽元与最后的元素交换使得枢纽元离开要被分割的数据段。i 从第一个元素开始而 j 从倒数第二个元素开始。如果原始输入与前面一样，那么下面的图表示当前的状态。

291~292

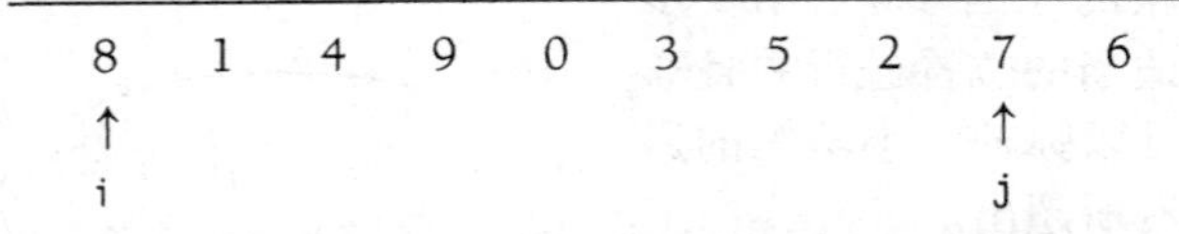

暂时假设所有的元素互异，后面我们将着重考虑在出现重复元素时应该怎么办。作为有限的情况，如果所有的元素都相同，那么我们的算法必须做该做的事。然而奇怪的是，此时却特别容易出错。

在分割阶段要做的就是把所有小元素移到数组的左边而把所有大元素移到数组的右边。当然，“小”和“大”是相对于枢纽元而言的。

当 i 在 j 的左边时，我们将 i 右移，移过那些小于枢纽元的元素，并将 j 左移，移过那些大于枢纽元的元素。当 i 和 j 停止时，i 指向一个大元素而 j 指向一个小元素。如果 i 在 j 的左边，那么将这两个元素互换，其效果是把一个大元素推向右边而把一个小元素推向左边。在上面的例子中，i 不移动，而 j 滑过一个位置，情况如下图。

```
8   1   4   9   0   3   5   2   7   6
↑                           ↑
i                           j
```

然后我们交换由 i 和 j 指向的元素，重复该过程直到 i 和 j 彼此交错为止。

第一次交换后

```
2   1   4   9   0   3   5   8   7   6
↑                           ↑
i                           j
```

第二次交换前

```
2   1   4   9   0   3   5   8   7   6
            ↑           ↑
            i           j
```

第二次交换后

```
2   1   4   5   0   3   9   8   7   6
            ↑           ↑
            i           j
```

第三次交换前

```
2   1   4   5   0   3   9   8   7   6
                    ↑   ↑
                    j   i
```

此时，i 和 j 已经交错，故不再交换。分割的最后一步是将枢纽元与 i 所指向的元素交换。

在与枢纽元交换后

```
2   1   4   5   0   3   6   8   7   9
                        ↑           ↑
                        i           pivot
```

在最后一步当枢纽元与 i 所指向的元素交换时，我们知道在位置 $p <$ i 的每一个元素都必然是小元素，这是因为或者位置 p 包含一个从它开始移动的小元素，或者位置 p 上原来的大元素在交换期间被置换了。类似的论断指出，在位置 $p >$ i 上的元素必然都是大元素。

我们必须考虑的一个重要的细节是如何处理那些等于枢纽元的元素。问题在于当 i 遇到一个等于枢纽元的元素时是否应该停止，以及当 j 遇到一个等于枢纽元的元素时是否应该停止。直观地看，i 和 j 应该做相同的工作，否则分割将出现偏向一方的倾向。例如，如果 i 停止而 j 不停，那么所有等于枢纽元的元素都将被分到 S_2 中。

293

为了明确一种更好的办法，我们考虑数组中所有的元素都相等的情况。如果 i 和 j 都停止，那么在相等的元素间将有很多次交换。虽然这似乎没有什么意义，但是其正面的效果则是 i 和 j 将在中间交错，因此当枢纽元被替代时，这种分割建立了两个几乎相等的子数组。归并排序的分析告诉我们，此时总的运行时间为 $O(N \log N)$。

如果 i 和 j 都不停止，那么就应该有相应的程序防止 i 和 j 越出数组的端点，不进行交换的操作。虽然这样似乎不错，但是正确的实现方法却要把枢纽元交换到 i 最后到过的位置，这个位置是倒数第二个位置(或最后的位置，这依赖于精确的实现)。这样的做法将会产生两个非常不均衡的子数组。如果所有的关键字都是相同的，那么运行时间则是 $O(N^2)$。对于预排序的输入而言，其效果与使用第一个元素作为枢纽元相同。它花费的时间是二次的可是却什么事也没干！

这样我们就发现，进行不必要的交换建立两个均衡的子数组要比蛮干冒险得到两个不均衡的子数组好。因此，如果 i 和 j 遇到等于枢纽元的关键字，那么我们就让 i 和 j 都停止。对于这种输入，这实际上是四种可能性中唯一的一种不花费二次时间的可能。

初看起来，过多考虑具有相同元素的数组似乎有些愚蠢。难道有人偏要对50 000个相同的元素排序吗？为什么？我们记得，快速排序是递归的。设有1 000 000个元素，其中有50 000个是相同的(或更可能的情况是其排序关键字都相等的复杂元素的情况)。最后，快速排序将对这50 000个元素进行递归调用。此时，真正重要的在于确保这50 000个相同的元素能够被有效地排序。

7.7.3 小数组

对于很小的数组($N \leq 20$)，快速排序不如插入排序。不仅如此，因为快速排序是递归的，所以这样的情形经常发生。通常的解决方法是对于小的数组不使用递归的快速排序，而代之以诸如插入排序这样的对小数组有效的排序算法。使用这种策略实际上可以节省大约15%(相对于不用截止的做法而自始至终使用快速排序时)的运行时间。一种好的截止范围(cutoff range)是 $N=10$，虽然在 5 到 20 之间任一截止范围都有可能产生类似的结果。这种做法也避免了一些有害的退化情形，如取三个元素的中值而实际上却只有一个或两个元素的情况。

7.7.4 实际的快速排序例程

快速排序的驱动程序见图 7-13。

```
1        /**
2         * Quicksort algorithm.
3         * @param a an array of Comparable items.
4         */
5        public static <AnyType extends Comparable<? super AnyType>>
6        void quicksort( AnyType [ ] a )
7        {
8            quicksort( a, 0, a.length - 1 );
9        }
```

图 7-13 快速排序的驱动程序

这种例程的一般形式是传递数组以及被排序数组的范围(left 和 right)。要处理的第一个例程是枢纽元的选取。选取枢纽元最容易的方法是对 a[left]、a[right]、a[center]适当地排序。这种方法还有额外的好处，即该三元素中的最小者被分在 a[left]，而这正是分割阶段应该将它放到的位置。三元素中的最大者被分在 a[right]，这也是正确的位置，因为它大于枢纽元。因此，我们可以把枢纽元放到 a[right -1]并在分割阶段将 i 和 j 初始化为 left +1 和 right -2。因为 a[left]比枢纽元小，所以将它用作 j 的警戒标记，这是另一个好处。因此，我们不必担心 j 跑过端点。由于 i 将停在那些等于枢纽元的关键字处，故将枢纽元存储在 a[right -1]则提供一个警戒标记。图 7-14 中的程序进行三数中值分割，它具有所描述的一切副作用。似乎使用实际上不对 a[left]、a[right]、a[center]排序的方法计算枢纽元只不过效率稍微降低一些，但是很奇怪，这将产生坏结果(见练习 7.51)。

294

图 7-15 的程序是快速排序真正的核心。它包括划分和递归调用。这里有几件事值得注意。第 16 行将 i 和 j 初始化为比它们的正确值超过 1 个位置，使得不存在特殊情况需要考虑。此处的初始化依赖于三数中值分割法有一些副作用的事实；如果按照简单的枢纽元策略使用该程序而不进行修正，那么这个程序是不能正确运行的，原因在于 i 和 j 开始于错误的位置而不再存在 j 的警戒标志。

```
1       /**
2        * Return median of left, center, and right.
3        * Order these and hide the pivot.
4        */
5       private static <AnyType extends Comparable<? super AnyType>>
6       AnyType median3( AnyType [ ] a, int left, int right )
7       {
8           int center = ( left + right ) / 2;
9           if( a[ center ].compareTo( a[ left ] ) < 0 )
10              swapReferences( a, left, center );
11          if( a[ right ].compareTo( a[ left ] ) < 0 )
12              swapReferences( a, left, right );
13          if( a[ right ].compareTo( a[ center ] ) < 0 )
14              swapReferences( a, center, right );
15
16              // Place pivot at position right - 1
17          swapReferences( a, center, right - 1 );
18          return a[ right - 1 ];
19      }
```

图 7-14 执行三数中值分割法的程序

第 22 行的交换动作为了速度上的考虑有时显式地写出。为使算法速度快，需要强制使编译器以直接插入的方式编译这些代码。如果 swapReferences 是 final 方法，则许多编译器都将自动这么做，但对于不这么做的编译器，差别可能会很明显。

295 ~ 296

最后，从第 19 行和第 20 行可以看出为什么快速排序这么快。算法的内部循环由一个增 1/减 1 运算(运算很快)、一个测试以及一个转移组成。该算法没有像在归并排序中那样的额外技巧，不过，这个程序仍然非常巧妙。颇具诱惑力的做法是将第 16 行到第 25 行用图 7-16 中的语句代替，不过这不能正确运行，因为若 a[i] = a[j] = pivot 则会产生一个无限循环。

7.7.5 快速排序的分析

正如归并排序那样，快速排序也是递归的，因此，它的分析需要求解一个递推公式。我们将对快速排序进行这种分析。假设有一个随机的枢纽元(不用三数中值分割法)并对一些小的文件不设截止范围。和归并排序一样，取 $T(0)=T(1)=1$，快速排序的运行时间等于两个递归调用的运行时间加上花费在分割上的线性时间(枢纽元的选取仅花费常数时间)。我们得到基本的快速排序关系

$$T(N)=T(i)+T(N-i-1)+cN \tag{7.1}$$

其中，$i=|S_1|$ 是 S_1 中元素的个数。我们将考察三种情况。

最坏情况的分析

枢纽元始终是最小元素。此时 $i=0$，如果我们忽略无关紧要的 $T(0)=1$，那么递推关系为

$$T(N)=T(N-1)+cN,\ N>1 \tag{7.2}$$

反复使用方程(7.2)，得到

$$T(N-1)=T(N-2)+c(N-1) \tag{7.3}$$

$$T(N-2)=T(N-3)+c(N-2) \tag{7.4}$$

$$\vdots$$

$$T(2)=T(1)+c(2) \tag{7.5}$$

297

将所有这些方程相加，得到

$$T(N) = T(1) + c \sum_{i=2}^{N} i = O(N^2) \tag{7.6}$$

这正是我们前面宣布的结果。

```
1     /**
2      * Internal quicksort method that makes recursive calls.
3      * Uses median-of-three partitioning and a cutoff of 10.
4      * @param a an array of Comparable items.
5      * @param left the left-most index of the subarray.
6      * @param right the right-most index of the subarray.
7      */
8     private static <AnyType extends Comparable<? super AnyType>>
9     void quicksort( AnyType [ ] a, int left, int right )
10    {
11        if( left + CUTOFF <= right )
12        {
13            AnyType pivot = median3( a, left, right );
14
15                // Begin partitioning
16            int i = left, j = right - 1;
17            for( ; ; )
18            {
19                while( a[ ++i ].compareTo( pivot ) < 0 ) { }
20                while( a[ --j ].compareTo( pivot ) > 0 ) { }
21                if( i < j )
22                    swapReferences( a, i, j );
23                else
24                    break;
25            }
26
27            swapReferences( a, i, right - 1 );   // Restore pivot
28
29            quicksort( a, left, i - 1 );    // Sort small elements
30            quicksort( a, i + 1, right );   // Sort large elements
31        }
32        else  // Do an insertion sort on the subarray
33            insertionSort( a, left, right );
34    }
```

图 7-15 快速排序的主例程

```
16            int i = left + 1, j = right - 2;
17            for( ; ; )
18            {
19                while( a[ i ].compareTo( pivot ) < 0 ) i++;
20                while( a[ j ].compareTo( pivot ) > 0 ) j--
21                if( i < j )
22                    swapReferences( a, i, j );
23                else
24                    break;
25            }
```

图 7-16 对快速排序小的改动，它将中断该算法

最好情况的分析

在最好的情况下，枢纽元正好位于中间。为了简化数学推导，我们假设两个子数组恰好各为原数组的一半大小，虽然这会给出稍微过高的估计，但是由于我们只关心大O答案，因此结果还是可以接受的。

$$T(N)=2T(N/2)+cN \tag{7.7}$$

用N去除方程(7.7)的两边，

$$\frac{T(N)}{N}=\frac{T(N/2)}{N/2}+c \tag{7.8}$$

反复套用这个方程，得到

$$\frac{T(N/2)}{N/2}=\frac{T(N/4)}{N/4}+c \tag{7.9}$$

$$\frac{T(N/4)}{N/4}=\frac{T(N/8)}{N/8}+c \tag{7.10}$$

$$\vdots$$

$$\frac{T(2)}{2}=\frac{T(1)}{1}+c \tag{7.11}$$

将从(7.8)到(7.11)的方程加起来，并注意到它们共有$\log N$个，于是

$$\frac{T(N)}{N}=\frac{T(1)}{1}+c\log N \tag{7.12}$$

由此得到

$$T(N)=cN\log N+N=O(N\log N) \tag{7.13}$$

注意，这和归并排序的分析完全相同，因此，我们得到相同的答案。

平均情况的分析

这是最困难的部分。对于平均情况，我们假设对于S_1，每一个的大小都是等可能的，因此每个大小均有概率$1/N$。这个假设对于我们这里的枢纽元选取和分割策略实际上是合理的，不过，对于某些其他情况它并不合理。那些不保持子数组随机性的分割策略不能使用这种分析方法。有趣的是，这些策略看来导致程序在实际运行中花费更长的时间。

298

由该假设可知，$T(i)$从而$T(N-i-1)$的平均值为$(1/N)\sum_{j=0}^{N-1}T(j)$。此时方程(7.1)变成

$$T(N)=\frac{2}{N}\left[\sum_{j=0}^{N-1}T(j)\right]+cN \tag{7.14}$$

如果用N乘以方程(7.14)，则有

$$NT(N)=2\left[\sum_{j=0}^{N-1}T(j)\right]+cN^2 \tag{7.15}$$

我们需要除去和号以简化计算。注意，可以再套用一次方程(7.15)，得到

$$(N-1)T(N-1)=2\left[\sum_{j=0}^{N-2}T(j)\right]+c(N-1)^2 \tag{7.16}$$

若从(7.15)减去(7.16)，则得到

$$NT(N)-(N-1)T(N-1)=2T(N-1)+2cN-c \tag{7.17}$$

移项、合并并除去右边无关紧要的项$-c$，得到

$$NT(N)=(N+1)T(N-1)+2cN \tag{7.18}$$

现在我们有了一个只用$T(N-1)$表示$T(N)$的公式。再用叠缩公式的思路，不过方程(7.18)的形式不适合。为此，用$N(N+1)$除方程(7.18)：

$$\frac{T(N)}{N+1}=\frac{T(N-1)}{N}+\frac{2c}{N+1} \tag{7.19}$$

现在我们进行叠缩

$$\frac{T(N-1)}{N}=\frac{T(N-2)}{N-1}+\frac{2c}{N} \tag{7.20}$$

$$\frac{T(N-2)}{N-1}=\frac{T(N-3)}{N-2}+\frac{2c}{N-1} \tag{7.21}$$

$$\vdots$$

299

$$\frac{T(2)}{3}=\frac{T(1)}{2}+\frac{2c}{3} \tag{7.22}$$

将方程(7.19)到(7.22)相加，得到

$$\frac{T(N)}{N+1}=\frac{T(1)}{2}+2c\sum_{i=3}^{N+1}\frac{1}{i} \tag{7.23}$$

该和大约为 $\log_e(N+1)+\gamma-3/2$，其中 $\gamma\approx0.577$ 叫作欧拉常数(Euler's constant)，于是

$$\frac{T(N)}{N+1}=O(\log N) \tag{7.24}$$

从而

$$T(N)=O(N\log N) \tag{7.25}$$

虽然这里的分析看似复杂，但是实际上并不复杂——一旦看出某些递推关系，这些步骤是很自然的。该分析实际上还可以再进一步。上面描述的高度优化形式也已经分析过了，结果的获得非常困难，涉及一些复杂的递归和高深的数学。相等元素的影响也被仔细地进行了分析，实际上所介绍的程序就是这么做的。

7.7.6 选择问题的线性期望时间算法

可以修改快速排序以解决选择问题(selection problem)，该问题我们在第1章和第6章已经见过。当时，通过使用优先队列，我们能够以时间 $O(N+k\log N)$ 找到第 k 个最大(或最小)元。对于查找中值的特殊情况，它给出一个 $O(N\log N)$ 算法。

由于我们能够以 $O(N\log N)$ 时间给数组排序，因此可以期望为选择问题得到一个更好的时间界。我们介绍的查找集合 S 中第 k 个最小元的算法几乎与快速排序相同。事实上，其前三步是一样的。我们把这种算法叫作快速选择(quickselect)。令 $|S_i|$ 为 S_i 中元素的个数。快速选择的步骤如下：

1. 如果 $|S|=1$，那么 $k=1$ 并将 S 中的元素作为答案返回。如果正在使用小数组的截止(cutoff)方法且 $|S|\leqslant$ CUTOFF，则将 S 排序并返回第 k 个最小元素。

2. 选取一个枢纽元 $v\in S$。

3. 将集合 $S-\{v\}$ 分割成 S_1 和 S_2，就像我们在快速排序中所做的那样。

4. 如果 $k\leqslant|S_1|$，那么第 k 个最小元必然在 S_1 中。在这种情况下，返回 quickselect(S_1, k)。如果 $k=1+|S_1|$，那么枢纽元就是第 k 个最小元，我们将它作为答案返回。否则，这第 k 个最小元就在 S_2 中，它是 S_2 中的第($k-|S_1|-1$)个最小元。我们进行一次递归调用并返回 quickselect(S_2, $k-|S_1|-1$)。

300

与快速排序相比，快速选择只作一次递归调用而不是两次。快速选择的最坏情况和快速排序的相同，也是 $O(N^2)$。直观看来，这是因为快速排序的最坏情况是在 S_1 和 S_2 有一个是空的时候的情况；于是，快速选择就不是真的节省一次递归调用。不过，平均运行时间是 $O(N)$。具体分析类似于快速排序的分析，我们将它留作一道练习题。

快速选择的实现甚至比抽象描述的还要简单，其程序见图7-17。当算法终止时，第 k 个最小元就在位置 $k-1$ 上(因为数组开始于下标0)。这破坏了原来的排序；如果不希望这样，那么必需要做一份拷贝。

使用三数中值选取枢纽元的方法使得最坏情况发生的机会几乎是微不足道的。然而，通过仔细选择枢纽元，我们可以消除二次的最坏情况而保证算法是 $O(N)$ 的。可是这么做的额外开

销是相当大的，因此最终的算法主要在于理论上的意义。在第 10 章我们将考查选择问题的线性时间最坏情形的算法，我们还将看到选取枢纽元的一个有趣的技巧，它导致在实践中多少要更快一些的选择算法。

```
1      /**
2       * Internal selection method that makes recursive calls.
3       * Uses median-of-three partitioning and a cutoff of 10.
4       * Places the kth smallest item in a[k-1].
5       * @param a an array of Comparable items.
6       * @param left the left-most index of the subarray.
7       * @param right the right-most index of the subarray.
8       * @param k the desired index (1 is minimum) in the entire array.
9       */
10     private static <AnyType extends Comparable<? super AnyType>>
11     void quickSelect( AnyType [ ] a, int left, int right, int k )
12     {
13         if( left + CUTOFF <= right )
14         {
15             AnyType pivot = median3( a, left, right );
16
17                 // Begin partitioning
18             int i = left, j = right - 1;
19             for( ; ; )
20             {
21                 while( a[ ++i ].compareTo( pivot ) < 0 ) { }
22                 while( a[ --j ].compareTo( pivot ) > 0 ) { }
23                 if( i < j )
24                     swapReferences( a, i, j );
25                 else
26                     break;
27             }
28
29             swapReferences( a, i, right - 1 );   // Restore pivot
30
31             if( k <= i )
32                 quickSelect( a, left, i - 1, k );
33             else if( k > i + 1 )
34                 quickSelect( a, i + 1, right, k );
35         }
36         else  // Do an insertion sort on the subarray
37             insertionSort( a, left, right );
38     }
```

图 7-17　快速选择的主例程

7.8　排序算法的一般下界

虽然我们得到一些 $O(N \log N)$ 的排序算法，但是，尚不清楚我们是否还能做得更好。本节我们证明，任何只用到比较的排序算法在最坏情况下都需要 $\Omega(N \log N)$ 次比较，因此归并排序和堆排序在一个常数因子范围内是最优的。该证明可以扩展到证明对只用到比较的任意排序算法都需要 $\Omega(N \log N)$ 次比较，甚至平均情况也是如此。这意味着快速排序在相差一个常数因子的范围内平均是最优的。

特别地，我们将证明下列结果：只用到比较的任何排序算法在最坏情况下都需要$\lceil \log(N!) \rceil$次比较，并平均需要$\log(N!)$次比较。我们假设所有N个元素是互异的，因为任何排序算法都必须要在这种情况下正常运行。

决策树

决策树(decision tree)是用于证明下界的抽象概念。在我们这里，决策树是一棵二叉树。每个节点表示在元素之间一组可能的排序，它与已经进行的比较一致。比较的结果是树的边。

图7-18中的决策树表示将三个元素a、b和c排序的算法。算法的初始状态在根处(我们将可互换地使用术语*状态*和*节点*)。没有进行比较，因此所有的顺序都是合法的。这个特定的算法进行的第一次比较是比较a和b。两种比较的结果导致两种可能的状态。如果$a<b$，那么只有三种可能性被保留。如果算法到达节点2，那么它将比较a和c。其他算法可能会做不同的工作；不同的算法可能有不同的决策树。若$a>c$，则算法进入状态5。由于只存在一种相容的顺序，因此算法可以终止并报告它已经完成了排序。若$a<c$，则算法尚不能终止，因为存在两种可能的顺序，它还不能肯定哪种是正确的。在这种情况下，算法还将需要一次比较。

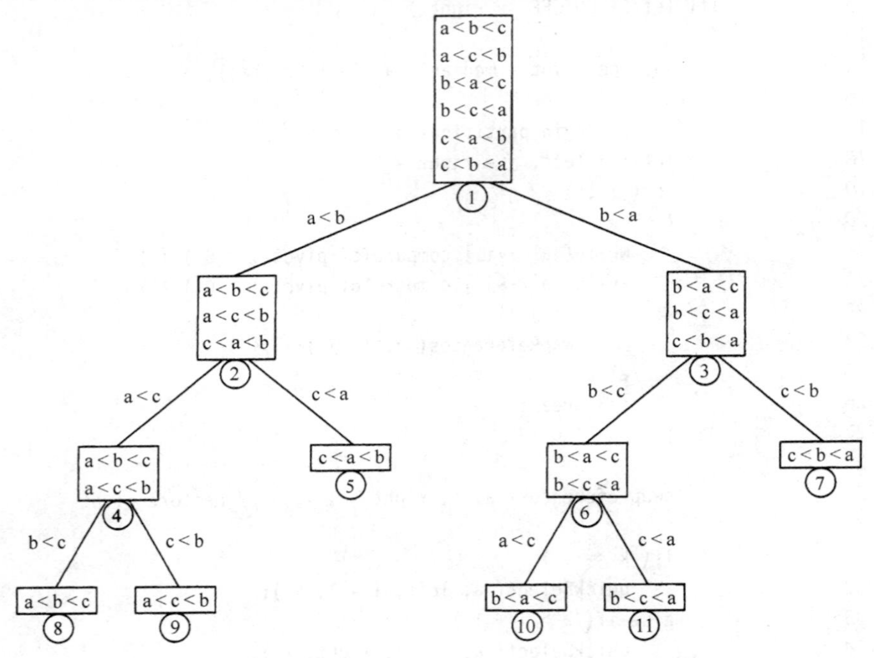

图7-18 三元素排序的决策树

301 ~ 302

通过只使用比较进行排序的每一种算法都可以用决策树表示。当然，只有输入数据非常少的情况画决策树才是可行的。由排序算法所使用的比较次数等于最深的树叶的深度。在我们的例子中，该算法在最坏的情况下使用了三次比较。所使用的比较的平均次数等于树叶的平均深度。由于决策树很大，因此必然存在一些长的路径。为了证明下界，需要证明某些基本的树的性质。

引理7.1 令T是深度为d的二叉树，则T最多有2^d片树叶。

证明：

用数学归纳法证明。如果$d=0$，则最多存在一片树叶，因此基准情况为真。若$d>0$，则我们有一个根，它不可能是树叶，其左子树和右子树中每一个的深度最多是$d-1$。由归纳假设，每一棵子树最多有2^{d-1}片树叶，因此总数最多2^d片树叶，由此该引理得证。 □

引理7.2 具有L片树叶的二叉树的深度至少是$\lceil \log L \rceil$。

证明：

由前面的引理立即推出。□

定理 7.6　只使用元素间比较的任何排序算法在最坏情况下至少需要$\lceil \log(N!) \rceil$次比较。

证明：

对 N 个元素排序的决策树必然有 $N!$ 片树叶。从上面的引理即可推出该定理。□

定理 7.7　只使用元素间比较的任何排序算法均需要 $\Omega(N \log N)$ 次比较。

证明：

由前面的定理可知，需要 $\log(N!)$ 次比较。

$$\begin{aligned}\log(N!) &= \log(N(N-1)(N-2)\cdots(2)(1)) \\ &= \log N + \log(N-1) + \log(N-2) + \cdots + \log 2 + \log 1 \\ &\geqslant \log N + \log(N-1) + \log(N-2) + \cdots + \log(N/2) \\ &\geqslant \frac{N}{2}\log\frac{N}{2} \geqslant \frac{N}{2}\log N - \frac{N}{2} = \Omega(N \log N)\end{aligned}$$

□

这种类型的下界论断，当用于证明最坏情形结果时，有时叫作信息 - 理论下界（information-theoretic lower bound）。一般定理说的是，如果存在 P 种不同的可能情况要区分，而问题是 YES/NO 的形式，那么通过任何算法求解该问题在某种情形下总需要$\lceil \log P \rceil$个问题。对于任何基于比较的排序算法的平均运行时间，证明类似的结果也是可能的。这个结果由下列引理导出，我们将它留作练习：具有 L 片树叶的任意二叉树的平均深度至少为 $\log L$。

7.9　选择问题的决策树下界

7.8 节引入了决策树的讨论来证明基础下界，即任意基于比较的排序算法都必须用到大约 $N \log N$ 次比较。本节我们证明对 N 个元素的集合做选择的额外下界，具体为：

1. 找到最小元需要 $N-1$ 次比较。
2. 找到最小的两个元需要 $N+\lceil \log N \rceil-2$ 次比较。
3. 找到中间元需要$\lceil 3N/2 \rceil - O(\log N)$次比较。

303～304

除了找中间元的问题外，其他问题的下界都是紧的：存在算法，其所用的比较次数精确等于给定数目。在所有证明中，假设所有元素是不同的。

引理 7.3　如果决策树所有的叶子都有深度 d 或更深，则决策树必须至少有 $2d$ 个叶子。

证明：

注意到决策树中所有非叶子节点都有两个孩子。证明用归纳法，从引理 7.1 导出。□

找最小元的下界的问题 1 是最容易证明的。

定理 7.8　对任何基于比较的算法，找最小元都必须至少用 $N-1$ 次比较。

证明：

除最小元以外的任意元素 x，都必须跟其他某些元素 y 比较一次，并且得出 x 比 y 大的结论。否则，如果存在两个不同的元素，且它们从未比任何其他元素大，那么两者都可以是最小元。□

引理 7.4　从 N 个元素中找最小元的决策树必须至少有 2^{N-1} 个叶子。

证明：

根据定理 7.8，这棵决策树的所有叶子都有深度 $N-1$ 或更深。则本引理的结论可从引理 7.3 导出。□

选择的界有些复杂，需要看一下决策树的结构。这可以让我们证明问题 2 和问题 3 的下界。

引理 7.5　从 N 个元素中找第 k 小元素的决策树一定有至少$\binom{N}{k-1}2^{N-k}$个叶子。

证明：

观察任意能够正确识别第 k 小元 t 的算法，它必定能证明所有其他元素 x 或者比 t 大，或者比 t 小。否则，它可能无论 x 比 t 大还是小都给出同样的回答，而两种情况下的答案不可能是一样的。于是树中的每个叶子除了表示第 k 小元之外，也表示已经被识别出来的最小的 $k-1$ 个元。

305

令 T 为决策树。考虑两个集合：代表最小的 $k-1$ 个元素的 $S=\{x_1, x_2, \cdots, x_{k-1}\}$，以及包括了第 k 小元的剩余的元素集合 R。将 T 中对 S 和 R 两集合元素进行的所有比较清除掉，得到一棵新的决策树 T'。因为 S 中的任意元素都比 R 中的元素小，所以比较用的树节点及其右子树可以从 T 中删除，而不会损失任何信息。图7-19展示了节点可以如何被剪枝。

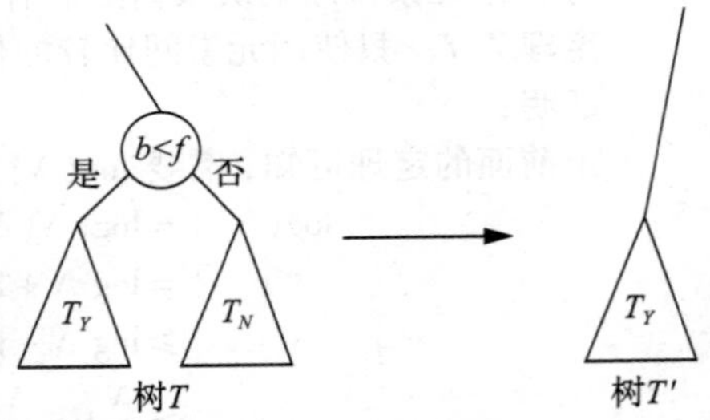

图7-19　最小的三个元素为 $S=\{a, b, c\}$，最大的四个元素为 $R=\{d, e, f, g\}$。对于这种 R 和 S 的选择，b 和 f 之间的比较在形成树 T' 时可以删除

被送入 T' 的 R 的任何排列，都和相应的由同样排列组成的 S 的序列沿着同样的节点路径到达同样的叶子。因为 T 可以识别第 k 小元，而 R 中的最小元就是那个元素，于是 T' 可以识别 R 中的最小元。所以 T' 必须至少具有 $2^{|R|-1}=2^{N-k}$ 个叶子。这些 T' 中的叶子直接对应着代表 S 的 2^{N-k} 个叶子。因为 S 有 $\binom{N}{k-1}$ 种选择，所以 T 中就至少有 $\binom{N}{k-1}2^{N-k}$ 个叶子。□

一个对引理7.5的直接应用使我们可以证明找第二小元以及中位数的下界。

定理7.9　任何基于比较找第 k 小元的算法必须至少用 $N-k+\left\lceil \log \binom{N}{k-1} \right\rceil$ 次比较。

证明：

306

从引理7.5和引理7.2立刻可以得到结论。□

定理7.10　任何基于比较找第二小元的算法必须至少用 $N+\lceil \log N \rceil-2$ 次比较。

证明：

应用定理7.9，将 $k=2$ 代入，就得到 $N-2+\lceil \log N \rceil$。□

定理7.11　任何基于比较找中位数的算法必须至少用 $\lceil 3N/2 \rceil - O(\log N)$ 次比较。

证明：

应用定理7.9，将 $k=\lceil N/2 \rceil$ 代入。□

选择的下界不是紧的，也不是最著名的，详情见参考文献。

7.10　对手下界

虽然决策树论证可以让我们证明一些排序和比较问题的下界，但一般那些界都不是紧的，有些情况下甚至过于平凡。

以找最小元问题为例。因为最小元存在 N 个可能的选择，所以由决策树论证产生的信息理论下界只是 $\log N$。在定理7.8中，我们曾证明界为 $N-1$，使用的本质上是一种**对手论证**的方法。本节我们将这种论证拓展，用以证明下面的下界：

4. 同时找到最小和最大元需要 $\lceil 3N/2 \rceil-2$ 次比较。

回顾我们对“任意找最小元的算法都至少需要 $N-1$ 次比较”的证明：

> 除最小元以外的任意元素 x，都必须跟其他某些元素 y 比较一次，并且得出 x 比 y 大的结论。否则，如果存在两个不同的元素，且它们从未比任何其他元素大，那么两者都可以是最小元。

这就是对手论证的基本思想，它有几个基本步骤：

1. 证明必须由解决某个问题的任意算法来获得一些信息的基本量。

2. 在算法的每一步，对手将维护一个输入，它与该算法当前提供的所有答案保持一致。

3. 论证在步骤不足的情况下，存在多种一致的输入，可以给算法提供不同的答案；于是得出算法还没有完成足够多的步骤，因为如果算法要在那个点上给出一个答案，对手就可以给出一种输入使得答案是错的。

307

我们将用这种证明模板重新证明找最小元的下界，来看看这种方法是怎么工作的。

定理 7.8(重述)　对任何基于比较的算法，找最小元都必须至少用 $N-1$ 次比较。

新证明：

初始将每个元素标记为 U ㊀。当宣布一个元素比另一个大的时候，我们将其标记更改为 E ㊁。这个更改就代表了一个单位的信息。初始状态下每个未知元素有个 0 值，但是因为还没有做任何比较，所以这个序跟前面的答案是一致的。

两元素之间的一次比较或者发生在两个未知元素之间，或者其中至少一个元素已经从最小元的候选中删掉了。图 7-20 展示了我们的对手将如何基于提问来构建输入值。

x	y	答案	信息	新 x	新 y
U	U	$x<y$	1	无变化	将 y 标记为 E 将 y 值改为被删除的元素个数
其他		一致	0	无变化	无变化

图 7-20　对手随着算法的运行为找最小元构建输入

如果比较是在两个未知元素间发生的，第一个元比较小，第二个元就自动被删除，提供了一个单位的信息。于是我们给它(不可撤销地)分配一个大于 0 的数字，最方便的是取被删除的元素个数。如果比较发生在一个删除的数和一个未知元之间，那么删除的数(根据前面的说明，该数字大于 0)将是比较大的，于是什么都不会变，没有删除，也没有获得信息。如果两个删除的数字进行比较，那么它们将是不同的，可得一致的答案，仍然是什么都不变，也没有提供信息。　□

最终，我们需要得到 $N-1$ 个单位的信息，而一次比较最多只能提供 1 个单位，所以需要至少 $N-1$ 次比较。

同时找最小和最大元的下界

我们可以同样用这种技术来证明同时找最小和最大元的下界。观察到除了一个元素外，其他所有元素都必须从最小元候选中删除，并且除了一个元素外，其他所有元素都必须从最大元候选中删除，所以任何算法都必须获得 $2N-2$ 个单位的信息。然而，一次 $x<y$ 的比较可以同时从最大元候选中删掉 x，并且从最小元候选中删掉 y，所以一次比较可以提供两个单位的信息。于是，这种论证就只能得到一个平凡的 $N-1$ 下界。我们的对手得做更多的工作，以保证不给出超过其需要的两个单位的信息。

308

要做到这一点，每个元素初始都将无标记。如果它“赢”了一次比较(即宣布它比某个元素大)，它就得到一个 W。如果它“输”了一次比较(即宣布它比某个元素小)，它就得到一个 L。最终，除了两个元素外，其他所有元素都应该是 WL。我们的对手将确保，如果比较的是两个未标记的元素，将只给出两个单位的信息。这样的情况只能发生 $\lfloor N/2 \rfloor$ 次，于是剩下的信息只能一次获取一个单位，就得到了界的证明。

定理 7.12　对任何基于比较的算法，同时找到最小和最大元都必须至少用 $\lceil 3N/2 \rceil - 2$ 次比较。

㊀ 表示未知，即英文 unknown 的首字母。——译者注

㊁ 表示删除，即英文 eliminated 的首字母。——译者注

证明：

基本思路是，如果两个元素是未标记的，则对手必须给出两个单位信息。否则，其中一个元素或者有 W 或者有 L(可能两者皆有)。在这种情况下，对手只要足够小心就能够避免给出两个单位的信息。例如，如果一个元素 x 有 W，而另一个元素 y 是未标记的，对手就可以说 $x>y$，从而再次令 x 赢。这样对 y 给出了一个单位的信息，但是对 x 就没有新的信息。容易看出，如果比较至少涉及了一个未标记的元素，原则上对手没有理由非要给出超过一个单位的信息。

剩下要证明的是，对手可以维护与其答案一致的值。如果两个元素都是未标记的，则显然他们可以被安然赋予与比较答案一致的值，这种情况产生两个单位信息。

否则，如果比较涉及的其中一个元素是未标记的，它可以被首次赋值，该值与另一元素在比较中的结果一致。这种情况产生一个单位信息。

否则比较涉及的两个元素都是有标记的。如果两个都是 WL，则我们可以根据当前的赋值给出一致的答案，什么信息都不产生。[⊖]

否则至少其中一个元素只有 L 或只有 W。我们将允许该元做冗余比较(如果是就让它再输，如果是 W 就让它再赢)，在必要时，它的值可以很容易基于比较中的另一元素进行调整(L 如果需要可以降低，W 如果需要可以升高)。这会为比较中的另一个元素产生至多一个单位的信息，也可能是零。图7-21总结了对手的行动，将 y 作为所有情况下值都发生变化的主要元素。

x	y	答案	信息	新 x	新 y
—	—	$x<y$	2	L 0	W 1
L	—	$x<y$	1	L 不变	W $x+1$
W 或 WL	—	$x>y$	1	W 或 WL 不变	L $x-1$
W 或 WL	W	$x<y$	1 或 0	WL 不变	W $max(x+1, y)$
L 或 W 或 WL	L	$x>y$	1 或 0 或 0	WL 或 W 或 WL 不变	L $min(x-1, y)$
WL	WL	一致	0	不变	不变
— — — L L W	W WL L W WL WL	与上述某种情况对称			

图7-21 对手随着算法的运行为同时找最大和最小元构建输入

至多 $\lfloor N/2 \rfloor$ 次比较产生两个单位的信息，意味着剩下的信息，即 $2N-2-2\lfloor N/2 \rfloor$ 个单位，每个都必须通过一次比较来获得。于是需要比较的总次数至少是 $2N-2-\lfloor N/2 \rfloor=\lceil 3N/2 \rceil-2$。□

309

容易看出这个界是可以达到的。将元素配对，并且每对之间进行一次比较。然后在胜者中找最大元，败者中找最小元。

7.11 线性时间的排序：桶排序和基数排序

虽然我们在7.8节证明了任何只使用比较的一般排序算法在最坏情况下需要 $\Omega(N \log N)$ 时

⊖ 有可能当前对两个元素的赋值都是一样的，在这种情况下，我们可以把所有当前值比 y 大的元素都加2，然后对 y 加1来打破平局。

间，但是别忘了，在某些特殊情况下以线性时间进行排序仍然是可能的。

一个简单的例子是**桶排序**(bucket sort)。为使桶排序能够正常工作，必须要有一些附加的信息。输入数据 A_1，A_2，…，A_N 必须仅由小于 M 的正整数组成(显然还有可能对此进行扩充)。如果是这种情况，那么算法很简单：使用一个大小为 M 的称为 count 的数组，初始化为全0。于是，count 有 M 个单元(或称为桶)，初始为空。当读入 A_i 时，count[A_i]增1。在所有的输入数据被读入后，扫描数组 count，打印出排序后的表。该算法用时 $O(M+N)$，其证明留作练习。如果 M 为 $O(N)$，那么总时间就是 $O(N)$。

310

虽然这个算法似乎打破了下界，但事实上并没有，因为它使用了比简单比较更为强大的操作。通过使适当的桶增值，算法在单位时间内实质上执行了一个 M-路比较。这类似于用在可扩散列上的策略(见5.9节)。显然这不属于那种下界业已证明的模型。

不过，该算法确实提出了用于证明下界的模型的合理性问题。这个模型实际上是一个强模型，因为通用的排序算法不能对它可以期望见到的输入类型做假设，而是必须仅仅基于排序信息做一些决策。很自然，如果存在额外的可用信息，我们应该有望找到更为有效的算法，否则这额外的信息就被浪费了。

尽管桶排序看似太平凡而用处不大，但是实际上却存在许多其输入只是一些小整数的情况，使用像快速排序这样的排序方法真的是小题大作了。一个这样的例子便是**基数排序**(radix sort)。

基数排序有时候也叫卡片排序，因为它曾用于对老式穿孔卡片进行排序，直到现代计算机问世。假设我们有值域从0~999的10个数字要排序。一般地，对某常数 p 考虑值域从 $0\sim b^p-1$ 的 N 个数字。显然我们不能用桶排序，那会有太多的桶了。窍门是用几趟桶排序。自然的算法是对最高位的“数字”(数字是以 b 为基数的)用桶排序，然后是次高位，以此类推。但是一种更简单的思路是以相反的顺序来执行桶排序，从最低位“数字”先开始。当然，可能有多个数落进同一个桶里，并且与原始桶排序不同的是，这些数可以是不同的，所以我们把它们存在一个表里。每一趟都是稳定的：当前位数字相同的这些元素仍然保留前几趟所确定的顺序。图7-22中的踪迹展示了对前十个立方数随机排列的序列64，8，216，512，27，729，0，1，343，125进行排序的结果(我们通过补0来使十位和百位数字更清晰)。在第一趟之后，元素按最低位有序。一般地，在第 k 趟之后，元素按第 k 低位有序。所以最终元素就完全有序了。要看到算法是能用的，注意，唯一可能的失败会发生在两个数从同一个桶里出来时出错了顺序。但是前面几趟保证了当几个数进入同一个桶时，它们是有序进入的。运行时间是 $O(p(N+b))$，其中 p 是趟数，N 是待排元素个数，b 是桶的个数。

初始元素：064，008，216，512，027，729，000，001，343，125
按个位排序：000，001，512，343，064，125，216，027，008，729
按十位排序：000，001，008，512，216，125，027，729，343，064
按百位排序：000，001，008，027，064，125，216，343，512，729

图7-22　基数排序的踪迹

基数排序的一个应用是将字符串排序。如果所有字符串都有同样的长度 L，则对每个字符使用桶，我们可以实现在 $O(NL)$ 时间内的基数排序。此问题最直截了当的做法在图7-23中给出。在代码中，我们假设所有字符都是ASCII码，位于Unicode字符集的前256位。在每一趟中，我们把一个元素加到合适的桶里，然后当所有的桶都填好后，我们逐步走过这些桶，把所有东西倒回到数组里去。注意，当一个桶被填好，又在下一趟被清空时，从当前趟得到的顺序是被保留的。

311

计数基数排序(counting radix sort)是基数排序的另一种实现，它避免使用 ArrayList。取而代之的是一个计数器，记录每个桶里会装多少个元素；这个信息可以放在一个数组 count 里，于是 count[k]就是桶 k 中元素的个数。然后我们可以用另一个数组 offset，使得

offset[k]表示值严格小于k的元素的个数。则当我们在最后的扫描中第一次见到k时，offset[k]告诉我们一个可以把k写进去的有效的数组位置(但是不得不为这个写操作使用一个临时数组)，这一步做完后，offset[k]就加1。计数基数排序因此不需要维护一堆表。要做更进一步的优化，我们还可以不用offset，而是重用count数组。修改方法是，一开始让count[k+1]表示桶k中元素的个数。等这个信息计算完成后，我们按下标从小到大扫描count数组，把count[k]加上count[k-1]。容易验证，这样扫描后，count数组里就存了跟原来offset数组里存的完全一样的信息。

312

```
1   /*
2    * Radix sort an array of Strings
3    * Assume all are all ASCII
4    * Assume all have same length
5    */
6   public static void radixSortA( String [ ] arr, int stringLen )
7   {
8       final int BUCKETS = 256;
9       ArrayList<String> [ ] buckets = new ArrayList<>[ BUCKETS ];
10
11      for( int i = 0; i < BUCKETS; i++ )
12          buckets[ i ] = new ArrayList<>( );
13
14      for( int pos = stringLen - 1; pos >= 0; pos-- )
15      {
16          for( String s : arr )
17              buckets[ s.charAt( pos ) ].add( s );
18
19          int idx = 0;
20          for( ArrayList<String> thisBucket : buckets )
21          {
22              for( String s : thisBucket )
23                  arr[ idx++ ] = s;
24
25              thisBucket.clear( );
26          }
27      }
28  }
```

图7-23　字符串的基数排序的简单实现，用一个ArrayList做桶

图7-24给出了计数基数排序的一个实现。第18～27行实现了上述逻辑，其中假设元素存储在数组in里，单趟排序的结果存储在数组out里。开始时，in代表arr，out代表临时数组buffer。每趟排序后，我们交换in和out的角色。如果趟数是偶数次，则最后out引用的是arr，于是排序就结束了。否则，我们得把buffer复制回arr。

一般地，计数基数排序比用ArrayList要好，但是它在定位方面较差(out不是顺序填入的)，所以令人惊讶的是，它并不总是比用一个ArrayList数组更快。

我们可以把两个版本的基数排序中的任一个扩展为可以处理变长的字符串。基本算法是，首先将字符串按其长度排序。我们并不看全部的字符串，而是只看那些我们已知是充分长的字符串。由于字符串长度都是小整数，所以初始的长度排序可以用——桶排序！图7-25给出了基数排序的这个带ArrayList的实现。这里，第19～20行将单词按照长度分组放进桶里，然

后在第 22 ~ 25 行将它们放回数组。第 32 ~ 33 行只查看那些在位置 pos 上有一个字符的字符串，可以利用第 27 行和第 30 行维护的那个变量 startingIndex 来做这件事。除了那些不同，图 7-25 的第 27 ~ 43 行和图 7-23 的第 14 ~ 27 行是一样的。

```
1     /*
2      * Counting radix sort an array of Strings
3      * Assume all are all ASCII
4      * Assume all have same length
5      */
6     public static void countingRadixSort( String [ ] arr, int stringLen )
7     {
8         final int BUCKETS = 256;
9
10        int N = arr.length;
11        String [ ] buffer = new String [ N ];
12
13        String [ ] in = arr;
14        String [ ] out = buffer;
15
16        for( int pos = stringLen - 1; pos >= 0; pos-- )
17        {
18            int [ ] count = new int [ BUCKETS + 1 ];
19
20            for( int i = 0; i < N; i++ )
21                count[ in[ i ].charAt( pos ) + 1 ]++;
22
23            for( int b = 1; b <= BUCKETS; b++ )
24                count[ b ] += count[ b - 1 ];
25
26            for( int i = 0; i < N; i++ )
27                out[ count[ in[ i ].charAt( pos ) ]++ ] = in[ i ];
28
29              // swap in and out roles
30            String [ ] tmp = in;
31            in = out;
32            out = tmp;
33        }
34
35          // if odd number of passes, in is buffer, out is arr; so copy back
36        if( stringLen % 2 == 1 )
37            for( int i = 0; i < arr.length; i++ )
38                out[ i ] = in[ i ];
39    }
```

图 7-24　定长字符串的计数基数排序

这个版本的基数排序的运行时间关于所有字符串中字符总个数是线性的(在第 33 行每个字符正好出现一次，而第 39 行的语句跟第 33 行执行了完全一样多的次数)。当串中的字符是从一个合理的小的字母集合取的，而且字符串或者是比较短、或者是非常相似时，则针对字符串的基数排序会表现非常好。因为 $O(N \log N)$ 的基于比较的排序算法在每次字符串比较中一般只查看少量的字符，所以一旦字符串的平均长度开始变大，基数排序的优势就会减小甚至完全丧失。

```
1   /*
2    * Radix sort an array of Strings
3    * Assume all are all ASCII
4    * Assume all have length bounded by maxLen
5    */
6   public static void radixSort( String [ ] arr, int maxLen )
7   {
8       final int BUCKETS = 256;
9
10      ArrayList<String> [ ] wordsByLength = new ArrayList<>[ maxLen + 1 ];
11      ArrayList<String> [ ] buckets = new ArrayList<>[ BUCKETS ];
12
13      for( int i = 0; i < wordsByLength.length; i++ )
14          wordsByLength[ i ] = new ArrayList<>( );
15
16      for( int i = 0; i < BUCKETS; i++ )
17          buckets[ i ] = new ArrayList<>( );
18
19      for( String s : arr )
20          wordsByLength[ s.length( ) ].add( s );
21
22      int idx = 0;
23      for( ArrayList<String> wordList : wordsByLength )
24          for( String s : wordList )
25              arr[ idx++ ] = s;
26
27      int startingIndex = arr.length;
28      for( int pos = maxLen - 1; pos >= 0; pos-- )
29      {
30          startingIndex -= wordsByLength[ pos + 1 ].size( );
31
32          for( int i = startingIndex; i < arr.length; i++ )
33              buckets[ arr[ i ].charAt( pos ) ].add( arr[ i ] );
34
35          idx = startingIndex;
36          for( ArrayList<String> thisBucket : buckets )
37          {
38              for( String s : thisBucket )
39                  arr[ idx++ ] = s;
40
41              thisBucket.clear( );
42          }
43      }
44  }
```

图7-25 变长字符串的基数排序

7.12 外部排序

313~315

迄今为止，我们考查过的所有算法都需要将输入数据装入内存。然而，存在一些应用程序，它们的输入数据量太大装不进内存。本节将讨论一些**外部排序**(external sorting)算法，它们是设计用来处理数量很大的输入数据的。

7.12.1 为什么需要一些新的算法

大部分内部排序算法都用到内存可直接寻址的事实。希尔排序用一个时间单位比较元素 a[i]和 a[i - h_k]。堆排序用一个时间单位比较元素 a[i]和 a[i * 2 +1]。使用三数中值分割法的快速排序以常数个时间单位比较 a[left]、a[center]和 a[right]。如果输入数据在磁带上，那么所有这些操作就失去了它们的效率，因为磁带上的元素只能被顺序访问。即使数据在磁盘上，由于转动磁盘和移动磁头所需的延迟，仍然存在实际上的效率损失。

为了看到外部访问究竟有多慢，可建立一个大的随机文件，但不能太大以至装不进主存。将该文件读入并用一种有效的算法对其排序。将该输入数据进行排序所花费的时间与将其读入所花费的时间相比必然是无足轻重的，尽管排序是 $O(N \log N)$ 操作而读入数据只不过花费 $O(N)$ 时间。

7.12.2 外部排序模型

各种各样的海量存储装置使得外部排序比内部排序对设备的依赖性要严重得多。我们将考虑的一些算法在磁带上工作，而磁带可能是最受限制的存储媒体。由于访问磁带上一个元素需要把磁带转动到正确的位置，因此磁带只有以(两个方向上)连续的顺序才能够被有效地访问。

假设至少有三个磁带驱动器进行排序工作。我们需要两个驱动器执行有效的排序，而第三个驱动器进行简化的工作。如果只有一个磁带驱动器可用，那么就产生了一个问题：任何算法都将需要 $\Omega(N^2)$ 次磁带访问。

7.12.3 简单算法

基本的外部排序算法使用归并排序中的合并算法。设有四盘磁带，T_{a1}，T_{a2}，T_{b1}，T_{b2}，它们是两盘输入磁带和两盘输出磁带。根据算法的特点，磁带 a 和磁带 b 或者用作输入磁带，或者用作输出磁带。设数据最初在 T_{a1} 上，并设内存可以一次容纳(和排序) M 个记录。一种自然的第一步做法是从输入磁带一次读入 M 个记录，在内部将这些记录排序，然后再把这些排过序的记录交替地写到 T_{b1} 或 T_{b2} 上。我们将把每组排过序的记录叫作一个**顺串**(run)。做完这些之后，倒回所有的磁带。设我们的输入与希尔排序的例子中的输入数据相同。

316

T_{a1}	81	94	11	96	12	35	17	99	28	58	41	75	15
T_{a2}													
T_{b1}													
T_{b2}													

如果 $M=3$，那么在这些顺串构造以后，磁带将包含下图所示的数据。

T_{a1}							
T_{a2}							
T_{b1}	11	81	94	17	28	99	15
T_{b2}	12	35	96	41	58	75	

现在 T_{b1} 和 T_{b2} 都包含一些顺串。我们将每个磁带的第一个顺串取出并将二者合并，把结果写到 T_{a1} 上，该结果是一个二倍长的顺串。注意，合并两个排过序的表是简单的操作，几乎不需要内存，因为合并是在 T_{b1} 和 T_{b2} 前进时进行的。然后，我们再从每盘磁带取出下一个顺串，合并，并将结果写到 T_{a2} 上。继续这个过程，交替使用 T_{a1} 和 T_{a2}，直到 T_{b1} 或 T_{b2} 为空。此时，或者 T_{b1} 和 T_{b2} 均为空，或者剩下一个顺串。对于后者，我们把剩下的顺串拷贝到适当的磁带上。将全部四盘磁带倒回，并重复相同的步骤，这一次用两盘 a 磁带作为输入，两盘 b 磁带作为输出，结果得到一些 $4M$ 的顺串。继续这个过程直到得到长为 N 的一个顺串。

该算法将需要⌈log(*N*/*M*)⌉趟工作，外加一趟初始的顺串构造。例如，若我们有1 000万个记录，每个记录128个字节，并有4兆字节的内存，则第一趟将建立320个顺串。此时再需要九趟以完成排序。我们刚才的例子再需要⌈log 13/3⌉=3 趟工作，见下图所示。

T_{a1}	11	12	35	81	94	96	15
T_{a2}	17	28	41	58	75	99	
T_{b1}							
T_{b2}							

T_{a1}												
T_{a2}												
T_{b1}	11	12	17	28	35	41	58	75	81	94	96	99
T_{b2}	15											

T_{a1}	11	12	15	17	28	35	41	58	75	81	94	96	99
T_{a2}													
T_{b1}													
T_{b2}													

7.12.4 多路合并

如果我们有额外的磁带，可以减少将输入数据排序所需要的趟数，通过将基本的(2-路)合并扩充为 *k*-路合并就能做到这一点。

两个顺串的合并操作通过将每一个输入磁带转到每个顺串的开头来进行。然后，找到较小的元素，把它放到输出磁带上，并将相应的输入磁带向前推进。如果有 *k* 盘输入磁带，那么这种方法以相同的方式工作，唯一的区别在于，它发现 *k* 个元素中最小的元素稍微复杂一些。我们可以通过使用优先队列找出这些元素中的最小元。为了得出下一个写到磁盘上的元素，我们进行一次 deleteMin 操作。将相应的磁带向前推进，如果在输入磁带上的顺串尚未完成，那么将新元素插入到优先队列中。仍然利用前面的例子，我们将输入数据分配到三盘磁带上。

317

T_{a1}						
T_{a2}						
T_{a3}						
T_{b1}	11	81	94	41	58	75
T_{b2}	12	35	96	15		
T_{b3}	17	28	99			

然后，还需要两趟3-路合并以完成该排序。

T_{a1}	11	12	17	28	35	81	94	96	99
T_{a2}	15	41	58	75					
T_{a3}									
T_{b1}									
T_{b2}									
T_{b3}									

在初始顺串构造阶段之后，使用k-路合并所需要的趟数为$\lceil \log_k(N/M) \rceil$，因为在每趟合并中顺串达到$k$倍大小。对于上面的例子，公式成立，因为$\lceil \log_3 13/3 \rceil = 2$。如果我们有10盘磁带，那么$k=5$，而前一节的大例子需要的趟数将是$\lceil \log_5 320 \rceil = 4$。

T_{a1}													
T_{a2}													
T_{a3}													
T_{b1}	11	12	15	17	28	35	41	58	75	81	94	96	99
T_{b2}													
T_{b3}													

7.12.5　多相合并

上一节讨论的k-路合并方案需要使用$2k$盘磁带，这对某些应用极为不便。通过只使用$k+1$盘磁带也有可能完成排序的工作。作为例子，我们阐述只用三盘磁带如何完成2-路合并。

318

设有三盘磁带T_1、T_2和T_3，在T_1上有一个输入文件，它将产生34个顺串。一种选择是在T_2和T_3的每一盘磁带中放入17个顺串。然后可以将结果合并到T_1上，得到一盘有17个顺串的磁带。由于所有的顺串都在一盘磁带上，因此现在必须把其中的一些顺串放到T_2上以进行另外的合并。执行该合并的逻辑方式是将前8个顺串从T_1拷贝到T_2并进行合并。这样的效果是对于我们所做的每一趟合并又附加了另外的半趟工作。

另一种选择是把原始的34个顺串不均衡地分成两份。设把21个顺串放到T_2上而把13个顺串放到T_3上。然后，将13个顺串合并到T_1上，之后磁带T_3就变成了空磁带。此时，我们可以倒回磁带T_1和T_3，然后将具有13个顺串的T_1和8个顺串的T_2合并到T_3上。此时，我们合并8个顺串直到T_2用完为止，这样，在T_1上将留下5个顺串而在T_3上则有8个顺串。然后，我们再合并T_1和T_3，等等。下面的图表显示在每趟合并之后每盘磁带上的顺串的个数。

	初始顺串个数	T_3+T_2 之后	T_1+T_2 之后	T_1+T_3 之后	T_2+T_3 之后	T_1+T_2 之后	T_1+T_3 之后	T_2+T_3 之后
T_1	0	13	5	0	3	1	0	1
T_2	21	8	0	5	2	0	1	0
T_3	13	0	8	3	0	2	1	0

顺串最初的分配有很大的关系。例如，若22个顺串放在T_2上，12个在T_3上，则第一趟合并后我们得到T_1上12个顺串以及T_2上的10个顺串。在下一次合并后，T_3上有10个顺串而T_1上有2个顺串。此时，进展的速度慢了下来，因为在T_3用完之前只能合并两套顺串。这时T_1有8个顺串而T_2有两个顺串。同样，我们只能合并两个顺串，结果T_1有6个顺串且T_3有2个顺串。再经过3趟合并之后，T_2还有2个顺串而其余磁带均已没有任何内容。我们必须将T_2中的一个顺串拷贝到另外一盘磁带上，然后结束合并。

事实上，我们给出的第一次分配是最优的。如果顺串的个数是一个斐波那契数F_N，那么分配这些顺串最好的方式是把它们分裂成两个斐波那契数F_{N-1}和F_{N-2}。否则，为了将顺串的个数补足成一个斐波那契数就必须用一些哑顺串(dummy runs)来填补磁带。我们把如何将一组初始顺串分放到磁带上的具体做法留作练习。

可以把上面的做法扩充到k-路合并，此时需要k阶斐波那契数用于分配顺串，其中k阶斐波那契数定义为$F^{(k)}(N)=F^{(k)}(N-1)+F^{(k)}(N-2)+\cdots+F^{(k)}(N-k)$，辅以适当的初始条件$F^{(k)}(N)=0$，$0 \leqslant N \leqslant k-2$，$F^{(k)}(k-1)=1$。

7.12.6　替换选择

最后我们将要考虑的是顺串的构造。迄今我们已经用到的策略是所谓的最简可能：读入尽可能多的记录并将它们排序，再把结果写到某个磁带上。这看起来像是最佳可能的处理，直 319 到实现只要第一个记录被写到输出磁带上，它所使用的内存就可以被另外的记录使用。如果输入磁带上的下一个记录比我们刚刚输出的记录大，它就可以被放入顺串中。

利用这种想法，我们可以给出产生顺串的一个算法，该方法通常称为替换选择(replacement selection)。开始，M 个记录被读入内存并放到一个优先队列中。我们执行一次 `deleteMin`，把最小(值)的记录写到输出磁带上，再从输入磁带读入下一个记录。如果它比刚刚写出的记录大，可以把它添加到优先队列中，否则，不能把它放入当前的顺串。由于优先队列少一个元素，因此，可以把这个新元素存入优先队列的死区(dead space)，直到顺串完成构建，而该新元素用于下一个顺串。将一个元素存入死区的做法类似于在堆排序中的做法。我们继续这样的步骤直到优先队列的大小为零，此时该顺串构建完成。我们使用死区中的所有元素通过建立一个新的优先队列开始构建一个新的顺串。图 7-26 解释我们一直在使用的这个小例子的顺串构建过程，其中 $M=3$。死元素以星号标示。

	堆数组中的 3 个元素			输出	下一个读入的元素
	h[1]	h[2]	h[3]		
顺串 1	11	94	81	11	96
	81	94	96	81	12*
	94	96	12*	94	35*
	96	35*	12*	96	17*
	17*	35*	12*	顺串 1 终	重建堆
顺串 2	12	35	17	12	99
	17	35	99	17	28
	28	99	35	28	58
	35	99	58	35	41
	41	99	58	41	15*
	58	99	15*	58	磁带末
	99		15*	99	
			15*	顺串 2 终	重建堆
顺串 3	15			15	

图 7-26 顺串构建的例子

在这个例子中，替换选择只产生 3 个顺串，这与通过排序得到 5 个顺串不同。正因为如此，3-路合并经过一趟而非两趟合并而结束。如果输入数据是随机分布的，那么可以证明替换选择产生平均长度为 $2M$ 的顺串。对于我们所举的大例子，预计为 160 个顺串而不是 320 个顺串，因此，5-路合并需要进行 4 趟。在这种情况下，我们一趟也没有节省，不过在幸运时是可以节省的，我们可能有 125 个或更少的顺串。由于外部排序花费的时间太多，因此节省的每一趟都可 320 能对运行时间产生显著的影响。

我们已经看到，替换选择可能做得并不比标准算法更好。然而，输入数据常常从已排序或几乎已排序开始，此时替换选择仅仅产生少数非常长的顺串，而这种类型的输入通常要进行外部排序，这就使得替换选择具有特别的价值。

小结

排序是计算中最古老的、被研究得最完备的问题之一。对于大部分一般的内部排序的应用，选用的方法不是插入排序、希尔排序、归并排序就是快速排序，这主要是由输入的大小以及底层环境来决定的。插入排序适用于非常少量的输入。对于中等规模的输入，希尔排序是个不错的选择。只要增量序列合适，它可以只用少量代码就给出优异的表现。归并排序最坏情况下的表现为 $O(N\log N)$，但是需要额外空间。然而，它用到的比较次数是近乎最优的，因为任何仅用元素比较来进行排序的算法都会对某些输入序列必须用至少$\lceil \log(N!) \rceil$次比较。快速排序自己并不保证提供这种最坏时间复杂度，并且编程比较麻烦。但是，它可以几乎肯定地做到 $O(N\log N)$，并且跟堆排序组合在一起就可以保证最坏情况下有 $O(N \log N)$。用基数排序可以将字符串在线性时间内排序，这在某些情况下是相对于基于比较的排序法而言更实际的另一种选择。

练习

7.1　使用插入排序将序列 3，1，4，1，5，9，2，6，5 排序。

7.2　如果所有的元素都相等，那么插入排序的运行时间是多少？

7.3　设交换元素 $a[i]$和 $a[i+k]$，它们最初是反序的。证明被去掉的逆序最少为 1 个最多为 $2k-1$ 个。

7.4　写出使用增量{1，3，7}对输入数据 9，8，7，6，5，4，3，2，1 运行希尔排序得到的结果。

7.5　a. 使用 2-增量序列{1，2}的希尔排序的运行时间是多少？

b. 证明，对任意的 N，存在一个 3-增量序列，使得希尔排序以 $O(N^{5/3})$时间运行。

c. 证明，对任意的 N，存在一个 6-增量序列，使得希尔排序以 $O(N^{3/2})$时间运行。

7.6　*a. 证明，使用形如 1，c，c^2，…，c^i 的增量，希尔排序的运行时间为 $\Omega(N^2)$，其中，c 为任一整数。

**b. 证明，对于这些增量，平均运行时间为 $\Theta(N^{3/2})$。

*7.7　证明，若一个 k-排序的文件随后是 h-排序的，则它仍保持是 k-排序的。

321

**7.8　证明，使用由 Hibbard 建议的增量序列的希尔排序在最坏情形下的运行时间是$\Omega(N^{3/2})$。提示：可以证明当所有的元素不是 0 就是 1 时希尔排序这种特殊情形的时间界。如果 i 可以表为 h_t，h_{t-1}，…，$h_{\lfloor t/2 \rfloor+1}$的线性组合，则可置 a[i]=1，否则置为 0。

7.9　确定希尔排序对于下述情况的运行时间。

a. 排过序的输入数据

*b. 反序排列的输入数据

7.10　下述两种对图 7-4 所编写的希尔排序例程的修改影响最坏情形的运行时间吗？

a. 如果 gap 是偶数，则在第 11 行前从 gap 减 1。

b. 如果 gap 是偶数，则在第 11 行前往 gap 加 1。

7.11　指出堆排序如何处理输入数据 142，543，123，65，453，879，572，434，111，242，811，102。

7.12　对于已经有序的输入，堆排序的运行时间是多少？

*7.13　证明存在这样的输入，它使得堆排序中的每一个 percolateDown 一直行进到树叶(提示：向后进行)。

7.14　重写堆排序，使得只对从 low 到 high 范围的项进行排序，其中 low 和 high 作为附加参数被传递。

7.15　用归并排序将 3，1，4，1，5，9，2，6 排序。

7.16　不使用递归如何实现归并排序？

7.17　确定下列情况下归并排序的运行时间

a. 已排序的输入

b. 反序排列的输入

c. 随机的输入

7.18　在归并排序的分析中是不考虑常数的。证明，归并排序在最坏情形下用于比较的次数为 $N\lceil \log N \rceil - 2^{\lceil \log N \rceil}+1$。

7.19　用三数中值分割以及截止为 3 的快速排序将 3，1，4，1，5，9，2，6，5，3，5 排序。

7.20　使用本章中的快速排序实现方法，确定下列输入数据的快速排序运行时间

a. 已排序的输入
b. 反序排列的输入
c. 随机的输入

7.21 当枢纽元被选作下列元素时重做练习 7.20
a. 第一个元素
b. 前两个不同元素中的最大者
c. 一个随机元素
*d. 集合中所有元素的平均值

322

7.22 a. 对于本章中快速排序的实现方法，当所有的关键字都相等时它的运行时间是多少？
b. 假设我们改变分割策略使得当找到一个与枢纽元有相同关键字的元素时 i 和 j 都不停止。为了保证快速排序正常工作，需要对程序做哪些修改？当所有的关键字都相等时，运行时间是多少？
c. 假设我们改变分割策略，使得在一个与枢纽元相同的关键字处 i 停止，但是 j 在类似的情形下却不停止。为了保证快速排序正常工作需要对程序做哪些修改？当所有的关键字都相等时，快速排序的运行时间是多少？

7.23 设选择数组中间位置上的关键字作为枢纽元。这是否使得快速排序将不太可能需要平方时间？

7.24 构造 20 个元素的一个排列使得对于三数中值分割且截止为 3 的快速排序方法该排列尽可能地差。

7.25 课文中的快速排序使用两个递归调用。删除一个调用如下：
a. 重写程序使得第 2 个递归调用无条件地成为快速排序的最后一行。通过颠倒 `if/else` 并在对 `insertionSort` 调用之后返回来做到这一点。
b. 通过写一个 `while` 循环并改变 `left` 来除去尾递归。

7.26 继续练习 7.25，在问题(a)之后，
a. 执行一次测试，使得较小的子数组由第一个递归调用处理，而较大的子数组由第二个递归调用处理。
b. 通过写一个 `while` 循环并在必要时交换 `left` 或 `right` 以除去尾递归。
c. 证明递归调用的次数在最坏情形下是对数级的量。

7.27 设递归快速排序从驱动程序接收 `int` 型参数 `depth`，它的初始值近似为 $2\log N$。
a. 修改递归快速排序使其在递归之层达到 `depth` 时对当前的子数组调用 `heapsort`（提示：当进行递归调用时使 `depth` 减 1；当它为 0 时切换到 `heapsort`）。
b. 证明该算法最坏情形运行时间为 $O(N\log N)$。
c. 通过实验确定对 `heapsort` 调用的频率。
d. 连同使用练习 7.25 中的删除尾递归一起实现本题的方法。
e. 解释为什么练习 7.26 中的方法不再是必需的。

7.28 当实现快速排序时，如果数组包含许多重复元，那么可能更好的方法是执行 3 路划分（划分成小于、等于以及大于枢纽元的三部分元素）以进行更小的递归调用。设采用有如 `compareTo` 方法提供的 3 路比较。
a. 给出一个算法，该算法只使用 $N-1$ 次 3 路比较而将一个 N 元素子数组实施 3 路适当的划分。如果有 d 项等于枢纽元，那么可以使用 d 次附加的 `Comparable` 交换，多于 2 路分割算法（提示：随着 `i` 和 `j` 彼此相向移动，保持 5 组元素，如下所示）：

323

```
EQUAL SMALL UNKNOWN LARGE EQUAL
            i       j
```

b. 证明：使用上面的算法将只含有 d 个不同值的 N 元素数组排序花费 $O(dN)$ 时间。

7.29 编写一个程序实现选择算法。

7.30 求解下列递推关系：$T(N)=(1/N)\left[\sum_{i=0}^{N-1}T(i)\right]+cN,\ T(0)=0$。

7.31 如果一切具有相等关键字的元素都保持它们在输入时呈现的顺序，那么这种排序算法就叫作稳定（stable）的。本章中的排序算法哪些是稳定的？哪些不是？为什么？

7.32　设给定 N 个已排序的元素，后面跟有 $f(N)$ 个随机顺序的元素。如果 $f(N)$ 是下列情况，那么如何将全部数据排序？

a. $f(N)=O(1)$

b. $f(N)=O(\log N)$

c. $f(N)=O(\sqrt{N})$

*d. 对于全部数据，$f(N)$ 多大仍然能够以 $O(N)$ 时间排序？

7.33　证明：在 N 个元素已排序的表中找出一个元素 X 的任何算法都需要 $\Omega(\log N)$ 次比较。

7.34　利用 Stirling 公式 $N! \approx (N/e)^N \sqrt{2\pi N}$ 给出 $\log(N!)$ 的精确估计。

7.35　*a. 两个排过序的 N 个元素的数组有多少种合并的方法？

*b. 对 a 的答案取对数，给出合并两个 N 个元素的排过序的表所需要的比较次数的非平凡下界。

7.36　证明将两个有序的 N 个元素的数组归并至少需要 $2N-1$ 次比较。你必须证明如果归并表中的两个连续排放的元素是从不同的表里来的，则它们必须要经过比较。

7.37　考虑下列将 6 个数排序的算法：

- 使用算法 A 将前 3 个数排序。
- 使用算法 B 将后 3 个数排序。
- 使用算法 C 将两个已排序的数组合并。

证明这个算法是次优的，与算法 A、B、C 的选择无关。

7.38　编写程序读入 N 个平面上的点，输出任意一组 4 个及以上共线的点（即在同一条直线上的点）。显然，暴力算法需要 $O(N^4)$ 的时间。然而，有一种更好的算法可以利用排序在 $O(N^2 \log N)$ 时间内运行。

324

7.39　证明 N 个元素中两个最小的元素可以在 $N+\lceil \log N \rceil-2$ 次比较中找到。

7.40　下列分而治之算法被提出，用以同时找最大和最小值：如果只有一个元素，它就既是最大也是最小。如果有两个元素，那么经过一次比较你就能找到最大和最小。否则，将输入分成两半，要分得尽可能均匀（如果 N 是奇数，两半之一会比另外一半多一个元素）。递归地找到每一半的最大和最小，然后再加两次比较就得到整个问题的最大和最小。

a. 设 N 是 2 的幂。这个算法确切地用了多少次比较？

b. 设 N 形如 $3 \cdot 2^k$。这个算法确切地用了多少次比较？

c. 修改算法如下：当 N 是偶数但不能被 4 整除时，将输入分成规模为 $N/2-1$ 和 $N/2+1$ 的两部分。这个算法确切地用了多少次比较？

7.41　设我们想将 N 个元素划分为 G 个等规模为 N/G 的组，使得最小的 N/G 个元素在组 1，次小的 N/G 个元素在组 2，以此类推。这些组不需要是有序的。简单起见，你可以假设 N 和 G 都是 2 的幂。

a. 给出一个 $O(N \log G)$ 的算法来解决此问题。

b. 证明用基于比较的算法解决此问题的下界是 $\Omega(N \log G)$。

*7.42　给出一个线性时间算法将 N 个分数排序，它们的分子和分母都是在 1 和 N 之间的整数。

7.43　设数组 A 和 B 都是已排序的并且均含有 N 个元素。给出一个 $O(\log N)$ 算法找出 $A \cup B$ 的中位数。

7.44　设有 N 个元素的数组只包含两个不同的关键字 `true` 和 `false`。给出一个 $O(N)$ 算法重新排列这些元素使得所有 `false` 的元素都排在 `true` 的元素的前面。只能使用常数附加空间。

7.45　设有 N 个元素的数组包含三个不同的关键字 `true`、`false` 和 `maybe`。给出一个 $O(N)$ 算法重新排列这些元素使得所有 `false` 的元素都排在 `maybe` 元素的前面，而 `maybe` 元素在 `true` 元素的前面。只能使用常数附加空间。

7.46　a. 证明，任何基于比较的算法将 4 个元素排序均需 5 次比较。

b. 给出一种算法用 5 次比较将 4 个元素排序。

7.47　a. 证明使用任何基于比较的算法将 5 个元素排序都需要 7 次比较。

*b. 给出一个算法用 7 次比较将 5 个元素排序。

325

7.48　写出一个高效的希尔排序算法并比较当使用下列增量序列时的性能：

a. 希尔的原始序列

b. Hibbard 的增量

c. Knuth 的增量：$h_i = \frac{1}{2}(3^i + 1)$

d. Gonnet 的增量：$h_t = \left\lfloor \frac{N}{2.2} \right\rfloor$，且 $h_k = \left\lfloor \frac{h_{k+1}}{2.2} \right\rfloor$（若 $h_2 = 2$ 则 $h_1 = 1$）

e. Sedgewick 的增量。

7.49 实现优化的快速排序算法并用下列组合进行实验：

a. 枢纽元：第一个元素，中间的元素，随机的元素，三数中值，五数中值。

b. 截止值从 0 到 20。

7.50 编写一个例程读入两个用字母表示的文件并将它们合并到一起，形成第三个也是用字母表示的文件。

7.51 设我们实现三数中值例程如下：找出 `a[left]`、`a[center]` 和 `a[right]` 的中值，并将它与 `a[right]` 交换。以通常的分割方法进行，开始时 `i` 在 `left` 处且 `j` 在 `right - 1` 处（而不是 `left + 1` 和 `right - 2`）。

a. 设输入为 2，3，4，…，$N-1$，N，1。对于该输入，这种快速排序算法的运行时间是多少？

b. 设输入数据呈反序排列，对于这样的输入，本题的快速排序算法的运行时间又是多少？

7.52 证明，任何基于比较的排序算法平均都需要 $\Omega(N \log N)$ 次比较。

7.53 给定一个数组，该数组包含 N 个元素。我们想要确定是否存在两个数它们的和等于给定的数 K。例如，如果输入是 8，4，1，6 而 K 是 10，则答案为 yes（4 和 6）。一个数可以被使用两次。解答下列各问：

a. 给出求解该问题的 $O(N^2)$ 算法。

b. 给出求解该问题的 $O(N \log N)$ 算法（提示：首先将各项排序。然后，可以以线性时间解决该问题）。

c. 将两种方案编码并比较算法的运行时间。

7.54 对于 4 个数重复练习 7.53。尝试设计一个 $O(N^2 \log N)$ 算法（提示：计算两个元素所有可能的和。把这些可能的和排序。然后按练习 7.53 来处理）。

7.55 对于 3 个数重复练习 7.53。尝试设计一个 $O(N^2)$ 算法。

7.56 考虑下面 `percolateDown` 的做法。在节点 X 处有一个空穴（hole）。普通的例程是比较 X 的儿子然后把比我们企图要放置的元素大的儿子上移到 X 处（在（max）堆的情形下），由此将空穴下推；当把新元素放到空穴中稳妥时我们终止算法。另一种做法是将元素上移且空穴尽可能地下移，不用测试新单元是否能够被插入。这将使得新单元被放置到一片树叶上并可能破坏堆序性质；为了修复堆序，以通常的方式将新单元上滤。写出包含该想法的例程，并与标准的堆排序实现方法的运行时间进行比较。

326

7.57 提出一种算法只用两盘磁带对一个大型文件进行排序。

7.58 a. 通过 `buildHeap` 最多使用 $2N$ 次比较的事实证明堆个数的下界 $N!/2^{2N}$。

b. 利用 Stirling 公式展开该界。

7.59 M 是一个 N 阶矩阵，其每行的元都是递增的，每列的元也是递增的（从上向下读）。考虑用 3 路比较来判断 x 是否在 M 中这个问题（即 x 和 $M[i][j]$ 做一次比较，就告诉你 x 是小于、等于或大于 $M[i][j]$）。

a. 给出至多使用 $2N-1$ 次比较的算法。

b. 证明任何算法都必须至少用 $2N-1$ 次比较。

7.60 一只盒子里藏有奖品；奖品的价值是一个 $1 \sim N$ 之间的正整数，N 是给定的。要赢得奖品，你得猜对它的价值。你的目标是用尽可能少的次数猜到，然而，在那些猜测中，你最多只能有 g 次猜高。g 的值会在游戏开始时给出，如果猜高的次数超过了 g，你就输了。例如，如果 $g=0$，你可以在 N 次以内赢，只要简单地猜序列 1，2，3，…。

a. 设 $g = \lceil \log N \rceil$。什么样的策略可以使猜测次数最少？

b. 设 $g=1$。证明你总是可以在 $O(N^{1/2})$ 次以内的猜测中胜出。

c. 设 $g=1$。证明任何能赢到奖品的算法必须用到 $\Omega(N^{1/2})$ 次猜测。

*d. 给出一种算法，能对任意常数 g 达到下界。

参考文献

Knuth 的书[16]是一本排序的综合参考文献。Gonnet 和 Baeza-Yates[5]包含更多结果以及大量的文献目录。

详细论述希尔排序的原始论文是[29]。Hibbard 的论文[9]提出增量 2^k-1 的使用并通过避免交换紧缩了程序。定理 7.4 源自[19]。Pratt 的下界可以在[22]中找到，他用到的方法比文中提到的方法要复杂。改进的增量序列和上界出现在论文[13]、[28]和[31]中；匹配的下界见[32]。业已证明，没有增量序列能够给出 $O(N \log N)$ 的最坏情形运行时间[20]。希尔排序的平均情况运行时间仍然没有解决。Yao[34]对 3-增量情形进行了极其复杂的分析。其结果尚需扩展到更多增量，不过最近稍微有所改进[14]。Jiang、Li 和 Vityani 的论文[15]对 p-趟希尔排序的平均时间复杂度证明了 $\Omega(pN^{1+1/p})$ 的下界。对各种增量序列的试验见论文[30]。

327

堆排序由 Williams 发现[33]，Floyd[4]提供了构建堆的线性时间算法。定理 7.5 取自[23]。

归并排序精确的平均情形分析在[7]中描述。不用附加空间且以线性时间执行合并的算法在[12]中讨论。

快速排序源于 Hoare[10]。这篇论文分析了基本算法，描述了大部分改进方法，并且还包含选择算法。详细的分析和经验性的研究曾是 Sedgewick 的专题论文[27]的主题。许多重要的结果出现在三篇论文[24]、[25]和[26]中。[1]提供了详细的 C 实现并包括某些改进，它还指出 UNIX 的 qsort 库函数的许多实现方法容易导致平方级的表现。练习 7.27 取自[18]。

决策树和排序优化在 Ford 和 Johnson[5]中讨论。这篇论文还提供了一个算法，它几乎符合用比较(而不是其他操作)次数表示的下界。该算法最终由 Manacher[17]指出稍逊于最优。

定理 7.9 中得到的选择的下界出自[6]。同时找最大和最小元的下界源于 Pohl[21]。当前最佳的找中位数的下界是略高于 $2N$ 次比较，这是 Dor 和 Zwick[3]做出的；他们还得到了最佳上界，大约是 $2.95N$ 次比较[2]。

外部排序及其细节见[16]。在练习 7.31 中描述的稳定排序算法由 Horvath[11]提出。

1. J. L. Bentley and M. D. McElroy, "Engineering a Sort Function," *Software—Practice and Experience*, 23 (1993), 1249–1265.
2. D. Dor and U. Zwick, "Selecting the Median," *SIAM Journal on Computing*, 28 (1999), 1722–1758.
3. D. Dor and U. Zwick, "Median Selection Requires $(2+\varepsilon)n$ Comparisons," *SIAM Journal on Discrete Math*, 14 (2001), 312–325.
4. R. W. Floyd, "Algorithm 245: Treesort 3," *Communications of the ACM*, 7 (1964), 701.
5. L. R. Ford and S. M. Johnson, "A Tournament Problem," *American Mathematics Monthly*, 66 (1959), 387–389.
6. F. Fussenegger and H. Gabow, "A Counting Approach to Lower Bounds for Selection Problems," *Journal of the ACM*, 26 (1979), 227–238.
7. M. Golin and R. Sedgewick, "Exact Analysis of Mergesort," *Fourth SIAM Conference on Discrete Mathematics*, 1988.
8. G. H. Gonnet and R. Baeza-Yates, *Handbook of Algorithms and Data Structures*, 2d ed., Addison-Wesley, Reading, Mass., 1991.
9. T. H. Hibbard, "An Empirical Study of Minimal Storage Sorting," *Communications of the ACM*, 6 (1963), 206–213.
10. C. A. R. Hoare, "Quicksort," *Computer Journal*, 5 (1962), 10–15.
11. E. C. Horvath, "Stable Sorting in Asymptotically Optimal Time and Extra Space," *Journal of the ACM*, 25 (1978), 177–199.
12. B. Huang and M. Langston, "Practical In-place Merging," *Communications of the ACM*, 31 (1988), 348–352.
13. J. Incerpi and R. Sedgewick, "Improved Upper Bounds on Shellsort," *Journal of Computer and System Sciences*, 31 (1985), 210–224.

328

14. S. Janson and D. E. Knuth, "Shellsort with Three Increments," *Random Structures and Algorithms*, 10 (1997), 125–142.
15. T. Jiang, M. Li, and P. Vitanyi, "A Lower Bound on the Average-Case Complexity of Shellsort," *Journal of the ACM*, 47 (2000), 905–911.
16. D. E. Knuth, *The Art of Computer Programming. Volume 3: Sorting and Searching,* 2d ed., Addison-Wesley, Reading, Mass., 1998.
17. G. K. Manacher, "The Ford-Johnson Sorting Algorithm Is Not Optimal," *Journal of the ACM,* 26 (1979), 441–456.
18. D. R. Musser, "Introspective Sorting and Selection Algorithms," *Software—Practice and Experience,* 27 (1997), 983–993.
19. A. A. Papernov and G. V. Stasevich, "A Method of Information Sorting in Computer Memories," *Problems of Information Transmission,* 1 (1965), 63–75.
20. C. G. Plaxton, B. Poonen, and T. Suel, "Improved Lower Bounds for Shellsort," Proceedings of the Thirty-third Annual Symposium on the Foundations of Computer Science (1992), 226–235.
21. I. Pohl, "A Sorting Problem and Its Complexity," *Communications of the ACM*, 15 (1972), 462–464.
22. V. R. Pratt, *Shellsort and Sorting Networks,* Garland Publishing, New York, 1979. (Originally presented as the author's Ph.D. thesis, Stanford University, 1971.)
23. R. Schaffer and R. Sedgewick, "The Analysis of Heapsort," *Journal of Algorithms,* 14 (1993), 76–100.
24. R. Sedgewick, "Quicksort with Equal Keys," *SIAM Journal on Computing,* 6 (1977), 240–267.
25. R. Sedgewick, "The Analysis of Quicksort Programs," *Acta Informatica,* 7 (1977), 327–355.
26. R. Sedgewick, "Implementing Quicksort Programs," *Communications of the ACM,* 21 (1978), 847–857.
27. R. Sedgewick, *Quicksort,* Garland Publishing, New York, 1978. (Originally presented as the author's Ph.D. thesis, Stanford University, 1975.)
28. R. Sedgewick, "A New Upper Bound for Shellsort," *Journal of Algorithms,* 7 (1986), 159–173.
29. D. L. Shell, "A High-Speed Sorting Procedure," *Communications of the ACM,* 2 (1959), 30–32.
30. M. A. Weiss, "Empirical Results on the Running Time of Shellsort," *Computer Journal,* 34 (1991), 88–91.
31. M. A. Weiss and R. Sedgewick, "More on Shellsort Increment Sequences," *Information Processing Letters,* 34 (1990), 267–270.
32. M. A. Weiss and R. Sedgewick, "Tight Lower Bounds for Shellsort," *Journal of Algorithms,* 11 (1990), 242–251.
33. J. W. J. Williams, "Algorithm 232: Heapsort," *Communications of the ACM,* 7 (1964), 347–348.
34. A. C. Yao, "An Analysis of $(h, k, 1)$ Shellsort," *Journal of Algorithms,* 1 (1980), 14–50.

329 ~ 330

不相交集类

在这一章，我们描述解决等价问题的一种有效数据结构。这种数据结构实现起来简单，每个例程只需要几行代码，而且可以使用一个简单的数组。它的实现也非常地快，每种操作只需要常数平均时间。从理论上看，这种数据结构还是非常有趣的，因为它的分析极其困难；最坏情形的函数形式不同于我们已经见过的任何形式。对于这种不相交集数据结构，我们将

- 讨论如何能够以最少的编程代价实现。
- 使用两个简单的观察结果极大地增加它的速度。
- 分析一种快速的实现方法的运行时间。
- 介绍一个简单的应用。

8.1 等价关系

若对于每一对元素(a, b)，$a, b \in S$，aRb 或者为 true 或者为 false，则称在集合 S 上定义关系(relation)R。如果 aRb 是 true，则说 a 与 b 有关系。

等价关系(equivalence relation)是满足下列三个性质的关系 R：

1. (自反性)对于所有的 $a \in S$，aRa。
2. (对称性)aRb 当且仅当 bRa。
3. (传递性)若 aRb 且 bRc 则 aRc。

我们将考虑几个例子。

关系≤不是等价关系。虽然它是自反的，即 $a \le a$；可传递的，即由 $a \le b$ 和 $b \le c$ 得出 $a \le c$，但它不是对称的，因为从 $a \le b$ 并不能得出 $b \le a$。

电气连通性(electrical connectivity)是一个等价关系，其中所有的连接都是通过金属导线完成的。该关系显然是自反的，因为任何元件都是自身相连的。如果 a 电气连接到 b，那么 b 必然也电气连接到 a。最后，如果 a 连接到 b，而 b 又连接到 c，那么 a 连接到 c。因此，电气连接是一个等价关系。

如果两个城市位于同一个国家，那么定义它们是有关系的。容易验证这是一个等价关系。如果能够通过公路从城镇 a 旅行到 b，则设 a 与 b 有关系。如果所有的道路都是双向行驶的，那么这种关系也是一个等价关系。

8.2 动态等价性问题

给定一个等价关系 ~，一个自然的问题是对任意的 a 和 b，确定是否 $a \sim b$。如果将等价关系存储为布尔变量的一个二维数组，那么当然这个工作可以以常数时间完成。问题在于，关系通常不是明显而是相当隐秘地定义的。

作为一个例子，设在 5 个元素的集合$\{a_1, a_2, a_3, a_4, a_5\}$上定义一个等价关系。此时存在 25 对元素，它们的每一对或者有关系或者没有关系。然而，信息 $a_1 \sim a_2$，$a_3 \sim a_4$，$a_5 \sim a_1$，$a_4 \sim a_2$ 意味着每一对元素都是有关系的。我们希望能够迅速推断出这些关系。

一个元素 $a \in S$ 的**等价类**(equivalence class)是 S 的一个子集，它包含所有与 a 有(等价)关系的元素。注意，等价类形成对 S 的一个划分：S 的每一个成员恰好出现在一个等价类中。为确定是否 $a \sim b$，我们只需验证 a 和 b 是否都在同一个等价类中。这给我们提供了解决等价问题的方法。

输入数据最初是 N 个集合的类(collection)，每个集合含有一个元素。初始的描述是所有的

关系均为 false(自反的关系除外)。每个集合都有一个不同的元素，从而 $S_i \cap S_j = \varnothing$；这使得这些集合**不相交**(disjoint)。

此时，有两种操作允许进行。第一种操作是 find，它返回包含给定元素的集合(即等价类)的名字。第二种操作是添加关系。如果我们想要添加关系 $a \sim b$，那么我们首先要看 a 和 b 是否已经有关系。这可以通过对 a 和 b 执行 find 并检验它们是否在同一个等价类中来完成。如果它们不在同一类中，那么我们使用求并操作 union，这种操作把含有 a 和 b 的两个等价类合并成一个新的等价类。从集合的观点来看，$\cup$的结果是建立一个新集合 $S_k = S_i \cup S_j$，去掉原来两个集合而保持所有的集合的不相交性。由于这个原因，常常把做这项工作的算法叫作不相交集合的 **union/find 算法**。

该算法是动态(dynamic)的，因为在算法执行的过程中，集合可以通过 union 操作而发生改变。这个算法还必然是**联机**(on-line)操作：当 find 执行时，它必须给出答案算法才能继续进行。另一种可能是**脱机**(off-line)算法，该算法需要观察全部的 union 和 find 序列。它对每个 find 给出的答案必须和所有被执行到该 find 的 union 一致，但是该算法在看到所有这些问题以后才能够给出它的所有的答案。这种差别类似于参加一次笔试(它一般是脱机的——你只能在规定的时间用完之前给出答卷)和一次口试(它是联机的，因为你必须回答当前的问题，然后才能继续下一个问题)。

注意，我们不进行任何比较元素相关的值的操作，而是只需要知道它们的位置。由于这个原因，我们假设所有的元素均已从 0 到 $N-1$ 顺序编号并且编号方法容易由某个散列方案确定。于是，开始时我们有 $S_i = \{i\}$，$i=0$ 到 $N-1$。[⊖]

332

我们的第二个观察结果是，由 find 返回的集合的名字实际上是相当任意的。真正重要的关键在于：find(a) = = find(b)为 true 当且仅当 a 和 b 在同一个集合中。

这些操作在许多图论问题中是重要的，在一些处理等价(或类型)声明的编译程序中也很重要。我们将在后面讨论一个应用。

解决动态等价问题的方案有两种。一种方案保证指令 find 能够以常数最坏情形运行时间执行，而另一种方案则保证指令 union 能够以常数最坏情形运行时间执行。业已证明二者不能同时以常数最坏情形运行时间执行。

我们将简要讨论第一种处理方法。为使 find 操作快速，可以在一个数组中保存每个元素的等价类的名字。此时，find 就是简单的 $O(1)$查找。设我们想要执行 union(a, b)，并设 a 在等价类 i 中而 b 在等价类 j 中。此时我们扫描该数组，将所有的 i 都改变成 j。不过，这次扫描要花费 $\Theta(N)$时间。于是，连续 $N-1$ 次 union 操作(这是最大值，因为此时每个元素都在同一个集合中)就要花费 $\Theta(N^2)$的时间。如果存在 $\Omega(N^2)$量级的 find 操作，那么这个性能很好，因为在整个算法进行过程中每个 union 或 find 操作的运行时间总共也就是 $O(1)$。如果 find 操作没有那么多，那么这个界是不可接受的。

一种想法是将所有在同一个等价类中的元素放到一个链表中。这在更新的时候会节省时间，因为我们不必搜索整个数组。但是由于在算法过程中仍然有可能执行 $\Theta(N^2)$量级的等价类更新，因此它本身并不能单独减少渐进运行时间。

如果我们还要跟踪每个等价类的大小，并在执行 union 时将较小的等价类的名字改成较大的等价类的名字，那么对于 $N-1$ 次合并的总的时间开销为 $O(N \log N)$。其原因在于，每个元素可能让它的等价类最多改变 $\log N$ 次，因为每次它的等价类改变时它的新的等价类至少是它的原来等价类的两倍大。使用这种方法，任意顺序的 M 次 find 和直到 $N-1$ 次的 union 最多花费$O(M+N \log N)$时间。

在本章的其余部分，我们将考查 union/find 问题的一种解法，其中 union 操作容易但 find

⊖ 这反映数组下标从 0 开始的事实。

操作要难一些。即使如此，任意顺序的最多 M 次 find 和直到 $N-1$ 次 union 的运行时间将只比$O(M+N)$多一点。

8.3 基本数据结构

记住，我们的问题不要求 find 操作返回任何特定的名字，而只是要求当且仅当两个元素属于相同的集合时作用在这两个元素上的 find 返回相同的名字。一种想法是可以使用树来表示每一个集合，因为树上的每一个元素都有相同的根。这样，该根就可以用来命名所在的集合。我们将用树表示每一个集合。（我们知道，树的集合叫作**森林**(forest)。）开始时每个集合含有一个元素。我们将要使用的这些树不一定必须是二叉树，但是表示它们要容易，因为我们需要的唯一信息就是一个父链(parent link)。集合的名字由根处的节点给出。由于只需要父节点的名字，因此我们可以假设这棵树被非显式地存储在一个数组中：数组的每个成员 s[i]表示元素 i 的父亲。如果 i 是根，那么 s[i] = -1。在图 8-1 的森林中，对于 $0 \leqslant i < 8$，s[i] = -1。正如在二叉堆中那样，我们也将显式地画出这些树，注意，此时正在使用的是一个数组。图 8-1 表达了这种显式的表示方法，为方便起见，我们将把根的父链垂直画出。

333

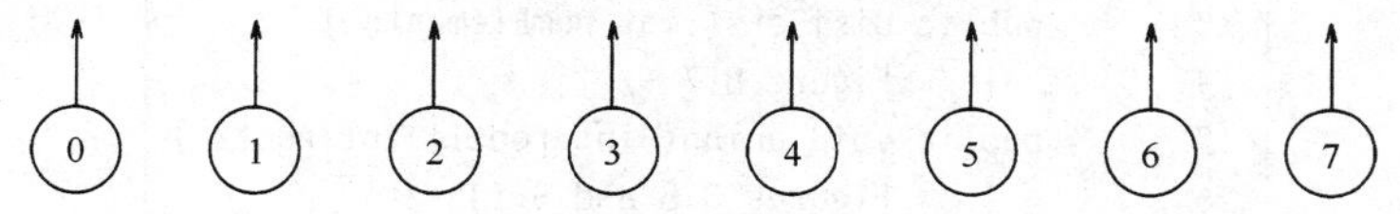

图 8-1 8 个元素，初始时在不同的集合上

为了执行两个集合的 union 运算，我们通过使一棵树的根的父链链接到另一棵树的根节点来合并两棵树。显然，这种操作花费常数时间。图 8-2、图 8-3 和图 8-4 分别表示在 union(4, 5)、union(6, 7) 和 union(4, 6) 每一个操作之后的森林，其中，我们采纳了在 union(x, y)后新的根是 x 的约定。最后的森林的非显式表示见图 8-5。

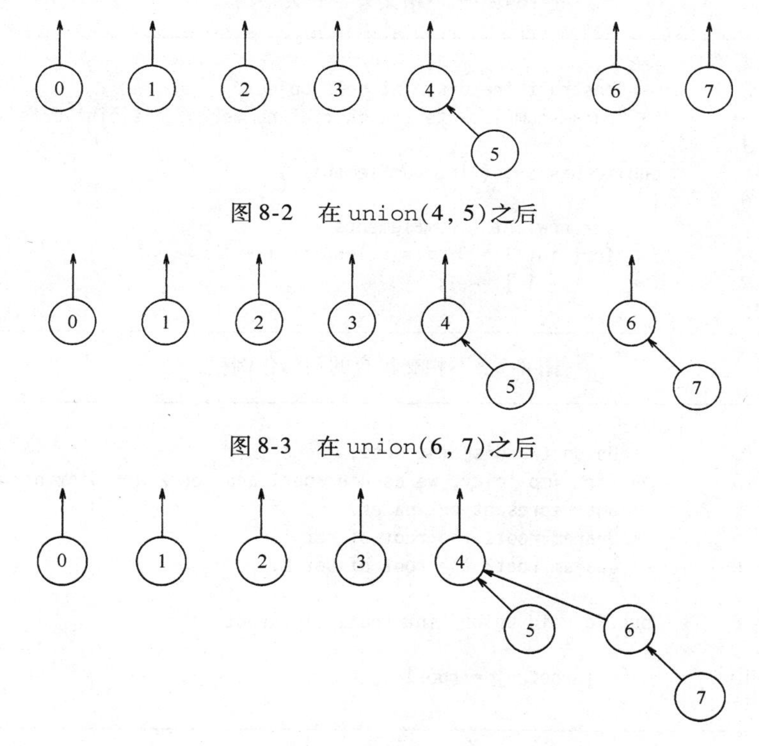

图 8-2 在 union(4, 5)之后

图 8-3 在 union(6, 7)之后

图 8-4 在 union(4, 6)之后

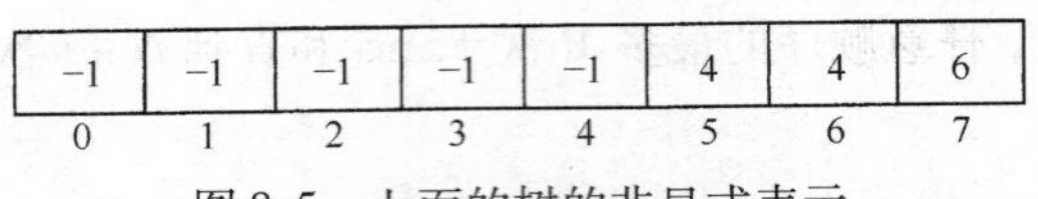

−1	−1	−1	−1	−1	4	4	6
0	1	2	3	4	5	6	7

图 8-5 上面的树的非显式表示

对元素 x 的一次 find(x) 操作通过返回包含 x 的树的根而完成。执行这次操作花费的时间与代表 x 的节点的深度成正比，当然这要假设我们以常数时间找到表示 x 的节点。使用上面的方法，有可能建立一棵深度为 $N-1$ 的树，因此一次 find 的最坏情形运行时间是 $O(N)$。一般情况，运行时间是对连续混合使用 M 个指令来计算的。在这种情况下，M 次连续操作在最坏情形下可能花费 $O(MN)$ 时间。

334

图 8-6 到图 8-9 中的程序表示基本算法的实现，假设差错检验已经执行。在我们的例程中，这些 union 是在一些树的根上进行的。有时候运算是通过传递任意两个元素进行的，并使得 union 执行两次 find 以确定它们的根。

```
1   public class DisjSets
2   {
3       public DisjSets( int numElements )
4         { /* Figure 8.7 */ }
5       public void union( int root1, int root2 )
6         { /* Figures 8.8 and 8.14 */ }
7       public int find( int x )
8         { /* Figures 8.9 and 8.16 */ }
9
10      private int [ ] s;
11  }
```

图 8-6 不相交集合的类架构

```
1       /**
2        * Construct the disjoint sets object.
3        * @param numElements the initial number of disjoint sets.
4        */
5       public DisjSets( int numElements )
6       {
7           s = new int [ numElements ];
8           for( int i = 0; i < s.length; i++ )
9               s[ i ] = -1;
10      }
```

图 8-7 不相交集合的初始化例程

```
1       /**
2        * Union two disjoint sets.
3        * For simplicity, we assume root1 and root2 are distinct
4        * and represent set names.
5        * @param root1 the root of set 1.
6        * @param root2 the root of set 2.
7        */
8       public void union( int root1, int root2 )
9       {
10          s[ root2 ] = root1;
11      }
```

图 8-8 union（不是最好的方法）

```
1       /**
2        * Perform a find.
3        * Error checks omitted again for simplicity.
4        * @param x the element being searched for.
5        * @return the set containing x.
6        */
7       public int find( int x )
8       {
9           if( s[ x ] < 0 )
10              return x;
11          else
12              return find( s[ x ] );
13      }
```

图 8-9 一个简单不相交集合的 find 算法

平均情形分析是相当困难的。最起码的问题是答案依赖于如何定义(对 union 操作而言)平均。例如，在图 8-4 的森林中，我们可以说，由于有 5 棵树，因此下一个 union 就存在 $5 \cdot 4 = 20$ 个等可能的结果(因为任意两棵不同的树都可能被 union)。当然，这个模型的含义在于，只存在$\frac{2}{5}$的机会使得下一次 union 涉及大树。另一种模型可能会认为在不同的树上任意两个元素间的所有 union 都是等可能的，因此大树比小树更有可能在下一次 union 中涉及。在上面的例子中，有$\frac{8}{11}$的机会大树在下一次 union 中会被涉及，因为(忽略对称性)存在 6 种方法合并{0, 1, 2, 3}中的两个元素以及 16 种方法将{4, 5, 6, 7}中的一个元素与{0, 1, 2, 3}中的一个元素合并。还存在更多的模型，而在何者为最好的问题上没有一般的一致见解。平均运行时间依赖于模型；对于三种不同的模型，时间界$\Theta(M)$，$\Theta(M \log N)$以及$\Theta(MN)$实际上已经证明，不过，最后的那个界更现实些。 335

对一系列操作的二次(quadratic)运行时间一般是不可接受的。幸运的是，有几种方法容易保证这样的运行时间不会出现。

8.4 灵巧求并算法

上面的 union 的执行是相当任意的，它通过使第二棵树成为第一棵树的子树而完成合并。对其进行简单改进是借助任意的方法打破现有的随意性，使得总让较小的树成为较大的树的子树；我们把这种方法叫作**按大小求并**(union by size)。前面例子中三次 union 的对象大小都是一样的，因此我们可以认为它们都是按照大小执行的。假如下一次运算是 union(3, 4)，那么结果将形成图 8-10 中的森林。倘若没有对大小进行探测而直接 union，那么结果将会形成更深的树(见图 8-11)。

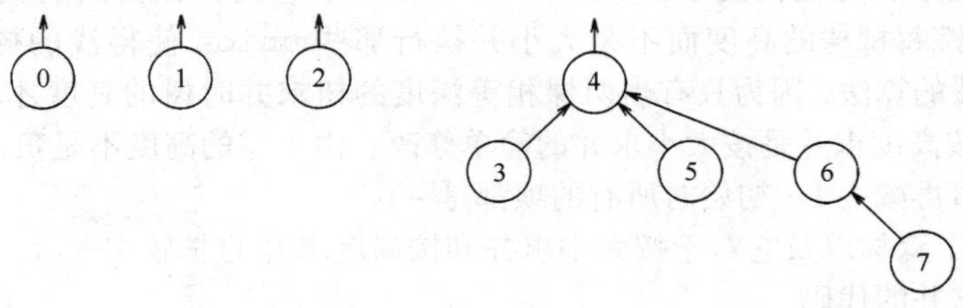

图 8-10 按大小求并的结果

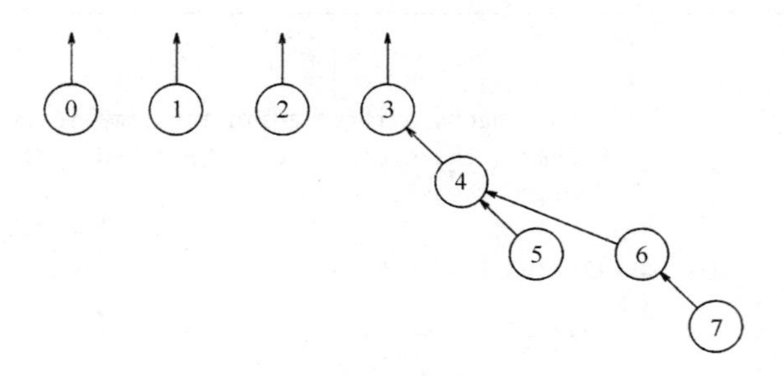

图 8-11 进行一次任意的 union 的结果

我们可以证明，如果这些 union 都是按照大小进行的，那么任何节点的深度均不会超过 $\log N$。为此，首先注意节点初始处于深度 0 的位置。当它的深度随着一次 union 的结果而增加的时候，该节点则被置于至少是它以前所在树两倍大的一棵树上。因此，它的深度最多可以增加$\log N$次。(我们在 8.2 节末尾的快速查找算法中用过这个论断。)这意味着，find 操作的运行时间是 $O(\log N)$，而连续 M 次操作则花费 $O(M \log N)$。图 8-12 中的树指出在 16 次 union 后有可能得到这种最坏的树，而且如果所有的 union 都对相等大小的树进行，那么这样的树是会得到的(最坏情形的树是在第 6 章讨论过的二项树)。

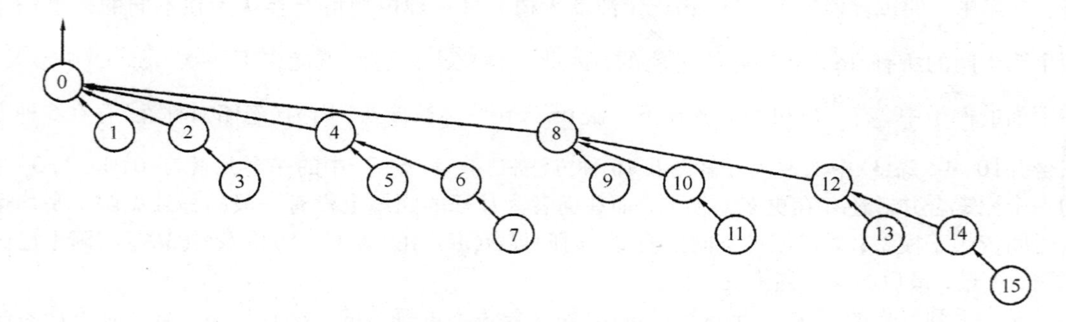

图 8-12 $N=16$ 时最坏情形的树

336 ~ 337

为了实现我们的想法，需要记住每一棵树的大小。由于我们实际上只使用一个数组，因此可以让每个根的数组元素包含它的树的大小的负值。这样一来，初始时树的数组表示就都是 -1 了。当 union 被执行时，要检查树的大小；新的大小是老的大小的和。这样，按大小求并的实现根本不存在困难，并且不需要额外的空间，其速度平均也很快。对于真正所有合理的模型，业已证明，若使用按大小求并则连续 M 次运算需要 $O(M)$ 平均时间。这是因为当随机的诸 union 执行时整个算法一般只有一些很小的集合(通常含一个元素)与大集合合并。

另外一种实现方法为**按高度求并**(union-by-height)，它同样保证所有的树的深度最多是 $O(\log N)$。我们跟踪每棵树的高度而不是大小并执行那些 union 使得浅的树成为深的树的子树。这是一种平缓的算法，因为只有当两棵相等深度的树求并时树的高度才增加(此时树的高度增 1)。这样，按高度求并是按大小求并的简单修改。由于零的高度不是负的，因此我们实际上存储高度的负值再减去 1。初始时所有的项都是 -1。

图 8-13 显示了森林以及它对于按大小求并和按高度求并的非显式表示。图 8-14 中的程序实现的是按高度求并的代码。

338

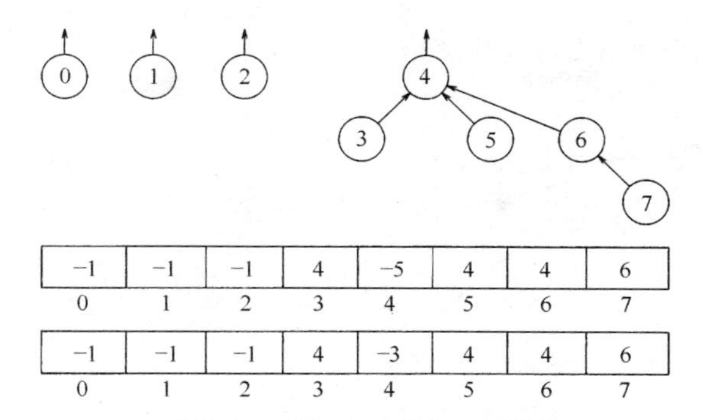

图 8-13　森林以及它对于按大小求并和按高度求并的非显式表示

```
 1    /**
 2     * Union two disjoint sets using the height heuristic.
 3     * For simplicity, we assume root1 and root2 are distinct
 4     * and represent set names.
 5     * @param root1 the root of set 1.
 6     * @param root2 the root of set 2.
 7     */
 8    public void union( int root1, int root2 )
 9    {
10        if( s[ root2 ] < s[ root1 ] )  // root2 is deeper
11            s[ root1 ] = root2;        // Make root2 new root
12        else
13        {
14            if( s[ root1 ] == s[ root2 ] )
15                s[ root1 ]--;          // Update height if same
16            s[ root2 ] = root1;        // Make root1 new root
17        }
18    }
```

图 8-14　按高度(秩)求并的程序

8.5　路径压缩

迄今所描述的 union/find 算法对于大多数的情形都是完全可以接受的，它非常简单，而且对于连续 M 个指令(在所有的模型下)平均是线性的。不过，$O(M \log N)$ 的最坏情况还是可能相当容易和自然发生的。例如，如果我们把所有的集合放到一个队列中并重复地让前两个集合出队而让它们的并入队，那么最坏的情况就会发生。如果运算 find 比 union 多很多，那么其运行时间就比快速查找算法(quick-find algorithm)的用时要长。而且应该清楚，对于 union 算法恐怕没有更多改进的可能。这是基于这样的观察：执行合并操作的任何算法都将产生相同的最坏情形的树，因为它必然会随意打破树间的平衡。因此，无需对整个数据结构重新加工而使算法加速的唯一方法是对 find 操作做些更明智的工作。

这种明智的操作叫作**路径压缩**(path compression)。路径压缩在 find 操作期间进行而与用来执行 union 的方法无关。设操作为 find(x)，此时路径压缩的效果是：从 x 到根的路径上的每一个节点都使其父节点成为该树的根。图 8-15 指出在对图 8-12 的普通的最坏的树执行 find(14)后路径压缩的效果。

路径压缩的实施在于使用额外的两个链的变化，节点 12 和 13 现在离根近了一个位置，而节点 14 和 15 现在离根近了两个位置。因此，对这些节点未来的快速存取将(我们希望)由于花费额外的工作来进行路径压缩而得到补偿。

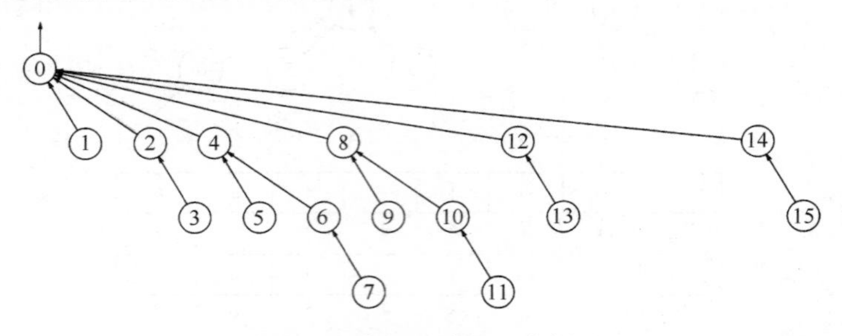

图 8-15 路径压缩的一个例子

正如图 8-16 中的程序所指出的，路径压缩对基本的 find 操作只进行了不大的改变。对 find 例程来说，唯一的变化是使得 s[x]等于由 find 返回的值；这样，在集合的根被递归地找到以后，x 的父链就引用它。这对通向根的路径上的每一个节点递归地出现，因此实现了路径压缩。

```
1       /**
2        * Perform a find with path compression.
3        * Error checks omitted again for simplicity.
4        * @param x the element being searched for.
5        * @return the set containing x.
6        */
7       public int find( int x )
8       {
9           if( s[ x ] < 0 )
10              return x;
11          else
12              return s[ x ] = find( s[ x ] );
13      }
```

图 8-16 用路径压缩对不相交集进行 find 的程序

339 ~ 340

当任意执行一些 union 操作时，路径压缩是一个好的想法，因为存在许多的深层节点并通过路径压缩将它们移近根节点。业已证明，当在这种情况下进行路径压缩时，连续 M 次运算最多需要 $O(M \log N)$的时间。不过，在这种情形下确定平均情况的性能如何仍然是一个尚未解决的问题。

路径压缩与按大小求并完全兼容，这就使得两个例程可以同时实现。由于单独进行按大小求并要以线性时间执行连续 M 次运算，因此还不清楚在路径压缩中涉及的额外一趟工作平均地看是否值得。这个问题实际上仍然没有解决。不过后面我们将会看到，路径压缩与灵巧求并法则的结合保证在所有情况下都将产生非常有效的算法。

路径压缩不完全与按高度求并兼容，因为路径压缩可以改变树的高度。我们根本不清楚如何有效地去重新计算它们。答案是不计算！此时，对于每棵树所存储的高度是估计的高度（有时称为秩(rank)），但实际上**按秩求并**（它正是现在已经变成的样子）理论上和按大小求并效率是一样的。不仅如此，高度的更新也不如大小的更新频繁。与按大小求并一样，我们也不清楚路径压缩平均是否值得。下一节将证明，使用两种求并试探法，路径压缩都能够显著地减少最坏情况运行时间。

8.6 路径压缩和按秩求并的最坏情形

当使用两种试探性方法时，算法在最坏情形下几乎是线性的。特别地，在最坏情形下需要的时间是 $\Theta(M\alpha(M, N))$（假设 $M \geqslant N$），其中，$\alpha(M, N)$是一个增长极其缓慢的函数，对任何实际问题的任何目标都不会超过 5。然而，$\alpha(M, N)$却不是常数，因此运行时间并不是线性的。

在本节的其余部分，我们首先考察一些增长非常缓慢的函数，然后在 8.6.2 ~ 8.6.4 节中，我们在 N 个元素的世界里，为一个至多包含 $N-1$ 次并和 M 次查的序列证明一个最坏情况的界，这里采用按秩求并和路径压缩。如果用按大小求并代替按秩求并，则这个界同样是成立的。

341

8.6.1 缓慢增长的函数

考虑递推式：

$$T(N) = \begin{cases} 0 & N \leq 1 \\ T(\lfloor f(N) \rfloor) + 1 & N > 1 \end{cases} \tag{8.1}$$

在这个等式中，$T(N)$表示从 N 开始我们必须迭代应用 $f(N)$直到达到 1(或更小)的迭代次数。我们假设 $f(N)$是一个定义完好的函数，可以将 N 减小。将等式的解称为 $f^*(N)$。

我们已经在研究折半查找的时候见到过这种递推。在那里，$f(N)=N/2$，每一步都将 N 减半。我们知道最多 $\log N$ 次以后 N 会达到 1，所以我们有 $f^*(N)=log\ N$(低阶项等被忽略)。观察到在这种情况下，$f^*(N)$比 $f(N)$小很多。

图 8-17 给出了针对不同的 $f(N)$的 $T(N)$的解。在我们的问题中，最感兴趣的是 $f(N)=\log N$。解 $T(N)=\log^* N$ 称为**迭代对数**(iterated logarithm[⊖])。迭代对数表示我们要对 N 迭代取对数直到得到 1 的次数，是一个增长相当缓慢的函数。观察到 $\log^* 2=1$，$\log^* 4=2$，$\log^* 16=3$，$\log^* 65\,536=4$，$\log^* 2^{65\,536}=5$。但是别忘了 $2^{65\,536}$是一个 20 000 位数。所以即使 $\log^* N$ 是一个递增函数，但就任何实际目的而言，它最多取到 5。但是我们还可以造出增长更加缓慢的函数。例如，如果 $f(N)=\log^* N$，则 $T(N)=\log^{**} N$。事实上，我们可以随心所欲地加星号，来制造出增长越来越慢的函数。

$f(N)$	$f^*(N)$
$N-1$	$N-1$
$N-2$	$N/2$
$N-c$	N/c
$N/2$	$\log N$
N/c	$\log_c N$
$\sqrt{N}$	$\log \log N$
$\log N$	$\log^* N$
$\log^* N$	$\log^{**} N$
$\log^{**} N$	$\log^{***} N$

图 8-17 迭代函数的不同取值

342

8.6.2 利用递归分解的分析

现在，我们对 $M=\Omega(N)$次 union/find 操作序列的运行时间建立一个相当严格的界，union 和 find 可以以任何顺序出现，但是 union 是按秩进行而 find 则利用路径压缩完成。

我们通过建立涉及秩的性质的两个引理开始。图 8-18 给出了两个引理的直观图示。

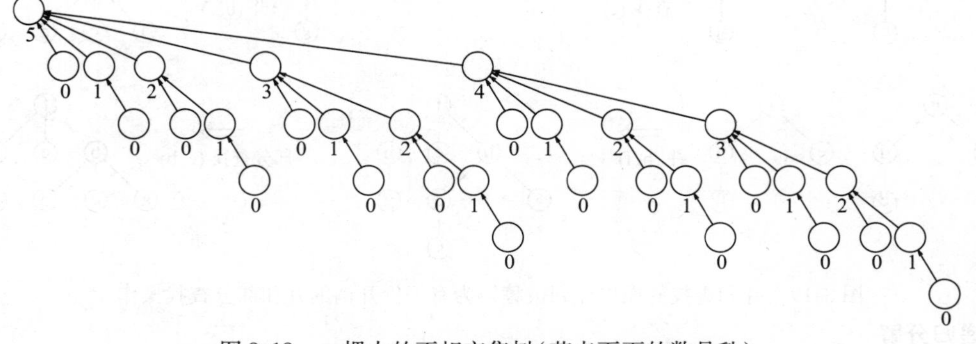

图 8-18 一棵大的不相交集树(节点下面的数是秩)

引理 8.1 当执行一系列 union 指令时，一个秩为 $r>0$ 的节点必然至少有一个孩子具有秩 $0, 1, \cdots, r-1$。

⊖ 也译为“重对数。”——译者注

证明：

数学归纳法。对于基准情形 $r=1$，引理显然成立。当一个节点从秩为 $r-1$ 增长到秩为 r 时，它会获得一个秩为 $r-1$ 的孩子。根据归纳法假设，它已经有了秩为0，1，…，$r-2$ 的孩子，于是引理得证。 □

下一个引理看似多少有些显然，不过它在我们的分析中却是至关重要的。

引理 8.2 在 union/find 算法的任一时刻，从树叶到根的路径上的节点的秩单调增加。

证明：

如果不存在路径压缩，那么该引理显然成立。如果在路径压缩后某个节点 v 是 w 的一个后裔，那么当只考虑 union 操作时显然 v 必然还是 w 的一个后裔。因此，v 的秩小于 w 的秩。

□

设我们有两种算法 A 和 B。算法 A 能用并且能正确地计算出所有答案，但是算法 B 不能正确计算，甚至不能产生有意义的答案。然而，设算法 A 的每一步都可以映射到算法 B 中的一个等价步骤。则容易看到，算法 B 的运行时间就精确描述了算法 A 的运行时间。

343

我们可以利用这个思路来分析不相交集数据结构的运行时间。我们将描述一个算法 B，其运行时间和不相交集结构的时间完全一样，再描述算法 C，其运行时间和算法 B 完全一样。则算法 C 的任何界都将是不相交集数据结构的界。

部分路径压缩

算法 A 是标准的按秩求并和路径压缩操作的序列。我们设计算法 B，使其与算法 A 进行完全一样的路径压缩操作序列。在算法 B 中，我们在做任何查找之前就把所有求并做完。于是算法 A 中的每个查找操作被算法 B 中的一次**部分查找**(partial find)替换。一次部分查找操作可确定要查的项以及路径压缩一路向上所处理到的那个节点。该节点就是在算法 A 中做对应的查找时会得到的那个根节点。

图 8-19 展示了算法 A 和算法 B 最终将得到等价的树(森林)，容易看出算法 A 的查找和算法 B 的部分查找都进行了完全一样多的父节点改变。但是算法 B 分析起来更简单，因为我们已经将并和查的混合项从等式中去掉了。要分析的基本量是任何部分查找序列中可能发生的父节点改变的次数，因为在任何带路径压缩的查找中，除了最顶上的两个节点外，所有节点都将获得新的父节点。

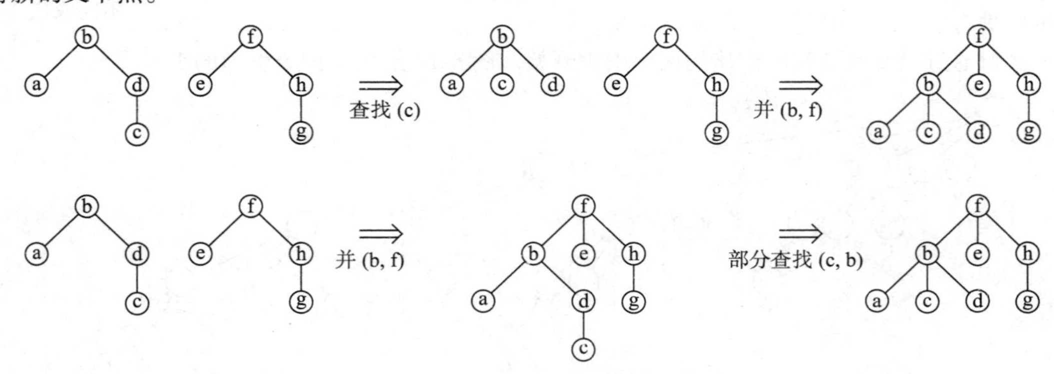

图 8-19 并和查找的操作序列被替换为有等价开销的并和部分查找操作

递归分解

我们下一步要做的是将每棵树分成两半：上半部分和下半部分。然后我们要确认上半部分的部分查找次数加上下半部分的部分查找次数正好等于部分查找的总次数。之后我们要为这棵树的路径压缩的总开销写一个公式，写成上半部分路径压缩的开销加上下半部分路径压缩的开销。先不说如何确定哪些节点在上半部分、哪些在下半部分，只看图 8-20、图 8-21 和图 8-22，就能立刻明白大多数我们想做的事情是怎么做成的。

344

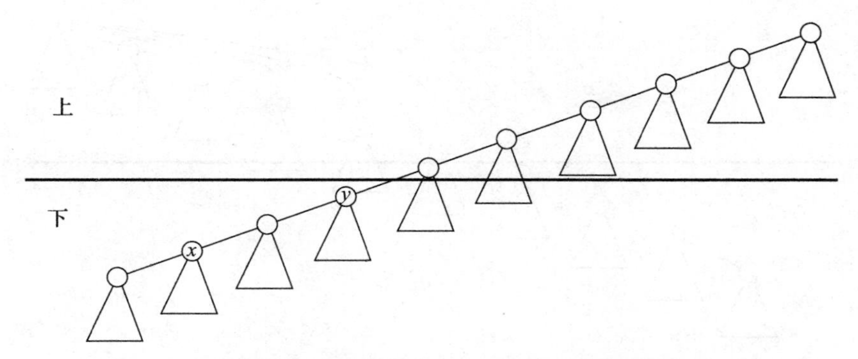

图 8-20 递归分解。情形 1：部分查找完全在下

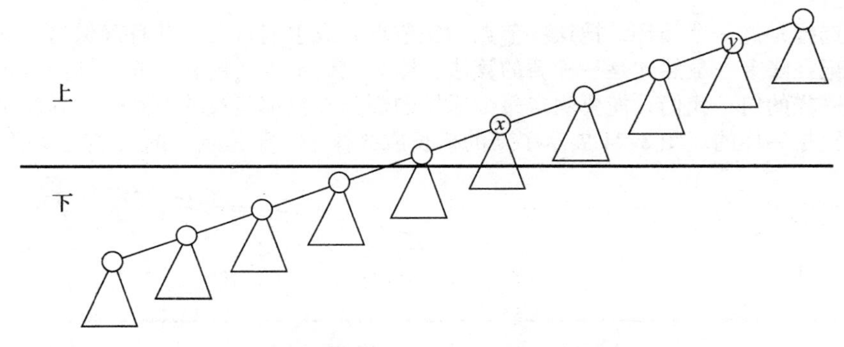

图 8-21 递归分解。情形 2：部分查找完全在上

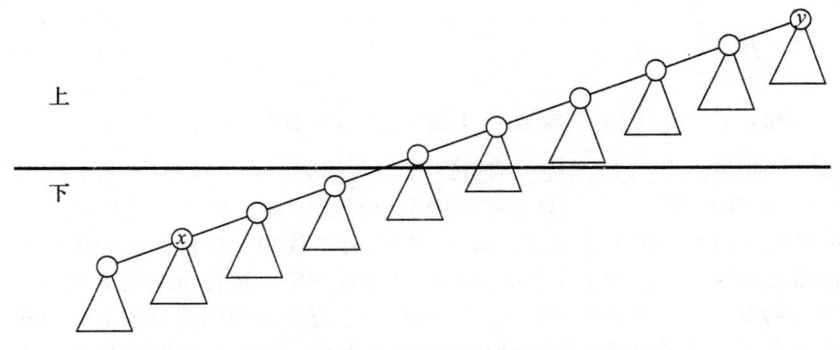

图 8-22 递归分解。情形 3：部分查找从下进行到上

在图 8-20 中，部分查找完全在下半部分。于是下半部分的一次部分查找对应一次原始的部分查找，开销可以被递归地分配给下半部分。

在图 8-21 中，部分查找完全在上半部分。于是上半部分的一次部分查找对应一次原始的部分查找，开销可以被递归地分配给上半部分。

然而，我们会在图 8-22 中遇到很多麻烦。这里 x 位于下半部分，而 y 位于上半部分。路径压缩要求从 x 到 y 的孩子这条路径上的所有节点都把 y 认作父节点。这对于上半部分的节点没有问题，但是对于下半部分的节点就不行了：任何下半部分的递归开销必须要把所有内容保持在下半部分。所以如图 8-23 所示，我们可以在上半部分进行路径压缩，但是当下半部分某些节点需要更新父节点时，就不清楚该怎么做了，因为那些下面节点的新父节点不能是上面的节点，并且新的父节点也不能是其他下面的节点。

345

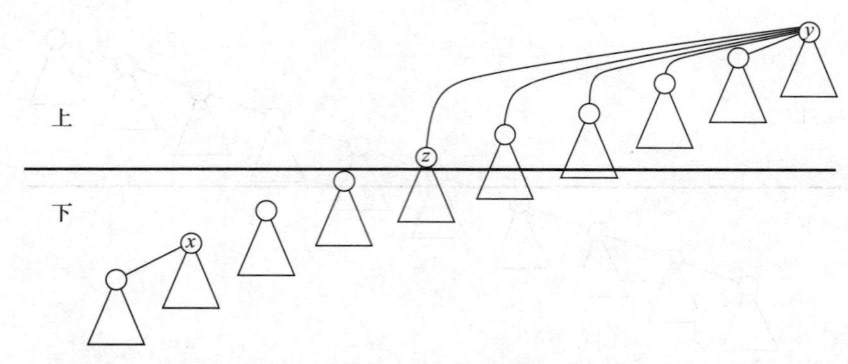

图 8-23　递归分解。情形 3：路径压缩可以在上面的节点上进行，但是下面的节点必须得到新的父节点；这些父节点不能是上面的父节点，并且它们也不能是其他下面的节点

唯一的选择是做一个循环，把这些节点的父节点变成它们自己，并且确保这些父节点的改变被正确地记在账上。虽然这是一种新的算法，因为我们不再能用它生成一棵一样的树了，但其实不需要一样的树；我们只需要确定每个原始的部分查找都能被映射到一次新的部分查找操作，并且开销是一样的。图 8-24 展示了新的树长成的样子，于是剩下的大事就是记账了。

346

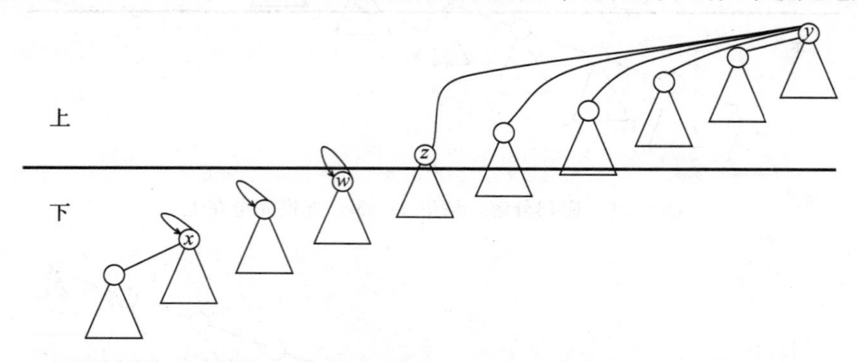

图 8-24　递归分解。情形 3：下面节点的新父节点就是这些节点自己

从图 8-24 看到，从 x 到 y 的路径压缩可以分为三部分。首先是从 z(向上路径中的第一个上面的节点)到 y 的路径压缩。很明显这些开销都已经递归地记账了。然后是从下面最顶端的节点 w 到 z 的开销。但那只是 1 个单位，而且每次部分查找中，这种情况最多只有一次。事实上我们还可以做得更好一点：在上半部分的每次部分查找中，这种情况最多只有一次。但我们怎样对从 x 到 w 的路径上父节点的改变做记账呢？一个思路是说明这些改变会与从 x 到 w 发生一次部分查找有完全一样的开销。但这种说明有个大问题：它把一次原始的部分查找转换成了一次上部的部分查找加上一次下部的部分查找，这意味着操作的次数 M 不再是相同的了。幸运的是，还有一种更简单的说明：因为下部的每个节点只能有一次机会把父节点变成自己，所以开销的次数是被下部节点的个数限制住的，这些节点的父节点也在下部(即 w 不包括在内)。

有一个细节我们必须说明。我们的改写将 x 和 w 之间的节点从到 y 的路径上分离出去了，那么在后续的部分查找中会不会陷入麻烦？答案是不会。在原始的部分查找中，假设 x 和 w 之间有任意一个节点要介入后续的原始部分查找。在这种情况下，它将会跟 y 的某个祖先相关，而一旦这种事情发生，那些节点的任意一个都会是我们改写的最顶端的“下部节点”。所以在后续的部分查找中，原始部分查找的父节点改变将对应改写中一个单位的开销。

接下来可以进行分析了。令 M 为原始部分查找操作的总次数。令 M_t 为仅仅发生在上半部分的部分查找操作的总次数，M_b 为仅仅发生在下半部分的部分查找操作的总次数。令 N 为节点总数。令 N_t 为上半部分的节点总数，N_b 为下半部分的节点总数，令 N_{nrb} 为下部非根节点的

个数(即在任何部分查找之前，其父节点也在下部的下部节点的个数)。 347

引理 8.3

$$M = M_t + M_b$$

证明：

在情形1和3中，每个原始的部分查找操作都被替换为一次上半部分的部分查找，而在情形2中，它被替换为一次下半部分的部分查找。所以每个部分查找都只被替换为在两半之一发生的仅有的一次部分查找操作。 □

我们的基本思路是，把节点进行划分，使得所有秩等于或低于 s 的节点都在下部，剩下的节点在上部。关于 s 的选择在稍后的证明中介绍。下一个引理证明，通过将开销分开成上下两组，我们可以为父节点改变次数提供一种递归公式。关键思路之一是，递归公式不仅显然应该写成跟 M 和 N 有关，而且还要跟组内最大的秩有关。

引理 8.4 令 $C(M, N, r)$ 为在一个对 N 个项进行 M 次带路径压缩的查找序列上父节点改变的次数，其中 r 是 N 个项的最大秩。假设我们把节点进行划分，使得所有秩等于或低于 s 的节点都在下部，剩下的节点在上部。在假设有适当初始条件的情况下，

$$C(M,N,r) < C(M_t,N_t,r) + C(M_b,N_b,s) + M_t + N_{nrb}$$

证明：

在三种情形中进行的路径压缩被 $C(M_t, N_t, r) + C(M_b, N_b, s)$ 所涵盖了。情形3中的节点 w 用 M_t 记账。最后，所有路径上的其他下部节点都是非根节点，在整个压缩过程中，它们的父节点至多一次可以被设置成它们自己。它们是用 N_{nrb} 记账的。 □

如果使用按秩求并，则由引理8.1，每个上部的节点在部分查找操作开始前都有个孩子具有秩0，1，…，s。每个那样的孩子节点都一定是下部的根节点(它们的父节点是上部节点)。于是对每个上部节点，$s+2$ 个节点($s+1$ 个孩子节点加上该上部节点自己)一定没有被包含在 N_{nrb} 中。所以，我们可以改写引理8.4如下：

引理 8.5 令 $C(M, N, r)$ 为在一个对 N 个项进行 M 次带路径压缩的查找序列上父节点改变的次数，其中 r 是 N 个项的最大秩。设我们把节点进行划分，使得所有秩等于或低于 s 的节点都在下部，剩下的节点在上部。在假设有适当初始条件的情况下，

$$C(M,N,r) < C(M_t,N_t,r) + C(M_b,N_b,s) + M_t + N - (s+2)N_t$$

证明：

在引理8.4中做替换 $N_{nrb} < N - (s+2)N_t$。 □ 348

如果我们看一下引理8.5，会发现 $C(M, N, r)$ 是用两个较小的实例递归定义的。在这一点上，我们的基本目标是，通过提供一个界来把两个实例之一去掉。我们打算去掉 $C(M_t, N_t, r)$。为什么？因为如果我们这样做，$C(M_b, N_b, s)$ 就会被剩下来。在那种情况下，我们就有了一个递归公式，其中 r 被减小到了 s。如果 s 充分小，我们就可以用式(8.1)的一个变形，也即

$$T(N) = \begin{cases} 0 & N \leqslant 1 \\ T(\lfloor f(N) \rfloor) + M & N > 1 \end{cases} \tag{8.2}$$

的解是 $O(Mf^*(N))$。于是，让我们从 $C(M, N, r)$ 的一个简单的界开始：

定理 8.1

$$C(M,N,r) < M + N\log r$$

证明：

我们从引理8.5开始：

$$C(M,N,r) < C(M_t,N_t,r) + C(M_b,N_b,s) + M_t + N - (s+2)N_t \tag{8.3}$$

观察到在上半部分，只有秩为 $s+1$，$s+2$，...，r 的节点，于是没有节点可以改变自己的父节点超过 $(r-s-2)$ 次。这为 $C(M_t, N_t, r)$ 导出了一个平凡的界 $N_t(r-s-2)$。所以，

$$C(M,N,r) < N_t(r-s-2) + C(M_b,N_b,s) + M_t + N - (s+2)N_t \quad (8.4)$$

合并项，

$$C(M,N,r) < N_t(r-2s-4) + C(M_b,N_b,s) + M_t + N \quad (8.5)$$

选择 $s = \lfloor r/2 \rfloor$。则 $r-2s-4<0$，所以

$$C(M,N,r) < C(M_b,N_b,\lfloor r/2 \rfloor) + M_t + N \quad (8.6)$$

等价地，根据引理8.3，$M = M_b + M_t$（没有这个，证明就瓦解了），

$$C(M,N,r) - M < C(M_b,N_b,\lfloor r/2 \rfloor) - M_b + N \quad (8.7)$$

令 $D(M, N, r) = C(M, N, r) - M$，则

$$D(M,N,r) < D(M_b,N_b,\lfloor r/2 \rfloor) + N \quad (8.8)$$

意味着 $D(M, N, r) < N \log r$。这就得到 $C(M, N, r) < M + N \log r$。 □

定理 8.2 任意 $N-1$ 次并和带路径压缩的 M 次查的序列，在查找过程中最多做 $M + N \log\log N$ 次父节点改变。

证明：

349 因为 $r \leqslant \log N$，所以这个界可以立刻从定理8.1得到。 □

8.6.3 $O(M \log^* N)$界

定理8.2中的界已经很好了，但是再研究一下，我们还可以做得更好。回顾递归分解的一个中心思想是选一个尽可能小的 s。但是要做到这一点，其他的项也必须小，并且当 s 变小时，我们会期望 $C(M_t, N_t, r)$ 变大。但是 $C(M_t, N_t, r)$ 的界用到了一个原始的估计，而定理8.1自己现在可以被用来给此项做个更好的估计。既然现在 $C(M_t, N_t, r)$ 的估计将会变低，因此我们将可以用一个更小的 s。

定理 8.3

$$C(M,N,r) < 2M + N \log^* r$$

证明：

由引理8.5我们得到

$$C(M,N,r) < C(M_t,N_t,r) + C(M_b,N_b,s) + M_t + N - (s+2)N_t \quad (8.9)$$

由定理8.1，$C(M_t, N_t, r) < M_t + N_t \log r$。于是，

$$C(M,N,r) < M_t + N_t \log r + C(M_b,N_b,s) + M_t + N - (s+2)N_t \quad (8.10)$$

重新排列并且合并项，导出

$$C(M,N,r) < C(M_b,N_b,s) + 2M_t + N - (s - \log r + 2)N_t \quad (8.11)$$

所以选择 $s = \lfloor \log r \rfloor$。显然这个选择意味着 $(s - \log r + 2) > 0$，并且因此我们得到

$$C(M,N,r) < C(M_b,N_b,\lfloor \log r \rfloor) + 2M_t + N \quad (8.12)$$

如在定理8.1中一样重新排列，我们得到

$$C(M,N,r) - 2M < C(M_b,N_b,\lfloor \log r \rfloor) - 2M_b + N \quad (8.13)$$

这一次，令 $D(M, N, r) = C(M, N, r) - 2M$，则

$$D(M,N,r) < D(M_b,N_b,\lfloor \log r \rfloor) + N \quad (8.14)$$

这意味着 $D(M, N, r) < N \log^* r$。这样就导出了 $C(M, N, r) < 2M + N \log^* r$。 □

8.6.4 $O(M\alpha(M, N))$界

并不令人惊讶的是，我们现在可以用定理8.3来改进定理8.3。

定理 8.4

$$C(M,N,r) < 3M + N \log^{**} r$$

证明：

350 遵循定理8.3的证明步骤，我们有

$$C(M,N,r) < C(M_t,N_t,r) + C(M_b,N_b,s) + M_t + N - (s+2)N_t \quad (8.15)$$

根据定理8.3，$C(M_t, N_t, r) < 2M_t + N_t \log^* r$。则

$$C(M,N,r) < 2M_t + N_t \log^* r + C(M_b,N_b,s) + M_t + N - (s+2)N_t \quad (8.16)$$

重新排列并且合并项，导出

$$C(M,N,r) < C(M_b,N_b,s) + 3M_t + N - (s - \log^* r + 2)N_t \quad (8.17)$$

所以选择 $s = \log^* r$，得到

$$C(M,N,r) < C(M_b,N_b,\log^* r) + 3M_t + N \quad (8.18)$$

如在定理8.1和8.3中一样重新排列，我们得到

$$C(M,N,r) - 3M < C(M_b,N_b,\log^* r) - 3M_b + N \quad (8.19)$$

这一次，令 $D(M, N, r) = C(M, N, r) - 3M$，则

$$D(M,N,r) < D(M_b,N_b,\log^* r) + N \quad (8.20)$$

这意味着 $D(M, N, r) < N\log^{**} r$。这样就导出了 $C(M, N, r) < 3M + N\log^{**} r$。□

不用说，我们可以无限继续。于是用一点数学知识，我们就得到一系列的界：

$$C(M,N,r) < 2M + N\log^* r$$
$$C(M,N,r) < 3M + N\log^{**} r$$
$$C(M,N,r) < 4M + N\log^{***} r$$
$$C(M,N,r) < 5M + N\log^{****} r$$
$$C(M,N,r) < 6M + N\log^{*****} r$$

每个这样的界都会看上去比前一个更好，因为归根结底“*”越多，$\log^{**\cdots**} r$ 就增长得越慢。但是，这忽略了一个事实，就是当 $\log^{*****} r$ 比 $\log^{****} r$ 小的同时，$6M$ 这项可不比 $5M$ 这项小。

所以我们要做的是优化用到的“*”的数量。

定义 $\alpha(M, N)$ 来表示要用到的“*”的最优数量。特别地，

$$\alpha(M,N) = \min\{i \geqslant 1 \mid \log^{\overbrace{****}^{i个}} (\log N) \leqslant (M/N)\}$$

于是，union/find 算法的运行时间可以被 $O(M\alpha(M, N))$ 所限制。

定理 8.5 任意 $N-1$ 次并和带路径压缩的 M 次查的序列，在查找过程中最多做

$$(i+1)M + N\log^{\overbrace{****}^{i个}} (\log N)$$

次父节点改变。

351

证明：

由上述讨论以及 $r \leqslant \log N$ 这个事实可得结论。□

定理 8.6 任意 $N-1$ 次并和带路径压缩的 M 次查的序列，在查找过程中最多做 $M\alpha(M, N) + 2M$ 次父节点改变。

证明：

在定理8.5中，将 i 选为 $\alpha(M, N)$；于是我们得到界 $(i+1)M + N(M/N)$，或 $M\alpha(M, N) + 2M$。

□

8.7 一个应用

应用 union/find 数据结构的一个例子是迷宫的生成，如图8-25所示就是这样一个迷宫。在图8-25中，开始点位于图的左上角，而终止点是在图的右下角。我们可以把这个迷宫看成是由单元组成的 50×88 的矩形，在该矩形中，左上角的单元被连通到右下角的单元，而且这些单元与相邻的单元通过墙壁分离开来。

生成迷宫的一个简单算法是从各处的墙壁开始（除入口和出口之外）。此时，我们不断地随机选择一面墙，如果被该墙分割的单元彼此不连通，那么我们就把这面墙拆掉。如果我们重复这个过程直到开始单元和终止单元连通，那么我们就得到一个迷宫。实际上不断地拆掉墙壁直到每一个单元都可以从每个其他单元达到就更好（这就会使迷宫产生更多误导的路径）。

352

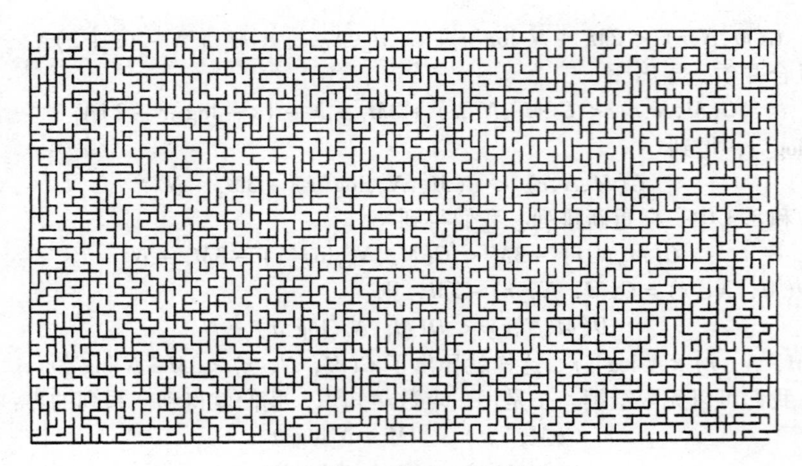

图 8-25　一个 50 × 88 迷宫

我们用 5 × 5 迷宫叙述算法。图 8-26 显示初始的状态。我们用 union/find 数据结构代表彼此互连的单元的集合。开始的时候，各处都有墙，而每个单元都在它自己的等价类中。

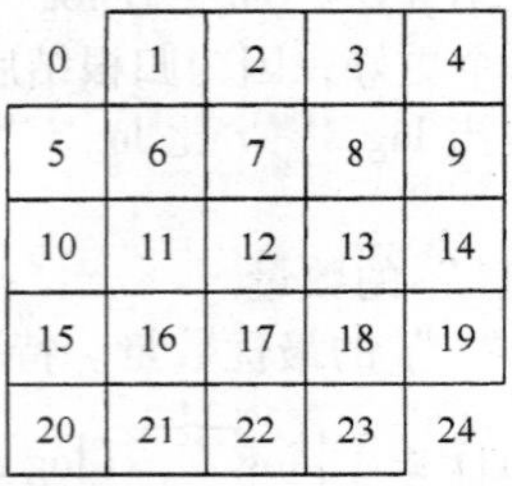

0	1	2	3	4
5	6	7	8	9
10	11	12	13	14
15	16	17	18	19
20	21	22	23	24

{0} {1} {2} {3} {4} {5} {6} {7} {8} {9} {10} {11} {12} {13} {14} {15} {16} {17} {18} {19} {20} {21} {22} {23} {24}

图 8-26　初始状态：所有的墙都存在，所有的单元都在它自己的集合中

图 8-27 显示算法随后的一个阶段，这是在一些墙被拆掉之后的状态。设在该阶段连接单元 8 和 13 的墙被随机地选作目标。因为单元 8 和 13 已经连通（它们在相同的集合中），所以我们也就不拆掉这面墙，拆掉它就使得迷宫简单化了。设单元 18 和 13 是随机选出的下一个目标。通过执行两次 `find` 操作我们看到它们是在不同的集合中；因此单元 18 和 13 还没有连通。于是我们把隔开它们的墙拆掉，如图 8-28 所示。注意，这次操作的结果是包含 18 和 13 的两个集合通过 `union` 操作被连在一起。这就是为什么连通到单元 18 的每个单元现在已与连通 13 的每个单元连通的原因。该算法结束时每个单元之间都是连通的，如图 8-29 所示，构建迷宫的工作完成。

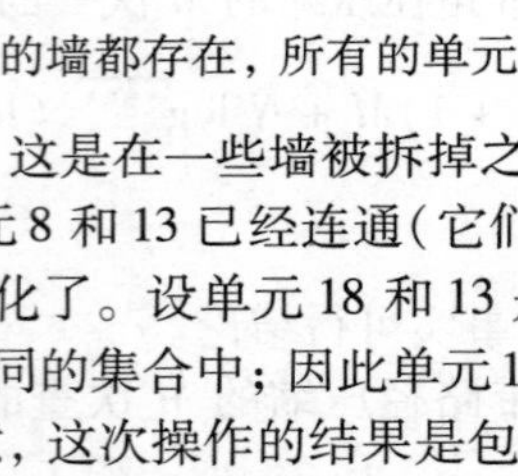

353

0	1	2	3	4
5	6	7	8	9
10	11	12	13	14
15	16	17	18	19
20	21	22	23	24

{0,1} {2} {3} {4,6,7,8,9,13,14} {5} {10,11,15} {12} {16,17,18,22} {19} {20} {21} {23} {24}

图 8-27　在算法的某个时刻：几面墙被拆掉，集合合并。如果在这个时候在单元 8 和 13 之间的墙被随机地选定，那么这面墙将不拆掉，因为单元 8 和 13 已经是连通的

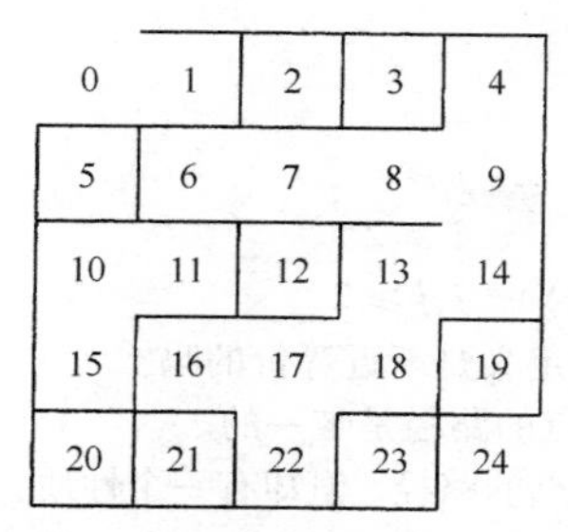

{0,1} {2} {3} {4,6,7,8,9,13,14,16,17,18,22} {5} {10,11,15} {12} {19} {20} {21} {23} {24}

图 8-28　在图 8-27 中单元 18 和 13 之间的墙被随机地选定。这面墙被拆掉，因为单元 18 和 13 还没有连通。它们所在的集合被合并

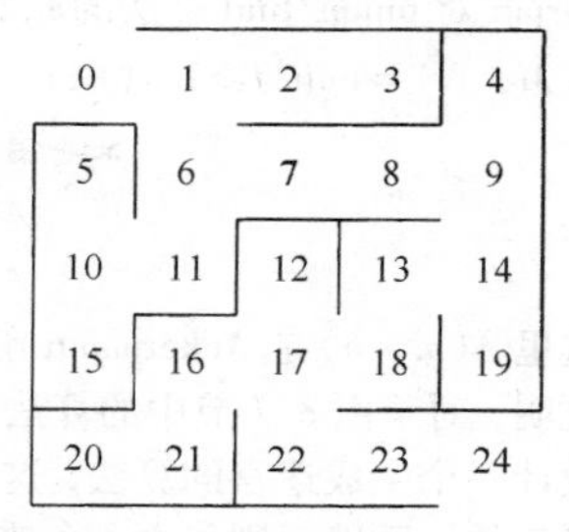

{0,1,2,3,4,5,6,7,8,9,10,11,12,13,14,15,16,17,18,19,20,21,22,23,24}

图 8-29　最后，24 面墙被拆掉，所有的元素都在同一个集合中

这个算法的运行时间由 union/find 的开销控制。union/find 总体的大小等于单元的个数。find 操作的次数与单元的个数成正比，因为拆掉的墙的数目比单元的个数少 1，而仔细观察可以发现，开始的时候墙的数目只有大约单元个数的二倍。因此，如果 N 是单元的个数，由于每面随机选择的墙有两次 find，那么整个算法估计 find 操作的次数（大致）在 $2N$ 和 $4N$ 之间。因此算法的运行时间可以取为 $O(N \log^* N)$，这个算法将会很快地生成一个迷宫。 354

小结

我们已经看到保持不相交集合的非常简单的数据结构。当 union 操作执行时，就正确性而言，哪个集合保留它的名字是无关紧要的。这里，有必要注意，当某一特定的步骤尚未完全指定时，考虑选择方案可能是非常重要的。步骤 union 是灵活的，利用这一点，我们能够得到一个更加有效的算法。

路径压缩是自调整（self-adjustment）的最早形式之一，我们已经在别的一些地方（伸展树、斜堆）见到过。它的使用非常有趣，特别是从理论的观点来看，因为它是算法简单但最坏情形分析却并不那么简单的第一批例子之一。

练习

8.1　指出下列一系列指令的结果：union(1, 2)，union(3, 4)，union(3, 5)，union(1, 7)，union(3, 6)，union(8, 9)，union(1, 8)，union(3, 10)，union(3, 11)，union(3, 12)，union(3, 13)，union(14, 15)，union(16, 0)，union(14, 16)，union(1, 3)，union(1, 14)，其中，union 是

a. 任意进行的。

b. 按高度进行的。

c. 按大小进行的。

8.2　对于上题中的每一棵树，用对最深节点的路径压缩执行一次 find。

8.3　编写一个程序来确定路径压缩法和各种求 union 方法的效果。程序应该使用所有 6 种可能的方法处理一个很长的等价操作序列。

8.4　证明，如果 union 按照高度进行，那么任意树的深度均为 $O(\log N)$。

8.5　设 $f(N)$ 是一个定义完好的函数，可以将 N 减成一个较小的数字。在适当的初始条件下，递推公式 $T(N) = N/f(N) \cdot T(f(N)) + N$ 的解是什么？

8.6　a. 证明如果 $M = N^2$，那么 M 次 union/find 操作的运行时间是 $O(M)$。

b. 证明，如果 $M = N \log N$，那么 M 次 union/find 操作的运行时间是 $O(M)$。

*c. 设 $M = \Theta(N \log \log N)$，则 M 次 union/find 操作的运行时间是多少？

*d. 设 $M = \Theta(N \log^* N)$，则 M 次 union/find 操作的运行时间是多少？ 355

8.7 Tarjan 对 union/find 算法的原始界定义了

$\alpha(M, N)=\min\{i\geq 1 \mid (A(i, \lfloor M/N \rfloor)>\log N)\}$，其中

$$A(1,j) = 2^j \quad j \geq 1$$
$$A(i,1) = A(i-1,2) \quad i \geq 2$$
$$A(i,j) = A(i-1,A(i,j-1)) \quad i,j \geq 2$$

这里 $A(m, n)$ 是 Ackermann 函数的一个版本。α 的两种定义是渐近等价的吗？

8.8 证明，对于由 8.7 节中的算法生成的迷宫，从起点到终点的路径是唯一的。

8.9 设计一个生成迷宫的算法，这个迷宫不含有从起点到终点的路径，但却有一个性质，即拆除**预先指定**的一面墙后则建立一条唯一的路径。

*8.10 假设我们想要添加一个附加的操作 `deunion`，它废除尚未被废除的最后的 `union` 操作。

a. 证明，如果我们按高度求并以及不用路径压缩进行 `find`，那么 `deunion` 操作容易进行并且连续 M 次 `union`、`find` 和 `deunion` 操作花费 $O(M \log N)$ 时间。

b. 为什么路径压缩使得 `deunion` 很难进行？

**c. 指出如何实现所有三种操作使得连续 M 次操作花费 $O(M \log N/\log\log N)$ 时间。

*8.11 假设我们想要添加一种额外的操作 `remove(x)`，该操作把 `x` 从当前的集合中除去并把它放到它自己的集合中。指出如何修改 union/find 算法使得连续 M 次 `union`、`find` 和 `remove` 操作的运行时间为 $O(M\,\alpha(M, N))$。

*8.12 证明，如果所有的 `union` 都在 `find` 之前，那么使用路径压缩的不相交集算法需要线性时间，即使 `union` 任意进行也是如此。

**8.13 证明，如果诸 `union` 操作任意进行，但路径压缩是对那些 `find` 进行，那么最坏情形运行时间为 $\Theta(M \log N)$。

8.14 证明，如果 `union` 按大小进行且执行路径压缩，那么最坏情形运行时间为 $O(M\alpha(M, N))$。

8.15 8.6 节的不相交集分析可以被细化，来为小 N 提供更紧的界。

a. 证明 $C(M, N, 0)$ 和 $C(M, N, 1)$ 都是 0。

b. 证明 $C(M, N, 2)$ 最多是 M。

c. 令 $r\leq 8$。取 $s=2$，证明 $C(M, N, r)$ 最多是 $M+N$。

8.16 设我们实现对 `find(i)` 的*部分路径压缩*(partial path compression)是通过使在从 i 到根的路径上的每一个其他节点链接到其祖父(当有意义时)完成的。这叫作*路径平分*(path halving)。

a. 编写一个过程完成上述工作。

b. 证明，如果对诸 `find` 操作进行路径平分，则不论使用按高度求并还是按大小求并，其最坏情形运行时间皆为 $O(M\alpha(M, N))$。

356

8.17 编写一个能够生成任意大小的迷宫的程序。使用 Swing 包来生成一个类似于图 8-25 那样的迷宫。

参考文献

求解 union/find 问题的各种方案可以在[6]、[9]和[11]中找到。Hopcropt 和 Ullman 用非递归分解证明了 $O(M \log^* N)$ 界。Tarjan[16]则得到界 $O(M\,\alpha(M, N))$，其中 $\alpha(M, N)$ 在练习 8.7 中定义。对于 $M<N$ 的更精确(但渐进恒等)的界参见[2]和[19]。8.6 节的分析来自 Seidel 和 Sharir[15]。对路径压缩和 `union` 的各种其他方法也达到相同的界；详细细节见论文[19]。

由 Tarjan[17]给出的一个下界指出，在一定的限制下处理 M 次 union/find 操作需要 $\Omega(M\,\alpha(M, N))$ 时间。在一些较少的限制条件下[7]和[14]指出相同的界。

union/find 数据结构的应用参见[1]和[10]。union/find 问题的某些特殊情形可以以 $O(M)$ 时间解决，见[8]。这使得若干算法的运行时间得以降低一个 $\alpha(M, N)$ 因子，如[1]、图优势(graph dominance)以及可约性(见第 9 章的参考文献)。另外一些像[10]和这一章中的图连通性问题等并未受到影响。文章列举了 10 个例子。Tarjan 还对若干图论问题使用路径压缩得到一些有效的算法[18]。

union/find 问题平均情形的一些结果参见[5]、[12]、[22]和[3]。(相对于整个运算序列)一些为任意单次操作确定运行时间的界的结果可在[4]和[13]中找到。

练习 8.10 在[21]中解决。一般的 union/find 结构在[20]中给出，这种结构支持更多的操作。

1. A. V. Aho, J. E. Hopcroft, and J. D. Ullman, "On Finding Lowest Common Ancestors in Trees," *SIAM Journal on Computing*, 5 (1976), 115–132.
2. L. Banachowski, "A Complement to Tarjan's Result about the Lower Bound on the Complexity of the Set Union Problem," *Information Processing Letters*, 11 (1980), 59–65.
3. B. Bollobás and I. Simon, "Probabilistic Analysis of Disjoint Set Union Algorithms," *SIAM Journal on Computing*, 22 (1993), 1053–1086.
4. N. Blum, "On the Single-Operation Worst-Case Time Complexity of the Disjoint Set Union Problem," *SIAM Journal on Computing*, 15 (1986), 1021–1024.
5. J. Doyle and R. L. Rivest, "Linear Expected Time of a Simple Union Find Algorithm," *Information Processing Letters*, 5 (1976), 146–148.
6. M. J. Fischer, "Efficiency of Equivalence Algorithms," in *Complexity of Computer Computation* (eds. R. E. Miller and J. W. Thatcher), Plenum Press, New York, 1972, 153–168.
7. M. L. Fredman and M. E. Saks, "The Cell Probe Complexity of Dynamic Data Structures," *Proceedings of the Twenty-first Annual Symposium on Theory of Computing* (1989), 345–354.
8. H. N. Gabow and R. E. Tarjan, "A Linear-Time Algorithm for a Special Case of Disjoint Set Union," *Journal of Computer and System Sciences*, 30 (1985), 209–221.
9. B. A. Galler and M. J. Fischer, "An Improved Equivalence Algorithm," *Communications of the ACM*, 7 (1964), 301–303.
10. J. E. Hopcroft and R. M. Karp, "An Algorithm for Testing the Equivalence of Finite Automata," *Technical Report TR-71-114*, Department of Computer Science, Cornell University, Ithaca, N.Y., 1971.

357

11. J. E. Hopcroft and J. D. Ullman, "Set Merging Algorithms," *SIAM Journal on Computing*, 2 (1973), 294–303.
12. D. E. Knuth and A. Schonhage, "The Expected Linearity of a Simple Equivalence Algorithm," *Theoretical Computer Science*, 6 (1978), 281–315.
13. J. A. LaPoutre, "New Techniques for the Union-Find Problem," *Proceedings of the First Annual ACM–SIAM Symposium on Discrete Algorithms* (1990), 54–63.
14. J. A. LaPoutre, "Lower Bounds for the Union-Find and the Split-Find Problem on Pointer Machines," *Proceedings of the Twenty-Second Annual ACM Symposium on Theory of Computing* (1990), 34–44.
15. R. Seidel and M. Sharir, "Top-Down Analysis of Path Compression," *SIAM Journal on Computing*, 34 (2005), 515–525.
16. R. E. Tarjan, "Efficiency of a Good but Not Linear Set Union Algorithm," *Journal of the ACM*, 22 (1975), 215–225.
17. R. E. Tarjan, "A Class of Algorithms Which Require Nonlinear Time to Maintain Disjoint Sets," *Journal of Computer and System Sciences*, 18 (1979), 110–127.
18. R. E. Tarjan, "Applications of Path Compression on Balanced Trees," *Journal of the ACM*, 26 (1979), 690–715.
19. R. E. Tarjan and J. van Leeuwen, "Worst Case Analysis of Set Union Algorithms," *Journal of the ACM*, 31 (1984), 245–281.
20. M. J. van Kreveld and M. H. Overmars, "Union-Copy Structures and Dynamic Segment Trees," *Journal of the ACM*, 40 (1993), 635–652.
21. J. Westbrook and R. E. Tarjan, "Amortized Analysis of Algorithms for Set Union with Back-tracking," *SIAM Journal on Computing*, 18 (1989), 1–11.
22. A. C. Yao, "On the Average Behavior of Set Merging Algorithms," *Proceedings of Eighth Annual ACM Symposium on the Theory of Computation* (1976), 192–195.

358

图论算法

在这一章，我们讨论图论中几个一般的问题。这些算法不仅在实践中有用，而且还是非常有趣的，因为在许多实际生活的应用中若不仔细注意数据结构的选择将导致它们的速度过慢。本章我们将

- 介绍几个现实生活中发生的问题，它们可以转化成图论问题。
- 给出一些算法以解决几个常见的图论问题。
- 指出适当选择数据结构可以极大地降低这些算法的运行时间。
- 介绍一个被称为深度优先搜索(depth-first search)的重要技巧，并指出它如何能够以线性时间求解若干表面上非平凡的问题。

9.1 若干定义

一个**图**(graph) $G=(V, E)$由**顶点**(vertex)的集V和**边**(edge)的集E组成。每一条边就是一幅点对(v, w)，其中$v, w\in V$。有时也把边称作**弧**(arc)。如果点对是有序的，那么图就是**有向**(directed)的。有向的图有时也叫作**有向图**(digraph)。顶点w和v**邻接**(adjacent)当且仅当$(v, w)\in E$。在一个具有边(v, w)从而具有边(w, v)的无向图中，w和v邻接且v也和w邻接。有时候边还具有第三种成分，称作**权**(weight)或**值**(cost)。

图中的一条**路径**(path)是一个顶点序列$w_1, w_2, w_3, \dots, w_N$使得$(w_i, w_{i+1})\in E$，$1\leqslant i<N$。这样一条路径的**长**(length)是为该路径上的边数，它等于$N-1$。从一个顶点到它自身可以看成是一条路径；如果路径不包含边，那么路径的长为0。这是定义特殊情形的一种便捷方法。如果图含有一条从一个顶点到它自身的边(v, v)，那么路径v, v有时也叫作**环**(loop)。我们要讨论的图一般将是无环的。一条**简单路径**是这样一条路径，其上的所有顶点都是互异的，但第一个顶点和最后一个顶点可能相同。

有向图中的**圈**(cycle)是满足$w_1=w_N$且长至少为1的一条路径；如果该路径是简单路径，那么这个圈就是简单圈。对于无向图，我们要求边是互异的。这些要求的根据在于无向图中的路径u, v, u不应该被认为是圈，因为(u, v)和(v, u)是同一条边。但是在有向图中它们是两条不同的边，因此称它们为圈是有意义的。如果一个有向图没有圈，则称其为**无圈的**(acyclic)。一个有向无圈图有时也简称为DAG。

359

如果在一个无向图中从每一个顶点到每个其他顶点都存在一条路径，则称该无向图是**连通的**(connected)。具有这样性质的有向图称为是**强连通的**(strongly connected)。如果一个有向图不是强连通的，但是它的**基础图**(underlying graph)，即其弧上去掉方向所形成的图，是连通的，那么该有向图称为是**弱连通的**(weakly connected)。**完全图**(complete graph)是其每一对顶点间都存在一条边的图。

现实生活中能够用图进行模拟的一个例子是航空系统。每个机场是一个顶点，在由两个顶点表示的机场间如果存在一条直达航线，那么这两个顶点就用一条边连接。边可以有一个权，表示时间、距离或飞行的费用。有理由假设，这样的图是有向图，因为在不同的方向上飞行可能所用时间或所花的费用会不同(例如，依赖于地方税)。可能我们更愿意航空系统是强连通的，这样就总能够从任一机场飞到另外的任意一个机场。我们也可能愿意迅速确定任意两个机场之间的最佳航线。“最佳”可以是指最少边数的路径，也可以是对一种或所有的权重量度所算出的最佳者。

交通流可以用一个图来模型化。每一条街道交叉口表示一个顶点，而每一条街道就是一条边。边的值可能代表速度限度，或是容量（车道的数目）等等。此时我们可能需要找出一条最短路，或用该信息找出交通瓶颈最可能的位置。

在本章的其余部分，我们将考查图论的几个更多的应用，这些图中有许多可能是相当巨大的，因此，我们使用的算法的效率是非常重要的。

图的表示

我们将考虑有向图（无向图可类似表示）。

现在假设可以从1开始对顶点编号。图9-1中所示的图表示7个顶点和12条边。 360

表示图的一种简单的方法是使用一个二维数组，称为**邻接矩阵**（adjacent matrix）表示法。对于每条边（u, v），置 $A[u][v]$ 等于`true`；否则，数组的元素就是`false`。如果边有一个权，那么可以置 $A[u][v]$ 等于该权，而使用一个很大或者很小的权作为标记表示不存在的边。例如，如果我们寻找最廉价的航空路线，那么我们可以用值∞来表示不存在的航线。如果出于某种原因我们寻找最昂贵的航空路线，那么可以用 $-\infty$（或者也许使用0）来表示不存在的边。

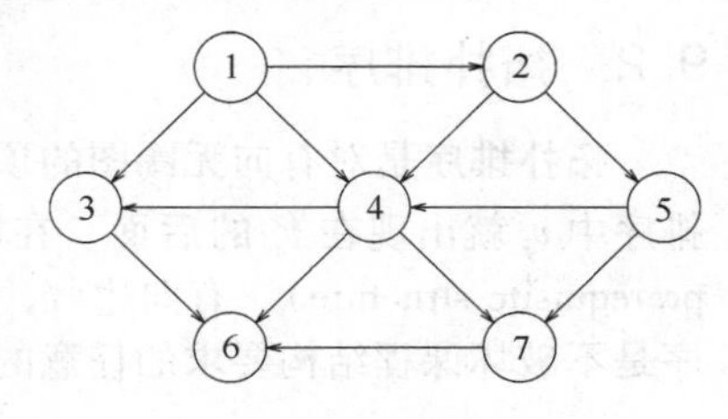

图9-1 一个有向图

虽然这样表示的优点是非常简单，但是，它的空间需求则为 $\Theta(|V|^2)$，如果图的边不是很多，那么这种表示的代价就太大了。若图是稠密（dense）的：$|E| = \Theta(|V|^2)$，则邻接矩阵是合适的表示方法。不过，在我们将要看到的大部分应用中，情况并非如此。例如，设用图表示一个街道地图，街道呈曼哈顿式的方向，其中几乎所有的街道或者南北向，或者东西向。因此，任一路口大致都有四条街道，于是，如果图是有向图且所有的街道都是双向的，则 $|E| \approx 4|V|$。如果有3 000个路口，那么我们就得到一个3 000顶点的图，该图有12 000条边，它们需要一个大小为9 000 000的数组。该数组的大部分元素将是0。这直观看来很糟，因为我们想要我们的数据结构表示那些实际存在的数据，而不是去表示不存在的数据。

如果图不是稠密的，换句话说，如果图是**稀疏的**（sparse），则更好的解决方法是使用**邻接表**（adjacency list）表示。对每一个顶点，我们使用一个表存放所有邻接的顶点。此时的空间需求为 $O(|E|+|V|)$，它相对于图的大小而言是线性的[⊖]。这种抽象表示方法应该可以从图9-2清楚地看出。如果边有权，那么这个附加的信息也可以存储在邻接表中。

1	2,4,3
2	4,5
3	6
4	6,7,3
5	4,7
6	(empty)
7	6

图9-2 图的邻接表表示法

邻接表是表示图的标准方法。无向图可以类似地表示；每条边（u, v）出现在两个表中，因此空间的使用基本上是双倍的。在图论算法中通常需要找出与某个给定顶点 v 邻接的所有的顶点。而这可以通过简单地扫描相应的邻接表来完成，所用时间与这些找到的顶点的个数成正比。

有几种方法保留邻接表。首先注意到，这些邻接表本身可以被保存在任何种类的`List`，即`ArrayList`或`LinkedList`中。然而，对于非常稀疏的图，当使用`ArrayList`时程序员可能需要从一个比默认容量更小的容量开始`ArrayList`；否则可能造成明显的空间浪费。

因为关键在于能够迅速得到与任一顶点邻接的那些顶点的表，所以两个基本的选择是，或者使用一个映射，在这个映射下，关键字就是那些顶点而它们的值就是那些邻接表，或者把每

⊖ 当我们谈到线性时间图论算法时，要求运行时间为 $O(|E|+|V|)$。

一个邻接表作为 Vetex 类的数据成员保存起来。这第1个选择论证要简单，而第2个选择可能会更快，因为它避免了在映射下的重复查找。

在第2种情形，如果顶点是一个 String(例如，一个机场名或街道路口名)，那么可以使用映射，在映射下，关键字是顶点名而关键字的值则是一个 Vertex，并且每一个 Vertex 对象拥有一个邻接顶点表，或许还有原始的 String 串名。

361

在本章的大部分情况下我们均使用伪代码表示图论算法。这么做将节省空间，当然也使得算法的表达更清晰。在9.3节末尾，我们提供一个例程实用的 Java 实现，它基本利用最短路算法以得到问题的答案。

9.2 拓扑排序

拓扑排序是对有向无圈图的顶点的一种排序，使得如果存在一条从 v_i 到 v_j 的路径，那么在排序中 v_j 就出现在 v_i 的后面。在图9-3中的图表示迈阿密州立大学的课程先修结构(course prerequisite structure)。有向边(v, w)表明课程 v 必须在课程 w 选修前修完。这些课程的拓扑排序是不破坏课程结构要求的任意的课程序列。

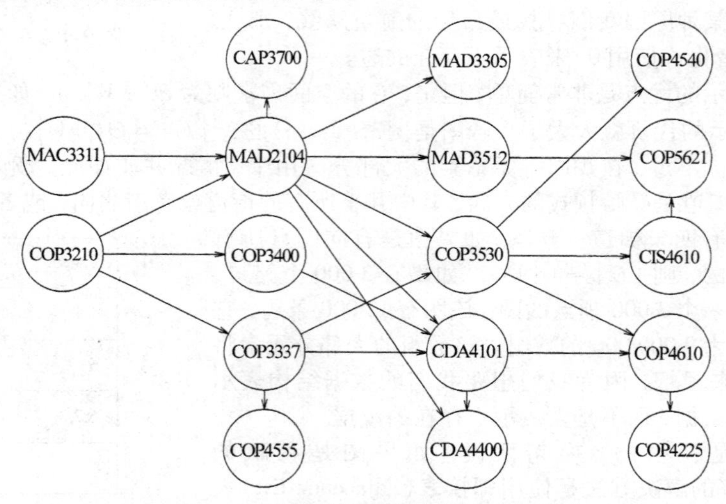

图9-3 表示课程先修结构的无圈图

显然，如果图含有圈，那么拓扑排序是不可能的，因为对于圈上的两个顶点 v 和 w，v 先于 w 同时 w 又先于 v。此外，拓扑排序不必是唯一的；任何合理的排序都是可以的。在图9-4的图中，v_1，v_2，v_5，v_4，v_3，v_7，v_6 和 v_1，v_2，v_5，v_4，v_7，v_3，v_6 两个都是拓扑排序。

一个简单的求拓扑排序的算法是先找出任意一个没有入边的顶点。然后显示出该顶点，并将它及其边一起从图中删除。然后，我们对图的其余部分同样应用这样的方法处理。

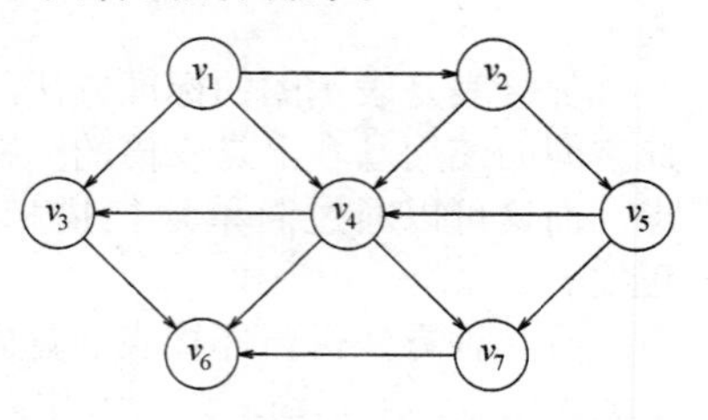

图9-4 一个无圈图

362

为了将上述方法形式化，我们把顶点 v 的**入度**(indegree)定义为边(u, v)的条数。计算图中所有顶点的入度。假设每一个顶点的入度被存储且图被读入一个邻接表中，则此时可以应用图9-5中的算法生成一个拓扑排序。

方法 findNewVertexOfIndegreeZero 扫描数组，寻找一个尚未被分配拓扑编号的入度为0的顶点。如果这样的顶点不存在，它则返回 null；这就说明，该图有圈。

因为 findNewVertexOfIndegreeZero 方法是对顶点数组的一个简单的顺序扫描，所以每次对它的调用都花费 $O(|V|)$时间。由于有 $|V|$ 次这样的调用，因此该算法的运行时间为 $O(|V|^2)$。

```
void topsort( ) throws CycleFoundException
{
    for( int counter = 0; counter < NUM_VERTICES; counter++ )
    {
        Vertex v = findNewVertexOfIndegreeZero( );
        if( v == null )
            throw new CycleFoundException( );
        v.topNum = counter;
        for each Vertex w adjacent to v
            w.indegree--;
    }
}
```

图 9-5 简单拓扑排序的伪代码

通过更仔细地关注这样的数据结构，我们可以做得更好。产生如此差的运行时间的原因在于对顶点数组的顺序扫描。如果图是稀疏的，那么我们就可以预知，在每次迭代期间只有少数顶点的入度被更新。然而，虽然只有一小部分发生变化，但在搜索入度为0的顶点时我们(潜在地)查看了所有的顶点。 363

我们可以通过将所有(未分配拓扑编号)的入度为0的顶点放在一个特殊的盒子中而消除这种无效的劳动。此时 findNewVertexOfIndegreeZero 方法返回(并删除)的是该盒子中的任一顶点。当我们降低它的邻接顶点的入度时，检查每一个顶点并在它的入度降为0时把它放入盒子中。

为实现这个盒子，我们可以使用一个栈或一个队列。首先，对每个顶点计算它的入度。然后，将所有入度为0的顶点放入一个初始为空的队列中。当队列不空时，删除一个顶点 v，并将与 v 邻接的所有顶点的入度均减1。只要一个顶点的入度降为0，就把该顶点放入队列中。此时，拓扑排序就是顶点出队的顺序。图9-6显示每一阶段之后的状态。 364

	出队前的入度						
顶点	1	2	3	4	5	6	7
v_1	0	0	0	0	0	0	0
v_2	1	0	0	0	0	0	0
v_3	2	1	1	1	0	0	0
v_4	3	2	1	0	0	0	0
v_5	1	1	0	0	0	0	0
v_6	3	3	3	3	2	1	0
v_7	2	2	2	1	0	0	0
入队	v_1	v_2	v_5	v_4	v_3，v_7		v_6
出队	v_1	v_2	v_5	v_4	v_3	v_7	v_6

图 9-6 对图 9-4 中的图应用拓扑排序的结果

这个算法的伪代码实现在图9-7中给出。和前面一样，我们将假设图已经被读到一个邻接表中且入度被计算并和顶点一起被存储。我们还假设每个顶点有一个域，叫作 topNum，其中存放的是拓扑编号。

如果使用邻接表，那么执行这个算法所用的时间为 $O(|E|+|V|)$。当认识到 for 循环体对每条边顶多执行一次时，这个结果是明显的。入度的计算由下面的代码实现，同理可见此计算的花销也是 $O(|E|+|V|)$，虽然其中有嵌套的循环。

```
for each Vertex v
    v.indegree = 0;

for each Vertex v
    for each Vertex w adjacent to v
        w.indegree++;
```

队列操作对每个顶点最多进行一次，而包括计算入度在内的初始化各步花费的时间也和图的大小成正比。

```
void topsort( ) throws CycleFoundException
{
    Queue<Vertex> q = new Queue<Vertex>( );
    int counter = 0;

    for each Vertex v
        if( v.indegree == 0 )
            q.enqueue( v );

    while( !q.isEmpty( ) )
    {
        Vertex v = q.dequeue( );
        v.topNum = ++counter;  // Assign next number

        for each Vertex w adjacent to v
            if( --w.indegree == 0 )
                q.enqueue( w );
    }
    if( counter != NUM_VERTICES )
        throw new CycleFoundException( );
}
```

365

图 9-7 实施拓扑排序的伪代码

9.3 最短路径算法

这一节我们考查各种最短路径问题。输入是一个赋权图：与每条边$(v_i,\ v_j)$相联系的是穿越该弧的代价（或称为值）$c_{i,j}$。一条路径 $v_1v_2\cdots v_N$ 的值是 $\sum_{i=1}^{N-1} c_{i,i+1}$，叫作**赋权路径长**（weighted path length）。而**无权路径长**（unweighted path length）只是路径上的边数，即 $N-1$。

单源最短路径问题

给定一个赋权图 $G=(V,\ E)$和一个特定顶点 s 作为输入，找出从 s 到 G 中每一个其他顶点的最短赋权路径。

例如，在图9-8 的图中，从 v_1 到 v_6 的最短赋权路径的值为6，它是从 v_1 到 v_4 到 v_7 再到 v_6 的路径。在这两个顶点间的最短无权路径长为2。一般说来，当不指明我们讨论的是赋权路径还是无权路径时，如果图是赋权的，那么路径就是赋权的。还要注意，在图9-8 的图中，从 v_6 到 v_1 没有路径。

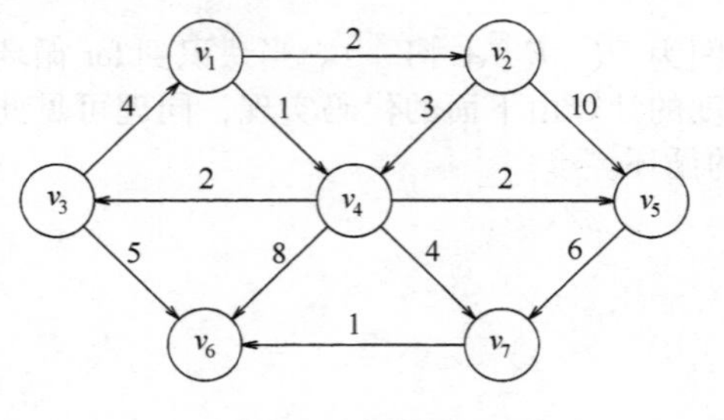

图 9-8 有向图 G

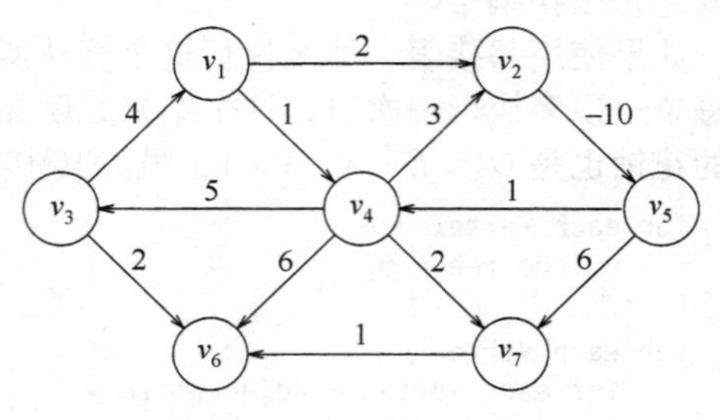

图 9-9 带有负值圈的图

前面例子中的图没有负值的边。图 9-9 中的图指出负边可能产生的问题。从 v_5 到 v_4 的路径的值为 1，但是，通过下面的循环 v_5，v_4，v_2，v_5，v_4 存在一条更短的路径，它的值是 -5。这条路径仍然不是最短的，因为我们可以在循环中滞留任意长的时间。因此，在这两个顶点间的最短路径问题是不确定的。类似地，从 v_1 到 v_6 的最短路径也是不确定的，因为我们可以进入同样的循环。这个循环叫作**负值圈**(negative-cost cycle)；当它出现在图中时，最短路径问题就是不确定的。有负值的边未必就是坏事，但是它们的出现似乎使问题增加了难度。为方便起见，在没有负值圈时，从 s 到 s 的最短路径为 0。

有许多的例子使我们可能要去求解最短路径问题。如果顶点代表计算机；边代表计算机间的链接；值表示通信的费用(每 1 000 字节数据的电话费)，延迟成本(传输 1 000 字节所需要的秒数)，或它们与其他一些因素的组合，那么我们可能利用最短路问题来找出从一台计算机向一组其他计算机发送电子新闻的最廉价的方法。 366

我们可能使用图建立航线或其他大规模运输路线的模型并利用最短路径算法计算两点间的最佳路线。在这样的以及许多实际的应用中，我们可能想要找出从一个顶点 s 到另一个顶点 t 的最短路径。当前，还不存在找出从 s 到一个顶点的路径比找出从 s 到所有顶点路径更快(快得超出一个常数因子)的算法。

我们将考查求解该问题 4 种形态的算法。首先，考虑无权最短路径问题并指出如何以 $O(|E|+|V|)$ 时间求解它。其次，还要介绍，如果假设没有负边，那么如何求解赋权最短路径问题。这个算法在使用合理的数据结构实现时的运行时间为 $O(|E|\log|V|)$。

如果图有负边，我们将提供一个简单的解法，不过它的时间界不理想，为 $O(|E|\cdot|V|)$。最后，我们将以线性时间解决无圈图特殊情形的赋权问题。

9.3.1 无权最短路径

图 9-10 表示一个无权图 G。使用某个顶点 s 作为输入参数，我们想要找出从 s 到所有其他顶点的最短路径。我们只对包含在路径中的边数有兴趣，因此在边上不存在权。显然，这是赋权最短路径问题的特殊情形，因为我们可以为所有的边都赋以权 1。

暂时假设我们只对最短路径的长而不是具体的路径本身有兴趣。记录实际的路径只不过是简单的簿记问题。

设我们选择 s 为 v_3。此时立刻可以说出从 s 到 v_3 的最短路径是长为 0 的路径。把这个信息作个标记，得到图 9-11 的图。 367

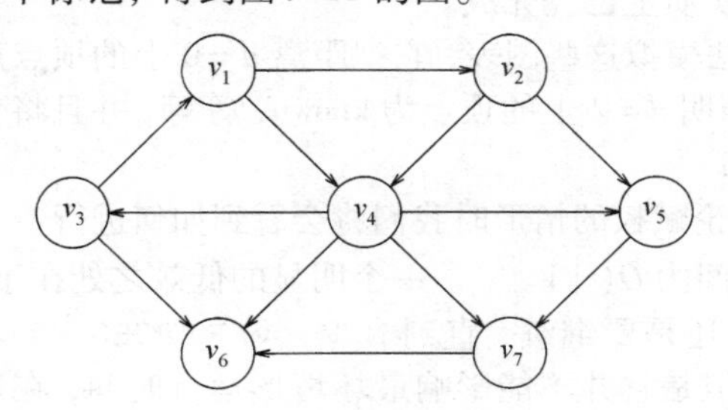

图 9-10 一个无权有向图 G

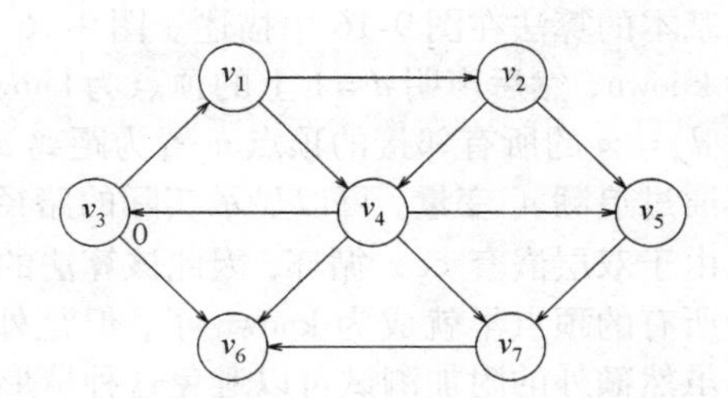

图 9-11 将开始节点标记为通过 0 条边可以到达的节点后的图

现在我们可以开始寻找所有从 s 出发距离为 1 的顶点。这些顶点可以通过考查与 s 邻接的那些顶点找到。此时我们看到，v_1 和 v_6 从 s 出发只一边之遥。我们把它表示在图 9-12 中。

现在可以开始找出那些从 s 出发最短路径恰为 2 的顶点，我们找出所有邻接到 v_1 和 v_6 的顶点(距离为 1 处的顶点)，它们的最短路径还不知道。这次搜索告诉我们，到 v_2 和 v_4 的最短路径长为 2。图 9-13 显示到现在为止已经做出的工作。

最后，通过考查那些邻接到刚被赋值的 v_2 和 v_4 的顶点我们可以发现，v_5 和 v_7 各有一条三边的最短路径。现在所有的顶点都已经被计算，图 9-14 显示算法的最后结果。

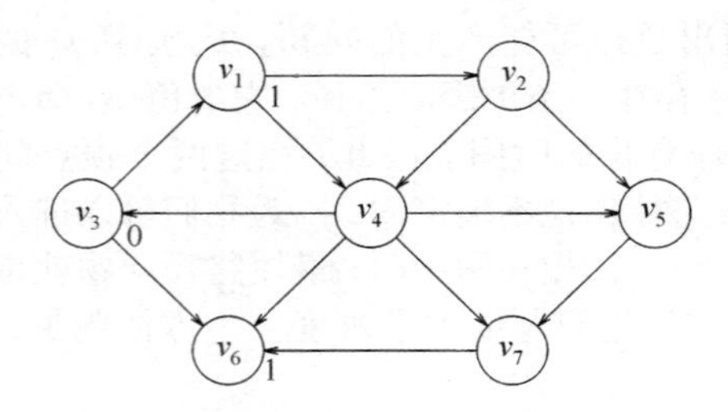

图 9-12 找出所有从 s 出发路径长为 1 的顶点之后的图

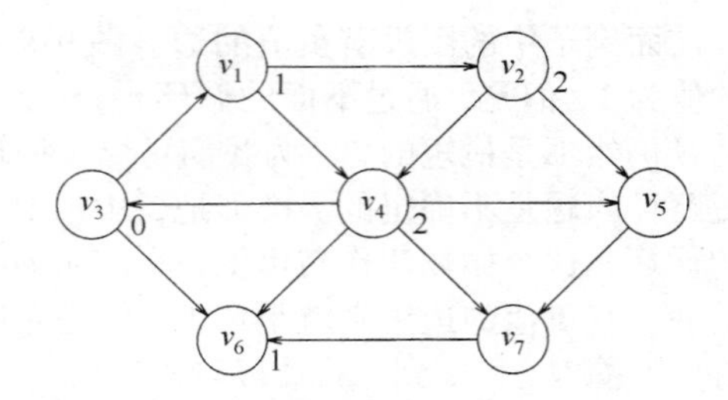

图 9-13 找出所有从 s 出发路径长为 2 的顶点之后的图

这种搜索图的方法称为**广度优先搜索**(breadth-first search)。该方法按层处理顶点：距开始点最近的那些顶点首先被求值，而最远的那些顶点最后被求值。这很像对树的**层序遍历**(level-order traversal)。

368

有了这种方法，我们必须把它翻译成代码。图 9-15 显示该算法将要用到的记录其过程的表的初始配置。

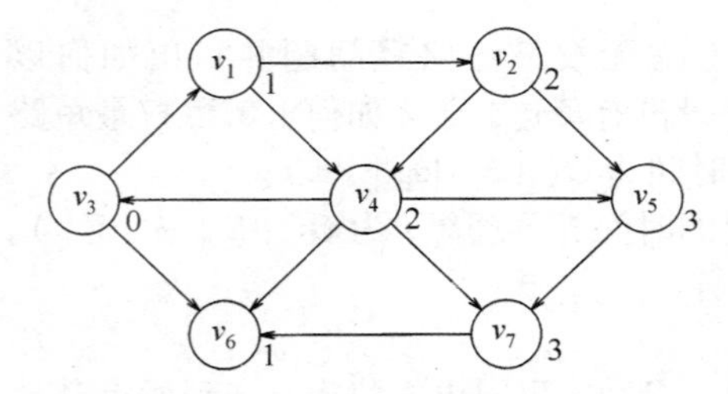

图 9-14 最后的最短路径

v	*known*	d_v	p_v
v_1	F	∞	0
v_2	F	∞	0
v_3	F	0	0
v_4	F	∞	0
v_5	F	∞	0
v_6	F	∞	0
v_7	F	∞	0

图 9-15 用于无权最短路径计算的表的初始配置

对于每个顶点，我们将跟踪三条信息。首先，把从 s 开始到顶点的距离放到 d_v 栏中。开始的时候，除 s 外所有的顶点都是不可达到的，而 s 的路径长为 0。p_v 栏中的项为簿记变量，它将使我们能够显示出实际的路径。`known` 中的项在顶点被处理以后置为 `true`。最初，所有的顶点都不是 `known`(已知)的，包括开始顶点。当一个顶点被标记为 `known` 时，我们就有了不会再找到更便宜的路径的保证，因此对该顶点的处理实质上已经完成。

基本的算法在图 9-16 中描述。图 9-16 中的算法模拟这些图表，它把距离 $d=0$ 上的顶点声明为 known，然后声明 $d=1$ 上的顶点为 known，再声明 $d=2$ 上的顶点为 known，等等，并且将仍然是 $d_w=\infty$ 的所有邻接的顶点 w 置为距离 $d_w=d+1$。

通过追溯 p_v 变量，可以显示实际的路径。当讨论赋权的情形时我们将会看到如何进行。

由于双层嵌套 `for` 循环，因此该算法的运行时间为 $O(|V|^2)$。一个明显的低效之处在于，尽管所有的顶点早就成为 known 了，但是外层循环还是要继续，直到 `NUM_VERTICES - 1` 为止。虽然额外的附加测试可以避免这种情形发生，但是它并不能影响最坏情形运行时间，在以点 v_9 作为起点的图 9-17 中的图作为输入时，通过将所发生的情况一般化即可看到这一点。

我们可以用非常类似于对拓扑排序所做的那样来排除这种低效性。在任一时刻，只存在两种类型的 $d_v \neq \infty$ 的 unknown 顶点，一些顶点的 d_v = `currDist`，而其余的则有 d_v = `currDist + 1`。由于这种附加的结构，因此搜索整个的表以找出合适的顶点的做法是非常浪费的。

一种非常简单但抽象的解决方案是保留两个盒子。1 号盒将装有 d_v = `currDist` 的那些未知顶点，而 2 号盒则装有 d_v = `currDist + 1` 的那些顶点。找出一个合适顶点的测试可以用查找 1 号盒内的任意顶点代替。在更新 w(内层 `if` 语句块的内部)以后，我们可以把 w 加到 2 号盒中。在外层 `for` 循环终止以后，1 号盒是空的，而 2 号盒则可转换成 1 号盒以进行下一趟 `for` 循环。

```
void unweighted( Vertex s )
{
    for each Vertex v
    {
        v.dist = INFINITY;
        v.known = false;
    }

    s.dist = 0;

    for( int currDist = 0; currDist < NUM_VERTICES; currDist++ )
        for each Vertex v
            if( !v.known && v.dist == currDist )
            {
                v.known = true;
                for each Vertex w adjacent to v
                    if( w.dist == INFINITY )
                    {
                        w.dist = currDist + 1;
                        w.path = v;
                    }
            }
}
```

图 9-16　无权最短路径算法的伪代码

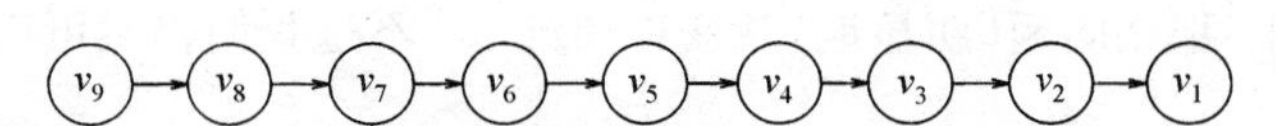

图 9-17　使用图 9-16 的无权最短路径算法的坏情形

我们甚至可以使用一个队列把这种想法进一步精化。在迭代开始的时候，队列只含有距离为 currDist 的那些顶点。当添加距离为 currDist + 1 的那些邻接顶点时，由于它们自队尾入队，因此这就保证它们直到所有距离为 currDist 的顶点都被处理之后才被处理。在距离 currDist 处的最后一个顶点出队并被处理之后，队列只含有距离为 currDist + 1 的顶点，因此该过程将不断进行下去。我们只需要把开始的节点放入队列中以启动这个过程即可。

369 ~ 370

```
void unweighted( Vertex s )
{
    Queue<Vertex> q = new Queue<Vertex>( );

    for each Vertex v
        v.dist = INFINITY;

    s.dist = 0;
    q.enqueue( s );

    while( !q.isEmpty( ) )
    {
        Vertex v = q.dequeue( );

        for each Vertex w adjacent to v
            if( w.dist == INFINITY )
            {
                w.dist = v.dist + 1;
                w.path = v;
                q.enqueue( w );
            }
    }
}
```

图 9-18　无权最短路径算法的伪代码

精练的算法如图 9-18 中所示。在伪代码中，我们已经假设开始顶点 s 是作为参数被传递的。再有，如果某些顶点从开始节点出发是不可到达的，那么有可能队列会过早地变空。在这种情况下，将对这些节点报出 INFINITY（无穷）距离，这是完全合理的。最后，known 域没有使用；一个顶点一旦被处理它就从不再进入队列，因此它不需要重新处理的事实就意味着被做了标记。这样一来，known 域可以去掉。图 9-19 指出我们一直在使用的图上的值在算法期间是如何变化的。(该图还包括对 known 发生的变化)。

	初始状况			v_3 出队后			v_1 出队后			v_6 出队后		
v	*known*	d_v	p_v	*known*	d_v	p_v	*known*	d_v	p_v	*known*	d_v	p_v
v_1	F	∞	0	F	1	v_3	T	1	v_3	T	1	v_3
v_2	F	∞	0	F	∞	0	F	2	v_1	F	2	v_1
v_3	F	0	0	T	0	0	T	0	0	T	0	0
v_4	F	∞	0	F	∞	0	F	2	v_1	F	2	v_1
v_5	F	∞	0	F	∞	0	F	∞	0	F	∞	0
v_6	F	∞	0	F	1	v_3	F	1	v_3	T	1	v_3
v_7	F	∞	0	F	∞	0	F	∞	0	F	∞	0
Q:	v_3			v_1, v_6			v_6, v_2, v_4			v_2, v_4		
	v_2 出队后			v_4 出队后			v_5 出队后			v_7 出队后		
v	*known*	d_v	p_v	*known*	d_v	p_v	*known*	d_v	p_v	*known*	d_v	p_v
v_1	T	1	v_3	T	1	v_3	T	1	v_3	T	1	v_3
v_2	T	2	v_1	T	2	v_1	T	2	v_1	T	2	v_1
v_3	T	0	0	T	0	0	T	0	0	T	0	0
v_4	F	2	v_1	T	2	v_1	T	2	v_1	T	2	v_1
v_5	F	3	v_2	F	3	v_2	T	3	v_2	T	3	v_2
v_6	T	1	v_3	T	1	v_3	T	1	v_3	T	1	v_3
v_7	F	∞	0	F	3	v_4	F	3	v_4	T	3	v_4
Q:	v_4, v_5			v_5, v_7			v_7			空		

图 9-19 无权最短路径算法期间数据变化情况

使用与对拓扑排序进行同样的分析，我们看到，只要使用邻接表，则运行时间就是 $O(|E|+|V|)$。

371

9.3.2 Dijkstra 算法

如果图是赋权图，那么问题(明显地)就变得困难了，不过我们仍然可以使用来自无权情形时的想法。

我们保留所有与前面相同的信息。因此，每个顶点或者标记为 known(已知)的，或者标记为 unknown(未知)的。像以前一样，对每一个顶点保留一个尝试性的距离 d_v。这个距离实际上是只使用一些 known 顶点作为中间顶点从 s 到 v 的最短路径的长。和以前一样，我们记录 p_v，它是引起 d_v 变化的最后的顶点。

解决单源最短路径问题的一般方法叫作 **Dijkstra 算法**(Dijkstra's algorithm)。这个有 30 年历史的解法是**贪婪算法**(greedy algorithm)最好的例子。贪婪算法一般分阶段求解一个问题，在每个阶段它都把出现的当作是最好的去处理。例如，为了用美国货币找零钱，大部分人首先数出若干25 分一个的硬币阔特(quarter)，然后是若干一角币、五分币和一分币。这种贪婪算法使用最少数目的硬币找零钱。贪婪算法主要的问题在于，该算法不是总能够成功的。为了找还 15 美分的零钱，如添加 12 美分一个的货币则可破坏这种找零钱算法，因为此时它给出的答案(一个 12 分币和三个分币)不是最优的(一个角币和一个五分币)。

Dijkstra 算法按阶段进行，正像无权最短路径算法一样。在每个阶段，Dijkstra 算法选择一个顶点 v，它在所有 unknown 顶点中具有最小的 d_v，同时算法声明从 s 到 v 的最短路径是 known 的。阶段的其余部分由 d_w 值的更新工作组成。

372

在无权的情形，若 $d_w=\infty$ 则置 $d_w=d_v+1$。因此，若顶点 v 能提供一条更短路径，则我们本质上降低了 d_w 的值。如果我们对赋权的情形应用同样的逻辑，那么当 d_w 的新值 $d_v+c_{v,w}$ 是一个改进的值时我们就置 $d_w=d_v+c_{v,w}$。简言之，使用通向 w 的路径上的顶点 v 是不是一个好主意由算法决定。原始的值 d_w 是不使用 v 的值的；上面所算出的值是使用 v(和仅仅那些 known 的顶点)的最廉价的路径。

图 9-20 中的图是一个例子。图 9-21 表示初始配置，假设开始节点 s 是 v_1。第一个选择的顶点是 v_1，路径的长为 0。该顶点标记为 known。既然 v_1 是 known 的，那么某些表项就需要调整。

邻接到 v_1 的顶点是 v_2 和 v_4。这两个顶点的项得到调整，如图 9-22 所示。

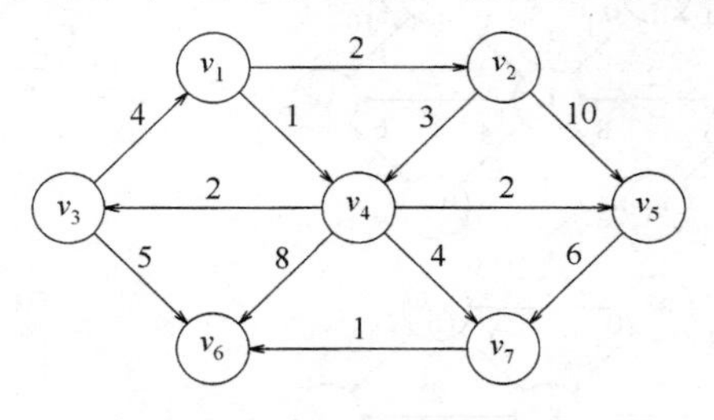

图 9-20　有向图 G

v	*known*	d_v	p_v
v_1	F	0	0
v_2	F	∞	0
v_3	F	∞	0
v_4	F	∞	0
v_5	F	∞	0
v_6	F	∞	0
v_7	F	∞	0

图 9-21　用于 Dijkstra 算法的表的初始配置

下一步，选取 v_4 并标记为 known。顶点 v_3，v_5，v_6，v_7 是邻接的顶点，而它们实际上都需要调整，如图 9-23 所示。

373

接下来选择 v_2。v_4 是邻接的点，但已经是 known 的了，因此对它没有工作要做。v_5 是邻接的点但不做调整，因为经过 v_2 的值为 $2+10=12$ 而长为 3 的路径已经是已知的。图 9-24 指出在这些顶点被选取以后的表。

v	*known*	d_v	p_v
v_1	T	0	0
v_2	F	2	v_1
v_3	F	∞	0
v_4	F	1	v_1
v_5	F	∞	0
v_6	F	∞	0
v_7	F	∞	0

图 9-22　在 v_1 被声明为 known 后的表

v	*known*	d_v	p_v
v_1	T	0	0
v_2	F	2	v_1
v_3	F	3	v_4
v_4	T	1	v_1
v_5	F	3	v_4
v_6	F	9	v_4
v_7	F	5	v_4

图 9-23　在 v_4 被声明为 known 后

下一个被选取的顶点是 v_5，其值为 3。v_7 是唯一的邻接顶点，但是它不用调整，因为 $3+6>5$。然后选取 v_3，对 v_6 的距离下调到 $3+5=8$。结果如图 9-25 所示。

v	*known*	d_v	p_v
v_1	T	0	0
v_2	T	2	v_1
v_3	F	3	v_4
v_4	T	1	v_1
v_5	F	3	v_4
v_6	F	9	v_4
v_7	F	5	v_4

图 9-24　在 v_2 被声明为 known 后

v	*known*	d_v	p_v
v_1	T	0	0
v_2	T	2	v_1
v_3	T	3	v_4
v_4	T	1	v_1
v_5	T	3	v_4
v_6	F	8	v_3
v_7	F	5	v_4

图 9-25　在 v_5 然后 v_3 被声明为 known 后

再下一个选取的顶点是 v_7，v_6 下调到 $5+1=6$。我们得到图 9-26 所示的表。

最后，我们选择 v_6。最后的表在图 9-27 中表出。图 9-28 以图形演示在 Dijkstra 算法期间各边是如何标记为 known 的以及顶点是如何更新的。

374 ~ 375

v	*known*	d_v	p_v
v_1	T	0	0
v_2	T	2	v_1
v_3	T	3	v_4
v_4	T	1	v_1
v_5	T	3	v_4
v_6	F	6	v_7
v_7	T	5	v_4

图 9-26　在 v_7 被声明为 known 后

v	*known*	d_v	p_v
v_1	T	0	0
v_2	T	2	v_1
v_3	T	3	v_4
v_4	T	1	v_1
v_5	T	3	v_4
v_6	T	6	v_7
v_7	T	5	v_4

图 9-27　在 v_6 被声明为 known 之后，算法终止

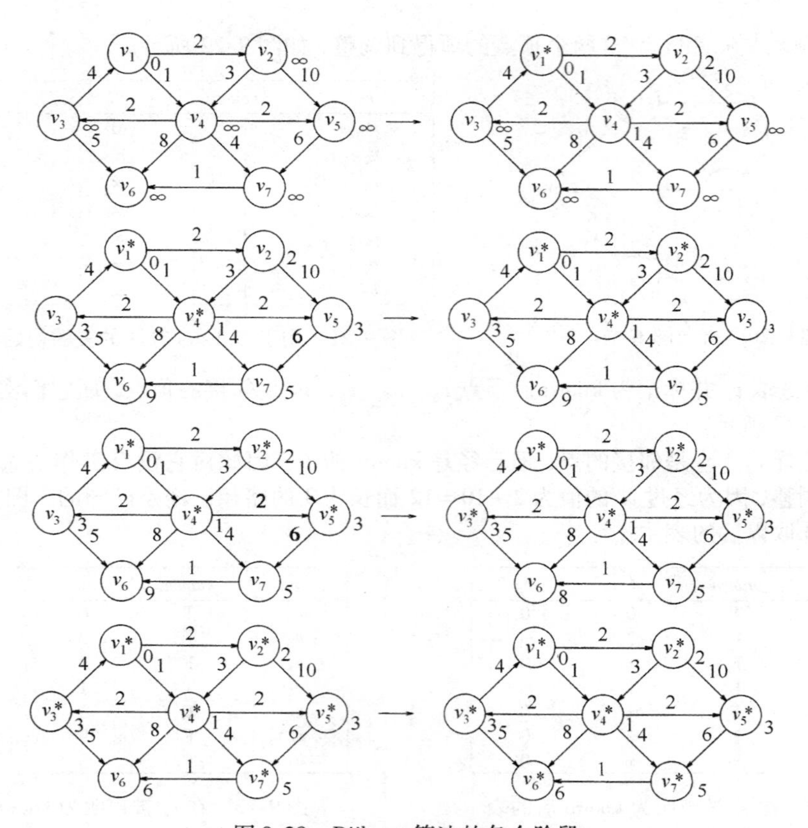

图 9-28　Dijkstra 算法的各个阶段

为了显示出从开始顶点到某个顶点 v 的实际路径，我们可以编写一个递归例程跟踪 p 变量留下的踪迹。

现在我们给出实现 Dijkstra 算法的伪代码。每个 Vertex 存储在算法中使用的各种数据域。这在图 9-29 中表出。

```
class Vertex
{
    public List     adj;      // Adjacency list
    public boolean  known;
    public DistType dist;     // DistType is probably int
    public Vertex   path;
        // Other fields and methods as needed
}
```

图 9-29　Dijkstra 算法中的 Vertex 类

利用图 9-30 中的递归例程可以显示出这个路径。该例程递归地显示路径上直到顶点 v 前面的顶点的整个路径，然后再显示顶点 v。这是没有问题的，因为路径是简单的。

图 9-31 列出主要的算法，它就是一个使用贪婪选取法则填表的 for 循环。

利用反证法的证明将指出，只要没有边的值为负，该算法总能够顺利工作。如果任何一边出现负值，则算法可能得出错误的答案(见练习 9.7(a))。运行时间依赖于对顶点的处理方法，我们必须考虑。如果使用顺序扫描顶点以找出最小值 d_v 这种明显的算法，那么每一步将花费 $O(|V|)$ 时间找到最小值，从而整个算法过程中查找最小值将花费 $O(|V|^2)$ 时间。每次更新 d_w 的时间是常数，而每条边最多有一次更新，总计为 $O(|E|)$。因此，总的运行时间为 $O(|E|+$

$|V|^2) = O(|V|^2)$。如果图是稠密的，边数 $|E| = \Theta(|V|^2)$，则该算法不仅简单而且基本上最优，因为它的运行时间与边数呈线性关系。 376

```
/*
 * Print shortest path to v after dijkstra has run.
 * Assume that the path exists.
 */
void printPath( Vertex v )
{
    if( v.path != null )
    {
        printPath( v.path );
        System.out.print( " to " );
    }
    System.out.print( v );
}
```

图 9-30 显示实际最短路径的例程

```
void dijkstra( Vertex s )
{
    for each Vertex v
    {
        v.dist = INFINITY;
        v.known = false;
    }

    s.dist = 0;

    while( there is an unknown distance vertex )
    {
        Vertex v = smallest unknown distance vertex;

        v.known = true;

        for each Vertex w adjacent to v
            if( !w.known )
            {
                DistType cvw = cost of edge from v to w;

                if( v.dist + cvw < w.dist )
                {
                    // Update w
                    decrease( w.dist to v.dist + cvw );
                    w.path = v;
                }
            }
    }
}
```

图 9-31 Dijkstra 算法的伪代码

如果图是稀疏的，边数 $|E| = \Theta(|V|)$，那么这种算法就太慢了。在这种情况下，距离需要存储在优先队列中。有两种方法可以做到这一点，二者是类似的。

顶点 v 的选择是一次 deleteMin 操作，因为一旦未知的最小值顶点被找到，那么它就不再是未知的，必须从未来的考虑中除去。w 的距离的更新可以有两种方法实现。 377

一种方法是把更新处理成 decreaseKey 操作。此时，查找最小值的时间为 $O(\log|V|)$，就像执行那些更新的时间，它相当于 decreaseKey 操作。由此得出运行时间为 $O(|E|\log|V|+|V|\log|V|)=O(|E|\log|V|)$，它是对前面稀疏图的界的改进。由于优先队列不是有效地支持 find 操作，因此 d_i 的每个值在优先队列的位置将需要保留并当 d_i 在优先队列中改变时更新。如果优先队列是用二叉堆实现的，那么这将很难办。如果使用配对堆(pairing heap，见第12章)，则程序不会太差。

另一种方法是在每次 w 的距离变化时把 w 和新值 d_w 插入到优先队列中去。这样，对在优先队列中的每个顶点就可能有多于一个的代表。当 deleteMin 操作把最小的顶点从优先队列中删除时，必须检查以肯定它不是 known 的。如果它是，则忽略它，并执行另一次 deleteMin。这种方法虽然从软件的观点看是优越的，而且编程确实容易得多，但是，队列的大小可能达到 $|E|$ 这么大。由于 $|E|\leqslant|V|^2$ 意味着 $\log|E|\leqslant 2\log|V|$，因此这并不影响渐进时间界。这样，我们仍然得到一个 $O(|E|\log|V|)$ 算法。不过，空间需求的确增加了，在某些应用中这可能是严重的。不仅如此，因为该方法需要 $|E|$ 次而不是仅仅 $|V|$ 次 deleteMin，所以它在实践中很可能要减慢。

注意，对于一些诸如计算机邮件和大型公交传输的典型问题，它们的图一般是非常稀疏的，因为大多数顶点只有少数几条边。因此，在许多应用中使用优先队列来解决这种问题是很重要的。

如果使用不同的数据结构，那么 Dijkstra 算法可能会有更好的时间界。在第11章，我们将看到另外的优先队列数据结构，叫作斐波那契堆(Fibonacci heap)。使用这种数据结构的运行时间是 $O(|E|+|V|\log|V|)$。斐波那契堆具有良好的理论时间界，不过，它需要相当数量的系统开销。因此，尚不清楚在实践中是否使用斐波那契堆比使用带有二叉堆的 Dijkstra 算法更好。至今，这种问题尚没有有意义的平均情形的结果。

378 ~ 379

9.3.3 具有负边值的图

如果图具有负的边值，那么 Dijkstra 算法是行不通的。问题在于，一旦一个顶点 u 被声明是 known 的，那就可能从某个另外的 unknown 顶点 v 有一条回到 u 的负的路径。在这样的情形下，选取从 s 到 v 再回到 u 的路径要比从 s 到 u 但不过 v 更好。练习9.7(a)要求构造一个明晰的例子。

一个诱人的方案是将一个常数 Δ 加到每一条边的值上，如此除去负的边，再计算新图的最短路径问题，然后把结果用到原来的图上。这种方案的直接实现是行不通的，因为那些具有许多条边的路径变成比那些具有很少边的路径权重更重了。

把赋权的和无权的算法结合起来将会解决这个问题，但是要付出运行时间剧烈增长的代价。我们忘记了关于 unknown 的顶点的概念，因为我们的算法需要能够改变它的意向。开始，我们把 s 放到队列中。然后，在每一阶段让一个顶点 v 出队。找出所有与 v 邻接的顶点 w，使得 $d_w>d_v+c_{v,w}$。然后更新 d_w 和 p_w，并在 w 不在队列中的时候把它放到队列中。可以为每个顶点设置一个比特位(bit)以指示它在队列中出现的情况。我们重复这个过程直到队列空为止。图9-32(几乎)实

```
void weightedNegative( Vertex s )
{
    Queue<Vertex> q = new Queue<Vertex>( );

    for each Vertex v
        v.dist = INFINITY;

    s.dist = 0;
    q.enqueue( s );

    while( !q.isEmpty( ) )
    {
        Vertex v = q.dequeue( );

        for each Vertex w adjacent to v
            if( v.dist + cvw < w.dist )
            {
                // Update w
                w.dist = v.dist + cvw;
                w.path = v;
                if( w is not already in q )
                    q.enqueue( w );
            }
    }
}
```

图9-32 具有负边值的赋权最短路径算法的伪代码

现了这个算法。

虽然如果没有负值圈该算法能够正常运行，但是，内层 for 循环中的代码对每边只执行一次的情况不再成立。每个顶点最多可以出队 $|V|$ 次，因此，如果使用邻接表则运行时间是 $O(|E| \cdot |V|)$（见练习 9.7(b)）。这比 Dijkstra 算法多很多，幸运的是，实践中边的值是非负的。如果负值圈存在，那么算法正如所写的将无限地循环下去。通过在任一顶点已经出队 $|V|+1$ 次后停止算法运行，我们可以保证它能终止。

9.3.4 无圈图

如果知道图是无圈的，那么我们可以通过改变声明顶点为 known 的顺序，或者叫作顶点选取法则，来改进 Dijkstra 算法。新法则是以拓扑顺序选择顶点。由于选择和更新可以在拓扑排序执行的时候进行，因此算法能够一趟完成。

因为当一个顶点 v 被选取以后，按照拓扑排序的法则它没有从 unknown 顶点发出的进入边，因此它的距离 d_v 可不再被降低，所以这种选择法则是行得通的。

使用这种选择法则不需要优先队列；由于选择花费常数时间因此运行时间为 $O(|E|+|V|)$。

无圈图可以模拟某种下坡滑雪问题——我们想要从点 a 到点 b，但只能走下坡，显然不可能有圈。另一个可能的应用是（不可逆）化学反应模型。我们可以让每个顶点代表实验的一个特定的状态，让边代表从一种状态到另一种状态的转变，而边的权代表释放的能量。如果只能从高能状态转变到低能状态，那么图就是无圈的。

无圈图的一个更重要的用途是**关键路径分析法**（critical path analysis）。我们将用图 9-33 中的图作为例子。每个节点表示一个必须执行的动作以及完成动作所花费的时间。因此，该图叫作**动作节点图**（activity-node graph）。图中的边代表优先关系：一条边 (v, w) 意味着动作 v 必须在动作 w 开始前完成。当然，这就意味着图必须是无圈的。我们假设任何（直接或间接）互相不依赖的动作可以由不同的服务器并行地执行。 380

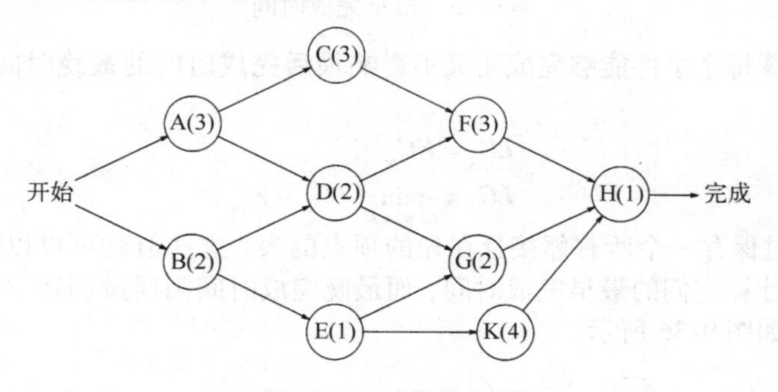

图 9-33 动作节点图

这种类型的图可以（并常常）被用来模拟方案的构建。在这种情况下，有几个重要的问题需要回答。首先，方案最早完成时间是何时？从图中我们可以看到，沿路径 A, C, F, H 需要 10 个时间单位。另一个重要的问题是确定哪些动作可以延迟，延迟多长，而不致影响最少完成时间。例如，延迟 A, C, F, H 中的任一个都将使完成时间推迟 10 个时间单位。另一方面，动作 B 的影响不重要，可以被延迟两个时间单位而不至于影响最后完成时间。

为了进行这些运算，我们把动作节点图转化成**事件节点图**（event-node graph）。每个事件对应一个动作和所有相关的动作的完成。从事件节点图中的节点 v 可达到的事件可以在事件 v 完成后开始。这个图可以自动构造，也可以人工构造。在一个动作依赖于几个其他动作的情况下，可能需要插入哑边和哑节点。为了避免引进假相关性（或相关性的假短缺），这么做是必要的。对应图 9-33 的事件节点图，如图 9-34 所示。 381

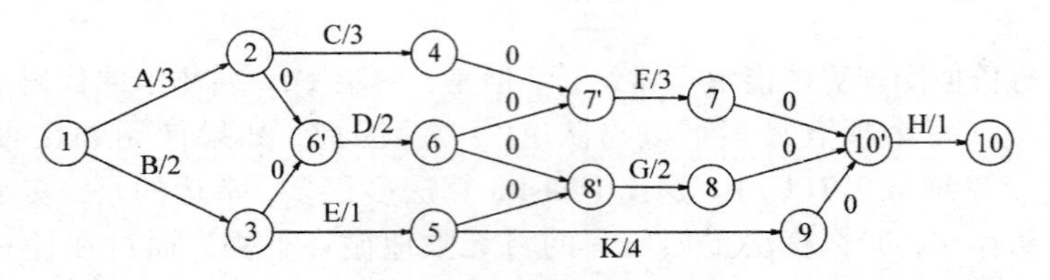

图 9-34 事件节点图

为了找出方案的最早完成时间，我们只要找出从第一个事件到最后一个事件的最长路径的长。对于一般的图，最长路径问题通常没有意义，因为可能有**正值的圈**(positive-cost cycle)存在。这些正值圈等价于最短路问题中的负值圈。如果出现正值圈，那么我们可以寻找最长的简单路径，不过，对于这个问题没有已知的满意解决方案。由于事件节点图是无圈图，因此我们不必担心圈的问题。在这种情况下，容易采纳最短路径算法计算图中所有节点的最早完成时间。如果 EC_i 是节点 i 的最早完成时间，那么可用的法则为

$$EC_1 = 0$$

382

$$EC_w = \max_{(v,w)\in E}(EC_v + c_{v,w})$$

图 9-35 显示在我们的例子中事件节点图中每个事件的最早完成时间。

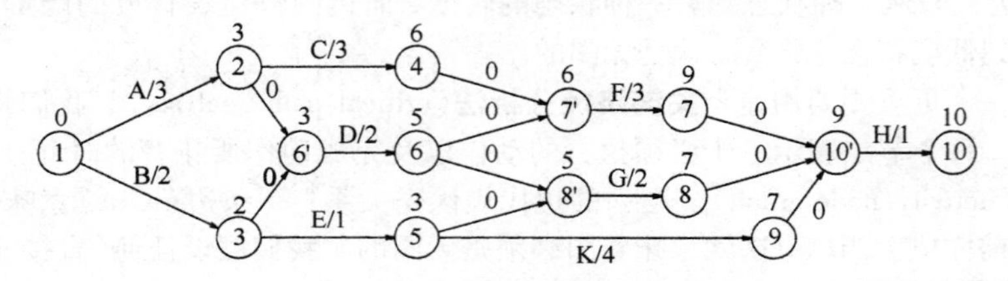

图 9-35 最早完成时间

我们还可以计算每个事件能够完成而又不影响最后完成时间的最晚时间 LC_i。进行这项工作的公式为

$$LC_n = EC_n$$

$$LC_v = \min_{(v,w)\in E}(LC_w - c_{v,w})$$

对于每个顶点，通过保存一个所有邻接且在先的顶点的表，这些值就可以以线性时间算出。借助顶点的拓扑顺序计算它们的最早完成时间，而最晚完成时间则通过倒转它们的拓扑顺序来计算。最晚完成时间如图 9-36 所示。

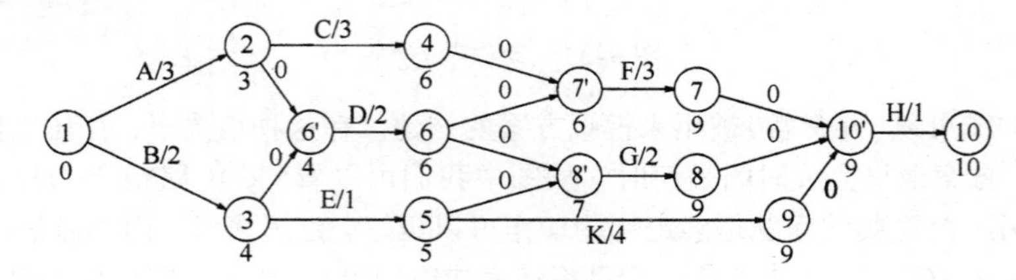

图 9-36 最晚完成时间

事件节点图中每条边的松弛时间(slack time)代表对应动作可以被延迟而又不至于推迟整体的完成的时间量。容易看出

$$Slack_{(v,w)} = LC_w - EC_v - c_{v,w}$$

图 9-37 指出在事件节点图中每个动作的松弛时间(作为第三项)。对于每个节点，顶上的

383

数字是最早完成时间，底下的数字是最晚完成时间。

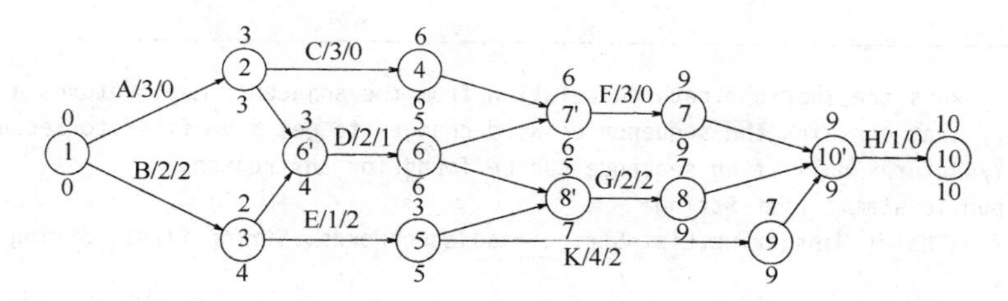

图 9-37 最早完成时间、最晚完成时间和松弛时间

某些动作的松弛时间为零，这些动作是关键性的动作，它们必须按计划结束。至少存在一条完全由零－松弛边组成的路径，这样的路径是**关键路径**(critical path)。

9.3.5 所有点对最短路径

有时重要的是要找出图中所有顶点对之间的最短路径。虽然我们可以运行 $|V|$ 次适当的单源(single-source)算法，但是如果要立即计算所有的信息，我们多少还是愿意有更快的解法，尤其是对于稠密的图。

在第 10 章，我们将看到对赋权图求解这种问题的一个 $O(|V|^3)$ 算法。虽然对于稠密图它具有和运行 $|V|$ 次简单(非优先队列)Dijkstra 算法相同的时间界，但是它的循环是如此地紧凑以致这种专业化的所有点对算法很可能在实践中更快。当然，对于稀疏图更快的是运行 $|V|$ 次用优先队列编写的 Dijkstra 算法。

9.3.6 最短路径的例子

本节我们编写一些 Java 例程来计算词梯(word ladders)游戏。在一个词梯中，每个单词均由其前面的单词改变一个字母而得到。例如，我们可以通过一系列单字母替换而将 `zero` 转换成 `five`：`zero hero here hire fire five`。

这是一个无权最短路径问题，其中每一个单词都是一个顶点，如果两个单词可以通过单字母替换而互相转换，那么它们之间就有边(在两个方向上)。

在4.8 节，我们描述并编写了一个例程，该例程创建一个 `Map`，在这个 `Map` 下，关键字是单词，相应的值是包含从一个单字母变换得到的一些单词的表。同样，这个 `Map` 代表一个图，我们只需编写一个例程来运行单源最短路径算法，而第 2 个例程则在单源最短路径算法计算完后输出单词序列。这两个例程均在图 9-38 中写出。

384

第一个例程是 `findChain`，它利用 `Map` 表示邻接表和两个要被连接的单词，同时返回一个 `Map`，在该 `Map` 中，关键字是单词，而相应的值是位于从 `first` 开始的最短词梯上的关键字前面的那个单词。换句话说，在上面的例子中，如果开始的单词是 `zero`，关键字 `five` 的值是 `fire`，关键字 `fire` 的值是 `hire`，关键字 `hire` 的值是 `here`，等等。显然，这给第 2 个例程 `getChainFromPreviousMap` 提供了足够的信息，后者以向后的方式运行。

`findChain` 是图 9-18 中伪代码的直接实现。它假设 `first` 是合法的单词，这是调用前的一个容易检测的条件。基本循环不正确地为 `first` 指定前面的一项(当邻接的初始单词被处理时)，因此第 25 行将这一项进行了调整。

`getChainFromPreviousMap` 使用 `prev Map` 和 `second`，它是 `Map` 中的一个关键字并返回用于形成词梯的那些单词，通过 `prev` 向后工作。通过使用 `LinkedList` 并在前头插入，我们得到以正确顺序排列的词梯。

能够把这个问题推广到允许包括删除字母和添加字母的单字母替换的情形。计算邻接表只需要多做一点工作：在 4.8 节最后的算法中，每次组 g 中的单词 w 的代表被计算时，我们均检测这个代表是否是组 $g-1$ 中的单词。如果是，那么这个代表就邻接到 w(它是一个单字母删除)，而w被邻接到该代表(它是一个单字母添加)。也可能指定一个值到字母的删除或插入(它高于单字母替换)，并产生一个可以用 *Dijkstra* 算法求解的赋权最短路径问题。

```
1   // Runs the shortest path calculation from the adjacency map, returns a List
2   // that contains the sequence of word changes to get from first to second.
3   // Returns null if no sequence can be found for any reason.
4   public static List<String>
5   findChain( Map<String,List<String>> adjacentWords, String first, String second )
6   {
7       Map<String,String> previousWord = new HashMap<String,String>( );
8       LinkedList<String> q = new LinkedList<String>( );
9
10      q.addLast( first );
11      while( !q.isEmpty( ) )
12      {
13          String current = q.removeFirst( );
14          List<String> adj = adjacentWords.get( current );
15
16          if( adj != null )
17              for( String adjWord : adj )
18                  if( previousWord.get( adjWord ) == null )
19                  {
20                      previousWord.put( adjWord, current );
21                      q.addLast( adjWord );
22                  }
23      }
24
25      previousWord.put( first, null );
26
27      return getChainFromPreviousMap( previousWord, first, second );
28  }
29
30  // After the shortest path calculation has run, computes the List that
31  // contains the sequence of word changes to get from first to second.
32  // Returns null if there is no path.
33  public static List<String> getChainFromPreviousMap( Map<String,String> prev,
34                                                      String first, String second )
35  {
36      LinkedList<String> result = null;
37
38      if( prev.get( second ) != null )
39      {
40          result = new LinkedList<String>( );
41          for( String str = second; str != null; str = prev.get( str ) )
42              result.addFirst( str );
43      }
44
45      return result;
46  }
```

图9-38 求词梯的Java例程

9.4 网络流问题

设给定有向图 $G=(V, E)$，其边容量为 $c_{v,w}$。这些容量可以代表通过一个管道的水的流量或在两个交叉路口之间马路上的交通流量。有两个顶点，一个是 s，称为发点(source)；一个是 t，称为收点(sink)。对于任一条边 (v, w)，最多有“流”的 $c_{v,w}$ 个单位可以通过。在既不是发点 s 又不是收点 t 的任一顶点 v，总的进入的流必须等于总的发出的流。最大流问题就是确定从 s 到 t 可以通过的最大流量。例如，对于图 9-39 中左边的图，最大流是 5，如右边的图所示。虽然这个例子的图是无圈的，但这并不是必需的。我们的(最终)算法对有环图也一样可用。

正如问题叙述中所要求的，没有边负载超过它的容量的流。顶点 a 有 3 个单位的流进入，它将这 3 个单位的流转分给 c 和 d。顶点 d 从 a 和 b 得到 3 个单位的流，并把它们结合起来发送到 t。一个顶点可以以它喜欢的任何方式结合和发送流，只要不破坏边的容量以及保持流守恒(进入的必然都流出)即可。

385 ~ 386

从图中可见，s 有容量为 4 和 2 的边离开它，t 有容量为 3 和 3 的边进入它。所以也可能最大流不是 5 而是 6。但是，图 9-40 展示了如何证明最大流是 5。我们把图切成两部分；一部分包括 s 和其他一些顶点，另一部分包括 t。由于流必须跨过切口，所以所有 u 在 s 分区且 v 在 t 分区的边 (u, v) 的总容量是最大流的一个上界。这些边是 (a, c) 和 (d, t)，总容量为 5，所以最大流不可能超过 5。任何图都有很多的切分，具有最小总容量的切分给出最大流的上界，并且事实证明(但不是很明显地看出)，最小切分的容量正好等于最大流。

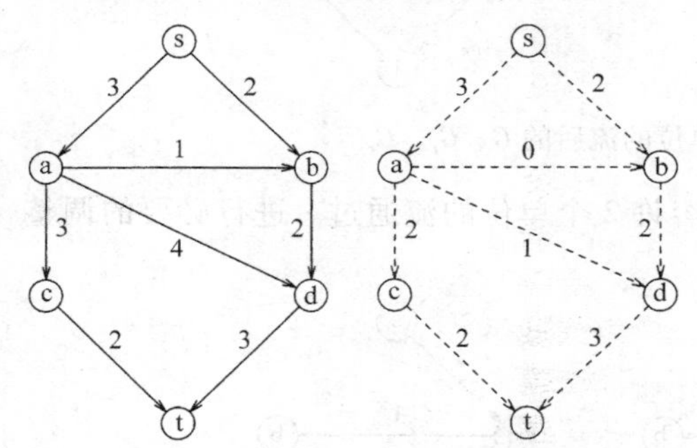

图 9-39　一个图(左边)及其最大流

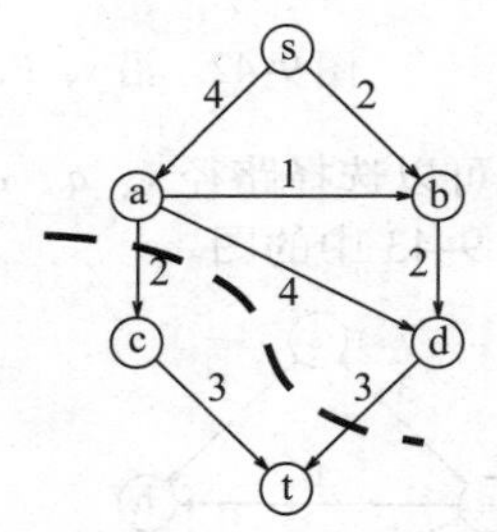

图 9-40　对图 G 的一个切分，将包括 s 和 t 的顶点划分成不同的组。跨过切口的边的总开销是 5，证明最大流是 5

一种简单的最大流算法

解决这种问题的首要想法是分阶段进行。我们从图 G 开始并构造一个流图 G_f。G_f 表示在算法的任意阶段已经达到的流。开始时 G_f 的所有的边都没有流，我们希望当算法终止时 G_f 包含最大流。我们还构造一个图 G_r，称为**残余图**(residual graph)，它表示对于每条边还能再添加上多少流。对于每一条边，我们可以从容量中减去当前的流而计算出残余的流。G_r 的边叫作**残余边**(residual edge)。

在每个阶段，我们寻找图 G_r 中从 s 到 t 的一条路径，这条路径叫作**增广路径**(augmenting path)。这条路径上的最小边值就是可以添加到路径每一边上的流的量。我们通过调整 G_f 和重新计算 G_r 做到这一点。当发现在 G_r 中没有从 s 到 t 的路径时算法终止。这个算法是不确定的，因为我们是随便选择从 s 到 t 的任意的路径。显然，有些选择会比另外一些选择更好，后面我们再处理这个问题。我们将对我们的例子运行这个算法。下面的图分别是 G、G_f 和 G_r。要记着这个算法有一个小缺欠。初始的配置见图 9-41。

在残余图中有许多从 s 到 t 的路径。假设我们选择 s、b、d、t。此时我们可以发送 2 个单位的流通过这条路径的每一边。约定：一旦注满(使饱和)一条边，则这条边就要从残余图中除去。这样，得到图 9-42。

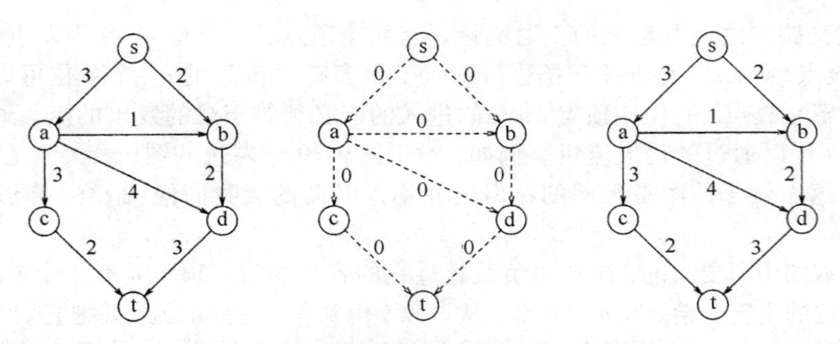

图 9-41　图、流图以及残余图的初始阶段

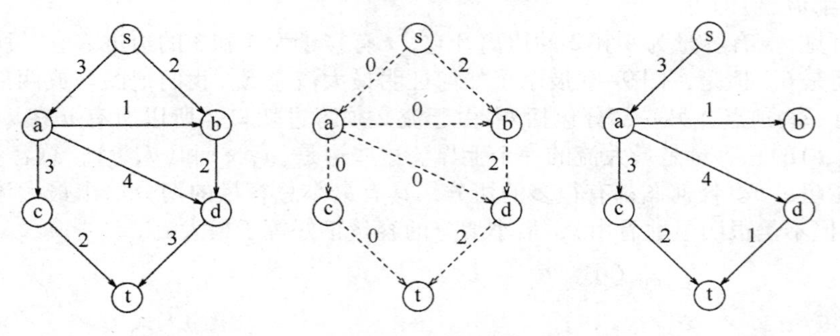

图 9-42　沿 s，b，d，t 加入 2 个单位的流后的 G、G_f、G_r

下面，我们可以选择路径 s、a、c、t，该路径也容许 2 个单位的流通过。进行必要的调整后，我们得到图 9-43 中的图。

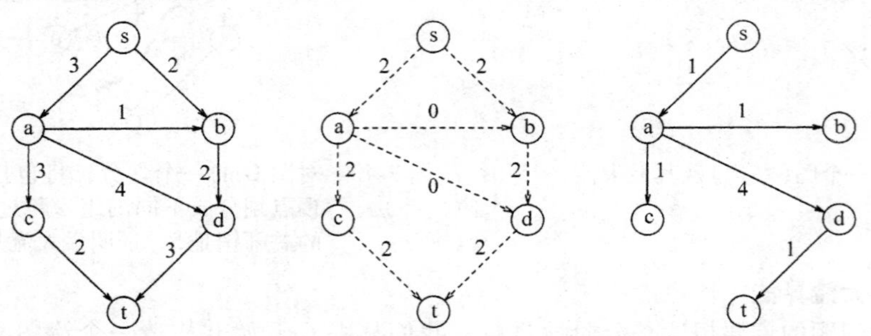

图 9-43　沿 s，a，c，t 加入 2 个单位的流后的 G、G_f、G_r

唯一剩下要选择的路径是 s，a，d，t，这条路径能够容纳一个单位的流通过。结果得到图 9-44 所示的图。

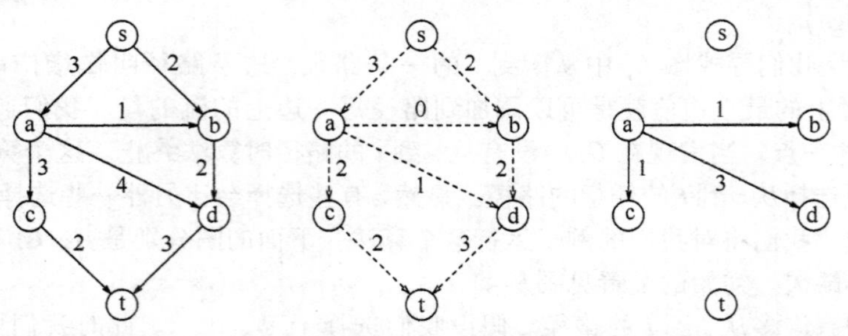

图 9-44　沿 s，a，d，t 加入 1 个单位的流后的 G、G_f、G_r——算法终止

由于 t 从 s 出发是不可到达的，因此算法到此终止。结果正好 5 个单位的流是最大值。为了看清问题的所在，设从初始图开始我们选择路径 s，a，d，t，这条路径容纳 3 个单位的流因而好像是一种好的选择。然而选择的结果却使得在残余图中不再有从 s 到 t 的任何路径，因此，我们的算法不能找到最优解。这是贪婪算法行不通的一个例子。图 9-45 指出为什么算法失败。

387
~
388

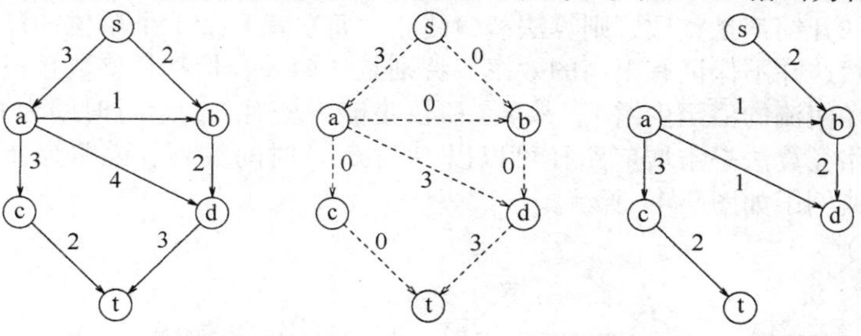

图 9-45　如果初始动作是沿 s，a，d，t 加入 3 个单位的流后得到 G、G_f、G_r——算法在多执行一步后于次优解终止

为了使得算法有效，我们需要允许算法改主意。为此，对于流图中具有流 $f_{v,w}$ 的每一边(v, w)，我们将在残余图中添加一条容量为 $f_{v,w}$ 的边(w, v)。效果就是，我们可以通过以相反的方向发回一个流而使算法解除它原来的决定。通过例子最能看清这个问题。我们从原始的图开始并选择增广路径 s，a，d，t，得到图 9-46 中的图。

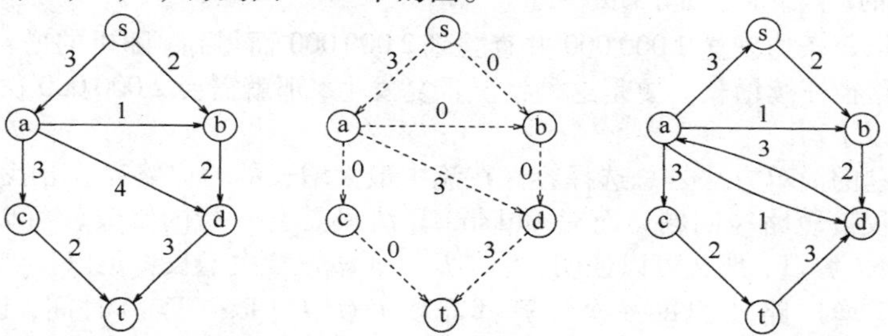

图 9-46　使用正确的算法沿 s，a，d，t 加入 3 个单位的流后的图

注意，在残余图中有些边在 a 和 d 之间有两个方向。或者还有一个单位的流可以从 a 到 d 导向，或者有高达 3 个单位的流导向相反的方向——我们可以撤销流。现在算法找到流为 2 的增广路径 s，b，d，a，c，t。通过从 d 到 a 导入 2 个单位的流，算法从边(a, d)取走 2 个单位的流，因此本质上改变了它的原意。图 9-47 显示出新的图。

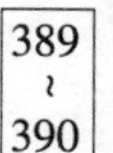
389
~
390

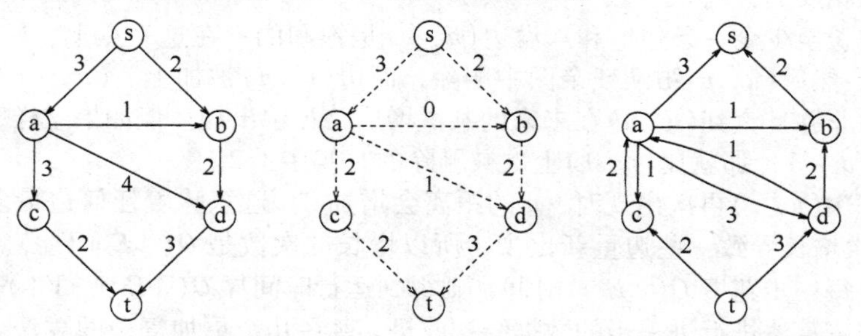

图 9-47　使用正确算法沿 s，b，d，a，c，t 加入 2 个单位的流后的图

在这个图中没有增广路径，因此算法终止。注意，如果在图 9-46 中选择增广路径 s，a，c，t 而允许 1 个单位的流，也能得到同样的结果，因为那样就还能找到一条后续的增广路径。

容易看到，如果算法终止，它必然终止于一个最大流。终止意味着在残余图里从 s 到 t 没有路径了。于是切分残余图，将从 s 可达的顶点放在一边，并且将不可达的顶点(包括 t)放在另一边。图9-48展示了这个切分。显然原始图 G 中的任何跨越切口的边都必须是饱满的，否则其中一条边就会有残余的流，则意味着在 G_r 里有一条跨越切口(在错误的、不允许的方向)的边。由于在 G_r 里不存在从 s 这一边到 t 那一边的跨越切口的边，所以也就不存在跨越切口的反向流。但是那意味着 G 里面的流正好等于 G 的切分的容量，所以我们得到一个最大流。

391 如果图中边的开销都是整数，则算法必须终止。每次增长加1个单位的流，所以我们终将达到最大流，虽然这并不保证有很高的效率。特别是，如果容量都是整数且最大流为 f，那么，由于每条增广路径使流的值至少增1，故 f 个阶段足够，从而总的运行时间为 $O(f\cdot|E|)$，因为通过无权最短路径算法一条增广路径可以以 $O(|E|)$ 时间找到。说明为什么这个时间是坏的运行时间的经典例子如图9-49所示。

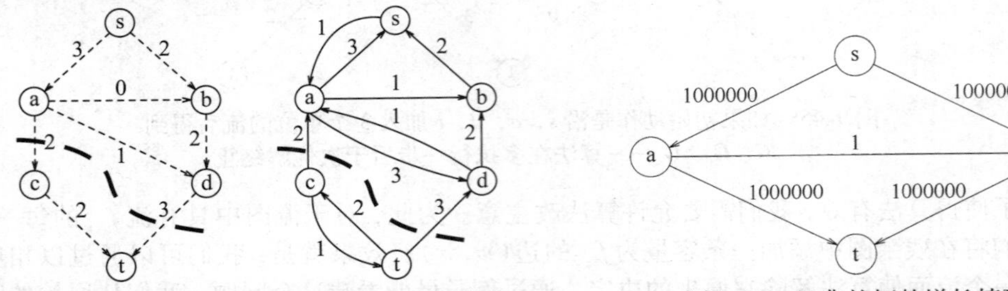

图9-48 在残余图中从 s 可达的顶点组成了切分的一边，不可达的顶点组成了切分的另一边

图9-49 经典的坏的增长情形

最大流通过沿每条边发送1 000 000并查验到2 000 000而得到。随机的增长可以沿包含由 a 和 b 连接的边的路径连续增长。要是这种情况重复发生，那就需要2 000 000次增长，而本来我们仅用两次就可以了。

避免这个问题的简单方法是总选择容许在流中最大增长的增广路径。寻找这样一条路径类似于求解一个赋权最短路径问题，而对Dijkstra算法只需要一行的修改就可以完成这项工作。如果 cap_{max} 为最大边容量，那么可以证明，$O(|E|\log cap_{max})$ 次增长将足以找到最大流。在这种情况下，由于对于增广路径的每一次计算都需要 $O(|E|\log|V|)$ 时间，因此总的时间界为 $O(|E|^2\log|V|\log cap_{max})$。如果容量均为小整数，则该界可以减为 $O(|E|^2\log|V|)$。

另一种选择增广路径的方法是总选取具有最少边数的路径，有理由期望，通过以这种方式选择路径不太可能使该路径上出现一条小的、限制了流的边。使用这种法则，每一步增长在残余图中计算从 s 到 t 的无权最短路，于是假设图中每个顶点保持 d_v，即残余图中从 s 到 v 的最短距离。每一步的增长可以向残余图中加入新的边，但很明显没有 d_v 可以被减小，因为边被加在与已有最短路相反的方向。

每一步的增长至少令一条边饱和。设边 (u, v) 是饱和的；在这一点上，u 有距离 d_u，v 有距离 $d_v=d_u+1$；然后 (u, v) 被从残余图中删除，而边 (v, u) 被加上。(u, v) 不能再次在残余图中出现了，除非并且直到 (v, u) 在未来的某次增广路径中出现。但如果这样，则在这点上到 u 的距离一定是 d_v+1，那就比 (u, v) 上次被删除的时候多了2。

392

这意味着每次 (u, v) 再次出现时，u 的距离会增加2。这意味着任何边最多只能重复出现 $|V|/2$ 次。每次增长导致一些边重新出现，所以增长的次数是 $O(|E||V|)$。因为要做无权最短路径计算，每一步花费 $O(|E|)$ 时间，则得到运行时间界 $O(|E|^2|V|)$。

有可能对这一算法进行进一步的数据结构改进，存在几个更加复杂的算法。长期以来对界的改进降低了该问题当前熟知的界。虽然尚未见到 $O(|E||V|)$ 算法的报告，但是一些具有界 $O(|E||V|\log(|V|^2/|E|))$ 和 $O(|E||V|+|V|^{2+\varepsilon})$ 的算法已经被发现(见参考文献)。还有许多在一些特殊情形下非常好的界。例如，若图除发点和收点外所有的顶点都有一条容量为1的入边或一条容量为1的出边，则该图的最大流可以以时间 $O(|E||V|^{1/2})$ 找到。这些图出现在许多应用中。

产生这些界的那些分析过程是相当复杂的，并且还不清楚最坏情形的结果是如何与实际当中用到的运行时间发生关系的。一个相关的、甚至更困难的问题是最小费用流（min-cost flow）问题。每条边不仅有容量，而且还有每个单位流的费用，而问题则是在所有的最大流中找出一个最小费用的流来。目前对这两个问题的研究都在积极地进行。

9.5 最小生成树

我们将要考虑的下一个问题是在一个无向图中找出一棵最**小生成树**（minimum spanning tree）的问题。这个问题对有向图也是有意义的，不过找起来更困难。大体上说来，一个无向图 G 的最小生成树就是由该图的那些连接 G 的所有顶点的边构成的树，且其总价值最低。最小生成树存在当且仅当 G 是连通的。虽然一个强壮的算法应该指出 G 不连通的情况，但是我们还是假设 G 是连通的，而把算法的健壮性作为练习留给读者。

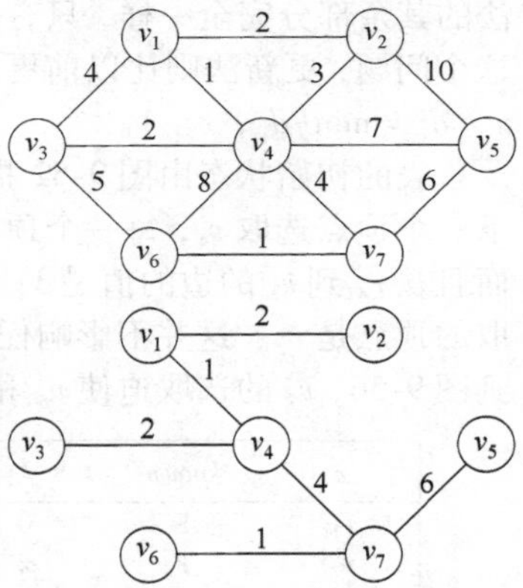

图 9-50　图 G 及其最小生成树

在图 9-50 中第二个图是第一个图的最小生成树（碰巧还是唯一的，但这并不代表一般情况）。注意，在最小生成树中边的条数为 $|V|-1$。最小生成树是一棵树，因为它无圈；而由于最小生成树包含每一个顶点，因此它是生成树；此外，它显然是包含图的所有顶点的最小的树。如果我们需要用最少的电线给一所房子安装电路（假设没有其他的电路约束），那就需要解决最小生成树问题。

对于任一生成树 T，如果将一条不属于 T 的边 e 添加进来，则产生一个圈。如果从该圈中除去任意一条边，则又恢复生成树的特性。如果边 e 的值比除去的边的值低，那么新的生成树的值就比原生成树的值低。如果在建立生成树时所添加的边在所有避免成圈的边中其值最小，那么最后得到的生成树的值不能再改进，因为任意一条替代的边都将与已经存在于该生成树中的一条边至少具有相同的值。这说明，对于最小生成树，贪婪的做法是成立的。我们介绍两种算法，它们的区别在于最小（值的）边如何选取上。 393

9.5.1 Prim 算法

计算最小生成树的一种方法是使其连续地一步步长成。在每一步，都要把一个节点当作根并往上加边，这样也就把相关联的顶点加到增长中的树上。

在算法的任一时刻，我们都可以看到一组已经添加到树上的顶点，而其余顶点尚未加到这棵树中。此时，算法在每一阶段都可以通过选择边 (u, v) 使得 (u, v) 的值是所有 u 在树上但 v 不在树上的边的值中的最小者而找出一个新的顶点并把它添加到这棵树中。图 9-51 指出该算法如何从 v_1 开始构建最小生成树。开始时，v_1 在构建中的树上，它作为树的根但是没有边。每一步添加一条边和一个顶点到树上。

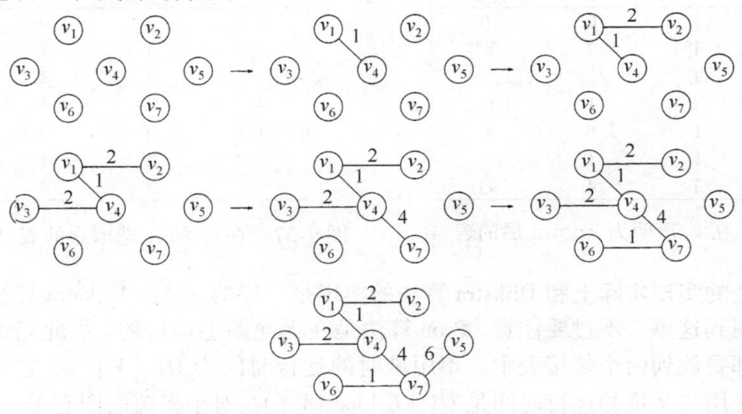

图 9-51　在每一步之后的 Prim 算法

我们可以看到，Prim 算法基本上和求最短路径的 Dijkstra 算法相同，因此和前面一样，我们对每一个顶点保留值 d_v 和 p_v 以及一个指标，标示该顶点是 known(已知)的还是 unknown(未知)的。这里，d_v 是连接 v 到已知顶点的最短边的权，而 p_v 则是导致 d_v 改变的最后的顶点。算法的其余部分完全一样，只有一点不同：由于 d_v 的定义不同，因此它的更新法则也不同。对于这个问题，更新法则比以前更简单：在每一个顶点 v 被选取以后，对于每一个与 v 邻接的未知的 w，$d_w = \min(d_w, c_{w,v})$。

表的初始状态由图 9-52 指出。v_1 被选取，v_2、v_3、v_4 被更新。结果由图 9-53 中的表指出。下一个顶点选取 v_4，每一个顶点都与 v_4 邻接。v_1 不考虑，因为它是已知的。v_2 不变，因为 $d_v = 2$ 而且从 v_4 到 v_2 的边的值是 3；所有其他的顶点都被更新。图 9-54 显示得到的结果。下一个要选取的顶点是 v_2。这并不影响任何距离。然后选取 v_3，它影响到 v_6 的距离，见图 9-55。选取 v_7 得到图 9-56，v_7 的选取迫使 v_6 和 v_5 进行调整。然后分别选取 v_6 和 v_5，算法完成。

394~395

v	*known*	d_v	p_v
v_1	F	0	0
v_2	F	∞	0
v_3	F	∞	0
v_4	F	∞	0
v_5	F	∞	0
v_6	F	∞	0
v_7	F	∞	0

图 9-52 在 Prim 算法中所使用的表的初始配置

v	*known*	d_v	p_v
v_1	T	0	0
v_2	F	2	v_1
v_3	F	4	v_1
v_4	F	1	v_1
v_5	F	∞	0
v_6	F	∞	0
v_7	F	∞	0

图 9-53 在 v_1 声明为 known 后的表

v	*known*	d_v	p_v
v_1	T	0	0
v_2	F	2	v_1
v_3	F	2	v_4
v_4	T	1	v_1
v_5	F	7	v_4
v_6	F	8	v_4
v_7	F	4	v_4

图 9-54 在 v_4 声明为 known 后的表

v	*known*	d_v	p_v
v_1	T	0	0
v_2	T	2	v_1
v_3	T	2	v_4
v_4	T	1	v_1
v_5	F	7	v_4
v_6	F	5	v_3
v_7	F	4	v_4

图 9-55 在 v_2 和 v_3 先后声明为 known 后的表

最后的表在图 9-57 中给出。生成树的边可以从该表中读出：(v_2, v_1)，(v_3, v_4)，(v_4, v_1)，(v_5, v_7)，(v_6, v_7)，(v_7, v_4)。生成树总的值是 16。

v	*known*	d_v	p_v
v_1	T	0	0
v_2	T	2	v_1
v_3	T	2	v_4
v_4	T	1	v_1
v_5	F	6	v_7
v_6	F	1	v_7
v_7	T	4	v_4

图 9-56 在 v_7 声明为 known 后的表

v	*known*	d_v	p_v
v_1	T	0	0
v_2	T	2	v_1
v_3	T	2	v_4
v_4	T	1	v_1
v_5	T	6	v_7
v_6	T	1	v_7
v_7	T	4	v_4

图 9-57 在 v_6 和 v_5 选取后的表(Prim 算法终止)

该算法整个的实现实际上和 Dijkstra 算法的实现是一样的，对于 Dijkstra 算法分析所做的每一件事都可以用到这里。不过要注意，Prim 算法是在无向图上运行的，因此当编写代码时要记住把每一条边都要放到两个邻接表中。不用堆时的运行时间为 $O(|V|^2)$，它对于稠密的图来说是最优的。使用二叉堆的运行时间是 $O(|E|\log|V|)$，对于稀疏的图它是一个好的界。

9.5.2 Kruskal 算法

第二种贪婪策略是连续地按照最小的权选择边，并且当所选的边不产生圈时就把它作为所取定的边。该算法对于前面例子中的图的实施过程如图 9-58 所示。

边	权	动作
(v_1, v_4)	1	接受
(v_6, v_7)	1	接受
(v_1, v_2)	2	接受
(v_3, v_4)	2	接受
(v_2, v_4)	3	舍弃
(v_1, v_3)	4	舍弃
(v_4, v_7)	4	接受
(v_3, v_6)	5	舍弃
(v_5, v_7)	6	接受

图 9-58 *Kruskal* 算法施于图 *G* 的情况

形式上，Kruskal 算法是在处理一个森林——树的集合。开始的时候，存在 $|V|$ 棵单节点树，而添加一边则将两棵树合并成一棵树。当算法终止的时候，就只有一棵树了，这棵树就是最小生成树。图 9-59 显示边被添加到森林中的顺序。

当添加到森林中的边足够多时算法终止。实际上，算法就是要决定边 (u, v) 应该添加还是应该放弃。第 8 章中的 Union/Find 算法适用于这里的数据结构。

396 ~ 397

我们用到的一个恒定的事实是，在算法实施的任一时刻，两个顶点属于同一个集合当且仅当它们在当前的生成森林(spanning forest)中连通。因此，每个顶点最初是在它自己的集合中。如果 u 和 v 在同一个集合中，那么连接它们的边就要放弃，由于他们已经连通了，因此再添加边 (u, v) 就会形成一个圈。如果这两个顶点不在同一个集合中，则将该边加入，并对包含顶点 u 和 v 的这两个集合实施一次 union。容易看到，这样将保持集合不变性，因为一旦边 (u, v) 添加到生成森林中，若 w 连通到 u 而 x 连通到 v，则 x 和 w 必然是连通的，因此属于相同的集合。

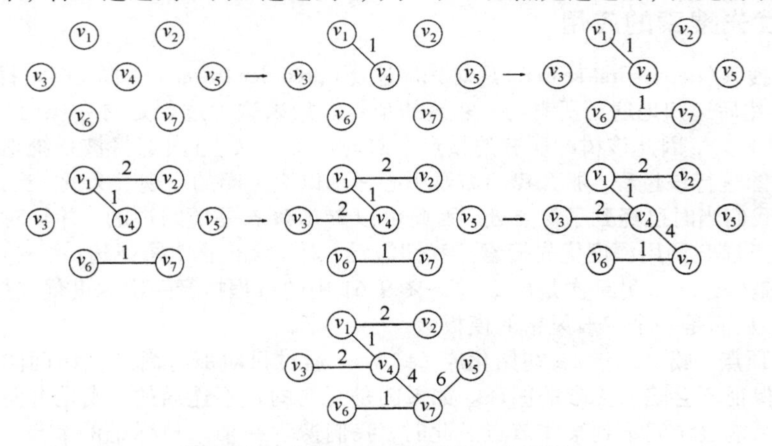

图 9-59 在每一步之后的 Kruskal 算法

固然，将边排序可便于选取，不过，用线性时间建立一个堆则是更好的想法。此时，DeleteMin 将使得边依序得到测试。典型情况下，在算法终止前只有一小部分边需要测试，尽管必须尝试所有的边的情况总是有可能的。例如，假设还有一个顶点 v_8 以及值为 100 的边 (v_5, v_8)，那么所有的边就会都被考察到。图 9-60 中的 Kruskal 方法可以找出一棵最小生成树。

```
ArrayList<Edge> kruskal( List<Edge> edges, int numVertices )
{
    DisjSets ds = new DisjSets( numVertices );
    PriorityQueue<Edge> pq = new PriorityQueue<>( edges );
    List<Edge> mst = new ArrayList<>( );

    while( mst.size( ) != numVertices - 1 )
```

图 9-60 Kruskal 算法的伪代码

```
    {
        Edge e = pq.deleteMin( );          // Edge e = (u, v)
        SetType uset = ds.find( e.getu( ) );
        SetType vset = ds.find( e.getv( ) );

        if( uset != vset )
        {
            // Accept the edge
            mst.add( e );
            ds.union( uset, vset );
        }
    }
    return mst;
}
```

图 9-60 （续）

该算法的最坏情形运行时间为 $O(|E|\log|E|)$，它受堆操作控制。注意，由于 $|E| = O(|V|^2)$，因此这个运行时间实际上是 $O(|E|\log|V|)$。在实践中，该算法要比这个时间界指示的时间快得多。

9.6 深度优先搜索的应用

深度优先搜索(depth-first search)是对先序遍历(preorder traversal)的推广。我们从某个顶点 v 开始处理 v，然后递归地遍历所有与 v 邻接的顶点。如果这种过程是对一棵树进行，那么，由于 $|E| = \Theta(|V|)$，因此该树的所有的顶点在总时间 $O(|E|)$ 内都将被系统地访问到。如果我们对任意的图进行该过程，那么我们需要小心仔细以避免圈的出现。为此，当访问一个顶点 v 的时候，由于我们当时已经到了该点处，因此可以标记该点是访问过的，并且对于尚未被标记的所有邻接顶点递归调用深度优先搜索。我们假设，对于无向图，每条边 (v, w) 在邻接表中出现两次：一次是 (v, w)，另一次是 (w, v)。图 9-61 中的过程执行一次深度优先搜索(此外绝对什么也不做)，从而是一个一般风格的模板。

398 ~ 399

对每一个顶点，域 visited 初始化成 false。通过只对那些尚未被访问的节点递归调用该过程，我们保证不会陷入无限的循环。如果图是无向的且不连通的，或是有向的但非强连通的，这种方法可能会访问不到某些节点。此时，我们搜索一个未被标记的节点，然后应用深度优先遍历，并继续这个过程直到不存在未标记的节点为止[⊖]。因为该方法保证每一条边只访问一次，所以只要使用邻接表，则执行遍历的总时间就是 $O(|E|+|V|)$。

9.6.1 无向图

无向图是连通的，当且仅当从任一节点开始的深度优先搜索访问到每一个节点。因为这项测试应用起来非常容易，所以将假设我们处理的图都是连通的。如果它们不连通，那么可以找出所有的连通分支并将我们的算法依次应用于每个分支。

作为深度优先搜索的一个例子，设在图 9-62 的图中从 A 点开始。此时，标记 A 为访问过的并递归调用 dfs(B)。dfs(B)标记 B 为访问过的并递归调用 dfs(C)。dfs(C)标记 C 为访问过的并递归调用 dfs(D)。dfs(D)遇到 A 和 B，但是这两个节点都已经被标记过，因此没有递归调用可以进行。dfs(D)也看到 C 是邻接的顶点，但 C 也标记过了，因此在这里也没有递归

⊖ 其实现的一种高效方法是从 v_1 开始深度优先搜索。如果我们需要重新开始深度优先搜索，则对于一个未标记的顶点考查序列 $v_k, v_{k+1}, \cdots$，其中 v_{k-1} 是最后一次深度优先搜索开始处的顶点。这保证整个算法只花费 $O(|V|)$ 时间查找那些使新的深度优先搜索树开始的顶点。

调用进行，于是dfs(D)返回到dfs(C)。dfs(C)看到B是邻接点，忽略它，并发现以前没看见的顶点E也是邻接点，因此调用dfs(E)。dfs(E)将E作标记，忽略A和C，并返回到dfs(C)。dfs(C)返回到dfs(B)。dfs(B)忽略A和D并返回。dfs(A)忽略D和E且返回。(我们实际上已经接触每条边两次，一次是作为边(v, w)，再一次是作为边(w, v)，但这实际上是每个邻接表项接触一次。)

```
void dfs( Vertex v )
{
    v.visited = true;
    for each Vertex w adjacent to v
        if( !w.visited )
            dfs( w );
}
```

图9-61　深度优先搜索模板(伪代码)

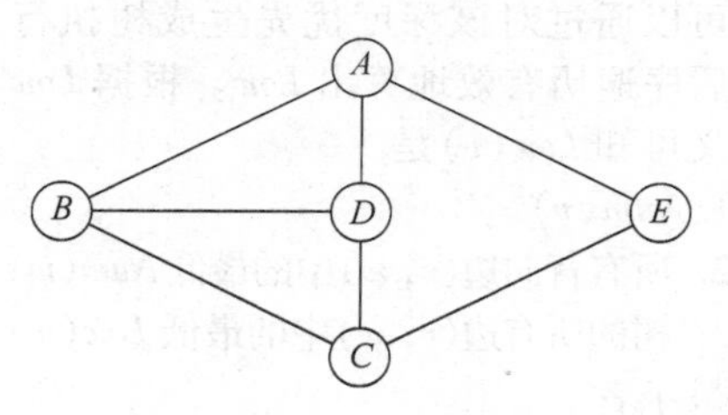

图9-62　一个无向图

我们用**深度优先生成树**(depth-first spanning tree)以图形方式来描述上面的步骤。该树的根是A，是第一个被访问到的顶点。图中的每一条边(v, w)都出现在树上。如果当我们处理(v, w)时发现w是未被标记的，或当处理(w, v)时发现v是未标记的，那么我们就用树的一条边来表示它。如果当处理(v, w)时发现w已被标记，并且当处理(w, v)时发现v已有标记，那么我们就画一条虚线，并称之为**背向边**(back edge)，表示这条"边"实际上不是树的一部分。图9-62中的图的深度优先搜索在图9-63中表出。

树将模拟我们执行的遍历。只使用树的边对该树的先序编号(preorder numbering)告诉我们这些顶点被标记的顺序。如果图不是连通的，那么处理所有的节点(和边)则需要多次调用dfs，每次都生成一棵树，整个集合就是**深度优先生成森林**(depth-first spanning forest)。

400 ~ 401

9.6.2　双连通性

一个连通的无向图如果不存在被删除之后使得剩下的图不再连通的顶点，那么这样的无向连通图就称为是**双连通**(biconnected)的。上例中的图是双连通的。如果例中的节点是计算机，边是链路，那么，若有任一台计算机出故障而不能运行，则网络邮件不受影响，当然，与这台坏计算机有关的邮件除外。类似地，如果一个公共运输系统是双连通的，那么，若某个站点被破坏，则用户总可选择另外的旅行路径。

如果一个图不是双连通的，那么，将其删除使图不再连通的那些顶点叫作**割点**(articulation point)。这些节点在许多应用中是很重要的。图9-64中的图不是双连通的：顶点C和D都是割点。删除顶点D使图G不连通，而删除顶点D则使E和F从图G的其余部分断离。

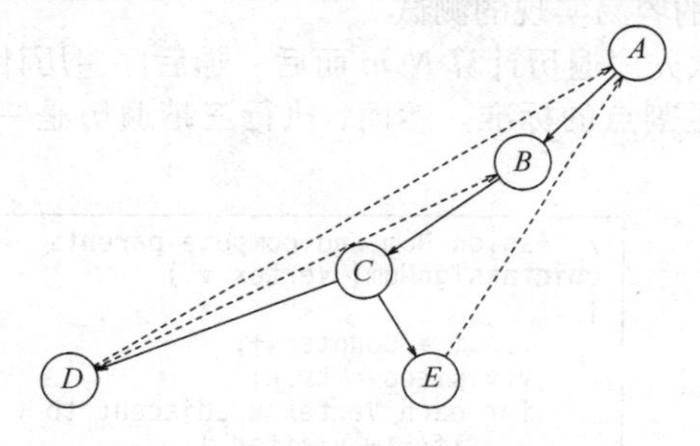

图9-63　图9-62的深度优先搜索

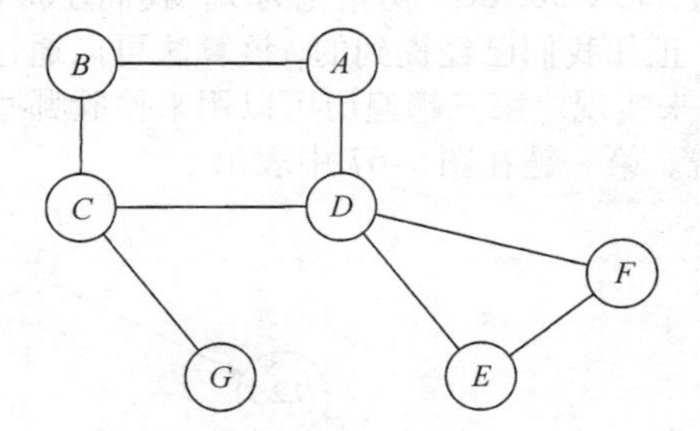

图9-64　具有割点C和D的图

深度优先搜索提供一种找出连通图中的所有割点的线性时间算法。首先，从图中任一顶点开始，执行深度优先搜索并在顶点被访问时给它们编号。对于每一个顶点v我们称其先序编号为$Num(v)$。然后，对于深度优先搜索生成树上的每一个顶点v，计算编号最低的顶点，我们称之为$Low(v)$，该点可从v开始通过树的零条或多条边且可能还有一条背向边而(以该序)达到。

图9-65中的深度优先搜索树首先指出先序编号，然后指出在上述法则下可达到的最低编号顶点。

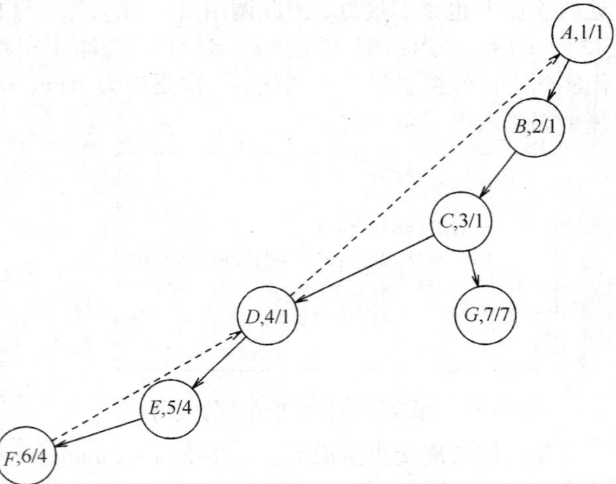

图9-65 上图的深度优先树，节点标有 *Num* 和 *Low*

通过 A、B 和 C 可达到的最低编号顶点为顶点1(A)，因为它们都能够通过树的边到 D，然后再由一条背向边回到 A。我们可以通过对该深度优先生成树执行一次后序遍历有效地算出 *Low*。根据 *Low* 的定义可知 $Low(v)$ 是

1. $Num(v)$
2. 所有背向边(v, w)中的最低 $Num(w)$
3. 树的所有边(v, w)中的最低 $Low(w)$

中的最小者。

第一个条件是不选取边，第二种方法是不选取树的边而是选取一条背向边，第三种方法则是选择树的某些边以及可能还有一条背向边。第三种方法可用一个递归调用简明地描述。由于我们需要对 v 的所有儿子计算出 *Low* 值后才能计算 $Low(v)$，因此这是一个后序遍历。对于任一条边(v, w)，只要检查 $Num(v)$ 和 $Num(w)$ 就可以知道它是树的一条边还是一条背向边。因此，$Low(v)$ 容易计算。我们只需扫描 v 的邻接表，应用适当的法则，并记住最小者。所有的计算花费 $O(|E|+|V|)$ 时间。

剩下要做的就是利用这些信息找出所有的割点。根是割点当且仅当它有多于一个的儿子，因为如果它有两个儿子，那么删除根则使得不同子树上的节点不连通；如果根只有一个儿子，那么除去该根只不过断离该根。对于任何其他顶点 v，它是割点当且仅当它有某个儿子 w 使得 $Low(w) \geqslant Num(v)$。注意，这个条件在根处总是满足的；因此，需要进行特别的测试。

当我们考查算法确定的割点，即 C 和 D 时，证明的当部分是明显的。D 有一个儿子 E，且 $Low(E) \geqslant Num(D)$，二者都是4。因此，对 E 来说只有一种方法到达 D 上面的任何一点，那就是要通过 D。类似地，C 也是一个割点，因为 $Low(G) \geqslant Num(C)$。为了证明该算法正确，我们必须证明论断的仅当部分成立(即，它找到所有的割点)。我们把它留作一道练习。作为第二个例子，我们指出(图9-66)同样在这个图上应用该算法在顶点 C 开始深度优先搜索的结果。

最后，我们给出伪代码实现该算法。设 `Vertex` 包含数据域 `visited`(初始化为 `false`)，`num`，`low` 和 `parent`。我们还要有一个(Graph)类变量叫作 `counter`，为给先序遍历编号 `num` 赋值，将 `counter` 初始化为1。我们还将省略对根的容易实现的测试。

正如我们已经提到的，该算法可以通过执行一次先序遍历计算 *Num* 而后一趟后序遍历计算 *Low* 来实现。第三趟遍历可以用来检验哪些顶点满足割点的标准。然而，执行三趟遍历是一种浪费。第一趟在图9-67中表出。

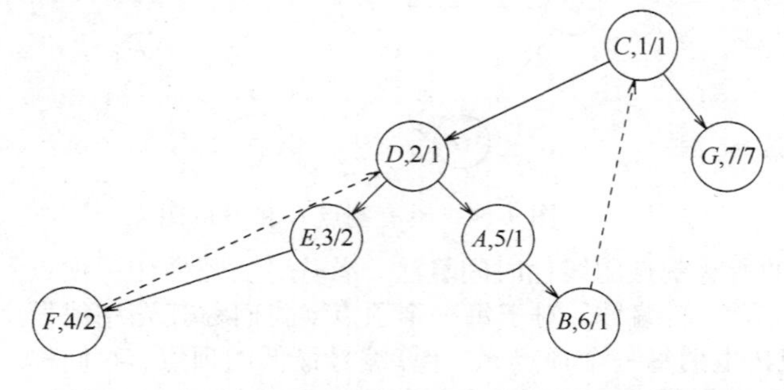

图9-66 在 C 开始深度优先搜索所得到的深度优先树

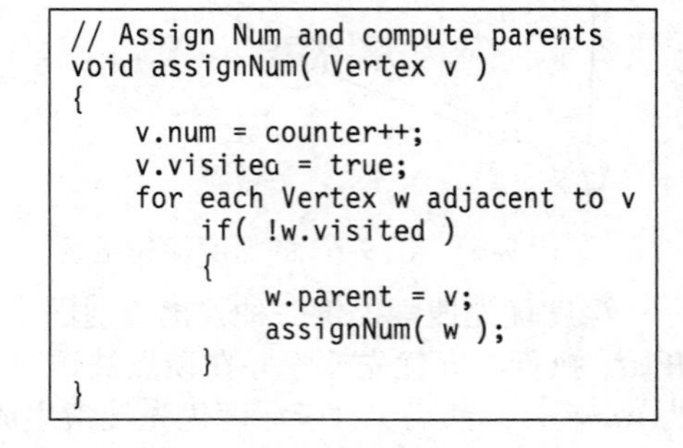
```
// Assign Num and compute parents
void assignNum( Vertex v )
{
    v.num = counter++;
    v.visited = true;
    for each Vertex w adjacent to v
        if( !w.visited )
        {
            w.parent = v;
            assignNum( w );
        }
}
```
图9-67 对顶点的 *Num* 赋值的例程(伪代码)

第二趟和第三趟遍历，它们都是后序遍历，可以通过图 9-68 中的代码来实现。最后的 if 语句处理一个特殊的情况。如果 w 邻接到 v，那么对 w 的递归调用将发现 v 邻接到 w。这不是一条背向边，而只是一条已经考虑过且需要忽略的边。整个过程将计算出各 low 和 num 项的最小值，正如算法指定的那样。

```
// Assign low; also check for articulation points.
void assignLow( Vertex v )
{
    v.low = v.num;  // Rule 1
    for each Vertex w adjacent to v
    {
        if( w.num > v.num )  // Forward edge
        {
            assignLow( w );
            if( w.low >= v.num )
                System.out.println( v + " is an articulation point" );
            v.low = min( v.low, w.low );  // Rule 3
        }
        else
        if( v.parent != w )  // Back edge
            v.low = min( v.low, w.num );  // Rule 2
    }
}
```

图 9-68　计算 *Low* 并检验是否割点的伪代码(忽略对根的检验)

不存在一个遍历必须是先序遍历或后序遍历的法则。在递归调用前和递归调用后都有可能进行处理。图 9-69 中的过程以一种直接的方式将两个例程 assignNum 和 assignLow 结合得到过程 findArt。

```
void findArt( Vertex v )
{
    v.visited = true;
    v.low = v.num = counter++;  // Rule 1
    for each Vertex w adjacent to v
    {
        if( !w.visited )  // Forward edge
        {
            w.parent = v;
            findArt( w );
            if( w.low >= v.num )
                System.out.println( v + " is an articulation point" );
            v.low = min( v.low, w.low );  // Rule 3
        }
        else
        if( v.parent != w )  // Back edge
            v.low = min( v.low, w.num );  // Rule 2
    }
}
```

图 9-69　在一次深度优先搜索(忽略对根的测试)中对割点的检测(伪代码)

404

9.6.3　欧拉回路

考虑图 9-70 中的三个图。一个流行的游戏是用钢笔重画这些图，每条线恰好画一次。在画图的时候钢笔不要从纸上离开。作为一个附加的问题，要使钢笔在开始画图时的起点上结束画图。405 该游戏有一个非常简单的解法。如果你想尝试求解该问题，那么现在就可以停下来试一试。

第一个图仅当起点在左下角或右下角时可以画出，而且不可能结束在起点处。第二个图容易画出，它的终止点和起点相同，但是，第三个图在游戏的限制条件下根本画不出来。

我们可以通过给每个交点指定一个顶点而把这个问题转化成图论问题。此时，图的边以自然的方式规定，如图9-71所示。

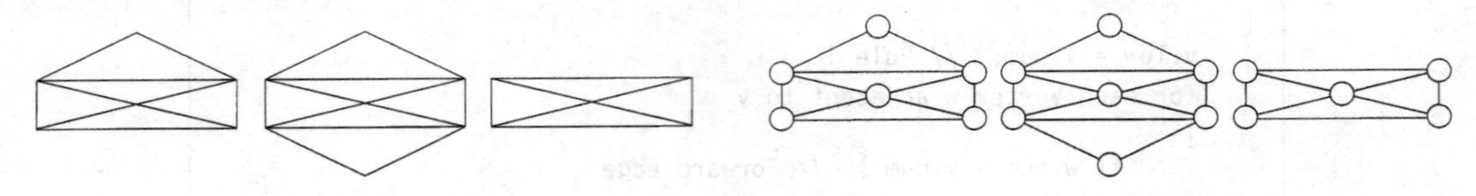

图9-70 三幅图形　　　　图9-71 将游戏转化成图

将问题转化之后，我们必须在图中找出一条路径，使得该路径访问图的每条边恰好一次。如果我们要解决"附加的问题"，那么就必须找到一个圈，该圈经过每条边恰好一次。这种图论问题在1736年由欧拉解决，它标志着图论的诞生。根据特定问题的叙述不同，这种问题通常叫作**欧拉路径**(有时称欧拉环游——Euler tour)或**欧拉回路**(Euler circuit)问题。406 虽然欧拉环游和欧拉回路问题稍有不同，但是却有相同的基本解法。因此，在这一节我们将考虑欧拉回路问题。

能够做的第一个观察是，其终点必须终止在起点上的欧拉回路只有当图是连通的并且每个顶点的度(即，边的条数)是偶数时才有可能存在。这是因为，在欧拉回路中，一个顶点有边进入，则必然有边离开。如果任一顶点 v 的度为奇数，那么实际上我们早晚将会达到该点，即只有一条进入 v 的边尚未访问到，若沿该边进入 v 点，那么我们只能停在顶点 v，不可能再出来。如果恰好有两个顶点的度是奇数，那么当我们从一个奇数度的顶点出发最后终止在另一个奇数度的顶点时，仍然有可能得到一个欧拉环游。这里，欧拉环游是必须访问图的每一边但最后不一定必须回到起点的路径。如果奇数度的顶点多于两个，那么欧拉环游也是不可能存在的。

上一段的观察给我们提供了欧拉回路存在的一个必要条件。不过，它并未告诉我们满足该性质的所有的连通图是否必然有一个欧拉回路，也没有给我们如何找出欧拉回路的具体指导。事实上，这个必要条件也是充分的。就是说，所有顶点的度均为偶数的任何连通图必然有欧拉回路。不仅如此，我们还可以以线性时间找出这样一条回路。

由于我们可以用线性时间检测这个充分必要条件，因此可以假设我们知道存在一条欧拉回路。此时，基本算法就是执行一次深度优先搜索。有大量"明显的"解决方案但是却都行不通，我们罗列了一些在练习中。

主要问题在于，我们可能只访问了图的一部分而提前返回到起点。如果从起点出发的所有边均已用完，那么图中就会有的部分遍历不到。最容易的补救方法是找出含有尚未访问的边的路径上的第一个顶点，并执行另外一次深度优先搜索。这将给出另外一个回路，把它拼接到原来的回路上。继续该过程直到所有的边都被遍历到为止。

作为一个例子，考虑图9-72中的图。容易看出，这个图有一个欧拉回路。设从顶点5开始，我们遍历5，4，10，5，此时我们已无路可走，图的大部分都还未遍历到。情况如图9-73所示。

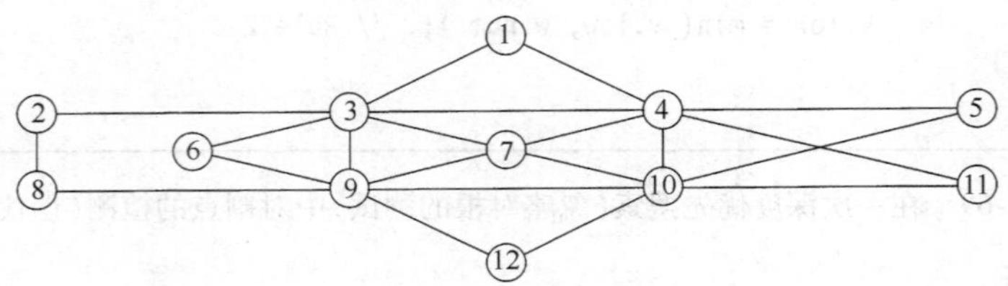

图9-72 欧拉回路问题的图

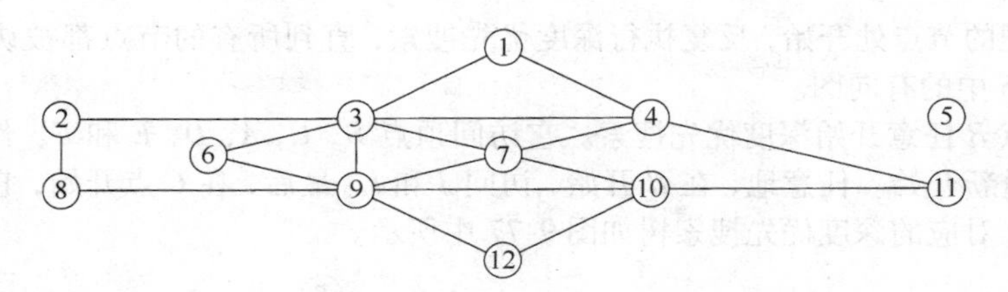

图9-73　在访问5，4，10，5后剩下的图

此时，我们从顶点4继续进行，它仍然还有没用到的边。结果，又得到路径4，1，3，7，4，11，10，7，9，3，4。如果我们把这条路径拼接到前面的路径5，4，10，5上，那么就得到一条新的路径5，4，1，3，7，4，11，10，7，9，3，4，10，5。

407

此后，剩下的图在图9-74中表示。注意，在这个图中，所有的顶点的度必然都是偶数，因此，我们保证能够找到一个圈再拼接上。剩下的图可能不是连通的，但这并不重要。路径上存有未被访问的边的下一个顶点是3。此时可能的回路可以是3，2，8，9，6，3。当拼接进来之后，我们得到路径5，4，1，3，2，8，9，6，3，7，4，11，10，7，9，3，4，10，5。

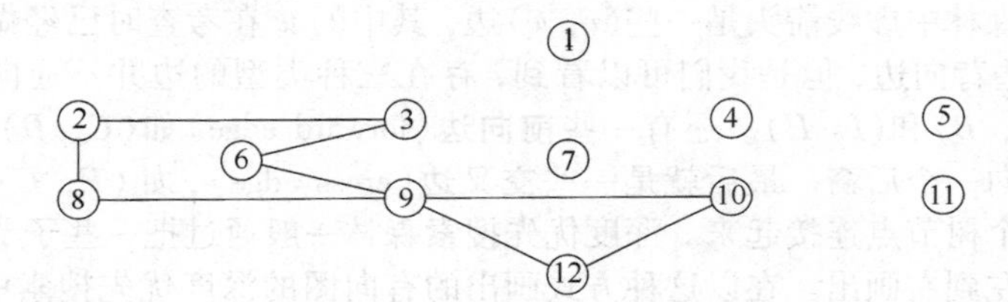

图9-74　在路径5，4，1，3，7，4，11，10，7，9，3，4，10，5之后剩下的图

剩下的图在图9-75中。在该路径上，带有未遍历边的下一个顶点是9，算法找到回路9，12，10，9。当把它拼接到当前路径中时，我们得到回路5，4，1，3，2，8，9，12，10，9，6，3，7，4，11，10，7，9，3，4，10，5。当所有的边都被遍历时，算法终止，我们得到一个欧拉回路。

408

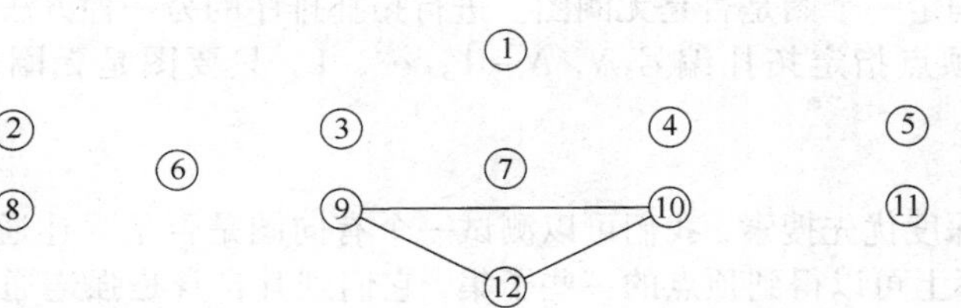

图9-75　在路径5，4，1，3，2，8，9，6，3，7，4，11，10，7，9，3，4，10，5后剩下的图

为使算法更有效，必须使用适当的数据结构。我们将概述想法而把实现方法留作练习。为使拼接简单，应该把路径作为一个链表保留。为避免重复扫描邻接表，对于每一个邻接表我们都必须保留最后扫描到的边。当拼接进一个路径时，必须从拼接点开始搜索新顶点，从这个新顶点进行下一轮深度优先搜索。这将保证在整个算法期间对顶点搜索阶段所进行的全部工作量为$O(|E|)$。使用适当的数据结构，算法的运行时间为$O(|E|+|V|)$。

一个非常相似的问题是在无向图中寻找一个简单的圈，该圈通过图的每一个顶点。这个问题称为**哈密尔顿圈问题**(Hamiltonian cycle problem)。虽然看起来这个问题似乎差不多和欧拉回路问题一样，但是，对它却没有已知的有效算法。我们将在9.7节中再次遇到这个问题。

9.6.4　有向图

利用与无向图相同的思路，也可以通过深度优先搜索以线性时间遍历有向图。如果图不是强连通的，那么从某个节点开始的深度优先搜索可能访问不了所有的节点。在这种情况下我们在某个未作标记的节点处开始，反复执行深度优先搜索，直到所有的节点都被访问到。作为例子，考虑图9-76中的有向图。

我们在顶点 B 任意开始深度优先搜索。它访问顶点 B，C，A，D，E 和 F。然后，在某个未访问的顶点再重新开始。任意地，在 H 开始，访问 J 和 I。最后，在 G 点开始，它是最后一个需要访问的顶点。对应的深度优先搜索树如图9-77中所示。

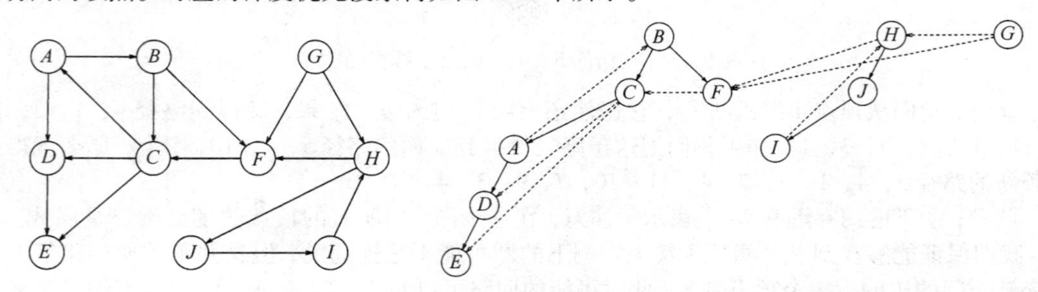

图9-76　一个有向图　　　　图9-77　前面的图的深度优先搜索

深度优先生成森林中虚线箭头是一些(v, w)边，其中的 w 在考查时已经做了标记。在无向图中，它们总是一些背向边，但是我们可以看到，存在三种类型的边并不通向新的顶点。首先是一些**背向边**如(A, B)和(I, H)。还有一些**前向边**(forward edge)如(C, D)和(C, E)，它们从树的一个节点通向一个后裔。最后就是一些**交叉边**(cross edge)，如(F, C)和(G, F)，它们把不直接相关的两个树节点连接起来。深度优先搜索森林一般通过把一些子节点和一些添加到森林中的新的树从左到右画出。在以这种方式画出的有向图的深度优先搜索中，交叉边总是从右到左行进的。

409

有些使用深度优先搜索的算法需要区别三种类型的非树边。当进行深度优先搜索时这是容易检验的，我们把它留作一道练习。

深度优先搜索的一种用途是检测一个有向图是否是无圈图，法则如下：一个有向图是无圈图，当且仅当它没有背向边。(上面的图有背向边，因此它不是无圈图。)读者可能还记得，拓扑排序也可以用来确定一个图是否是无圈图。进行拓扑排序的另一种方法是通过深度优先生成森林的后序遍历给顶点指定拓扑编号 N，$N-1$，…，1。只要图是无圈的，这种排序就是一致的。

9.6.5　查找强分支

通过执行两次深度优先搜索，我们可以测试一个有向图是否是强连通的，如果它不是强连通的，那么我们实际上可以得到顶点的一些子集，它们到其自身是强连通的。这也可以只用一次深度优先搜索实现，不过，此处所使用的方法理解起来要简单得多。

首先，在一个输入的图 G 上执行一次深度优先搜索。通过对深度优先生成森林的后序遍历将 G 的顶点编号，然后再把 G 的所有的边反向，形成 G_r。图9-78中的图代表图9-76所示的图 G 的 G_r；顶点用它们的编号表出。

该算法通过对 G_r 执行一次深度优先搜索而完成，总是在编号最高的顶点开始一次新的深度优先搜索。于是，在顶点 G 开始对 G_r 的深度优先搜索，G 的编号为10。但该顶点不通向任何顶点，因此下一次搜索在 H 点开始。这次调用访问 I 和 J。下一次调用在 B 点开始并访问 A、C 和 F。此后的调用是 `dfs(D)` 及最终调用 `dfs(E)`。结果得到的深度优先生成森林如图9-79中所示。

410
~
411

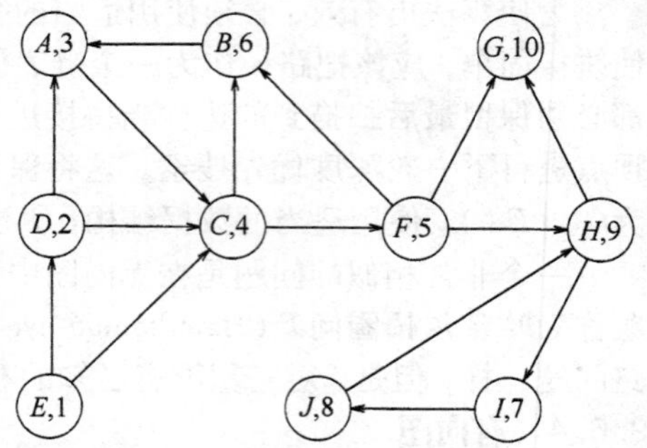

图9-78　通过对图9-76中的图 G 的后序遍历所编号的 G_r

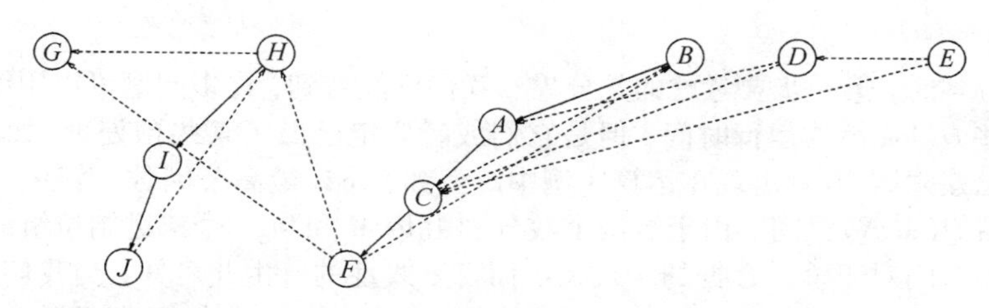

图 9-79 G_r 的深度优先搜索——强分支为{G}，{H, I, J}，{B, A, C, F}，{D}，{E}

在该深度优先生成森林中的每棵树(如果完全忽略所有的非树边，那么这会更容易看出)形成一个强连通的分支。因此，对于我们的例子，这些强连通分支为{G}，{H, I, J}，{B, A, C, F}，{D}和{E}。

为了理解该算法为什么成立，首先注意到，如果两个顶点 v 和 w 都在同一个强连通分支中，那么在原图 G 中就存在从 v 到 w 的路径和从 w 到 v 的路径，因此，在 G_r 中也存在。现在，如果两个顶点 v 和 w 不在 G_r 的同一个深度优先生成树中，那么显然它们也不可能在同一个强连通分支中。

为了证明该算法成立，我们必须指出，如果两个顶点 v 和 w 在 G_r 的同一个深度优先生成树中，那么必然存在从 v 到 w 的路径和从 w 到 v 的路径。等价地，我们可以证明，如果 x 是 G_r 包含 v 的深度优先生成树的根，那么存在一条从 x 到 v 和从 v 到 x 的路径。对 w 应用相同的推理则得到一条从 x 到 w 和从 w 到 x 的路径。这些路径意味着那些从 v 到 w 和从 w 到 v(经过 x)的路径。

由于 v 是 x 在 G_r 的深度优先生成树中的一个后裔，因此存在 G_r 中一条从 x 到 v 的路径，从而存在 G 中一条从 v 到 x 的路径。此外，由于 x 是根节点，因此 x 从第一次深度优先搜索得到更高的后序编号。于是，在第一次深度优先搜索期间所有处理 v 的工作都在 x 的工作结束前完成。既然存在一条从 v 到 x 的路径，因此 v 必然是 x 在 G 的生成树中的一个后裔——否则 v 将在 x 之后结束。这意味着 G 中从 x 到 v 有一条路径，证明完成。

9.7 NP-完全性介绍

在这一章，我们已经看到各种各样图论问题的解法。所有这些问题都有一个多项式运行时间，除网络流问题外，运行时间或者是线性的，或者稍微比线性多一些($O(|E|\log|E|)$)。顺便指出，我们还提到，对于某些问题，有些变化似乎比原问题要困难。

412

回忆欧拉回路问题，它要求找出一条经过图的每条边恰好一次的路径，该问题是线性时间可解的。哈密尔顿圈问题要找一个简单圈，该圈包含图的每一个顶点。对于这个问题，尚未发现有线性算法。

对于有向图的单源无权最短路径问题也是线性时间可解的。但对应的最长简单路径问题(longest-simple-path)尚不知有线性时间算法。

这些问题的变化，其情况实际上比我们描述的还要糟。对于这些变种问题不仅不知道线性算法，而且不存在保证以多项式时间运行的已知算法。这些问题的一些熟知算法对于某些输入可能要花费指数时间。

在这一节，我们将简要考查这种问题，它们是相当复杂的，因此我们将只进行快速和非正式的探讨。这样一来，我们的讨论可能(必然地)在一些地方或多或少地有些不准确的缺憾。

我们将看到，存在大量重要的问题，它们在复杂性上大体是等价的。这些问题形成一个类，叫作 NP-完全(NP-complete)问题。这些 NP-完全问题精确的复杂度仍然需要确定并且在计算机理论科学方面仍然是最重要的开放性问题。或者所有这些问题都有多项式时间解法，或者它们都没有多项式时间解法。

9.7.1 难与易

在给问题分类时，第一步要考虑的是分界。我们已经看到，许多问题可以用线性时间求解。我们还看到某些 $O(\log N)$ 的运行时间，但是它们或者假定已做了某些预处理(如输入数据已读入或数据结构已建立)，或者出现在运算实例中。例如，gcd(最高公因数)算法，当用于两个数 M 和 N 时，花费 $O(\log N)$ 时间。由于这两个数分别由 $\log M$ 和 $\log N$ 个二进制位组成，因此 gcd 算法实际上花费的时间对于输入数据的量或大小而言是线性的。由此可知，当我们度量运行时间时，我们将把运行时间考虑成输入数据的量的函数。一般说来，我们不能期望运行时间比线性更好。

另一方面，确实存在某些真正难的问题。这些问题是如此的难，以至于它们不可能解出。但这并不意味着通常的那种懊恼叹息，期待着天才来求解该问题。正如实数不足以表示 $x^2<0$ 的解那样，可以证明，计算机不可能解决碰巧发生的每一个问题。这些“不可能”解决的问题叫作**不可判定问题**(undecidable problem)。

一个特殊的不可判定问题是**停机问题**(halting problem)。是否能够使 Java 编译器拥有一个附加的特性，即不仅能够检查语法错误，而且还能够检查所有的无限循环？这似乎是一个难的问题，但是我们或许期望，假如某些非常聪明的程序员花上足够的时间，他们也许能够编制出这种增强型的编译器。

该问题是不可判定的，其直观原因在于，这样一个程序可能很难检查它自己。由于这个原因，有时这些问题叫作是**递归不可判定的**(recursively undecidable)。

假如一个无限循环检查程序能够写出，那么它肯定可以用于自检。假设此时我们可以编写出一个程序叫作 *LOOP*。*LOOP* 把一个程序 P 作为输入并使 P 自身运行。如果 P 自身运行时出现循环，则显示短语 YES。如果 P 自身运行时终止了，那么自然要做的事是显示 NO。现在，我们不这么做，而是让 *LOOP* 进入一个无限循环。

413

当 *LOOP* 将自身作为输入时会发生什么呢？或者 *LOOP* 停止，或者不停止。问题在于，这两种可能性均导致矛盾，与短语“本句话是谎言”产生的矛盾大致相同。

根据我们的定义，如果 $P(P)$ 终止，则 $LOOP(P)$ 进入一个无限循环。设当 $P=LOOP$ 时，$P(P)$ 终止。此时，按照 *LOOP* 程序，$LOOP(P)$ 应该进入一个无限循环。因此，我们必须让 $LOOP(LOOP)$ 终止并进入一个无限循环，显然这是不可能的。另一方面，设当 $P=LOOP$ 时 $P(P)$ 进入一个无限循环，则 $LOOP(P)$ 必然终止，而我们得到同样的一组矛盾。因此，我们看到，程序 *LOOP* 不可能存在。

9.7.2 NP 类

NP 类是在难度上逊于不可判定问题的类。NP 代表非确定型多项式时间(nondeterministic polynomial-time)。确定型机器在每一时刻都在执行一条指令。根据这条指令，机器再去执行某条接下来的指令，这是唯一确定的。而一台非确定型机器对其后的步骤是有选择的。它可以自由进行它想要的任意的选择，如果这些后面的步骤中有一条导致问题的解，那么它将总是选择这个正确的步骤。因此，非确定型机器具有非常好的猜测(优化)能力。这好像一台奇怪的模型，因为没有人能够构建一台非确定型计算机，还因为这台机器是对标准计算机的令人难以置信的改进(此时每一个问题都变成易解的了)。我们将看到，非确定性是非常有用的理论结构。此外，非确定性也不像人们想象的那么强大。例如，即使使用非确定性，不可判定问题仍然还是不可判定的。

检验一个问题是否属于 NP 的简单方法是将该问题用“是/否(yes/no)问题”的语言描述。如果我们在多项式时间内能够证明一个问题的任意“是”的实例是正确的，那么该问题就属于 NP 类。我们不必担心“否”的实例，因为程序总是进行正确的选择。因此，对于哈密尔顿圈问题，一个“是”的实例就是图中任意一个包含所有顶点的简单的回路。由于给定一条路径，验证它是否真的是哈密尔顿圈是一件简单的事情，因此哈密尔顿圈问题属于 NP。诸如“存在

长度大于 K 的简单路径吗?”这样的适当的问题也可能容易验证从而属于 NP。满足这条性质的任何路径均可容易地检验。

由于解本身显然提供了验证方法，因此，NP 类包括所有具有多项式时间解的问题。人们会想到，既然验证一个答案要比经过计算提出一个答案容易的多，因此在 NP 中就会存在不具有多项式时间解法的问题。这样的问题至今没有发现，于是，完全有可能非确定性并不是如此重要的改进，尽管有些专家很可能不这么认为。问题在于，证明指数下界是一项极其困难的工作。我们曾用来证明排序需要 $\Omega(N\log N)$ 次比较的信息理论定界方法似乎还不足以完成这样的工作，因为决策树都远不够大。

414

还要注意，不是所有的可判定问题都属于 NP。考虑确定一个图是否没有哈密尔顿圈的问题。证明一个图有哈密尔顿圈是相对简单的一件事情——我们只需展示一个即可。然而却没有人知道如何以多项式时间证明一个图没有哈密尔顿圈。似乎人们只能枚举所有的圈并且将它们一个一个地验证才行。因此，无哈密尔顿圈的问题不知属于不属于 NP。

9.7.3 NP-完全问题

在已知属于 NP 的所有问题中，存在一个子集，叫作 **NP-完全**(NP-complete)问题，它包含了 NP 中最难的问题。NP-完全问题有一个性质，即 NP 中的任一问题都能够以多项式时间归约成 NP-完全问题。

问题 P_1 可以归约成问题 P_2 如下：设有一个映射，使得 P_1 的任何实例都可以变换成 P_2 的一个实例。求解 P_2，然后将答案映射回原始的解答。作为一个例子，考虑把数以十进制输入到一只计算器。将这些十进制数转化成二进制数，所有的计算都用二进制进行。然后，再把最后答案转变成十进制显示。对于可多项式地归约成 P_2 的 P_1，与变换相联系的所有的工作必须以多项式时间完成。

NP-完全问题是最难的 NP 问题的原因在于，一个 NP-完全的问题基本上可以用作 NP 中任何问题的子例程，其花费只不过是多项式的开销量。因此，如果任意 NP-完全问题有一个多项式时间解，那么 NP 中的每一个问题必然都有一个多项式时间的解。这使得 NP-完全问题是所有 NP 问题中最难的问题。

设我们有一个 NP-完全问题 P_1，并设 P_2 已知属于 NP。再进一步假设 P_1 多项式地归约成 P_2，使得我们可以通过使用 P_2 求解 P_1 只多损耗了多项式时间。由于 P_1 是 NP-完全的，NP 中的每一个问题都可多项式地归约成 P_1。应用多项式的封闭性，我们看到，NP 中的每一个问题均可多项式地归约成 P_2：我们把问题归约成 P_1，然后再把 P_1 归约成 P_2。因此，P_2 是 NP 完全的。

作为一个例子，设我们已经知道哈密尔顿圈问题是 NP-完全问题。**巡回售货员问题**(traveling salesman problem)表述如下。

巡回售货员问题

给定一完全图 $G=(V, E)$，它的边的值以及整数 K，是否存在一个访问所有顶点并且总值小于或等于 K 的简单圈?

这个问题不同于哈密尔顿圈问题，因为全部 $|V|(|V|-1)/2$ 条边都存在而且图是赋权图。该问题有很多重要的应用。例如，印刷电路板需要穿一些孔使得芯片、电阻器以及其他的电子元件可以置入。这是可以机械完成的。穿孔是快速的操作；时间耗费在给穿孔器定位上。定位所需要的时间依赖于从孔到孔间行进的距离。由于我们希望给每一个孔位穿孔(然后返回到开始位置以便给下一块电路板穿孔)，并将钻头移动所耗费的总时间限制到最小，因此我们得到的是一个巡回售货员问题。

415

巡回售货员问题是 NP-完全的。容易看到，其解可以用多项式时间检验，当然它属于 NP。为了证明它是 NP-完全的，我们可多项式地将哈密尔顿圈问题归约为巡回售货员问题。为此，构造一个新的图 G'，G'和 G 有相同的顶点。对于 G'的每一条边(v, w)，如果$(v, w)\in G$，那么它就有权 1，否则，它的权就是 2。我们选取 $K=|V|$。见图 9-80。

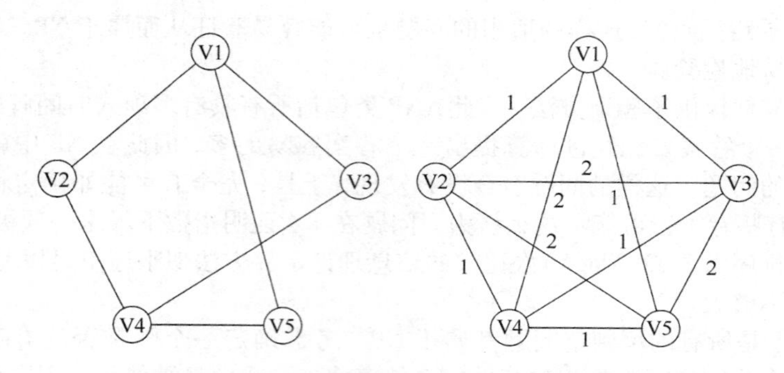

图 9-80 哈密尔顿圈问题变换成巡回售货员问题

容易验证，G 有一个哈密尔顿圈当且仅当 G' 有一个总权为 $|V|$ 的巡回售货员的巡回路线。

现在有许多问题已知是 NP-完全问题。为了证明某个新问题是 NP-完全的，必须证明它属于 NP，然后将一个适当的 NP-完全问题变换到该问题。虽然到巡回售货员问题的变换是相当简单的，但是，大部分变换实际上却是相当复杂的，需要某些复杂的构造。一般说，在考虑了多个不同的 NP-完全问题之后才考虑实际提供约化的问题。由于我们只关注一般的想法，因此也就不再讨论更多的变换；有兴趣的读者可以查阅本章后面的参考文献。

细心的读者可能想知道第一个 NP-完全问题是如何具体地被证明是 NP-完全的。由于证明一个问题是 NP-完全的需要从另外一个 NP-完全问题变换到它，因此必然存在某个 NP-完全问题，对于这个问题不能使用上述的思路。第一个被证明是 NP-完全的问题是**可满足性**(satisfiability)问题。这个可满足性问题把一个布尔表达式作为输入并提问是否该表达式对式中各变量的一次赋值取值 `true`。

可满足性当然属于 NP，因为容易计算一个布尔表达式的值并检查结果是否为真(`true`)。在 1971 年，Cook 通过直接证明 NP 中的所有问题都可以变换成可满足性问题而证明了可满足性问题是 NP-完全的。为此，他用到了对 NP 中每一个问题都已知的事实：NP 中的每一个问题都可以用一台非确定型计算机在多项式时间内求解。计算机的这种形式化的模型称作**图灵机**(Turing machine)。Cook 指出这台机器的动作如何能够用一个极其复杂但仍然是多项式的冗长的布尔公式来模拟。该布尔公式为真，当且仅当在由图灵机运行的程序对其输入得到一个“是”的答案。

416

一旦可满足性被证明是 NP-完全的，则一大批新的 NP-完全问题，包括某些最经典的问题，也都被证明是 NP-完全的。

除了我们已经讨论过的可满足性问题、哈密尔顿回路问题、巡回售货员问题、最长路径问题，还有一些我们尚未讨论的更为著名的 NP-完全问题，它们是装箱(bin packing)问题、背包(knapsack)问题、图的着色(graph coloring)问题以及团(clique)的问题等。这些 NP-完全问题相当广泛，包括来自操作系统(调度与安全)、数据库系统、运筹学、逻辑学，特别是图论等不同的领域的问题。

小结

在这一章，我们已经看到图如何用来对许多实际生活问题给出模型。许多实际出现的图常常是非常稀疏的，因此，注意用于实现这些图的数据结构很重要。

我们还看到一类问题，它们似乎没有有效的解法。在第 10 章将讨论处理这些问题的某些方法。

练习

9.1 找出图 9-81 中图的一个拓扑排序。

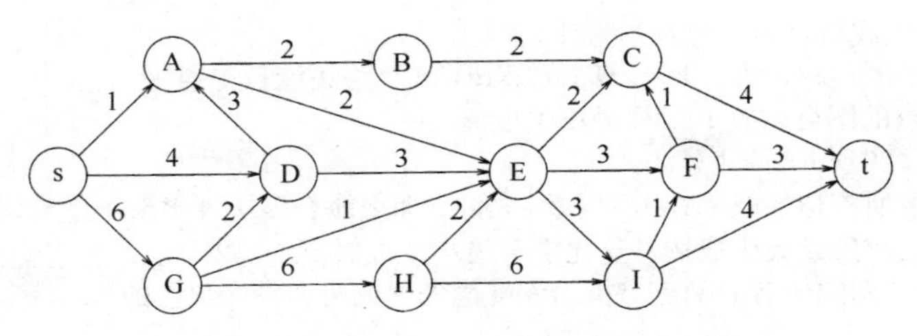

图 9-81　练习 9.1 和 9.11 中使用的图

9.2　如果用一个栈代替 9.2 节中拓扑排序算法的队列，是否得到不同的排序？为什么一种数据结构会给出“更好”的答案？ 417

9.3　编写一个对一个图执行拓扑排序的程序。

9.4　使用标准的二重循环，一个邻接矩阵仅仅初始化就需要 $O(|V|^2)$。试提出一种方法将一个图存储在一个邻接矩阵中(使得测试一条边是否存在花费 $O(1)$)时间但避免二次的运行时间。

9.5　a. 找出图 9-82 中图的 A 点到所有其他顶点的最短路径。

b. 找出图 9-82 中图的 B 点到所有其他顶点的最短无权路径。

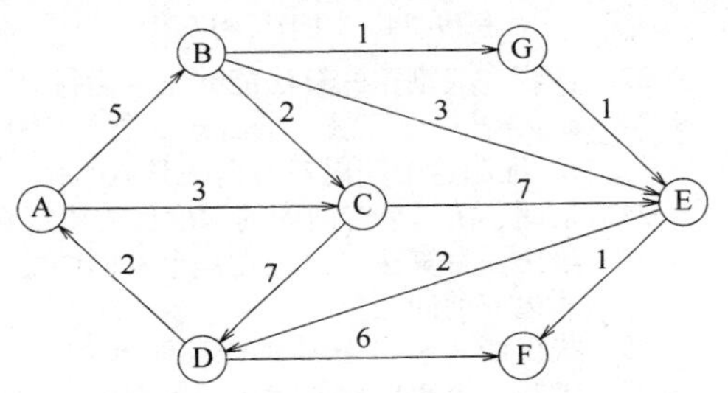

图 9-82　练习 9.5 使用的图

9.6　当用 d-堆实现时(见 6.5 节)，Dijkstra 算法最坏情形的运行时间是多少？

9.7　a. 给出在有一条负边但无负值圈时 Dijkstra 算法得到错误答案的例子。

**b. 证明，如果存在负权边但无负值圈，则 9.3.3 节中提出的赋权最短路径算法是成立的，并证明该算法的运行时间为 $O(|E| \cdot |V|)$。

*9.8　设一个图的所有边的权都是在 1 和 $|E|$ 之间的整数。Dijkstra 算法可以多快被实现？

9.9　写出一个程序来求解单源最短路径问题。

9.10　a. 解释如何修改 Dijkstra 算法以得到从 v 到 w 的不同的最小路径的条数的计数。

b. 解释如何修改 Dijkstra 算法使得如果存在多于一条从 v 到 w 的最小路径，那么具有最少边数的路径将被选中。

9.11　找出图 9-81 中网络的最大流。

9.12　设 $G=(V, E)$ 是一棵树，s 是它的根，并且添加一个顶点 t 以及一些从 G 中所有树叶到 t 的无穷容量的边。给出一个线性时间算法以找出从 s 到 t 的最大流。 418

9.13　一个二分图 $G=(V, E)$ 是把 V 划分成两个子集 V_1 和 V_2 并且其每条边的两个顶点都不在同一个子集中的图。

a. 给出一个线性算法以确定一个图是否是二分图。

b. 二分匹配问题是找出 E 的最大子集 E' 使得没有顶点含在多于一条的边中。图 9-83 中所示的是四条边的一个匹配(由虚线表示)。存在一个五条边的匹配，它是最大的匹配。

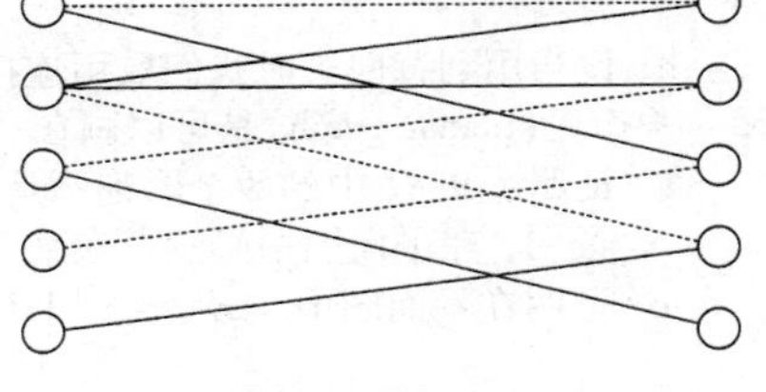

图 9-83　一个二分图

指出二分匹配问题如何能够用于解决下列问题：有一组教师、一组课程，以及每位教师有资格教授的课程表。如果没有教师需要教授多于一门的课程，而且只有一位教师可以教授一门给定的课程，那么可以提供开设的课程的最大门数是多少？

c. 证明网络流问题可以用来解决二分匹配问题。

d. 问题 b 的解法的时间复杂度如何？

*9.14　给出一个算法找出容许最大流通过的一条增长通路。

9.15　a. 使用 Prim 和 Kruskal 两种算法求出图 9-84 中图的最小生成树。

b. 这棵最小生成树是唯一的吗？为什么？

9.16　如果有一些负的边权，那么 Prim 算法或 Kruskal 算法还能行得通吗？

9.17　证明 V 个顶点的图可以有 V^{V-2} 棵最小生成树。

419　9.18　编写一个程序实现 Kruskal 算法。

9.19　如果一个图的所有边的权都在 1 和 $|E|$ 之间，那么能有多快算出最小生成树？

9.20　给出一种算法求解最大生成树。这比求解最小生成树更难吗？

9.21　求出图 9-85 中图的所有的割点。指出深度优先生成树和每个顶点的 *Num* 和 *Low* 的值。

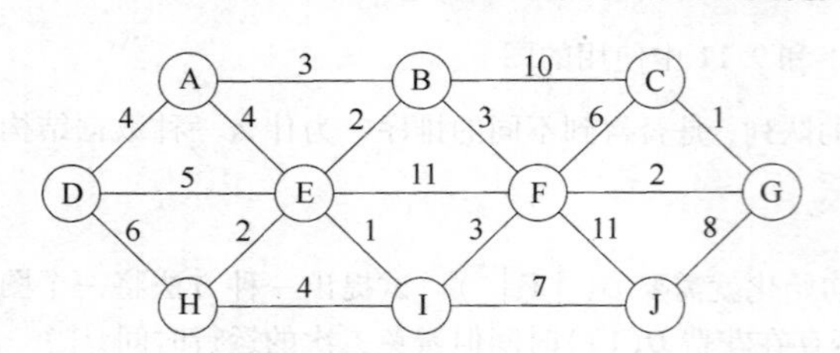

图 9-84　用于练习 9.15 的图

图 9-85　练习 9.21 中的图

9.22　证明查找割点的算法能够正常运行。

9.23　a. 给出一种算法，求出从一个无向图中被删除后使所得的图是无圈图所需要的最小的边数。

*b. 证明这个问题对有向图是 NP-完全的。

420　9.24　证明，在一个有向图的深度优先生成森林中所有的交叉边都是从右到左的。

9.25　给出一种算法以决定在一个有向图的深度优先生成森林中的一条边 (v, w) 是否是树、背向边、交叉边或前向边。

9.26　找出图 9-86 的图中的强连通分支。

9.27　编写一个程序使能找出一个有向图中的强连通分支。

*9.28　给出一种算法只用一次深度优先搜索即可找出那些强连通分支来。使用类似于双连通性算法的算法。

9.29　一个图 G 的**双连通分支**(biconnected components)是把边分成一些集合的划分，使得每个边集所形成的图是双连通的。修改图 9-69 中的算法使能找出双连通分支而不是割点。

9.30　设我们对一个无向图进行广度优先搜索(breadth-first search)并建立一棵广度优先生成树(breadth-first spanning tree)。证明该树所有的边或者是树边或者是交叉边。

9.31　给出一种算法，以在一无向图(连通的)中找出一条路径使其在每个方向上通过每条边恰好一次。

9.32　a. 编写一个程序以找出图中的一条欧拉回路(如果存在的话)。

b. 编写一个程序以找出图中的一条欧拉环游(如果存在的话)。

9.33　有向图中的欧拉回路是一个圈，该圈中的每条边恰好被访问一次。

*a. 证明，有向图有欧拉回路当且仅当它是强连通的并且每个顶点的入度等于出度。

*b. 给出一个线性时间算法，在存在欧拉回路的有向图中找出一条欧拉回路。

9.34　a. 考虑欧拉回路问题的下列解法：假设图是双连通的。执行一次深度优先搜索，只在万不得已的时候使用背向边。如果图不是双连通的，则对双连通分支递归地应用该算法。这个算法行得通吗？

421　b. 设当用到背向边时我们取用连接到最近祖先节点的背向边，那么该算法是否行得通？

9.35　平面图(planar graph)是可以画在一个平面上而其任何两条边都不相交的图。

*a. 证明图 9-87 中的两个图都不是平面图。

b. 证明，在平面图中必然存在某个顶点与最多不超过 5 个顶点相连。

**c. 证明在平面图中 $|E| \leqslant 3|V| - 6$。

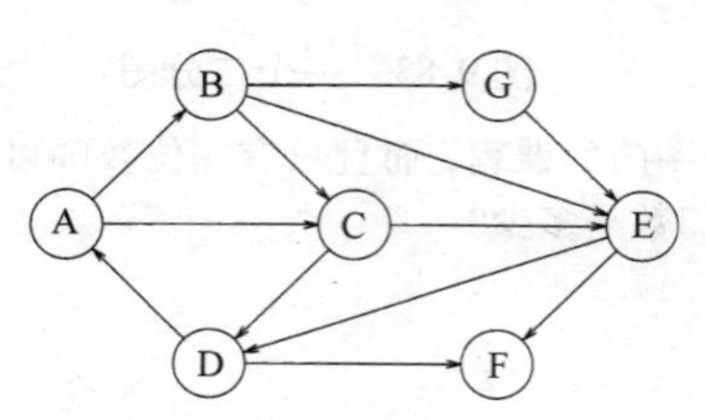

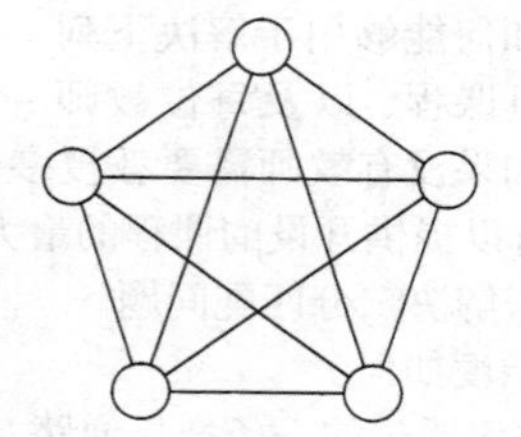

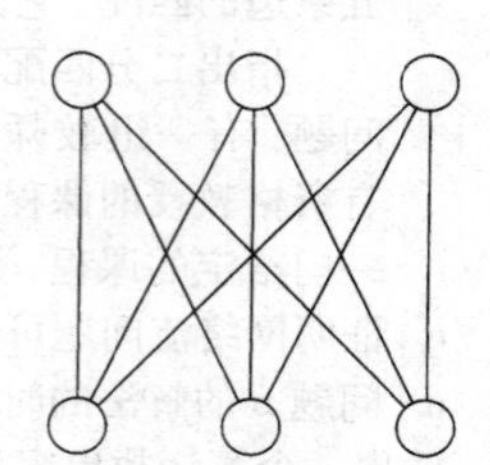

图 9-86　练习 9.26 中所使用的图　　图 9-87　练习 9.35 中使用的图

9.36 多重图(multigraph)是在其内的顶点对之间可以有多重边(multiple edge)的图。本章中哪些算法对于多重图不用修改就能正确运行？对其余的算法需要进行哪些修改？

*9.37 令 $G=(V,E)$ 是一个无向图。使用深度优先搜索设计一个线性算法把 G 的每条边转换成有向边使得所得到的图是强连通的，或者确定这是不可能的。

9.38 给你一套棍共 N 棵，它们以某种结构相互叠压平放。每棵棍由它的两个端点确定；每个端点是由 x、y 和 z 坐标确定的有序三元组；没有棍垂直摆放。一棵棍仅当其上没有其他棍放置时可以取走。

a. 解释如何编写一个例程接收两棵棍 a 和 b 并报告 a 是否在 b 上面、b 下面，或是与 b 无关。(本问题与图论毫无关系。)

b. 给出一个算法确定是否能够取走所有的棍，如果能，那么提供完成这项工作的棍拾取次序。

9.39 如果一个图的每个顶点都可以给定 k 种颜色之一，并且没有边连接相同颜色的顶点，则称该图是 k-可着色的。给出一个线性时间算法测试图的2-着色性。假设图以邻接表的形式存储，你必须指明任何所需要的附加的数据结构。

9.40 给出一种多项式时间算法，使在任意的无向图中能够找出 $\lceil V/2 \rceil$ 个顶点，这些顶点至少覆盖图的3/4的边。

9.41 指出如何修改拓扑排序算法使得如果图不是无圈图，则该算法将显示出某个圈来。可以不用深度优先搜索。

422

9.42 令 G 为一有向图，该图有 N 个顶点。如果对 V 中每一个顶点 v 有 $s \neq v$，且存在边 (v, s) 但是不存在形如 (s, v) 的边，则顶点 s 叫作收点(sink)。给出一个 $O(N)$ 时间算法，确定 G 是否有收点，假设 G 由 $N \times N$ 邻接矩阵给定。

9.43 当把一个顶点和与它关联的边从一棵树中除去后，则剩下一些子树。给出一个线性时间算法，使能找出一个顶点，从 N 个顶点的树中删除该顶点将不会留下多于 $N/2$ 个顶点的子树。

9.44 给出一个线性时间算法确定无圈无向图(即树)中的最长无权路径。

9.45 考虑 $N \times N$ 网格。网格中一些方格由黑色圆形占据。若两个方格共享一条边，则它们属于同一组。在图9-88中，有一组由4个黑圆占据的方格组成，三组由2个黑圆占据的方格组成，两组由单个黑圆占据的方格组成。假设网格由二维数组表示。编写一个程序进行下列工作：

a. 当给出组中一个方格时计算该组的大小。

b. 计算不同的组的个数。

c. 列出所有的组。

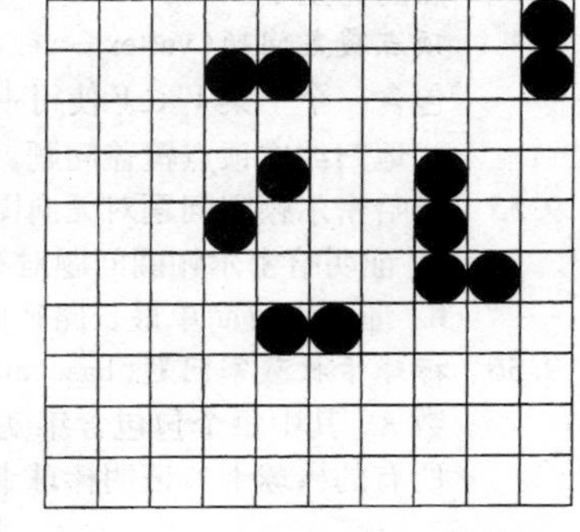

图9-88 练习9.45中的网格

9.46 本书8.7节描述了迷宫的生成。设我们想要输出迷宫中的路径。假设迷宫由一个矩阵表示；矩阵中的每个单元存储关于墙存在(或不存在)的信息。

a. 编写一个程序计算输出迷宫中路径的足够的信息。以 SEN…(代表向南，然后向东，然后再向北，等等)的形式给出输出结果。

b. 编写一个画出迷宫程序，并且当按下按钮时画出路径。

423

9.47 设迷宫中的墙可以推倒，但要受罚 P 个方块。P 为指定给算法的参数(如果处罚是0，那么问题是平凡的)。描述一种算法解决这种类型的问题。你的算法的运行时间是多少？

9.48 设迷宫可以有解也可以没有解。

a. 描述一个线性时间算法，该算法确定为了建立一个解而需要推倒的墙的最小面数。(提示：用一个双端队列)

b. 描述一种算法(不必是线性的)，该算法能够在推倒最小数目的墙之后找到最短路径。注意，问题a的解法给不出哪些面墙最好被推倒的信息。(提示：使用练习9.47。)

9.49 编写一个程序计算其单字母替换取值为1，而单字母添加或删除取值 $p>0$ 的词梯，取值由用户指定。在9.3.6节末尾提到，这实际上是一个赋权最短路径问题。

解释下列问题(练习9.50～练习9.53)应用最短路径算法如何能够解出。然后设计一种表示输出的办法，并编写一个程序求解相应的问题。

9.50 输入是一组联赛成绩得分(没有平局)。如果所有的队至少有一场赢和一场输，那么我们可以通过愚蠢的传递性论证一般性地证明，任一队都比别的队强。例如，在6队联赛中，每队进行3局比赛，设有下列结果：A胜B和C；B胜C和F；C胜D；D胜E；E胜A；F胜D和E，此时我们可以证明A比F强，因为A胜B而B又胜了F。类似地，我们还可以证明F比A强，因为F胜E而E又胜了A。给定一组比赛得分和两支运动队X和Y，要么找出一个证明(若存在的话)X比Y强，要么指出找不到这种形式的证明。

9.51 设输入为一组货币和它们的兑换率。是否存在一种兑换顺序能够立刻赚到钱？例如，货币是X，Y和Z，兑换率为$1X$等于$2Y$，$1Y$等于$2Z$，而$1X$等于$3Z$。此时，$300Z$将买到$100X$，而$100X$又能买到$200Y$，而后者将换到$400Z$。这样，我们就得到33%的收益。

9.52 一名学生需要选修一定量的课程才可获得学位，而课程的选取必须遵守选修顺序。假设每个学期都提供所有的课程，并设学生可以选修无限多门课程。给定提供的课程表和它们的先修课，计算出需要最少学期数的课程表。

9.53 Kevin Bacon游戏的目标是通过一些分享的电影角色把电影演员和Kevin Bacon链接起来。链接的最小数目为演员的Bacon数。例如，Tom Hanks的Bacon数为1；他在Apollo 13中与Kevin Bacon分享角色。Sally Field的Bacon数是2，因为她在电影Forrest Gump中与Tom Hanks分享角色，而后者又在电影Apollo 13中与Kevin Bacon分享角色。几乎所有著名演员的Bacon数都是1或者2。假设你有一个广泛的演员表，包含他们所演的角色[⊖]，完成下列工作：

424

a. 解释如何查找演员的Bacon数。
b. 解释如何查找具有最高Bacon数的演员。
c. 解释如何查找任意两个演员之间的最小链接次数。

9.54 团问题(clique problem)可以叙述如下：给定无向图$G=(V, E)$和一个整数K，G包含最少K个顶点的完全子图吗？
顶点覆盖问题(vertex cover problem)可以叙述如下：给定无向图$G=(V, E)$和一个整数K，G是否包含一个子集$V'\subset V$使得$|V'|\leqslant K$并且G的每条边都有一个顶点在V'中？证明团问题可以多项式地归约成顶点覆盖问题。

9.55 设哈密尔顿圈问题对无向图是NP-完全的。
a. 证明哈密尔顿圈问题对有向图也是NP-完全的。
b. 证明无权简单最长路径问题对有向图是NP-完全的。

9.56 *棒球卡收藏家问题*(baseball card collector problem)如下：给定卡片包P_1，P_2，…，P_M以及一个整数K，其中每个包包含年度棒球卡的一个子集，问是否可能通过选择小于或等于K个包而搜集到所有的棒球卡？证明棒球卡收藏家问题是NP-完全的。

参考文献

好的图论教科书有[9]、[14]、[24]和[39]。更深入的论题，包括对运行时间更为仔细的考虑，见[41]、[43]和[50]。

邻接表的使用是在[26]中倡导的。拓扑排序算法来自[31]，其描述如[36]。Dijkstra算法初现于[10]，应用d-堆和斐波那契堆的改进分别在[30]和[16]中描述。具有负的边权的最短路径算法归于Bellman [3]；Tarjan [50]描述了保证终止的更为有效的算法。

Ford和Fulkerson关于网络流的开创性工作是[15]。沿最短路径增长或在容许最大流增加的路径上增长的想法源自[13]。对该问题的其他一些处理方法可在[11]、[34]、[23]、[7]、[35]和[22]中找到。关于最小费用流问题的一个算法见于[20]。

早期的最小生成树算法可以在[4]中找到。Prim算法取自[44]；Kruskal算法见于[37]。两个$O(|E|\log\log|V|)$算法是[6]和[51]。理论上一些最著名的算法出现在[16]、[18]和[32]和[5]。这些算法的经验性研究提出，用`decreaseKey`实现的Prim算法在实践中对于大多数图而言是最好的[42]。

425

⊖ 例如，可见Internet Movie Database文件actors. list. gz和actresses. list. gz，网址为ftp：//ftp. fu-berlin. de/pub/misc/movies/database。

关于双连通性的算法来自[46]。第一个线性时间强分支算法(见练习9.28)也出现在这篇论文中。课文中出现的算法归于Kosaraju(未发表)和Sharir [45]。深度优先搜索的另外一些应用见于[27]、[28]、[47]和[48](正如第8章提到的,[47]和[48]中的结果已被改进,但是基本算法没变)。

NP-完全问题理论的经典的介绍性工作是[21]。在[1]中可以找到另外的材料。可满足性的NP-完全性在[8]中展示。另一篇开创性的论文是[33],它证明了21个问题的NP-完全性。复杂性理论的一个极好的概括性论述是[49]。巡回售货员问题的一个近似算法可在[40]中找到,它一般给出接近最优的结果。

练习9.8的解法可以在[2]中找到。对于练习9.13中二分匹配问题的解法可见于[25]和[38]。该问题可通过给边赋权并除掉图是二分的限制而得以推广。一般图的无权匹配问题的有效解法是相当复杂的,细节可以在[12]、[17]和[19]中找到。

练习9.35处理平面图,它通常产生于实践。平面图是非常稀疏的,许多困难问题以平面图的方式处理会更容易。有一个例子是图的同构问题,对于平面图它是线性时间可解的[29]。对于一般的图,尚不知有多项式时间算法。

1. A. V. Aho, J. E. Hopcroft, and J. D. Ullman, *The Design and Analysis of Computer Algorithms*, Addison-Wesley, Reading, Mass., 1974.
2. R. K. Ahuja, K. Melhorn, J. B. Orlin, and R. E. Tarjan, "Faster Algorithms for the Shortest Path Problem," *Journal of the ACM*, 37 (1990), 213–223.
3. R. E. Bellman, "On a Routing Problem," *Quarterly of Applied Mathematics*, 16 (1958), 87–90.
4. O. Borůvka, "Ojistém problému minimálním (On a Minimal Problem)," *Práca Moravské Přirodo-vědecké Společnosti*, 3 (1926), 37–58.
5. B. Chazelle, "A Minimum Spanning Tree Algorithm with Inverse-Ackermann Type Complexity," *Journal of the ACM*, 47 (2000), 1028–1047.
6. D. Cheriton and R. E. Tarjan, "Finding Minimum Spanning Trees," *SIAM Journal on Computing*, 5 (1976), 724–742.
7. J. Cheriyan and T. Hagerup, "A Randomized Maximum-Flow Algorithm," *SIAM Journal on Computing*, 24 (1995), 203–226.
8. S. Cook, "The Complexity of Theorem Proving Procedures," *Proceedings of the Third Annual ACM Symposium on Theory of Computing* (1971), 151–158.
9. N. Deo, *Graph Theory with Applications to Engineering and Computer Science*, Prentice Hall, Englewood Cliffs, N.J., 1974.
10. E. W. Dijkstra, "A Note on Two Problems in Connexion with Graphs," *Numerische Mathematik*, 1 (1959), 269–271.
11. E. A. Dinic, "Algorithm for Solution of a Problem of Maximum Flow in Networks with Power Estimation," *Soviet Mathematics Doklady*, 11 (1970), 1277–1280.
12. J. Edmonds, "Paths, Trees, and Flowers," *Canadian Journal of Mathematics*, 17 (1965), 449–467.
13. J. Edmonds and R. M. Karp, "Theoretical Improvements in Algorithmic Efficiency for Network Flow Problems," *Journal of the ACM*, 19 (1972), 248–264.
14. S. Even, *Graph Algorithms*, Computer Science Press, Potomac, Md., 1979.
15. L. R. Ford, Jr., and D. R. Fulkerson, *Flows in Networks*, Princeton University Press, Princeton, N.J., 1962.
16. M. L. Fredman and R. E. Tarjan, "Fibonacci Heaps and Their Uses in Improved Network Optimization Algorithms," *Journal of the ACM*, 34 (1987), 596–615.
17. H. N. Gabow, "Data Structures for Weighted Matching and Nearest Common Ancestors with Linking," *Proceedings of First Annual ACM-SIAM Symposium on Discrete Algorithms* (1990), 434–443.
18. H. N. Gabow, Z. Galil, T. H. Spencer, and R. E. Tarjan, "Efficient Algorithms for Finding Minimum Spanning Trees on Directed and Undirected Graphs," *Combinatorica*, 6 (1986), 109–122.
19. Z. Galil, "Efficient Algorithms for Finding Maximum Matchings in Graphs," *ACM*

426

Computing Surveys, 18 (1986), 23–38.

20. Z. Galil and E. Tardos, "An $O(n^2(m + n \log n) \log n)$ Min-Cost Flow Algorithm," *Journal of the ACM,* 35 (1988), 374–386.
21. M. R. Garey and D. S. Johnson, *Computers and Intractability: A Guide to the Theory of NP-Completeness,* Freeman, San Francisco, 1979.
22. A. V. Goldberg and S. Rao, "Beyond the Flow Decomposition Barrier," *Journal of the ACM,* 45 (1998), 783–797.
23. A. V. Goldberg and R. E. Tarjan, "A New Approach to the Maximum-Flow Problem," *Journal of the ACM,* 35 (1988), 921–940.
24. F. Harary, *Graph Theory,* Addison-Wesley, Reading, Mass., 1969.
25. J. E. Hopcroft and R. M. Karp, "An $n^{5/2}$ Algorithm for Maximum Matchings in Bipartite Graphs," *SIAM Journal on Computing,* 2 (1973), 225–231.
26. J. E. Hopcroft and R. E. Tarjan, "Algorithm 447: Efficient Algorithms for Graph Manipulation," *Communications of the ACM,* 16 (1973), 372–378.
27. J. E. Hopcroft and R. E. Tarjan, "Dividing a Graph into Triconnected Components," *SIAM Journal on Computing,* 2 (1973), 135–158.
28. J. E. Hopcroft and R. E. Tarjan, "Efficient Planarity Testing," *Journal of the ACM,* 21 (1974), 549–568.
29. J. E. Hopcroft and J. K. Wong, "Linear Time Algorithm for Isomorphism of Planar Graphs," *Proceedings of the Sixth Annual ACM Symposium on Theory of Computing* (1974), 172–184.
30. D. B. Johnson, "Efficient Algorithms for Shortest Paths in Sparse Networks," *Journal of the ACM,* 24 (1977), 1–13.
31. A. B. Kahn, "Topological Sorting of Large Networks," *Communications of the ACM,* 5 (1962), 558–562.
32. D. R. Karger, P. N. Klein, and R. E. Tarjan, "A Randomized Linear-Time Algorithm to Find Minimum Spanning Trees," *Journal of the ACM,* 42 (1995), 321–328.

427

33. R. M. Karp, "Reducibility among Combinatorial Problems," *Complexity of Computer Computations* (eds. R. E. Miller and J. W. Thatcher), Plenum Press, New York, 1972, 85–103.
34. A. V. Karzanov, "Determining the Maximal Flow in a Network by the Method of Preflows," *Soviet Mathematics Doklady,* 15 (1974), 434–437.
35. V. King, S. Rao, and R. E. Tarjan, "A Faster Deterministic Maximum Flow Algorithm," *Journal of Algorithms,* 17 (1994), 447–474.
36. D. E. Knuth, *The Art of Computer Programming, Vol. 1: Fundamental Algorithms,* 3d ed., Addison-Wesley, Reading, Mass., 1997.
37. J. B. Kruskal, Jr., "On the Shortest Spanning Subtree of a Graph and the Traveling Salesman Problem," *Proceedings of the American Mathematical Society,* 7 (1956), 48–50.
38. H. W. Kuhn, "The Hungarian Method for the Assignment Problem," *Naval Research Logistics Quarterly,* 2 (1955), 83–97.
39. E. L. Lawler, *Combinatorial Optimization: Networks and Matroids,* Holt, Reinhart and Winston, New York, 1976.
40. S. Lin and B. W. Kernighan, "An Effective Heuristic Algorithm for the Traveling Salesman Problem," *Operations Research,* 21 (1973), 498–516.
41. K. Melhorn, *Data Structures and Algorithms 2: Graph Algorithms and NP-completeness,* Springer-Verlag, Berlin, 1984.
42. B. M. E. Moret and H. D. Shapiro, "An Empirical Analysis of Algorithms for Constructing a Minimum Spanning Tree," *Proceedings of the Second Workshop on Algorithms and Data Structures* (1991), 400–411.
43. C. H. Papadimitriou and K. Steiglitz, *Combinatorial Optimization: Algorithms and Complexity,* Prentice Hall, Englewood Cliffs, N.J., 1982.
44. R. C. Prim, "Shortest Connection Networks and Some Generalizations," *Bell System Technical Journal,* 36 (1957), 1389–1401.

45. M. Sharir, "A Strong-Connectivity Algorithm and Its Application in Data Flow Analysis," *Computers and Mathematics with Applications*, 7 (1981), 67–72.
46. R. E. Tarjan, "Depth First Search and Linear Graph Algorithms," *SIAM Journal on Computing*, 1 (1972), 146–160.
47. R. E. Tarjan, "Testing Flow Graph Reducibility," *Journal of Computer and System Sciences*, 9 (1974), 355–365.
48. R. E. Tarjan, "Finding Dominators in Directed Graphs," *SIAM Journal on Computing*, 3 (1974), 62–89.
49. R. E. Tarjan, "Complexity of Combinatorial Algorithms," *SIAM Review*, 20 (1978), 457–491.
50. R. E. Tarjan, *Data Structures and Network Algorithms*, Society for Industrial and Applied Mathematics, Philadelphia, 1983.
51. A. C. Yao, "An $O(|E| \log\log |V|)$ Algorithm for Finding Minimum Spanning Trees," *Information Processing Letters*, 4 (1975), 21–23.

428

算法设计技巧

迄今我们已经涉及一些算法的有效实现。我们看到，当一个算法给定时，具体的数据结构无需指定。为使运行时间尽可能地少，需要由编程人员来选择适当的数据结构。

本章将把注意力从算法的实现转向算法的设计。到现在为止，我们已经看到的大部分算法都是直接且简单的。第 9 章包含的一些算法要深奥得多，有些需要(在有些情形下很长的)论证以证明它们确实是正确的。在这一章，我们将集中讨论用于求解问题的五种通常类型的算法。对于许多问题，很可能这些方法中至少有一种方法是可以解决问题的。特别地，对于每种类型的算法我们将

- 了解一般的处理方法。
- 考查几个例子(本章末尾的练习提供了更多的例子)。
- 在适当的地方概括地讨论时间和空间复杂性。

10.1 贪婪算法

我们将要考查的第一种类型的算法是**贪婪算法**(greedy algorithm)。在第 9 章我们已经看到三个贪婪算法：Dijkstra 算法、Prim 算法和 Kruskal 算法。贪婪算法分阶段地工作。在每一个阶段，可以认为所做决定是好的，而不考虑将来的后果。通常，这意味着选择的是某个*局部最优*。这种“眼下能够拿到的就拿”的策略是这类算法名称的来源。当算法终止时，我们希望局部最优等于*全局最优*。如果是这样的话，那么算法就是正确的；否则，算法得到的是一个次最优解(suboptimal solution)。如果不要求绝对最佳答案，那么有时使用简单的贪婪算法生成近似的答案，而不是使用通常产生准确答案所需要的复杂算法。

429

有几个现实的贪婪算法的例子。最明显的是辅币找零钱问题。要使用美国货币找零钱，我们重复地配发最大额货币。于是，为了找出十七美元六十一美分的零钱，我们拿出一张十美元钞，一张五美元钞，两张一美元钞，两个二十五分币，一个十分币，以及一个分币。这么做，我们保证使用最少的钞票和硬币。这个算法不是对所有的货币系统都行得通，但幸运的是，我们可以证明它对美国货币系统是正确的。事实上，即使允许使用两美元钞和五十美分币该算法仍然是可行的。

交通问题有一个例子，在这个例子中，进行局部最优选择不总是行得通的。例如，在迈阿密的某些交通高峰期间，即使一些主要马路看起来空荡荡的，你最好还是把车停在这些街道以外，因为交通将会沿着马路阻塞一英里长，你也就被堵在那里动弹不得。有时甚至更糟，为了回避所有的交通瓶颈，最好是朝着你的目的地相反的方向临时绕道行驶。

本节其余部分将考查几个使用贪婪算法的应用。第一个应用是简单的调度问题。实际上，所有的调度问题或者是 NP-完全的(或属于类似的难度)，或者是贪婪算法可解的。第二个应用处理文件压缩，它是计算机科学最早的成果之一。最后，我们将介绍一个贪婪近似算法的例子。

10.1.1 一个简单的调度问题

今有作业 j_1，j_2，…，j_N，已知对应的运行时间分别为 t_1，t_2，…，t_N，而处理器只有一个。为了把作业平均完成的时间最小化，调度这些作业最好的方式是什么？整个这一节我们将假设**非预占调度**(nonpreemptive scheduling)：一旦开始一个作业，就必须把该作业运行到完成。

作为一个例子，设我们有四个作业和相关的运行时间如图 10-1 所示。一个可能的调度在图 10-2 中指出。因为 j_1 用 15 个时间单位运行结束，j_2 用 23，j_3 用 26，而 j_4 用 36，所以平均完

成时间为25。一个更好的调度由图10-3表示，它产生的平均完成时间为17.75。

作业	时间
j_1	15
j_2	8
j_3	3
j_4	10

图10-1 作业和时间

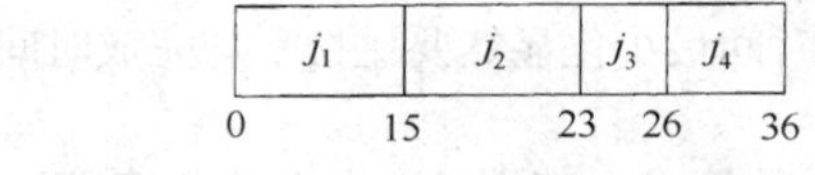

图10-2 1号调度

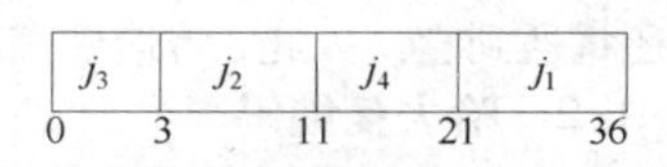

图10-3 2号调度(最优)

图10-3给出的调度是按照最短的作业最先进行来安排的。我们可以证明这将总会产生一个最优的调度。令调度表中的作业是j_{i_1}，j_{i_2}，…，j_{i_N}。第一个作业以时间t_{i_1}完成。第二个作业在$t_{i_1}+t_{i_2}$后完成而第三个作业在$t_{i_1}+t_{i_2}+t_{i_3}$后完成。由此得到，该调度总的代价C为：

$$C = \sum_{k=1}^{N}(N-k+1)t_{i_k} \tag{10.1}$$

$$C = (N+1)\sum_{k=1}^{N}t_{i_k} - \sum_{k=1}^{N}k \cdot t_{i_k} \tag{10.2}$$

注意，在方程(10.2)中第一个和与作业的排序无关，因此只有第二个和影响到总开销。设在一个排序中存在某个$x>y$使得$t_{i_x}<t_{i_y}$。此时，计算表明，交换j_{i_x}和j_{i_y}，第二个和增加，从而降低了总的开销。因此，所用时间不是单调非减的任何的作业调度必然是次最优的。剩下的只有那些其作业按照最小运行时间最先安排的调度才是所有调度方案中最优的。 430

这个结果指出操作系统调度程序一般把优先权赋予那些更短的作业的原因。

多处理器的情况

我们可以把这个问题扩展到多个处理器的情形。我们还是有作业j_1，j_2，…，j_N，对应的运行时间分别为t_1，t_2，…，t_N，另有处理器的个数P。不失一般性，我们将假设作业是有序的，最短的运行时间最先处理。例如，设$P=3$，而作业如图10-4所示。

作业	时间
j_1	3
j_2	5
j_3	6
j_4	10
j_5	11
j_6	14
j_7	15
j_8	18
j_9	20

图10-4 作业和时间

图10-5显示一个最优的安排，它把平均完成时间优化到最小。作业j_1，j_4和j_7在处理器1上运行。处理器2处理作业j_2，j_5和j_8，而处理器3运行其余的作业。总的完成时间为165，平均是$\frac{165}{9}=18.33$。

解决多处理器情形的算法是按顺序开始作业，处理器之间轮换分配作业。不难证明没有哪个其他的顺序能够做得更好，虽然处理器个数P能够整除作业数N时存在许多最优的顺序。对于每一个$0\leqslant i<N/P$，把从j_{iP+1}直到$j_{(i+1)P}$的每一个作业放到不同的处理器上，可以得到这样的最优顺序。在该例中，图10-6指出了第二个最优解。 431

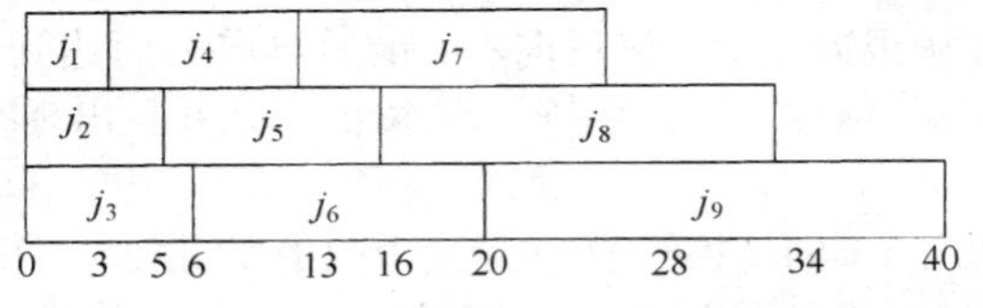

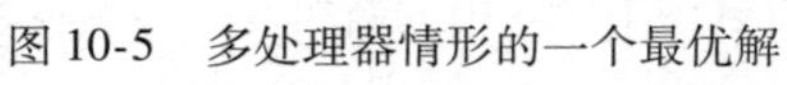

图10-5 多处理器情形的一个最优解

图10-6 多处理器情形的第二个最优解

即使P不恰好整除N，哪怕所有的作业时间是互异的，还是仍然能够有许多最优解。我们把进一步的考查留做练习。

将最后完成时间最小化

在本小节最后，考虑一个非常类似的问题。假设我们只关注最后的作业的结束时间。在上面的两个例子中，它们的完成时间分别是40和38。图10-7指出最小的最后完成时间是34，而这个结果显然不能再改进了，因为每一个处理器都在一直处于繁忙状态。

虽然这个调度没有最小平均完成时间，但是它有一个优点，即整个序列的完成时间更早。如果同一个用户拥有所有这些作业，那么该调度是更可取的调度方法。虽然这些问题非常相似，但是这个新问题实际上是NP-完全的；它恰是背包问题或装箱问题的另一种表述方式，在本节后面我们还将遇到它。因此，将最后完成时间最小化显然要比把平均完成时间最小化困难得多。

10.1.2 哈夫曼编码

在这一节，我们考虑贪婪算法的第二个应用，称为**文件压缩**(file compression)。

标准的ASCII字符集大约由100个“可打印”字符组成。为了把这些字符区分开来，需要$\lceil \log 100 \rceil = 7$比特。但7比特可以表示128个字符，因此ASCII字符还可以再加上一些其他的“非打印”字符。我们加上第8个比特位作为奇偶校验位。然而，重要的问题在于，如果字符集的大小是C，那么在标准的编码中就需要$\lceil \log C \rceil$个比特。

432 ~ 433

设我们有一个文件，它只包含字符a，e，i，s，t，加上一些空格和*newline*(换行)。进一步设该文件有10个a、15个e、12个i、3个s、4个t、13个空格以及一个*newline*。如图10-8中的表所示，这个文件需要174个比特来表示，因为有58个字符而每个字符需要3个比特。

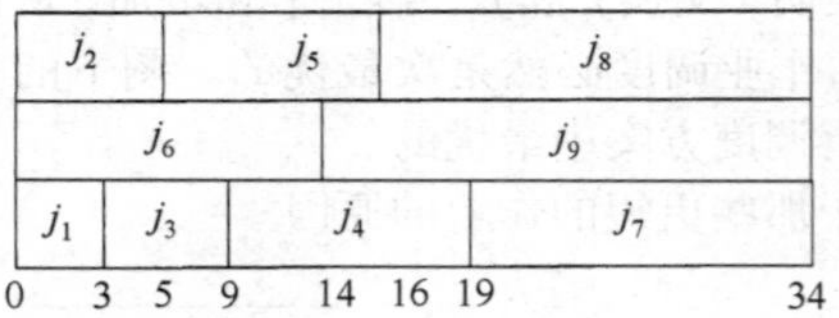

图10-7　将最后完成时间最小化

字符	编码	频率	比特数
a	000	10	30
e	001	15	45
i	010	12	36
s	011	3	9
t	100	4	12
空格	101	13	39
newline	110	1	3
总计			174

图10-8　使用一个标准编码方案

在现实中，文件可能是相当大的。许多非常大的文件是某个程序的输出数据，而在使用频率最大和最小的字符之间通常存在很大的差别。例如，许多巨大的文件都含有大量的数字、空格和*newline*，但是q和x却很少。如果我们在慢速的电话线上传输这些信息，那么就会希望减少文件的大小。还有，由于实际上每一台机器上的磁盘空间都是非常珍贵的，因此人们就会想到是否有可能提供一种更好的编码以降低总的所需比特数。

答案是肯定的，一种简单的策略可以使典型的大型文件节省25%，而使许多大型的数据文件节省多达50%~60%。这种一般的策略就是让代码的长度从字符到字符是变化不等的，同时保证经常出现的字符其代码要短。注意，如果所有的字符都以相同的频率出现，那么节省的问题是不可能存在的。

代表字母的二进制代码可以用二叉树来表示，如图10-9所示。

图10-9中的树只在树叶上有数据。每个字符通过从根节点开始用0指示左分支用1指示右分支而以记录路径的方法表示出来。例如，s通过从根向左走，然后向右，最后再向右而达到，于是它被编码成011。这种数据结构有时叫作**trie树**(trie)。如果字符c_i在深度d_i处并且出现f_i次，那么这种编码的值(cost)就等于$\sum d_i f_i$。

434

一种比图10-9给出的代码更好的代码可以利用*newline*(换行)(它是一个仅有的儿子)而得到。通过把*newline*符号放到其更高一层的父节点上，得到图10-10中的新树。这棵新树的值是173，但该值仍然没有达到最优。

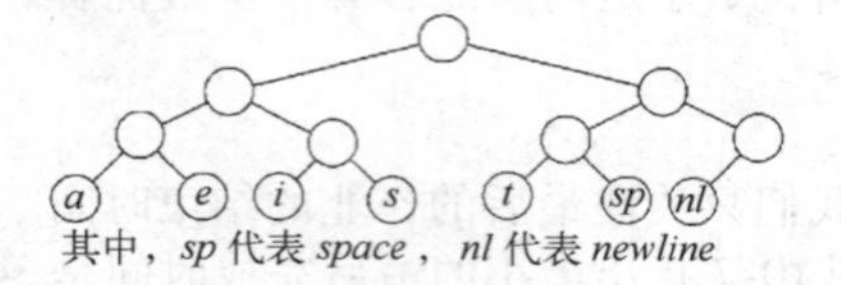

图10-9　树中原始代码的表示法

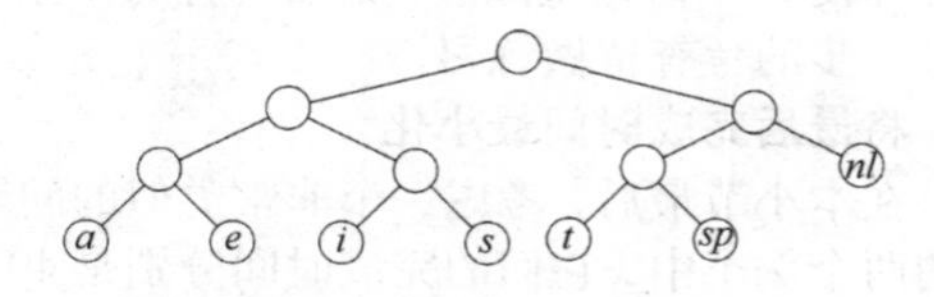

图10-10　稍微好一些的树

注意，图 10-10 中的树是一棵**满树**(full tree)：所有的节点要么是树叶，要么有两个儿子。一种最优的编码将总具有这个性质，否则，正如我们已经看到的，具有一个儿子的节点可以向上移动一层。

如果字符都只放在树叶上，那么任何比特序列总能够被毫不含糊地译码。例如，设编码串是 0100111100010110001000111。0 不是字符代码，01 也不是字符代码，但 010 是 i，于是第一个字符是 i。然后跟着的是 011，它是字符 s。其后的 11 是 *newline*。剩下的代码分别是 a，*space*，t，i，e 和 *newline*。因此，这些字符代码的长度是否不同并不要紧，关键是只要没有字符代码是别的字符代码的前缀就行。这样一种编码叫作**前缀码**(prefix code)。相反，如果一个字符放在非树叶节点上，那就不再能够保证译码没有二义性。

综上所述，基本的问题在于找到总价值最小(如上定义的)的满二叉树，其中所有的字符都位于树叶上。图 10-11 中的树显示该例样本字母表的最优树。从图 10-12 可以看到，这种编码只用了 146 比特。

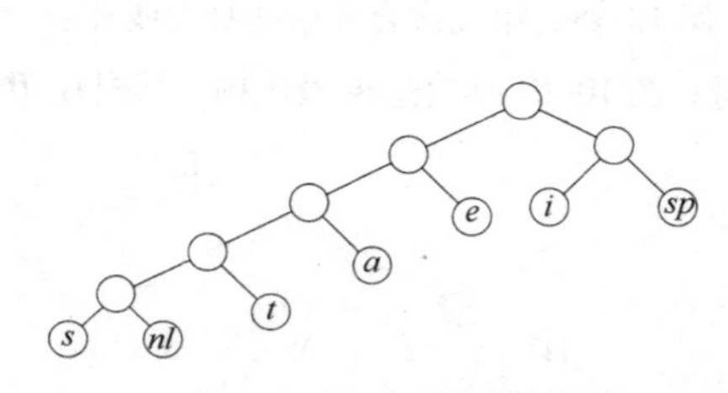

图 10-11　最优前缀码

字符	编码	频率	比特数
a	001	10	30
e	01	15	30
i	10	12	24
s	00 000	3	15
t	0 001	4	16
空格	11	13	26
newline	00 001	1	5
总计			146

图 10-12　最优前缀码

注意，这里存在许多的最优编码。这些编码可以通过交换编码树中的儿子节点得到。此时，主要未解决的问题是如何构造编码树。1952 年 Huffman 给出了一个算法。因此，这种编码系统通常称为**哈夫曼编码**(Hufman code)。

哈夫曼算法

本小节我们将假设字符的个数为 C。哈夫曼算法(Huffman's algorithm)可以描述如下：算法对由树组成的一个森林进行。一棵树的权等于它的树叶的频率的和。任意选取最小权的两棵树 T_1 和 T_2，并任意形成以 T_1 和 T_2 为子树的新树，将这样的过程进行 $C-1$ 次。在算法的开始，存在 C 棵单节点树——每个字符一棵。在算法结束时得到一棵树，这棵树就是最优哈夫曼编码树。

435

我们通过一个具体例子来理解算法的操作。图 10-13 表示的是初始的森林，每棵树的权在根处以小号数字标出。将两棵权最低的树合并到一起，由此建立了图 10-14 中的森林。我们将新的根命名为 T_1，这样使得进一步的合并可以确切无误地表述。图中令 s 是左儿子，这里，令其为左儿子还是右儿子是任意的；注意可以使用哈夫曼算法描述中两个任意性。新树的总权正是那些老树的权的和，当然也就很容易计算。由于建立新树只需得出一个新节点，建立左链接和右链接并把权记录下来，因此创建新树很简单。

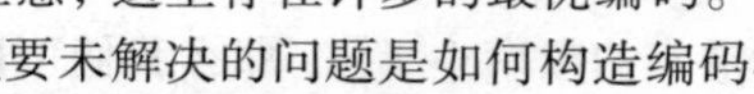

图 10-13　哈夫曼算法的初始状态

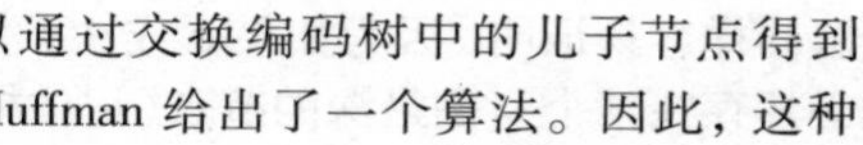

图 10-14　第一次合并后的哈夫曼算法

现在有 6 棵树，我们再选取两棵权最小的树。这两棵树是 $T1$ 和 t，然后将它们合并成一棵新树，树根在 $T2$，权是 8，见图 10-15。第三步将 $T2$ 和 a 合并建立 $T3$，其权为 $10+8=18$。图 10-16 显示这次操作的结果。

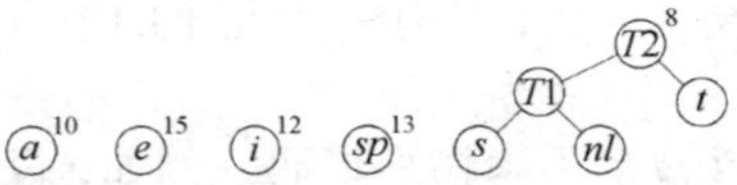

图 10-15 第二次合并后的哈夫曼算法

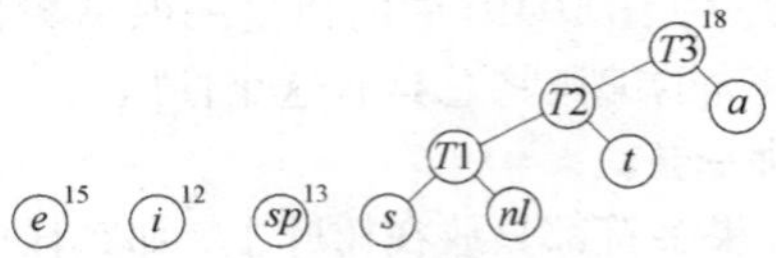

图 10-16 第三次合并后的哈夫曼算法

在第三次合并完成后，最低权的两棵树是代表 i 和空格的两个单节点树。图 10-17 指出这两棵树如何合并成根在 $T4$ 的新树。第五步合并根为 e 和 $T3$ 的树，因为这两棵树的权最小。该步结果如图 10-18 所示。

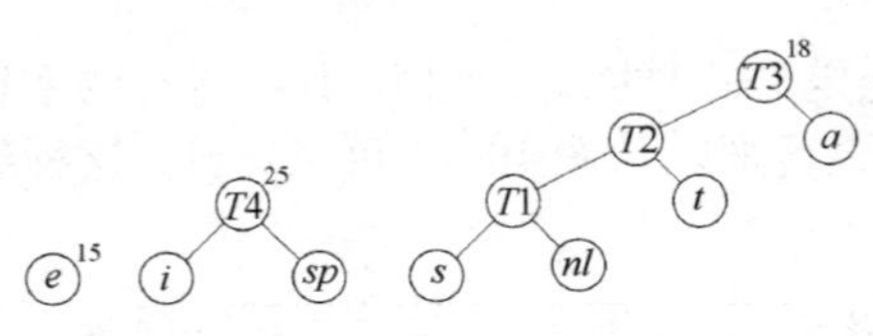

图 10-17 第四次合并后的哈夫曼算法

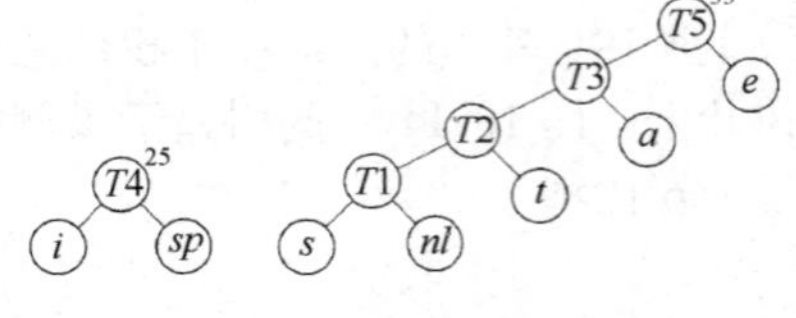

图 10-18 第五次合并后的哈夫曼算法

最后，将两个剩下的树合并得到图 10-11 所示的最优树。图 10-19 画出这棵最优树，其根在 $T6$。

我们将概述哈夫曼算法产生最优代码的证明思路，详细的细节将留作练习。首先，由反证法不难证明树必然是满的，因为我们已经看到如何将一棵不满的树改进成满的树。

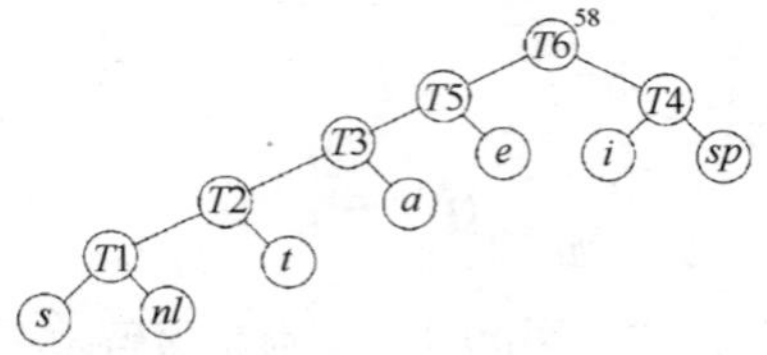

436~437

其次，必须证明两个频率最小的字符 α 和 β 必然是两个最深的节点（虽然其他节点可以同样地深）。这通过反证法同样容易证明，因为如果 α 或 β 不是最深的节点，那么必然存在某个 γ 是最深的节点（记住树是满的）。如果 α 的频率小于 γ，那么我们可以通过交换它们在树中的位置而改进权的值。

图 10-19 最后一次合并后的哈夫曼算法

然后可以论证，在相同深度上任意两个节点处的字符可以交换而不影响最优性。这说明，总可以找到一棵最优树，它含有两个最不经常出现的符号作为兄弟；因此第一步没有错，是成立的。

证明可以通过归纳法论证完成。当树被合并时，我们认为新的字符集是在根的字符上。于是，在例子中，经过四次合并以后，我们可以把字符集看成由 e 与元字符 $T3$ 和 $T4$ 组成。这恐怕是证明最巧妙的部分，我们要求读者补足所有的细节。

该算法是贪婪算法的原因在于，在每一阶段我们都进行一次合并而没有进行全局的考虑。我们只是选择两棵最小的树。

如果我们依权排序将这些树保存在一个优先队列中，那么，由于在绝不会有超过 C 个元素的优先队列上将进行一次 `buildHeap`，$2C-2$ 次 `deleteMin`，和 $C-2$ 次 `insert`，因此运行时间为 $O(C\log C)$。若使用一个链表简单实现该队列，则将给出一个 $O(C^2)$ 算法。优先队列实现方法的选择取决于 C 有多大。在 ASCII 字符集的典型情况下，C 是足够小的，这使得二次的运行时间是可以接受的。在这样的应用中，实际上所有的运行时间都将花费在读取输入文件和写入压缩文件所需要的磁盘 I/O 上。

438

有两个细节必须要考虑。首先，在压缩文件的开头必须要传送编码信息，否则将不可能译码。做这件事有几种方法，见练习 10.4。对于一些小文件，传送编码信息表的代价将超过压缩中任何可能的节省，最后的结果很可能是文件扩大。当然，这可以检测到且原文件可原样保留。对于大型文件，信息表的大小是无关紧要的。

第二个问题正如所描述的，该算法是一个两趟扫描算法。第一趟搜集频率数据，第二趟进行编码。显然，对于处理大型文件的程序来说这个性质不是我们所希望的。另外的一些做法在参考文献中做了介绍。

10.1.3　近似装箱问题

在这一节，我们将考虑某些解决**装箱问题**(bin packing problem)的算法。这些算法将运行得很快，但未必产生最优解。然而，我们将证明所产生的解距最优解不太远。

设给定 N 项物品，大小为 s_1，s_2，…，s_N，所有的大小都满足 $0 < s_i \leqslant 1$。问题是要把这些物品装到最小数目的箱子中去，已知每个箱子的容量是一个单位。作为例子，图 10-20 显示把大小为 0.2，0.5，0.4，0.7，0.1，0.3，0.8 的一列物品最优装箱的方法。

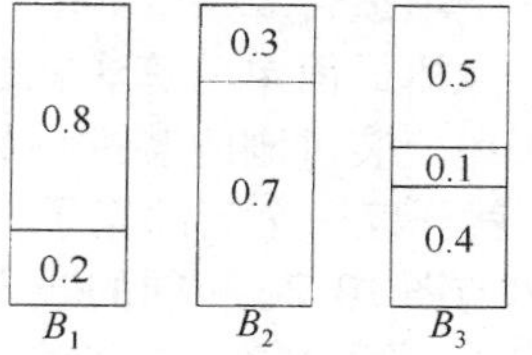

图 10-20　对 0.2，0.5，0.4，0.7，0.1，0.3，0.8 的最优装箱

有两种版本的装箱问题。第一种是**联机装箱问题**(on-line bin packing problem)。在这种问题中，每一件物品必须放入一个箱子之后才能处理下一件物品。第二种是**脱机装箱问题**(off-line bin packing problem)。在一个脱机装箱算法中，我们做任何事都需要等到所有的输入数据全被读取之后才进行。联机算法和脱机算法之间的区别在 8.2 节讨论过。

联机算法

需要考虑的第一个问题是，一个联机算法即使在允许无限计算的情况下是否实际上总能给出最优的解。我们知道，即使允许无限计算，联机算法也必须先放入一项物品然后才能处理下一件物品并且不能改变决定。 439

为了证明联机算法不总能够给出最优解，我们将给它一组特别难的数据来处理。考虑由权为$\frac{1}{2}-\varepsilon$ 的 M 个小项和其后权为$\frac{1}{2}+\varepsilon$ 的 M 个大项构成的序列 I_1，其中 $0<\varepsilon<0.01$。显然，如果我们在每个箱子中放一个小项再放一个大项，那么这些项物品可以放入到 M 个箱子中去。假设存在一个最优联机算法 A 可以进行这项装箱工作。考虑算法 A 对序列 I_2 的操作，该序列只由权为$\frac{1}{2}-\varepsilon$ 的 M 个小项组成。I_2 是可以装入$\lceil M/2 \rceil$个箱子中的。然而，由于 A 对序列 I_2 的处理结果必然和对 I_1 的前半部分处理结果相同，而 I_1 前半部分的输入跟 I_2 的输入完全相同，因此 A 将把每一项物品放到一个单独的箱子内。这说明 A 将使用 I_2 最优解的两倍多的箱子。这样我们证明了，对于联机装箱问题不存在最优算法。

上面的论述指出，联机算法从不知道输入何时会结束，因此它提供的任何性能保证必须在整个算法的每一时刻成立。如果我们遵循前面的策略，那么我们可以证明下列定理。

定理 10.1　存在使得任意联机装箱算法至少使用$\frac{4}{3}$最优箱子数的输入。

证明：

假设情况相反，为简单起见并设 M 是偶数。考虑任一运行在上面输入序列 I_1 上的联机算法 A。注意，该序列由 M 个小项后接 M 个大项组成。让我们考虑该算法在处理第 M 项后都做了什么。设 A 已经用了 b 个箱子。在算法的这一时刻，箱子的最优个数是 $M/2$，因为我们可以在每个箱子里放入两件物品。于是我们知道，根据优于$\frac{4}{3}$的性能保证的假设，$2b/M<\frac{4}{3}$。

现在考虑在所有的物品都被装箱后算法 A 的性能。在第 b 个箱子之后开辟的所有箱子的每箱恰好包含一项物品，因为所有小物品都被放在了前 b 个箱子中，而两个大项物品又装不进一个箱子中去。由于前 b 个箱子每箱最多能有两项物品，而其余的箱子每箱都有一项物品，因此我们看到，将 $2M$ 项物品装箱将至少需要 $2M-b$ 个箱子。但 $2M$ 项物品可以用 M 个箱子最优装箱，因此我们的性能保障保证得到$(2M-b)/M<\frac{4}{3}$。 440

第一个不等式意味着 $b/M<\frac{2}{3}$，而第二个不等式意味着 $b/M>\frac{2}{3}$，这是矛盾的。因此，没

有联机算法能够保证使用小于$\frac{4}{3}$的最优装箱数完成装箱。 □

有三种简单算法保证所用的箱子数不多于二倍的最优装箱数。也有颇多更为复杂的算法能够得到更好的结果。

下项适合算法

大概最简单的算法就属**下项适合**(next fit)算法了。当处理任何一项物品时，我们检查看它是否还能装进刚刚装进物品的同一个箱子中去。如果能够装进去，那么就把它放入该箱中；否则，就开辟一个新的箱子。这个算法实现起来出奇地简单，而且还以线性时间运行。图10-21显示与图10-20相同的输入所得到的装箱过程。

下项适合算法不仅编程简单，而且它的最坏情形的行为也容易分析。

定理10.2 令M是将一列物品I装箱所需的最优装箱数，则下项适合算法所用箱数决不超过$2M$个箱子。存在一些顺序使得下项适合算法用箱数达$2M-2$个。

证明：

考虑任何相邻的两个箱子B_j和B_{j+1}。B_j和B_{j+1}中所有物品的大小之和必然大于1，否则所有这些物品就会全部放入B_j中。如果我们将该结果用于所有相邻的两个箱子，那么，顶多有一半的空间闲置。因此，下项适合算法最多使用二倍的最优箱子数。

为说明这个比率2是精确的，设N项物品大小当i是奇数时$s_i=0.5$，而当i是偶数时$s_i=2/N$。设N可被4整除。图10-22所示的最优装箱由含有2件大小为0.5的物品的$N/4$个箱子和含有$N/2$件大小为$2/N$物品的一个箱子组成，总数为$(N/4)+1$。图10-23表示下项适合算法使用$N/2$个箱子。因此，下项适合算法可以用到几乎二倍于最优装箱数的箱子。 □

441

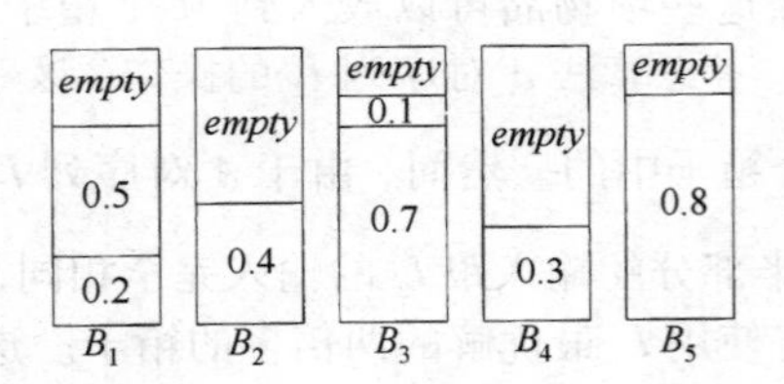

图10-21 对0.2，0.5，0.4，0.7，0.1，0.3，0.8的下项适合算法

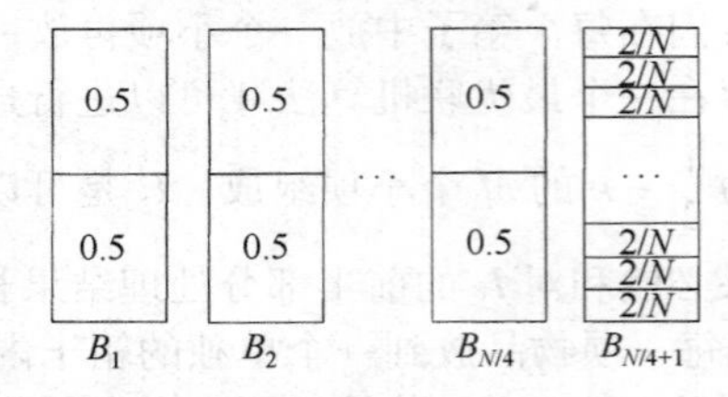

图10-22 对0.5，2/N，0.5，2/N，0.5，2/N，…的最优装箱方法

首次适合算法

虽然下项适合算法有一个合理的性能保证，但是，它的效果在实践中却很差，因为在不需要开辟新箱子的时候它却开辟了新箱子。在前面的样例运行中，本可以把大小0.3的物品放入B_1或B_2而不是开辟一个新箱子。

首次适合算法(first fit)的策略是依序扫描这些箱子并把新的一项物品放入足能盛下它的第一个箱子中。因此，只有当前面那些放置物品的箱子已经容不下当前物品的时候，我们才开辟一个新箱子。图10-24指出对我们的标准输入进行首次适合算法的装箱结果。

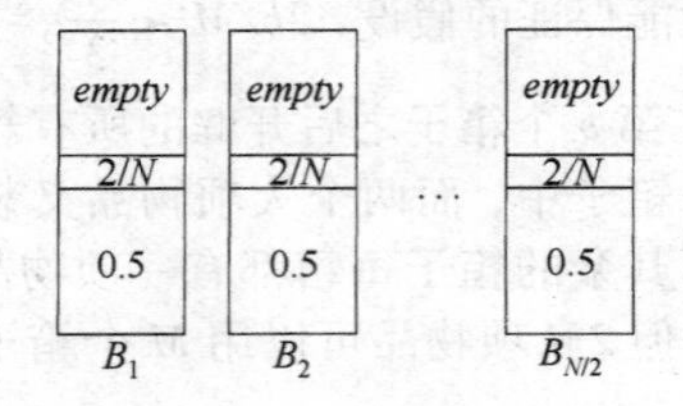

图10-23 对0.5，2/N，0.5，2/N，0.5，2/N，…的下项适合装箱法

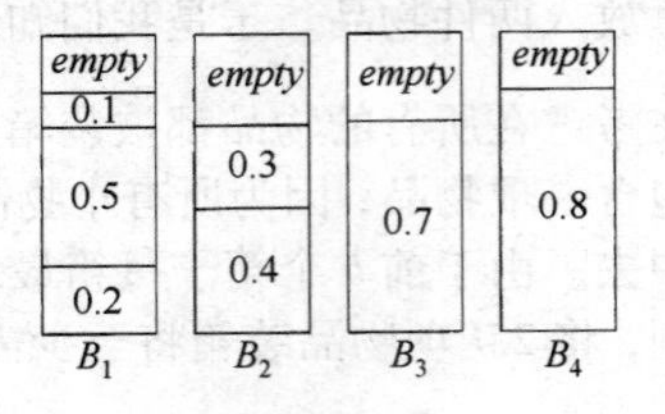

图10-24 对0.2，0.5，0.4，0.7，0.1，0.3，0.8的首次适合装箱

实现首次适合算法的一个简单方法是通过顺序扫描箱子序列处理每一项物品，这将花费

$O(N^2)$。有可能以 $O(N \log N)$ 运行来实现首次适合算法；我们把它留作练习。 442

略加思索读者即可明白，在任一时刻最多有一个箱子其空出的部分大于箱子的一半，因为若有第二个这样其空大于一半的箱子，则它的内容物就会装到第一个这样的箱子中了。因此我们可以立即断言：首次适合算法保证其解最多包含最优装箱数的二倍。

另一方面，我们在证明下项适合算法性能的界时所用到的最坏情况对首次适合算法不适用。因此，人们可能要问：是否能够证明更好的界呢？答案是肯定的，不过证明要复杂。

定理 10.3 令 M 是将一列物品 I 装箱所需要的最优箱子数，则首次适合算法使用的箱子数决不多于 $\left\lceil\frac{17}{10}M\right\rceil$。存在使得首次适合算法使用 $\left\lceil\frac{17}{10}(M-1)\right\rceil$ 个箱子的序列。

证明：

参阅本章末尾的参考文献。 □

使首次适合算法得出和前面定理指出的结果几乎一样差的例子如图 10-25 所示。图中的输入由 $6M$ 个大小为 $\frac{1}{7}+\varepsilon$ 项后跟 $6M$ 个大小为 $\frac{1}{3}+\varepsilon$ 的项以及接续其后的 $6M$ 个大小为 $\frac{1}{2}+\varepsilon$ 的项组成。一种简单的装箱办法是将每种大小的各一项物品装到一个箱子中，总共需要 $6M$ 个箱子。如用首次适合算法，则需要 $10M$ 个箱子。 443

当首次适合算法对大量其大小均匀分布在 0 和 1 之间的物品进行运算时，经验结果指出，首次适合算法用到大约比最优装箱方法多 20% 的箱子。在许多情况下，这是完全可以接受的。

最佳适合算法

我们将要考查的第三种联机策略是**最佳适合**(best fit)装箱法。该算法不是把一项新物品放入所发现的第一个能够容纳它的箱子，而是放到所有箱子中能够容纳它的最满的箱子中。典型的装箱方法如图 10-26 所示。

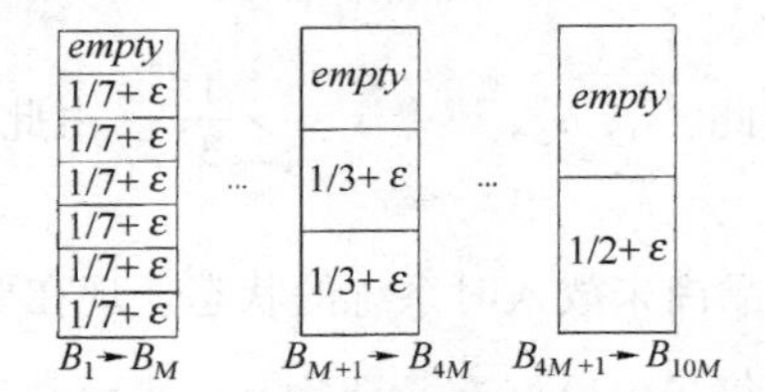

图 10-25 首次适合算法使用 $10M$ 个而不是 $6M$ 个箱子的情形

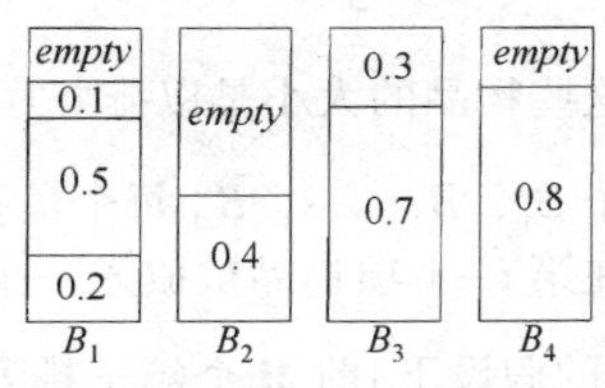

图 10-26 对 0.2, 0.5, 0.4, 0.7, 0.1, 0.3, 0.8 的最佳适合算法

注意，大小为 0.3 的项不是放在 B_2 而是放在了 B_3，此时它正好把 B_3 填满。由于我们现在对箱子进行更细致的选择，因此人们可能认为算法性能保障会有所改善。但是情况并非如此，因为一般的坏情形是相同的。最佳适合算法绝不会超过最优算法的约 1.7 倍，而且存在一些输入，对于这些输入该算法（几乎）达到这个界限。不过，最佳适合算法编程还是简单的，特别是当需要 $O(N \log N)$ 算法的时候，而且该算法对随机的输入确实表现得更好。

脱机算法

如果我们能够观察全部物品以后再算出答案，那么我们应该会做得更好。事实确实如此，由于我们通过彻底的搜索最终能够找到最优装箱方法，因此我们对联机情形就已经有了一个理论上的改进。

所有联机算法的主要问题在于将大项物品装箱困难，特别是当它们在输入的后期出现的时候。围绕这个问题的自然方法是将各项物品排序，把最大的物品放在最先。此时我们可以应用首次适合算法或最佳适合算法，分别得到**首次适合递减算法**(first fit decreasing)和**最佳适合递减算法**(best fit decreasing)。图 10-27 指出在我

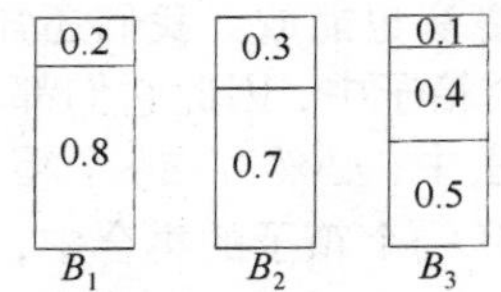

图 10-27 对 0.8, 0.7, 0.5, 0.4, 0.3, 0.2, 0.1 的首次适合算法

们的例子中这会产生最优解(尽管在一般的情形下显然未必会如此)。

444

本小节将介绍首次适合递减算法。对于最佳适合递减算法，结果几乎是一样的。由于存在物品大小不是互异的可能，因此有些作者更愿意把首次适合递减算法叫作**首次适合非增算法**(first fit nonincreasing)。我们将沿用原始的名称。不失一般性，我们还要假设输入数据的大小已经被排序。

我们能够做的第一个评注是，首次适合算法使用10M个而不是6M个箱子的坏情形在物品项被排序的情况下不会再发生。我们将证明，如果一种最优装箱法使用M个箱子，那么首次适合递减算法使用的箱子数决不超过$(4M+1)/3$。

这个结果依赖于两个观察结论。首先，所有权重大于$\frac{1}{3}$的项将被放入前M个箱子内。这意味着，在这M个箱子之外的其余箱子中所有各项的权重顶多是$\frac{1}{3}$。第二个结论是，在其余箱子中物品的项数最多可以是$M-1$。把这两个结果结合起来我们发现，其余的箱子最多可能需要$\lceil (M-1)/3 \rceil$个。现在我们证明这两个观察结果。

引理10.1 令N项物品的输入大小(以递减顺序排序)分别为s_1，s_2，…，s_N，并设最优装箱方法使用M个箱子。那么，首次适合递减算法放到M个箱子之外的其余箱子中的所有物品的大小最多为$\frac{1}{3}$。

证明：

设第i项物品是放入第$M+1$个箱子中的第一项。需要证明$s_i \leqslant \frac{1}{3}$。我们将使用反证法证明这个结论，设$s_i > \frac{1}{3}$。

由于这些物品的大小是以排好序的顺序排列的，因此，s_1，s_2，…，$s_{i-1} > \frac{1}{3}$。由此得知，所有的箱子B_1，B_2，…，B_M每个最多只有两项物品。

考虑在第$i-1$项物品被放入一个箱子后但第i项物品尚未放入时系统的状态。现在要证明$\left(\text{在}\ s_i > \frac{1}{3}\text{的假设下}\right)$前$M$个箱子排列如下：首先是有些箱子内恰好有一项物品，然后剩下的箱子内有两项物品。

设有两个箱子B_x和B_y使得$1 \leqslant x \leqslant y \leqslant M$，$B_x$有两项而$B_y$有一项。令$x_1$和$x_2$是$B_x$中的两项物品，并令$y_1$是$B_y$中的那一项物品。$x_1 \geqslant y_1$，因为$x_1$被放在较前的箱子中。根据类似的推理$x_2 \geqslant s_i$。因此，$x_1+x_2 \geqslant y_1+s_i$。这意味着$s_i$是应该可以放在$B_y$中的。根据我们的假设，这是不可能的。因此，如果$s_i > \frac{1}{3}$，那么在我们试图处理$s_i$时，则安排前$M$个箱子使得前$j$个箱子各装一项物品，而后$M-j$个箱子各放两项物品。

445

为了证明该引理，我们将证明不存在将所有物品装入M个箱子的方法，这和引理的假设矛盾。

显然，在s_1，s_2，…，s_j中使用任何算法都没有两项可以放入一个箱子中，如果能放，那么首次适合算法也能放。我们还知道，首次适合算法尚未把大小为s_{j+1}，s_{j+2}，…，s_i中的任一项放入前j个箱子中，因此它们都不能再往前j个箱子中放。这样，在任何装箱方法中，特别是最优装箱方法中，必然存在j个箱子不包含这些项。由此可知，大小为s_{j+1}，s_{j+2}，…，s_{i-1}的项必然包含在$M-j$个箱子的集合中，综合前面的讨论，于是这些项的总数为$2(M-j)$[⊖]。

⊖ 回顾首次适合算法把这些元素装入$M-j$个箱子并在每个箱子中放入两项物品。因此有$2(M-j)$项。

注意，如果 $s_i > \frac{1}{3}$，那么只要证明 s_i 没有方法放入这 M 个箱子中的任一个中去，该引理的证明也就完成了。事实上，显然它不能放入这 j 个箱子中去，因为假如能放入，那么首次适合算法也能够这么做。把它放入剩下的 $M-j$ 个箱子之一中需要把 $2(M-j)+1$ 项物品分发到这 $M-j$ 个箱子中。因此，某个箱子就不得不装入三件物品，而它们中的每一件都大于 $\frac{1}{3}$，很明显，这是不可能的。

这与所有大小的物品都能够装入 M 个箱子的事实矛盾，因此开始的假设肯定是不正确的，从而 $s_i \leqslant \frac{1}{3}$。 □

引理 10.2 放入其余箱子中的物品的个数最多是 $M-1$。

证明：

假设放入其余箱子中的物品至少有 M 个。我们知道 $\sum_{i=1}^{N} s_i \leqslant M$，因为所有的物品都可装入 M 个箱子。设对于 $1 \leqslant j \leqslant M$，$B_j$ 由总重 W_j 装满。设前 M 个其余箱子中的物品大小为 $x_1, x_2, \cdots, x_M$。此时，由于前 M 个箱子中的项加上前 M 个其余箱子中的项是所有项物品的一个子集，于是

$$\sum_{i=1}^{N} s_i \geqslant \sum_{j=1}^{M} W_j + \sum_{j=1}^{M} x_j \geqslant \sum_{j=1}^{M} (W_j + x_j)$$

现在 $W_j + x_j > 1$，因为否则对应于 x_j 的项就已经放入 B_j 中。因此

$$\sum_{i=1}^{N} s_i > \sum_{j=1}^{M} 1 > M$$

若这 N 项物品能被装入 M 个箱子中，则上式不可能成立。因此，最多只能有 $M-1$ 项其余的物品。 □ 446

定理 10.4 令 M 是将物品集 I 装箱所需的最优箱子数，则首次适合递减算法所用箱子数决不超过 $(4M+1)/3$。

证明：

存在 $M-1$ 项其余箱子中的物品，其大小至多为 $\frac{1}{3}$。因此，最多可能存在 $\lceil (M-1)/3 \rceil$ 个其余的箱子。从而，由首次适合递减算法使用的箱子总数最多为 $\lceil (4M-1)/3 \rceil \leqslant (4M+1)/3$。 □

对于首次适合递减算法和下项适合递减算法都能够证明一个紧得多的界。

定理 10.5 令 M 是将物品集 I 装箱所需的最优箱数，则首次适合递减算法所用箱数决不超过 $\frac{11}{9}M+4$。此外，存在使得首次适合递减算法用到 $\frac{11}{9}M$ 个箱子的序列。

证明：

上界需要非常复杂的分析。下界可以通过下述序列展示：先是大小为 $\frac{1}{2}+\varepsilon$ 的 $6M$ 项，其后是大小为 $\frac{1}{4}+2\varepsilon$ 的 $6M$ 项，接着是 $\frac{1}{4}+\varepsilon$ 的 $6M$ 项，最后是大小为 $\frac{1}{4}-2\varepsilon$ 的 $12M$ 项物品。图 10-28 指出最优装箱需要 $9M$ 个箱子，而首次适合递减算法需要 $11M$ 个箱子。 □

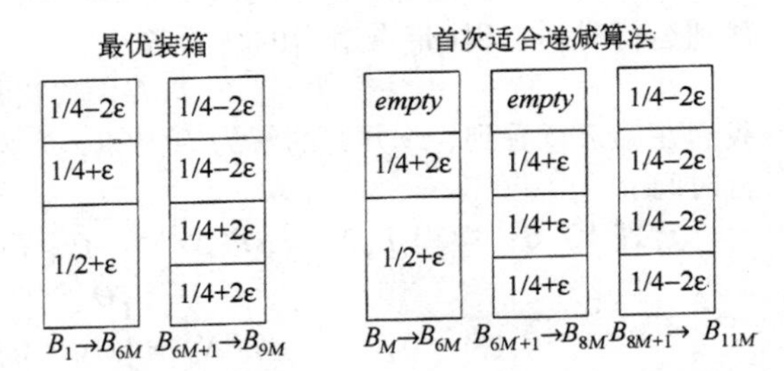

图 10-28 首次适合递减算法使用 $11M$ 个箱子但只有 $9M$ 个箱子就足够完成装箱

在实践中，首次适合递减算法的效果非常好。如果大小在单位区间均匀选择，那么其余箱子的期望个数为 $\Theta(\sqrt{M})$。装箱算法是简单贪婪试探算法能够给出好结果的一个好例子。 447

10.2 分治算法

用于设计算法的另一种常用技巧为**分治算法**(divide and conquer)。分治算法由两部分组成:

分(divide):递归解决较小的问题(当然,基本情况除外)。

治(conquer):然后从子问题的解构建原问题的解。

传统上,在正文中至少含有两个递归调用的例程叫作分治算法,而正文中只含一个递归调用的例程不是分治算法。一般坚持子问题是不相交的(即基本上不重叠)。让我们回顾书中涉及到的某些递归算法。

我们已经看到几个分治算法。在2.4.3节我们见过最大子序列和问题的一个 $O(N \log N)$ 解。在第4章,我们看到一些线性时间的树遍历方法。在第7章,我们见过分治算法的经典例子(归并排序和快速排序),它们分别有 $O(N \log N)$ 的最坏情形以及平均情形的时间界。

我们还看到过一些递归算法的若干例子,在分类上它们很可能不算作分治算法,而只是化简到一个更简单的情况。在1.3节,我们看到一个简单的显示一个数的例程。在第2章,我们使用递归执行有效的取幂运算。在第4章,我们考察了二叉查找树一些简单的搜索例程。在6.6节,我们见过用于合并左式堆的简单的递归。在7.7节给出了一个花费线性平均时间解决选择问题的算法。第8章递归地写出了不相交集的 `find` 操作。第9章指出以Dijkstra算法重新找出最短路径的一些例程以及对图进行深度优先搜索的其他过程。这些算法实际上都不是分治算法,因为只进行了一个递归调用。

我们在2.4节还看到计算斐波那契数的很差的递归例程。我们可以称其为分治算法,但它的效率太低了,因为问题实际上根本没有被分割。

在本节,我们将看到分治算法范例更多的例子。第一个应用是计算几何中的问题。给定平面上的 N 个点,我们将证明最近的一对点可以在 $O(N \log N)$ 时间找到。本章后面的一些练习描述了计算几何中另外一些问题,它们可以由分治算法求解。本节其余部分介绍极其有趣但主要是理论上的一些结果。我们提供一个算法以 $O(N)$ 最坏情形时间解决选择问题。我们还要证明可以用 $o(N^2)$ 次操作将2个 N-比特位的数相乘并以 $o(N^3)$ 次操作将两个 $N \times N$ 矩阵相乘。不幸的是,虽然这些算法最坏情形时间界比传统算法更好,但除了非常巨大的输入外它们都并不实用。

448

10.2.1 分治算法的运行时间

我们将要看到的所有有效的分治算法都是把问题分成一些子问题,每个子问题都是原问题的一部分,然后进行某些附加的工作以算出最后的答案。作为一个例子,我们已经看到归并排序对两个问题进行运算,每个问题均为原问题大小的一半,然后用到 $O(N)$ 的附加工作。由此得到运行时间方程(带有适当的初始条件)

$$T(N) = 2T(N/2) + O(N)$$

我们在第7章看到,该方程的解为 $O(N \log N)$。下面的定理可以用来确定大部分分治算法的运行时间。

定理10.6 方程 $T(N) = aT(N/b) + \Theta(N^k)$ 的解为:

$$T(N) = \begin{cases} O(N^{\log_b a}) & 若\ a > b^k \\ O(N^k \log N) & 若\ a = b^k \\ O(N^k) & 若\ a < b^k \end{cases}$$

其中 $a \geqslant 1$ 以及 $b > 1$。

证明:

根据第7章归并排序的分析,假设 N 是 b 的幂;于是,可令 $N = b^m$。此时 $N/b = b^{m-1}$ 及 $N^k = (b^m)^k = b^{mk} = b^{km} = (b^k)^m$。假设 $T(1) = 1$,并忽略 $\Theta(N^k)$ 中的常数因子,则有

$$T(b^m) = aT(b^{m-1}) + (b^k)^m$$

如果用 a^m 除两边，则得到方程

$$\frac{T(b^m)}{a^m} = \frac{T(b^{m-1})}{a^{m-1}} + \left\{\frac{b^k}{a}\right\}^m \tag{10.3}$$

我们可以对 m 的其他值应用该方程，得到

$$\frac{T(b^{m-1})}{a^{m-1}} = \frac{T(b^{m-2})}{a^{m-2}} + \left\{\frac{b^k}{a}\right\}^{m-1} \tag{10.4}$$

$$\frac{T(b^{m-2})}{a^{m-2}} = \frac{T(b^{m-3})}{a^{m-3}} + \left\{\frac{b^k}{a}\right\}^{m-2} \tag{10.5}$$

$$\cdots$$

$$\frac{T(b^1)}{a^1} = \frac{T(b^0)}{a^0} + \left\{\frac{b^k}{a}\right\}^1 \tag{10.6}$$

使用将(10.3)到(10.6)的各个方程累加起来的标准技巧，等号左边的所有项实际上与等号右边的前一项相消，由此得到 449

$$\frac{T(b^m)}{a^m} = 1 + \sum_{i=1}^{m}\left\{\frac{b^k}{a}\right\}^i \tag{10.7}$$

$$= \sum_{i=0}^{m}\left\{\frac{b^k}{a}\right\}^i \tag{10.8}$$

因此

$$T(N) = T(b^m) = a^m \sum_{i=0}^{m}\left\{\frac{b^k}{a}\right\}^i \tag{10.9}$$

如果 $a > b^k$，那么和就是一个公比小于 1 的几何级数。由于无穷级数的和收敛于一个常数，因此该有限的和也以一个常数为界，从而方程(10.10)成立：

$$T(N) = O(a^m) = O(a^{\log_b N}) = O(N^{\log_b a}) \tag{10.10}$$

如果 $a = b^k$，那么和中的每一项均为 1。由于和含有 $1 + \log_b N$ 项而 $a = b^k$ 表示 $\log_b a = k$，于是

$$T(N) = O(a^m \log_b N) = O(N^{\log_b a}\log_b N) = O(N^k \log_b N) = O(N^k \log N) \tag{10.11}$$

最后，如果 $a < b^k$，那么该几何级数中的项都大于 1，且 1.2.3 节中的第二个公式成立。我们得到

$$T(N) = a^m \frac{(b^k/a)^{m+1} - 1}{(b^k/a) - 1} = O(a^m (b^k/a)^m) = O((b^k)^m) = O(N^k) \tag{10.12}$$

定理的最后一种情形得证。 □

作为一个例子，归并排序有 $a = b = 2$ 且 $k = 1$。第二种情形成立，因此答案为 $O(N \log N)$。如果我们求解三个问题，每个问题都是原始大小的一半，使用 $O(N)$ 的附加工作将解联合起来，则$a = 3$，$b = 2$ 且 $k = 1$。此处情形 1 成立，于是得到界 $O(N^{\log_2 3}) = O(N^{1.59})$。求解三个一半大小的问题但需要 $O(N^2)$ 工作以合并解的算法的运行时间将是 $O(N^2)$，因为此时第三种情形成立。

有两个重要的情形定理 10.6 没有包括。我们再叙述两个定理，但把证明留作练习。定理 10.7 推广了前面的定理。

定理 10.7 方程 $T(N) = aT(N/b) + \Theta(N^k \log^p N)$ 的解为： 450

$$T(N) = \begin{cases} O(N^{\log_b a}) & 若\ a > b^k \\ O(N^k \log^{p+1} N) & 若\ a = b^k \\ O(N^k \log^p N) & 若\ a < b^k \end{cases}$$

其中 $a \geq 1$，$b > 1$ 且 $p \geq 0$。

定理 10.8 如果 $\sum_{i=1}^{k} \alpha_i < 1$，则方程 $T(N) = \sum_{i=1}^{k} T(\alpha_i N) + O(N)$ 的解为 $T(N) = O(N)$。

10.2.2 最近点问题

我们第一个问题的输入是平面上的点列 P。如果 $p_1=(x_1,\ y_1)$ 和 $p_2=(x_2,\ y_2)$，那么 p_1 和 p_2 间的欧几里得距离为 $[(x_1-x_2)^2+(y_1-y_2)^2]^{1/2}$。我们需要找出一对最近的点。有可能两个点位于相同的位置；在这种情形下这两个点就是最近的，它们的距离为零。

如果存在 N 个点，那么就存在 $N(N-1)/2$ 对点间的距离。我们可以检查所有这些距离，得到一个很短的程序，不过这是一个花费 $O(N^2)$ 的算法。由于这种方法是一种穷尽搜索的方法，因此我们应该期望做得更好一些。

假设平面上这些点已经按照 x 的坐标排过序，最多这只不过是在最后的时间界上仅多加了 $O(N \log N)$ 而已。由于将证明整个算法的 $O(N \log N)$ 界，因此从复杂度的观点来看，该排序基本上没有增加时间消耗的量级。

图 10-29 一个小规模的点集

图 10-29 画出一个小的样本点集 P。既然这些点已按 x 坐标排序，那么就可以划一条想象的垂线，把点集分成两半：P_L 和 P_R。这做起来当然简单。现在我们得到的情形几乎和我们在 2.4.3 节的最大子序列和问题中见过的情形完全相同。最近的一对点或者都在 P_L 中，或者都在 P_R 中，或者一个点在 P_L 中而另一个在 P_R 中。可以将这三个距离分别叫作 d_L、d_R 和 d_C。图10-30显示出点集的划分和这三个距离。

451

我们可以递归地计算 d_L 和 d_R。然后，问题就是计算 d_C。由于想要一个 $O(N \log N)$ 的解，因此必须能够仅仅多花 $O(N)$ 的附加工作计算出 d_C。我们已经看到，如果一个过程由两个一半大小的递归调用和附加的 $O(N)$ 工作组成，那么总的时间将是 $O(N \log N)$。

令 $\delta=\min(d_L,\ d_R)$。我们的第一个观察结论是，如果 d_C 对 δ 有所改进，那么只需计算 d_C。如果 d_C 是这样的距离，则决定 d_C 的两个点必然在分割线的 δ 距离之内；我们将把这个区域叫作一条带(strip)。如图 10-31 所示，这个观察结论限制了需要考虑的点的个数(此例中的 $\delta=d_R$)。

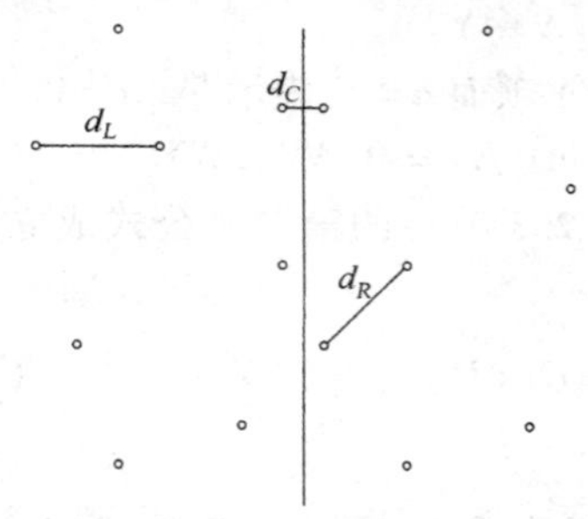

图 10-30 被分成 P_L 和 P_R 的点集 P；图中显示了最短的距离

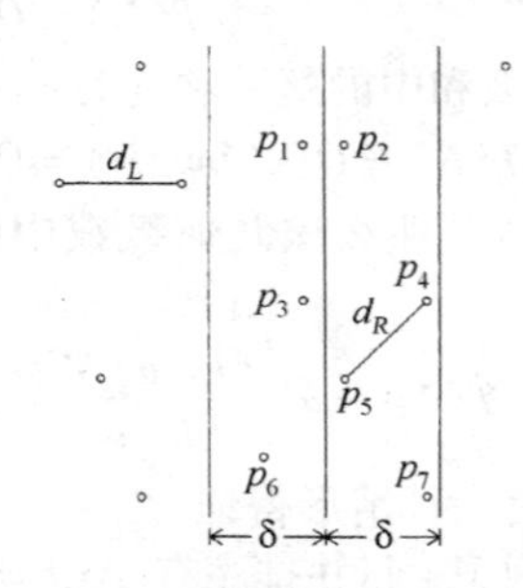

图 10-31 双道带区域，包含对于 d_C 带所考虑的全部点

有两种方法可以用来计算 d_C。对于均匀分布的大型点集，预计位于该带中的点的个数是非常少的。事实上，容易论证平均只有 $O(\sqrt{N})$ 个点在这个带中。因此，我们可以以 $O(N)$ 时间对这些点进行蛮力计算。图 10-32 中的伪代码实现该方法，其中按照 Java 语言的约定点的下标从 0 开始。

```
// Points are all in the strip

for( i = 0; i < numPointsInStrip; i++ )
    for( j = i + 1; j < numPointsInStrip; j++ )
        if( dist(pi, pj)  <  δ )
            δ  =  dist(pi, pj);
```

图 10-32 $\min(\delta,\ d_C)$ 的蛮力计算

452
~
453

在最坏情形下，所有的点可能都在这条带状区域内，因此这种方法不总能以线性时间运行。我们可以用下列的观察结果改进这个算法：确定 d_C 的两个点的 y 坐标相差最多是 δ。否则，$d_C > \delta$。设带中的点按照它们的 y 坐标排序。因此，如果 p_i 和 p_j 的 y 坐标相差大于 δ，那么我们可以继续处理 p_{i+1}。这个简单的修改在图 10-33 中实现。

```
// Points are all in the strip and sorted by y-coordinate

for( i = 0; i < numPointsInStrip; i++ )
    for( j = i + 1; j < numPointsInStrip; j++ )
        if( pi and pj's y-coordinates differ by more than δ )
            break;        // Go to next pi.
        else
        if( dist(pi, pj) < δ )
            δ = dist(pi, pj);
```

图 10-33 min(δ, d_C)的精化计算

这个附加的测试对运行时间有着显著的影响，因为对于每一个 p_i，在 p_i 和 p_j 的 y 坐标相差大于 δ 并被迫退出内层 for 循环以前，只有少数的点 p_j 被考查。例如，图 10-34 显示对于点 p_3 只有两个点 p_4 和 p_5 落在垂直距离 δ 之内的带状区域中。

对于任意的点 p_i，在最坏的情形下最多有 7 个点 p_j 被考虑。这是因为这些点必定落在该带状区域左半部分的 $\delta\times\delta$ 方块内或者该带状区域右半部分的 $\delta\times\delta$ 方块内。另一方面，在每个 $\delta\times\delta$ 方块内的所有的点至少分离 δ。在最坏的情形下，每个方块包含 4 个点，每个角上一个点。这些点中有一个是 p_i，最多还剩下 7 个点要考虑。最坏情形的状况如图 10-35 所示。注意，虽然 p_{L2} 和 p_{R1} 有相同的坐标，但它们可以是不同的点。对于具体的分析来说，唯一重要的是 $\lambda\times2\lambda$ 的矩形区域中的点的个数为 $O(1)$，这显然很清楚。

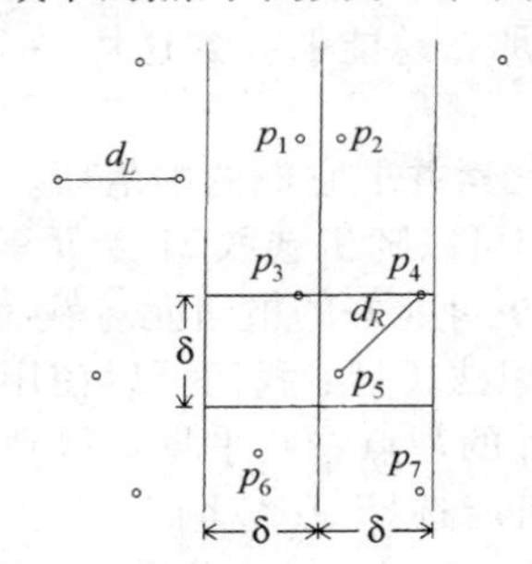

图 10-34 在第二个 for 循环内只有 p_4 和 p_5 被考虑

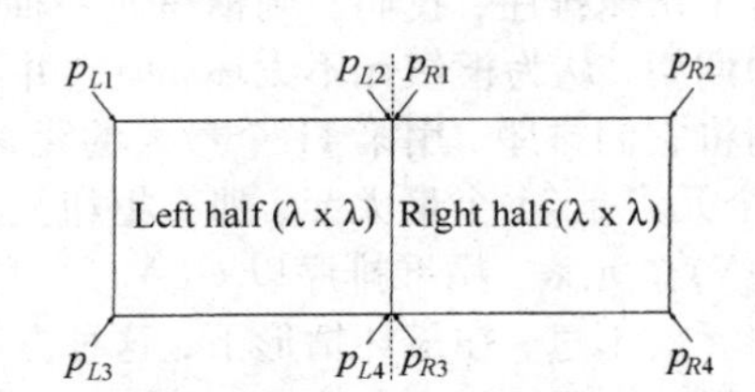

图 10-35 最多有 8 个点在该矩形中；有两个坐标其中每个都由两个点分享

因为对于每个 p_i 最多有 7 个点要考虑，所以计算比 δ 好的 d_C 的时间是 $O(N)$。因此，基于两个一半大小的递归调用加上联合两个结果的线性附加工作，看来我们似乎对最近点问题有一个 $O(N\log N)$ 解。然而，我们还没有真正得到 $O(N\log N)$ 的解。

问题在于，我们已经假设这些点按照 y 坐标排序是现成的。如果对于每个递归调用都执行这种排序，那么我们又有 $O(N\log N)$ 的附加工作：这就得到一个 $O(N\log^2 N)$ 算法。不过问题还不完全这么糟，尤其在和蛮力 $O(N^2)$ 算法比较的时候。然而，不难把对于每个递归调用的工作简化到 $O(N)$，从而保证 $O(N\log N)$ 算法。

我们将保留两个表。一个是按照 x 坐标排序的点的表，而另一个是按照 y 坐标排序的点的表。我们分别称这两个表为 P 和 Q。这两个表可以通过一个预处理排序步骤花费 $O(N\log N)$ 得到，因此并不影响时间界。P_L 和 Q_L 是传递给左半部分递归调用的参数表，P_R 和 Q_R 是传递给右

半部分递归调用的参数表。我们已经看到，P 很容易在中间分开。一旦分割线已知，我们依序转到 Q，把每一个元素放入相应的 Q_L 或 Q_R。容易看出，Q_L 和 Q_R 将自动地按照 y 坐标排序。当递归调用返回时，我们扫描 Q 表并删除其 x 坐标不在带内的所有的点。此时 Q 只含有带中的点，而这些点保证是按照它们的 y 坐标排序的。

这种策略保证整个算法是 $O(N \log N)$ 的，因为只执行了 $O(N)$ 的附加工作。

10.2.3 选择问题

选择问题(selection problem)要求我们找出 N 个元素的集合 S 中的第 k 个最小的元素。我们对找出中间元素的特殊情况有着特别的兴趣，这种情况发生在$\lceil k = N/2 \rceil$的时候。

在第1章、第6章和第7章我们已经看到过选择问题的几种解法。第7章中的解法用到快速排序的变体并以平均时间 $O(N)$ 运行。事实上，它在 Hoare 论述快速排序的原始论文中已有描述。

虽然这个算法以线性平均时间运行，但是它有一个 $O(N^2)$ 的最坏情况。通过把元素排序，选择可以容易地以 $O(N \log N)$ 最坏情形时间解决，不过，长时间不知道选择是否能够以 $O(N)$ 最坏情形时间完成。在7.7.6节概述的快速选择算法在实践中是相当有效的，因此这个问题主要还是理论上的问题。

我们知道，基本的算法是简单递归策略。设 N 大于截止点(cutoff point)，元素将从截止点开始进行简单的排序，v 是选出的一个元素，叫作枢纽元(pivot)。其余的元素被放在两个集合 S_1 和 S_2 中。S_1 含有不大于 v 的元素，而 S_2 则包含不小于 v 的元素。最后，如果 $k \leqslant |S_1|$，那么 S 中的第 k 个最小的元素可以通过递归计算 S_1 中第 k 个最小的元素而找到。如果 $k = |S_1| + 1$，则枢纽元就是第 k 个最小的元素。否则，在 S 中的第 k 个最小的元素是 S_2 中的第$(k - |S_1| - 1)$个最小元素。这个算法和快速排序之间的主要区别在于，这里要求解的只有一个子问题而不是两个子问题。

为了得到一个线性算法，我们必须保证子问题只是原问题的一部分，而不仅仅只是比原问题少几个元素。当然，如果我们愿意花费一些时间查找的话，那么总能够找到这样一个元素。困难的问题在于我们不能花费太多的时间寻找枢纽元。

454 ~ 455

对于快速排序，我们看到枢纽元一种好的选择是选取三个元素并取它们的中值项。这就产生某种期望，认为枢纽元不太坏，但它并不提供一种保证。我们可以随机选取21个元素，以常数时间将它们排序，用第11个最大的元素作为枢纽元，并得到更可能好的枢纽元。然而，如果这21个元素是21个最大元，那么枢纽元仍然会不好。将这种想法扩展，我们可以使用直到 $O(N/\log N)$ 个元素，用堆排序以 $O(N)$ 总时间将它们排序，从统计的观点看几乎肯定得到一个好的枢纽元。不过，在最坏情形下，这种方法行不通，因为我们可能选择 $O(N/\log N)$ 个最大的元素，而此时的枢纽元则是第$[N - O(N/\log N)]$个最大的元素，这不是 N 的一个常数部分。

然而，基本想法还是有用的。的确，我们将看到，可以用它来改进快速选择所进行的期望的比较次数。但是，为得到一个好的最坏情形，关键想法是再用一个间接层。我们不是从随机元素的样本中找出中值项，而是从中值项的样本中找出中值项。

基本的枢纽元选择算法如下：

1. 把 N 个元素分成$\lfloor N/5 \rfloor$组5个元素的组，忽略剩余(最多4个)的元素。
2. 找出每组的中值项，得到$\lfloor N/5 \rfloor$个中值项的表 M。
3. 求出 M 的中值项，将其作为枢纽元 v 返回。

我们将用术语五数中值取中分割法(median-of-median-of-five partitioning)描述使用上面给出的枢纽元选择法则的快速选择算法。现在我们证明，五数中值取中分割法保证每个递归子问题最多是原问题的大约70%的大小。我们还要证明，对于整个选择算法，枢纽元可以足够快地算出以确保 $O(N)$ 的运行时间。

现在让我们假设 N 可以被5整除，因此不存在多余的元素。再设 $N/5$ 为奇数，这样集合 M

就包含奇数个元素。我们将要看到，这将提供某种对称性。于是，为方便起见我们假设 N 为 $10k+5$ 的形式，还假设所有的元素都是互异的。实际的算法必须保证能够处理该假设不成立的情况。图 10-36 指出当 $N=45$ 时枢纽元如何能够选出。

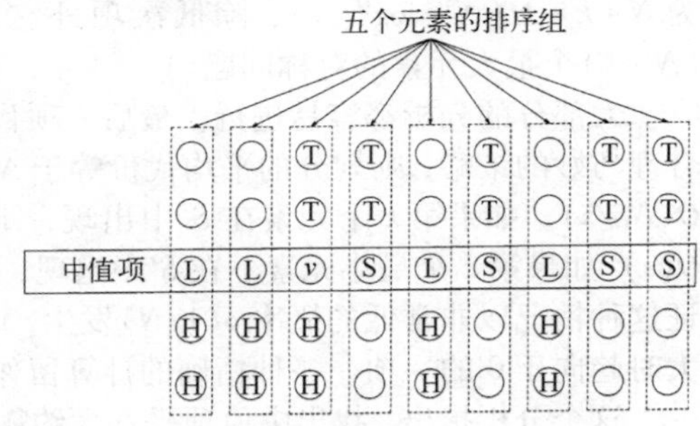

图 10-36 枢纽元的选择

在图 10-36 中，v 代表该算法选出作为枢纽元的元素。由于 v 是 9 个元素的中值项，而我们假设所有元素互异，因此必然存在 4 个中项大于 v 以及 4 个小于 v。我们分别用 L 和 S 表示这些中值项。考虑具有一个大中值项(L 型)的五元素组。该组的中值项小于组中的两个元素且大于组中的两个元素。我们将令 H 代表那些巨型元素。存在一些已知大于一个大中值项的元素。类似地，T 代表那些小于一个小中值项的微型元素。存在 10 个 H 型的元素：具有 L 型中项的每组中有两个，v 所在的组中有两个。类似地，存在 10 个 T 型元素。

L 型元素或 H 型元素保证大于 v，而 S 型元素或 T 型元素保证小于 v。于是在我们的问题中保证有 14 个大元素和 14 个小元素。因此，递归调用最多可以对 $45-14-1=30$ 个元素进行。 456

让我们把分析推广到对形如 $10k+5$ 的一般 N 的情形。在这种情况下，存在 k 个 L 型元素和 k 个 S 型元素。存在 $2k+2$ 个 H 型元素，还有 $2k+2$ 个 T 型元素。因此，有 $3k+2$ 个元素保证大于 v 以及 $3k+2$ 个元素保证小于 v。于是在这种情况下递归调用最多可以包含 $7k+2<0.7N$ 个元素。如果 N 不是 $10k+5$ 的形式，类似的论证仍可进行而不影响基本结果。

剩下的问题是确定得到枢纽元的运行时间的界。有两个基本的步骤。可以以常数时间找到 5 元素的中值项。例如，不难用 8 次比较将 5 个元素排序。我们必须进行$\lfloor N/5 \rfloor$次这样的运算，因此这一步花费 $O(N)$ 时间。然后必须计算$\lfloor N/5 \rfloor$元素组的中值项。明显的做法是将该组排序并返回中间的元素，但这需要花费 $O(\lfloor N/5 \rfloor \log \lfloor N/5 \rfloor)=O(N\log N)$ 的时间，因此不能这么做。解决方法是对这$\lfloor N/5 \rfloor$个元素递归地调用选择算法。

现在对基本算法的描述已经完成。如果想有一个实际的实现方法，那么还有某些细节仍然需要补充。例如，重复元必须要正确地处理，该算法需要截止点足够大以确保递归调用能够进行。由于涉及大量的系统开销，而且该算法根本不实用，因此这里将不再描述需要考虑的任何细节。即使如此，该算法从理论的角度来看仍然是一种突破，因为其运行时间在最坏情形下是线性的，这正如下面的定理所述。

定理 10.9 使用五数中值取中分割法的快速选择算法的运行时间为 $O(N)$。 457

证明：

该算法由大小为 $0.7N$ 和 $0.2N$ 的两个递归调用以及线性附加工作组成。根据定理 10.8，其运行时间是线性的。 □

降低比较的平均次数

分治算法还可以用来降低选择算法所需要的期望比较次数。让我们看一个具体的例子。设有 1 000 个数的集合 S 并且要寻找其中第 100 个最小的数 X。选择 S 的子集 S'，它由 100 个数组成。我们期望 X 值的大小类似于 S'的第 10 个最小的数。尤其是 S'的第 5 个最小的数几乎肯定小于 X，而 S'的第 15 个最小的数几乎肯定大于 X。

更一般地，从 N 个元素选取 s 个元素的样本 S'。令 δ 是某个数，后面我们将选择它使得把该过程所用的平均比较次数最小化。我们找出 S'中第($v_1=ks/N-\delta$)个和第($v_2=ks/N+\delta$)个最小的元素。几乎肯定 S 中的第 k 个最小元素将落在 v_1 和 v_2 之间，因此留给我们的是关于 2δ 个元素的选择问题。第 k 个最小元素以低概率不落在这个范围，而我们有大量的工作要做。不过，只要 s 和 δ 选择得好，根据概率论的定律我们可以肯定，第二种情形对于整体工作不会有不利的影响。

如果进行分析，那么我们就会发现，若 $s=N^{2/3}\log^{1/3}N$ 和 $\delta=N^{1/3}\log^{2/3}N$，则期望的比较次数为 $N+k+O(N^{2/3}\log^{1/3}N)$，除低次项外它是最优的。（如果 $k>N/2$，那么可以考虑查找第 $(N-k)$ 个最大元素的对称问题。）

大部分的分析都容易进行。最后一项代表进行两次选择以确定 v_1 和 v_2 的代价。假设采用合理巧妙的策略，则划分的平均代价等于 N 加上 v_2 在 S 中的期望秩(expected rank)，即 $N+k+O(N\delta/s)$。如果第 k 个元素在 S' 中出现，那么结束算法的代价等于对 S' 进行选择的代价，即 $O(s)$。如果第 k 个最小元素不在 S' 中出现，那么代价就是 $O(N)$。然而，s 和 δ 已经被选取以保证这种情况以非常低的概率 $o(1/N)$ 发生，因此该可能性的期望代价是 $o(1)$，它是当 N 越来越大时趋向于0的一项。一种精确的计算留作练习10.21。

这个分析指出，找出中值项平均大约需要 $1.5N$ 次比较。当然，该算法为计算 s 需要浮点运算，这在一些机器上可能使该算法减慢速度。不过即使是这样，经验已经证明，若能正确实现，则该算法完全能够比得上第7章中快速选择的实现方法。

10.2.4 一些算术问题的理论改进

本节将描述一个分治算法，该算法是将两个 N 位数字的数相乘。在前面的计算模型假设乘法是以常数时间完成的，因为乘数很小。对于大的数，这个假设不再成立。如果我们以参与相乘的数的大小来衡量乘法，那么自然的乘法算法花费平方时间，而分治算法则以亚二次时间(subquadratic time)运行。我们还要介绍经典的分治算法，它以亚三次时间(subcubic time)将两个 $N\times N$ 矩阵相乘。

458

整数相乘

设要将两个 N 位数字的数 X 和 Y 相乘。如果 X 和 Y 恰好有一个是负的，那么结果就是负的；否则结果为正数。因此，我们可以进行这种检查然后假设 $X,Y\geqslant 0$。几乎每一个人在笔算乘法时使用的算法都需要 $\Theta(N^2)$ 次操作，这是因为 X 中的每一位数字都要被 Y 的每一位数字去乘的缘故。

如果 $X=61438521$ 而 $Y=94736407$，那么 $XY=5820464730934047$。让我们把 X 和 Y 拆成两半，分别由最高几位和最低几位数字组成。此时，$X_L=6143$，$X_R=8521$，$Y_L=9473$，$Y_R=6407$。我们还有 $X=X_L10^4+X_R$ 以及 $Y=Y_L10^4+Y_R$。由此得到

$$XY=X_LY_L10^8+(X_LY_R+X_RY_L)10^4+X_RY_R$$

注意，这个方程由4次乘法组成，即 X_LY_L，X_LY_R，X_RY_L 和 X_RY_R，它们每一个都是原问题大小的一半($N/2$ 位数字)。用 10^8 和 10^4 作乘法实际就是添加一些0，它及其后的几次加法只是添加了 $O(N)$ 附加的工作。如果递归地使用该算法进行这4项乘法，在一个适当的基准情形下停止，那么得到递归

$$T(N)=4T(N/2)+O(N)$$

从定理10.6可以看到 $T(N)=O(N^2)$，因此很不幸我们没有改进这个算法。为了得到一个亚二次的算法，我们必须使用少于4次的递归调用。关键的观察结果是

$$X_LY_R+X_RY_L=(X_L-X_R)(Y_R-Y_L)+X_LY_L+X_RY_R$$

于是，我们可以不用两次乘法来计算 10^4 的系数，而可以用一次乘法再加上已经完成的两次乘法的结果。图10-37演示如何只需求解3次递归子问题。

容易看到现在的递归方程满足

$$T(N)=3T(N/2)+O(N)$$

从而我们得到 $T(N)=O(N^{\log_2 3})=O(N^{1.59})$。为完成这个算法，我们必须要有一个基准情况，该情况可以无需递归而解决。

当两个数都是一位数字时，我们可以通过查表进行乘法；若有一个乘数为0，则返回0。假如在实践中要用这种算法，那么就要把基本情况选择成对机器最方便的情况。

函数	值	计算复杂度
X_L	6，143	赋值
X_R	8，521	赋值
Y_L	9，473	赋值
Y_R	6，407	赋值
$D_1 = X_L - X_R$	-2，378	$O(N)$
$D_2 = Y_R - Y_L$	-3，066	$O(N)$
$X_L Y_L$	58，192，639	$T(N/2)$
$X_R Y_R$	54，594，047	$T(N/2)$
$D_1 D_2$	7，290，948	$T(N/2)$
$D_3 = D_1 D_2 + X_L Y_L + X_R Y_R$	120，077，634	$O(N)$
$X_R Y_R$	54，594，047	上面已算出
$D_3 10^4$	1，200，776，340，000	$O(N)$
$X_L Y_L 10^8$	5，819，263，900，000，000	$O(N)$
$X_L Y_L 10^8 + D_3 10^4 + X_R Y_R$	5，820，464，730，934，047	$O(N)$

图 10-37　分治算法的执行情况

虽然这种算法比标准的二次算法有更好的渐进性能，但是它却很少使用，因为对于小的 N 开销大，而对大的 N 甚至还存在更好的一些算法。这些算法也广泛利用了分治策略。

459

矩阵乘法

一个基本的数值问题是两个矩阵的乘法。图 10-38 给出一个简单的 $O(N^3)$ 算法计算 $\boldsymbol{C} = \boldsymbol{AB}$，其中 $\boldsymbol{A}$、$\boldsymbol{B}$ 和 $\boldsymbol{C}$ 均为 $N \times N$ 矩阵。该算法直接来自于矩阵乘法的定义。为了计算 $C_{i,j}$，我们计算 $\boldsymbol{A}$ 的第 i 行和 $\boldsymbol{B}$ 的第 j 列的点乘。按照通常的惯例，数组下标均从 0 开始。

```
1     /**
2      * Standard matrix multiplication.
3      * Arrays start at 0.
4      * Assumes a and b are square.
5      */
6     public static int [ ][ ] multiply( int [ ][ ] a, int [ ][ ] b )
7     {
8         int n = a.length;
9         int [ ][ ] c = new int[ n ][ n ];
10
11        for( int i = 0; i < n; i++ )    // Initialization
12            for( int j = 0; j < n; j++ )
13                c[ i ][ j ] = 0;
14
15        for( int i = 0; i < n; i++ )
16            for( int j = 0; j < n; j++ )
17                for( int k = 0; k < n; k++ )
18                    c[ i ][ j ] += a[ i ][ k ] * b[ k ][ j ];
19
20        return c;
21    }
```

图 10-38　简单的 $O(N^3)$ 矩阵乘法

长期以来曾认为矩阵乘法是需要工作量 $\Omega(N^3)$ 的。然而，在 20 世纪 60 年代末 Strassen 指

出了如何打破 $\Omega(N^3)$ 的屏障。Strassen 算法的基本想法是把每一个矩阵都分成 4 块，如图 10-39 所示。此时容易证明

$$C_{1,1}=A_{1,1}B_{1,1}+A_{1,2}B_{2,1}$$
$$C_{1,2}=A_{1,1}B_{1,2}+A_{1,2}B_{2,2}$$
$$C_{2,1}=A_{2,1}B_{1,1}+A_{2,2}B_{2,1}$$
$$C_{2,2}=A_{2,1}B_{1,2}+A_{2,2}B_{2,2}$$

$$\begin{bmatrix}A_{1,1} & A_{1,2}\\ A_{2,1} & A_{2,2}\end{bmatrix}\begin{bmatrix}B_{1,1} & B_{1,2}\\ B_{2,1} & B_{2,2}\end{bmatrix}=\begin{bmatrix}C_{1,1} & C_{1,2}\\ C_{2,1} & C_{2,2}\end{bmatrix}$$

图 10-39 把 $\boldsymbol{AB}=\boldsymbol{C}$ 分解成 4 块乘法

作为一个例子，为了进行乘法 $\boldsymbol{AB}$

$$\boldsymbol{AB}=\begin{bmatrix}3 & 4 & 1 & 6\\ 1 & 2 & 5 & 7\\ 5 & 1 & 2 & 9\\ 4 & 3 & 5 & 6\end{bmatrix}\begin{bmatrix}5 & 6 & 9 & 3\\ 4 & 5 & 3 & 1\\ 1 & 1 & 8 & 4\\ 3 & 1 & 4 & 1\end{bmatrix}$$

460

我们定义下列 8 个 $N/2\times N/2$ 阶矩阵：

$$A_{1,1}=\begin{bmatrix}3 & 4\\ 1 & 2\end{bmatrix}\quad A_{1,2}=\begin{bmatrix}1 & 6\\ 5 & 7\end{bmatrix}\quad B_{1,1}=\begin{bmatrix}5 & 6\\ 4 & 5\end{bmatrix}\quad B_{1,2}=\begin{bmatrix}9 & 3\\ 3 & 1\end{bmatrix}$$

$$A_{2,1}=\begin{bmatrix}5 & 1\\ 4 & 3\end{bmatrix}\quad A_{2,2}=\begin{bmatrix}2 & 9\\ 5 & 6\end{bmatrix}\quad B_{2,1}=\begin{bmatrix}1 & 1\\ 3 & 1\end{bmatrix}\quad B_{2,2}=\begin{bmatrix}8 & 4\\ 4 & 1\end{bmatrix}$$

此时，我们可以进行 8 个 $N/2\times N/2$ 阶矩阵的乘法和 4 个 $N/2\times N/2$ 阶矩阵的加法。这些加法花费 $O(N^2)$ 时间。如果递归地进行矩阵乘法，那么运行时间满足

$$T(N)=8T(N/2)+O(N^2)$$

从定理 10.6 可以看到 $T(N)=O(N^3)$，因此我们没有作出改进。如同我们在整数乘法看到的，必须把子问题的个数简化到 8 以下。Strassen 使用了类似于整数乘法分治算法的一种策略并指出如何仔细地安排计算只使用 7 次递归调用。这 7 个乘法是

$$M_1=(A_{1,2}-A_{2,2})(B_{2,1}+B_{2,2})$$
$$M_2=(A_{1,1}+A_{2,2})(B_{1,1}+B_{2,2})$$
$$M_3=(A_{1,1}-A_{2,1})(B_{1,1}+B_{1,2})$$
$$M_4=(A_{1,1}+A_{1,2})B_{2,2}$$
$$M_5=A_{1,1}(B_{1,2}-B_{2,2})$$
$$M_6=A_{2,2}(B_{2,1}-B_{1,1})$$
$$M_7=(A_{2,1}+A_{2,2})B_{1,1}$$

一旦执行这些乘法，则最后答案可以通过下列 8 次加法得到

$$C_{1,1}=M_1+M_2-M_4+M_6$$
$$C_{1,2}=M_4+M_5$$
$$C_{2,1}=M_6+M_7$$
$$C_{2,2}=M_2-M_3+M_5-M_7$$

可以直接验证，这种机敏的安排产生期望的效果。现在运行时间满足递推关系

$$T(N)=7T(N/2)+O(N^2)$$

这个递推关系的解为 $T(N)=O(N^{\log_2 7})=O(N^{2.81})$。

如往常一样，有些细节需要考虑，如当 N 不是 2 的幂时的情况，不过还是有些根本性小缺憾。Strassen 算法在 N 不够大时不如矩阵直接乘法。它也不能推广到矩阵是稀疏(即含有许多的 0 元素)的情况，而且它还不容易并行化。当用浮点数运算时，在数值上它不如经典的算法稳定。因此，它只有有限的适用性。然而，它却代表着重要理论上的里程碑并证明了，在计算机科学中像在许多其他领域一样，即使一个问题看似具有固有的复杂性，但在被证明以前却始终不可妄下定论。

10.3 动态规划

461
~
462

在前一节，我们看到可以被数学上递归表示的问题也可以表示成一种递归算法，在许多情形下对朴素的穷举搜索得到显著的性能改进。

任何数学递推公式都可以直接转换成递归算法，但是基本现实是编译器常常不能正确对待递归算法，结果导致低效的程序。当怀疑很可能是这种情况时，我们必须再给编译器提供一些帮助，将递归算法重新写成非递归算法，让后者把那些子问题的答案系统地记录在一个表内。利用这种方法的一种技巧叫作**动态规划**(dynamic programming)。

10.3.1 用一个表代替递归

在第2章我们看到，计算斐波那契数的自然递归程序是非常低效的。回忆图10-40所示的程序的运行时间 $T(N)$ 满足 $T(N) \geqslant T(N-1)+T(N-2)$。由于 $T(N)$ 作为斐波那契数满足同样的递推关系并具有同样的初始条件，因此，$T(N)$ 事实上是以与斐波那契数相同的速度增长从而是指数级。

```
1      /**
2       * Compute Fibonacci numbers as described in Chapter 1.
3       */
4      public static int fib( int n )
5      {
6          if( n <= 1 )
7              return 1;
8          else
9              return fib( n - 1 ) + fib( n - 2 );
10     }
```

图10-40 计算斐波那契数的低效算法

另一方面，由于计算 F_N 所需要的只是 F_{N-1} 和 F_{N-2}，因此只需记录最近算出的两个斐波那契数。这导致图10-41中的 $O(N)$ 算法。

```
1      /**
2       * Compute Fibonacci numbers as described in Chapter 1.
3       */
4      public static int fibonacci( int n )
5      {
6          if( n <= 1 )
7              return 1;
8
9          int last = 1;
10         int nextToLast = 1;
11         int answer = 1;
12
13         for( int i = 2; i <= n; i++ )
14         {
15             answer = last + nextToLast;
16             nextToLast = last;
17             last = answer;
18         }
19         return answer;
20     }
```

图10-41 计算斐波那契数的线性算法

递归算法如此慢的原因在于算法模拟了递推。为了计算 $F(N)$，需存在一个对 F_{N-1} 和 F_{N-2} 的调用。然而，由于 F_{N-1} 递归地对 F_{N-2} 和 F_{N-3} 进行调用，因此存在两个单独计算 F_{N-2} 的调用。

如果跟踪整个算法，那么我们可以发现，F_{N-3}被计算了3次，F_{N-4}计算了5次，而F_{N-5}则是8次，等等。如图10-42所示，冗余计算的增长是爆炸性的。如果编译器的递归模拟算法要是能够保留一个预先算出的值的表而对已经解过的子问题不再进行递归调用，那么这种指数式的爆炸增长就可以避免。这就是为什么图10-41中的程序更加有效的原因。

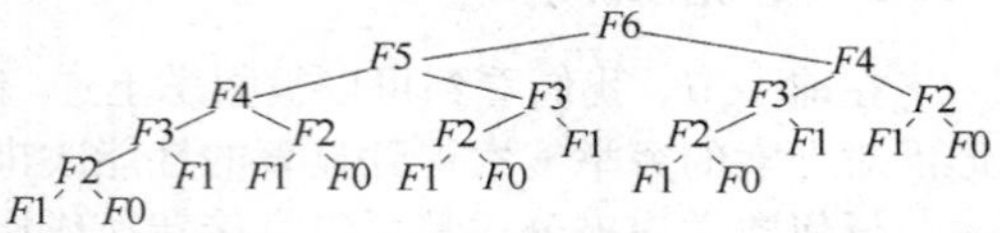

图10-42 跟踪斐波那契数的递归计算

作为第二个例子，我们看到第7章中如何求解递推关系 $C(N)=(2/N)\sum_{i=0}^{N-1}C(i)+N$，其中

463

$C(0)=1$。假设我们想要检查所得到的解是否在数值上是正确的，此时可以编写图10-43中的简单程序来计算这个递归问题。

```
 1    public static double eval( int n )
 2    {
 3        if( n == 0 )
 4            return 1.0;
 5        else
 6        {
 7            double sum = 0.0;
 8            for( int i = 0; i < n; i++ )
 9                sum += eval( i );
10            return 2.0 * sum / n + n;
11        }
12    }
```

图10-43 计算 $C(N)=2/N\sum_{i=0}^{N-1}C(i)+N$ 的值的递归方法

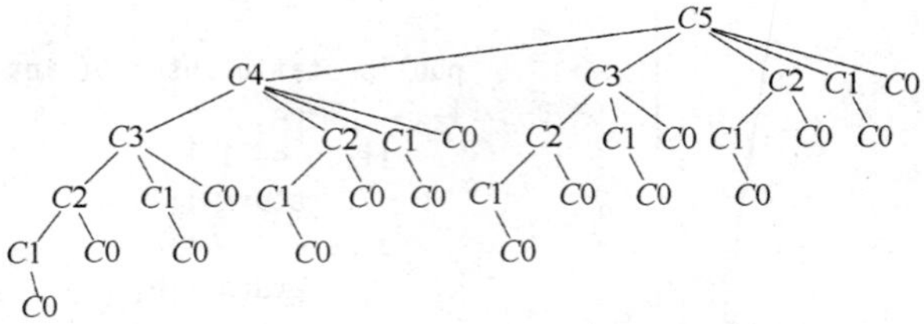

图10-44 跟踪方法 eval 中的递归计算

这里，递归调用又做了重复的工作。在这种情况下，运行时间 $T(N)$ 满足 $T(N)=\sum_{i=0}^{N-1}T(i)+N$，因为如图10-44所示，对于从0到$N-1$的每一个值都有一个(直接的)递归调用，外加$O(N)$的附加工作(图10-44所示的树我们还在哪里看到过?)。对$T(N)$求解我们发现，它的增长是指数式的。通过使用表，我们得到图10-45中的程序。这个程序避免了冗余的递归调用而以$O(N^2)$运行。它并不是一个完美的程序，作为练习，你应对它进行简单的修改，把它的运行时间简化到$O(N)$。

```
 1    public static double eval( int n )
 2    {
 3        double [ ] c = new double [ n + 1 ];
 4
 5        c[ 0 ] = 1.0;
 6        for( int i = 1; i <= n; i++ )
 7        {
 8            double sum = 0.0;
 9            for( int j = 0; j < i; j++ )
10                sum += c[ j ];
11            c[ i ] =  2.0 * sum / i + i;
12        }
13
14        return c[ n ];
15    }
```

464
~
465

图10-45 使用一个表来计算 $C(N)=2/N\sum_{i=0}^{N-1}C(i)+N$ 的值

10.3.2 矩阵乘法的顺序安排

设给定四个矩阵 $\boldsymbol{A}$、$\boldsymbol{B}$、$\boldsymbol{C}$ 和 $\boldsymbol{D}$，$\boldsymbol{A}$ 的维数 $=50\times10$，$\boldsymbol{B}$ 的维数 $=10\times40$，$\boldsymbol{C}$ 的维数 $=40\times30$，$\boldsymbol{D}$ 的维数 $=30\times5$。虽然矩阵乘法运算是不可交换的，但它是可结合的，这就意味着矩阵的乘积 $\boldsymbol{ABCD}$ 可以以任意顺序添加括号然后再计算其值。将两个阶数分别为 $p\times q$ 和 $q\times r$ 的矩阵以明显的方法相乘，使用 pqr 次纯量乘法。（由于使用诸如 Strassen 算法这样的理论上优越的算法并没有明显地改变我们要考虑的问题，因此我们还是采用这个传统性能界。）那么，计算 $\boldsymbol{ABCD}$ 需要执行的三个矩阵乘法的最好方式是什么？

在四个矩阵的情况下，通过穷举搜索求解这个问题是简单的，因为只有五种方式来给乘法排序。对每种情况计算如下：

- $(\boldsymbol{A}((\boldsymbol{BC})\boldsymbol{D}))$：计算 $\boldsymbol{BC}$ 需要 $10\times40\times30=12\,000$ 次乘法。计算 $(\boldsymbol{BC})\boldsymbol{D}$ 的值需要 12 000 次乘法计算 $\boldsymbol{BC}$，外加 $10\times30\times5=1\,500$ 次乘法，合计 13 500 次乘法。求 $(\boldsymbol{A}((\boldsymbol{BC})\boldsymbol{D}))$ 的值需要 13 500 次乘法计算 $(\boldsymbol{BC})\boldsymbol{D}$，外加 $50\times10\times5=2\,500$ 次乘法，总计 16 000 次乘法。
- $(\boldsymbol{A}(\boldsymbol{B}(\boldsymbol{CD})))$：计算 $\boldsymbol{CD}$ 需要 $40\times30\times5=6\,000$ 次乘法。计算 $\boldsymbol{B}(\boldsymbol{CD})$ 的值需要 6 000 次乘法计算 $\boldsymbol{CD}$，外加 $10\times40\times5=2\,000$ 次乘法，合计 8 000 次乘法。求 $(\boldsymbol{A}(\boldsymbol{B}(\boldsymbol{CD})))$ 的值需要8 000次乘法计算 $\boldsymbol{B}(\boldsymbol{CD})$，外加 $50\times10\times5=2\,500$ 次乘法，总计 10 500 次乘法。
- $((\boldsymbol{AB})(\boldsymbol{CD}))$：计算 $\boldsymbol{CD}$ 需要 $40\times30\times5=6\,000$ 次乘法。计算 $\boldsymbol{AB}$ 需要 $50\times10\times40=20\,000$ 次乘法。求 $((\boldsymbol{AB})(\boldsymbol{CD}))$ 的值需要 6 000 次乘法计算 $\boldsymbol{CD}$，20 000 次乘法计算 $\boldsymbol{AB}$，外加 $50\times40\times5=10\,000$ 次乘法，总计 36 000 次乘法。
- $(((\boldsymbol{AB})\boldsymbol{C})\boldsymbol{D})$：计算 $\boldsymbol{AB}$ 需要 $50\times10\times40=20\,000$ 次乘法。计算 $(\boldsymbol{AB})\boldsymbol{C}$ 的值需要 20 000 次乘法计算 $\boldsymbol{AB}$，外加 $50\times40\times30=60\,000$ 次乘法，合计 80 000 次乘法。求 $(((\boldsymbol{AB})\boldsymbol{C})\boldsymbol{D})$ 的值需要 80 000 次乘法计算 $(\boldsymbol{AB})\boldsymbol{C}$，外加 $50\times30\times5=7\,500$ 次乘法，总计 87 500 次乘法。
- $((\boldsymbol{A}(\boldsymbol{BC}))\boldsymbol{D})$：计算 $\boldsymbol{BC}$ 需要 $10\times40\times30=12\,000$ 次乘法。计算 $\boldsymbol{A}(\boldsymbol{BC})$ 的值需要 12 000 次乘法计算 $\boldsymbol{BC}$，外加 $50\times10\times30=15\,000$ 次乘法，合计 27 000 次乘法。求 $((\boldsymbol{A}(\boldsymbol{BC}))\boldsymbol{D})$ 的值需要 27 000 次乘法计算 $\boldsymbol{A}(\boldsymbol{BC})$，外加 $50\times30\times5=7\,500$ 次乘法，总计 34 500 次乘法。

上面的计算表明，最好的排列顺序方法大约只用了最坏排列顺序方法的九分之一的乘法次数。因此，进行一些计算来确定最优顺序还是值得的。不幸的是，一些明显的贪婪算法似乎都用不上，而且可能的顺序的个数增长很快。设我们定义 $T(N)$ 是顺序的个数。此时，$T(1)=T(2)=1$，$T(3)=2$，而 $T(4)=5$，正如我们刚刚看到的。一般地，

466

$$T(N)=\sum_{i=1}^{N-1}T(i)T(N-i)$$

为此，设矩阵为 $\boldsymbol{A}_1, \boldsymbol{A}_2, \cdots, \boldsymbol{A}_N$，且最后进行的乘法是 $(\boldsymbol{A}_1\boldsymbol{A}_2\cdots\boldsymbol{A}_i)(\boldsymbol{A}_{i+1}\boldsymbol{A}_{i+2}\cdots\boldsymbol{A}_N)$。此时，有 $T(i)$ 种方法计算 $(\boldsymbol{A}_1\boldsymbol{A}_2\cdots\boldsymbol{A}_i)$ 且有 $T(N-i)$ 种方法计算 $(\boldsymbol{A}_{i+1}\boldsymbol{A}_{i+2}\cdots\boldsymbol{A}_N)$。因此，对于每个可能的 i，存在 $T(i)T(N-i)$ 种方法计算 $(\boldsymbol{A}_1\boldsymbol{A}_2\cdots\boldsymbol{A}_i)(\boldsymbol{A}_{i+1}\boldsymbol{A}_{i+2}\cdots\boldsymbol{A}_N)$。

这个递推式的解是著名的 **Catalan 数**，该数指数增长。因此，对于大的 N，穷举搜索所有可能的排列顺序的方法是不可行的。然而，这种计数方法为一种解法提供了基础，该解法基本上是优于指数的。对于 $1\leqslant i\leqslant N$，令 c_i 是矩阵 $\boldsymbol{A}_i$ 的列数。于是 $\boldsymbol{A}_i$ 有 c_{i-1} 行，否则矩阵乘法是无法进行的。我们将定义 c_0 为第一个矩阵 $\boldsymbol{A}_1$ 的行数。

设 $m_{Left,Right}$ 是进行矩阵乘法 $\boldsymbol{A}_{Left}\boldsymbol{A}_{Left+1}\cdots\boldsymbol{A}_{Right-1}\boldsymbol{A}_{Right}$ 所需要的乘法次数。为一致起见，$m_{Left,Left}=0$。设最后的乘法是 $(\boldsymbol{A}_{Left}\cdots\boldsymbol{A}_i)(\boldsymbol{A}_{i+1}\cdots\boldsymbol{A}_{Right})$，其中 $Left\leqslant i<Right$。此时所用的乘法次数为 $m_{Left,i}+m_{i+1,Right}+c_{Left-1}c_i c_{Right}$。这三项分别代表计算 $(\boldsymbol{A}_{Left}\cdots\boldsymbol{A}_i)$、$(\boldsymbol{A}_{i+1}\cdots\boldsymbol{A}_{Right})$ 以及它们的乘积所需要的乘法。

如果我们定义 $M_{Left,Right}$ 为在最优排列顺序下所需要的乘法次数，若 $Left < Right$，则

$$M_{Left,Right} = \min_{Left \leqslant i < Right} \{M_{Letf,i} + M_{i+1,Right} + c_{Letf-1} c_i \; c_{Right}\}$$

这个方程意味着，如果我们有乘法 $\boldsymbol{A}_{Left} \cdots \boldsymbol{A}_{Right}$ 的最优的乘法排列顺序，那么子问题 $\boldsymbol{A}_{Left} \cdots \boldsymbol{A}_i$ 和 $\boldsymbol{A}_{i+1} \cdots \boldsymbol{A}_{Right}$ 就不能次最优地执行。这是很清楚的，因为否则我们可以通过用最优的计算代替次最优计算而改进整个结果。

这个公式可以直接转换成递归程序，不过，正如我们在上一节看到的，这样的程序将是明显低效的。然而，由于大约只有 $M_{Left,Right}$ 的 $N^2/2$ 个值需要计算，因此显然可以用一个表来存放这些值。进一步的考查表明，如果 $Right - Left = k$，那么只有在 $M_{Left,Right}$ 的计算中所需要的那些值 $M_{x,y}$ 满足 $x - y < k$。这告诉我们计算这个表所需要使用的顺序。

如果除最后答案 $M_{1,N}$ 外，还要显示实际的乘法顺序，那么可以使用第 9 章中最短路径算法的思路。无论何时改变 $M_{Left,Right}$，我们都要记录 i 的值，这个值是重要的。由此得到图 10-46 所示的简单程序。

```
1       /**
2        * Compute optimal ordering of matrix multiplication.
3        * c contains the number of columns for each of the n matrices.
4        * c[ 0 ] is the number of rows in matrix 1.
5        * The minimum number of multiplications is left in m[ 1 ][ n ].
6        * Actual ordering is computed via another procedure using lastChange.
7        * m and lastChange are indexed starting at 1, instead of 0.
8        * Note: Entries below main diagonals of m and lastChange
9        * are meaningless and uninitialized.
10       */
11      public static void optMatrix( int [ ] c, long [ ][ ] m, int [ ][ ] lastChange )
12      {
13          int n = c.length - 1;
14
15          for( int left = 1; left <= n; left++ )
16              m[ left ][ left ] = 0;
17          for( int k = 1; k < n; k++ )   // k is right - left
18              for( int left = 1; left <= n - k; left++ )
19              {
20                  // For each position
21                  int right = left + k;
22                  m[ left ][ right ] = INFINITY;
23                  for( int i = left; i < right; i++ )
24                  {
25                      long thisCost = m[ left ][  i ] + m[ i + 1 ][ right ]
26                          + c[ left - 1 ] * c[ i ] * c[ right ];
27
28                      if( thisCost < m[ left ][ right ] )  // Update min
29                      {
30                          m[ left ][ right ] = thisCost;
31                          lastChange[ left ][ right ] = i;
32                      }
33                  }
34              }
35      }
```

图 10-46　找出矩阵乘法最优顺序的程序

虽然本章重点不是编程，但是，我们还是要说，许多编程人员倾向于把变量名称减缩成一个字母，这并不好。可这里 c、i 和 k 却是作为单字母变量使用的，这是因为它们与我们描述算法所使用的名字是一致的，是非常数学化的。不过，一般最好避免使用字母 l 作为变量名，因为“l”非常像“1”，如果你犯了一个转换错误，那么可能会陷入非常困难的调试麻烦中。

回到算法问题上来。这个程序包含三重嵌套循环，容易看出它以 $O(N^3)$ 时间运行。参考文献描述了一个更快的算法，但由于执行具体矩阵乘法的时间仍然很可能会比计算最优顺序的乘法的时间多得多，因此我们这个算法还是相当实用的。

467 ~ 468

10.3.3 最优二叉查找树

第二个动态规划的例子考虑下列输入：给定一列单词 $w_1, w_2, \cdots, w_N$ 和它们出现的固定的概率 $p_1, p_2, \cdots, p_N$。我们的问题是要以一种方法在一棵二叉查找树中安放这些单词使得总的期望存取时间最小。在一棵二叉查找树中，访问深度 d 处的一个元素所需要的比较次数是 $d+1$，因此如果 w_i 被放在深度 d_i 上，那么就要将 $\sum_{i=1}^{N} p_i(1+d_i)$ 最小化。

单词	概率
a	0.22
am	0.18
and	0.20
egg	0.05
if	0.25
the	0.02
two	0.08

图 10-47 最优二叉查找树问题的样本输入

作为一个例子，图 10-47 表示在某段课文中的七个单词以及它们出现的概率。图 10-48 显示三棵可能的二叉查找树。它们的查找代价如图 10-49 所示。

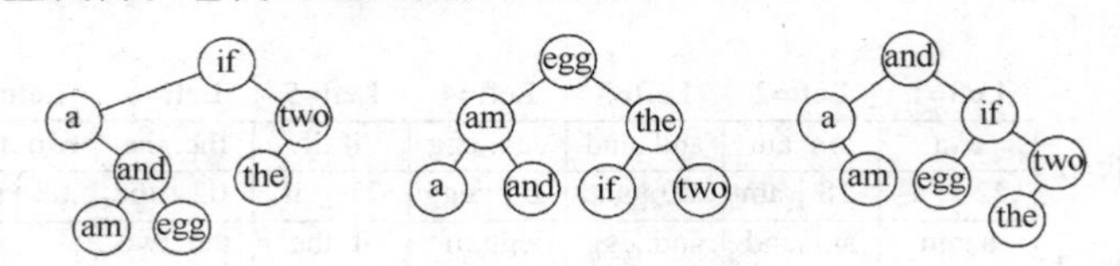

图 10-48 对于上图中数据的三棵可能的二叉查找树

输入		1 号树		2 号树		3 号树	
单词	概率	访问开销		访问开销		访问开销	
w_i	p_i	一次	结果	一次	结果	一次	结果
a	0.22	2	0.44	3	0.66	2	0.44
am	0.18	4	0.72	2	0.36	3	0.54
and	0.20	3	0.60	3	0.60	1	0.20
egg	0.05	4	0.20	1	0.05	3	0.15
if	0.25	1	0.25	3	0.75	2	0.50
the	0.02	3	0.06	2	0.04	4	0.08
two	0.08	2	0.16	3	0.24	3	0.24
总计	1.00		2.43		2.70		2.15

图 10-49 三棵二叉查找树的比较

第一棵树是使用贪婪方法形成的。存取概率最高的单词被放在根节点处。然后左右子树递归形成。第二棵树是理想平衡查找树。这两棵树都不是最优的，由第三棵树的存在可以证实。由此看到，两个明显的解法都是不可取的。

乍看有些奇怪，因为问题看起来很像是构造哈夫曼编码树，正如我们已经看到的，它能够使用贪婪算法求解。构造一棵最优二叉查找树更困难，因为数据不只限于出现在树叶上，还因为树必须满足二叉查找树的性质。

469

动态规划解由两个观察结论得到。再次假设我们想要把（排序的）一些单词 $w_{Left}, w_{Left+1}, \cdots, w_{Right-1}, w_{Right}$ 放到一棵二叉查找树中。设最优二叉查找树以 w_i 作为根，其中 $Left \leqslant i \leqslant Right$。

此时左子树必须包含 w_{Left}，…，w_{i-1}，而右子树必须包含 w_{i+1}，…，w_{Right}（根据二叉查找树的性质）。再有，这两棵子树还必须是最优的，否则它们可以用最优子树代替，从而将给出关于 w_{Left}，…，w_{Right} 更好的解。这样，我们可以为最优二叉查找树的开销 $C_{Left,Right}$ 编写一个公式。图 10-50 可能会有帮助。

如果 *Left* > *Right*，那么树的开销是 0；这就是 null 情形，对于二叉查找树总有这种情形。否则，根花费 p_i。左子树的代价相对于它的根为 $C_{Left,\,i-1}$，右子树相对于它的根的代价为 $C_{i+1,Right}$。如图 10-50 所示，这两棵子树的每个节点从 w_i 开始都比从它们对应的根开始深一层，因此，必须加上 $\sum_{j=Left}^{i-1} p_j$ 和 $\sum_{j=i+1}^{Right} p_j$，于是得到如下公式：

470

$$C_{Left,Right} = \min_{Left \le i \le Right} \left\{ p_i + C_{Left,i-1} + C_{i+1,Right} + \sum_{j=Left}^{i-1} p_j + \sum_{j=i+1}^{Right} p_j \right\}$$

$$= \min_{Left \le i \le Right} \left\{ C_{Left,i-1} + C_{i+1,Right} + \sum_{j=Left}^{Right} p_j \right\}$$

图 10-50　最优二叉查找树的构造

从这个方程可以直接编写一个程序来计算最优二叉查找树的值。像通常一样，具体的查找树可以通过存储使 $C_{Left,Right}$ 最小化的 i 值而被保留。标准的递归例程可以用来显示具体的树。

图 10-51 显示将由算法产生的表。对于单词的每个子区域，最优二叉查找树的值和根都被保留。最底部的项计算输入中全部单词集合的最优二叉查找树。最优树是图 10-48 中所示的第三棵树。

	Left=1	Left=2	Left=3	Left=4	Left=5	Left=6	Left=7
迭代=1	a..a	am..am	and..and	egg..egg	if..if	the..the	two..two
	.22 a	.18 am	.20 and	.05 egg	.25 if	.02 the	.08 two
迭代=2	a..am	am..and	and..egg	egg..if	if..the	the..two	
	.58 a	.56 and	.30 and	.35 if	.29 if	.12 two	
迭代=3	a..and	am..egg	and..if	egg..the	if..two		
	1.02 am	.66 and	.80 if	.39 if	.47 if		
迭代=4	a..egg	am..if	and..the	egg..two			
	1.17 am	1.21 and	.84 if	.57 if			
迭代=5	a..if	am..the	and..two				
	1.83 and	1.27 and	1.02 if				
迭代=6	a..the	am..two					
	1.89 and	1.53 and					
迭代=7	a..two						
	2.15 and						

图 10-51　对于样本输入的最优二叉查找树的计算

对于一个特定子区域即 am..if 的最优二叉查找树的精确计算如图 10-52 所示。它是计算通过在根处放置 am，and，egg 和 if 所得的最小值树而得到的。例如，当 and 被放在根处的时候，左子树包含 am..am（通过前面的计算，值为 0.18），右子树包含 egg..if（值为 0.35），而 $p_{am} + p_{and} + p_{egg} + p_{if} = 0.68$，总价值为 1.21。

471

这个算法的运行时间是 $O(N^3)$，因为当它实现的时候我们得到一个三重循环。对于这个问题的一种 $O(N^2)$ 算法在练习中进行了概述。

10.3.4　所有点对最短路径

我们的第三个也是最后一个动态规划应用是计算有向图 $G=(V, E)$ 中每一点对间赋权最短路径的一个算法。在第 9 章我们看到*单源最短路径问题*的一个算法，该算法找出从某个任意点 s 到所有其他顶点的最短路径。这个 Dijkstra 算法对稠密的图以 $O(|V|^2)$ 时间运行，但是实际上对稀疏的图更快。我们将给出一个短小的算法解决对稠密图的所有点对的问题。这个算法的

运行时间为 $O(|V|^3)$，它不是对 Dijkstra 算法 $|V|$ 次迭代的一种渐进改进，但对非常稠密的图可能更快，原因是它的循环更紧凑。如果存在一些负的边值但没有负值圈，那么这个算法也能正确运行；而 Dijkstra 算法此时是无效的。

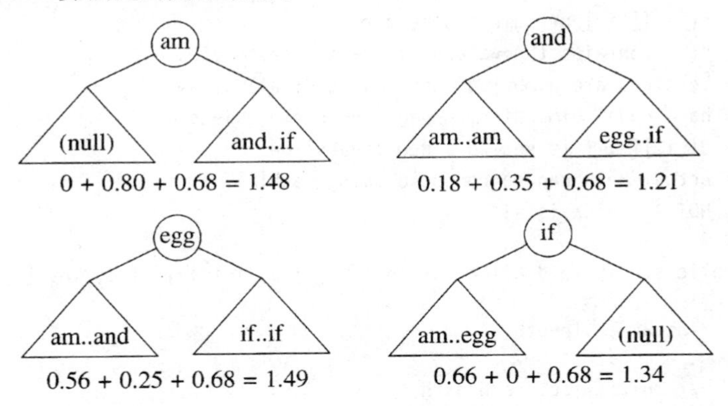

图 10-52　对 am. . if 的表项(1. 21, and)的计算

让我们回忆 Dijkstra 算法的一些重要细节(读者可以复习 9. 3 节)。Dijkstra 算法从顶点 s 开始并分阶段工作。图中的每个顶点最终都要被选做中间顶点。如果当前所选的顶点是 v，那么对于每个 $w \in V$，置 $d_w = \min(d_w, d_v + c_{v,w})$。这个公式表示，(从 s)到 w 的最佳距离或者是前面知道的从 s 到 w 的距离，或者是从 s(最优地)到 v 然后再直接从 v 到 w 的结果。

472

Dijkstra 算法为动态规划算法提供了这样的想法：我们依序选择这些顶点。将定义 $D_{k,i,j}$ 为从 v_i 到 v_j 只使用 v_1，v_2，…，v_k 作为中间顶点的最短路径的权。根据这个定义，$D_{0,i,j} = c_{i,j}$，其中若 (v_i, v_j) 不是该图的边则 $c_{i,j}$ 是 ∞。并且，根据定义，$D_{|V|,i,j}$ 是图中从 v_i 到 v_j 的最短路径。

如图 10-53 所示，当 $k>0$ 时可以给 $D_{k,i,j}$ 写一个简单公式。从 v_i 到 v_j 只使用 v_1，v_2，…，v_k 作为中间顶点的最短路径，或者是根本不使用 v_k 作为中间顶点的最短路径，或者是由两条路径 $v_i \to v_k$ 和 $v_k \to v_j$ 合并而成的最短路径，其中的每条路径只使用前 $k-1$ 个顶点作为中间顶点。这导致下面的公式：

$$D_{k,i,j} = \min\{D_{k-1,i,j},\ D_{k-1,i,k} + D_{k-1,k,j}\}$$

时间需求还是 $O(|V|^3)$。跟前面的两个动态规划例子不同，这个时间界实际上尚未用另外的方法降低。

因为第 k 阶段只依赖于第 $(k-1)$ 阶段，所以看来只有两个 $|V| \times |V|$ 矩阵需要保存。然而，在用 k 开始或结束的路径上以 k 作为中间顶点对结果没有改进，除非存在一个负的圈。因此只有一个矩阵是必需的，因为 $D_{k-1,i,k} = D_{k,i,k}$ 和 $D_{k-1,k,j} = D_{k,k,j}$，这意味着右边的项都不改变值且都无需保存。这个观察结果导致图 10-53 中的简单程序，为与 Java 的约定一致，该程序将顶点从 0 开始编号。

在一个完全图中，每一对顶点(在两个方向上)都是连通的，该算法几乎肯定要比 Dijkstra 算法的 $|V|$ 次迭代来得快，因为这里的循环非常紧凑。第 17 行到第 22 行可以并行执行，第 26 行到第 33 行也可并行执行。因此，这个算法看来很适合并行计算。

动态规划是一种强大的算法设计技巧，它给解提供一个起点。它基本上是首先求解一些更简单问题的分治算法的范例，重要的区别在于这些更简单的问题不是原问题的明显的分割。因为子问题反复被求解，所以重要的是将它们的解记录在一个表中而不是重新计算它们。在某些情况下，解可以被改进(虽然这确实不总是明显的且常常是困难的)，而在另一些情况下，动态规划方法则是所知道的最好的处理方法。

在某种意义上，如果你看出一个动态规划问题，那么你就看出所有的动态规划问题。动态规划更多的例子在一些练习和参考文献中可以找到。

```
 1      /**
 2       * Compute all-shortest paths.
 3       * a[ ][ ] contains the adjacency matrix with
 4       * a[ i ][ i ] presumed to be zero.
 5       * d[ ] contains the values of the shortest path.
 6       * Vertices are numbered starting at 0; all arrays
 7       * have equal dimension. A negative cycle exists if
 8       * d[ i ][ i ] is set to a negative value.
 9       * Actual path can be computed using path[ ][ ].
10       * NOT_A_VERTEX is -1
11       */
12      public static void allPairs( int [ ][ ] a, int [ ][ ] d, int [ ][ ] path )
13      {
14          int n = a.length;
15
16          // Initialize d and path
17          for( int i = 0; i < n; i++ )
18              for( int j = 0; j < n; j++ )
19              {
20                  d[ i ][ j ] = a[ i ][ j ];
21                  path[ i ][ j ] = NOT_A_VERTEX;
22              }
23
24          for( int k = 0; k < n; k++ )
25              // Consider each vertex as an intermediate
26              for( int i = 0; i < n; i++ )
27                  for( int j = 0; j < n; j++ )
28                      if( d[ i ][ k ] + d[ k ][ j ] < d[ i ][ j ] )
29                      {
30                          // Update shortest path
31                          d[ i ][ j ] = d[ i ][ k ] + d[ k ][ j ];
32                          path[ i ][ j ] = k;
33                      }
34      }
```

图 10-53　所有点对最短路径

10.4　随机化算法

假设你是一位教授，正在布置每周的程序设计作业。你想确保学生们自己完成自己的程序，或他们至少理解他们提交上来的程序。一种解决方案是在每个程序呈交的当天进行一次测验。另外，由于这些测验要花费很多的时间，因此实际上只能对大约半数的程序可以这么做。你的问题是决定什么时候进行这些测验。

当然，如果事先宣布这些测验，那么这可以解释为对得不到测验的50%程序的默许作弊。于是，可能采取事先不宣布而对半数的程序进行测验的策略，但是学生们很快就会搞清楚这种策略。另一种可能是对看似重要的程序进行测验，但这又很可能随着学期的更替而泄露类似的测验规律。学生们会散布都考些什么样的题的传闻，这种方法很可能经过一个学期以后就没有保密价值了。

473 ~ 474

消除这些弊端的一种方法是使用一枚硬币。测验对每一个程序进行（举行测验远不如给测验评分消耗时间），但在开始上课时教授将掷硬币来决定是否要举行测验。采用这种方式，在上课前不可能知道测验是否要发生，而测验的规律学期和学期之间也不重复。这样，不管前面的测验是什么规律，学生只能预计测验将以50%的概率发生。这种方法的缺点是有可能整个学期都没有测验，不过这不太可能发生，除非硬币有问题。每个学期测验的期望次数是程序数目的一半，并且测验的次数将以高概率不会太偏离这个数目。

这个例子叙述了我们称之为**随机化算法**(randomized algorithm)的方法。在算法期间，随机数至少有一次用于决策。该算法的运行时间不只依赖于特定的输入，而且依赖于所出现的随机数。

一个随机化算法的最坏情形运行时间常常和非随机化算法的最坏情形运行时间相同。重要的区别在于，好的随机化算法没有坏的输入，而只有坏的随机数(相对于特定的输入)。这看起来像是只是哲学上的差别，但是实际上它是相当重要的，正如下面的例子所示。

考虑快速排序的两种变形。方法A用第一个元素作为枢纽元，而方法B使用随机选出的元素作为枢纽元。在这两种情形下，最坏情形运行时间都是$\Theta(N^2)$，因为在每一步都有可能选取最大的元素作为枢纽元。两种最坏情形之间的区别在于，存在特定的输入总能够出现在A中并产生坏的运行时间。当每一次给定已排序数据时，方法A都将以$\Theta(N^2)$时间运行。如果方法B以相同的输入运行两次，那么它将有两个不同的运行时间，这依赖于什么样的随机数出现。

在运行时间的计算中我们通篇假设所有的输入都是等可能的。实际上这并不成立，因为例如几乎排序的输入常常要比统计上期望的出现得多得多，而这会产生一些问题，特别是对快速排序和二叉查找树。通过使用随机化算法，特定的输入不再是重要的。重要的是随机数，我们可以得到一个期望的运行时间，此时我们是对所有可能的随机数取平均而不是对所有可能的输入求平均。使用随机枢纽元的快速排序算法是一个$O(N\log N)$期望时间算法。这就是说，对任意的输入，包括已经排序的输入，根据随机数统计学理论，运行时间的期望值为$O(N\log N)$。期望运行时间界至少要强于平均时间界，不过，当然要比对应的最坏情形界弱。另一方面，正如我们在选择问题中所看到的，得到最坏情形时间界的那些解决方案常常不如它们针对平均情形界的解法那样实用。但是，随机化算法却通常是实用的。

随机化算法隐式地用于完美散列和通用散列(见5.7节和5.8节)。在这一节，我们将考查随机化的两个用途。首先，将介绍以$O(\log N)$期望时间支持二叉查找树操作的新颖的方案。这意味着不存在坏的输入，只有坏的随机数。从理论的观点看，这并没有那么特别令人振奋，因为平衡查找树在最坏情形下达到了这个界。然而，随机化的使用导致了对查找、插入、特别是删除相对简单的算法。 475

第二个应用是测试大数是否是素数的随机化算法。我们介绍的这种算法运行很快但偶尔会有错。不过，发生错误的概率可以小到忽略不计。

10.4.1 随机数发生器

由于我们的算法需要随机数，因此必须要有一种方法来生成它。实际上，真正的随机性在计算机上是不可能生成的，因为这些数将依赖于算法，从而不可能是随机的。一般说来，产生**伪随机**(pseudorandom)数就足够了，伪随机数看起来像是随机的数。随机数有许多已知的统计性质；伪随机数满足大部分的这些性质。令人惊奇的是，这说起来容易，做起来可就难多了。

假设我们只需要抛一枚硬币；这样，必然随机地生成0(正面)或1(反面)。一种做法是考查系统时钟。这个时钟可以把时间记录成整数，而这个整数是从某个起始时刻开始计数的秒数。此时我们可以使用最低的一位二进制位。问题在于，如果需要的是随机数序列，那么这种方法就不理想了。1秒是一个长的时间段，在程序运行时这个时钟可能根本没变化。即使时间用微秒的单位记录，如果程序自身正在运行，那么所生成的数的序列也远不是随机的，因为在对发生器的多次调用之间的时间在每次程序调用时可能都是一样的。此时我们看到，真正需要的是随机数的**序列**(sequence)㊀。这些数应该独立地出现。如果一枚硬币抛出后出现的是正面，那么下一次再抛出时出现正面或反面应该还是等可能的。

产生随机数的最简单的方法是线性同余数发生器，它于1951年由Lehmer首先描述。数x_1，x_2，…的生成满足

$$x_{i+1} = A\ x_i \bmod M$$

为了开始这个序列，必须给出x_0的某个值。这个值叫作**种子**(seed)。如果$x_0=0$，那么这个序列远

㊀ 在本节的其余部分我们将使用随机代替伪随机。

不是随机的，但是如果 A 和 M 选择得正确，那么任何其他的 $1 \leqslant x_0 < M$ 都是同等有效的。如果 M 是素数，那么 x_i 就绝不会是0。作为一个例子，如果 $M=11$，$A=7$，而 $x_0=1$，那么所生成的数为

$$7, 5, 2, 3, 10, 4, 6, 9, 8, 1, 7, 5, 2, \cdots$$

注意，在 $M-1=10$ 个数以后，序列将重复。因此，这个序列的周期为 $M-1$，它是尽可能地大(根据鸽巢原理)。如果 M 是素数，那么总存在对 A 的一些选择能够给出全周期(full period) $M-1$。对 A 的有些选择则得不到这样的周期；如果 $A=5$ 而 $x_0=1$，那么序列有一个短周期5。

476

$$5, 3, 4, 9, 1, 5, 3, 4, \cdots$$

如果 M 选择得很大，比如31比特的素数，那么对于大部分的应用来说周期应该是非常大的。Lehmer 建议使用31比特的素数 $M=2^{31}-1=2\ 147\ 483\ 647$。对于这个素数，$A=48271$ 是给出全周期发生器的许多值中的一个。它的用途已经被深入研究并被这个领域的专家推荐。后面我们将看到，对于随机数发生器，贸然修改通常意味着失败，因此最好还是继续坚持使用这个公式直到有新的成果发布。

这像是一个实现起来简单的例程。通常，类变量用来存放 x 的序列中的当前值。当调试一个使用随机数的程序的时候，大概最好是置 $x_0=1$，这使得总是出现相同的随机序列。当程序正常工作时，或者可以使用系统时钟，或者要求用户输入一个值作为种子。

返回一个位于开区间(0, 1)的随机实数(0和1是不可能取的值)也是常见的情况；这可以通过除以 M 得到。由此可知，在任意闭区间$[\alpha, \beta]$的随机数可以通过规范化来计算。这将产生图10-54中“明显的”类，不过，该类是不正确的。

```
1   public class Random
2   {
3       private static final int A = 48271;
4       private static final int M = 2147483647;
5
6       public Random( )
7       {
8           state = System.currentTimeMillis( ) % Integer.MAX_VALUE ;
9       }
10
11      /**
12       * Return a pseudorandom int, and change the
13       * internal state. DOES NOT WORK.
14       * @return the pseudorandom int.
15       */
16      public int randomIntWRONG( )
17      {
18          return state = ( A * state ) % M;
19      }
20
21      /**
22       * Return a pseudorandom double in the open range 0..1
23       * and change the internal state.
24       * @return the pseudorandom double.
25       */
26      public double random0_1( )
27      {
28          return (double) randomInt( ) / M;
29      }
30
31      private int state;
32  }
```

图10-54 不能正常工作的随机数发生器

这个类的问题是乘法可能溢出；虽然这不是一个错误，但是它影响计算的结果，从而影响伪随机性。虽然我们可以使用 64 比特的 `long` 型整数，但它将减慢计算速度。Schrage 给出一个过程，在这个过程中所有的计算均可在 32 位机上进行而不会溢出。我们计算 M/A 的商和余数并把它们分别定义为$\mathcal{Q}$和 R。在上述情况下，$\mathcal{Q}=44\,488$，$R=3\,399$，且 $R<\mathcal{Q}$。我们有

$$x_{i+1}=Ax_i\bmod M=Ax_i-M\left\lfloor\frac{Ax_i}{M}\right\rfloor=Ax_i-M\left\lfloor\frac{x_i}{\mathcal{Q}}\right\rfloor+M\left\lfloor\frac{x_i}{\mathcal{Q}}\right\rfloor-M\left\lfloor\frac{Ax_i}{M}\right\rfloor$$

$$=Ax_i-M\left\lfloor\frac{x_i}{\mathcal{Q}}\right\rfloor+M\left(\left\lfloor\frac{x_i}{\mathcal{Q}}\right\rfloor-\left\lfloor\frac{Ax_i}{M}\right\rfloor\right)$$

由于 $x_i=\mathcal{Q}\left\lfloor\frac{x_i}{\mathcal{Q}}\right\rfloor+x_i\bmod\mathcal{Q}$，因此可以代入到右边的第一个 Ax_i 并得到

$$x_{i+1}=A\left(\mathcal{Q}\left\lfloor\frac{x_i}{\mathcal{Q}}\right\rfloor+x_i\bmod\mathcal{Q}\right)-M\left\lfloor\frac{x_i}{\mathcal{Q}}\right\rfloor+M\left(\left\lfloor\frac{x_i}{\mathcal{Q}}\right\rfloor-\left\lfloor\frac{Ax_i}{M}\right\rfloor\right)$$

$$=(A\mathcal{Q}-M)\left\lfloor\frac{x_i}{\mathcal{Q}}\right\rfloor+A(x_i\bmod\mathcal{Q})+M\left(\left\lfloor\frac{x_i}{\mathcal{Q}}\right\rfloor-\left\lfloor\frac{Ax_i}{M}\right\rfloor\right)$$

477

但 $M=A\mathcal{Q}+R$，因此 $A\mathcal{Q}-M=-R$。于是我们得到

$$x_{i+1}=A(x_i\bmod\mathcal{Q})-R\left\lfloor\frac{x_i}{\mathcal{Q}}\right\rfloor+M\left(\left\lfloor\frac{x_i}{\mathcal{Q}}\right\rfloor-\left\lfloor\frac{Ax_i}{M}\right\rfloor\right)$$

项 $\delta(x_i)=\left\lfloor\frac{x_i}{\mathcal{Q}}\right\rfloor-\left\lfloor\frac{Ax_i}{M}\right\rfloor$或者是0，或者是1，因为两项都是整数而它们的差非0即1。因此，我们有

$$x_{i+1}=A(x_i\bmod\mathcal{Q})-R\left\lfloor\frac{x_i}{\mathcal{Q}}\right\rfloor+M\delta(x_i)$$

快速验证表明，因为 $R<\mathcal{Q}$，故所有的余项均可计算而没有溢出（这就是选择 $A=48\,271$ 的原因之一）。此外，仅当余项的值小于0时 $\delta(x_i)=1$。因此 $\delta(x_i)$不需要显式地计算而是可以通过简单的测试来确定。这导致图 10-55 中修正后的程序。

```
 1  public class Random
 2  {
 3      private static final int A = 48271;
 4      private static final int M = 2147483647;
 5      private static final int Q = M / A;
 6      private static final int R = M % A;
 7
 8      /**
 9       * Return a pseudorandom int, and change the internal state.
10       * @return the pseudorandom int.
11       */
12      public int randomInt( )
13      {
14          int tmpState = A * ( state % Q ) - R * ( state / Q );
15
16          if( tmpState >= 0 )
17              state = tmpState;
18          else
19              state = tmpState + M;
20
21          return state;
22      }
23
24      // Remainder of this class is the same as Figure 10.54
```

图 10-55　不溢出的随机数发生器

人们可能会想到要假设所有的机器在它们标准的库中都有一个至少像图 10-55 中的程序那么好的随机数发生器，但很遗憾，情况并非如此。许多库中的发生器基于函数

$$x_{i+1} = (Ax_i + C) \bmod 2^B$$

其中 B 的选取要匹配机器整数的比特位数，而 C 是奇数。不幸的是，这些发生器总是产生在奇偶之间交替的 x_i 的值——很难具有理想的性质。事实上，低 k 位(充其量)是以周期 2^k 循环。许多其他随机数发生器要比图 10-55 所提供的随机数发生器的循环(周期)小得多。这些发生器对于需要长的随机数序列的情况是不合适的。Java 库和 UNIX 的 drand48 函数使用这种形式的一个发生器。不过，它们使用 48 比特线性同余发生器并且只返回高 32 比特，这样，避免了在低阶比特位上的循环问题。用到的常数是 $A = 25\,214\,903\,917$，$B = 48$ 以及 $C = 11$。

478 ~ 479

因为 Java 提供 64 比特的 long 型整数，所以用标准 Java 实现一个基本的 48 比特随机数发生器用一页代码就可以展示。它比 31 比特随机数发生器略慢一点，但慢得不多，却得到了一个明显长得多的周期。图 10-56 展示了这种随机数发生器的一个很好的实现。

```
 1  /**
 2   * Random number class, using a 48-bit
 3   * linear congruential generator.
 4   */
 5  public class Random48
 6  {
 7      private static final long A = 25_214_903_917L;
 8      private static final long B = 48;
 9      private static final long C = 11;
10      private static final long M = (1L<<B);
11      private static final long MASK = M-1;
12
13      public Random48( )
14      { state = System.nanoTime( ) & MASK; }
15
16      public int randomInt( )
17        { return next( 32 ); }
18
19      public double random0_1( )
20        { return ( ( (long) ( next( 26 ) ) << 27 ) + next( 27 ) / (double) ( 1L << 53 ); }
21
22      /**
23       * Return specified number of random bits
24       * @param bits number of bits to return
25       * @return specified random bits
26       * @throws IllegalArgumentException if bits is more than 32
27       */
28      private int next( int bits )
29      {
30          if( bits <= 0 || bits > 32 )
31              throw new IllegalArgumentException( );
32
33          state = ( A * state + C ) & MASK;
34
35          return (int) ( state >>> ( B - bits ) );
36      }
37
38      private long state;
39  }
```

图 10-56　48 比特随机数发生器

第 7 ~ 10 行给出了随机数发生器的基本常数。因为 M 是 2 的幂，所以我们可以用位操作。

$M=2^B$ 可以用一个位移来计算，并且可以用一个按位与操作来取代取余操作%。这是因为 `MASK = M - 1` 的低位 48 比特全是 1，于是跟 `MASK` 进行一次按位与操作的效果就是得到一个 48 比特的结果。

例程 `next` 使用比低位更随机的高阶位，从计算状态返回一个指定的随机位数（最多是 32）。第 34 行是对之前讨论过的线性同余公式的一个直接应用，第 36 行是一个位移（高位补零以避免负数）。在两次相互独立的调用中，`randomInt` 得到 32 比特，`random0_1` 得到 53 比特（表示尾数，`double` 型的其他 11 比特表示指数）。

对很多应用而言，48 比特随机数发生器（甚至 31 比特发生器）是非常好用的，在 64 比特算术下的实现很简单，并且用的空间少。然而，线性同余发生器对一些应用是不适用的，如密码系统，或是需要大量高度独立并且无关联的随机数的模拟。在那些情况下，应该使用 Java 的 `java.security.SecureRandom` 类。

10.4.2 跳跃表

随机化的第一个用途是以 $O(\log N)$ 期望时间支持查找和插入的数据结构。正如在本节介绍中所提到的，这意味着对于任意输入序列的每一次操作的运行时间都有期望值 $O(\log N)$，其中的期望是基于随机数发生器的。能够执行添加删除和所有涉及排序的操作，并且能够得到与二叉查找树的平均时间界匹配的期望时间界。

最简单的支持查找的可能的数据结构是链表。图 10-57 是一个简单的链表。执行一次查找的时间正比于必须考查的节点个数，个数最多是 N。

2 8 10 11 13 19 20 22 23 29

图 10-57 简单链表

图 10-58 表示一个链表，在该链表中，每隔一个节点就有一个附加的指向它在表中前两个位置上的节点的链。正因为如此，在最坏情形下最多考查 $\lceil N/2 \rceil + 1$ 个节点。

将这种想法扩展，我们得到图 10-59。这里，每个第 4 节点都有一个链接到该节点前方的下一个第 4 节点的链。只有 $\lceil N/4 \rceil + 2$ 个节点被考查。

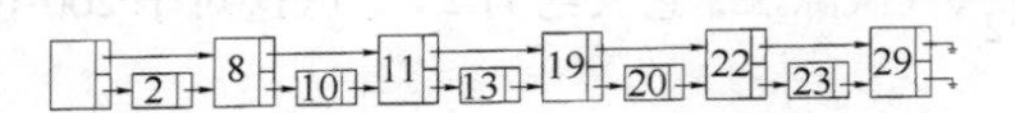

图 10-58 带有链接到前面第 2 个表元素的链的链表

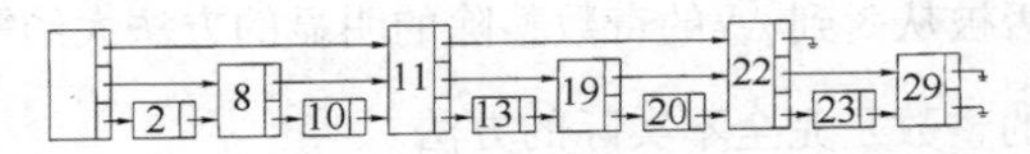

图 10-59 带有链接到前面第 4 个表元素的链的链表

这种跳跃幅度的一般情形如图 10-60 所示。每个第 2^i 节点就有一个链接到这个节点前方下一个第 2^i 节点的链。链的总个数仅仅是加倍，但现在在一次查找中最多只考查 $\lceil \log N \rceil$ 个节点。不难看到，一次查找总的时间消耗为 $O(\log N)$，这是因为查找由向前到一个新的节点或者在同一节点下降到低一级的链组成。在一次查找期间每一步总的时间消耗最多为 $O(\log N)$。注意，在这种数据结构中的查找基本上是折半查找（binary search）。 480

这种数据结构的问题是进行有效的插入太过于呆板。使这种数据结构可用的关键是稍微放宽结构条件。我们将带有 k 个链的节点定义为 k 阶节点（level k node）。如图 10-60 所示，任意 k 阶节点上的第 i 阶（$k \geqslant i$）链链接的下一个节点至少具有 i 阶。这是一个容易保留的性质；不过，图 10-60 指出比它限制性更强的性质。这样，我们把第 i 个链接到前面第 2^i 个节点的链这种限制去掉，而代之上面稍松一些的限制条件。

当需要插入新元素的时候，我们为它分配一个新的节点。此时，我们必须决定该节点是多少阶的。考查图 10-60 可以发现，大约一半的节点是 1 阶节点，大约 1/4 的节点是 2 阶节点，通常，大约 $1/2^i$ 的节点是 i 阶节点。我们按照这个概率分布随机选择节点的阶数。最容易的方法是抛一枚硬币直到正面出现并把抛硬币的总次数用做该节点的阶数。图 10-61 显示一个典型的跳跃表（skip list）。 481～482

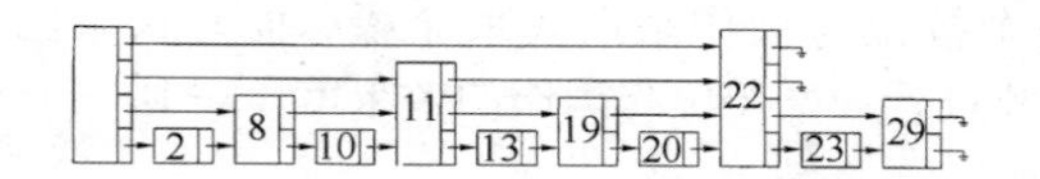

图 10-60 带有链接到前面第 2^i 个表元素的链的链表

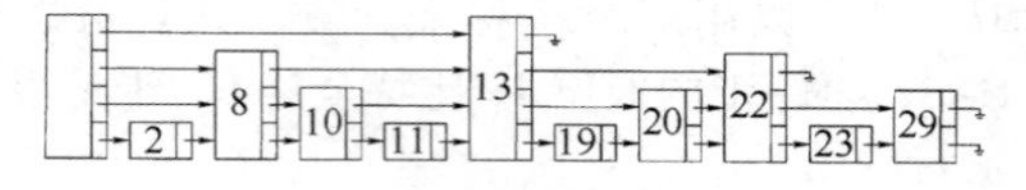

图 10-61 一个跳跃表

给出上面的分析以后，跳跃表算法的描述就简单了。为执行一次查找，我们在头节点从最高阶的链开始，沿着这个阶一直走直至找到大于我们正在寻找的节点的下一个节点（或者是 null）前停下。这时，我们转到低一阶的阶并继续这种方法。当进行到一阶停止时，或者我们位于正在寻找的节点的前面，或者它不在这个表中。为了执行一次 insert 操作，我们像在执行一次查找时那样进行，始终记住每一个使我们转到一个更低阶的节点。最后，将新节点（它的阶是随机确定的）拼接到链表中。操作见图 10-62。

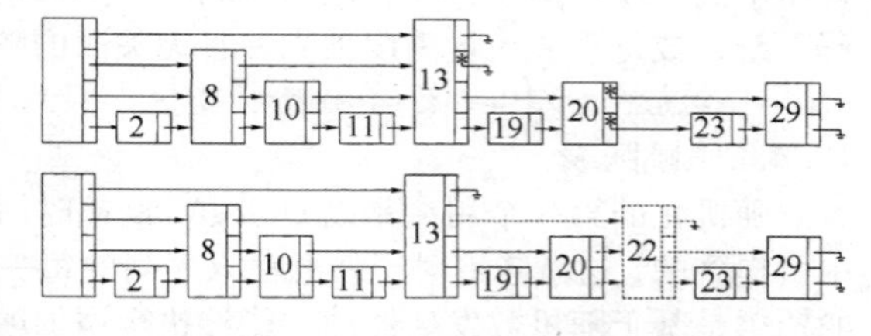

图 10-62 插入前和插入后的跳跃表

粗略分析指出，由于在每一阶的节点的期望个数没有从原（非随机化的）算法改变，因此预计穿越同阶上的节点的总的工作量是不变的。它告诉我们，这些操作具有 $O(\log N)$ 的期望开销。当然，更正式的证明是需要的，但它跟这里的分析没有太大的区别。

跳跃表类似于散列表，它们都需要估计链表中的元素个数（从而阶的数目可以确定）。如果得不到这种估计，那么我们可以假设一个大的数或者使用一种类似于再散列（rehash）的方法。经验表明，跳跃表如许多平衡查找树实现方法一样有效，当然，用多种语言实现都会简单得多。

10.4.3 素性测试

在这一节，我们考查确定一个大数是否是素数的问题。正如在第 2 章末尾谈到的，某些密码方案依赖于大数分解的困难性，比如将一个 400 位数分解成两个 200 位的素数相乘。为了实现这种方案，需要一种生成这两个大素数的方法。如果 d 是数 N 中的数字的位数，那么测试能否被从 3 到 $\sqrt{N}$ 的奇数整除的明显的方法大约需要 $\frac{1}{2}\sqrt{N}$ 次除法，它大约为 $2^{d/2}$，可这对于 200 位的整数是完全不实际的方法。

483

在这一节，我们将给出一个可以测试素性的多项式时间算法。如果这个算法宣称一个数不是素数，那么我们可以肯定这个数不是素数。如果该算法宣称一个数是素数，那么，这个数将以高概率但不是百分之百地肯定是素数。错误的概率不依赖于被测试的特定的数，而是依赖于由算法做出的随机选择。因此，这个算法偶尔会出错，不过我们将会看到，我们可以让出错的比率任意地小。

算法的关键是著名的费马（Fermat）定理。

定理 10.10（费马小定理） 如果 P 是素数，且 $0<A<P$，那么 $A^{P-1}\equiv 1(\bmod P)$

证明：

这个定理的证明可以在任一本数论的教科书中找到。 □

例如，由于 67 是素数，因此 $2^{66}\equiv 1(\bmod 67)$。这提出了测试一个数 N 是否是素数的算法：只要检验一下是否 $2^{N-1}\equiv 1(\bmod N)$。如果 $2^{N-1}\not\equiv 1(\bmod N)$ 不成立，那么可以肯定 N 不是素数。另一方面，如果等式成立，那么 N 很可能是素数。例如，满足 $2^{N-1}\equiv 1(\bmod N)$ 但不是素数的最小的 N 是 $N=341$。

这个算法偶尔会出错，但问题是它总出相同的一些错误。换句话说，存在 N 的一个固定的集合，对于这个集合该方法行不通。我们可以尝试将该算法随机化如下：随机取 $1<A<N-1$。如果 $A^{N-1}\equiv 1(\bmod N)$，则宣布 N 可能是素数，否则宣布 N 肯定不是素数。如果 $N=341$ 而 $A=3$，那么 $3^{340}\equiv 56(\bmod 341)$。因此，如果算法碰巧选择 $A=3$，那么它将对于 $N=341$ 得到正确的答案。

虽然这看起来没有问题，但是却存在一些数，对于 A 的大部分选择它们甚至可以骗过该算法。这样的数集叫作 Carmichael 数，这些数不是素数，可是对所有与 N 互素的 $0<A<N$ 却满足 $A^{N-1} \equiv 1 (\bmod N)$。这样最小的数是 561。因此，我们还需要一个附加的测试来改进不出错的几率。

在第 7 章，我们证明过一个关于平方探测(quadratic probing)的定理。这个定理的特殊情况如下：

定理 10.11 如果 P 是素数且 $0<X<P$，那么 $X^2 \equiv 1(\bmod P)$ 仅有的两个解为 $X=1$，$P-1$。

证明：

$X^2 \equiv 1(\bmod P)$ 意味着 $X^2-1 \equiv 0(\bmod P)$。这就是说，$(X-1)(X+1) \equiv 0(\bmod P)$。由于 P 是素数，$0<X<P$，因此 P 必然是或者整除$(X-1)$，或者整除$(X+1)$，由此推出定理。 □

因此，如果在计算 $A^{N-1}(\bmod N)$ 的任一时刻我们发现违背了该定理，那么可以断言 N 肯定不是素数。如果使用 2.4.4 节的方法 pow，那么我们看到将有几种机会来实现这种测试。修改执行 mod N 运算的例程并应用定理 10.11 的测试。这种方法在图 10-63 中以伪码实现。 484

```
1    /**
2     * Method that implements the basic primality test. If witness does not return 1,
3     * n is definitely composite. Do this by computing a^i (mod n) and looking for
4     * nontrivial square roots of 1 along the way.
5     */
6    private static long witness( long a, long i, long n )
7    {
8        if( i == 0 )
9            return 1;
10
11       long x = witness( a, i / 2, n );
12       if( x == 0 )    // If n is recursively composite, stop
13           return 0;
14
15       // n is not prime if we find a nontrivial square root of 1
16       long y = ( x * x ) % n;
17       if( y == 1 && x != 1 && x != n - 1 )
18           return 0;
19
20       if( i % 2 != 0 )
21           y = ( a * y ) % n;
22
23       return y;
24   }
25
26   /**
27    * The number of witnesses queried in randomized primality test.
28    */
29   public static final int TRIALS = 5;
30
31   /**
32    * Randomized primality test.
33    * Adjust TRIALS to increase confidence level.
34    * @param n the number to test.
35    * @return if false, n is definitely not prime.
36    *     If true, n is probably prime.
```

图 10-63 一种概率素性测试算法(伪码) 485

```
37     */
38     public static boolean isPrime( long n )
39     {
40         Random r = new Random( );
41
42         for( int counter = 0; counter < TRIALS; counter++ )
43             if( witness( r.randomLong( 2, n - 2 ), n - 1, n ) != 1 )
44                 return false;
45
46         return true;
47     }
```

图 10-63 （续）

我们知道，如果方法 witness 返回任何不是 1 的数，那么它就已经证明了 N 不可能是素数，其证明是非构造性的，因为它并没有具体给出找到因子的方法。业已证明，对于任何（充分大的）N，至多有 A 的 $(N-9)/4$ 个值会使该算法得出错误的结论。因此，如果 A 是随机选取的，而且算法的结论是 N（很可能）为素数，那么算法至少有 75% 的时机是正确的。设方法 witness 运行 50 次，而算法得出错误结论的概率是 1/4。因此，50 次独立的随机试验使算法出错的概率不会超过 $1/4^{50}=2^{-100}$。实际上这是非常保守的估计，它只对 N 的某些选择成立。即使如此，人们更可能看到的是硬件的错误，而不是对于素性的不正确的判断。

素性测试的随机化算法很重要，因为这些算法一直比非随机化算法要显著地快。虽然随机化算法可能偶尔会产生错误的结果，但是其发生的机会可以限制到足够小，可以忽略不计。

多年以来，人们怀疑是否有可能以 d 的多项式的时间测定一个 d 位数字的数的素性，但是，没有人知道这样的算法。可是最近，素性测试的确定性多项式时间算法已经被发现。虽然这些算法是极其令人兴奋的成果，但是它们尚不能与随机化算法竞争。参考文献的末尾提供了更多的信息。

10.5 回溯算法

我们将要考查的最后一个算法设计技巧是**回溯**（backtracking）算法。在许多情况下，回溯算法相当于穷举搜索的巧妙实现，但性能一般不理想。不过，情况并不总是如此，即使是如此，在某些情形下它相对于蛮力穷举搜索的工作量也有显著的节省。当然，性能是相对的：对于排序而言，$O(N^2)$ 的算法是相当差的，但对旅行售货员（或任何 NP 完全）问题，$O(N^5)$ 算法则是里程碑式的结果。

回溯算法的一个具体例子是在一套新房子内摆放家具的问题。存在许多尝试的可能性，但一般只有一些可能是具体要考虑的。开始什么也不摆放，然后是每件家具被摆放在室内的某个部位。如果所有的家具都已摆好而且户主很满意，那么算法终止。如果摆到某一步，该步之后的所有家具摆放方法都不理想，那么我们必须撤销这一步并尝试该步另外的摆放方法。当然，这也可能导致另外的撤销，等等。如果我们发现我们撤销了所有可能的第一步摆放位置，那么就不存在满意的家具摆放方法。否则，我们最终将终止在满意的位置上摆放。注意，虽然这个算法基本上是蛮力的，但是它并不直接尝试所有的可能。例如，考虑把沙发放进厨房的各种摆法是决不会尝试的。许多其他不好的摆放方法早就取消了，因为令人讨厌的摆放的子集是知道的。在一步内删除一大组可能性的做法叫作**裁剪**（pruning）。

486

我们将看到回溯算法的两个例子。第一个是计算几何中的问题，第二个例子阐述在诸如国际象棋和西洋跳棋的对弈中计算机如何选取行棋的步骤。

10.5.1 收费公路重建问题

设给定 N 个点 p_1，p_2，…，p_N，它们位于 x-轴上。x_i 是 p_i 点的 x 坐标。进一步假设 $x_1=0$ 以及这些点从左到右给出。这 N 个点确定在每一对点间的 $N(N-1)/2$ 个(不必是唯一的)形如 $|x_i-x_j|(i\neq j)$ 的距离。显然，如果给定点集，那么容易以 $O(N^2)$ 时间构造距离的集合。这个集合将不是排好序的，但是，如果我们愿意花 $O(N^2\log N)$ 时间界整理，那么这些距离也可以被排序。**收费公路重建问题**(turnpike reconstruction problem)是从这些距离重新构造出点集。它在物理学和分子生物学(参见有关该信息更专门的参考文献)中都有应用。这个名称来源于对美国西海岸公路上那些收费公路出口的模拟。正像大数分解比乘法困难一样，重建问题也比建造问题困难。没有人能够给出一个算法以保证在多项式时间完成计算。我们将要介绍的算法一般以 $O(N^2\log N)$ 运行，但在最坏情形下可能要花费指数时间。

当然，若给定该问题的一个解，则可以通过对所有的点加上一个偏移量而构建无穷多其他的解。这就是为什么我们一定要将第一个点置于 0 处以及构建解的点集以非减顺序输出的原因。

令 D 是距离的集合，并设 $|D|=M=N(N-1)/2$。作为例子，设

$$D=\{1,2,2,2,3,3,3,4,5,5,5,6,7,8,10\}$$

由于 $|D|=15$，因此我们知道 $N=6$。算法以置 $x_1=0$ 开始。显然，$x_6=10$，因为 10 是 D 中最大的元素。将 10 从 D 中删除，我们得到的点和剩下的距离如下图所示。

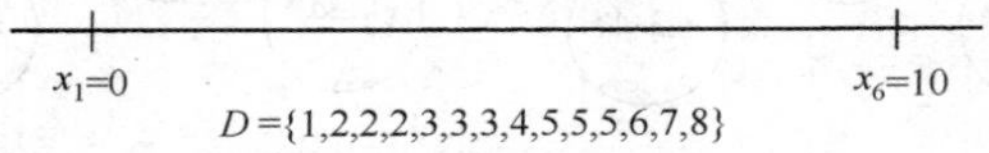

$x_1=0$ $x_6=10$

$D=\{1,2,2,2,3,3,3,4,5,5,5,6,7,8\}$

剩下的距离中最大的是 8，这就是说，或者 $x_2=2$，或者 $x_5=8$。由对称性，我们可以断定这种选择是不重要的，因为或者两个选择都引向解(它们互为镜像)，或者都不会引向最终的解，所以可置 $x_5=8$ 而不至于影响问题的解，然后从 D 中删除距离 $x_6-x_5=2$ 和 $x_5-x_1=8$，得到

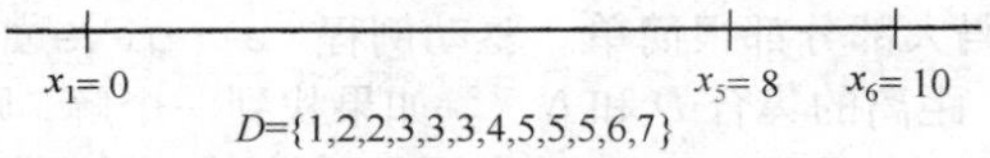

$x_1=0$ $x_5=8$ $x_6=10$

$D=\{1,2,2,3,3,3,4,5,5,5,6,7\}$

487

下一步是不明显的。由于 7 是 D 中最大的数，因此或者 $x_4=7$，或者 $x_2=3$。如果 $x_4=7$，那么距离 $x_6-7=3$ 和 $x_5-7=1$ 也必须出现在 D 中。我们一看便知它们确实在 D 中。另一方面，如果置 $x_2=3$，那么 $3-x_1=3$ 和 $x_5-3=5$ 就必须在 D 中。这两个距离也的确在 D 中。因此，我们不对哪种选择做强求。这样，我们尝试其中的一种看是否它导致问题的解。如果它不行，那么我们退回来再尝试另外的选择。尝试第一个选择置 $x_4=7$，得到

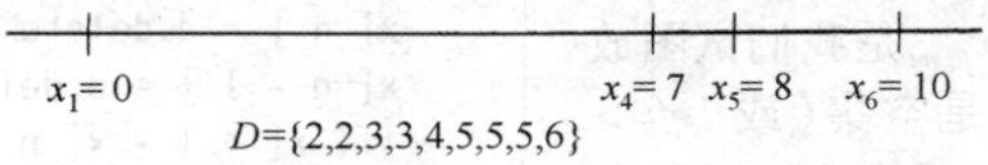

$x_1=0$ $x_4=7$ $x_5=8$ $x_6=10$

$D=\{2,2,3,3,4,5,5,5,6\}$

此时，我们得到 $x_1=0$，$x_4=7$，$x_5=8$ 和 $x_6=10$。现在最大的距离是 6，因此或者 $x_3=6$ 或者 $x_2=4$。但是，如果 $x_3=6$，那么 $x_4-x_3=1$，这是不可能的，因为 1 不再属于 D。另一方面，如果 $x_2=4$，那么 $x_2-x_0=4$ 和 $x_5-x_2=4$。这也是不可能的，因为 4 只在 D 中出现一次。因此，这个推理思路得不到解，我们需要回溯。

由于 $x_4=7$ 不能产生解，因此我们尝试 $x_2=3$。如果这也不行，那么我们停止计算并报告无解。现在，我们有

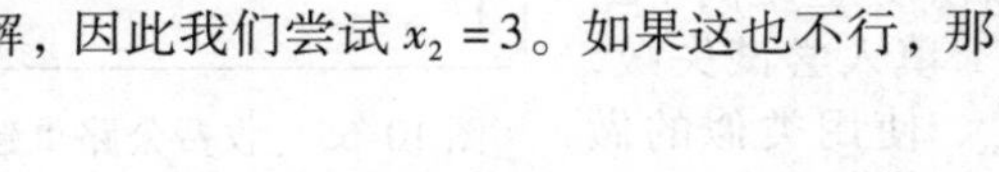

$x_1=0$ $x_2=3$ $x_5=8$ $x_6=10$

$D=\{1,2,2,3,3,4,5,5,6\}$

我们必须再一次在 $x_4=6$ 和 $x_3=4$ 之间选择。$x_3=4$ 是不可能的，因为 D 只出现一个 4，而

该选择意味着要有两个。$x_4=6$ 是可能的，于是我们得到

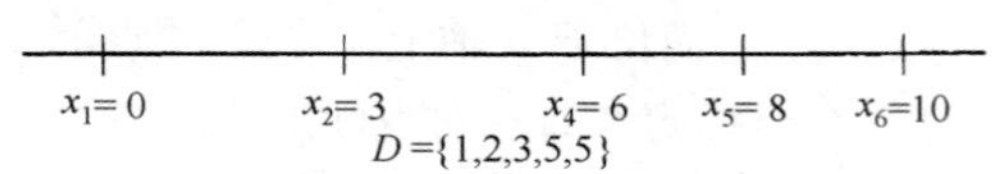

唯一剩下的选择是 $x_3=5$；这是可以的，因为它使得 D 成为空集，因此我们得到问题的一个解。

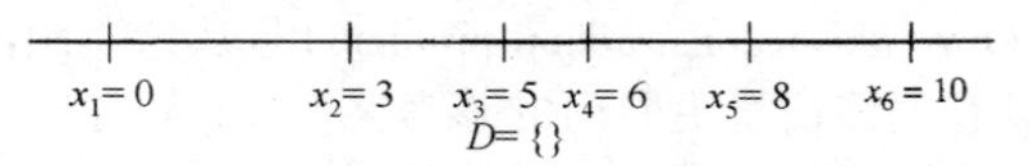

图 10-64 是一棵决策树，代表为得到解而采取的行动。这里，我们没有对分支作标记，而是把标记放在了分支的目的节点上。带有一个星号的节点表示这些所选的点与给定的距离不一致；带有两个星号的节点只有不可能的节点作为儿子，因此表示一条不正确的路径。

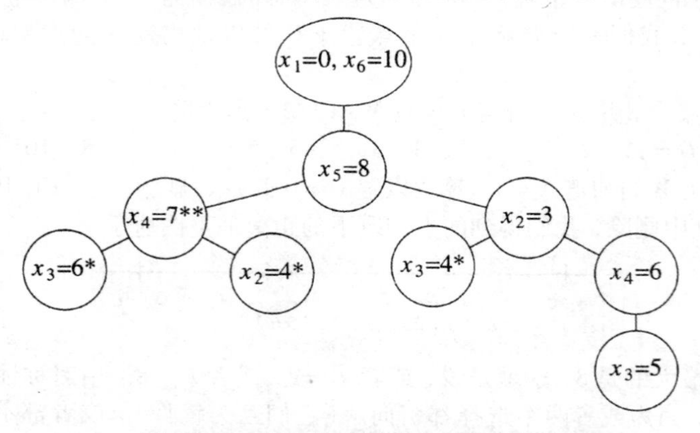

图 10-64 收费公路重建问题的决策树

实现这个算法的伪代码大部分都很简单。驱动例程 turnpike 如图 10-65 所示。它接收点的数组 x（不需要初始化），距离的集合 D 和 N ㊀。如果找到一个解，则返回 true，答案将被放到 x 中，而 D 将是空集。否则，返回 false，x 将是不确定的，距离集合 D 将保持不变。该例程如上所述设置了 x_1，x_{N-1} 和 x_N，修改了 D，并且调用了回溯算法 place 以放置其余的点。我们假设为保证 $|D|=N(N-1)/2$ 已经进行了检验。

488~489

更困难的部分是回溯算法，如图 10-66 所示。与大多数回溯算法一样，最方便的实现方法是递归。我们传递同样的参数以及界 *Left* 和 *Right*；x_{Left}，⋯，x_{Right} 是我们试图放置的点的 x 坐标。如果 D 是空集（或 $Left > Right$），那么解已经找到，我们可以返回。否则，首先尝试使 $x_{Right}=D_{\max}$。如果所有适当的距离都（以正确的值）出现，那么尝试性地放上这一点，删除相应的距离，并尝试从 *Left* 到 *Right* − 1 填入。如果这些距离不出现，或者从 *Left* 到 *Right* − 1 填入尝试失败，那么尝试置 $x_{Left}=x_N-d_{\max}$，使用类似的做

```
boolean turnpike( int [ ] x, DistSet d, int n )
{
    x[ 1 ] = 0;
    x[ n ] = d.deleteMax( );
    x[ n - 1 ] = d.deleteMax( );
    if( x[ n ] - x[ n - 1 ] ∈ d )
    {
        d.remove( x[ n ] - x[ n - 1 ] );
        return place( x, d, n, 2, n - 2 );
    }
    else
        return false;
}
```

图 10-65 收费公路重建算法：驱动例程（伪代码）

㊀ 为使所举的例子方便起见，我们使用了单字母变量名，一般说来这不是好习惯。为了简单，我们也不给出变量的类型。最后，我们让数组下标从 1 开始，而不是从 0。

法。如果这样不行，则问题无解；否则，一个解已经找到，而这个信息最终通过 return 语句和 x 数组传递回 turnpike。

```
     /**
      * Backtracking algorithm to place the points x[left] ... x[right].
      * x[1]...x[left-1] and x[right+1]...x[n] already tentatively placed.
      * If place returns true, then x[left]...x[right] will have values.
      */
     boolean place( int [ ] x, DistSet d, int n, int left, int right )
     {
         int dmax;
         boolean found = false;

 1       if( d.isEmpty( ) )
 2           return true;

 3       dmax = d.findMax( );

             // Check if setting x[right] = dmax is feasible.
 4       if( | x[j] - dmax | ∈ d for all 1≤j<left and right<j≤n )
         {
 5           x[right] = dmax;                    // Try x[right]=dmax
 6           for( 1≤j<left, right<j≤n )
 7               d.remove( | x[j] - dmax | );
 8           found = place( x, d, n, left, right-1 );

 9           if( !found )      // Backtrack
10               for( 1≤j<left, right<j≤n ) // Undo the deletion
11                   d.insert( | x[j] - dmax | );
         }
            // If first attempt failed, try to see if setting
            // x[left]=x[n]-dmax is feasible.
12       if( !found && ( | x[n] - dmax - x[j] | ∈ d
13                       for all 1≤j<left and right<j≤n ) )
         {
14           x[left] = x[n] - dmax;       // Same logic as before
15           for( 1≤j<left, right<j≤n )
16               d.remove( | x[n] - dmax - x[j] | );
17           found = place( x, d, n, left+1, right );

18           if( !found )       // Backtrack
19               for( 1≤j<left, right<j≤n )  // Undo the deletion
20                   d.insert( | x[n] - dmax - x[j] | );
         }
21       return found;
     }
```

图 10-66　收费公路重建算法：回溯的步骤（伪代码）

算法的分析涉及两个因素。设第 9 行到第 11 行以及第 18 行到第 20 行从未执行。我们可以把 D 作为平衡二叉查找（或伸展）树保存（当然，这需要对代码做些修改）。如果我们从未回溯，那么最多有 $O(N^2)$ 次操作涉及 D，如在第 4 行、第 12 到 13 行中蕴涵的删除和一些 contains。显然这是对删除提出的，因为 D 有 $O(N^2)$ 个元素而没有元素被重新插入。每次对 place 的调

用最多用到 $2N$ 次 contains，而由于 place 在该分析中从未回溯，因此最多可以有 $2N^2$ 次 contains 操作。于是，如果没有回溯，那么运行时间为这 $O(N^2\log N)$。

当然，回溯是要发生的。如果回溯反复发生，那么算法的性能就要受到影响。我们可以通过构建病态的情形迫使它发生。经验证明，如果点的整数坐标在 $[0, D_{max}]$ 均匀地和随机地分布，其中 $D_{max}=\Theta(N^2)$，那么在整个算法期间几乎肯定最多执行一次回溯。

10.5.2 博弈

作为最后一个应用，我们将考虑计算机可能用来进行战略游戏的策略，如西洋跳棋或国际象棋。作为一个例子，我们将使用较简单的三连游戏棋（tic-tac-toe），因为它使得想法更容易表述。

如果双方均弈至最优，那么三连游戏棋就是平局。通过对逐个情况的仔细分析，构造一个从不输棋而且当机会出现时总能赢棋的算法并不是困难的事。之所以能够做到是因为一些位置是已知的陷阱，可以通过查表来处理。另外一些方法，如当中央的方格可用时占据该方格，可以使得分析更简单。如果完成了分析，那么通过一个表我们总可以只根据当前位置选择一步棋。当然，这种方法需要程序员而不是计算机来进行大部分的思考。

极小极大策略

较一般的策略是使用一个赋值函数来给一个位置的“好坏”定值。能使计算机获胜的位置可以得到值 +1；平局可得到 0；使计算机输棋的位置得到值 -1。通过考察盘面就能够确定输赢的位置叫作**终端位置**（terminal position）。

490

如果一个位置不是终端位置，那么该位置的值通过递归地假设双方最优棋步而确定。这叫作**极小极大**（minimax）策略，因为下棋的一方（人）试图使这个位置的值极小，而另一方（计算机）却要使它的值极大。

位置 P 的**后继位置**（successor position）是通过从 P 走一步棋可以达到的任何位置 P_s。如果当在某个位置 P 计算机要走棋，那么它递归地求出所有的后继位置的值。计算机选择具有最大值的一步行棋；这就是 P 的值。为了得到任意后继位置 P_s 的值，要递归地算出 P_s 的所有后继位置的值，然后选取其中最小的值。这个最小值代表行棋的人的一方最赞成的应着。

图 10-67 中的程序使得计算机的策略更清晰。第 22 行到第 25 行直接给赢棋或平局赋值。如果这两个情况都不适用，那么这个位置就是非终端位置。注意到 value 应该包括所有可能后继位置的最大值，第 28 行把它初始化为最小可能的值，第 29 行到第 42 行的循环则为了改进而进行搜索。每一个后继位置递归地依次由第 32 行到第 34 行算出值来。因为我们将看到过程 findHumanMove 调用 findCompMove，所以这是递归的。如果人对一步棋的应着给计算机留下比计算机在前面最佳棋步所得到的位置更好的位置，那么 value 和 bestMove 将被更新。图 10-68 显示的是下棋人棋步选择的方法。除了行棋人选择的棋步导致最低值的位置外，所有的逻辑实际上都是相同的。事实上，通过传递一个附加的变量不难把这两个过程合并成一个，这个附加变量指出棋该轮到谁走。这样一来确实使得程序多少有些难于读懂了，因此我们就停留在两个分开的例程的阶段。

```
 1  public class MoveInfo
 2  {
 3      public int move;
 4      public int value;
 5
 6      public MoveInfo( int m, int v )
 7        { move = m; value = v; }
 8  }
 9
10      /**
11       * Recursive method to find best move for computer.
```

图 10-67 极小极大三连游戏棋算法：计算机的选择

```
12     * MoveInfo.move returns a number from 1-9 indicating square.
13     * Possible evaluations satisfy COMP_LOSS < DRAW < COMP_WIN.
14     * Complementary method findHumanMove is Figure 10.68.
15     */
16    public MoveInfo findCompMove( )
17    {
18        int i, responseValue;
19        int value, bestMove = 1;
20        MoveInfo quickWinInfo;
21
22        if( fullBoard( ) )
23            value = DRAW;
24        else if( ( quickWinInfo = immediateCompWin( ) ) != null )
25            return quickWinInfo;
26        else
27        {
28            value = COMP_LOSS;
29            for( i = 1; i <= 9; i++ )  // Try each square
30                if( isEmpty( i ) )
31                {
32                    place( i, COMP );
33                    responseValue = findHumanMove( ).value;
34                    unplace( i );  // Restore board
35
36                    if( responseValue > value )
37                    {
38                           // Update best move
39                        value = responseValue;
40                        bestMove = i;
41                    }
42                }
43        }
44
45        return new MoveInfo( bestMove, value );
46    }
```

图 10-67 （续）

```
1     public MoveInfo findHumanMove( )
2     {
3         int i, responseValue;
4         int value, bestMove = 1;
5         MoveInfo quickWinInfo;
6
7         if( fullBoard( ) )
8             value = DRAW;
9         else
10        if( ( quickWinInfo = immediateHumanWin( ) ) != null )
11            return quickWinInfo;
12        else
13        {
14            value = COMP_WIN;
```

图 10-68 极小极大三连游戏棋算法：人的选择

```
15            for( i = 1; i <= 9; i++ )  // Try each square
16            {
17                if( isEmpty( i ) )
18                {
19                    place( i, HUMAN );
20                    responseValue = findCompMove( ).value;
21                    unplace( i );  // Restore board
22
23                    if( responseValue < value )
24                    {
25                          // Update best move
26                        value = responseValue;
27                        bestMove = i;
28                    }
29                }
30            }
31        }
32
33        return new MoveInfo( bestMove, value );
34    }
```

图 10-68 （续）

由于这两个例程必须要传回位置的值和最佳的棋步，因此在 `MoveInfo` 对象中传递这两个变量。

我们把一些支撑例程留作一道练习题。代价最高的计算是需要计算机开局的情形。由于在这个阶段棋局处于平局的形势，因此计算机选择方格 1 [㊀]。需要考查的位置总共有 97 162 个，计算要花费几秒。没有优化程序的打算。如果下棋人选择中央方格，那么当计算机走第二步棋的时候，所要考查的位置的个数是 5 185 个；当下棋人选择一个角上的方格时计算机所要考查的位置的个数是 9 761 个，而当下棋人选择非角的边上的方格时计算机要考查 13 233 个位置。

对于更复杂的游戏（如西洋跳棋和国际象棋），搜索到终端节点的全部棋步显然是不可行的[㊁]。在这种情况下，我们在达到递归的某个深度之后只能停止搜索。递归停止处的节点则成为终端节点。这些终端节点的值由一个估计位置的值的函数计算得出。例如，在一个国际象棋程序中，求值函数计量诸如棋子和位置因素的相对量和强度这样一些变量。求值函数对于成功是至关重要的，因为计算机的行棋选步是基于将这个函数极大化。最好的计算机下棋程序具有惊人复杂的求值函数。

491 ~ 494

然而，对于计算机下棋，一个最重要的因素看来是程序能够向前看出的棋步的数目。有时我们称之为**层**（ply）；它等于递归的深度。要实现这个功能，需要给予搜索例程一个附加的参数。

在对弈程序中增加向前看步因素的基本方法是提出一些方法，这些方法对更少的节点求值却不丢失任何信息。我们已经看到的一种方法是使用一个表来记录所有已经被计算过的值的位置。例如，在搜索第一步棋的过程中，程序将考查图 10-69 中的一些位置。如果这些位置的值被存

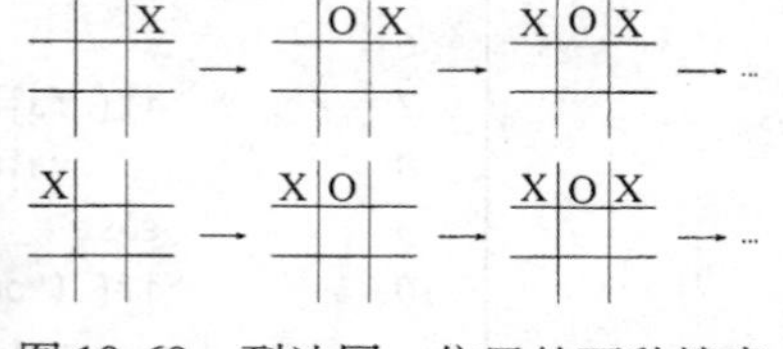

图 10-69 到达同一位置的两种搜索

㊀ 我们将方格从棋盘左上角开始向右编号。不过，这只对支撑例程是重要的。

㊁ 据估计，即使是本节稍后描述的改进方法结合使用，这个数字也不能降低到实用的水平。

储了，那么一个位置在第二次出现时就不必再重新计算；它基本上变成了一个终端位置。记录这些信息的数据结构叫作**置换表**(transposition table)；它几乎总可通过散列来实现。在许多情况下，这可以节省大量的计算。例如，在一盘棋的残局阶段，此时相对来说只有很少的棋子，时间的节省使得一步搜索可以进行到更深的若干层。

α-β 裁剪

人们一般能够取得的最重要的改进称为 **α-β** 裁剪(α-β pruning)。图 10-70 显示在一盘假想的棋局中用来给某个假设的位置求值的一些递归调用的迹。通常这叫作一棵**博弈树**(game tree)。(到现在为止我们一直回避使用这个术语，因为它多少有些误导：没有树是由该算法具体构造的。博弈树只是一个抽象的概念。)这棵博弈树的值为 44。

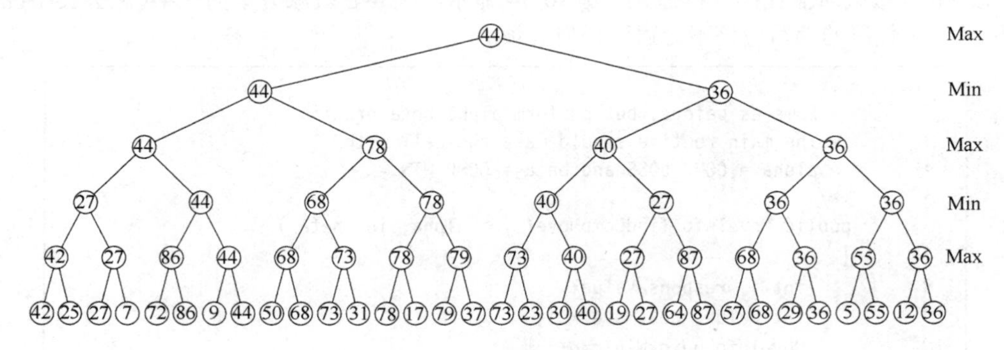

图 10-70　一棵假想的博弈树

图 10-71 显示同一棵博弈树的求值，它有一些(但不是所有可能的)尚未求值的节点。几乎有一半的终端节点没有被检验。我们证明计算它们的值将不改变树根的值。

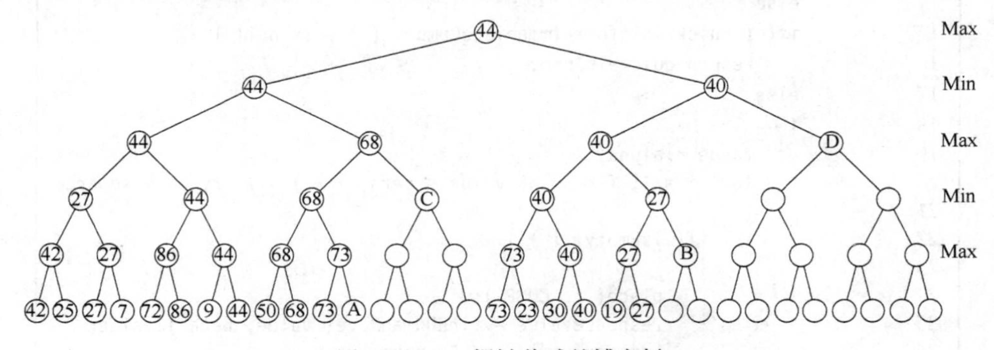

图 10-71　一棵被裁减的博弈树

首先，考虑节点 D。图 10-72 显示在给 D 求值时已经搜集到的信息。此时，我们仍然处在 `findHumanMove` 中并正在打算对 D 调用 `findCompMove`。然而，我们已经知道 `findHumanMove` 最多将返回 40，因为它是一个 `min` 节点。另一方面，它的 `max` 父节点已经找到一个保证 44 的序列。注意，D 无论如何也不可能增加这个值。因此，D 不需要求值。该树的这个裁减叫作 α 裁减。同样的情况也出现在节点 B。为了实现 α 裁减，`findCompMove` 将它的尝试性的极大值(α)传递给 `findHumanMove`。如果 `findHumanMove` 的尝试性的极小值低于这个值，那么 `findHumanMove` 立即返回。

495

类似的情况也发生在节点 A 和 C 上。这一次，我们在 `findCompMove` 的中间，并且正要调用 `findHumanMove` 以计算 C 的值。图 10-73 显示在节点 C 遇到的情况。不过在 `min` 层上，调用了 `findCompMove` 的 `findHumanMove`，已经确定它能够迫使值最高到 44(注意，对于下棋人这一方低值是好的)。由于 `findCompMove` 有一个尝试性的最大值 68，因此 C 上无论如何也不会影响到 min 层这个结果。因此，C 不应该求值。这种类型的裁减叫作 β 裁减，它是 α 裁减的对称形式。当两种方法结合起来时就得到 α-β 裁减。

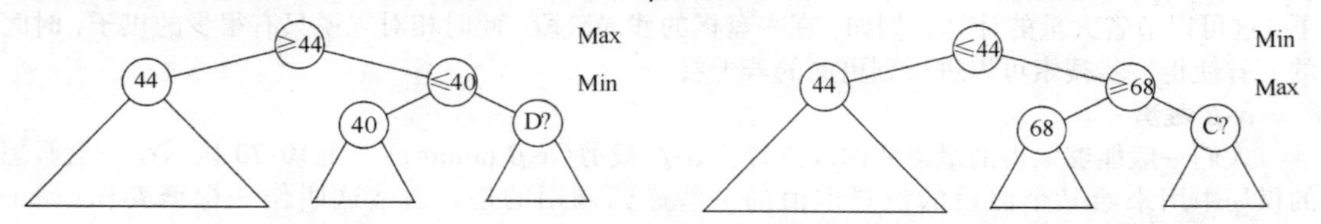

图 10-72 标记？的节点是不重要的　　图 10-73 标记？的节点是不重要的

实现 α-β 裁减所需代码少得惊人。图 10-74 显示的是 α-β 裁减方案的一半(减去类型说明)内容；另一半代码的编写应该不会遇到任何麻烦。

496

```
 1     /**
 2      * Same as before, but perform alpha-beta pruning.
 3      * The main routine should make the call with
 4      * alpha = COMP_LOSS and beta = COMP_WIN.
 5      */
 6     public MoveInfo findCompMove( int alpha, int beta )
 7     {
 8         int i, responseValue;
 9         int value, bestMove = 1;
10         MoveInfo quickWinInfo;
11 
12         if( fullBoard( ) )
13             value = DRAW;
14         else
15         if( ( quickWinInfo = immediateCompWin( ) ) != null )
16             return quickWinInfo;
17         else
18         {
19             value = alpha;
20             for( i = 1; i <= 9 && value < beta; i++ )  // Try each square
21             {
22                 if( isEmpty( i ) )
23                 {
24                     place( i, COMP );
25                     responseValue = findHumanMove( value, beta ).value;
26                     unplace( i );  // Restore board
27 
28                     if( responseValue > value )
29                     {
30                             // Update best move
31                         value = responseValue;
32                         bestMove = i;
33                     }
34                 }
35             }
36         }
37 
38         return new MoveInfo( bestMove, value );
39     }
```

图 10-74 带有 α-β 裁减的极小极大三连游戏棋算法：计算机棋步的选择

为了充分利用 α-β 裁减，对弈程序通常尽量对非终端节点应用求值函数，力图把最好的棋步早一些放到搜索范围内。这样的结果甚至比人们从随机顺序的节点所期望的结果还要裁减得多。其他一些方法，像在一些更活跃的行棋沿线进行更深入的搜索也在使用。

在实践中，α-β 裁减把搜索限制在只有 $O(\sqrt{N})$ 个节点上，这里 N 是整个博弈树的大小。这是巨大的节约，它意味着使用 α-β 裁减的搜索与非裁减树相比能够进行到两倍的深度。我们的三连游戏棋例子是不理想的，因为存在太多相同的值，但即使是这样，最初对 97 162 个节点的搜索还是被减到了 4 493 个节点(这些计数包括非终端节点)。

在许多对弈领域，计算机跻身于世界最优秀棋手之列。所使用的方法是非常有趣的，而且可以应用到一些更严肃的问题上。更多的细节可见参考文献。

497~498

小结

这一章阐述了在算法设计中发现的五个最普通的方法。当面临一个问题的时候，花些时间考察一下这些方法能否适用是值得的。算法的适当选择，结合数据结构的审慎使用，常常能够迅速导致问题的高效解决。

练习

10.1 证明将多处理器作业调度工作的平均完成时间最小化的贪婪算法是正确的。

10.2 设输入为作业 j_1，j_2，…，j_N，其中的每一个作业都要花一个时间单位来完成。如果每个作业 j_i 在时间限度 t_i 内完成，那么将挣得 d_i 美元，但若在时间限度以后完成则挣不到钱。

a. 给出一个 $O(N^2)$ 贪婪算法求解该问题。

**b. 修改你的算法以得到 $O(N\log N)$ 的时间界。提示：时间界完全归因于将作业按照金额排序。算法的其余部分可以使用不相交集数据结构以 $O(N\log N)$ 实现。

10.3 一个文件以下列频率包含冒号、空格、换行(newline)、逗号和数字：冒号(100)，空格(605)，换行(100)，逗号(705)，0(431)，1(242)，2(176)，3(59)，4(185)，5(250)，6(174)，7(199)，8(205)，9(217)。构造其哈夫曼编码。

10.4 编码文件有一部分必须是指示哈夫曼编码的文件头。给出一种方法构建大小最多为 $O(N)$ 的文件头(除符号外)，其中 N 是符号的个数。

10.5 完成哈夫曼算法生成最优前缀码的证明。

10.6 证明，如果符号是按照频率排序的，那么哈夫曼算法可以以线性时间实现。

10.7 用哈夫曼算法写出一个程序实现文件压缩(和解压缩)。

*10.8 证明，通过考虑下述项的序列可以迫使任意联机装箱算法至少使用 $\frac{3}{2}$ 最优箱子数：N 项大小为 $\frac{1}{6}-2\varepsilon$，N 项大小为 $\frac{1}{3}+\varepsilon$，N 项大小为 $\frac{1}{2}+\varepsilon$。

10.9 给出一个简单的分析，证明首次适合递减装箱算法在下列情况下性能的上界：

a. 最小物品的规模大于 1/3。

*b. 最小物品的规模大于 1/4。

*c. 最小物品的规模小于 2/11。

10.10 解释如何以时间 $O(N\log N)$ 实现首次适合算法和最佳适合算法。

499

10.11 指出在 10.1.3 节讨论的所有装箱方法对输入 0.42，0.25，0.27，0.07，0.72，0.86，0.09，0.44，0.50，0.68，0.73，0.31，0.78，0.17，0.79，0.37，0.73，0.23，0.30 的操作。

10.12 编写一个程序比较各种装箱试探方法(在时间上和所用箱子的数量上)的性能。

10.13 证明定理 10.7。

10.14 证明定理 10.8。

*10.15 将 N 个点放入一个单位方格中。证明最近一对点之间的距离为 $O(N^{-1/2})$。

*10.16 论证对于最近点算法，在带内的平均点数是 $O(\sqrt{N})$。提示：利用前一道练习的结果。

10.17 编写一个程序实现最近点对算法。

10.18 使用三数中值取中分割方法，快速选择算法的渐近运行时间是多少？

10.19 证明七数中值取中分割法的快速选择算法是线性的。为什么七数中值取中分割法不用在证明中？

10.20 实现第7章中的快速选择算法，快速选择使用五数中值取中分割法，并实现10.2.3节末尾的抽样算法。比较它们的运行时间。

10.21 许多用于计算五数中值取中分割法的信息都被扔掉了。指出通过更仔细地使用这些信息怎样能够减少比较的次数。

*10.22 完成在10.2.3节末尾描述的抽样算法的分析，并解释 δ 和 s 的值如何选择。

10.23 指出如何用递归乘算法计算 XY，其中 $X=1234$，$Y=4321$。要包括所有的递归计算。

10.24 指出如何只使用三次乘法将两个复数 $X=a+bi$ 和 $Y=c+di$ 相乘。

10.25 a. 证明

$$X_LY_R+X_RY_L=(X_L+X_R)(Y_L+Y_R)-X_LY_L-X_RY_R$$

b. 它给出进行 N 比特数的乘法的 $O(N^{1.59})$ 算法。将该方法与课文中的解法进行比较。

10.26 *a. 指出如何通过求解大约为原问题三分之一大小的五个问题来完成两个数的乘法。

**b. 将该问题推广得出一个 $O(N^{1+\varepsilon})$ 的算法，其中 $\varepsilon>0$ 为任意常数。

c. 在b问题中的算法比 $O(N\log N)$ 好吗？

500

10.27 为什么Strassen算法在 2×2 矩阵的乘法中不使用可交换性是重要的？

10.28 两个 70×70 矩阵可以使用143 640次乘法相乘。指出这如何能够用于改进由Strassen算法给出的界。

10.29 计算 $\boldsymbol{A}_1\boldsymbol{A}_2\boldsymbol{A}_3\boldsymbol{A}_4\boldsymbol{A}_5\boldsymbol{A}_6$ 的最优方法是什么？其中，这些矩阵的阶数为 $\boldsymbol{A}_1$：10×20，$\boldsymbol{A}_2$：20×1，$\boldsymbol{A}_3$：1×40，$\boldsymbol{A}_4$：40×5，$\boldsymbol{A}_5$：5×30，$\boldsymbol{A}_6$：30×15。

10.30 证明下列贪婪算法均不能进行链式矩阵乘法。在每一步

a. 计算最划算的乘法。

b. 计算最昂贵的乘法。

c. 计算两个矩阵 M_i 和 M_{i+1} 之间的乘法使得在 M_i 中的列数最小（使用上面法则之一）。

10.31 编写一个程序计算矩阵乘法的最佳顺序。注意，要包括显示具体顺序的例程。

10.32 指出下列单词的最优二叉查找树，其中括号内是单词出现的频率：a(0.18)，and(0.19)，I(0.23)，it(0.21)，or(0.19)。

*10.33 将最优二叉查找树算法扩展到可以对不成功的搜索进行。在这种情况下，q_j 是对任意满足 $w_j<W<w_{j+1}$ 的单词 W 执行一次查找的概率，其中 $1\leqslant j<N$。q_0 是对 $W<w_1$ 的单词 W 执行一次查找的概率，而 q_N 是对 $W>w_N$ 执行一次查找的概率。注意，$\sum_{i=1}^{N}p_i+\sum_{j=0}^{N}q_j=1$。

*10.34 设 $C_{i,i}=0$，此外

$$C_{i,j}=W_{i,j}+\min_{i<k\leqslant j}(C_{i,k-1}+C_{k,j})$$

设 $\boldsymbol{W}$ 满足*四边形不等式*(quadrangle inequality)，即对所有的 $i\leqslant i'\leqslant j\leqslant j'$，

$$W_{i,j}+W_{i',j'}\leqslant W_{i',j}+W_{i,j'}$$

进一步假设 $\boldsymbol{W}$ 是单调的：如果 $i\leqslant i'$ 及 $j\leqslant j'$，那么 $W_{i,j}\leqslant W_{i',j'}$。

a. 证明 $\boldsymbol{C}$ 满足四边形不等式。

b. 令 $R_{i,j}$ 是使达到最小值 $C_{i,k-1}+C_{k,j}$ 的最大的 k（即在相同的情形下选择最大的 k）。证明

$$R_{i,j}\leqslant R_{i,j+1}\leqslant R_{i+1,j+1}$$

c. 证明 $\boldsymbol{R}$ 沿着每一行和列是非减的。

d. 用它证明 $\boldsymbol{C}$ 中所有的项可以以 $O(N^2)$ 时间计算。

e. 使用这些技巧以 $O(N^2)$ 时间可以解决哪个动态规划算法？

10.35 编写一个例程从10.3.4节中的算法重新构造那些最短路径。

10.36 二项式系数 $C(N,k)$ 可以递归定义如下：$C(N,0)=1$，$C(N,N)=1$，且对于 $0<k<N$，$C(N,k)=C(N-1,k)+C(N-1,k-1)$。编写一种方法并给出如下计算二项式系数的运行时间的分析：

501

a. 递归计算。

b. 使用动态规划算法。

10.37 编写在跳跃表中分别执行插入、删除以及查找的例程。

10.38 给出跳跃表操作的期望时间为 $O(\log N)$ 的正式证明。

10.39 图 10-75 显示抛一枚硬币的例程，假设 random 返回一个整数（这在许多系统中常见）。如果随机数发生器使用形如 $M=2^B$ 的模（遗憾的是这在许多系统上流行），那么那些跳跃表算法的期望性能如何？

10.40 a. 用取幂算法证明 $2^{340}\equiv 1(\mathrm{mod}\ 341)$。

b. 指出随机化素性测试当 $N=561$ 时对于 A 的多种选择是如何工作的。

```
1       CoinSide flip( )
2       {
3           if( ( random( ) % 2 ) == 0 )
4               return HEADS;
5           else
6               return TAILS;
7       }
```

图 10-75 有问题的抛币器（程序）

10.41 实现收费公路重建算法。

10.42 如果两个点集产生相同的距离集合而不彼此转换，那么这两个点集称为是同度的（homometric）。下列距离集合给出两个不同的点集：{1, 2, 3, 4, 5, 6, 7, 8, 9, 10, 11, 12, 13, 16, 17}。求出这两个点集。

10.43 扩展重建算法使给定一个距离集合找出所有的同度点集。

10.44 指出图 10-76 中树的 α-β 裁减的结果。

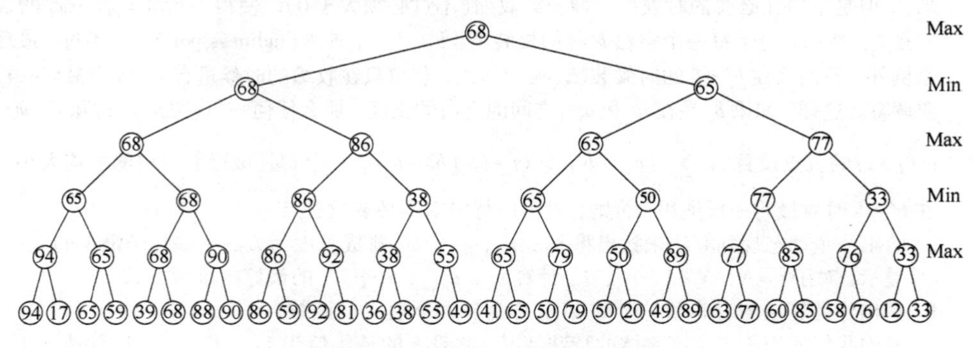

图 10-76 博弈树，该树可以裁减

502

10.45 a. 图 10-74 中的程序实现 α 裁减还是 β 裁减？

b. 实现与其互补的例程。

10.46 写出三连游戏棋其余的过程。

10.47 一维装圆问题（one-dimensional circle packing problem）如下：有 N 个半径分别是 r_1, r_2, …, r_N 的圆。将这些圆装到一个盒子中使得每个圆都与盒子的底边相切，圆的排列按原来的顺序。该问题是找出最小尺寸的盒子的宽度。图 10-77 显示一个例子，圆的半径分别为 2、1、2。最小尺寸盒子的宽度为 $4+4\sqrt{2}$。

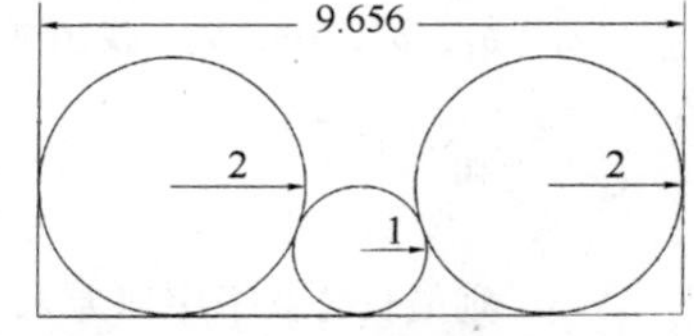

图 10-77 装圆问题样例

*10.48 设无向图 G 的边满足三角形不等式：$c_{u,v}+c_{v,w}\geq c_{u,w}$。指出如何计算值最多为最优路径两倍的旅行售货员环游。提示：构造最小生成树。

*10.49 假设你是邀请赛的经理，需要安排 $N=2^k$ 个运动员之间一轮罗宾邀请赛（robin tournament）。在这次邀请赛上，每人每天恰好

打一场比赛；$N-1$ 天后，每对选手间均已进行了比赛。给出一个递归算法安排比赛。

*10.50 a. 证明在一轮罗宾邀请赛中，总能够以顺序 p_{i_1}，p_{i_2}，…，p_{i_N} 安排运动员，使得对所有 $1 \leq j < N$，P_{i_j} 赢得对 $p_{i_{j+1}}$ 的比赛。

b. 给出一个 $O(N\log N)$ 算法来找出一种这样的安排。你的算法可以作为上一问(a)的证明。

*10.51 给定平面上 N 个点的集合 $P = p_1$，p_2，…，p_N。一个 Voronoi 图是将平面分成 N 个区域 R_i 的一个划分，使得 R_i 中所有的点比 P 中任何其他的点都更接近 p_i。图 10-78 显示 7 个(细心安排的)点的 Voronoi 图。给出一个 $O(N\log N)$ 算法构造 Voronoi 图。

*10.52 **凸多边形**(convex polygon)是具有如下性质的多边形：端点位于多边形上的任意线段全部落在该多边形中。**凸包**(convex hull)问题是找出一个将平面上的点集围住的(面积)最小的凸多边形。图 10-79 显示 40 个点的点集的凸包。给出找出凸包的一个 $O(N\log N)$ 算法。

503

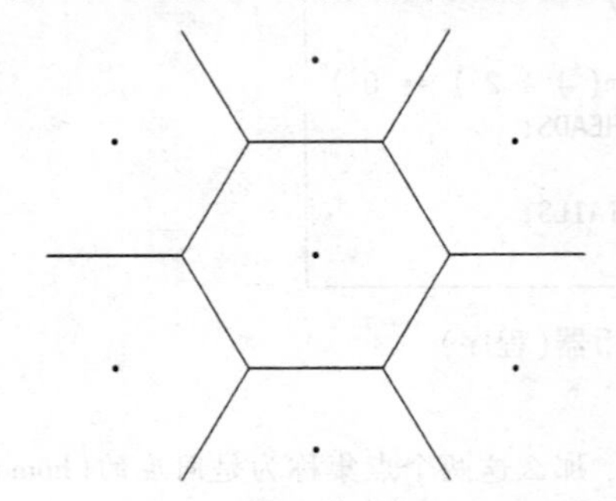

图 10-78 *Voronoi* 图

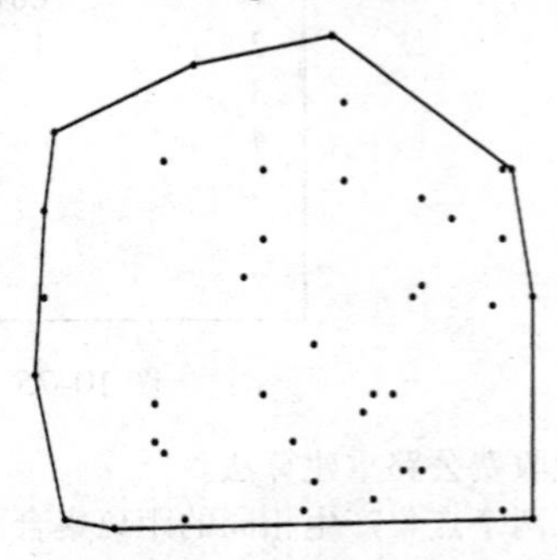

图 10-79 一个凸包的例子

*10.53 考虑正确调整一个段落的问题。段落由一系列长度分别为 a_1，a_2，…，a_N 的单词 w_1，w_2，…，w_N 组成，我们希望把它破成长度为 L 的一些行。单词间由空白分隔，空白的理想长度是 b(毫米)，但是空白在必要的时候可以伸长或收缩(不过必须大于0)，使得一行 $w_i w_{i+1} \cdots w_j$ 的长度恰好是 L。然而，对于每一个空白 b'我们要装填 $|b'-b|$ 个*丑点*(ugliness points)。不过，最后一行是例外，我们只在 $b'<b$ 的时候装填(换句话说，装填只在收缩的时候进行)，因为最后一行不需要调整。这样，如果 b_i 是在 a_i 和 a_{i+1}之间的空白的长度，那么任何一行(最后一行除外)$w_i w_{i+1} \cdots w_j (j>i)$的丑点设置为 $\sum_{k=i}^{j-1} |b_k - b| = (j-i)|b'-b|$，其中 b'是该行上空白的平均大小。这只在 $b'<b$ 时对最后一行适用，否则，最后一行根本不必装填丑点。

504

a. 给出一个动态规划算法来找出将 w_1，w_2，…，w_N 排成长度为 L 的一些行的最少的丑点设置。提示：对于 $i=N$，$N-1$，…，1，计算 w_i，w_{i+1}，…，w_N 的最好的排版方式。

b. 给出你的算法的时间和空间复杂度(作为单词个数 N 的函数)。

c. 考虑我们使用固定宽度字体的特殊情况，假设 b 的最优值为1(空格)。在这种情况下，不允许空白收缩，因为下一个最小的空白空间就是0。给出一个线性时间算法生成在这种情形的最少的丑点设置。

*10.54 *最长递增子序列*(longest increasing subsequence)问题如下：给定数 a_1，a_2，…，a_N，找出使得 $a_{i_1} < a_{i_2} < \cdots < a_{i_k}$ 且 $i_1 < i_2 < \cdots < i_k$ 的最大的 k 值。作为一个例子，如果输入为3，1，4，1，5，9，2，6，5，那么最大递增子列的长度为4(该子列为1，4，5，9)。给出一个$O(N^2)$算法求解最长递增子序列问题。

*10.55 *最长公共子序列*(longest common subsequence)问题如下：给定两个序列 $A = a_1$，a_2，…，a_M 和 $B = b_1$，b_2，…，b_N，找出 A 和 B 二者共有的最长子序列 $C = c_1$，c_2，…，c_k 的长度 k。例如，若

$$A = \text{d, y, n, a, m, i, c}$$

和

$$B = \text{p, r, o, g, r, a, m, m, i, n, g,}$$

则最长公共子序列为 a，m，i 其长度为3。给出一个算法求解最长公共子序列问题。你的算法应该以 $O(MN)$时间运行。

*10.56 字型匹配问题(pattern matching problem)如下：给定一个文本串 S 和一种字型 P，找出 P 在 S 中的首次出现。近似字型匹配(approximate pattern matching)允许三种类型的 k 次误匹配。

1. 字符在 S 中但不在 P 中。
2. 字符在 P 中但不在 S 中。
3. P 和 S 可以在一个位置上不同。

例如，若在串“data structures txtborpk”中搜索“textbook”允许最多三次误匹配，则我们找到一个匹配(插入一个 e，将一个 r 改变成 o，删除一个 p)。给出一个 $O(MN)$ 算法求解近似串匹配问题，其中 $M = |P|$ 以及 $N = |S|$。

*10.57 背包问题(knapsack problem)的一种形式如下：给定一个整数集合 $A = a_1, a_2, \cdots, a_N$ 以及整数 K。存在 A 的一个其和恰好为 K 子集吗？

a. 给出一个算法以时间 $O(NK)$ 求解背包问题。

b. 为什么它并不证明 $P = NP$？

505

*10.58 给你一个货币系统，它的硬币值 $c_1, c_2, \cdots, c_N$ 美分以递减顺序排列。

a. 给出一个算法计算找 K 美分零钱所需最小的硬币数。

b. 给出一个算法计算找 K 美分零钱的不同的方法数。

*10.59 考虑将 8 个皇后放到一张(8 行 8 列的)棋盘上的问题。两皇后被说成是互相对攻的，如果她们处在同一行，或同一列，或同一条(不必是主)对角线上。

a. 给出一个随机化算法将 8 个非对攻的皇后放到一张棋盘上。

b. 给出一个回溯算法解决同一个问题。

c. 实现这两个算法并比较它们的运行时间。

*10.60 在国际象棋中，在 R 行 C 列上的国王可以走到 $1 \leqslant R' \leqslant B$ 行和 $1 \leqslant C' \leqslant B$ 列处(其中 B 是棋盘的大小)，假设或者

$$|R - R'| = 2 \text{ 及 } |C - C'| = 1$$

或者

$$|R - R'| = 1 \text{ 及 } |C - C'| = 2$$

马的一次环游是马在棋盘上的一系列跳行，它恰好访问所有的方格一次并且最后又回到开始的位置。

a. 如果 B 是奇数，证明马的环游不存在。

b. 给出一个回溯算法找出马的一次环游。

10.61 考虑图 10-80 中的递归算法，该算法在一个无圈图中寻找从 s 到 t 的最短赋权路径。

506

a. 这个算法对于一般的图为什么行不通？

b. 证明该算法对无圈图可以运行到终止。

c. 该算法的最坏情形运行时间是多少？

10.62 令 A 为元素是 0 和 1 的 N 行 N 列矩阵。A 的子矩阵 S 由形成方阵的任意一组相邻项组成。

a. 设计一种 $O(N^2)$ 算法，该法确定 A 中 1 的最大子矩阵的阶数。例如，在下列矩阵中，这种最大的子矩阵是 4 行 4 列的方阵。

```
10 111 000
00 010 100
00 111 000
00 111 010
00 111 111
01 011 110
01 011 110
00 011 110
```

```
Distance shortest( s,t )
{
    Distance d_t, tmp;

    if( s == t )
        return 0;

    d_t  =  ∞;
    for each Vertex v adjacent to s
    {
        tmp = shortest(v,t );
        if( c_s,v + tmp < d_t)
            d_t  =  c_s,v + tmp;
    }
    return d_t;
}
```

图 10-80 递归的最短路径算法伪码

** b. 如果 S 不仅可以是方形而且还可以是矩形，重复 a 题的设计。最大的含义是由面积来度量的。

10.63 即使计算机有一步就能够立即赢棋的棋步，若它检测到另外一步也保证赢棋的棋，则它可能不走立即赢棋的棋步。一些早期的国际象棋程序在这一点上是有问题的，当检测到被迫的赢着时，它们陷入重复位置上的循环，因此使得对方宣布和棋。在三连游戏棋中没有这个问题，因为程序最终将赢棋。修改三连游戏棋算法，使得当找到赢棋位置时，导致最快赢棋的棋步总是被采纳。做法是：通过把 `9-depth` 加到 `COMP_WIN` 使得最快的赢棋给出最高的值。

10.64 编写一个程序对弈 5 行 5 列的五连游戏棋，其中 4 个在一行则赢棋。你能搜索到终端节点吗？

10.65 Boggle 游戏由字母的网格和一个单词表组成。游戏的目标是找出网格中的一些单词，它们满足约束：两个相邻的字母必须在网格中也相邻，并且网格中的每一项在每个单词中最多使用一次。编写进行 Boggle 游戏的程序。

10.66 编写进行 MAXIT 游戏的程序。棋盘是 N 行 N 列的网格，游戏开始时这些网格随机放入整数。指定一个位置为当前的初始位置。游戏双方交替行棋。每轮行棋的一方必须在当前的行或列上选取一个网格元素，所选位置的值则被加到游戏者的得分中，并且这个位置就变成了当前位置不能再选用。游戏双方轮流下棋直到当前行和列上的网格元素都被选过，此时游戏终止，得到高分的游戏者获胜。

10.67 奥赛罗棋(五子棋)在 6 行 6 列的棋盘上进行，而且总是黑方赢棋。编写一个程序证明之。如果双方都弈至最优，那么最后的得分是多少？

507

参考文献

哈夫曼编码的原始论文为[25]。该算法的各种变形在[33]、[36]和[37]中讨论。另一种流行的压缩方案是 Ziv-Lempel 编码[67]、[68]。这里的编码具有固定的长度，它们代表串而不是字符。[9]和[39]是对普通压缩方案的优秀综述。

装箱问题探测法的分析最初出现在 Johnson 的博士论文并在[26]中发表。对于首次适合及首次适合递减算法的界的加常数改进，分别在[63]和[16]中给出。在练习 10.8 中给出的联机装箱问题改进的下界来自论文[64]；这个结果在[41]和[61]中得到进一步的改进。[54]则描述了对联机装箱问题的另一种处理方法。

定理 10.7 取自文献[8]。最近点算法出自[56]。[58]描述了收费公路重建问题及其应用。指数最坏情形的输入由[66]给出。在计算几何方面的书包括[17]、[50]、[45]和[46]。[2]包含了在麻省理工学院所教计算几何课程的讲稿，它包括一个广泛的文献目录。

线性时间选择算法出自论文[10]。选择中位数的最佳界目前是 ~2.95N 次比较[15]。[20]讨论以 1.5N 次期望比较找出中位数的取样方法。$O(N^{1.59})$ 的乘法来自[27]。在[11]和[29]中讨论了若干推广。Strassen 算法出自短文[59]，这篇论文叙述一些结果，此外没有太多的内容。Pan[47]给出了若干分治算法，包括练习 10.28 中的算法。已知最好的界是 $O(N^{2.376})$，该结果归因于 Coppersmith 和 Winograd[14]。

动态规划的经典文献是著作[6]和[7]。矩阵排序问题最初在[22]中研究。论文[24]证明该问题可以以 $O(N\log N)$ 时间求解。

Knuth[30]提供一个 $O(N^2)$ 算法构建最优二叉查找树。所有点对的最短路径算法出自 Floyd[19]。理论上更好的 $O(N^3(\log\log N/\log N)^{1/3})$ 算法由 Fredman[21]给出，不过它并不实用，这倒没有什么奇怪。稍微改进的界(指数为 1/2 而不是 1/3)在[60]给出；目前最佳界是 $O(N^3\sqrt{\log\log N}/\log N)$[69]相关的结果也见于[4]。对于无向图，所有点对问题可在 $O(|E||V|\log\alpha(|E|,|V|))$ 时间求解，其中，α 之前在第 8 章的 union/find 分析中见过[49]。在某些条件下，动态规划的运行时间可以自动地改进 N 的一个因子或更多，这在练习 10.34、论文[18]和[56]中都有讨论。

随机数发生器的讨论基于[48]。Park 和 Miller 把轻便的实现方法归因于 Schrage[57]。跳跃表由 Pugh 在[51]中讨论。另一种结构(即 treap 树)在第 12 章讨论。随机化素性测试算法属于 Miller[42]和 Rabin[53]。A 的最多 $(N-9)/4$ 个值将会使算法失误的定理源于 Monier[43]。在 2002 年，一种 $O(d^{12})$ 的确定型多项式时间素性测试算法被发现[3]，此后一个改进的运行时间为 $O(d^6)$ 算法被找到[40]。然而，这些算法要比随机化算法慢得多。另外一些随机化算法在[52]中讨论。随机化技巧的更多的例子可在[24]、[28]和[44]中找到。

508

关于 α-β 裁减更多的信息可以查阅[1]、[31]和[34]。一些下国际象棋、西洋跳棋、奥赛罗棋以及十五子棋的顶尖级的程序均已在 90 年代达到世界等级的状态。世界领先的西洋跳棋程序 Chinook 已经在 2007 年被改进到不大可能输棋的地步[55]。[38]描述一个奥赛罗棋的程序。这篇论文出自计算机游戏(大部分是国际象棋)专刊，这个专刊是思想的金矿。其中有一篇论文描述当棋盘上只有少数棋子的时候使用动态规划彻底解决残局的下棋方法。1989 年，相关的研究已经导致在某些情况下 50 步规则的改变(后来于 1992 年撤销)。

练习 10.42 在[9]中解决。确定没有重复距离的同度(homometric)点集对于 $N>6$ 是否存在是一个尚未解决的问题。Christofides[13]给出了练习 10.48 的一种解法，此外还给出一个最多以 3/2 倍最优时间生成一个环游的算法。练习 10.53 在[32]中讨论。练习 10.56 在[62]中解决。在[35]中给出一个 $O(kN)$ 算法。练习 10.58 在[12]中讨论，但不要被这篇论文的标题所误导。

1. B. Abramson, "Control Strategies for Two-Player Games," *ACM Computing Surveys,* 21 (1989), 137–161.
2. A. Aggarwal and J. Wein, *Computational Geometry: Lecture Notes for 18.409,* MIT Laboratory for Computer Science, 1988.
3. M. Agrawal, N. Kayal, and N. Saxena, "Primes in P (preprint)" (2002) (see http://www.cse.iitk.ac.in/news/primality.pdf).
4. N. Alon, Z. Galil, and O. Margalit, "On the Exponent of the All-Pairs Shortest Path Problem," *Proceedings of the Thirty-Second Annual Symposium on the Foundations of Computer Science* (1991), 569–575.
5. T. Bell, I. H. Witten, and J. G. Cleary, "Modeling for Text Compression," *ACM Computing Surveys,* 21 (1989), 557–591.
6. R. E. Bellman, *Dynamic Programming,* Princeton University Press, Princeton, N. J., 1957.
7. R. E. Bellman and S. E. Dreyfus, *Applied Dynamic Programming,* Princeton University Press, Princeton, N.J., 1962.
8. J. L. Bentley, D. Haken, and J. B. Saxe, "A General Method for Solving Divide-and-Conquer Recurrences," *SIGACT News,* 12 (1980), 36–44.
9. G. S. Bloom, "A Counterexample to the Theorem of Piccard," *Journal of Combinatorial Theory A* (1977), 378–379.
10. M. Blum, R. W. Floyd, V. R. Pratt, R. L. Rivest, and R. E. Tarjan, "Time Bounds for Selection," *Journal of Computer and System Sciences,* 7 (1973), 448–461.
11. A. Borodin and J. I. Munro, *The Computational Complexity of Algebraic and Numerical Problems,* American Elsevier, New York, 1975.
12. L. Chang and J. Korsh, "Canonical Coin Changing and Greedy Solutions," *Journal of the ACM,* 23 (1976), 418–422.
13. N. Christofides, "Worst-case Analysis of a New Heuristic for the Traveling Salesman Problem," *Management Science Research Report #388,* Carnegie-Mellon University, Pittsburgh, Pa., 1976.
14. D. Coppersmith and S. Winograd, "Matrix Multiplication via Arithmetic Progressions," *Proceedings of the Nineteenth Annual ACM Symposium on the Theory of Computing* (1987), 1–6.
15. D. Dor and U. Zwick, "Selecting the Median," *SIAM Journal on Computing,* 28 (1999), 1722–1758.
16. G. Dosa, "The Tight Bound of First Fit Decreasing Bin-Packing Algorithm Is FFD (I)=(11/9)OPT(I)+6/9," *Combinatorics, Algorithms, Probabilistic and Experimental Methodologies* (ESCAPE 2007), (2007), 1–11.
17. H. Edelsbrunner, *Algorithms in Combinatorial Geometry,* Springer-Verlag, Berlin, 1987.
18. D. Eppstein, Z. Galil, and R. Giancarlo, "Speeding up Dynamic Programming," *Proceedings of the Twenty-ninth Annual IEEE Symposium on the Foundations of Computer Science* (1988), 488–495.
19. R. W. Floyd, "Algorithm 97: Shortest Path," *Communications of the ACM,* 5 (1962), 345.
20. R. W. Floyd and R. L. Rivest, "Expected Time Bounds for Selection," *Communications of the ACM,* 18 (1975), 165–172.

509

21. M. L. Fredman, "New Bounds on the Complexity of the Shortest Path Problem," *SIAM Journal on Computing,* 5 (1976), 83–89.
22. S. Godbole, "On Efficient Computation of Matrix Chain Products," *IEEE Transactions on Computers,* 9 (1973), 864–866.
23. R. Gupta, S. A. Smolka, and S. Bhaskar, "On Randomization in Sequential and Distributed Algorithms," *ACM Computing Surveys,* 26 (1994), 7–86.
24. T. C. Hu and M. R. Shing, "Computations of Matrix Chain Products, Part I," *SIAM Journal on Computing,* 11 (1982), 362–373.
25. D. A. Huffman, "A Method for the Construction of Minimum Redundancy Codes," *Proceedings of the IRE,* 40 (1952), 1098–1101.
26. D. S. Johnson, A. Demers, J. D. Ullman, M. R. Garey, and R. L. Graham, "Worst-case Performance Bounds for Simple One-Dimensional Packing Algorithms," *SIAM Journal on Computing,* 3 (1974), 299–325.
27. A. Karatsuba and Y. Ofman, "Multiplication of Multi-digit Numbers on Automata," *Doklady Akademii Nauk SSSR,* 145 (1962), 293–294.
28. D. R. Karger, "Random Sampling in Graph Optimization Problems," Ph. D. thesis, Stanford University, 1995.
29. D. E. Knuth, *The Art of Computer Programming, Vol 2: Seminumerical Algorithms,* 3d ed., Addison-Wesley, Reading, Mass., 1998.
30. D. E. Knuth, "Optimum Binary Search Trees," *Acta Informatica,* 1 (1971), 14–25.
31. D. E. Knuth, "An Analysis of Alpha-Beta Cutoffs," *Artificial Intelligence,* 6 (1975), 293–326.
32. D. E. Knuth, *TEX and Metafont, New Directions in Typesetting,* Digital Press, Bedford, Mass., 1981.
33. D. E. Knuth, "Dynamic Huffman Coding," *Journal of Algorithms,* 6 (1985), 163–180.
34. D. E. Knuth and R. W. Moore, "Estimating the Efficiency of Backtrack Programs," *Mathematics of Computation,* 29 (1975), 121–136.
35. G. M. Landau and U. Vishkin, "Introducing Efficient Parallelism into Approximate String Matching and a New Serial Algorithm," *Proceedings of the Eighteenth Annual ACM Symposium on Theory of Computing* (1986), 220–230.
36. L. L. Larmore, "Height-Restricted Optimal Binary Trees," *SIAM Journal on Computing,* 16 (1987), 1115–1123.
37. L. L. Larmore and D. S. Hirschberg, "A Fast Algorithm for Optimal Length-Limited Huffman Codes," *Journal of the ACM,* 37 (1990), 464–473.
38. K. Lee and S. Mahajan, "The Development of a World Class Othello Program," *Artificial Intelligence,* 43 (1990), 21–36.
39. D. A. Lelewer and D. S. Hirschberg, "Data Compression," *ACM Computing Surveys,* 19 (1987), 261–296.
40. H. W. Lenstra, Jr. and C. Pomerance, "Primality Testing with Gaussian Periods," manuscript (2003).
41. F. M. Liang, "A Lower Bound for On-line Bin Packing," *Information Processing Letters,* 10 (1980), 76–79.
42. G. L. Miller, "Riemann's Hypothesis and Tests for Primality," *Journal of Computer and System Sciences,* 13 (1976), 300–317.
43. L. Monier, "Evaluation and Comparison of Two Efficient Probabilistic Primality Testing Algorithms," *Theoretical Computer Science,* 12 (1980), 97–108.
44. R. Motwani and P. Raghavan, *Randomized Algorithms,* Cambridge University Press, New York, 1995.
45. K. Mulmuley, *Computational Geometry: An Introduction Through Randomized Algorithms,* Prentice Hall, Englewood Cliffs, N.J., 1994.
46. J. O'Rourke, *Computational Geometry in C,* Cambridge University Press, New York, 1994.
47. V. Pan, "Strassen's Algorithm Is Not Optimal," *Proceedings of the Nineteenth Annual IEEE Symposium on the Foundations of Computer Science* (1978), 166–176.
48. S. K. Park and K. W. Miller, "Random Number Generators: Good Ones Are Hard to Find,"

510

Communications of the ACM, 31 (1988), 1192–1201. (See also *Technical Correspondence,* in 36 (1993) 105–110.)

49. S. Pettie and V. Ramachandran, "A Shortest Path Algorithm for Undirected Graphs," *SIAM Journal on Computing*, 34 (2005), 1398–1431.
50. F. P. Preparata and M. I. Shamos, *Computational Geometry: An Introduction,* Springer-Verlag, New York, 1985.
51. W. Pugh, "Skip Lists: A Probabilistic Alternative to Balanced Trees," *Communications of the ACM,* 33 (1990), 668–676.
52. M. O. Rabin, "Probabilistic Algorithms," in *Algorithms and Complexity, Recent Results and New Directions* (J. F. Traub, ed.), Academic Press, New York, 1976, 21–39.
53. M. O. Rabin, "Probabilistic Algorithms for Testing Primality," *Journal of Number Theory,* 12 (1980), 128–138.
54. P. Ramanan, D. J. Brown, C. C. Lee, and D. T. Lee, "On-line Bin Packing in Linear Time," *Journal of Algorithms,* 10 (1989), 305–326.
55. J. Schaeffer, N. Burch, Y. Björnsson, A. Kishimoto, M. Müller, R. Lake, P. Lu, and S. Sutphen, "Checkers in Solved," *Science*, 317 (2007), 1518–1522.
56. M. I. Shamos and D. Hoey, "Closest-Point Problems," *Proceedings of the Sixteenth Annual IEEE Symposium on the Foundations of Computer Science* (1975), 151–162.
57. L. Schrage, "A More Portable FORTRAN Random Number Generator," *ACM Transactions on Mathematics Software,* 5 (1979), 132–138.
58. S. S. Skiena, W. D. Smith, and P. Lemke, "Reconstructing Sets from Interpoint Distances," *Proceedings of the Sixth Annual ACM Symposium on Computational Geometry* (1990), 332–339.
59. V. Strassen, "Gaussian Elimination Is Not Optimal," *Numerische Mathematik,* 13 (1969), 354–356.
60. T. Takaoka, "A New Upper Bound on the Complexity of the All-Pairs Shortest Path Problem," *Information Processing Letters,* 43 (1992), 195–199.
61. A. van Vliet, "An Improved Lower Bound for On-Line Bin Packing Algorithms," *Information Processing Letters,* 43 (1992), 277–284.
62. R. A. Wagner and M. J. Fischer, "The String-to-String Correction Problem," *Journal of the ACM,* 21 (1974), 168–173.
63. B. Xia and Z. Tan, "Tighter Bounds of the First Fit Algorithm for the Bin-packing Problem," *Discrete Applied Mathematics*, (2010), 1668–1675.
64. A. C. Yao, "New Algorithms for Bin Packing," *Journal of the ACM,* 27 (1980), 207–227.
65. F. F. Yao, "Efficient Dynamic Programming Using Quadrangle Inequalities," *Proceedings of the Twelfth Annual ACM Symposium on the Theory of Computing* (1980), 429–435.
66. Z. Zhang, "An Exponential Example for a Partial Digest Mapping Algorithm," *Journal of Computational Molecular Biology,* 1 (1994), 235–239.
67. J. Ziv and A. Lempel, "A Universal Algorithm for Sequential Data Compression," *IEEE Transactions on Information Theory* IT23 (1977), 337–343.
68. J. Ziv and A. Lempel, "Compression of Individual Sequences via Variable-rate Coding," *IEEE Transactions on Information Theory* IT24 (1978), 530–536.
69. U. Zwick, "A Slightly Improved Sub-cubic Algorithm for the All Pairs Shortest Paths Problem with Real Edge Lengths," *Proceedings of the 15th International Symposium on Algorithms and Computation (2004)*, 921–932.

511

512

第 11 章

Data Structures and Algorithm Analysis in Java, Third Edition

摊 还 分 析

在这一章，我们将对在第 4 章和第 6 章出现的几种高级数据结构的运行时间进行分析，特别是我们将考虑任意顺序的 M 次操作的最坏情形运行时间。这与较一般的分析有所不同，后者是对任意单次的操作给出最坏情形的时间界。

例如，我们已经看到 AVL 树以每次操作 $O(\log N)$ 最坏情形时间支持标准的树操作。AVL 树在实现上多少有些复杂，这不仅是因为存在许多的情形，而且还因为高度平衡信息必须保存和正确地更新。使用 AVL 树的原因在于，对非平衡查找树的一系列 $\Theta(N)$ 操作可能需要 $\Theta(N^2)$ 时间，这样一来花费就昂贵了。对于查找树来说，一次操作的 $O(N)$ 最坏情形运行时间并不是真正的问题，主要的问题是这种情形可能反复发生。伸展树(splay tree)提供一种可喜的方法，虽然任意操作可能仍然需要 $\Theta(N)$ 时间，但是这种退化行为不可能反复发生，而且我们可以证明，任意顺序的 M 次操作(总共)花费 $O(M \log N)$ 最坏情形时间。因此，在长时间运行中这种数据结构的行为就像是每次操作花费 $O(\log N)$ 时间。我们把它称为**摊还时间界**(amortized time bound)。

摊还界比对应的最坏情形界弱，因为它对任意单次操作不能提供保障。由于这个问题通常并不重要，因此如果能够对一系列操作保持相同的界同时又简化数据结构，那么我们愿意牺牲单次操作的界。摊还界比相同的平均情形界要强。例如，二叉查找树每次操作的平均时间为 $O(\log N)$，但是对于连续 M 次操作仍可能花费 $O(MN)$ 时间。

因为得到摊还界需要查看整个操作序列而不是仅仅一次操作，所以我们希望我们的分析更具技巧性。我们将看到这种期望一般会实现。

本章我们将：

- 分析二项队列操作。
- 分析斜堆。
- 介绍并分析斐波那契堆。
- 分析伸展树。

513

11.1 一个无关的智力问题

考虑下列问题：将两个小猫放在足球场的对面，相距 100 码。它们以每分钟 10 码的速度相向行走。同时，这两个小猫的母亲在足球场的一端，她可以以每分钟 100 码的速度跑步。猫妈妈从一个小猫跑到另一只小猫，来回轮流跑而速度不减，一直跑到两个小猫(从而它们的猫妈妈也)在中场相遇。问猫妈妈跑了多远？

使用蛮力计算不难解决这个问题。我们把细节留给读者，不过，预计这个计算将涉及计算无穷几何级数的和。虽然这种直接计算能够得到答案，但是实际上通过引入一个附加变量(即时间)，可以得到简单得多的解法。

因为两个小猫相距 100 码远而且以每分钟 20 码的和速度互相接近，所以他们花 5 分钟即可到达中场。由于猫妈妈每分钟跑 100 码，因此她跑的总距离是 500 码。

这个问题阐述了一个思路，即有时候间接求解一个问题要比直接求解容易。我们将要进行的摊还分析将用到这个思路。我们将引入一个附加变量，叫作**位势**(potential)，它使我们能够证明若不引入位势很难建立的一些结果。

11.2 二项队列

我们将要考查的第一个数据结构是第 6 章中的二项队列，现在我们进行简要的复习。可知，**二项树**(binomial tree)B_0 是一棵单节点树，且 $k>0$，二项树 B_k 通过将两棵二项树 B_{k-1} 合并到一起而得到。二项树 B_0 到 B_4 如图 11-1 所示。

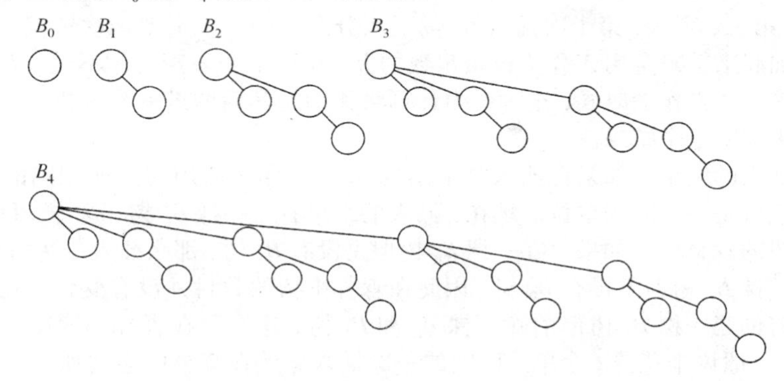

图 11-1　二项树 B_0，B_1，B_2，B_3 和 B_4

一棵二项树的节点的**秩**(rank)等于它的子节点的个数；特别地，B_k 的根节点的秩为 k。二项队列是堆序的二项树的集合，在这个集合中对于任意的 k 最多可以存在一棵二项树 B_k。图 11-2 显示两个二项队列 H_1 和 H_2。

最重要的操作是 merge(合并)。为了合并两个二项队列，需要执行类似于二进制整数加法的操作：在任一阶段，可以有零、一、二或三棵 B_k 树，它依赖于两个优先队列是否包含一棵 B_k 树以及是否有一棵 B_k 树从前一步转入。如果存在零棵或一棵 B_k 树，那么它就作为一棵树被放到合并后的二项队列中；如果有两棵 B_k 树，那么它们被合并成一棵 B_{k+1} 树并且被并入到结果中；如果有三棵 B_k 树，那么将一棵作为树放入到二项队列中而另两棵则合并成一棵且被并入到结果中。H_1 和 H_2 合并的结果如图 11-3 所示。

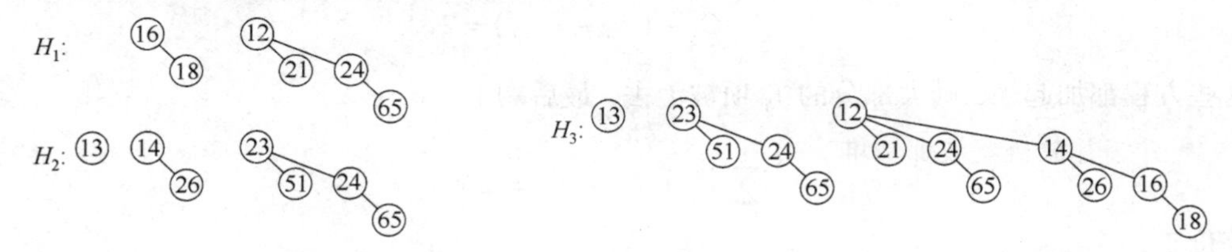

图 11-2　两个二项队列 H_1 和 H_2　　　　图 11-3　二项队列 H_3：合并 H_1 和 H_2 的结果

插入操作通过创建一个单节点二项队列并执行一次 merge 来完成。做这项工作所用的时间为 $M+1$，其中 M 代表不在该二项队列中的二项树 B_M 的最小型号。因此，向一个有一棵 B_0 树但没有 B_1 树的二项队列进行的插入操作需要两步。删除最小元通过把最小元除去并将原二项队列分裂成两个二项队列然后再将它们合并来完成。第 6 章给出了对这些操作的比较详细的解释。

514

我们首先考虑一个非常简单的问题。假设要建立一个含有 N 个元素的二项队列。我们知道，建立一个含有 N 个元素的二叉堆可以以 $O(N)$ 时间完成，因此我们希望对于二项队列也有一个类似的界。

声明：N 个元素的二项队列可以通过 N 次相继插入而以时间 $O(N)$ 建成。

这个声明如果成立，那么它就给出一个极其简单的算法。由于每次插入的最坏情形时间是 $O(\log N)$，因此，这个声明是否成立并不是显然的。前面讨论过，如果将该算法应用到二叉堆，则运行时间将是 $O(N\log N)$。

要想证明该声明，可以直接进行计算。为了测出运行时间，我们将每次插入的代价定义为一个时间单位加上每一步链接的一个附加单位。将所有插入的时间代价求和就得到总的运行时间。这个总的时间为 N 个单位加上总的链接步数。第一、第三、第五以及所有编号为奇数不需要链接的步骤，因为在插入时 B_0 不出现。因此，有一半的插入不需要链接，四分之一的插入只需要一次链接(第二、第六、第十次插入等等)，八分之一的插入需要两次链接，等等。我们可以把所有这些加起来并确定用 N 作为链接步数的界，从而证明该声明。不过，当我们试图分析一系列不仅仅是插入操作的时候，这种蛮力计算将无助于其后的进一步分析，因此我们将使用另外一种方法来证明这个结果。

考虑一次插入的结果。如果在插入时不出现 B_0 树，那么使用与上面相同的计数方法可知这次插入的总代价是一个时间单位。现在，插入的结果有了一棵 B_0 树，这样，我们已经把一棵树添加到二项树的森林中。如果存在一棵 B_0 树但是没有 B_1 树，那么插入花费两个单元的时间。新的森林将有一棵 B_1 树但不再有 B_0 树，因此在森林中树的数目并没有变化。花费三个单元时间的一次插入将创建一棵 B_2 树但消除一棵 B_0 和 B_1 树，这导致在森林中净减少一棵树。事实上，容易看到，一般说来花费 c 个单元时间的一次插入导致在森林中净增加 $2-c$ 棵树，这是因为创建了一棵 B_{c-1} 树而消除了所有的 B_i 树，$0 \leqslant i < c-1$。因此，代价昂贵的插入操作删除一些树，而低廉的插入却创建一些树。

令 C_i 是第 i 次插入的代价。令 T_i 为第 i 次插入后的树的棵数。$T_0=0$ 为树的初始棵数。此时我们得到不变式

$$C_i + (T_i - T_{i-1}) = 2 \tag{11.1}$$

于是

515
~
516

$$\begin{aligned} C_1 + (T_1 - T_0) &= 2 \\ C_2 + (T_2 - T_1) &= 2 \\ &\vdots \\ C_{N-1} + (T_{N-1} - T_{N-2}) &= 2 \\ C_N + (T_N - T_{N-1}) &= 2 \end{aligned}$$

把这些方程都加起来，则大部分的 T_i 项被消去，最后剩下

$$\sum_{i=1}^{N} C_i + T_N - T_0 = 2N$$

或等价于，

$$\sum_{i=1}^{N} C_i = 2N - (T_N - T_0)$$

考虑到 $T_0=0$ 以及 N 次插入后的树的棵数 T_N 确实为非负，因此$(T_N - T_0)$非负。于是

$$\sum_{i=1}^{N} C_i \leqslant 2N$$

这就证明了我们的声明。

在 `buildBinomialQueue` 例程运行期间，每一次插入都有一个最坏情形运行时间 $O(\log N)$，但是由于整个例程最多用到 $2N$ 个单位的时间，因此这些插入的行为就像是每次使用不多于两个单位的时间。

这个例子阐明了我们将要使用的一般技巧。数据结构在任一时刻的状态由一个称为位势(potential)的函数给出。这个位势函数不由程序存储，而是一个计数装置，该装置将帮助分析。当一些操作花费少于我们允许它们使用的时间时，则没有用到的时间就以一个更高位势的形式“存储”起来。在我们的例子中，数据结构的位势就是树的棵数。在上面的分析中，当有一些插入只用到一个单位而不是规定的两个单位的时候，则这个额外的单位通过增加位势而被存储起来以备其后使用。当操作出现超出规定的时间时，则超出的时间通过位势的减少来计算。可

以把位势看做是一个储蓄账户。如果一次操作使用了少于指定的时间，那么这个差额就被存储起来以备后面更昂贵的操作使用。图 11-4 显示由 buildBinomialQueue 对一系列插入操作所使用的累积的运行时间。可以看到，运行时间从不超过 $2N$ 而且在任一次插入后二项队列中的位势计量着存储量。

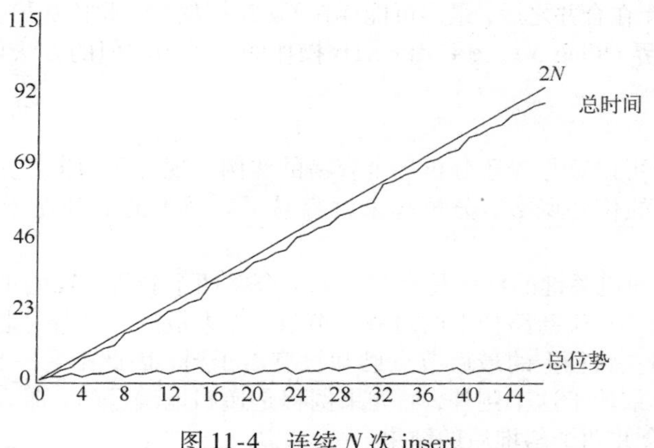

图 11-4　连续 N 次 insert

一旦位势函数被选定，就可写出主要的方程：

$$T_{actual} + \Delta Potential = T_{amortized} \tag{11.2}$$

T_{actual}（一次操作的实际时间），代表需要执行一次特定操作需要的精确时间量。例如在二叉查找树中，执行一次 contains(x) 的实际时间是 1 加上包含 x 的节点的深度。如果将整个序列的基本方程加起来，并且最后的位势至少像初始位势一样大，那么摊还时间就是在操作序列执行期间所用到的实际时间的一个上界。注意，当 T_{actual} 在从一个操作到另一操作变化时，$T_{amortized}$ 却是稳定的。

选择一个位势函数以确保一个有意义的界是一项艰难的工作；不存在一种实用的方法。一般说来，在尝试过许多位势函数以后才能够找到一个合适的函数。不过，上面的讨论提出一些法则，这些法则告诉我们好的位势函数所具有的一些性质。位势函数应该：

517

- 总假设它的最小值位于操作序列的开始处。选择位势函数的一种常用方法是保证位势函数初始值为 0，且总是非负的。我们将要遇到的所有例子都使用这种方法。
- 消去实际时间中的一项。在我们的例子中，如果实际的花费是 c，那么位势改变为 $2-c$。当把这些加起来就得到摊还花费是 2，这在图 11-5 中表出。

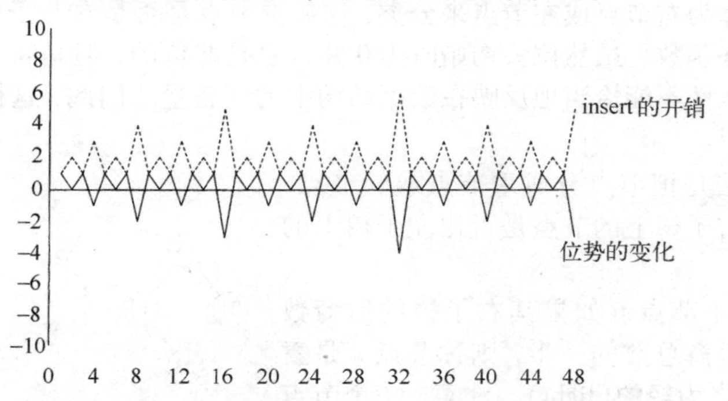

图 11-5　在一系列操作中插入的花费和每一次操作的位势变化

现在我们可以对二项队列操作进行完整的分析。

定理 11.1　insert，deletMin，以及 merge 对于二项队列的摊还运行时间分别是 $O(1)$，$O(\log N)$ 和 $O(\log N)$。

证明：

位势函数是树的棵数。初始的位势函数为0，且位势总是非负的，因此摊还时间是实际时间的一个上界。对 insert 的分析从上面的论证可以得到。对于 merge，假设两棵树分别有 N_1 和 N_2 个节点以及对应的 T_1 和 T_2 棵树。令 $N=N_1+N_2$，执行合并的实际时间为 $O(\log(N_1)+\log(N_2))=O(\log N)$。在合并之后，最多可能存在 $\log N$ 棵树，因此位势最多可以增加 $O(\log N)$。这就给出一个摊还的界 $O(\log N)$。deleteMin 操作的界可用类似的方法得到。 □

518

11.3 斜堆

二项队列的分析可以算是摊还分析一个容易的实例。现在我们来考察斜堆。像许多的例子一样，一旦找到正确的位势函数，分析起来就容易了。困难的部分在于选择一个有意义的位势函数。

对于斜堆，我们知道关键的操作是合并。为了合并两个斜堆，我们把它们的右路径合并并使之成为新的左路径。对于新路径上的每一个节点，除去最后一个外，老的左子树作为右子树而附于其上。在新的左路径上的最后节点已知没有右子树，因此给它一棵右子树就不明智了。我们所要考虑的界不依赖于这个例外，而如果例程是递归地编写的，那么这又是自然要发生的情况。图 11-6 显示合并两个斜堆后的结果。

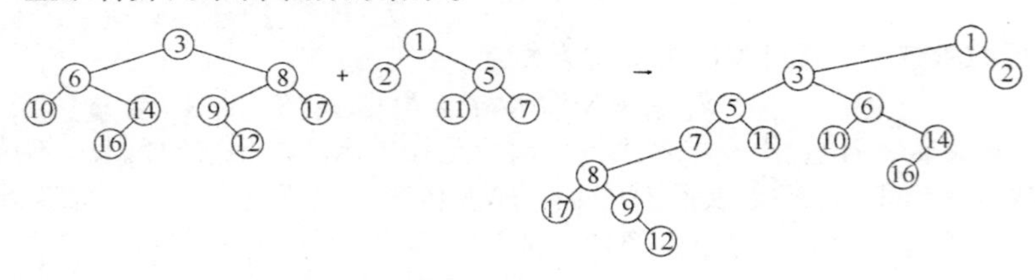

图 11-6 合并两个斜堆

设有两个斜堆 H_1 和 H_2 并在各自的右路径上分别有 r_1 和 r_2 个节点。此时，执行合并的实际时间与 r_1+r_2 成正比，因此我们将省去大 O 记法而对右路径上的每一个节点取一个单位的时间。由于这些堆没有固定的结构，因此两个堆的所有节点都位于右路径上的情况是可能发生的，而这将给出合并两个堆的最坏情形的界 $\Theta(N)$（练习 11.3 要求构造一个例子）。我们将证明合并两个斜堆的摊还时间为 $O(\log N)$。

现在需要的是能够获得斜堆操作效果的某种类型的位势函数。我们知道，一次 merge 的效果是处在右路径上的每一个节点都被移到左路径上，而其原左儿子变成新的右儿子。一种想法是把每一个节点算为右节点或左节点来分类，这要看节点是否是右儿子来定，这时我们把右节点的个数作为位势函数。虽然位势初始时为0并且总是非负的，但是问题在于这种位势在一次合并后并不减少从而不能恰当地反映在数据结构中的储备量。因此，这样的位势函数不能够用来证明所要求的界。

519

一个类似的想法是把节点分成重节点或轻节点，这要看任一节点的右子树上的节点是否比左子树上的节点多来确定。

定义 11.1 一个节点 p 如果其右子树的后裔数至少是该 p 节点的后裔总数的一半，则称节点 p 是**重的**(heavy)，否则称之为**轻的**(light)。注意，一个节点的后裔个数包括该节点本身。

例如，图 11-7 表示一个斜堆。关键字为 15，3，6，12 和 7 的节点是重节点，而所有其他节点都是轻节点。

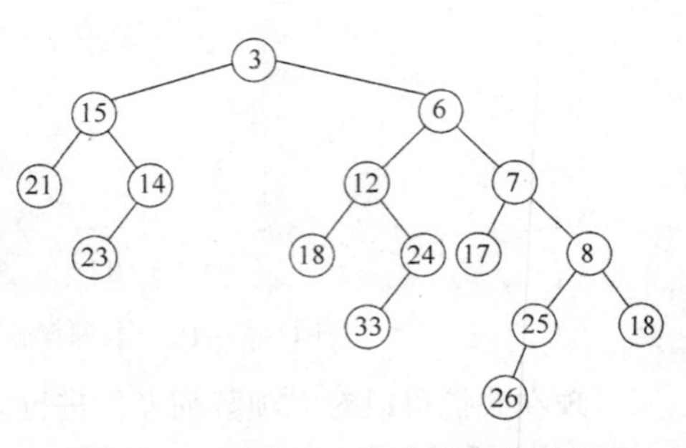

图 11-7 斜堆——其中的重节点是 3，6，7，12 和 15

我们将要使用的位势函数是这些堆(的集合)中的重节点的个数。看起来这可能是一种好的选择，因为一条长的右路径将包含非常多的重节点。由于这条路径上的节点将要交换它们的子节点，因此这些节点将被转变成合并结果中的轻节点。 [520]

定理 11.2 合并两个斜堆的摊还时间为 $O(\log N)$。

证明：

令 H_1 和 H_2 为两个堆，分别具有 N_1 和 N_2 个节点。设 H_1 的右路径有 l_1 个轻节点和 h_1 个重节点，共有 l_1+h_1 个节点。同样，H_2 在其右路径上有 l_2 个轻节点和 h_2 个重节点，共有 l_2+h_2 个节点。

如果我们采用约定：合并两个斜堆的花费是它们右路径上节点的总数，那么执行合并的实际时间就是 $l_1+h_1+l_2+h_2$。现在，其重/轻状态能够改变的节点只是那些最初位于右路径上的节点(并最后出现在左路径上)，因为再没有别的节点的子树被交换。这可参见图 11-8 中的例子。

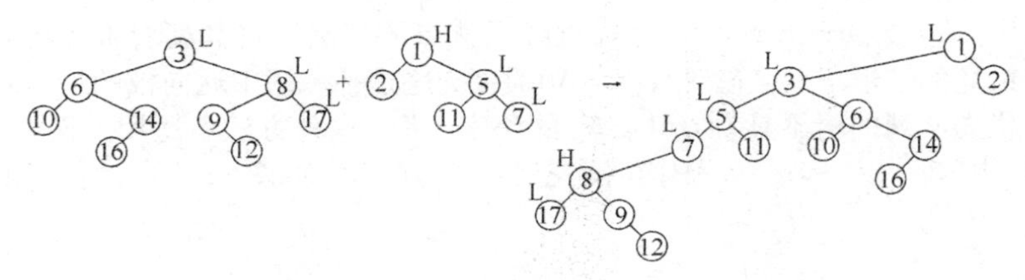

图 11-8 合并后重/轻状态的变化

如果一个重节点最初是在右路径上，那么在合并后它必然成为一个轻节点。位于右路径上的其余节点是轻节点，它们可能变成也可能变不成重节点，但是由于我们要证明一个上界，因此必须假设最坏的情况，即它们都变成了重节点并使得位势增加。此时，重节点个数的净变化最多为 $l_1+l_2-h_1-h_2$。把实际时间和位势的变化(方程(11.2))加起来则得到一个摊还界 $2(l_1+l_2)$。

现在必须证明 $l_1+l_2=O(\log N)$。由于 l_1 和 l_2 是原右路径上轻节点的个数，而一个轻节点的右子树小于以该轻节点为根的树的大小的一半，由此直接推出右路径上轻节点的个数最多为 $\log N_1+\log N_2$，这就是 $O(\log N)$。

注意到初始的位势为 0 而且位势总是非负的，我们的证明也就完成了。验证这一点很重要，否则摊还时间就不能成为实际时间的界而且也就没有意义了。 □

由于 `insert` 和 `deleteMin` 操作基本上就是一些 `merge`，因此它们的摊还界也是 $O(\log N)$。 [521]

11.4 斐波那契堆

在 9.3.2 节我们指出如何使用优先队列来改进 Dijkstra 最短路径算法粗略的运行时间 $O(|V|^2)$。重要的观察结果是运行时间被 $|E|$ 次 `decreaseKey` 操作和 $|V|$ 次 `insert` 和 `deleteMin` 操作所控制。这些操作发生在大小最多为 $|V|$ 的集合上。通过使用二叉堆，所有这些操作花费 $O(\log|V|)$ 时间，因此 Dijkstra 算法最后的界可以减到 $O(|E|\log|V|)$。

为了降低这个时间界，必须改进执行 `decreaseKey` 操作所需要的时间。我们在 6.5 节所描述的 d-堆给出对于 `decreaseKey` 操作以及 `insert` 操作的 $O(\log_d|V|)$ 时间界，但对 `deleteMin` 的界则是 $O(d\log_d|V|)$。通过选择 d 来平衡带有 $|V|$ 次 `deleteMin` 操作的 $|E|$ 次 `decreaseKey` 操作的开销，并考虑到 d 必须总是至少为 2，那么我们看到 d 的一个好的选择是

$$d=\max(2,\lfloor|E|/|V|\rfloor)$$

它把 Dijkstra 算法的时间界改进到

$$O(|E|\log_{(2+\lfloor|E|/|V|\rfloor)}|V|)$$

斐波那契堆是以 $O(1)$ 摊还时间支持所有基本的堆操作的一种数据结构，但 `deleteMin` 和

delete 除外，它们花费 $O(\log N)$ 的摊还时间。我们立即得出，在 Dijkstra 算法中的那些堆操作将总共需要 $O(|E| + |V| \log |V|)$ 的时间。

斐波那契堆(Fibonacci heap)$^{\ominus}$通过添加两个新观念推广了二项队列：

decreaseKey 的一种**不同的实现方法**：我们以前看到的那种方法是把元素朝向根节点上滤。对于这种方法似乎没有理由期望 $O(1)$ 的摊还时间界，因此需要一种新的方法。

懒惰合并(lazy merging)：只有当两个堆需要合并时才进行合并。这类似于懒惰删除。对于懒惰合并，merge 是低廉的，但是因为懒惰合并并不实际把树结合在一起，所以 deleteMin 操作可能会遇到许多的树，从而使这种操作的代价高昂。任何一次 deleteMin 都可能花费线性时间，但是它总能够把时间归咎到前面的一些 merge 操作中去。特别地，一次昂贵的 deleteMin 必须在其前面要有大量的非常低廉的 merge 操作，这样它们才能够储存额外的位势。

11.4.1　切除左式堆中的节点

522

在二叉堆中，decreaseKey 操作是通过降低节点的值然后将其朝着根上滤直到建成堆序来实现的。在最坏的情形下，它花费 $O(\log N)$ 时间，这是平衡树中通向根的最长路径的长。

如果代表优先队列的树不具有 $O(\log N)$ 的深度，那么这种方法不适用。例如，若将这种方法用于左式堆，则 decreaseKey 操作可能花费 $\Theta(N)$ 时间，如图 11-9 中的例子所示。

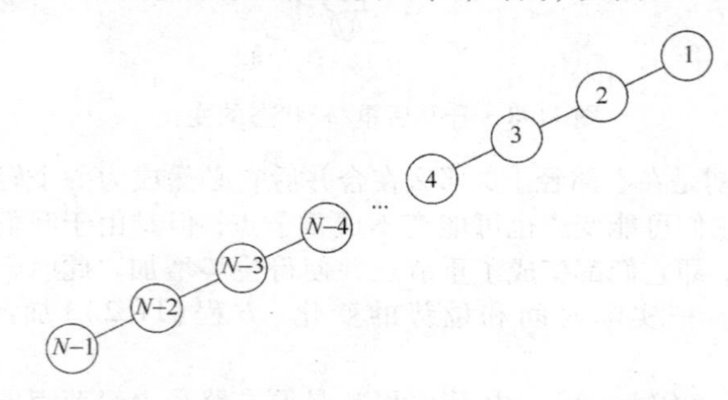

图 11-9　通过上滤将 $N-1$ 递减到 0 花费 $\Theta(N)$ 时间

我们看到，对于左式堆来说 decreaseKey 操作需要其他的方法。见图 11-10 中的左式堆的例子，假设我们想要将值为 9 的关键字减低到 0。若对该堆变动，则必将引起堆序的破坏，这种破坏在图 11-11 中用虚线标示。

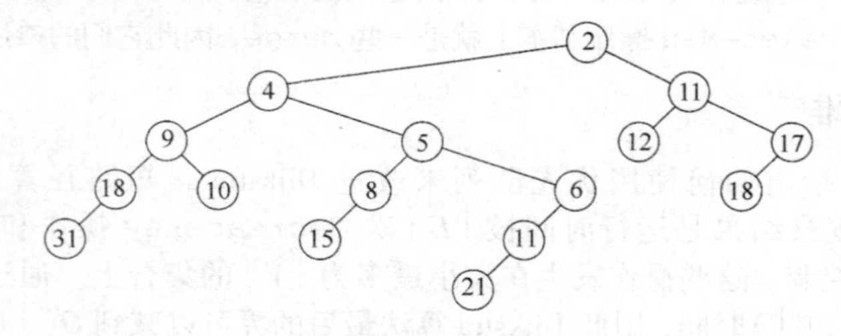

图 11-10　样例左式堆 H

我们不想把 0 上滤到根，正如我们已经看到的，因为存在一些情形使得这样做代价太大。解决的办法是把堆沿着虚线切开，如此得到两棵树，然后再把这两棵树合并成一棵。令 X 为要执行 decreaseKey 操作的节点，令 P 为它的父节点。在切断以后我们得到两棵树，即根为 X 的 H_1，以及树 T_2，它是原来的树除去 H_1 后得到的树。具体情况如图 11-12 所示。

523

$\ominus$ 这个名字来自于这种数据结构的一个性质，后面将在本节证明它。

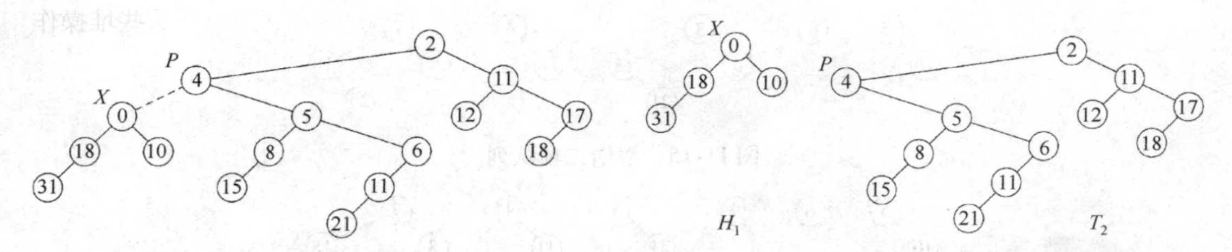

图 11-11　将 9 降到 0 引起堆序的破坏　　　　图 11-12　切断之后得到的两棵树

如果这两棵树都是左式堆，那么它们可以以时间 $O(\log N)$ 合并，整个操作也就完成了。容易看出，H_1 是左式堆，因为没有节点的后裔发生变化。由于它的所有节点原本就满足左式堆的性质，因此现在也必然满足。

然而，这种方案似乎还是行不通，因为 T_2 未必是左式堆。不过，容易恢复左式堆的性质，这要用到下列两个观察到的结论：

- 只有从 P 到 T_2 的根的路径上的节点可能破坏左式堆的性质；它们可以通过交换子节点来调整。
- 由于最大右路径长最多有$\lfloor \log(N+1) \rfloor$个节点，因此我们只需检查从 P 到 T_2 的根的路径上的前$\lfloor \log(N+1) \rfloor$个节点。图 11-13 显示 H_1 和将 T_2 转变成左式堆后的 H_2。

524

因为我们能够以 $O(\log N)$ 步将 T_2 转变成左式堆 H_2，然后合并 H_1 和 H_2，所以我们得到一个在左式堆中执行 decreaseKey 的 $O(\log N)$ 算法。图 11-14 显示的堆是该例的最后结果。

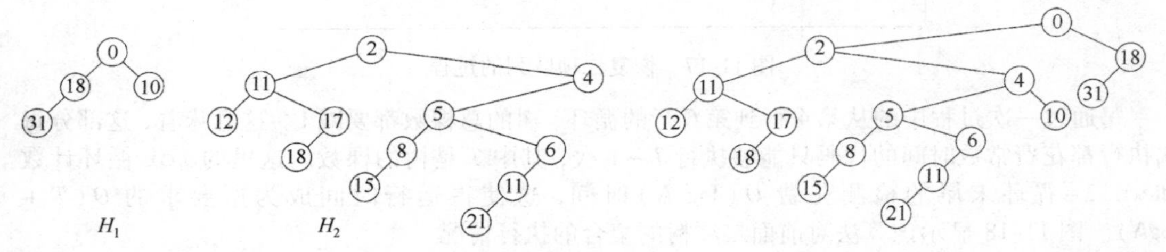

图 11-13　将 T_2 转变成左式堆 H_2 后的情形　　　　图 11-14　通过合并 H_1 和 H_2 而完成操作 decreaseKey(X, 9)

11.4.2　二项队列的懒惰合并

斐波那契堆所使用的第二个想法是**懒惰合并**。我们将把这个想法用于二项队列并证明执行一次 merge 操作（还有插入操作，它是一种特殊情形）的摊还时间为 $O(1)$。对于 deleteMin，其摊还时间仍然是 $O(\log N)$。

这个想法如下：为了合并两个二项队列，只要把两个二项树的表连在一起，结果得到一个新的二项队列。这个新的队列可能含有相同大小的多棵树，因此破坏了二项队列的性质。为了保持一致性，我们将把它叫作**懒惰二项队列**（lazy binomial queue）。这是一种快速操作，该操作总是花费常数（最坏情形）时间。和前面一样，一次插入通过创建一个单节点二项队列并将其合并而完成。区别在于 merge 是懒惰的。

525

deleteMin 操作要麻烦得多，因为此处需要我们最终把懒惰二项队列转变回到标准的二项队列，不过，正如我们将要证明的，它仍然花费 $O(\log N)$ 的摊还时间——但不像以前是 $O(\log N)$ 最坏情形时间。为了执行 deleteMin，我们找出（并最终返回）最小元素。如前所述，我们将它从队列中删除，使得它的每一个儿子都成为一棵新的树。此时通过合并两棵相等大小的树直至不再可能合并为止而把所有的树合并成一个二项队列。

例如，图 11-15 表示一个懒惰二项队列。在一个懒惰二项队列中，可能有多于一棵的树有相同的大小。为了执行 deleteMin，我们按以前那样把最小的元素删除，并得到图 11-16 中的树。

图 11-15 懒惰二项队列

图 11-16 在删除最小元素(3)后的懒惰二项队列

现在我们必须将所有的树合并而得到一个标准的二项队列。一个标准的二项队列每个秩(rank)上最多有一棵树。为了有效地进行这项工作，我们必须能够以正比于出现的树的棵数(T)的时间(或 $\log N$，哪个大用哪个)完成 merge。为此，我们构造表的一个数组：L_0，L_1，…，$L_{R_{max}+1}$，其中 R_{max} 是最大的树的秩。每个表 L_R 包含秩为 R 的所有的树。然后应用图 11-17 中的过程。

```
1    for( R = 0; R <= ⌊log N⌋; R++ )
2        while( |L_R| >= 2 )
3        {
4            Remove two trees from L_R;
5            Merge the two trees into a new tree;
6            Add the new tree to L_{R+1};
7        }
```

526

图 11-17 恢复二项队列的过程

每通过一次过程中的从第4行到第6行的循环，树的总棵数都要减1。这意味着，这部分每次执行都花费常数时间的代码只能够执行 $T-1$ 次，其中 T 是树的棵数。这里的 for 循环计数和 while 循环末尾的检测花费 $O(\log N)$ 时间，这使得运行时间成为所要求的 $O(T+\log N)$。图 11-18 显示该算法对前面二项树的集合的执行情况。

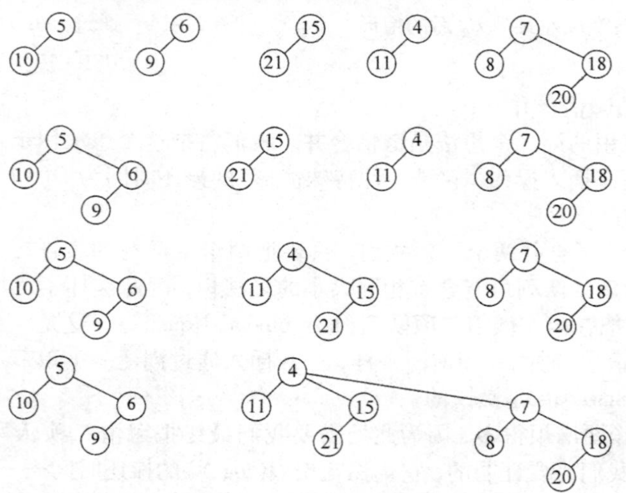

图 11-18 把一些二项树合并成一个二项队列

懒惰二项队列的摊还分析

为了进行懒惰二项队列的摊还分析，我们将用到与标准二项队列所使用的相同的位势函数。因此，懒惰二项队列的位势是树的棵数。

定理 11.3 merge 和 insert 的摊还运行时间对于懒惰二项队列均为 $O(1)$。deleteMin 的摊还运行时间为 $O(\log N)$。

527

证明：

这里的位势函数为二项队列集合中树的棵数。初始的位势为 0，而且位势总是非负的。因此，经过一系列的操作之后，总的摊还时间是总的运行时间的一个上界。

对于 merge 操作，实际时间为常数，而二项队列的集合中的树的棵数是不变的，因此，由方程(11.2)可知摊还时间为 $O(1)$。

对于 insert 操作，其实际时间是常数，而树的棵数最多增加 1，因此摊还时间为 $O(1)$。

操作 deleteMin 比较复杂。令 R 为包含最小元素的树的秩，而令 T 是树的棵数。于是，在 deleteMin 操作开始时的位势为 T。为执行一次 deleteMin，最小节点的各子节点被分离开而成为一棵一棵的树。这就产生了 $T+R$ 棵树，这些树必须要合并成一个标准的二项队列。如果忽略大 O 记法中的常数，那么根据上面的论述可知，执行该操作的实际时间为 $T+R+\log N$ ㊀。另一方面，一旦做完这些，剩下的最多可能还有 $\log N$ 棵树，因此位势函数最多可能增加 $(\log N)-T$。把实际时间和位势的变化相加得到摊还时间界为 $2\log N+R$。由于所有的树都是二项树，因此 $R\leqslant\log N$。这样，我们得到 deleteMin 操作的摊还时间界为 $O(\log N)$。 □

11.4.3 斐波那契堆操作

如前所述，斐波那契堆将左式堆 decreaseKey 操作与懒惰二项队列 merge 操作结合起来。不过，我们不能不做任何修改而使用这两种操作。问题在于，如果在这些二项树中进行任意切割，那么结果得到的森林将不再是二项树的集合。因此，每一棵树的秩最多为 $\lfloor\log N\rfloor$ 的结论将不再成立。由于在懒惰二项队列中 deleteMin 的摊还时间界已被证明是 $2\log N+R$，因此，为使 deleteMin 的界成立需要使 $R=O(\log N)$。

为了保证 $R=O(\log N)$，我们对所有的非根节点应用下述法则：

- 将第一次(因为切除而)失去一个儿子的(非根)节点作上标记。
- 如果被标记的节点又失去另外一个儿子节点，那么将它从其父节点切除。这个节点现在变成了一棵分离的树的根并且不再被标记。这叫作一次**级联切除**(cascading cut)，因为在一次 decreaseKey 操作中可能出现多次这种切除。

图 11-19 显示在 decreaseKey 操作之前斐波那契堆中的一棵树。当关键字为 39 的节点变成 12 时，堆序被破坏。因此，该节点从它的父节点中切除，变成了一棵新树的根。由于包含 33 的节点被标记，这是它的第二个失去的子节点，从而它也被从它的父节点(10)中切除。现在，10 也失去了它的第二个儿子，于是它又从 5 中切除。这个过程到这里结束，因为 5 是未作标记的。现在把节点 5 作上标记。结果如图 11-20 所示。

528

注意，过去被作过标记的节点 10 和 33 不再被标记，因为现在它们都是根节点。这对于我们在时间界的证明中是极其重要的。

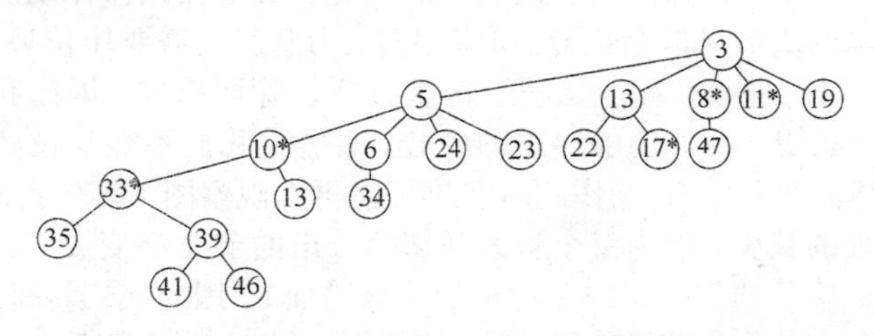

图 11-19 将 39 减成 12 之前斐波那契堆中的一棵树

㊀ 我们能够这么做，是因为我们可以把大 O 记号所蕴涵的常数放在位势函数中并仍可消去这些项，这在该证明中是需要的。

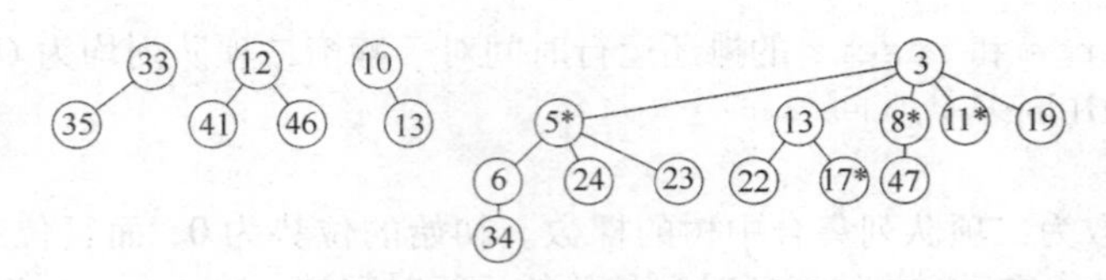

图 11-20 在 decreaseKey 操作之后斐波那契堆中得到的结果

11.4.4 时间界的证明

注意，标记节点的原因是我们需要给任一节点的秩 R(儿子的个数)确定一个界。现在证明具有 N 个后裔的任意节点的秩为 $O(\log N)$。

引理 11.1 令 X 是斐波那契堆中的任一节点。令 c_i 为 X 的第 i 个最年轻的儿子。则 c_i 的秩至少是$i-2$。

证明：

在 c_i 被链接到 X 上时，X 已经有(年长的)儿子 c_1，c_2，…，c_{i-1}。于是，当链接到 c_i 时 X 至少有 $i-1$ 个儿子。由于节点只有当它们有相同的秩的时候才链接，由此可知在 c_i 被链接到 X 上时 c_i 至少也有 $i-1$ 个儿子。从这个时候起，它可能已经至多失去一个儿子，否则它就已经被从 X 切除。因此，c_i 至少有 $i-2$ 个儿子。 □

529

从引理 11.1 容易证明，秩为 R 的任意节点必然有许多的后裔。

引理 11.2 令 F_k 是由 $F_0=1$，$F_1=1$，以及 $F_k=F_{k-1}+F_{k-2}$定义(见 1.2 节)的斐波那契数。秩为 $R\geqslant 1$ 的任意节点至少有 F_{R+1}个后裔(包括它自己)。

证明：

令 S_R 是秩为 R 的最小的树。显然，$S_0=1$ 和 $S_1=2$。根据引理 11.1，秩为 R 的一棵树必然含有秩至少为 $R-2$，$R-3$，…，1，和 0 的子树，再加上另一棵至少有一个节点的子树。连同 S_R 的根本身一起，这就给出 $S_R = 2 + \sum_{i=0}^{R-2} S_i(S_{R>1})$ 的一个最小值。容易证明，$S_R=F_{R+1}$(练习 1.11a)。 □

因为众所周知斐波那契数是以指数增长，所以直接推出具有 s 个后裔的任意节点的秩最多为 $O(\log s)$。于是，我们有

引理 11.3 斐波那契堆中任意节点的秩为 $O(\log N)$。

证明：

直接从上面的讨论得出。 □

假如我们所关心的只是 merge、insert 以及 deleteMin 等操作的时间界，那么我们现在就可以停止并证明所要的摊还时间界了。当然，斐波那契堆的全部意义在于还要得到一个 decreaseKey 的 $O(1)$时间界。

对于一次 decreaseKey 操作所需要的实际时间是 1 加上在该操作期间所执行的级联切除的次数。由于级联切除的次数可能会比 $O(1)$多很多，为此我们需要用位势的损失来作为补偿。从图 11-20 我们看到，树的棵数实际上是随着每次级联切除而增加，因此我们必须增强位势函数，使它包含某种在级联切除期间能够递减的成分。注意，我们不能从位势函数中抛开树的棵数，因为这样就不能够证明 merge 操作的时间界了。再次观察图 11-20 我们看到，级联切除引起被标记的节点的个数的减少，因为每个被级联切除分出的节点都变成了未标记的根。由于每个级联切除均花费 1 个单元的实际时间并将树的位势增加 1，因此我们将每个标记的节点算作 2 个位势单位。利用这种方法，我们就获得一种消除级联切除次数的机会。

定理 11.4 斐波那契堆对于 insert、merge 和 decreaseKey 的摊还时间界均为 $O(1)$，而对于 deleteMin 则是 $O(\log N)$。

530

证明：

位势是斐波那契堆的集合中树的棵数加上两倍的标记节点数。像通常一样，初始的位势为

0 并且总是非负的。于是，经过一系列操作之后，总的摊还时间则是总的实际时间的一个上界。

对于 merge 操作，实际时间为常数，而树和标记节点的数目是不变的，因此根据方程(11.2)，摊还时间为 $O(1)$。

对于 insert 操作，实际时间是常数，树的棵数增加 1，而标记节点的个数不变。因此，位势最多增加 1，所以摊还时间也是 $O(1)$。

对于 deleteMin 操作，令 R 为包含最小元素的树的秩，并令 T 是操作前树的棵数。为执行一次 deleteMin，我们再一次将树的儿子分离，得到另外 R 棵新的树。注意，虽然这(通过使它们成为未标记的根)可以除去一些标记的节点，但却不能创建另外的标记节点。这 R 棵新树，和其余 T 棵树一起，现在必须合并，根据引理 11.3 其花费为 $T+R+\log N=T+O(\log N)$。由于最多可能有 $O(\log N)$ 棵树，而标记节点的个数又不可能增加，因此位势的变化最多是 $O(\log N)-T$。将实际时间和位势的变化加起来则得到 deleteMin 的 $O(\log N)$ 摊还时间界。

最后考虑 decreaseKey 操作。令 C 为级联切除的次数。decreaseKey 的实际花费为 $C+1$，它是所执行的切除的总数。第一次(非级联)切除创建一棵新树从而使位势增 1。每次级联切除都建立一棵新树，却把一个标记节点转变成未标记的(根)节点，合计每次级联切除有一个单位的净损失。最后一次切除也可能把一个未标记节点(在图 11-20 中这个节点为 5)转变成标记节点，这就使得位势增加 2。因此，位势总的变化最多是 $3-C$。把实际时间和位势变化加起来则得到总和为 4，即 $O(1)$。 □

11.5 伸展树

作为最后一个例子，我们来分析伸展树的运行时间。由第 4 章得知，在对某项 X 进行访问之后，一步展开通过下述三种一系列的树操作将 X 移至根处：单旋转(zig)、之字形(zig-zag)旋转和一字形(zig-zig)旋转。树的这些旋转如图 11-21 所示。我们约定：如果在节点 X 执行一次树的旋转，那么旋转前 P 是它的父节点，G 是它的祖父节点(若 X 不是根的儿子)。

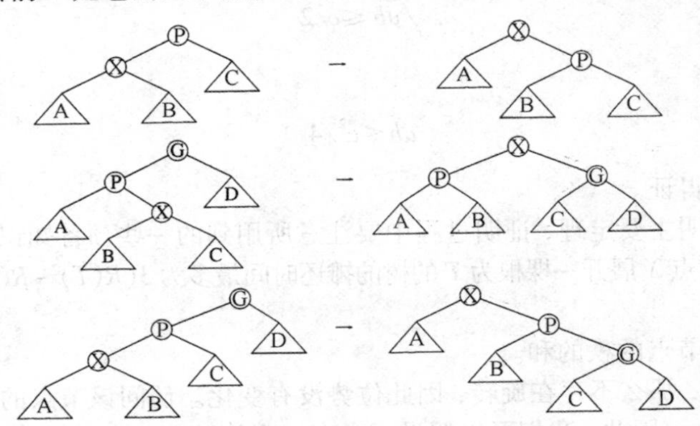

图 11-21 单旋转、之字形和一字形双旋转操作；每个都有一个对称的情形(未示出)

我们知道，对节点 X 任意的树操作所需的时间正比于从根到 X 的路径上的节点的个数。如果我们把每个单旋转操作计为一次旋转，把每个之字形操作或一字形操作计为两次旋转，那么任何访问的花费等于 1 加上旋转的次数。

为了证明展开操作的 $O(\log N)$ 摊还时间界，我们需要一个位势函数，该函数对整个展开操作最多能够增加 $O(\log N)$ 而且在该步操作期间也消去所执行的旋转的次数。找出满足这些原则的位势函数根本不是一件容易的事情。首先容易猜到的位势函数或许就是树上所有节点的深度的和。这个猜测行不通，因为位势在一次访问期间可能增加 $\Theta(N)$。当一些元素以连贯顺序插入时会有这样的典型例子发生。

531

一个确实有效的位势函数 Φ 定义为

$$\Phi(T) = \sum_{i \in T} \log S(i)$$

其中 $S(i)$ 代表 i 的后裔的个数(包括 i 自身)。这个位势函数是对树 T 所有节点 i 所取的 $S(i)$ 的对数和。

为简化记号,我们定义

$$R(i) = \log S(i)$$

这使得

$$\Phi(T) = \sum_{i \in T} R(i)$$

$R(i)$ 代表节点 i 的秩(rank)。这个术语类似于在不相交集算法、二项队列和斐波那契堆的分析中所使用的术语。在所有这些数据结构中,秩的意义多少有些不同,不过,秩一般是指树的大小的对数的阶(幅度——magnitude)。对于具有 N 个节点的一棵树 T,根的秩就是 $R(T) = \log N$。用秩的和作为位势函数类似于使用高度的和作为位势函数。重要的差别在于,当一次旋转可以改变树中许多节点的高度时,却只有 X, P 和 G 的秩发生变化。

532

在证明主要的定理之前,我们需要下列的引理。

引理 11.4 如果 $a + b \leqslant c$,且 a 和 b 均为正整数,那么

$$\log a + \log b \leqslant 2\log c - 2$$

证明:

根据算术-几何平均不等式,

$$\sqrt{ab} \leqslant (a + b)/2$$

于是

$$\sqrt{ab} \leqslant c/2$$

两边平方得到

$$ab \leqslant c^2/4$$

两边再取对数则定理得证。

我们现在就来证明主要定理,证明过程中要注意所用到的一些预备知识。 □

定理 11.5 在节点 X 展开一棵根为 T 的树的摊还时间最多为 $3(R(T) - R(X)) + 1 = O(\log N)$。

证明:

位势函数取 T 中节点的秩的和。

如果 X 是 T 的根,那么不存在旋转,因此位势没有变化。访问该节点的时间是1;于是,摊还时间为1,定理成立。因此,我们可以假设至少有一次旋转。

对于任意一步展开操作,令 $R_i(X)$ 和 $S_i(X)$ 是在这步操作前 X 的秩和大小,并令 $R_f(X)$ 和 $S_f(X)$ 是在这步展开操作后 X 的秩和大小。我们将证明对一次单旋转所需要的摊还时间最多为 $3(R_f(X) - R_i(X)) + 1$,而对一次之字形旋转或一字形旋转的摊还时间最多为 $3(R_f(X) - R_i(X))$。我们将证明,当我们对所有各步展开求和时,所得到的和就是想要的时间界。

一步单旋转:对于单旋转,实际时间为1,而位势变化为 $R_f(X) + R_f(P) - R_i(X) - R_i(P)$。注意,位势变化容易计算,因为只有 X 和 P 的树大小有变化。于是,

533

$$AT_{zig} = 1 + R_f(X) + R_f(P) - R_i(X) - R_i(P)$$

从图 11-21 我们看到 $S_i(P) \geqslant S_f(P)$;因此得到 $R_i(P) \geqslant R_f(P)$。这样,

$$AT_{zig} \leqslant 1 + R_f(X) - R_i(X)$$

由于 $S_f(X) \geqslant S_i(X)$,于是 $R_f(X) - R_i(X) \geqslant 0$,因此我们可以增加右边,得到

$$AT_{zig} \leqslant 1 + 3(R_f(X) - R_i(X))$$

一步之字形旋转：对于这种情况，实际的花费是2，而位势变化为 $R_f(X) + R_f(P) + R_f(G) - R_i(X) - R_i(P) - R_i(G)$。这就给出一个摊还时间界

$$AT_{zig-zag} = 2 + R_f(X) + R_f(P) + R_f(G) - R_i(X) - R_i(P) - R_i(G)$$

从图11-21我们看到，$S_f(X) = S_i(G)$，于是它们的秩必然相等。因此我们得到

$$AT_{zig-zag} = 2 + R_f(P) + R_f(G) - R_i(X) - R_i(P)$$

我们还看到 $S_i(P) \geqslant S_i(X)$。因而 $R_i(X) \leqslant R_i(P)$。代入右边得到

$$AT_{zig-zag} \leqslant 2 + R_f(P) + R_f(G) - 2R_i(X)$$

从图11-21我们看到 $S_f(P) + S_f(G) \leqslant S_f(X)$。如果应用引理11.4，那么得到

$$\log S_f(P) + \log S_f(G) \leqslant 2\log S_f(X) - 2$$

由秩的定义可知，它变成

$$R_f(P) + R_f(G) \leqslant 2R_f(X) - 2$$

我们将其代入，则得

$$AT_{zig-zag} \leqslant 2R_f(X) - 2R_i(X) \leqslant 2(R_f(X) - R_i(X))$$

由于 $R_f(X) \geqslant R_i(X)$，因此得到

$$AT_{zig-zag} \leqslant 3(R_f(X) - R_i(X))$$

一步一字形旋转：第三种情况就是一字形旋转。这种情形的证明非常类似于之字形的情形。重要的不等式是 $R_f(X) = R_i(G)$，$R_f(X) \geqslant R_f(P)$，$R_i(X) \leqslant R_i(P)$，以及 $S_i(X) + S_f(G) \leqslant S_f(X)$。我们把具体细节留作练习11.8。

整个展开的摊还花费是各步展开的摊还花费的和。图11-22显示在节点2的一次展开中所执行的各步展开的过程。令 $R_1(2)$、$R_2(2)$、$R_3(2)$ 和 $R_4(2)$ 是这4棵树每棵在节点2的秩。第一步是之字形旋转，其花费最多为 $3(R_2(2) - R_1(2))$。第二步是一字形旋转，其花费为 $3(R_3(2) - R_2(2))$。最后一步是单旋转，花费不超过 $3(R_4(2) - R_3(2)) + 1$。因此总的花费是 $3(R_4(2) - R_1(2)) + 1$。

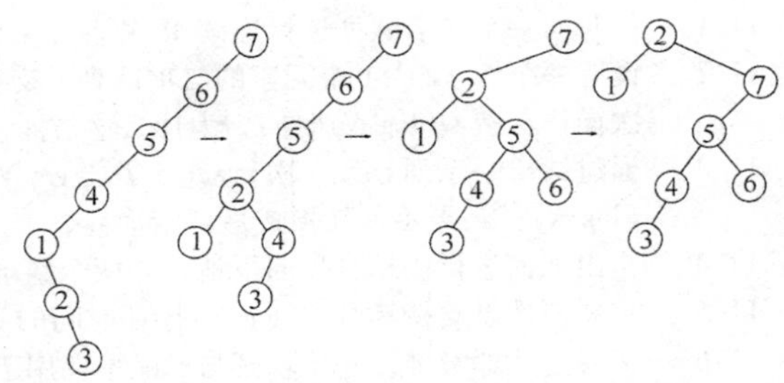

图11-22 在节点2展开中涉及的展开各步

534

一般地，通过把所有旋转（其中最多有一个旋转可能是一次单旋转）的摊还时间加起来，我们看到，在节点 X 展开的总的摊还时间最多为 $3(R_f(X) - R_i(X)) + 1$，其中 $R_i(X)$ 是 X 在第一步展开前的秩，而 $R_f(X)$ 是 X 在最后一步展开后的秩。由于最后一次展开把 X 留在根处，因此我们得到 $3(R_f(T) - R_i(X)) + 1$ 的摊还界，这个界为 $O(\log N)$。 □

因为对一棵伸展树的每一次操作都需要一次展开，因此任意操作的摊还时间是在一次展开的摊还时间的一个常数倍数之内。因此，所有伸展树操作花费 $O(\log N)$ 摊还时间。要证明插入和删除花费 $O(\log N)$ 摊还时间，展开步骤前后位势的改变必须被计算在内。

对于插入来说，假设我们向有 $N-1$ 个结点的树中插入。于是，插入之后我们得到一棵有 N 个结点的树，则可以应用展开的界。然而，在叶结点的插入会在展开之前对从叶结点到根的路径上的每个结点增加位势。令 n_1，n_2，…，n_k 为插入叶结点（n_k 是根）之前路径上的结点，并且假设它们的大小为 s_1，s_2，…，s_k。插入之后，大小变为 s_1+1，s_2+1，…，s_k+1。（叶结点对位势的贡献为0，所以我们可忽略之。）注意到（除了根结点外）$s_j + 1 \leqslant s_{j+1}$，所以 n_j 的新秩不大于 n_{j+1} 的旧秩。所以，由增加一个新的叶结点导致的位势的最大增长（即秩的增加）是被根的新秩所限制的，即 $O(\log N)$。

删除是由将一棵树接到另一棵树这种非展开步骤组成的。这样做的确令一个结点的秩增加了，但那是被 $\log N$ 所限制的（并且移除了一个根结点也是一种补偿）。所以展开的花销精确地

界定了删除的花销。

535

通过使用更一般的位势函数，能够证明伸展树具有若干显著的性质。更多的细节在练习中讨论。

小结

我们在这一章看到摊还分析如何用于在一些操作间分配负荷。为了进行分析，我们构造一个虚构的位势函数，这个位势函数度量系统的状态。高位势的数据结构是易变的，它建立在相对低廉的操作之上。当昂贵的花费来自一次操作时，它会由前面一些操作节省下的积蓄来支付。可以把位势看成是对付灾难的潜能，因为非常昂贵的操作只有在数据结构具有一个高位势以及已经使用了比规定的显著少的时间的时候才可能发生。

数据结构中的低位势意味着每次操作的花费大致等于指定给它的消耗量。负位势意味着欠债；花费的时间多于规定的时间，因此分配（或摊还）的时间不是一个有意义的界。

正如方程（11.2）所表达的，一次操作的摊还时间等于实际时间和位势变化的和。整个操作序列的摊还时间等于总的序列操作时间加上位势的净变化。只要这个净变化是正的，那么摊还界就提供实际时间花费的一个上界并且是有意义的。

选择位势函数的关键在于保证最小的位势要产生在算法的开始，并使得位势对低廉的操作增加而对高昂的操作减少。重要的是过剩或节省的时间要由位势中相反的变化来度量。不幸的是，有时候这说着容易做起来难。

练习

11.1 何时向一个二项队列进行连续 M 次插入花费少于 $2M$ 个时间单位的时间？

11.2 设有一个 $N=2^k-1$ 个元素的二项队列。交替进行 M 对 `insert` 和 `deleteMin` 操作。显然，每次操作花费 $O(\log N)$ 时间。为什么这与插入的 $O(1)$ 摊还时间界不矛盾？

*11.3 通过给出一系列导致一次 `merge` 需要 $\Theta(N)$ 时间的操作，证明对于课文中描述的斜堆操作的 $O(\log N)$ 摊还界不能转换成最坏情形界。

*11.4 指出如何进行一趟自顶向下地合并两个斜堆，并将 `merge` 的开销减到 $O(1)$ 摊还时间。

11.5 扩展斜堆以支持具有 $O(\log N)$ 摊还时间的 `decreaseKey` 操作。

536

11.6 实现斐波那契堆，并比较其与二叉堆在用于 Dijkstra 算法时的性能。

11.7 斐波那契堆的标准实现方法需要每个节点 4 个链（父亲、儿子以及两个兄弟）。指出如何减少链的数量而最多花费运行时间的一个常数倍。

11.8 证明一次一字形展开的摊还时间最多为 $3(R_f(X)-R_i(X))$。

11.9 通过改变位势函数能够证明展开操作的不同的界。令权函数（weight function）$W(i)$ 为指定给树中每个节点的某个函数，令 $S(i)$ 为以 i 为根的子树上所有节点（包括节点 i 本身）的权的和。对于与用在展开界的证明中的函数相对应的所有的节点的特殊情况为 $W(i)=1$。令 N 为树中节点的个数，并令 M 为访问的次数。证明下列两个定理：

a. 总的访问时间是 $O(M+(M+N)\log N)$。

*b. 如果 q_i 为项 i 被访问的次数，而对所有的 i，有 $q_i>0$，那么总的访问时间为

$$O\left(M+\sum_{i=1}^{N} q_i \log(M/q_i)\right)$$

11.10 a. 指出如何实现对伸展树的 `merge` 操作使得从 N 个单元素树开始的任意顺序的 $N-1$ 次 `merge` 操作花费 $O(N\log^2 N)$ 时间。

*b. 将这个界改进为 $O(N\log N)$。

*11.11 我们在第 5 章描述了再散列（rehashing）：当一个表的表元素超过容量一半的时候，则构造一个两倍大的新表，且整个的旧表要被再散列。使用位势函数给出一个正式的摊还分析来证明一次插入操作的摊还时间仍为 $O(1)$。

11.12 斐波那契堆的最大深度是多少？

11.13 具有堆序的双端队列（deque）是由一些项的表组成的数据结构，可以对其进行下列操作：

push(x)：将项 x 插入到双端队列的前端。
pop()：从双端队列中除去前端项并将它返回。
inject(x)：把项 x 插入到双端队列的尾端。
eject()：从双端队列中除去尾端项并将它返回。
findMin()：返回双端队列的最小项。
a. 描述如何以每次操作常数摊还时间支持这些操作。
**b. 描述如何以每次操作常数最坏情形时间支持这些操作。

11.14 证明二项队列实际上以 $O(1)$ 摊还时间支持合并操作。定义二项队列的位势为树的棵数加上最大的树的秩。

537

11.15 假设为了节省时间，我们把展开对每隔一次树操作进行。摊还的开销还是对数的吗？

11.16 在伸展树的界的证明中使用位势函数，伸展树的最大位势和最小位势是什么？在一次展开中，位势函数可以减少多少？在一次展开中，位势函数可以增加多少？你可以给出大 O 解答。

11.17 作为展开的结果，在访问路径上的大部分节点都朝根的方向移动，而该路径上的少数几个节点却向下移动一层。这就提出使用一个和作为位势函数的想法，该和对所有节点的深度的对数进行。
a. 该位势函数的最大值是多少？
b. 该位势函数的最小值是多少？
c. 问题(a)和(b)的答案的差给出某种提示，即该位势函数不是太好。证明：一次展开操作可能增加位势 $\Theta(N/\log N)$。

参考文献

论文[10]提供了对摊还分析的极好的综述。

下面的参考文献中有许多和前几章的引文相同，我们再次引用它们是为了方便和完善。二项队列首先在[11]中阐述并在[1]中分析。练习 11.3 和 11.4 的解法见于论文[9]。斐波那契堆在[3]中论述。练习 11.9(a)指出，在最佳静态查找树的一个常数因子范围之内伸展树是最优的。练习 11.9(b)则指出，伸展树在最佳最优查找树的一个常数因子之内是最优的。这些以及另外两个强结果在原始的伸展树论文[7]中均有证明。

摊还概念在[2]中使用以有效地合并平衡查找树。伸展树的 merge 操作在[6]中描述。练习 11.13 的一种解法可在[4]中找到。练习 11.14 取自文献[5]。

在[8]中使用摊还分析设计一种联机算法，该算法处理一系列查询，其所花费的时间比同类问题的脱机算法只多一个常数因子。

1. M. R. Brown, "Implementation and Analysis of Binomial Queue Algorithms," *SIAM Journal on Computing*, 7 (1978), 298–319.
2. M. R. Brown and R. E. Tarjan, "Design and Analysis of a Data Structure for Representing Sorted Lists," *SIAM Journal on Computing*, 9 (1980), 594–614.
3. M. L. Fredman and R. E. Tarjan, "Fibonacci Heaps and Their Uses in Improved Network Optimization Algorithms," *Journal of the ACM*, 34 (1987), 596–615.
4. H. Gajewska and R. E. Tarjan, "Deques with Heap Order," *Information Processing Letters*, 22 (1986), 197–200.
5. C. M. Khoong and H. W. Leong, "Double-Ended Binomial Queues," *Proceedings of the Fourth Annual International Symposium on Algorithms and Computation* (1993), 128–137.
6. G. Port and A. Moffat, "A Fast Algorithm for Melding Splay Trees," *Proceedings of First Workshop on Algorithms and Data Structures* (1989), 450–459.
7. D. D. Sleator and R. E. Tarjan, "Self-adjusting Binary Search Trees," *Journal of the ACM*, 32 (1985), 652–686.
8. D. D. Sleator and R. E. Tarjan, "Amortized Efficiency of List Update and Paging Rules," *Communications of the ACM*, 28 (1985), 202–208.
9. D. D. Sleator and R. E. Tarjan, "Self-adjusting Heaps," *SIAM Journal on Computing*, 15 (1986), 52–69.
10. R. E. Tarjan, "Amortized Computational Complexity," *SIAM Journal on Algebraic and Discrete Methods*, 6 (1985), 306–318.
11. J. Vuillemin, "A Data Structure for Manipulating Priority Queues," *Communications of the ACM*, 21 (1978), 309–314.

538 ≀ 540

高级数据结构及其实现

本章讨论 7 种重点在于实用性的数据结构。首先考查第 4 章讨论过的 AVL 树的一些变种，包括优化的伸展树、红黑树、跳跃表的确定性形式(第 10 章已讨论过)、AA 树以及 treap 树。

然后我们考查一种可以用于多维数据的数据结构。在这种情况下，每一项均可有多个关键字。k-d 树对任何关键字都能进行相关的查找。

最后，我们考查配对堆(pairing heap)，它似乎是斐波那契堆最实用的变种。

复议的论题包括：

- 在适当的时候非递归地自顶向下(而不是自底向上)查找树的一些程序实现。
- 一些详细、优化的尤其是利用标记节点的程序实现。

12.1 自顶向下伸展树

在第 4 章，我们讨论了基本的伸展树操作。当一项 X 作为树叶被插入时，称为*展开*(splay)的一系列的树旋转使得 X 成为树的新根。展开也在查找期间执行，而且如果一项没有找到，那么展开就要对访问路径上的最后的节点实施。在第 11 章，我们指出一次展开树操作的摊还时间为 $O(\log N)$。

这种方法的直接实现需要从根沿树往下的一次遍历，以及而后的从底向上的一次遍历来实现这步展开操作。这也可以通过保存一些父链来完成，还可以通过将访问路径存储到一个栈中来完成。但遗憾的是，这两种方法均需大量的系统开销，而且二者都必须处理许多特殊的情形。在这一节，我们指出如何在初始访问路径上施行一些旋转。结果得到在实践中更快的过程，只用到 $O(1)$ 的附加空间，但却保持了 $O(\log N)$ 的摊还时间界。

图 12-1 列出了单旋转、一字形和之字形的旋转。(按照惯例，我们忽略三种对称的旋转。)

541

在访问的任一时刻，我们都有一个当前节点 X，它是其子树的根；在我们的图中它被表示成"中间"树[⊖]。树 L 存储在树 T 中但不在 X 的子树中的小于 Z 的节点；类似地，树 R 存储在树 T 中，但不在 X 的子树中的大于 Z 的节点。初始时 X 为 T 的根，而 L 和 R 是空树。

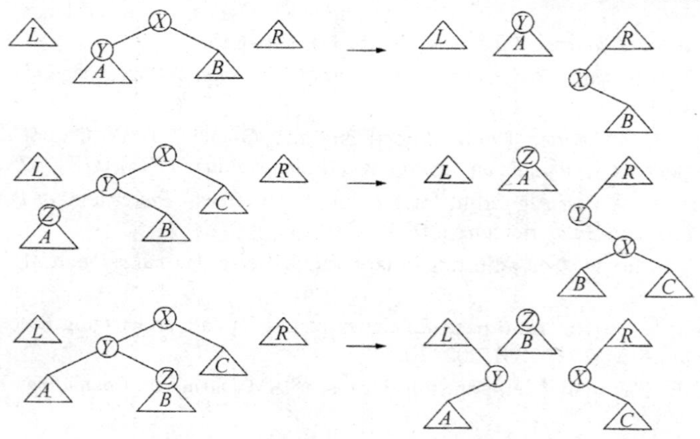

图 12-1 自顶向下展开旋转：单旋转、一字形旋转及之字形旋转

⊖ 为简单起见，我们不区分节点及其上的项。

如果旋转是一次单旋转，那么根在 Y 的树变成中间树的新根。X 和子树 B 作为 R 中最小项的左儿子而附接到 R 上；逻辑上 X 的左儿子成为 null ㊀。结果，X 成为 R 的新的最小项。特别要注意，为使单旋转情形适用，Y 不一定必须是一片树叶。如果我们查找小于 Y 的项，而 Y 没有左儿子(但确有一个右儿子)，那么这种单旋转情形将是适用的。

对于一字形情形，我们有类似的剖析。关键是在 X 和 Y 之间施行一次旋转。之字形情形的旋转把底部节点 Z 带到中间树的顶部，并把子树 X 和 Y 分别附接到 R 和 L 上。注意，Y 被附接后从而成为 L 中的最大项。

之字形旋转这一步多少可以得到简化，因为没有旋转要执行，我们不再让 Z 成为中间树的根，而是让 Y 成为其根，如图 12-2 所示。因为之字形情形的动作变成与单旋转情形相同，所以编程得到简化。看起来这是有利的，因为对大量情形的测试是要费时的。其缺点在于，仅仅为了降低一层，在展开过程中却要进行更多的迭代。 542

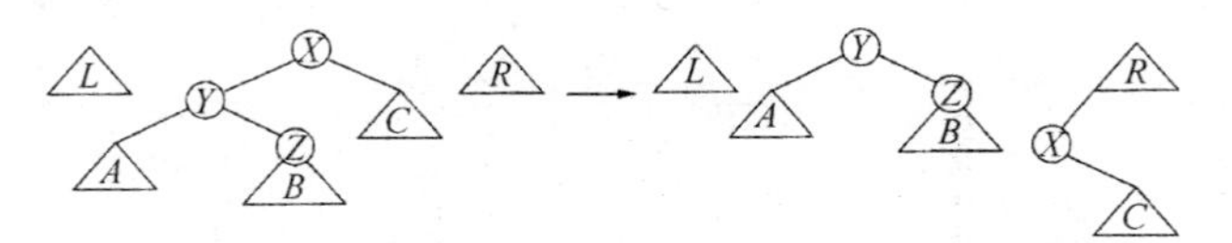

图 12-2　简化的自顶向下的之字形旋转

图 12-3 指出一旦执行完最后一步展开，我们将如何处理 L、R 和中间树以形成一棵树。特别要注意，这里的结果不同于从底部向上的展开。关键的问题在于它保持了 $O(\log N)$ 的摊还界(见练习 12.1)。

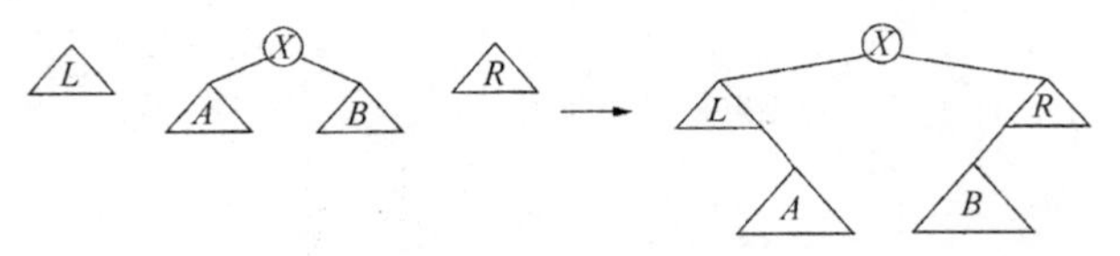

图 12-3　自顶向下展开的最后整理

顶部向下展开算法的一个例子如图 12-4 所示。我们想要访问树中的 19。第一步是一个之字形旋转。根据图 12-2 的对称形式，我们把根在 25 的子树带到中间树的根处，并把 12 及其左子树附接到 L 上。

下一步是一个一字形旋转：15 被提升到中间树的根处，并在 20 和 25 之间进行一次旋转，所得到的子树被附接到 R 上。此时查找 19 导致最后的单旋转。中间树的新根为 18，而 15 及其左子树作为 L 最大节点的右儿子被附接到 L 上。根据图 12-3 重新组装则结束该步展开。

我们将使用带有左链和右链的一个头(header)最终引用左树的根和右树的根。由于这两棵树初始为空，因此使用一个头分别对应初始状态右树或左树的最小或最大节点。这种方法可以使得程序避免检测空树。第一次左树变成非空时，右链将被初始化并在以后保持不变；这样，在自顶向下查找的最后它将包含左树的根。类似地，左链最终将包含右树的根。

SplayTree 类的架构如图 12-5 所示，它包括一个构造方法，用来分配 nullNode 标记。我们使用标记 nullNode 逻辑上表示一个 null 引用。我们将反复使用这种技术来简化程序(因而使得程序多少要快一些)。图 12-6 给出展开过程的程序。这里的 header 节点使我们肯定能够把 X 附接到 R 的最大节点上而不必担心 R 可能是空的(对于处理 L 的对称的情形类似地进行)。 543

㊀ 在程序中 R 的最小节点没有 null 左链，因为没有必要。这意味着，printTree(r)将包含某些项，这些项逻辑上不在 R 中。

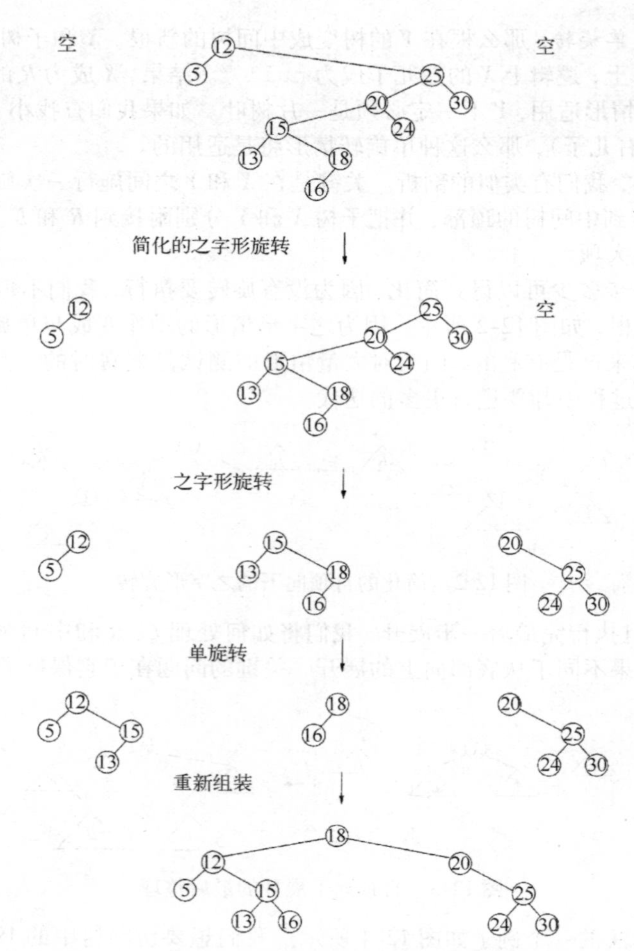

图 12-4 （访问上面树中的 19）自顶向下展开的各步

```
 1  public class SplayTree<AnyType extends Comparable<? super AnyType>>
 2  {
 3      public SplayTree( )
 4      {
 5          nullNode = new BinaryNode<>( null );
 6          nullNode.left = nullNode.right = nullNode;
 7          root = nullNode;
 8      }
 9
10      private BinaryNode<AnyType> splay( AnyType x, BinaryNode<AnyType> t )
11        { /* Figure 12.6 */ }
12      public void insert( AnyType x )
13        { /* Figure 12.7 */ }
14      public void remove( AnyType x )
15        { /* Figure 12.8 */ }
16
```

图 12-5 伸展树：类架构

```
17      public AnyType findMin( )
18        { /* See online code */ }
19      public AnyType findMax( )
20        { /* See online code */ }
21      public boolean contains( AnyType x )
22        { /* See online code */ }
23      public void makeEmpty( )
24        { root = nullNode; }
25      public boolean isEmpty( )
26        { return root == nullNode; }
27
28      // Basic node stored in unbalanced binary search trees
29      private static class BinaryNode<AnyType>
30        { /* Same as in Figure 4.16 */ }
31
32      private BinaryNode<AnyType> root;
33      private BinaryNode<AnyType> nullNode;
34      private BinaryNode<AnyType> header = new BinaryNode<>( null ); // For splay
35      private BinaryNode<AnyType> newNode = null;  // Used between different inserts
36
37      private BinaryNode<AnyType> rotateWithLeftChild( BinaryNode<AnyType> k2 )
38        { /* See online code */ }
39      private BinaryNode<AnyType> rotateWithRightChild( BinaryNode<AnyType> k1 )
40        { /* See online code */ }
41  }
```

图 12-5 （续）

```
 1      /**
 2       * Internal method to perform a top-down splay.
 3       * The last accessed node becomes the new root.
 4       * @param x the target item to splay around.
 5       * @param t the root of the subtree to splay.
 6       * @return the subtree after the splay.
 7       */
 8      private BinaryNode<AnyType> splay( AnyType x, BinaryNode<AnyType> t )
 9      {
10          BinaryNode<AnyType> leftTreeMax, rightTreeMin;
11
12          header.left = header.right = nullNode;
13          leftTreeMax = rightTreeMin = header;
14
15          nullNode.element = x;   // Guarantee a match
16
17          for( ; ; )
18              if( x.compareTo( t.element ) < 0 )
19              {
20                  if( x.compareTo( t.left.element ) < 0 )
21                      t = rotateWithLeftChild( t );
```

图 12-6　自顶向下展开方法

加红黑条件实现的困难。

当然，红色树叶的删除很简单。然而，如果一片树叶是黑的，那么删除操作会复杂得多，因为黑色节点的删除将破坏条件4。解决方法是保证从上到下删除期间树叶是红的。

在整个讨论中，令 X 为当前节点，T 是它的兄弟，而 P 是它们的父亲。开始时我们把树的根涂成红色。当沿树向下遍历时，我们设法保证 X 是红色的。当到达一个新的节点时，我们要确信 P 是红的（归纳地，我们试图继续保持这种不变性）并且 X 和 T 是黑的（因为不能有两个相连的红色节点）。这存在两种主要的情形。

552 ~ 556

首先，设 X 有两个黑儿子。此时有三种子情况，如图12-17所示。如果 T 也有两个黑儿子，那么可以翻转 X、T 和 P 的颜色来保持这种不变性。否则，T 的儿子之一是红的。根据这个儿子节点是哪一个[㊀]，我们可以应用图12-17所示的第二和第三种情形表示的旋转。特别要注意，这种情形对于树叶将是适用的，因为 `nullNode` 被认为是黑的。

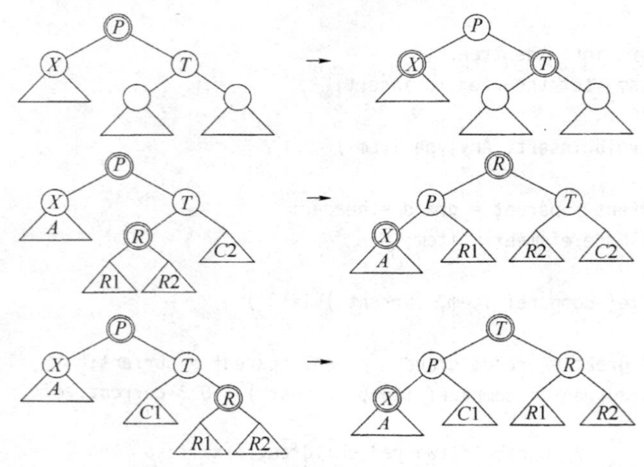

图12-17　当 X 是一个左儿子并有两个黑儿子时的三种情形

其次，X 的儿子之一是红的。在这种情形下，我们落到下一层上，得到新的 X、T 和 P。如果幸运，X 落在红儿子上，则我们可以继续向前进行。如果不是这样，那么我们知道 T 将是红的，而 X 和 P 将是黑的。我们可以旋转 T 和 P，使得 X 的新父亲是红的；当然 X 及其祖父将是黑的。此时我们可以回到第一种主情况。

557

12.3 treap树

最后一种二叉查找树可能是最简单的一种，叫作 *treap* 树。它像跳跃表一样使用随机数并且对任意的输入都能给出 $O(\log N)$ 期望时间的性能。查找时间等同于非平衡二叉查找树（从而比平衡查找树要慢），而插入时间只比递归非平衡二叉查找树的实现方法稍慢。虽然删除操作要慢得多，但仍然是 $O(\log N)$ 期望时间。

treap树是如此地简单，以至我们不用画图就可描述它。树中的每个节点存储一项，一个左和右链，以及一个优先级，该优先级是建立节点时随机指定的。一个treap树就是一棵二叉查找树，但其节点优先级满足堆序性质：任意节点的优先级必须至少和它父节点的优先级一样大。

其每一项都有不同优先级的不同项的集合只能由一棵treap树表示。这很容易由归纳法推导，因为具有最低优先级的节点必然是根。因此，树是根据优先级的 $N!$ 种可能的排列而不是根据项的 $N!$ 种排序形成的。节点的声明很简单，只要求添加 `priority` 域，如图12-18所示。

㊀ 如果两个儿子都是红的，那么我们可以应用两种旋转中的任一种。通常，在 X 是一个右儿子的情形下存在对称的旋转。

```
22                if( t.left == nullNode )
23                    break;
24                // Link Right
25                rightTreeMin.left = t;
26                rightTreeMin = t;
27                t = t.left;
28            }
29            else if( x.compareTo( t.element ) > 0 )
30            {
31                if( x.compareTo( t.right.element ) > 0 )
32                    t = rotateWithRightChild( t );
33                if( t.right == nullNode )
34                    break;
35                // Link Left
36                leftTreeMax.right = t;
37                leftTreeMax = t;
38                t = t.right;
39            }
40            else
41                break;
42
43        leftTreeMax.right = t.left;
44        rightTreeMin.left = t.right;
45        t.left = header.right;
46        t.right = header.left;
47        return t;
48    }
```

544 ~ 547

图 12-6 （续）

如上所述，在展开到最后的重新组装之前，header.left 和 header.right 分别引用 R 和 L 的根(这不是一个排印错误，而是遵守链的指向)。除了这个细节之外，该程序是相对简单的。

图 12-7 显示将一项插入到树中的方法。一个新的节点(如果需要)被分配，且如果树是空的，那么就建立一棵单节点树。否则，我们围绕被插入的值 x 展开 root。若新根的数据等于 x，则有一个重复元；我们不是再次插入 x，而是为将来的插入保留 newNode 并立即返回。如果新根包含有大于 x 的值，那么新根及其右子树就变成 newNode 的一棵右子树，而 root 的左子树则成为 newNode 的左子树。如果 root 的新根包含有小于 x 的值，那么类似的逻辑仍然适用。在这两种情况下，newNode 均成为新的根。

```
1    /**
2     * Insert into the tree.
3     * @param x the item to insert.
4     */
5    public void insert( AnyType x )
6    {
7        if( newNode == null )
8            newNode = new BinaryNode<>( null );
```

图 12-7 自顶向下伸展树的 insert 方法

```
 9              newNode.element = x;
10
11              if( root == nullNode )
12              {
13                  newNode.left = newNode.right = nullNode;
14                  root = newNode;
15              }
16              else
17              {
18                  root = splay( x, root );
19                  if( x.compareTo( root.element ) < 0 )
20                  {
21                      newNode.left = root.left;
22                      newNode.right = root;
23                      root.left = nullNode;
24                      root = newNode;
25                  }
26                  else
27                  if( x.compareTo( root.element ) > 0 )
28                  {
29                      newNode.right = root.right;
30                      newNode.left = root;
31                      root.right = nullNode;
32                      root = newNode;
33                  }
34                  else
35                      return;   // No duplicates
36              }
37              newNode = null;   // So next insert will call new
38          }
```

图 12-7 （续）

在第 4 章，我们指出伸展树中的删除是容易的，因为一次展开将把删除目标放在根处。最后我们列出图 12-8 中的删除例程。删除过程比对应的插入过程还要短，确实罕见。

```
 1      /**
 2       * Remove from the tree.
 3       * @param x the item to remove.
 4       */
 5      public void remove( AnyType x )
 6      {
 7          BinaryNode<AnyType> newTree;
 8
 9              // If x is found, it will be at the root
10
11          if( !contains( x ) )
12              return;   // Item not found; do nothing
13
14          if( root.left == nullNode )
```

图 12-8 自顶向下的删除过程

```
15                newTree = root.right;
16            else
17            {
18                // Find the maximum in the left subtree
19                // Splay it to the root; and then attach right child
20                newTree = root.left;
21                newTree = splay( x, newTree );
22                newTree.right = root.right;
23            }
24            root = newTree;
25        }
```

图 12-8 （续）

12.2 红黑树

历史上 AVL 树流行的另一变种是**红黑树**(red black tree)。对红黑树的操作在最坏情形下花费 $O(\log N)$时间，而且我们将看到，(对于插入操作的)一种审慎的非递归实现可以相对容易地完成(与 AVL 树相比)。

红黑树是具有下列着色性质的二叉查找树：

1. 每一个节点或者着成红色，或者着成黑色。
2. 根是黑色的。
3. 如果一个节点是红色的，那么它的子节点必须是黑色的。
4. 从一个节点到一个 null 引用的每一条路径必须包含相同数目的黑色节点。

着色法则的一个结论是，红黑树的高度最多是 $2\log(N+1)$。因此，查找操作保证是一种对数的操作。图 12-9 显示一棵红黑树，其中的红色节点用双圆圈表示。

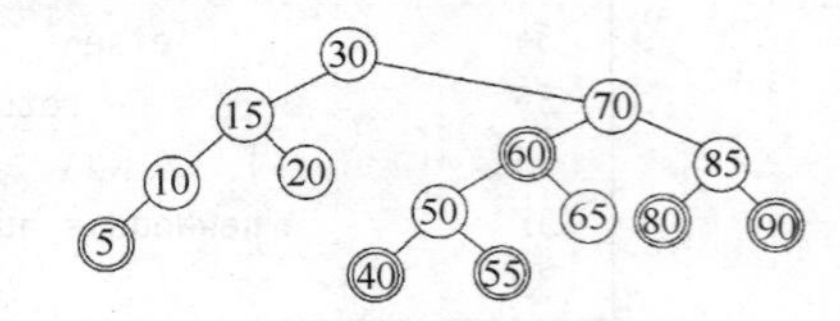

图 12-9 红黑树的例子(插入序列为：10，85，15，70，20，60，30，50，65，80，90，40，5，55)

和通常一样，困难在于将一个新项插入到树中。通常把新项作为树叶放到树中。如果我们把该项涂成黑色，那么肯定违反条件4，因为将会建立一条更长的黑节点的路径。因此，这一项必须涂成红色。如果它的父节点是黑色的，则插入完成。如果它的父节点已经是红色的，那么得到连续红色的节点，这就违反了条件3。在这种情况下，我们必须调整该树以确保满足条件3(且又不引起条件4 被破坏)。用于完成这项任务的基本操作是颜色的改变和树的旋转。

12.2.1 自底向上的插入

前面已经提到，如果新插入的项的父节点是黑色，那么插入完成。因此，将 25 插入到图 12-9 的树中是简单的操作。

549

如果父节点是红色的，那么有几种情形(每种都有一个镜像对称)需要考虑。首先，假设这个父节点的兄弟是黑色的(我们采纳约定：null 节点都是黑色的)。这对于插入 3 或 8 是适用的，但对插入 99 不适用。令 X 是新添加的树叶，P 是它的父节点，S 是该父节点的兄弟(若存在)，G 是祖父节点。在这种情形只有 X 和 P 是红色的，G 是黑色的，否则就会在插入前有两个相连的红色节点，违反了红黑树的法则。采用伸展树的术语，X，P 和 G 可以形成一个一字形链或之字形链(两个方向中的任一个方向)。图 12-10 指出当 P 是一个左儿子时(注意有一个对称情形)我们应该如何旋转该树。即使 X 是一片树叶，我们还是画出较一般的情形，使得 X 在树的中间。后面我们将用到这个较一般的旋转。

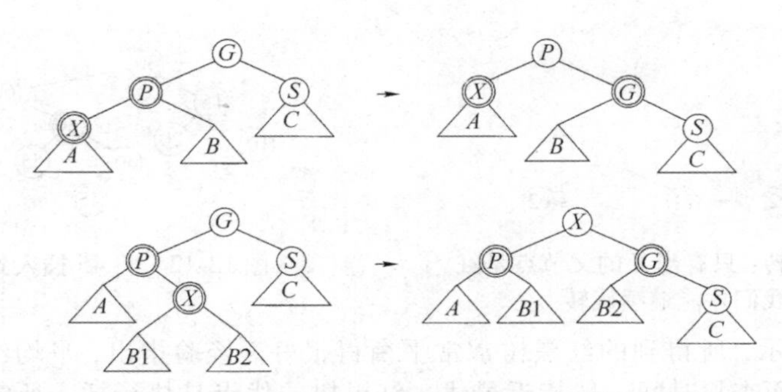

图 12-10 如果 S 是黑色的，则单旋转和之字形旋转有效

第一种情形对应 P 和 G 之间的单旋转，而第二种情形对应双旋转，该双旋转首先在 X 和 P 之间进行，然后在 X 和 G 之间进行。当编写程序时，我们必须记录父节点、祖父节点，以及为了重新连接还要记录曾祖节点。

在这两种情形下，子树的新根均被涂成黑色，因此，即使原来的曾祖是红色的，我们也排除了两个相邻红色节点的可能性。同样重要的是，这些旋转的结果是通向 A，B 和 C 诸路径上的黑色节点个数保持不变。

到现在为止一切顺利。但是，正如我们企图将 79 插入到图 12-9 树中的情况一样，如果 S 是红色的，那么会发生什么情况呢？在这种情况下，初始时从子树的根到 C 的路径上有一个黑色节点。在旋转之后，一定仍然还是只有一个黑色节点。但在这两种情况下，在通向 C 的路径上都有三个节点(新的根，G 和 S)。由于只有一个可能是黑色的，又由于我们不能有连续的红色节点，于是我们必须把 S 和子树的新根都涂成红色，而把 G(以及第 4 个节点)涂成黑色。这很好，可是，如果曾祖也是红色的那么又会怎样呢？此时，我们可以将这个过程朝着根的方向上滤，就像对 B 树和二叉堆所做的那样，直到不再有两个相连的红色节点或者到达根(它将被重新涂成黑色)处为止。注意到在最后一种情况下，我们可以简化，因为不带旋转的颜色转换本身会产生等价的行为。更重要的是，无论如何，我们都还是得向着根进行上滤。 550

12.2.2 自顶向下红黑树

上滤的实现需要用一个栈或用一些父链保存路径。我们看到，如果使用一个自顶向下的过程，则伸展树会更有效，事实上我们可以对红黑树应用自顶向下的过程而保证 S 不会是红色的。

这个过程在概念上是容易的。在向下的过程中当看到一个节点 X 有两个红儿子的时候，可使 X 呈红色而让它的两个儿子是黑的。(如果 X 是根，则在颜色翻转后它将是红色，但是为恢复性质 2 可以直接着成黑色)图 12-11 显示这种颜色翻转的现象，只有当 X 的父节点 P 也是红的时候这种翻转将破坏红黑的法则。但是此时可以应用图 12-10 中适当的旋转。如果 X 的父节点的兄弟是红色会如何呢？这种可能已经被从顶向下过程中的行动所排除，因此 X 的父节点的兄弟不可能是红色！特别地，如果在沿树向下的过程中我们看到一个节点 Y 有两个红儿子，那么我们知道 Y 的孙子必然是黑的，由于 Y 的儿子也要变成黑的，甚至在可能发生的旋转之后，因此我们将不会看到两层上另外的红节点。这样，当我们看到 X，若 X 的父节点是红的，则 X 的父节点的兄弟不可能也是红色的。

例如，假设要将 45 插入到图 12-9 中的树上。在沿树向下的过程中，我们看到 50 有两个红儿子。因此，我们执行一次颜色翻转，使 50 为红的，40 和 55 是黑的。现在 50 和 60 都是红的。在 60 和 70 之间执行单旋转，使得 60 是 30 的右子树的黑根，而 70 和 50 都是红的。如果我们在路径上看到另外的含有两个红儿子的节点，那么我们继续执行同样的操作。当我们到达树叶时，把 45 作为红节点插入，由于父节点是黑的，因此插入完成。最后得到如图 12-12 所示的树。

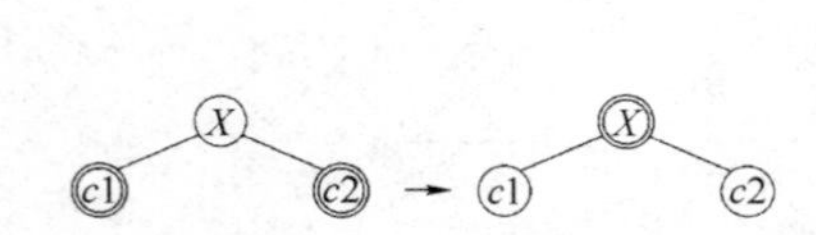

图 12-11 颜色翻转：只有当 X 的父节点是红的时候我们才能继续旋转

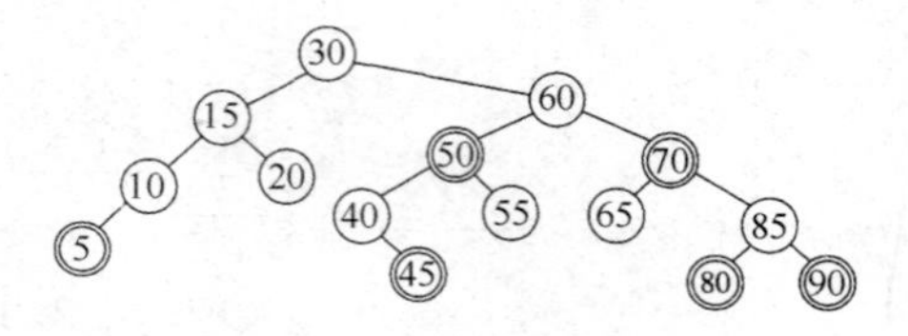

图 12-12 将 45 插入到图 12-9 中

如图 12-12 所示，所得到的红黑树常常平衡得很好。经验指出，平均红黑树大约和平均 AVL 树一样深，从而查找时间一般接近最优。红黑树的优点是执行插入所需要的开销相对较低，另外就是实践中发生的旋转相对较少。

红黑树的具体实现是很复杂的，这不仅因为有大量可能的旋转，而且还因为一些子树可能是空的(如 10 的右子树)，以及处理根的特殊的情况(尤其是根没有父亲)。因此，我们使用两个标记节点：一个是根，一个是 nullNode，它的作用像在伸展树中那样指示一个 null 引用。根标记将存储关键字 $-\infty$ 和一个指向真正的根的右链。为此，查找和输出过程均需要调整。递归的例程都很巧妙。图 12-13 指出如何重新编写中序遍历。

551

```
 1    /**
 2     * Print the tree contents in sorted order.
 3     */
 4    public void printTree( )
 5    {
 6        if( isEmpty( ) )
 7            System.out.println( "Empty tree" );
 8        else
 9            printTree( header.right );
10    }
11
12    /**
13     * Internal method to print a subtree in sorted order.
14     * @param t the node that roots the subtree.
15     */
16    private void printTree( RedBlackNode<AnyType> t )
17    {
18        if( t != nullNode )
19        {
20            printTree( t.left );
21            System.out.println( t.element );
22            printTree( t.right );
23        }
24    }
```

图 12-13 树的中序遍历以及两个警戒标记

图 12-14 显示 RedBlackTree 架构(省去了其中的一些成员方法)以及构造方法。接着，图12-15显示执行一次单旋转的例程。因为所得到的树必须要附接到一个父节点上，所以 rotate 把父节点作为一个参数。我们把 item 作为一个参数传递而不是在沿树下行时记录旋转的类型。由于期望在插入过程中进行很少的旋转，因此使用这种方式实际上不仅更简单，而且还更快。rotate 直接返回执行一次适当的单旋转的结果。

```
1 public class RedBlackTree<AnyType extends Comparable<? super AnyType>>
2 {
3     /**
4      * Construct the tree.
5      */
6     public RedBlackTree( )
7     {
8         nullNode = new RedBlackNode<>( null );
9         nullNode.left = nullNode.right = nullNode;
10        header      = new RedBlackNode<>( null );
11        header.left = header.right = nullNode;
12    }
13
14    private static class RedBlackNode<AnyType>
15    {
16            // Constructors
17        RedBlackNode( AnyType theElement )
18          { this( theElement, null, null ); }
19
20        RedBlackNode( AnyType theElement, RedBlackNode<AnyType> lt, RedBlackNode<AnyType>rt )
21          { element = theElement; left = lt; right = rt; color = RedBlackTree.BLACK; }
22
23        AnyType               element;    // The data in the node
24        RedBlackNode<AnyType> left;       // Left child
25        RedBlackNode<AnyType> right;      // Right child
26        int                   color;      // Color
27    }
28
29    private RedBlackNode<AnyType> header;
30    private RedBlackNode<AnyType> nullNode;
31
32    private static final int BLACK = 1;    // BLACK must be 1
33    private static final int RED   = 0;
34 }
```

图 12-14 类架构和初始化例程

```
1     /**
2      * Internal routine that performs a single or double rotation.
3      * Because the result is attached to the parent, there are four cases.
4      * Called by handleReorient.
5      * @param item the item in handleReorient.
6      * @param parent the parent of the root of the rotated subtree.
7      * @return the root of the rotated subtree.
8      */
9     private RedBlackNode<AnyType> rotate( AnyType item, RedBlackNode<AnyType> parent )
10    {
11        if( compare( item, parent ) < 0 )
12            return parent.left = compare( item, parent.left ) < 0 ?
```

图 12-15 rotate 方法

```
13                    rotateWithLeftChild( parent.left )  :  // LL
14                    rotateWithRightChild( parent.left ) ;  // LR
15          else
16               return parent.right = compare( item, parent.right ) < 0 ?
17                    rotateWithLeftChild( parent.right ) :  // RL
18                    rotateWithRightChild( parent.right );  // RR
19      }
20
21      /**
22       * Compare item and t.element, using compareTo, with
23       * caveat that if t is header, then item is always larger.
24       * This routine is called if it is possible that t is header.
25       * If it is not possible for t to be header, use compareTo directly.
26       */
27      private final int compare( AnyType item, RedBlackNode<AnyType> t )
28      {
29          if( t == header )
30              return 1;
31          else
32              return item.compareTo( t.element );
33      }
```

图 12-15 (续)

最后，我们在图 12-16 中给出插入过程。例程 handleReorient 当我们遇到带有两个红儿子的节点时被调用，在我们插入一片树叶时它也被调用。最为复杂的部分是，一个双旋转实际上是两个单旋转，而且只有当通向 X 的分支(在 insert 方法中由 current 表示)取相反方向时才进行。正如我们在较早的讨论中提到的，当沿树向下进行的时候，insert 必须记录父亲、祖父和曾祖。由于这些量要由 handleReorient 共享，因此让它们是类成员。注意，在一次旋转之后，存储在祖父和曾祖节点中的值将不再正确。不过，肯定到下一次再需要它们的时候它们将被修复。

```
 1          // Used in insert routine and its helpers
 2      private RedBlackNode<AnyType> current;
 3      private RedBlackNode<AnyType> parent;
 4      private RedBlackNode<AnyType> grand;
 5      private RedBlackNode<AnyType> great;
 6
 7      /**
 8       * Internal routine that is called during an insertion
 9       * if a node has two red children. Performs flip and rotations.
10       * @param item the item being inserted.
11       */
12      private void handleReorient( AnyType item )
13      {
14              // Do the color flip
15          current.color = RED;
16          current.left.color = BLACK;
17          current.right.color = BLACK;
```

图 12-16 插入过程

```
18
19          if( parent.color == RED )   // Have to rotate
20          {
21              grand.color = RED;
22              if( ( compare( item, grand ) < 0 ) !=
23                  ( compare( item, parent ) < 0 ) )
24                  parent = rotate( item, grand );  // Start dbl rotate
25              current = rotate( item, great );
26              current.color = BLACK;
27          }
28          header.right.color = BLACK; // Make root black
29      }
30
31      /**
32       * Insert into the tree.
33       * @param item the item to insert.
34       */
35      public void insert( AnyType item )
36      {
37          current = parent = grand = header;
38          nullNode.element = item;
39
40          while( compare( item, current ) != 0 )
41          {
42              great = grand; grand = parent; parent = current;
43              current = compare( item, current ) < 0 ? current.left : current.right;
44
45                  // Check if two red children; fix if so
46              if( current.left.color == RED && current.right.color == RED )
47                  handleReorient( item );
48          }
49
50              // Insertion fails if already present
51          if( current != nullNode )
52              return;
53          current = new RedBlackNode<>( item, nullNode, nullNode );
54
55              // Attach to parent
56          if( compare( item, parent ) < 0 )
57              parent.left = current;
58          else
59              parent.right = current;
60          handleReorient( item );
61      }
```

图 12-16 （续）

12.2.3 自顶向下的删除

红黑树中的删除也可以自顶向下进行。每一件工作都归结于能够删除树叶。这是因为，要删除一个带有两个儿子的节点，用右子树上的最小节点代替它；该节点必然最多有一个儿子，然后将该节点删除。只有一个右儿子的节点可以用相同的方式删除，而只有一个左儿子的节点通过用其左子树上最大节点替换而被删除，然后再将该节点删除。注意，对于红黑树，我们不要使用绕过带有一个儿子的节点的情形的方法，因为这可能在树的中部连接两个红色节点，增

标记 nullNode 的优先级为∞。随机优先级由一个共享的 Random 类的对象生成。

```
1  private static class TreapNode<AnyType>
2  {
3          // Constructors
4      TreapNode( AnyType theElement )
5        { this( theElement, null, null ); }
6      TreapNode( AnyType theElement, TreapNode<AnyType> lt, TreapNode<AnyType> rt )
7        { element = theElement; left = lt; right = rt; priority = randomObj.randomInt( ); }
8
9      AnyType            element;      // The data in the node
10     TreapNode<AnyType> left;         // Left child
11     TreapNode<AnyType> right;        // Right child
12     int                priority;     // Priority
13
14     private static Random randomObj = new Random( );
15 }
```

图 12-18 treap 树的节点声明

到 treap 树的插入操作也简单：在一项作为树叶加入之后，我们将它沿着该 treap 树向上旋转直到它的优先级满足堆序为止。可以证明旋转的期望次数小于 2。在找到要被删除的项以后，通过把它的优先级增加到∞并沿着低优先级诸儿子的路径向下旋转而可将其删除。一旦它成为树叶，就可以把它除去。图 12-19 和图 12-20 中的例程利用递归实现这些方法。一种非递归的实现方法留给读者练习(见练习 12.11)。对于删除，注意当节点逻辑上是树叶时，它仍然有 nullNode 作为它的左儿子和右儿子。因此，它与右儿子旋转，在旋转后，t 为 nullNode，而左儿子存储要被删除的项。因此我们将 t.left 改变成引用 nullNode 标记。还要注意我们的实现是假设没有重复元；如果这个假设不成立，那么 remove 可能失败(为什么?)。 558

```
1      /**
2       * Internal method to insert into a subtree.
3       * @param x the item to insert.
4       * @param t the node that roots the subtree.
5       * @return the new root of the subtree.
6       */
7      private TreapNode<AnyType> insert( AnyType x, TreapNode<AnyType> t )
8      {
9          if( t == nullNode )
10             return new TreapNode<>( x, nullNode, nullNode );
11
12         int compareResult = x.compareTo( t.element );
13
14         if( compareResult < 0 )
15         {
16             t.left = insert( x, t.left );
17             if( t.left.priority < t.priority )
18                 t = rotateWithLeftChild( t );
19         }
20         else if( compareResult > 0 )
21         {
```

图 12-19 treap 树：插入例程

```
22              t.right = insert( x, t.right );
23              if( t.right.priority < t.priority )
24                  t = rotateWithRightChild( t );
25          }
26          // Otherwise, it's a duplicate; do nothing
27
28          return t;
29      }
```

图 12-19 （续）

```
1       /**
2        * Internal method to remove from a subtree.
3        * @param x the item to remove.
4        * @param t the node that roots the subtree.
5        * @return the new root of the subtree.
6        */
7       private TreapNode<AnyType> remove( AnyType x, TreapNode<AnyType> t )
8       {
9           if( t != nullNode )
10          {
11              int compareResult = x.compareTo( t.element );
12
13              if( compareResult < 0 )
14                  t.left = remove( x, t.left );
15              else if( compareResult > 0 )
16                  t.right = remove( x, t.right );
17              else
18              {
19                      // Match found
20                  if( t.left.priority < t.right.priority )
21                      t = rotateWithLeftChild( t );
22                  else
23                      t = rotateWithRightChild( t );
24
25                  if( t != nullNode )     // Continue on down
26                      t = remove( x, t );
27                  else
28                      t.left = nullNode;  // At a leaf
29              }
30          }
31          return t;
32      }
```

图 12-20 treap 树：删除过程

treap 树特别容易实现是因为我们绝对不必担心调整优先级域。平衡树处理方法的困难之一是追查由于未能更新一次操作过程中的信息而导致的错误。从合理的插入和删除包的全部程序行来看，treap 树，特别是非递归的实现，似乎才是不费力的赢家。

12.4 后缀数组与后缀树

数据处理中最基础的问题之一是从文本 T 中找到一段模式 P 所在的位置。例如，我们可能

有兴趣回答如下问题:

- 存在能匹配 P 的 T 的子串吗?
- P 在 T 中出现了多少次?
- P 在 T 中出现的所有位置都在哪些地方?

559~560

假设 P 的规模比 T 小(通常是小得多),于是对于给定的 P 和 T,我们可以合理地期望解决这个问题的时间至少关于 T 的长度是线性的,事实上也的确有若干个 $O(|T|)$ 的算法。

然而,我们会对一个更加一般的问题感兴趣,在这个问题中,T 是固定的,而针对不同的 P 有频繁的查询请求。例如,T 可以是一个巨大的邮件信息存档,而我们有兴趣对不同的模式重复地查找邮件信息。在这种情况下,我们会将 T 预处理成一种比较好的形式,使得每次独立查询的效率更高,所用时间显著小于 T 的规模的线性时间——或者是 T 的规模的对数时间(或更好),其与 T 无关而仅依赖于 P 的长度。

有一种这样的数据结构叫*后缀数组*和*后缀树*(听上去好像是两种数据结构,但是我们将看到它们基本上是等价的,是用空间换时间)。

12.4.1 后缀数组

关于一段文本 T 的后缀数组其实就是 T 的所有后缀有序排列所组成的一个数组。例如,设我们的文本字符串是 `banana`,则 `banana` 的后缀数组如图 12-21 所示。

一个直接存储了后缀的后缀数组看上去需要平方级的空间,因为它对从 1 到 N(其中 N 是 T 的长度)的每个长度都存了一个字符串。在 Java 中并不一定如此,因为 Java 字符串是用维护一个字符数组以及一个开头和结尾的索引来实现的。这意味着当通过一个对 `substring` 的调用创建一个 `String` 时,同一个字符数组是被共享的,额外的内存需求只是那个新子串的开头和结尾的索引。无论如何,即便如此也用了太多的空间:后缀数组是为文本而建的,不是为了模式,而文本可能非常巨大。于是一种实际的实现方法通常是只存后缀在后缀数组中的起始下标,而不是整个子串。图 12-22 展示了存储的下标。

0	a
1	ana
2	anana
3	banana
4	na
5	nana

图 12-21 "banana" 的后缀

后缀数组本身是非常强大的。例如,如果某个模式 P 出现在文本中,则它必定是某个后缀的前缀。对后缀数组做折半查找就足以确定模式 P 是否在文本中:折半查找或者停在 P 上,或者 P 处于两个值之间,一个比 P 小,一个比 P 大。如果 P 是某个子串的前缀,那么它就是折半查找结束时找到的那个更大值的前缀。这立刻将查询时间降到了 $O(|P|\log|T|)$,其中 $\log|T|$ 是折半查找造成的,$|P|$ 是每步比较的开销。

561

我们还可以利用后缀数组找到 P 的出现次数:它们会被顺序存储在后缀数组中,于是两次折半查找后缀可以找到保证从 P 开始的后缀的区间。加速这种查找的一个方法是,对每一对连续排放的子串计算*最长公共前缀*(Longest Common Prefix, LCP);如果在建立后缀数组的同时完成这个计算,则每次找 P 的出现次数就可以加速到 $O(|P|+\log|T|)$,尽管这并不显然。图 12-23 给出了对每个子串计算的相对于前一子串的 LCP。

	下标	所表示的子串
0	5	a
1	3	ana
2	1	anana
3	0	banana
4	4	na
5	2	nana

图 12-22 仅存了下标的后缀数组(完整的子串展示仅供参考)

	下标	LCP	所表示的子串
0	5	-	a
1	3	1	ana
2	1	3	anana
3	0	0	banana
4	4	0	na
5	2	2	nana

图 12-23 "banana" 的后缀数组,包括最长公共前缀(LCP)

最长公共前缀还提供了关于在文本中出现了两次的最长模式的信息：找到 LCP 的最大值，从对应子串中取出该值那么多的字符。在图 12-23 中，这个值是 3，而最长重复的模式就是 ana。

图12-24 给出了对任意字符串计算后缀数组和最长公共前缀信息的简单代码。第28～30 行计算后缀，然后后缀被存在第32 行。第34～35 行计算后缀的起始下标，而第37～39 行通过调用写在第4～13 行的 computeLCP 例程，对相邻的元素计算最长公共前缀。

```
1     /*
2      * Returns the LCP for any two strings
3      */
4     public static int computeLCP( String s1, String s2 )
5     {
6         int i = 0;
7
8         while( i < s1.length( ) && i < s2.length( )
9                               && s1.charAt( i ) == s2.charAt( i ) )
10            i++;
11
12        return i;
13    }
14
15    /*
16     * Fill in the suffix array and LCP information for String str
17     * @param str the input String
18     * @param SA existing array to place the suffix array
19     * @param LCP existing array to place the LCP information
20     */
21    public static void createSuffixArray( String str, int [ ] SA, int [ ] LCP )
22    {
23        if( SA.length != str.length( ) || LCP.length != str.length( ) )
24            throw new IllegalArgumentException( );
25
26        int N = str.length( );
27
28        String [ ] suffixes = new String[ N ];
29        for( int i = 0; i < N; i++ )
30            suffixes[ i ] = str.substring( i );
31
32        Arrays.sort( suffixes );
33
34        for( int i = 0; i < N; i++ )
35            SA[ i ] = N - suffixes[ i ].length( );
36
37        LCP[ 0 ] = 0;
38        for( int i = 1; i < N; i++ )
39            LCP[ i ] = computeLCP( suffixes[ i - 1 ], suffixes[ i ] );
40    }
```

图 12-24 创建后缀数组和 LCP 数组的简单算法

562~563

后缀数组计算的运行时间主要花在排序步骤上，用了 $O(N \log N)$次比较。在很多情况下，这也是可以接受的合理表现了。例如，一个 3 000 000 字符的英文小说的后缀数组可以在几秒内建起来。然而，基于比较次数的 $O(N \log N)$级的开销隐藏了一个事实，即在 $s1$ 和 $s2$ 之间进行一次 String 的比较所花的时间还依赖于 LCP($s1$，$s2$)。所以，一方面当运行在自然语言处理中找到的后缀上时，的确是几乎所有这种比较都能很快结束；而另一方面当应用中存在很多长的公共子串时，比较将是很昂贵的。一个这样的例子是 DNA 的模式查找，DNA 的字母由四个字符(A，C，G，T)组成，而 DNA 的字符串可以非常巨大。例如，人类 22 号染色体的 DNA 字符串有大约 3 500 万个字符，其最大的 LCP 约是 200 000，而平均 LCP 接近 2 000。甚至 HTML/Java 对 JDK 1.3 的发行(比当前的发行小得多)都有将近 7 000 万个字符，其最大的 LCP 约是 37 000，而平均 LCP 约是 14 000。在 String 退化到只包含一个字符的情况下，重复 N 次，容易看到每次比较要花 $O(N)$的时间，而总开销是 $O(N^2 \log N)$。

在 12.4.3 节中，我们将证明一个构造后缀数组的线性时间的算法。

12.4.2 后缀树

后缀数组用折半查找很容易查，但是折半查找本身暗示了 $\log T$ 的开销。我们想做的是用更有效的方法找到一个匹配的后缀。一个思路是将后缀存在一个**字典树**(trie)里。我们在 10.1.2 节的哈夫曼编码中讨论过一个二叉字典树[⊖]。

字典树的基本思路是将后缀存在一棵树里。在根节点，我们不是有两个分支，而是对每个可能的首字母有一个分支。然后在下一层，我们对下一个字母有一个分支，以此类推。在每一层，我们做多路分支，这很像基数排序，于是我们可以在仅依赖于匹配长度的时间内找到一个匹配。

在图 12-25 中，我们看到左边是一个存储字符串 *deed* 后缀的基本的字典树。这些后缀是 *d*，*deed*，*ed* 以及 *eed*。在这个字典树中，内部的分支节点被画成圆圈，而到达的后缀被画成方块。每个分支用其选择的字符来标记，但是一个完整后缀前面的那个分支没有标记。

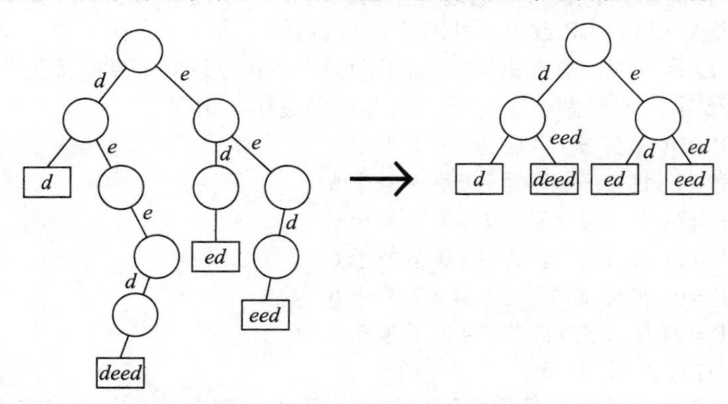

图 12-25 左边：表示 *deed* 后缀的字典树：{*d*，*deed*，*ed*，*eed*}；右边：塌缩了单节点分支的压缩字典树

如果有很多节点都只有一个孩子，那么这种表示法会浪费很多空间。所以在图 12-25 中，我们看到右边有个等价的表示，称为*压缩字典树*(compressed trie)。这里，单分支节点被塌缩为一个单节点。注意，尽管现在分支有多字符标记，但对任何给定节点分支的所有标记都必须有唯一的首字母。于是选择用哪个分支还是如以前一样容易。所以我们如愿以偿地看到，搜索一个模式 P 仅依赖于模式 P 的长度。(我们假设字母用数字 1，2，…来表示。则每个节点存储一个数组，它表示每个可能的分支，我们可以在常数时间内定位合适的分支。空的边标记可以

⊖ 前文又称 trie 树。——译者注

用0来表示。)

如果原始字符串长度为N，所有分支的总个数会小于$2N$。但是，仅此并不意味着压缩字典树使用了线性空间。边上的标记也占用空间。图12-25中压缩字典树的所有标记的总长度正好是图12-25中原始字典树的内部分支节点数减1。当然，把所有后缀写入叶节点会占用平方级的空间。所以如果原始字典树用了平方级的空间，那么压缩字典树也一样。幸运的是，我们可以克服这个问题，以下方法仅用线性空间：

1. 在叶节点中，我们用后缀起始的下标(如在后缀数组中一样)。

2. 在内部节点中，我们存储从根到该内部节点匹配的公共字符的个数，这个数字表示字母深度(letter depth)。

图12-26展示了关于*banana*后缀的压缩字典树是如何存储的。叶子就是每个后缀的起始点下标。字母深度为1的内部节点表示它下面所有节点的公共串“*a*”。字母深度为3的内部节点表示它下面所有节点的公共串“*ana*”。字母深度为2的内部节点表示它下面所有节点的公共串“*na*”。事实上，这个分析清楚地表明后缀树跟后缀数组加LCP数组是等价的。

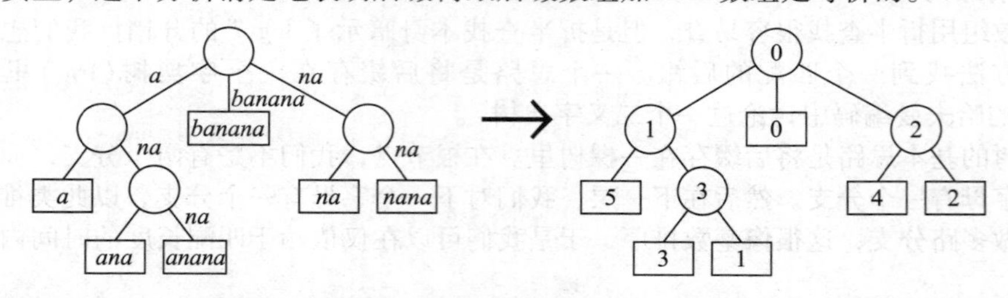

564 ~ 565

图12-26　表示*banana*后缀的压缩字典树：{*a*，*ana*，*anana*，*banana*，*na*，*nana*}。左边：显式表示法；右边：隐式表示法，每个节点只存一个整数(加分支)

如果我们有一棵后缀树，就可以通过一次对该树的中序遍历(比较图12-23和图12-26中的后缀树)来计算后缀数组和LCP数组。那时我们可以按以下方法计算LCP：如果后缀节点值加上父节点的字母深度等于N，则将祖父节点的字母深度作为LCP；否则将父节点的字母深度作为LCP。在图12-26中，如果做中序遍历，就得到后缀和LCP值：

后缀=5，LCP=0(祖父节点)因为5+1等于6
后缀=3，LCP=1(祖父节点)因为3+3等于6
后缀=1，LCP=3(父节点)因为1+3不等于6
后缀=0，LCP=0(父节点)因为0+0不等于6
后缀=4，LCP=0(祖父节点)因为4+2等于6
后缀=2，LCP=2(父节点)因为2+2不等于6

这个变换显然可以在线性时间完成。

后缀数组和LCP数组也唯一地定义了后缀树。首先，创建一个字母深度为0的根节点。然后在LCP数组中找(忽略位置0，那里LCP实际上没有定义)最小值(此时应该是0)出现的所有地方。一旦找到了这些最小值，它们将把数组分割成片段(将LCP看成是位于两个相邻元素之间)。例如，在我们的例子里，LCP数组中有两个0，将后缀数组分成了三部分：一部分包括后缀{5，3，1}，另一部分包括后缀{0}，第三部分包括后缀{4，2}。这些部分的内部节点可以递归地建立，然后后缀叶子节点可以用一次中序遍历贴上去。虽然并不显然，但只要谨慎一些就能用线性时间从后缀数组和LCP数组生成后缀树。

后缀树可以有效地解决很多问题，特别是，如果我们要在每个内部节点增加维护存在它下面的后缀的数量。后缀树的一小部分应用列举如下：

1. 找到T中最长的重复子串：遍历树，找到带最大字母深度的内部节点，这就表示了最大的LCP。运行时间是$O(|T|)$。还可以推广到重复了至少k遍的最长子串。

2. 找到两个字符串 $T1$ 和 $T2$ 的最长公共子串：合成一个字符串 $T1\#T2$，其中#是不在任一字符串中的某个字符。然后为这个字符串建立后缀树，找到最深的那个内部节点，其至少存在一个后缀是在#之前起始的，一个是在#之后起始的。这个完成时间可以做到跟字符串的总长度成正比，并且推广为解决总长度为 N 的 k 个字符串问题的 $O(kN)$ 算法。

3. 找到模式 P 出现的次数：假设后缀树增加了记录，简单地沿着内部节点向下的路径，使每个叶子保持跟踪其下面的后缀的个数；第一个是 P 的前缀的内部节点提供了答案；如果这样的节点不存在，答案是0或1，可以通过检查搜索终止处的后缀来得到。这个花费的时间跟模式 P 的长度成正比，而与 $|T|$ 的大小无关。

4. 找到指定长度 $L>1$ 的最常见子串：返回那些字母深度至少为 L 的节点中规模最大的内部节点。所花时间是 $O(|T|)$。

566

12.4.3　线性时间的后缀数组和后缀树的构建

在12.4.1节我们展示了最简单的构建后缀数组和LCP数组的算法，但是这个算法对于一个有 N 个字符的串的最坏运行时间是 $O(N^2 \log N)$，而且当字符串的后缀有比较长的公共前缀时会发生这种最坏情况。在本节，我们描述一个最坏时间是 $O(N)$ 的算法，用来计算后缀数组。这个算法还可以加强，用以在线性时间内计算LCP数组，但是还有一种非常简单的线性时间算法，来从后缀数组中计算LCP数组(见练习12.9和图12-50的完整代码)。无论哪种方法，我们都可以在线性时间内建立一棵后缀树。

算法用到了分治。基本思路如下：

1. 选择后缀的一个样本集 A。
2. 用递归将样本集 A 排序。
3. 利用当前有序的后缀样本集 A 将剩下的后缀集合 B 排序。
4. 归并 A 和 B。

为了理解第3步为什么会管用，设后缀样本集 A 是所有从奇数下标开始的后缀，于是剩下的后缀集合 B 就是从偶数下标开始的后缀。所以，设我们已经计算了后缀样本集 A 的有序集合。要计算后缀样本集 B 的有序集合，我们实际上得对所有从偶数下标开始的后缀进行排序。但这些后缀每个都有一个首字母在偶数位置上，后面跟着一个字符串，其开始于第二个字符，并且这个字符一定在一个奇数位置上。所以从第二个字符开始的字符串正是 A 中的一个字符串。于是要对 B 中所有后缀排序，我们可以用类似于基数排序的做法。首先将 B 中从第二个字符开始的字符串进行排序，这应该花费线性时间，因为 A 的有序顺序是已知的。然后对 B 中字符串的首字母进行稳定排序。于是在 A 被递归排序之后，B 可以在线性时间内排序。如果随后 A 和 B 可以在线性时间内归并，我们就得到了一个线性时间的算法。我们提出的这个算法用了一种不同的采样步骤，使得简单的线性时间的归并步骤得以执行。

当我们描述算法时，我们还将展示如何对字符串ABRACADABRA计算后缀数组。我们采用下列约定：

$S[i]$　　表示字符串 S 的第 i 个字符

$S[i=>]$　表示 S 的从下标 i 起始的后缀

$<\ >$　　表示一个数组

步骤1：将字符串中的字符进行排序，从1开始给它们顺序分配数字，然后在接下来的算法中使用那些数字。注意到分配的数字依赖于文本，所以，如果文本仅包含DNA字符A，C，G，T，则只会有4个数字。然后在数组中填充三个0以避免边界情况出问题。如果我们假设字母表是定长的，则排序只用常数级的时间。

567

例：

在我们的例子中，映射是A=1，B=2，C=3，D=4，R=5，变换可以通过图12-27直观地理解。

输入字符串S	A	B	R	A	C	A	D	A	B	R	A			
新问题	1	2	5	1	3	1	4	1	2	5	1	0	0	0
下标	0	1	2	3	4	5	6	7	8	9	10	11	12	13

图 12-27 将字符串中的字符映射为整数数组

步骤 2：将文本划分为三组

$$S_0 = \langle S[3i]S[3i+1]S[3i+2], \quad 对于\ i=0,1,2,\cdots \rangle$$
$$S_1 = \langle S[3i+1]S[3i+2]S[3i+3], \quad 对于\ i=0,1,2,\cdots \rangle$$
$$S_2 = \langle S[3i+2]S[3i+3]S[3i+4], \quad 对于\ i=0,1,2,\cdots \rangle$$

思路是，S_0，S_1，S_2 每个由大约 $N/3$ 个符号组成，但是符号不再是原始的字母，取而代之的是，每个新的符号是某三个原始字母表中符号组成的组。我们称之为三字符(tri-character)。最重要的是，S_0，S_1，S_2 的后缀组合起来形成了 S 的后缀。于是一个思路就是递归地计算 S_0，S_1，S_2 的后缀(根据定义，暗示了表示有序的字符串)，然后在线性时间内归并结果。然而，因为这是对大小为1/3 原始规模的问题做三次递归调用，所以结果会导致一个 $O(N \log N)$的算法。所以思路就是通过递归计算其中两个后缀分组，并利用该信息计算第三个后缀分组，以避免三次中的一次递归调用。

例：

在我们的例子中，如果观察原始的字符集合，并用 $ 表示填充的字符，则得到

S_0 = [ABR]，[ACA]，[DAB]，[RA$]

S_1 = [BRA]，[CAD]，[ABR]，[A$$]

S_2 = [RAC]，[ADA]，[BRA]

我们可以看到，在 S_0，S_1，S_2 中每个三字符现在变成一个原始字母表的三字符组。利用那个字母表，S_0和 S_1 是长度为 4 的数组，而 S_2 是长度为 3 的数组。S_0，S_1，S_2 于是分别有 4、4、3 个后缀。S_0的后缀是[ABR][ACA][DAB][RA$]，[ACA][DAB][RA$]，[DAB][RA$]，[RA$]，很明显地对应了原始字符串中的后缀 ABRACADABRA，ACADABRA，DABRA，RA。在原始字符串 S 中，这些后缀分别位于下标为0、3、6、9 的位置，所以观察所有三个 S_0，S_1，S_2，我们会发现每个 S_i 表示在 S 中位于下标是 i mod 3 位置的那些后缀。

568

步骤 3：将 S_1 和 S_2 接起来，递归地计算后缀数组。为了计算这个后缀数组，我们要将新的三字符的字母表排序。用三趟基数排序可以在线性时间完成这一步，因为旧的字符已经在步骤 1 排好序了。如果事实上所有新字母表的三字符都是唯一的，则我们根本就不用费事地进行递归调用。执行三趟基数排序需要线性时间。如果 $T(N)$是后缀数组构建算法的运行时间，则递归调用要花 $T(2N/3)$的时间。

例：

在我们的例子中

S_1S_2 = [BRA]，[CAD]，[ABR]，[A$$]，[RAC]，[ADA]，[BRA]

递归计算出的有序的后缀将表示三字符的串，如图 12-28 所示。

注意这些与 S 中的对应后缀并不完全一样，然而，如果我们剔除从第一个 $ 开始的那些字符，就能得到后缀的匹配。还要注意到递归调用返回的下标也不是直接跟 S 中的下标对应的，当然将它们映射回去是很简单的事情。于是要明白算法实际上是如何形成的递归调用，则要观察到三趟基数排序将分配以下字母表：[A$$]=1，[ABR]=2，[ADA]=3，[BRA]=4，[CAD]=5，[RAC]=6。图 12-29 展示了三字符的映射、对 S_1 和 S_2 形成的结果数组以及递归计算出的后缀数组。[⊖]

⊖ SA 即“后缀数组”的缩写，下同。——译者注

	下标	所表示的子串
0	3	[A$$][RAC][ADA][BRA]
1	2	[ABR][A$$][RAC][ADA][BRA]
2	5	[ADA][BRA]
3	6	[BRA]
4	0	[BRA][CAD][ABR][A$$][RAC][ADA][BRA]
5	1	[CAD][ABR][A$$][RAC][ADA][BRA]
6	4	[RAC][ADA][BRA]

图 12-28　在三字符集合中的 S_1S_2 的后缀数组

S_1S_2	[BRA]	[CAD]	[ABR]	[A$$]	[RAC]	[ADA]	[BRA]			
整数	4	5	2	1	6	3	4	0	0	0
SA[S_1S_2]	3	2	5	6	0	1	4	0	0	0
下标	0	1	2	3	4	5	6	7	8	9

图 12-29　三字符的映射、对 S_1 和 S_2 形成的结果数组以及递归计算出的后缀数组

步骤 4：对 S_0 计算后缀数组。这很容易做，因为

$$\begin{aligned} S_0[i=>] &= S[3i=>] \\ &= S[3i]S[3i+1=>] \\ &= S[3i]S_1[i=>] \\ &= S_0[i]S_1[i=>] \end{aligned}$$

569

递归调用已经将所有 $S_1[i=>]$ 排序了，因此我们可以用简单的两趟基数排序来做步骤 4：第一趟在 $S_1[i=>]$ 上做，第二趟在 $S_0[i]$ 上做。

例：

在我们的例子中

$$S_0=[\text{ABR}],[\text{ACA}],[\text{DAB}],[\text{RA\$}]$$

从步骤 3 的递归调用，我们可以将 S_1 和 S_2 的后缀分级。图 12-30 展示了如何在递归计算出的后缀数组中引用原始字符串的下标，并且展示了从图 12-29 中得到的后缀数组如何导出 S_1+S_2 中后缀的分级。从下一行到最后一行的元素可以通过前两行很容易地得到。在最后一行，第 i 个元素由 i 在标记为 SA[S_1, S_2]的那行中的位置给出。

	S_1				S_2		
	[BRA]	[CAD]	[ABR]	[A$$]	[RAC]	[ADA]	[BRA]
S中的下标	1	4	7	10	2	5	8
SA[S_1S_2]	3	2	5	6	0	1	4
SA 使用S的下标	10	7	5	8	1	4	2
组的分级	5	6	2	1	7	3	4

图 12-30　基于图 12-29 给出的后缀数组得到的后缀分级

在 S_1 中建立的分级可以直接用于 S_0 上的第一趟基数排序。然后我们对 S 中的单字符做第二趟排序，用之前的基数排序打破平局。注意，如果 S_1 和 S_0 有完全一样多的元素，那将是很方便的。图 12-31 展示了我们可以如何计算 S_0 的后缀数组。

到此为止，我们有了 S_0 以及 S_1 和 S_2 组合的后缀数组。因为这是一次两趟基数排序，所以这一步花费 $O(N)$。

	S_0				
	[ABR]	[ACA]	[DAB]	[RA$]	
下标	0	3	6	9	
第2个元素的下标	1	4	7	10	上行加1
基数第1趟排序	5	6	2	1	图12-30的最后一行
基数第2趟排序	1	2	3	4	首字母的稳定基数排序
组的分级	1	2	3	4	用前一行的结果
SA，使用S的下标	0	3	6	9	用前一行的结果

图12-31 为S_0计算后缀数组

步骤5：用归并两个有序表的标准算法将两个后缀数组归并。仅有的问题是我们必须能够在常数时间内比较每一对后缀。有两种情况。

情况1：比较S_0的元素和S_1的元素。比较首字母，如果它们不匹配就结束了；否则，将S_0剩下的部分(即S_1的后缀)与S_1剩下的部分(即S_2的后缀)相比。那些已经排好序了，所以结束。

570

情况2：比较S_0的元素和S_2的元素。最多比较前两个字母，如果还是匹配的，则将S_0剩下的部分(在跳过两个字母后是S_2的后缀)与S_2剩下的部分(在跳过两个字母后是S_1的后缀)相比。与情况1一样，那些后缀已经由SA12排好序了，所以结束。

例：

在我们的例子中，需要归并

	A	A	D	R
S_0的SA	0	3	6	9
	↑			

和

	A	A	A	B	B	C	R
S_1和S_2的SA	10	7	5	8	1	4	2
	↑						

第一次比较是在S_0的元素下标0(一个A)和S_1的元素下标10(也是一个A)之间。因为是平局，现在我们得比较下标1和下标11。正常情况下这应该已经被计算过了，因为下标1在S_1中，下标11在S_2中。然而，这次情况特殊，因为下标11越过了字符串的终点，于是它总是按字典序表示早先的后缀，并且最终的后缀数组的第一个元素是10。我们推进第二组，现在得到

	A	A	D	R
S_0的SA	0	3	6	9
	↑			

	A	A	A	B	B	C	R
S_1和S_2的SA	10	7	5	8	1	4	2
		↑					

最终的SA	10										
输入S	A	B	R	A	C	A	D	A	B	R	A
下标	0	1	2	3	4	5	6	7	8	9	10

571

再次遇到首字母匹配，于是我们比较下标1和8，而这已经被计算过了，下标8有比较小的字符串。所以这意味着现在7进入最终的后缀数组，我们推进第二组，得到

	A	A	D	R
S_0的SA	0	3	6	9
	↑			

	A	A	A	B	B	C	R
S_1和S_2的SA	10	7	5	8	1	4	2
			↑				

最终的SA	10	7									
输入S	A	B	R	A	C	A	D	A	B	R	A
下标	0	1	2	3	4	5	6	7	8	9	10

又一次遇到首字母匹配，现在我们得比较下标 1 和 6。因为这是 S_1 元素和 S_0 元素之间的一次比较，我们找不到结果了。于是不得不直接比较字符。下标 1 包含 B，下标 6 包含 D，所以下标 1 胜。于是 0 进入最终的后缀数组，我们推进第一组。

	A	A	D	R
S_0的SA	0	3	6	9
		↑		

	A	A	A	B	B	C	R
S_1和S_2的SA	10	7	5	8	1	4	2
			↑				

最终的SA	10	7	0								
输入S	A	B	R	A	C	A	D	A	B	R	A
下标	0	1	2	3	4	5	6	7	8	9	10

下一次比较在一对 A 之间进行，又发生了同样的情况；第二次比较在下标 4(一个 C)和下标 6(一个 D)之间进行，所以第一组的元素向前推进。

572

	A	A	D	R
S_0的SA	0	3	6	9
			↑	

	A	A	A	B	B	C	R
S_1和S_2的SA	10	7	5	8	1	4	2
			↑				

最终的SA	10	7	0	3							
输入S	A	B	R	A	C	A	D	A	B	R	A
下标	0	1	2	3	4	5	6	7	8	9	10

此时有一阵子没有平局了，所以我们很快地推进到每组的最后一个字符：

	A	A	D	R
S_0的SA	0	3	6	9
				↑

	A	A	A	B	B	C	R
S_1和S_2的SA	10	7	5	8	1	4	2
							↑

最终的SA	10	7	0	3	5	8	1	4	6		
输入S	A	B	R	A	C	A	D	A	B	R	A
下标	0	1	2	3	4	5	6	7	8	9	10

终于，我们到达了终点。两个 R 之间的比较需要比较下一对位于下标 10 和 3 的字符。这是 S_1 元素和 S_0 元素之间的一次比较，如之前所见，我们找不到结果而必须做直接比较。但那些还是一样的，所以我们现在不得不比较下标 11 和 4，下标 11 自动胜出(因为它越过了字符串的终点)。于是位于下标 9 的 R 向前推进，然后我们就结束了归并。注意到如果不是到达了字符串的终点，就可以利用一个事实，即比较是在 S_2 元素和 S_1 元素之间进行，即意味着从 $S_1 + S_2$ 的后缀数组中应该已经得到了顺序。

573

	A	A	D	R
S_0的SA	0	3	6	9

↑

	A	A	A	B	B	C	R
S_1和S_2的SA	10	7	5	8	1	4	2

↑

最终的SA	10	7	0	3	5	8	1	4	6	9	2
输入S	A	B	R	A	C	A	D	A	B	R	A
下标	0	1	2	3	4	5	6	7	8	9	10

因为这是一次标准的归并，每对后缀执行最多两次比较，所以这一步花费了线性时间。于是算法整体上满足 $T(N) = T(2N/3) + O(N)$，花费线性时间。虽然我们只计算了后缀数组，LCP 的信息也能够在算法运行中计算，但是涉及一些麻烦的细节，通常 LCP 信息是用另外一种线性时间的算法计算的。

我们以提供一个计算后缀数组的可用的实现作为结束。与其完全实现步骤 1 来对原始字符进行排序，不如假设字符串中只有一个 ASCII 字符(其值位于 1 ~ 255)的小集合。在图 12-32 中，我们分配了带有三个用于填充的额外空档的数组，并且调用基本的线性时间算法 makeSuffixArray。

```
1     /*
2      * Fill in the suffix array and LCP information for String str
3      * @param str the input String
4      * @param sa existing array to place the suffix array
5      * @param LCP existing array to place the LCP information
6      */
7     public static void createSuffixArray( String str, int [ ] sa, int [ ] LCP )
8     {
9         if( sa.length != str.length( ) || LCP.length != str.length( ) )
10            throw new IllegalArgumentException( );
11
12        int N = str.length( );
13
14        int [ ] s = new int[ N + 3 ];
15        int [ ] SA = new int[ N + 3 ];
16
17        for( int i = 0; i < N; i++ )
18            s[ i ] = str.charAt( i );
19
20        makeSuffixArray( s, SA, N, 256 );
21
22        for( int i = 0; i < N; i++ )
23            sa[ i ] = SA[ i ];
24
25        makeLCPArray( s, sa, LCP );   // Figure 12.50 and Exercise 12.9
26    }
```

图 12-32　建立 makeSuffixArray 首次调用的代码。创建规模适当的数组，并且保持简单性，只用 256 个 ASCII 字符码

图 12-33 展示了 makeSuffixArray。在第 12 ~ 16 行分配了所有需要的数组，并且保证 S_0 和 S_1 具有相同数量的元素(第 17 ~ 22 行)，然后把工作交给 assignNames、computeS12、computeS0 以及 merge。

```
1       // find the suffix array SA of s[ 0..n-1 ] in {1..K}^n
2       // require s[ n ] = s[ n + 1 ] = s[ n + 2 ] = 0, n >= 2
3       public static void makeSuffixArray( int [ ] s, int [ ] SA,
4                                           int n, int K )
5       {
6           int n0 = ( n + 2 ) / 3;
7           int n1 = ( n + 1 ) / 3;
8           int n2 = n / 3;
9           int t = n0 - n1;  // 1 iff n%3 == 1
10          int n12 = n1 + n2 + t;
11
12          int [ ] s12  = new int[ n12 + 3 ];
13          int [ ] SA12 = new int[ n12 + 3 ];
14          int [ ] s0   = new int[ n0 ];
15          int [ ] SA0  = new int[ n0 ];
16
17          // generate positions in s for items in s12
18          // the "+t" adds a dummy S1 suffix if n%3 == 1
19          // at that point, the size of s12 is n12
20          for( int i = 0, j = 0; i < n + t; i++ )
21              if( i % 3 != 0 )
22                  s12[ j++ ] = i;
23
24          int K12 = assignNames( s, s12, SA12, n0, n12, K );
25
26          computeS12( s12, SA12, n12, K12 );
27          computeS0( s, s0, SA0, SA12, n0, n12, K );
28          merge( s, s12, SA, SA0, SA12, n, n0, n12, t );
29      }
```

图 12-33　线性时间的后缀数组构建的主例程

574 ~ 575

图 12-34 所示的 assignNames 从执行三趟基数排序开始。然后它分配名称(即数字)，如果当前项有一个与前一项不同的三字符组，则顺序使用下一个可用的数字(回顾一下，三字符已经经过三趟基数排序被排好了，并且 S_0 和 S_1 具有相同规模，所以在第 32 行，加上 n0 就增加了 S_1 中元素的个数)。我们可以用第 7 章中基本的计数基数排序来得到一个线性时间的排序。这部分代码在图 12-35 中给出。数组 in 表示 s 中的下标。基数排序的结果是，下标被排序使得 s 中的字符在那些下标处是有序的(其中那些下标被指定为 offset)。

```
1       // Assigns the new tri-character names.
2       // At end of routine, SA will have indices into s, in sorted order
3       // and s12 will have new character names
4       // Returns the number of names assigned; note that if
5       // this value is the same as n12, then SA is a suffix array for s12.
6       private static int assignNames( int [ ] s, int [ ] s12, int [ ] SA12,
```

图 12-34　计算并分配三字符名称的例程

```
7                             int n0, int n12, int K )
8       {
9           // radix sort the new character trios
10          radixPass( s12 , SA12, s, 2, n12, K );
11          radixPass( SA12, s12 , s, 1, n12, K );
12          radixPass( s12 , SA12, s, 0, n12, K );
13
14          // find lexicographic names of triples
15          int name = 0;
16          int c0 = -1, c1 = -1, c2 = -1;
17
18          for( int i = 0; i < n12; i++ )
19          {
20              if( s[ SA12[ i ] ] != c0 || s[ SA12[ i ] + 1 ] != c1
21                                        || s[ SA12[ i ] + 2 ] != c2 )
22              {
23                  name++;
24                  c0 = s[ SA12[ i ] ];
25                  c1 = s[ SA12[ i ] + 1 ];
26                  c2 = s[ SA12[ i ] + 2 ];
27              }
28
29              if( SA12[ i ] % 3 == 1 )
30                  s12[ SA12[ i ] / 3 ]      = name;  // S1
31              else
32                  s12[ SA12[ i ] / 3 + n0 ] = name;  // S2
33          }
34
35          return name;
36      }
```

图 12-34 （续）

```
1     // stably sort in[0..n-1] with indices into s that has keys in 0..K
2     // into out[0..n-1]; sort is relative to offset into s
3     // uses counting radix sort
4     private static void radixPass( int [ ] in, int [ ] out, int [ ] s,
5                                    int offset, int n, int K )
6     {
7         int [ ] count = new int[ K + 2 ];
8
9         for( int i = 0; i < n; i++ )
10            count[ s[ in[ i ] + offset ] + 1 ]++;
11
12        for( int i = 1; i <= K + 1; i++ )
13            count[ i ] += count[ i - 1 ];
14
15        for( int i = 0; i < n; i++ )
```

图 12-35 后缀数组的计数基数排序

```
16             out[ count[ s[ in[ i ] + offset ] ]++ ] = in[ i ];
17     }
18
19     // stably sort in[0..n-1] with indices into s that has keys in 0..K
20     // into out[0..n-1]
21     // uses counting radix sort
22     private static void radixPass( int [ ] in, int [ ] out, int [ ] s,
23                                    int n, int K )
24     {
25         radixPass( in, out, s, 0, n, K );
26     }
```

图 12-35 （续）

图 12-36 包含了先后为 s12、s0 计算后缀数组的例程。

```
1      // Compute the suffix array for s12, placing result into SA12
2      private static void computeS12( int [ ] s12, int [ ] SA12,
3                                      int n12, int K12 )
4      {
5          if( K12 == n12 ) // if unique names, don't need recursion
6              for( int i = 0; i < n12; i++ )
7                  SA12[ s12[ i ] - 1 ] = i;
8          else
9          {
10             makeSuffixArray( s12, SA12, n12, K12 );
11               // store unique names in s12 using the suffix array
12             for( int i = 0; i < n12; i++ )
13                 s12[ SA12[ i ] ] = i + 1;
14         }
15     }
16
17     private static void computeS0( int [ ] s, int [ ] s0, int [ ] SA0,
18                                    int [ ] SA12, int n0, int n12, int K )
19     {
20         for( int i = 0, j = 0; i < n12; i++ )
21             if( SA12[ i ] < n0 )
22                 s0[ j++ ] = 3 * SA12[ i ];
23
24       radixPass( s0, SA0, s, n0, K );
25     }
```

图 12-36 为 s12（可能是递归地）以及 s0 计算后缀数组

最后，merge 例程在图 12-37 中给出，一些支撑例程在图 12-38 中给出。这个归并的例程与图 7-10 中见过的标准归并算法有着基本相同的外表和感觉。

576
~
577

```
1       // merge sorted SA0 suffixes and sorted SA12 suffixes
2       private static void merge( int [ ] s, int [ ] s12,
3                                  int [ ] SA, int [ ] SA0, int [ ] SA12,
4                                  int n, int n0, int n12, int t )
5       {
6           int p = 0, k = 0;
7
8           while( t != n12 && p != n0 )
9           {
10              int i = getIndexIntoS( SA12, t, n0 ); // S12 index in s
11              int j = SA0[ p ];                     // S0  index in s
12
13              if( suffix12IsSmaller( s, s12, SA12, n0, i, j, t ) )
14              {
15                  SA[ k++ ] = i;
16                  t++;
17              }
18              else
19              {
20                  SA[ k++ ] = j;
21                  p++;
22              }
23          }
24
25          while( p < n0 )
26              SA[ k++ ] = SA0[ p++ ];
27          while( t < n12 )
28              SA[ k++ ] = getIndexIntoS( SA12, t++, n0 );
29      }
```

图 12-37 归并后缀数组 SA0 和 SA12

```
1       private static int getIndexIntoS( int [ ] SA12, int t, int n0 )
2       {
3           if( SA12[ t ] < n0 )
4               return SA12[ t ] * 3 + 1;
5           else
6               return ( SA12[ t ] - n0 ) * 3 + 2;
7       }
8
9         // True if [a1 a2] <= [b1 b2]
10      private static boolean leq( int a1, int a2, int b1, int b2 )
11        { return a1 < b1 || a1 == b1 && a2 <= b2; }
12
13        // True if [a1 a2 a3] <= [b1 b2 b3]
14      private static boolean leq( int a1, int a2, int a3, int b1, int b2, int b3 )
15        { return a1 < b1 || a1 == b1 && leq( a2, a3, b2, b3 ); }
```

图 12-38 用于归并后缀数组 SA0 和 SA12 的支撑例程

```
16
17      private static boolean suffix12IsSmaller( int [ ] s, int [ ] s12,
18                          int [ ] SA12, int n0, int i, int j, int t )
19      {
20          if( SA12[ t ] < n0 )  // s1 vs s0; can break tie after 1 char
21              return leq( s[ i ], s12[ SA12[ t ] + n0 ],
22                          s[ j ], s12[ j / 3 ] );
23          else                  // s2 vs s0; can break tie after 2 chars
24              return leq( s[ i ], s[ i + 1 ], s12[ SA12[ t ] - n0 + 1 ],
25                          s[ j ], s[ j + 1 ], s12[ j / 3 + n0 ] );
26      }
```

图 12-38 （续）

12.5 *k-d* 树

设一广告公司拥有一个数据库并需要为某些客户生成邮寄标签。典型的要求可能是需要散发邮件给那些年龄在 34 到 49 之间且年收入在 100 000 美元和 150 000 美元之间的人们。这个问题叫作**二维范围查询**(two-dimensional range query)。在一维情况下，该问题可以借助于简单的递归算法通过遍历预先构造的二叉查找树以 $O(M+\log N)$ 平均时间解决。这里，M 是由查询所报告的匹配的个数。我们希望对二维或更高维的情况得到类似的界。

二维查找树(two-dimensional search tree)具有简单性：在奇数层上的分支按照第一个关键字进行，而在偶数层上的分支按照第二个关键字进行。根是任意选取的，位于奇数层。图 12-39 表示一棵 2-*d* 树。向一棵 2-*d* 树进行的插入操作是向一棵二叉查找树插入操作的平凡的扩展：在沿树下行时，我们需要保留当前的层次。为保持程序代码简单，我们假设基本项是两个元素的数组。此时我们需要把层限制在 0 和 1 之间。图 12-40 显示的是执行一次插入的程序。在本节使用递归；用于实践中的非递归实现方法是简单的，我们把它留作练习 12.17。特别是由于若干项在一个关键字上可能相同，因此困难之一是重复元问题。我们的程序允许重复元，并且总是把它们放在右分支上；显然，如果有太多的重复元，那么这可能就是一个问题。

578

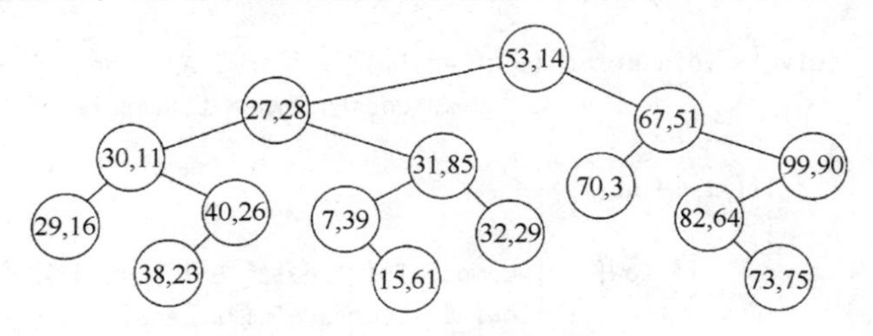

图 12-39　2-*d* 树示例

稍加思索便可确信，一棵随机构造的 2-*d* 树与一棵随机二叉查找树具有相同的结构性质：高度平均为 $O(\log N)$，但最坏情形则是 $O(N)$。

不像二叉查找树有精巧的 $O(\log N)$ 最坏情形的变种存在，没有已知的方案能够保证一棵平衡的 2-*d* 树。问题在于，这样一种方案很可能基于树的旋转，而树旋转在 2-*d* 树中是行不通的。我们能够做得最好的办法是通过重新构造子树来定期地对树进行平衡，具体描述可见练习。类似地，也不存在超越明显的懒惰删除方法的删除算法。如果在需要处理查询之前所有的项都已得到，那么我们就能够以 $O(N\log N)$ 时间构造一棵理想平衡 2-*d* 树(perfectly balanced 2-*d* tree)；这就是练习 12.15c。

有几种查询可以在 2-*d* 树上进行。可以要求精确的匹配，或者基于两个关键字中一个关键字的匹配；后者称为**部分匹配查询**(partial match query)。这两种都是(正交)**范围查询**(range query）的特殊情形。

```
 1   public void insert( AnyType [ ] x )
 2   {
 3       root = insert( x, root, 0 );
 4   }
 5
 6   private KdNode<AnyType> insert( AnyType [ ] x, KdNode<AnyType> t, int level )
 7   {
 8       if( t == null )
 9           t = new KdNode<>( x );
10       else if( x[ level ].compareTo( t.data[ level ] ) < 0 )
11           t.left = insert( x, t.left, 1 - level );
12       else
13           t.right = insert( x, t.right, 1 - level );
14       return t;
15   }
```

图 12-40　向 2-d 树的插入

正交范围查询给出其第一个关键字在一个特殊的值集合之间且第二个关键字在另一个特殊的值集合之间的所有的项。这正是我们在本节介绍中所描述的问题。如图 12-41 所示，范围查询通过一次递归的树遍历容易解出。通过在递归调用之前进行测试，可以避免对所有节点的不必要的访问。

```
 1   /**
 2    * Print items satisfying
 3    * low[ 0 ] <= x[ 0 ] <= high[ 0 ] and
 4    * low[ 1 ] <= x[ 1 ] <= high[ 1 ].
 5    */
 6   public void printRange( AnyType [ ] low, AnyType [ ] high )
 7   {
 8       printRange( low, high, root, 0 );
 9   }
10
11   private void printRange( AnyType [ ] low, AnyType [ ] high,
12                            KdNode<AnyType> t, int level )
13   {
14       if( t != null )
15       {
16           if( low[ 0 ].compareTo( t.data[ 0 ] ) <= 0 &&
17                       low[ 1 ].compareTo( t.data[ 1 ] ) <= 0 &&
18                      high[ 0 ].compareTo( t.data[ 0 ] ) >= 0 &&
19                      high[ 1 ].compareTo( t.data[ 1 ] ) >= 0 )
20               System.out.println( "(" + t.data[ 0 ] + ","
21                                       + t.data[ 1 ] + ")" );
22
23           if( low[ level ].compareTo( t.data[ level ] ) <= 0 )
24               printRange( low, high, t.left, 1 - level );
25           if( high[ level ].compareTo( t.data[ level ] ) >= 0 )
26               printRange( low, high, t.right, 1 - level );
27       }
28   }
```

图 12-41　2-d 树：范围查找

为找到特定的项，可以令 low 等于 high 且等于我们要查找的项。为了执行一次部分匹配查询，可使在这次匹配中涉及不到的关键字的范围为 $-\infty$ 到 ∞。而另一个的范围则设置为使低点和高点等于匹配中所涉及到的关键字的值。

在 2-d 树中插入或精确匹配查找花费的时间平均正比于树的深度，即平均为 $O(\log N)$，而在最坏情形下为 $O(N)$。一次范围查找的运行时间依赖于如何将树平衡，是否要求部分匹配，以及实际上有多少项被找到。我们提出三个结果，它们已经得到证明。

对于理想平衡树，一次范围查询要报告 M 次匹配在最坏情形下可能花费 $O(M+\sqrt{N})$ 时间。在任一节点，我们可能必须要访问 4 个孙子中的两个，于是成立方程 $T(N)=2T(N/4)+O(1)$。然而在实践中，这些查找趋向于非常有效，甚至最坏情形都不是那么差，因为对于典型的 N，在 $\sqrt{N}$ 和 $\log N$ 之间的差被隐藏于大 O 记号中的更小的常数所补偿。

579~581

对于随机构造的树，部分匹配查询的平均运行时间为 $O(M+N^{\alpha})$，其中 $\alpha=(-3+\sqrt{17})/2$。最近多少令人震惊的结果是它基本上描述了随机 2-d 树的一次范围查找的平均运行时间。

对于 k 维的情况，同样的算法仍然成立；我们通过每层上的那些关键字进行循环。不过，在实践中平衡开始变得越来越差，因为重复元和非随机输入的影响一般变得更为明显。我们把编程的细节留给读者作为练习而只叙述解析结果：对于理想平衡树，一次范围查询的最坏情形运行时间为 $O(M+kN^{1-1/k})$。在随机构造的 k-d 树中，涉及 k 个关键字中的 p 个关键字的部分匹配查询花费 $O(M+N^{\alpha})$，其中 α 是方程

$$(2+\alpha)^{p}(1+\alpha)^{k-p}=2^{k}$$

（唯一）的正根。对各种 p 和 k，α 的计算留作练习；$k=2$ 和 $p=1$ 的值反映在上面对于随机 2-d 树的部分匹配所叙述的结果中。

虽然有几种新奇的结构支持范围查找，但是 k-d 树恐怕是达到可接受的运行时间的最简单的结构。

12.6 配对堆

我们考查的最后一个数据结构是**配对堆**（pairing heap）。对配对堆的分析仍然未解决，不过，当需要 decreaseKey 操作的时候，它似乎胜过其他的堆结构。它的高效率的最可能的原因是它的简单性。配对堆被表示成堆序树。图 12-42 显示一个配对堆示例。

配对堆的具体实现用到第 4 章中所讨论的左儿子、右兄弟表示方法。我们将看到，decreaseKey 操作要求每个节点包含一个附加的链。作为最左儿子的节点含有一个指向其父亲的链；否则，这个节点就是一个右兄弟并含有一个指向它的左兄弟的链。我们将把这个域叫作 prev 域。为了简洁我们省去类构架和配对堆节点声明，它们完全是直观的。图 12-43 指出图 12-42 中的配对堆的具体表示。

582~583

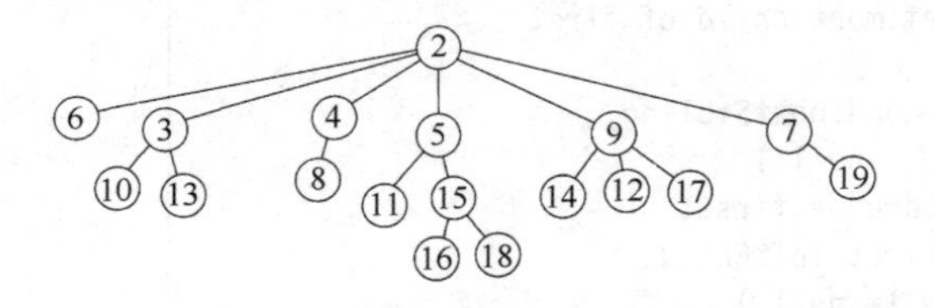

图 12-42 示例配对堆：抽象表示法

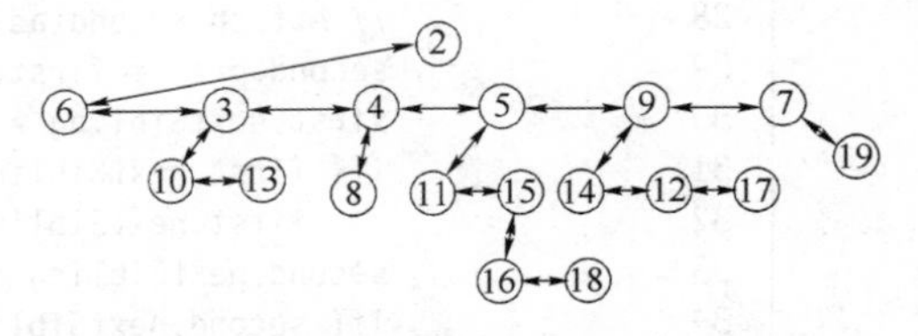

图 12-43 左面的配对堆的具体表示

我们以概述基本操作开始。为了合并两个配对堆，我们使具有较大根的堆成为具有较小根的堆的左儿子。当然，插入是合并的特殊情形。为执行一次 decreaseKey，我们降低相应的节点的值。因为对于所有的节点都将不保留父链，所以我们不知道这是否会破坏堆序。于是，我们将调整后的节点从它的父节点切除，通过合并所得到的两个堆而完成 decreaseKey 操作。为了执行 deleteMin，我们将根除去，得到堆的一个集合。如果根有 c 个儿子，那么对合

并过程进行 $c-1$ 次调用将重建该堆。这里，最重要的细节就是用于执行合并的方法以及如何应用 $c-1$ 次合并。

图 12-44 显示如何将两个子堆合并。这个过程可被推广到允许第二个子堆有兄弟的情形。我们早先提到过，可以让具有较大根的子堆成为另一个子堆的最左边的儿子。程序很简单，如图 12-45 所示。注意，我们有几个例子，在这些例子中，在给一个节点的引用赋予 prev 域之前要测试它是否是 null；这使我们想到，有一个 nullNode 警戒标记或许是有用的，它习惯上放在本章的查找树的实现中。

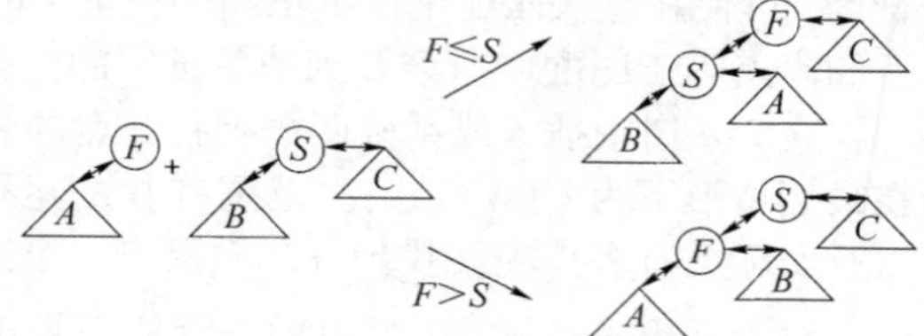

图 12-44 compareAndLink 合并两个子堆

```
 1     /**
 2      * Internal method that is the basic operation to maintain order.
 3      * Links first and second together to satisfy heap order.
 4      * @param first root of tree 1, which may not be null.
 5      *    first.nextSibling MUST be null on entry.
 6      * @param second root of tree 2, which may be null.
 7      * @return result of the tree merge.
 8      */
 9     private PairNode<AnyType> compareAndLink( PairNode<AnyType> first,
10                                               PairNode<AnyType> second )
11     {
12         if( second == null )
13             return first;
14 
15         if( second.element.compareTo( first.element ) < 0 )
16         {
17             // Attach first as leftmost child of second
18             second.prev = first.prev;
19             first.prev = second;
20             first.nextSibling = second.leftChild;
21             if( first.nextSibling != null )
22                 first.nextSibling.prev = first;
23             second.leftChild = first;
24             return second;
25         }
26         else
27         {
28             // Attach second as leftmost child of first
29             second.prev = first;
30             first.nextSibling = second.nextSibling;
31             if( first.nextSibling != null )
32                 first.nextSibling.prev = first;
33             second.nextSibling = first.leftChild;
34             if( second.nextSibling != null )
35                 second.nextSibling.prev = second;
36             first.leftChild = second;
37             return first;
38         }
39     }
```

584 ~ 585

图 12-45 配对堆：合并两个子堆的例程

decreaseKey 需要一个位置对象，它就是 PairNode 实现的接口。图 12-46 显示 PairNode 类和 Position 接口，它们均嵌套在 PairingHeap 类中。

```
1  public class PairingHeap<AnyType extends Comparable<? super AnyType>>
2  {
3      /**
4       * The Position interface represents a type that can
5       * be used for the decreaseKey operation.
6       */
7      public interface Position<AnyType>
8      {
9          AnyType getValue( );
10     }
11
12     private static class PairNode<AnyType> implements Position<AnyType>
13     {
14         public PairNode( AnyType theElement )
15           { element = theElement; leftChild = nextSibling = prev = null; }
16
17         public AnyType getValue( )
18           { return element; }
19
20         public AnyType             element;
21         public PairNode<AnyType>   leftChild;
22         public PairNode<AnyType>   nextSibling;
23         public PairNode<AnyType>   prev;
24     }
25
26     private PairNode<AnyType> root;
27     private int theSize;
28
29     // Rest of class follows
30 }
```

图 12-46 PairingHeap 类中的 PairNode 类和 Position 接口

此时，insert 和 decreaseKey 操作是抽象描述的简单实现。由于当一项最初被插入时它的位置是确定的(不能改变)，因此 insert 将它所创建的 PairNode 返回给调用者。程序如图 12-47 所示。如果新的关键字值不小于旧的关键字，那么 decreaseKey 的例程抛出一个异常；否则，结果得到的结构可能不遵守堆序。基本的 deleteMin 过程由抽象描述直接得到，如图 12-48 所示。这里的 element 域设置成 null，因此，如果 Position 用在 decreaseKey 中，那么 decreaseKey 就将有可能检测到 Position 不再是合法的。

```
1      /**
2       * Insert into the priority queue, and return a Position
3       * that can be used by decreaseKey. Duplicates are allowed.
4       * @param x the item to insert.
5       * @return the Position (PairNode) containing the newly inserted item.
6       */
```

图 12-47 配对堆：insert 方法和 decreaseKey 方法

```
 7    public Position<AnyType> insert( AnyType x )
 8    {
 9        PairNode<AnyType> newNode = new PairNode<>( x );
10
11        if( root == null )
12            root = newNode;
13        else
14            root = compareAndLink( root, newNode );
15
16        theSize++;
17        return newNode;
18    }
19
20    /**
21     * Change the value of the item stored in the pairing heap.
22     * @param pos any Position returned by insert.
23     * @param newVal the new value, which must be smaller than the currently stored value.
24     * @throws IllegalArgumentException if pos is null, deleteMin has
25     *         been performed on pos, or new value is larger than old.
26     */
27    public void decreaseKey( Position<AnyType> pos, AnyType newVal )
28    {
29        PairNode<AnyType> p = (PairNode<AnyType>) pos;
30
31        if( p == null || p.element == null || p.element.compareTo( newVal ) < 0 )
32            throw new IllegalArgumentException( );
33
34        p.element = newVal;
35        if( p != root )
36        {
37            if( p.nextSibling != null )
38                p.nextSibling.prev = p.prev;
39            if( p.prev.leftChild == p )
40                p.prev.leftChild = p.nextSibling;
41            else
42                p.prev.nextSibling = p.nextSibling;
43
44            p.nextSibling = null;
45            root = compareAndLink( root, p );
46        }
47    }
```

图 12-47 （续）

```
1        /**
2         * Remove the smallest item from the priority queue.
3         * @return the smallest item.
4         * @throws UnderflowException if pairing heap is empty.
5         */
```

图 12-48 配对堆 deletMin

```
 6        public AnyType deleteMin( )
 7        {
 8            if( isEmpty( ) )
 9                throw new UnderflowException( );
10
11            AnyType x = findMin( );
12            root.element = null; // null it out in case used in decreaseKey
13            if( root.leftChild == null )
14                root = null;
15            else
16                root = combineSiblings( root.leftChild );
17
18            theSize--;
19            return x;
20        }
```

图 12-48 （续）

当然，麻烦在于一些细节上：combineSiblings 如何实现？已经提出几种变化，但是都不能证明它们能够提供如斐波那契堆那样相同的摊还界。最近已经证明，事实上几乎所有提出的方法在理论上都不如斐波那契堆有效。即使这样，对于涉及大量 decreaseKey 操作的一般图论应用来说，图 12-49 中编写的方法似乎总是与其他堆结构一样运行甚至比它们(包括二叉堆)还好。

这种方法是已经提出的许多变形方法中最简单和最实际的方法，我们称之为**两趟合并法**(two-pass merging)。首先，我们从左到右扫描，合并诸儿子对。[⊖]在第一次扫描之后，还有一半数量的树要合并。然后执行第二趟扫描，但从右到左。在每一步，我们将第一次扫描剩下的最右边的树和当前合并的结果合并。例如，如果有 8 个儿子 c_1 到 c_8，那么第一次扫描进行 c_1 和 c_2，c_3 和 c_4，c_5 和 c_6，c_7 和 c_8 的合并。结果得到 d_1，d_2，d_3 和 d_4。通过合并 d_3 和 d_4 执行第二趟扫描；然后 d_2 和这个结果合并，最后 d_1 再和刚得到的结果合并。

```
 1        /**
 2         * Internal method that implements two-pass merging.
 3         * @param firstSibling the root of the conglomerate;
 4         *     assumed not null.
 5         */
 6        private PairNode<AnyType> combineSiblings( PairNode<AnyType> firstSibling )
 7        {
 8            if( firstSibling.nextSibling == null )
 9                return firstSibling;
10
11            // Store the subtrees in an array
12            int numSiblings = 0;
13            for( ; firstSibling != null; numSiblings++ )
14            {
15                treeArray = doubleIfFull( treeArray, numSiblings );
16                treeArray[ numSiblings ] = firstSibling;
```

图 12-49 配对堆：两趟合并法

⊖ 如果有奇数个儿子我们必须仔细。此时，将最后一个儿子与最右边的合并结果合并以完成第一趟扫描。

```
17                firstSibling.prev.nextSibling = null;  // break links
18                firstSibling = firstSibling.nextSibling;
19            }
20            treeArray = doubleIfFull( treeArray, numSiblings );
21            treeArray[ numSiblings ] = null;
22
23                // Combine subtrees two at a time, going left to right
24            int i = 0;
25            for( ; i + 1 < numSiblings; i += 2 )
26                treeArray[ i ] = compareAndLink( treeArray[ i ], treeArray[ i + 1 ] );
27
28                // j has the result of last compareAndLink.
29                // If an odd number of trees, get the last one.
30            int j = i - 2;
31            if( j == numSiblings - 3 )
32                treeArray[ j ] = compareAndLink( treeArray[ j ], treeArray[ j + 2 ] );
33
34                // Now go right to left, merging last tree with
35                // next to last. The result becomes the new last.
36            for( ; j >= 2; j -= 2 )
37                treeArray[ j - 2 ] = compareAndLink( treeArray[ j - 2 ], treeArray[ j ] );
38
39            return (PairNode<AnyType>) treeArray[ 0 ];
40        }
41        private PairNode<AnyType> [ ]
42        doubleIfFull( PairNode<AnyType> [ ] array, int index )
43        {
44            if( index == array.length )
45            {
46                PairNode<AnyType> [ ] oldArray = array;
47
48                array = new PairNode[ index * 2 ];
49                for( int i = 0; i < index; i++ )
50                    array[ i ] = oldArray[ i ];
51            }
52            return array;
53        }
54
55            // The tree array for combineSiblings
56        private PairNode<AnyType> [ ] treeArray = new PairNode[ 5 ];
```

图 12-49 （续）

这里的实现方法要求数组存储诸子树。在最坏情形下，可能有 $N-1$ 项都是根的儿子，但是在 combineSiblings 方法的内部声明一个大小为 N 的数组将给出一个 $O(N)$ 算法。因此，我们用一个扩大的数组来代替。

其他一些合并方法在练习中讨论。唯一简单且容易看出不足的合并方法是从左到右单趟合并(见练习 12.29)。配对堆是“简单即更好”的一个好例子，而且它似乎是要求 decreaseKey 或 merge 操作的一些重大应用所适合的方法。

小结

在这一章，我们看到二叉查找树几种有效的变种。自顶向下伸展树提供了 $O(\log N)$ 的摊还性能，treap 树给出 $O(\log N)$ 随机化的性能，而红黑树给出对基本操作的 $O(\log N)$ 最坏情形性能。各种结构之间的比较涉及代码复杂性、删除的简易性以及不同的查找和插入的开销。很难说哪种结构是明显的赢家。复议的论题包括树的旋转以及标记节点的使用以避免对 `null` 引用的许多恼人的测试，若不是用标记节点则这些测试原本是必不可少的。

586 ~ 588

后缀树和数组是一种强大的数据结构，可以对一段固定的文本进行快速的重复查找。即使理论的界不是最优的，*k*-d 树还是提供了执行范围查找的实际方法。

最后，我们描述配对堆并将配对堆编程，它似乎是最实际的可合并的优先队列，特别是当需要 `decreaseKey` 操作的时候。不过，在理论上它的效率不如斐波那契堆。

练习

12.1 证明自顶向下展开的摊还时间为 $O(\log N)$。

** 12.2 证明对于从底向上展开存在每次访问需要 $2\log N$ 次旋转的访问序列。证明类似的结果对于自顶向下的展开也成立。

12.3 修改伸展树以支持对第 k 个最小项的查询。

12.4 从经验上比较简化的自顶向下展开和原始描述的自顶向下展开。

12.5 编写关于红黑树的删除过程。

589 ~ 590

12.6 证明红黑树的高度最多为 $2\log N$，并证明这个界实质上不能再降低。

12.7 证明每一棵 AVL 树都可以被涂成红黑树。所有的红黑树都是 AVL 树吗?

12.8 对下列输入字符串画出后缀树，并且给出后缀数组和 LCP 数组：

a. ABCABCABC

b. MISSISSIPPI

12.9 后缀数组一旦建立，从图 12-32 就可以调用图 12-50 展示的短例程，来创建最长公共前缀数组。

a. 在代码中，`rank[i]` 表示什么?

b. 设 `LCP[rank[i]] = h`。证明 `LCP[rank[i+1]]` $\geq$ `h-1`。

c. 证明图 12-50 中的算法正确地计算了 LCP 数组。

d. 证明图 12-50 中的算法的运行时间是线性的。

12.10 设在线性时间的后缀数组构建算法中，我们不是建立三个组，而是建立七个组，对 $k=0, 1, 2, 3, 4, 5, 6$，使用

$$S_k = <S[7i+k]S[7i+k+1]S[7i+k+2]\cdots S[7i+k+6], \quad i=0, 1, 2, \cdots>$$

a. 证明对 $S_3S_5S_6$ 做一次递归调用，我们就得到了充分的信息，可以对其他四个组 S_0、S_1、S_2 和 S_4 进行排序。

b. 证明这样的划分可以得到线性时间的算法。

12.11 通过使用一个栈来非递归地实现 treap 树的插入例程。这种努力值得吗?

12.12 通过使用访问次数作为优先级并在每次访问后需要时执行一些旋转，我们可以使 treap 树成为是自调整的。将这种方法和随机化方法进行比较。另外，也可在每次访问一项 X 时生成一个随机数。如果这个数小于 X 当前的优先级，那么就用它作为 X 的新的优先级(执行相应的旋转)。

** 12.13 证明：如果把各项排序，那么即使优先级并未排序，treap 树也可以以线性时间构造。

12.14 不使用 `nullNode` 标记实现红黑树结构。使用标记可以节省多少编程工作?

12.15 假设对于每个节点我们存储其子树中的 `null` 链的个数；称之为节点的*权*(weight)。采用下列方法：如果左子树和右子树的权相差超出因子 2，那么彻底重建根在该节点的子树。证明下列结论：

a. 能够以 $O(S)$ 重建一个节点，其中 S 是该节点的权。

b. 该算法每次插入操作的摊还时间为 $O(\log N)$。

c. 我们能够以 $O(S\log S)$ 时间在 *k*-*d* 树中重建一个节点，其中 S 是该节点的权。

d. 可以将该算法用于 *k*-*d* 树，其每次插入的代价为 $O(\log^2 N)$。

12.16 假设我们对任意一棵 2-*d* 树调用 `rotateWithLeftChild`。详细解释其结果不再是一棵可用的 2-*d* 树的全部原因。

```
1     /*
2      * Create the LCP array from the suffix array
3      * @param s the input array populated from 0..N-1, with available pos N
4      * @param sa the already-computed suffix array 0..N-1
5      * @param LCP the resulting LCP array 0..N-1
6      */
7     public static void makeLCPArray( int [ ] s, int [ ] sa, int [ ] LCP )
8     {
9         int N = sa.length;
10        int [ ] rank = new int[ N ];
11
12        s[ N ] = -1;
13        for( int i = 0; i < N; i++ )
14            rank[ sa[ i ] ] = i;
15
16        int h = 0;
17        for( int i = 0; i < N; i++ )
18            if( rank[ i ] > 0 )
19            {
20                int j = sa[ rank[ i ] - 1 ];
21
22                while( s[ i + h ] == s[ j + h ] )
23                    h++;
24
25                LCP[ rank[ i ] ] = h;
26                if( h > 0 )
27                    h--;
28            }
29    }
```

图 12-50 从后缀数组建立 LCP 数组

12.17 实现对于 k-d 树的插入和范围查询。不要使用递归。

12.18 对于对应于 $k=3$, 4, 5 的 p 的值，确定部分匹配查询的时间。

12.19 对于一棵理想平衡 k-d 树，求出文中引用的一次范围查询的最坏情形运行时间。

12.20 **2-d 堆**(2-d heap)是允许每一项拥有两个单独关键字的一种数据结构。deleteMin 可以对于这两个关键字中的任一个执行。2-d 堆是具有下述性质的完全二叉树：对于偶数深度上的任一节点 X，存储在 X 上的项拥有它的子树上最小的 1 号关键字，而对于奇数深度上的任一节点 X，存储在 X 上的项具有它的子树上最小的 2 号关键字。

591 ~ 592

a. 画出关于(1, 10), (2, 9), (3, 8), (4, 7), (5, 6)诸项的一个可能的 2-d 堆。

b. 如何找出具有最小 1 号关键字的项？

c. 如何找出具有最小 2 号关键字的项？

d. 给出一个将一新的项插入到 2-d 堆中的算法。

e. 给出一个对于任一关键字执行 deleteMin 操作的算法。

f. 给出一个以线性时间实施 buildHeap 的算法。

12.21 将前面的练习推广以得出一个 k-d 堆，在这个堆中每一项都可有 k 个单独关键字。你应该能够得到下列的界：以 $O(\log N)$实施 insert，以 $O(2^k\log N)$实施 deleteMin，以及以 $O(kN)$完成 buildHeap。

12.22 证明 k-d 堆可以用于实现双端优先队列。

12.23 抽象地推广 k-d 堆使得只有那些按照 1 号关键字分支的层有两个儿子(所有其他层都有一个儿子)。

a. 我们需要链吗?

b. 显然,那些基本算法仍然有效,它们新的时间界是多少?

12.24 使用 k-d 树实现 deleteMin。对于随机树,你期望其平均运行时间是多少?

12.25 使用 k-d 堆实现双端队列,该队列也支持 deleteMin 操作。

12.26 使用 nullNode 标记实现配对堆。

**12.27 证明:对于课文中的配对堆算法,每次操作的摊还时间为 $O(\log N)$。

12.28 combineSiblings 的另一种方法是把所有的兄弟都放到一个队列中,并反复 dequeue 及合并队列中的前两项,把结果放到队尾。实现这种方法。

12.29 在前面的练习中不用队列而使用栈不是个好主意,通过给出一个序列导致每次操作花费 $\Omega(N)$ 来给出论证。这就是从左到右单趟合并。

12.30 不用 decreaseKey 操作,也可以除去父链。使用斜堆效果会如何?

12.31 设下列每一间都可以表示成一棵具有儿子的引用和父亲的引用的树。解释如何实现 decreaseKey 操作。

a. 二叉堆

b. 伸展树

12.32 当用图形观察时,2-d 树上的每个节点都把平面划分成一些区域。例如,图 12-51 显示对图 12-39 中的 2-d 树的前 5 次插入。第一次插入 $p1$ 把平面分成左右两部分。第二次插入 $p2$ 又将左部分分成上下两部分,等等。 [593]

a. 给定 N 项,它们插入的顺序是否影响最后的划分?

b. 如果两个不同的插入序列得到相同的树,那么对应的划分是否相同?

c. 给出经过 N 次插入之后所划分的区域个数的公式。

d. 指出图 12-39 中的 2-d 树的最后的划分。

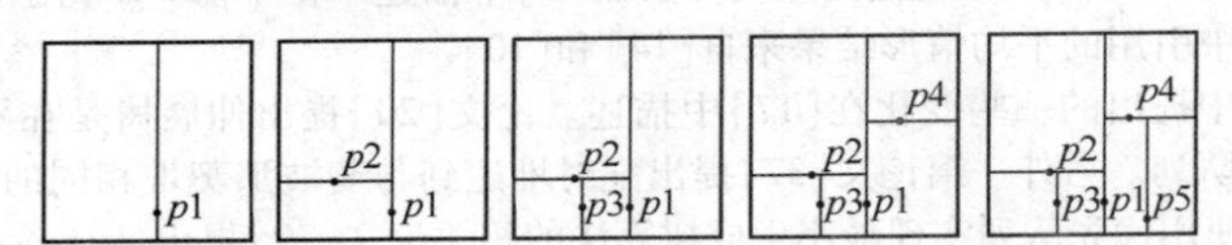

图 12-51 平面由 2-d 树在插入 $p1=(53, 14)$, $p2=(27, 28)$, $p3=(30, 11)$, $p4=(67, 51)$, $p5=(70, 3)$ 后所得到的划分

12.33 2-d 树的一种变化是**四分树**(quad tree)。图 12-52 显示平面是如何被一棵四分树划分的。开始时我们有一个区域(它常常是一个方块,但不是必需的)。每个区域可存储一个点。如果将第 2 个点插入到区域中,那么区域就被划分成 4 块相等大小的象限(右上,右下,左下,左上)。如果能够把点放在不同的象限中(如在 $p2$ 插入时的情形),那么插入完成;否则,我们继续递归地分裂区域(就像插入 $p5$ 时所做的那样)。

a. 给定 N 项,插入的顺序是否影响最后的划分?

b. 如果把在图 12-39 的 2-d 树中那些相同的元素插入到四分树中,指出最后的划分。

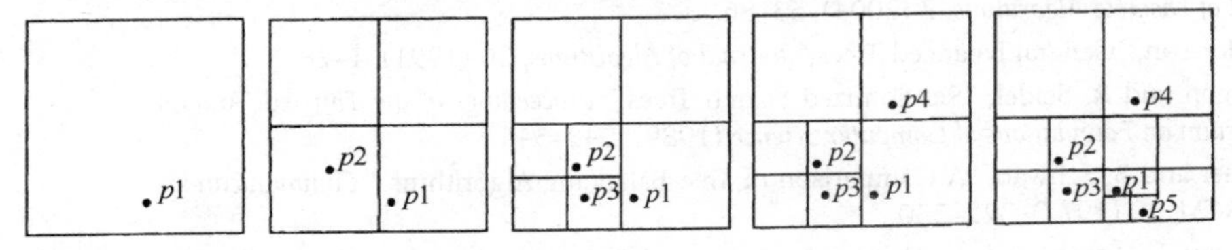

图 12-52 平面由四分树(quad tree)在插入 $p1=(53, 14)$, $p2=(27, 28)$, $p3=(30, 11)$, $p4=(67, 51)$, $p5=(70, 3)$ 后所得到的划分

12.34 树的数据结构可以存储四分树。我们保留原始区域的边界。树的根表示原来的区域。每个节点或者是一片树叶,存放一个插入项,或者刚好有 4 个儿子,代表 4 个象限。为了进行查找,我们

从根处开始并反复分支到相应的象限，直到到达一片树叶(或是 null 项)为止。

a. 画出对应图 12-52 的四分树。

b. 哪些因素影响(四分)树的深度？

c. 描述一种算法，使在一棵四分树中执行一次正交范围查寻。

参考文献

自顶向下伸展树在原始伸展树论文[36]中做了描述。类似的但不使用至关重要的旋转的方法在[38]中描述。自顶向下红黑树算法取自[18]；更易于理解的描述可以参见[35]。自顶向下红黑树不用标记节点的实现在[15]中给出；它提供了 nullNode 实用性令人信服的论证。treap 树[3]是基于[40]中描述的笛卡儿树(Cartesian tree)。相关的数据结构是*优先查找树*(priority search tree)[27]。

594

后缀树首次被 Weiner[41]描述为**位置树**(position tree)，他提供了一种线性时间的构建算法，该算法被 McCreight[28]化简，后又被 Ukkonen[39]化简，后者提供了第一个在线的线性时间算法。Farach[13]提供了算法的另一种选择，是很多线性时间后缀数组构建算法的基础。后缀树的大量应用可在 Gusfield[19]的教材中找到。

后缀数组是由 Manber 和 Myers[25]描述的。文中给出的算法归功于 Kärkkäinen 和 Sanders[21]；另一种线性时间算法归功于 Ko 和 Aluru[23]。在练习 12.9 中给出的从后缀数组构建 LCP 数组的线性时间算法来自[22]。关于后缀数组的构建算法的综述可以在[32]中找到。

[1]证明了任何可以用后缀树解决的问题，也可以在等价的时间内用后缀数组解决。由于实际应用中输入的规模非常大，所以空间是很重要的，所以最近的研究集中在后缀数组和 LCP 数组的构建上。特别是，对于很多算法而言，缓存友好的、略微非线性的算法在实践中比非缓存友好的线性算法更受欢迎[33]。对于真正巨大的输入规模，在内存中构建往往不大可行。[6]给出了算法的一个例子，可以在一天内为 12GB 的 DNA 序列生成后缀数组，仅用一台只有 2GB 的 RAM 的机器。关于外部存储的后缀数组构建算法的综述另见于[5]。

k-d 树首先在[7]中介绍。其他的范围查找算法在[8]中描述。在平衡 k-d 树上范围查找的最坏情形在[24]中得到，而书中引用的平均情形结果来自[14]和[10]。

配对堆及在练习中提出的一些变化在[17]中描述。论文[20]提出伸展树是在不需要 decreaseKey 操作时适合选择的优先队列。另外一篇论文[37]提出配对堆达到与斐波那契堆相同的渐进界但在实践中性能更好。然而，一篇使用优先队列实现最小生成树算法的相关论文[29]提出 decreaseKey 的摊还时间不是 $O(1)$。M. Fredman[16]通过证明存在使 decreaseKey 操作的摊还时间为次优(事实上最少为 $\Omega(\log\log N)$)的序列而解决了最优性问题。不过，他还证明了，当用来实现 Prim 最小生成树算法时，如果图稍微稠密(即图中边的条数为 $O(N^{(1+\varepsilon)})$，其中 ε 是任意的)，那么配对堆则是最优的。*Pettie*[32]证明了 *decreaseKey* 的一个上界 $O(2^{2\sqrt{\log\log N}})$。然而，配对堆的完整分析仍未解决。

大部分练习的解可以在原始参考文献中找到。练习 12.15 代表多少有些流行的一种"懒惰"平衡方法。[26]、[4]、[11]和[9]描述一些特殊的方法；[2]指出如何在一种框架内如何实现所有这些方法。满足练习 12.15 中的性质的树是*加权平衡*(weight-balanced)的，这些树也可通过旋转保持其特性[30]，问题 d 取自[25]。练习 12.20 到 12.22 的解可以在[12]中找到。对四分树的描述见于[34]。

595

1. M. I. Abouelhoda, S. Kurtz, and E. Ohlebush, "Replacing Suffix Trees with Suffix Arrays," *Journal of Discrete Algorithms*, 2 (2004), 53–86.
2. A. Andersson, "General Balanced Trees," *Journal of Algorithms*, 30 (1991), 1–28.
3. C. Aragon and R. Seidel, "Randomized Search Trees," *Proceedings of the Thirtieth Annual Symposium on Foundations of Computer Science* (1989), 540–545.
4. J. L. Baer and B. Schwab, "A Comparison of Tree-Balancing Algorithms," *Communications of the ACM*, 20 (1977), 322–330.
5. M. Barsky, U. Stege, and A. Thomo, "A Survey of Practical Algorithms for Suffix Tree Construction in External Memory," *Software: Practice and Experience*, 40 (2010) 965–988.
6. M. Barsky, U. Stege, A. Thomo, and C. Upton, "Suffix Trees for Very Large Genomic Sequences," *Proceedings of the 18th ACM Conference on Information and Knowledge Management* (2009), 1417–1420.

7. J. L. Bentley, "Multidimensional Binary Search Trees Used for Associative Searching," *Communications of the ACM*, 18 (1975), 509–517.
8. J. L. Bentley and J. H. Friedman, "Data Structures for Range Searching," *Computing Surveys*, 11 (1979), 397–409.
9. H. Chang and S. S. Iyengar, "Efficient Algorithms to Globally Balance a Binary Search Tree," *Communications of the ACM*, 27 (1984), 695–702.
10. P. Chanzy, "Range Search and Nearest Neighbor Search," Master's Thesis, McGill University, 1993.
11. A. C. Day, "Balancing a Binary Tree," *Computer Journal*, 19 (1976), 360–361.
12. Y. Ding and M. A. Weiss, "The k-d Heap: An Efficient Multi-Dimensional Priority Queue," *Proceedings of the Third Workshop on Algorithms and Data Structures* (1993), 302–313.
13. M. Farach, "Optimal Suffix Tree Construction with Large Alphabets," *Proceedings of the 38th Annual IEEE Symposium on Foundations of Computer Science* (1997), 137–143.
14. P. Flajolet and C. Puech, "Partial Match Retrieval of Multidimensional Data," *Journal of the ACM*, 33 (1986), 371–407.
15. B. Flamig, *Practical Data Structures in C++*, John Wiley, New York, 1994.
16. M. Fredman, "Information Theoretic Implications for Pairing Heaps," *Proceedings of the Thirtieth Annual ACM Symposium on the Theory of Computing* (1998), 319–326.
17. M. L Fredman, R. Sedgewick, D. D. Sleator, and R. E. Tarjan, "The Pairing Heap: A New Form of Self-Adjusting Heap," *Algorithmica*, 1 (1986), 111–129.
18. L. J. Guibas and R. Sedgewick, "A Dichromatic Framework for Balanced Trees," *Proceedings of the Nineteenth Annual Symposium on Foundations of Computer Science* (1978), 8–21.
19. D. Gusfield, *Algorithms on Strings, Trees and Sequences: Computer Science and Computational Biology*, Cambridge University Press, Cambridge, U.K., 1997.
20. D. W. Jones, "An Empirical Comparison of Priority-Queue and Event-Set Implementations," *Communications of the ACM*, 29 (1986), 300–311.
21. J. Kärkkäinen and P. Sanders, "Simple Linear Work Suffix Array Construction," *Proceedings of the 30th International Colloquium on Automata, Languages and Programming* (2003), 943–955.
22. T. Kasai, G. Lee, H. Arimura, S. Arikawa, and K. Park, "Linear-Time Longest Common-Prefix Computation in Suffix Arrays and Its Applications," *Proceedings of the 12th Annual Symposium on Combinatorial Pattern Matching* (2001), 181–192.

596

23. P. Ko and S. Aluru, "Space Efficient Linear Time Construction of Suffix Arrays," *Proceedings of the 14th Annual Symposium on Combinatorial Pattern Matching* (2003), 203–210.
24. D. T. Lee and C. K. Wong, "Worst-Case Analysis for Region and Partial Region Searches in Multidimensional Binary Search Trees and Balanced Quad Trees," *Acta Informatica*, 9 (1977), 23–29.
25. U. Manber and G. Myers, "Suffix Arrays: A New Method for On-Line String Searches," *SIAM Journal on Computing*, 22 (1993), 935–948.
26. W. A. Martin and D. N. Ness, "Optimizing Binary Trees Grown with a Sorting Algorithm," *Communications of the ACM*, 15 (1972), 88–93.
27. E. McCreight, "Priority Search Trees," *SIAM Journal of Computing*, 14 (1985), 257–276.
28. E. M. McCreight, "A Space-Economical Suffix Tree Construction Algorithm," *Journal of the ACM*, 23 (1976), 262–272.
29. B. M. E. Moret and H. D. Shapiro, "An Empirical Analysis of Algorithms for Constructing a Minimum Spanning Tree," *Proceedings of the Second Workshop on Algorithms and Data Structures* (1991), 400–411.
30. J. Nievergelt and E. M. Reingold, "Binary Search Trees of Bounded Balance," *SIAM Journal on Computing*, 2 (1973), 33–43.
31. M. H. Overmars and J. van Leeuwen, "Dynamic Multidimensional Data Structures Based on Quad and K-D Trees," *Acta Informatica*, 17 (1982), 267–285.
32. S. Pettie, "Towards a Final Analysis of Pairing Heaps," *Proceedings of the 46th Annual IEEE Symposium on Foundations of Computer Science* (2005), 174–183.

33. S. J. Puglisi, W. F. Smyth, and A. Turpin, "A Taxonomy of Suffix Array Construction Algorithms," *ACM Computing Surveys*, 39 (2007), 1–31.
34. A. H. Samet, "The Quadtree and Related Hierarchical Data Structures," *Computing Surveys*, 16 (1984), 187–260.
35. R. Sedgewick and K. Wayne, *Algorithms*, 4th ed., Addison-Wesley Professional, Boston, Mass. 2011.
36. D. D. Sleator and R. E. Tarjan, "Self Adjusting Binary Search Trees," *Journal of the ACM*, 32 (1985), 652–686.
37. J. T. Stasko and J. S. Vitter, "Pairing Heaps: Experiments and Analysis," *Communications of the ACM*, 30 (1987), 234–249.
38. C. J. Stephenson, "A Method for Constructing Binary Search Trees by Making Insertions at the Root," *International Journal of Computer and Information Science*, 9 (1980), 15–29.
39. E. Ukkonen, "On-Line Construction of Suffix Trees," *Algorithmica*, 14 (1995), 249–260.
40. J. Vuillemin, "A Unifying Look at Data Structures," *Communications of the ACM*, 23 (1980), 229–239.
41. P. Weiner, "Linear Pattern Matching Algorithm," *Proceedings of the 14th Annual IEEE Symposium on Switching and Automata Theory*, (1973), 1–11.

597

索引

索引中的页码为英文原书页码，与书中页边标注的页码一致。

O

P

Q

R

S

T

U

V

W

Z

推荐阅读